50.000 Nombres

para tu bebé

50.000 Nombres para tu bebé

LIBSA

C/ San Rafael, 4
28108 Alcobendas. Madrid
Tel: (34) 91 657 25 80
Fax: (34) 91 657 25 83
e-mail: libsa@libsa.es
www.libsa.es

Recopilación, edición y maquetación de textos: Adela Mogorrón
Edición: Equipo Editorial LIBSA

ISBN: 978-84-662-0962-5

Dep. L.: CO-23-07

Impreso en España/*Printed in Spain*

Contenido

Introducción

Cada persona, y cada objeto, poseen su propio nombre, el cual les diferencia del resto. Después de haber tomado la decisión de tener un hijo, los futuros padres se enfrentan a otra difícil problemática: ¿Qué nombre le ponemos? Ellos saben que un nombre acompaña a una persona durante toda la vida. Los nombres propios tienen un gran poder y una gran magia sobre las personas.

Los nombres, al igual que todas las palabras de todos los idiomas, poseen su propio significado. Algunos hacen referencia a santos, a Virgenes o a personajes de la Biblia. Otros nos hablan de la naturaleza, como los nombres de flores, o de sentimientos. Cada nombre aportará algo de su significado al bebé que lo reciba. También existe una tradición por la cual, y partiendo de dicho significado, los nombres aportan una serie de caracteríasticas a las personas que los llevan. Sin embargo, no se puede afirmar que es fácil saber cómo es una persona con sólo saber su nombre. Pero lo que si es cierto es que existe siempre un vínculo entre el nombre, su significado y las personalidad de alguien. El nombre es una parte esencial de cada individuo a la que es difícil renunciar. ¿Por qué algunas personas se cambien el nombre? En el caso de los personajes famosos está claro que buscan una sonoridad en la pronunciación de su nombre artístico y que el público lo recuerde con facilidad. En el caso de las personas corrientes, probablemente es que exista una dicotomía entre la persona y su nombre y que, al no sentirse cómodo ni a gusto con él, se haya decidido a cambiarlo, con todo lo que eso implica.

Con *50.000 nombres para tu bebé*, los futuros padres tendrán el máximo de información posible sobre miles y miles de nombres procedentes de todo el mundo, entre los cuales podrán escoger el de su hijo. Pocos libros incluyen listados tan extensos, con tantos datos, como éste, lo cual facilita enormemente la elección porque se pueden descartar muchos y restringir a unos pocos los escogidos en un primer momento. El lector no debe detenerse en su primera elección porque se quedaré muy sorprendido si consulta el libro hasta el final debido a la variedad y cantidad de nombres que en él se han incluido.

Estructura de la obra

Al tratarse de un libro de consulta, la facilidad en la búsqueda de nombres ha sido una prioridad. El libro está dividido en dos grandes partes: nombres para chicas y nombres para chicos. Dentro de cada una de estas partes, los nombres se han organizado alfabéticamente. De cada nombre, se aportan datos sobre su etimología, la personalidad que lleva ímplicita dicho nombre, su onomástica (si existe) y su traducción a otros idiomas (si las hay). Éste es un ejemplo de uno de los nombres:

Amalia

Etimología: Nombre que deriva del griego *amalós,* «tierno, suave».
Personalidad: Amalia es metódica y equilibrada. Valiente hasta el fin, odia los rodeos y las ambigüedades. No le gusta seguir el camino de los demás: independiente y desapegada. ¿Su mayor defecto?: le preocupa hasta la obsesión lo superficial.
Onomástica: 10 de julio.
Otros idiomas: Catalán: Amàlia. Euskera: Amale. Gallego: Amalia. Bable: Malia. Inglés: Amelia. Francés: Amelia, Amélie. Alemán: Amalie. Italiano: Amalia.

En casos específicos donde no existe una fecha prefijada para celebrar la onomástica, se deben tomar como referencia el día 15 de agosto, conmemoración del día de la Virgen, para los nombres femeninos, y el día 1 de noviembre, onomástica de Todos los Santos, para los nombres de chicos.

Además de estos dos amplios bloques (chicas y chicos) de los que hemos ya hablado, se han incluido listados de nombres en otros idiomas: catalanes, vascos, gallegos, bables, guanches, afganos, africanos, alemanes, americanos, apaches, árabes, aremeos, armenios, arapahoes, babilonios, de Benín, birmanos, búlgaros, camboyanos, checos, cherokees, cheyennes, chinos, chippewas, chotaw, comanche, dakotas, daneses, egipcios, estonianos, etíopes, filipinos, fineses, flamencos, franceses, griegos, hebreos, holandeses, ingleses, italianos, irlandeses, etc. También estos nombes se han dividido en chicos y chicas, para facilitar la labor de búsqueda y consulta que impregna toda la obra.

NIÑAS

Abda

Etimología: Feminización del nombre hebreo *Abba,* que signfica «padre».

Personalidad: Inteligente y creativa, es, sin embargo, demasiado perezosa. Aficionada al lujo y a las comodidades, aunque sabe acomodarse a las circunstancias. Busca una vida relativamente tranquila, sin grandes sobresaltos. En el amor le falta un poco de confianza en sus posibilidades, por lo cual suele refugiarse en una actitud distante.

Onomástica: 16 de mayo.

Abigail

Etimología: Nombre hebreo compuesto por *ab,* «padre», y *guilah,* «alegría»: alegría del padre.

Personalidad: Incertidumbre y soledad, ésas son las dos maldiciones de Abigail. Esa tendencia a la reflexión muchas veces la aparta del mundo de los mortales, aunque es buena, delicada y servicial. Pero la mayor parte del tiempo es propensa a la melancolía.

Onomástica: 1 de noviembre.

Otros idiomas: Catalán: Abigaïl. Inglés: Abigail. Italiano: Abigaille.

Abilia

Etimología: Nombre de origen hebreo que significa «hábil».

Personalidad: Es un poco arrogante y no tolera con facilidad las críticas o las opiniones adversas. Tiene una imagen muy clara de cómo deben ser las cosas a su alrededor, incluso las personas. La familia para ella es lo más importante y está dispuesta a cualquier sacrificio para sacarla adelante, aunque exige en los demás una actitud semejante.

Onomástica: 22 de febrero y 23 de julio.

Abrea

Etimología: Etimología dudosa, algunos piensan que es una forma popular de *hebrea* y otros que es una variante femenina de *Abraham.*

Personalidad: Es una mujer repleta de vida que siempre rebosa optimismo y felicidad. Nunca se la ha visto deprimida. Siempre está entregada a alguna actividad, ya que le gusta disfrutar de la vida al máximo. En lo que se refiere al terreno sentimental, no le gustan demasiado los compromisos.

Onomástica: 12 de diciembre.

Abril

Etimología: Del latín *aperire,* que significa «abrir». También hay quien cree que provenga de *aparas,* «siguiente»; o sea, siguiente al primer mes, ya que para los romanos, éste era el segundo mes del año. Este nombre era aplicado antiguamente para los bebés nacidos en este mes.

Personalidad: Se trata de una persona extraordinariamente compleja y de reacciones inesperadas. Le gusta vivir plenamente, con mayúsculas: cuando se consagra a su trabajo, también lo hace de lleno, plenamente, sin reservas. Podría decirse que en todos los campos de su vida siempre pone toda la carne en el asador.

Onomástica: 30 de enero.

Acacia

Etimología: Nombre hebreo compuesto por *ab,* «padre», y *guilah,* «alegría»: alegría del padre.

Personalidad: Incertidumbre y soledad, ésas son las dos maldiciones de Abigail. Esa tendencia a la reflexión muchas veces le aparta del mundo de los mortales.

Onomástica: 1 de noviembre.

Acindina

Etimología: Nombre griego que significa «sin peligro, segura».

Personalidad: Serena, con las ideas muy claras, segura de sí misma y con facilidad para las relaciones sociales. Valora el refinamiento, pero sobre todo el buen carácter, la lealtad y la integridad de sus amigos. En el amor es muy exigente. Si cree plenamente en una causa o idea, pone todo su empeño en ella.
Onomástica: 20 de abril.

ACTANISTAYA

Etimología: Nombre guanche de procedencia desconocida, excepto porque una mujer de veinticuatro años fue vendida en Valencia en 1494.
Personalidad: Su personalidad está marcada por el impulso de creación. Es algo autoritaria, individualista e independiente. Valora la estabilidad en su vida y, para conseguirla, a veces se muestra autoritaria y egoísta.
Onomástica: No tiene.

ADA

Etimología: Hay dos orígenes posibles para este nombre: del hebreo *adah,* «alegre, feliz», o del germánico *adel,* «noble».
Personalidad: Alegre y feliz. Rebosa encanto e imaginación, y rechaza cualquier prejuicio o convención social. Pero es terca y algo excéntrica y rara.
Onomástica: 4 de diciembre.
Otros idiomas: Catalán: Ada. Alemán: Adda. Francés, inglés e italiano: Ada.

ADALSINDA

Etimología: Nombre de origen germánico formado por *Athal,* «noble», y *Swind,* «fuerza»; o sea, «fuerte y noble».
Personalidad: Es un poco arrogante y no tolera con facilidad las críticas o las opiniones adversas. Tiene una imagen muy clara de cómo deben ser las cosas que la rodean, incluso las personas. La familia para ella es lo más importante y está dispuesta a cualquier sacrificio para sacarla adelante, aunque exige en los demás una actitud semejante.
Onomástica: 30 de junio.

ADELA

Etimología: Procede del germánico *adel,* «noble».
Personalidad: Adela piensa demasiado. Cree que todo debe tener un sentido, un porqué. Las «Adelas» deben aprovechar su intuición y aprender a no dar tantas vueltas a las cosas.
Onomástica: 14 de julio, 8 de septiembre y 24 de diciembre.
Otros idiomas: Catalán y gallega: Adela. Euskera: Adele. Inglés e italiano: Adele. Francés: Adèle. Alemán: Adel.

ADELAIDA

Etimología: Considerado equivalente de *Alicia,* deriva del germánico *adelheid,* «de noble casta».
Personalidad: Innovadora, de grandes proyectos. Inteligente y concienzuda, consigue lo que se propone. El apartado sentimental suele estar algo más descuidado.
Onomástica: 16 de diciembre.
Otros idiomas: Gallego: Adelaida. Bable: Delaira. Inglés e italiano: Adelaide. Francés: Adélaide. Alemán: Adelheid.

ADELARDA

Etimología: Proviene del germánico *Adelhard,* que a su vez deriva de *athal,* «estirpe noble», y *hard,* «audaz».
Personalidad: Enérgica y obstinada, le gusta el poder y la riqueza y lucha por conseguirla, utilizando todas las armas a su alcance. Su personalidad le hace destacar en labores de administración.
Onomástica: 2 de enero.

Otros idiomas: Catalán: Adelarda. Euskera: Adelaide. Gallego: Abelarda. Bable: Abelarda.

ADELIA

Etimología: Es una variante de Adela y significa, por tanto, «noble».
Personalidad: Piensa demasiado. Cree que todo debe tener un sentido, un porqué. Deben aprovechar su intuición y aprender a no dar tantas vueltas a las cosas.
Onomástica: 8 de septiembre y 24 de diciembre.
Otros idiomas: Catalán: Adela. Euskera: Adele. Bable: Adela (Dela). Inglés e italiano: Adele. Francés: Adèle. Alemán: Adel.

ADELINA

Etimología: Procede del germánico *adel,* «noble». Es una variante de *Adela.*
Personalidad: Es una mujer dinámica que se muestra simpática y acogedora, con un gran sentido de la justicia y deseos de evolución interior. Adelina es optimista y tiene gran facilidad para comunicarse con los demás.
Onomástica: 20 de octubre.
Otros idiomas: Catalán: Adelina. Euskera: Adele. Gallego: Adelina. Bable: Delina.

ADELVINA

Etimología: Nombre germánico que significa «noble por la victoria».
Personalidad: No le gusta llamar la atención. Su imaginación está trabajando constantemente, de tal forma que en ocasiones le impide centrar su mente en el mundo real. En el amor es exigente y muy celosa, aunque en su defensa hay que decir que nunca pide nada que no esté dispuesta a dar.
Onomástica: 25 de enero.

ADILIA

Etimología: Procede del germánico *adel,* «noble». Es una variante de *Adela.*
Personalidad: Inteligente y creativa, es, sin embargo, demasiado perezosa. Es una devota de las comodiades, aunque no le gusta el lujo excesivo. Busca una vida relativamente tranquila, sin grandes sobresaltos. En el amor le falta un poco de confianza en sus posibilidades, por lo cual suele refugiarse en una actitud distante.
Onomástica: 30 de junio.

ADORACIÓN

Etimología: Nombre evocador de la festividad de Epifanía. Del latín *ad,* «respecto a», y *oro,* «oración, plegaria».
Personalidad: Lo más importante para ella es la vida interior, la reflexión e inclusive la fe. Le gusta informarse bien de todo antes de tomar una decisión. Es segura y metódica.
Onomástica: 6 de enero.
Otros idiomas: Catalán: Adoració. Euskera: Agurtzane, Gurtza. Gallego: Doración. Bable: Adosinda.

ADRENILDA

Etimología: Nombre germánico que significa «madre del guerrero».
Personalidad: Desarrolla una intensa vida social y siente un gran amor por el lujo y la comodidad, y tiene un carácter un tanto exigente, incluso con las personas queridas. A su favor tiene la virtud de la simpatía y de inspirar grandes pasiones a su alrededor. Suele tener éxito en el mundo laboral.
Onomástica: 4 de diciembre.

ADRIANA

Etimología: Procede del gentilicio latino para los habitantes de la ciudad de *Adria,* que recibió su nombre del mar Adriático. *Adria* deriva del latín *ater,* «negro», y por ello se considera que Adrián significa «oscuro».
Personalidad: Tiene una doble cara. Ante la gente intenta aparentar frivolidad, pero en la

intimidad suele ser buena y sencilla, y sólo busca el respeto y el cariño de los demás.
Onomástica: 1 de marzo y 26 de agosto.
Otros idiomas: Catalán: Adriá. Euskera: Adiran. Bable: Adriana. Inglés y alemán: Adrian. Francés: Adrien. Italiano: Adriana.

AFRA
Etimología: Del latín *Afer, afra,* «africano». Cerca de Girona hay un santuario dedicado a Santa Afra.
Personalidad: El rasgo dominante de su personalidad es el alto dominio sobre sí misma. Sabe medir sus capacidades, que suelen armonizar con todo lo que le rodea. Refinada, amable, simpática y de buen talante, suele hacer amigos con gran facilidad y le gusta ayudar a los demás. Quizá demasiado soñadora.
Onomástica: 5 de agosto.
Otros idiomas: Catalán: Afra. Euskera: Apar. Inglés: Aphra.

ÁFRICA
Etimología: Nombre que los romanos dieron al continente africano; tiene su origen en el griego *aprica,* «expuesto al sol».
Personalidad: Entusiasta y hasta podría decirse que algo exótica. Hermosa y encantadora, triunfa con su aire de inocencia y dulzura. Ingenua hasta el final. Sin embargo, es muy crítica consigo misma.
Onomástica: 5 de mayo.
Otros idiomas: Catalán: Àfrica. Gallego y bable: África. Euskera: Apirka.

AFRODITA
Etimología: Nombre de la diosa griega Afrodita, que a su vez deriva de *aphros,* «espuma».
Personalidad: Posee una gran capacidad de adaptación, por lo cual le entusiasma todo lo que requiera audacia e innovación. En lo negativo, su personalidad le acarrea ciertos inconvenientes, como inestabilidad y superficialidad.
Onomástica: No tiene.
Otros idiomas: Catalán: Afrodita.

ÁGAPE
Etimología: Del latín *Agapius,* «amor», aunque es utilizado también como «comida». De igual manera hace referencia al sacramento de la Eucaristía.
Personalidad: Encantadora. Siempre tiene la palabra exacta, la sonrisa adecuada, el chiste justo o la anécdota perfecta. Además de sensible y una gran estudiosa del arte. Sus momentos de soledad son escasos, pero los necesita para no perderse en un mar de gente.
Onomástica: 15 de febrero, 3 de abril y 28 de diciembre.

ÁGATA
Etimología: Deriva del adjetivo griego *agathós,* «bueno». Hace clara alusión a la piedra preciosa y a la flor del mismo nombre.
Personalidad: Generosa y dulce. Devota de la verdad y del conocimiento, no le gusta perderse en frivolidades. Es muy segura de sí misma, pero valora la opinión de los demás.
Onomástica: 5 de febrero.
Otros idiomas: Euskera: Agate. Inglés: Agathe. Francés y alemán: Agathe.

AGLAÉ
Etimología: Del griego *Aglaia,* «resplandor, belleza». Variante de Aglaya.
Personalidad: Su personalidad es muy creativa, entusiasta, sociable, optimista y muy espiritual. Tiene gran sentido práctico y es muy hábil en las actividades manuales. En contrapartida, puede ser algo intolerante y colérica, y a veces le cuesta concentrarse en una sola cosa.
Onomástica: 14 de agosto.

AGLAYA
Etimología: En la mitología griega, esposa de Helios y madre de las Gracias.

Personalidad: Suelen ser mujeres de gran belleza, relacionadas con la cultura, el conocimiento, la armonía y la verdad. Disfrutan al máximo de la vida, valorando lo detalles y placeres más insignificantes. Son cooperadoras, entusiastas y afectuosas, por lo que valoran el amor y la amistad. El mayor riesgo se encuentra en la hipersensibilidad y la indecisión.
Onomástica: No tiene.
Otros idiomas: Catalán: Eglé. Francés: Eglé. Italiano: Egle.

AGORA

Etimología: Nombre guanche de Tenerife. Se sabe que una niña de ocho años, con este nombre, fue vendida en Valencia en 1495.
Personalidad: Su problema principal es la pasividad y la indecisión. Es receptiva, sentimental y posee un gran espíritu de equipo. Cuando se siente rechazada, desarrolla una enorme capacidad de destrucción.
Onomástica: No tiene.

AGRIPINA

Etimología: Deriva del adjetivo griego *agathós,* «bueno». Hace clara alusión a la piedra preciosa y a la flor del mismo nombre.
Personalidad: Posee una gran capacidad de adaptación, por lo cual le entusiasman los viajes y todo lo que requiera audacia e innovación. En lo negativo, su personalidad le acarrea ciertos inconvenientes, como accidentes, inestabilidad y superficialidad.
Onomástica: 23 de junio.
Otros idiomas: Catalán y gallego: Agripina. Inglés e italiano: Agrippina. Francés: Agrippine.

AGUAS VIVAS

Etimología: Nombre de advocación mariana: Nuestra Señora de Aguas Vivas. Es la patrona de Carcaixent (Valencia).
Personalidad: Atractiva y femenina. Le cuesta hacer que la tomen en serio, que respeten y valoren su inteligencia y sus muchas cualidades. Ese aspecto de frivolidad y de preocupación por las apariencias es el que le obliga a trabajar el doble de lo normal para hacerse un lugar en el mundo.
Onomástica: 16 de octubre.

ÁGUEDA

Etimología: Deriva del adjetivo griego *agathós,* «bueno». Hace clara alusión a la piedra preciosa y a la flor del mismo nombre.
Personalidad: Generosa y dulce. Devota de la verdad y del conocimiento, no le gusta perderse en frivolidades. Es muy segura de sí misma, pero valora la opinión de los demás.
Onomástica: 5 de febrero.
Otros idiomas: Euskera: Agate. Gallego: Águeda. Inglés: Agathe. Francés y alemán: Agathe.

AGUSTINA

Etimología: Deriva del latín *Augustus,* «consagrado por los augures», más tarde «majestuoso, venerable».
Personalidad: Su dilema es hacer o no hacer. Está dotada de una infinita energía y capacidad de creación, pero… ¿debe utilizarla? Si vence su incertidumbre, dejará huella en el campo en que se lo proponga.
Onomástica: 28 de agosto.
Otros idiomas: Catalán y bable: Agustina. Euskera: Austina, Austiñe, Austiza, Auxtina. Gallego: Agostiña. Alemán y francés: Augustine. Italiano: Agostina.

AIDA

Etimología: Hay dos orígenes posibles para este nombre: del hebreo *adah,* «alegre, feliz», o del germánico *adel,* «noble».

Personalidad: Su principal característica es el exceso, en cualquier sentido. Lo mismo se trata de una personalidad excesivamente soñadora como de un materialismo consumado, de hedonistas y narcisistas como de estoicas que rozan el ascetismo. Hay que vigilar la tendencia a la indiscreción, así como al inconformismo.
Onomástica: 2 de febrero.
Otros idiomas: Catalán: y bable: Aida. Italiano: Aida. Variante: Aída.

Aína

Etimología: Nombre muy popular en las Islas Baleares. Es una variante de *Ana,* que deriva del hebreo *Hannah,* «gracia, compasión».
Personalidad: Honrada y sincera, siempre se atreve a ser lo que es. Suele ser versátil y también algo inconstante en su juventud, pero eso cambia en la madurez, cuando por fin da con aquello que llena su vida de sentido y se dedica a ello con pasión y ánimo inagotables.
Onomástica: 26 de junio.

Ainhoa

Etimología: Ainhoa es un nombre vasco, muy frecuente actualmente, y es advocación de la Virgen del mismo nombre.
Personalidad: Amiga entre las amigas, se entrega con devoción a sus seres queridos, por lo que suele relegar todo lo relacionado con su profesión. Enorme capacidad de aprendizaje.
Onomástica: 15 de agosto.

Aixa

Etimología: Nombre árabe muy frecuente que deriva del hebreo *Ixa,* «mujer».
Personalidad: Emotiva, altruista e idealista. Fiel a sus amistades y amores, tiene gran necesidad de ayudar y compartir, tanto en lo material como en lo espiritual. Es influenciable, le cuesta ser realista y es algo desordenada. En lo espiritual, tiende también a padecer desórdenes ciclotímicos.
Onomástica: No tiene.

Aitana

Etimología: Nombre vasco que deriva de *Aintzane,* «Gloria».
Personalidad: Aitana es una vencedora. Magnética, creativa e inteligente, suele ser una líder nata. Sin embargo, se muestra altiva e incluso egocéntrica.
Onomástica: El Domingo de Resurrección o de Gloria.

Alana

Etimología: Proviene del céltico *alun,* «armonía».
Personalidad: Alana irradia tranquilidad y equilibrio. No se irrita ni se enfada, es toda lógica y argumentación. Sin embargo, esa actitud puede dar una imagen fría y hasta inhumana.
Onomástica: 14 de agosto y 8 de septiembre.

Alba

Etimología: Deriva del latín *albus,* «blanco». Se considera sinónimo de Aurora y Elena.
Personalidad: Alba está llena de inquietudes intelectuales y espirituales. Su gran preocupación es encontrarle un sentido a la vida, transmitírselo a los demás y ser feliz a su manera.
Onomástica: 15 de agosto.
Otros idiomas: Catalán: Alba. Gallego y bable: Alba, Alborada.

Alberta

Etimología: Nombre germánico compuesto por *adel,* «noble», y *bertha,* «resplandeciente»: significa «resplandece por su nobleza».
Personalidad: Diplomática por excelencia, intenta repartir justicia por donde va. A veces es caprichosa e incluso irascible si se la contradice.

Onomástica: 23 de abril y 7 de agosto.
Otros idiomas: Catalán y gallego: Alberta. Bable: Alberta, Berta.

ALBINA

Etimología: Del latín *Albinus,* que proviene de *albus,* «blanco».
Personalidad: Poseen una gran energía y no suelen pasar desapercibidas, suelen tener habilidades para el liderazgo y la innovación. No les gusta seguir las corrientes establecidas y se empeñan en la originalidad. En el lado negativo tienen cierta tendencia al egoísmo, la vanidad y el orgullo. También pueden ser excéntricas y demasiado dominantes.
Onomástica: 16 de diciembre.
Otros idiomas: Catalán y bable: Albina. Eusquera: Albiñe. Francés y alemán: Albine.

ALDA

Etimología: Del germánico *ald,* «noble, valeroso».
Personalidad: Es equilibrada y posee gran encanto, por lo que está dotada para la diplomacia. También valora enormemente la belleza, la armonía y la capacidad de sacrificio. Por contra, es algo indecisa y dada al fatalismo y al exceso de perfeccionismo. Es muy leal a sus amigos.
Onomástica: 10 de enero.
Otros idiomas: Catalán: Alda. Francés: Aude. Alemán e italiano: Alda.

ALEGRA

Etimología: Del latín vulgar *alecer, alicer,* «vivaz, alegre».
Personalidad: El rasgo dominante de su personalidad es el alto dominio sobre sí misma. Sabe medir sus capacidades, que suelen armonizar con todo lo que le rodea. Refinada, amable, simpática y de buen talante, suele hacer amigos con gran facilidad y le gusta ayudar a los demás. Quizá demasiado soñadora.
Onomástica: 8 de septiembre.
Otros idiomas: Catalán: Alegria. Eusquera: Alaitasuna. Gallego: Alegría. Bable: Allegría. Italiano: Allegra.

ALEJANDRA

Etimología: Del griego *Aléxandros,* quiere decir «protector de hombres».
Personalidad: Valiente, lista, generosa y fiel. Tiende a centrarse en un gran objetivo y a olvidarse de todo lo demás. De adulta puede ser orgullosa y caprichosa, pero necesita estar rodeada de su familia y con ellos y con sus amigos hace concesiones.
Onomástica: 18 de mayo.
Otros idiomas: Catalán: Alexandra. Euskera: Alesandere. Gallego: Alexandra. Bable: Alandrina, Alexandra (Xandra). Inglés: Alexandra. Francés, alemán e italiano: Alessandra.

ALEXIA

Etimología: Del griego *Alexios,* «vencedor, defensor».
Personalidad: Posee fuerza y determinación, así como una personalidad difícilmente manejable. Obstinada e independiente, ejerce un gran magnetismo, aunque puede caer fácilmente en la intransigencia. Rara vez se siente contenta durante mucho tiempo, así que busca cambios de ambiente o de escenario.
Onomástica: 9 de enero.
Otros idiomas: Inglés y francés: Alexia. Alemán e italiano: Alexia.

ALEYDA

Etimología: Nombre griego que es el equivalente de *Atenea,* «vencedor, defensor».
Personalidad: La necesidad de crear es lo más importante de su personalidad, que suele ser muy artística. En lo sentimental valora mucho la estabilidad y, para conseguirla, se muestra a veces un poco egoísta. Es muy individualista e independiente, lo cual le hace algo autoritaria.
Onomástica: 12 de junio.

Alfonsa

Etimología: Nombre de origen germánico compuesto por *hathus,* «lucha», *all,* «todo», y *funs,* «preparado». Significa «guerrero totalmente preparado para la lucha».

Personalidad: La pasividad y la indecisión son su principal problema: piensa y piensa y todo le parece con valores negativos y positivos. Es receptiva, sentimental y en el terreno laboral se vale muy bien de su espíritu de equipo. En lo sentimental, si se siente rechazada, es muy rencorosa.

Onomástica: 28 de julio.

Otros idiomas: Catalán: Alfonsa. Euskera: Albontse. Gallego: Afonsa. Bable: Alfonsa.

Alfonsina

Etimología: Nombre de origen germánico compuesto por *hathus,* «lucha», *all,* «todo», y *funs,* «preparado». Significa «guerrero totalmente preparado para la lucha».

Personalidad: Al contrario de lo que pueda sugerir su etimología, odia combatir. Es sensible e impresionable, y aunque destaca por su inteligencia, carece de fuerza de voluntad. O quizá sea solamente que odia llevar la contraria, o ser el motivo de una pelea o una disputa.

Onomástica: 1 de agosto.

Otros idiomas: Catalán: Alfonsa. Euskera: Albontse. Gallego: Afonsa. Bable: Alfonsa. Francés: Alphonsine.

Alfreda

Etimología: Deriva del germánico *adel-fridu,* «noble pacificador».

Personalidad: Alfreda es la mujer tranquila, la mujer pacífica por excelencia. No suele gritar, ni enfadarse. Responsable y equilibrada, suele destacar en su ámbito profesional, aunque no tiene una prisa especial por hacerlo.

Onomástica: 26 de agosto y 28 de octubre.

Otros idiomas: Catalán: Alfreda. Euskera: Alperde. Gallego: Alfreda. Bable: Alfreda.

Alharilla

Etimología: Nombre de advocación mariana: Nuestra Señora de Alharilla. Se venera en un santuario situado a cuatro kilómetros del pueblo andaluz de Porcuna (Jaén).

Personalidad: Es muy creativa, entusiasta, sociable y optimista. Aunque le gusta presumir de espiritual, lo cierto es que el sentido práctico es su principal virtud y es muy hábil en las actividades manuales. Debe vigilar cierta tendencia a la intolerancia y a las rabietas, y a veces se dispersa en demasiadas actividades. Carece de fuerza de voluntad.

Onomástica: 15 de agosto.

Alicia

Etimología: No está claro el origen de este nombre. Puede que se trate de una derivación del griego *alethos,* «sincero», o bien de una forma del germánico *Adalheids* (Adelaida).

Personalidad: Puede parecer soñadora, que está siempre en las nubes, pero es una persona dotada de gran sentido práctico. Es fuerte y decidida (a veces hasta obcecada), y nunca permitiría que alguien se interpusiera en su camino. Tierna y sentimental.

Onomástica: 28 de junio y 16 de diciembre.

Otros idiomas: Catalán: Alicia. Euskera: Alize. Gallego: Alicia, Alís. Bable: Alicia (Licia). Alemán: Elise. Inglés, francés e italiano: Alice.

Alida

Etimología: Nombre griego que procede de la región de *Elis.*

Personalidad: Emotiva, altruista e idealista. Fiel a sus amistades y amores, tiene gran necesidad de ayudar y compartir, tanto en lo material como en lo espiritual. Es influenciable, le cuesta ser realista y es algo desordenada. En lo espiritual, tiende también a padecer desórdenes ciclotímicos.

Onomástica: No tiene.

Otros idiomas: Catalán e italiano: Alida.

ALINA

Etimología: Se forma como hipocorístico de *Adelina* o de *Alicia.*

Personalidad: Poseen una gran energía y no suelen pasar desapercibidas, suelen tener habilidades para el liderazgo y la innovación. No les gusta seguir las corrientes establecidas y se empeñan en la originalidad. En el lado negativo tienen cierta tendencia al egoísmo, la vanidad y el orgullo. También pueden ser excéntricas y demasiado dominantes.

Onomástica: 19 de junio.

Otros idiomas: Catalán: Alina. Francés: Aline.

ALLENDE

Etimología: Nombre de advocación mariana: Nuestra Señora de Allende. Tiene un templo dedicado en Ezcaray (La Rioja).

Personalidad: Es paciente, realista, y el sentido del deber y el orden son sus principales virtudes. Valora mucho la estabilidad en su vida, por lo que en el amor y la amistad es de una fidelidad absoluta. En lo negativo, cae con facilidad en la rutina y la avaricia.

Onomástica: 24 de septiembre.

ALLISON

Etimología: Deriva del germánico *hlod-wig,* «glorioso en la batalla». Es una variante de Luisa.

Personalidad: Orgullosa hasta el fin, siempre tiene que estar a la altura de las circunstancias. Tiene una imagen muy clara de lo que quiere conseguir en el mundo y de lo que quiere llegar a ser. Puede parecer ingenua y extrovertida, pero en realidad siempre se guarda algo para sí misma.

Onomástica: 21 de junio, 25 de agosto y 10 de octubre.

ALMA

Etimología: Se han buscado muy variados orígenes para este nombre, pero lo más probable es que derive del latín *almus,* «que alimenta, que nutre, que infunde vida».

Personalidad: Auténtica soñadora: adora el teatro, la literatura, el arte... la fantasía en general, aunque se desenvuelve con eficacia en el mundo real. Gran amiga y compañera.

Onomástica: 1 de noviembre y 15 de agosto.

Otros idiomas: Catalán: Alma. Francés, alemán e italiano: Alma.

ALMODIS

Etimología: Del germánico *Allmods,* «muy animosa».

Personalidad: Posee una personalidad equilibrada, serena y con las ideas muy claras, aunque también es intuitiva y magnética. Valora el refinamiento y la integridad, la simpatía y la benevolencia. Suele ser idealista sin remedio si cree en una idea determinada.

Onomástica: 1 de agosto.

Otros idiomas: Catalán: Almodis.

ALMUDENA

Etimología: Muy frecuente como conmemoración de la patrona de Madrid, la Virgen de la Almudena, deriva del árabe *al-mudaina,* «pequeña ciudad».

Personalidad: Mujer de increíbles virtudes, pero también de grandes defectos. Fuerte, inteligente, creativa, es capaz de destacar en aquello que se proponga. Sin embargo, cuando le llega el momento de crisis, siente la necesidad de romper con todo desde los mismos cimientos y empezar de nuevo.

Onomástica: 9 de noviembre.

ALOIA

Etimología: Nombre gallego, de origen latino, que significa «alabanza».

Personalidad: Es protectora y de carácter fuerte y seguro, le encanta sentirse útil y necesitada. Es una gran amiga y una gran compañera, siempre está cuando se la necesita. En su vida profesional es ambiciosa, aunque no le gusta demasiado cambiar de actividad ni de escenario.
Onomástica: 1 de noviembre.

ALTAGRACIA

Etimología: Nombre cristiano de la Virgen de Altagracia, en el santuario de Higüey.
Personalidad: Su personalidad es muy creativa, entusiasta, sociable, optimista y muy espiritual. Tiene gran sentido práctico y es muy hábil en las actividades manuales. En contrapartida, puede ser algo intolerante y colérica, y a veces le cuesta concentrarse en una sola cosa.
Onomástica: 6 de enero.
Otros idiomas: Catalán: Altagràcia.

ALTAIR

Etimología: Nombre árabe, de *al-nast, al-tair* («águila que vuela»).
Personalidad: Emotiva, altruista e idealista. Fiel a sus amistades y amores, tiene gran necesidad de ayudar y compartir, tanto en lo material como en lo espiritual. Es influenciable, le cuesta ser realista y es algo desordenada. En lo espiritual, tiende también a padecer desórdenes ciclotímicos.
Onomástica: No tiene.
Otros idiomas: Catalán: Altair.

ALTEA

Etimología: Del nombre griego *Althaia.*
Personalidad: La estabilidad, la seguridad y la protección son sus ejes fundamentales. Se trata de personas con los pies en el suelo, aunque también ambiciosas, lo cual equilibra su carácter y les permite vivir una existencia activa y variada, repleta de situaciones que les permite crecer y aprender.
Onomástica: No tiene.

ALTEA

Etimología: Del nombre griego *Althaia.*
Personalidad: La estabilidad, la seguridad y la protección son sus ejes fundamentales. Se trata de personas con los pies en el suelo, aunque también ambiciosas, lo cual equilibra su carácter y les permite vivir una existencia activa y variada, repleta de situaciones que les permite crecer y aprender.
Onomástica: No tiene.

ALVERA

Etimología: Nombre de origen dudoso: puede ser el femenino de *Álvaro,* o un nombre de origen latino de los que se creía que protegían a las mujeres en los partos.
Personalidad: Le lleva tiempo encontrarse a gusto consigo misma, por lo que tiene dificultades para llegar a descubrir su verdadero camino. Aunque vacila y no es muy enérgica, posee un cierto espíritu aventurero, incluso es algo temeraria, que le sirve de contrapeso. Es de una lealtad inquebrantable con sus amigos y en el amor.
Onomástica: 9 de marzo.

AMABEL

Etimología: Deriva del latín *amabilis,* «amable, simpática».
Personalidad: Es fuerte y determinada, y tiene una personalidad en absoluto manejable. Aunque corre el peligro de caer en la intransigencia, por su carácter obstinado e independiente, ejerce un gran magnetismo sobre sus amigos y compañeros. Tiene dificultades para sentirse satisfecha durante mucho tiempo seguido, lo cual la obliga a buscar continuos cambios.
Onomástica: 3 de julio.

Amada

Etimología: Nombre latino que significa «amada».

Personalidad: Inteligente y creativa, es, sin embargo, demasiado perezosa. Necesita las comodiades, aunque no le gusta el lujo excesivo. Busca una vida relativamente tranquila, sin grandes sobresaltos. En el amor le falta un poco de confianza en sus posibilidades, por lo cual suele refugiarse en una actitud distante.

Onomástica: 9 de junio y 13 de septiembre.

Otros idiomas: Euskera: Maitane, Maitagarri, Maite, Maiteder, Maitena.

Amalia

Etimología: Nombre que deriva del griego *amalós,* «tierno, suave».

Personalidad: Amalia es metódica y equilibrada. Valiente hasta el fin, odia los rodeos y las ambigüedades. No le gusta seguir el camino de los demás: independiente y desapegada. ¿Su mayor defecto?: le preocupa hasta la obsesión lo superficial.

Onomástica: 10 de julio.

Otros idiomas: Catalán: Amàlia. Euskera: Amale. Gallego: Amalia. Bable: Malia. Inglés: Amelia. Francés: Amelia, Amélie. Alemán: Amalie. Italiano: Amalia.

Amanda

Etimología: Un participio latino que proviene del verbo *amo,* «amar». Se trata de *amandus,* que significa «que ha de ser amado».

Personalidad: Siente una irresistible atracción por el misterio. Muy sociable, aunque se jacta de tener sólo unos pocos amigos de verdad. Destaca por su idealismo: cree fervientemente en las utopías y considera su deber luchar por ellas. Es muy eficiente resolviendo las pequeñas cosas de cada día.

Onomástica: 18 de junio y 18 de noviembre.

Otros idiomas: Catalán: Amanda. Euskera: Amande. Gallego: Amanda. Bable: Amanda.

Amara

Etimología: Variante de *Maura*, gentilicio de *Maurus,* «moro, de Mauritania».

Personalidad: Enérgica y obstinada, confiada en sí misma y deseosa de hacerlo todo y mejor que los demás. Necesita gastar la enorme energía que es capaz de desarrollar e ir siempre hacia delante gracias a su imaginación y capacidad de reacción. Es amante del hogar y la familia, pero es muy celosa de sus prerrogativas y nunca cede en esto.

Onomástica: 10 de mayo.

Amaranta

Etimología: Nombre de flor que deriva del latín, lengua que a su vez lo tomó del griego *amaratós,* «inmarcesible».

Personalidad: Tiende a ser culta, refinada, amante de la buena vida y de los pequeños placeres. Algo excéntrica, aunque ella prefiere considerarse simplemente original.

Onomástica: 7 de noviembre.

Amaya

Etimología: Nombre vasco que significa «el principio del fin».

Personalidad: Algo cotilla. Aunque ella lo hace con buena intención, y sus consejos suelen ser bastante acertados. Le gusta decir que es independiente, pero la verdad es que necesita que los demás la tengan en cuenta.

Onomástica: 1 de noviembre.

Ambrosia

Etimología: Deriva del griego *an-brotós,* «inmortal».

Personalidad: Metódica, fría, jamás se permitirá expresar un sentimiento. Es conservadora y tradicional, odia las sorpresas y le gusta que todo quede bien ordenado. Argumentadora implacable, es muy difícil derrotarla en una discusión.

Onomástica: 7 de diciembre.

Amelia

Etimología: Hipocrístico de *Amelberga,* nombre germánico compuesto por *amal,* «trabajo», y *berg,* «protección»: significa «protectora del trabajo».
Personalidad: Amelia es una mujer desconfiada: cuesta mucho trabajo llegar a su corazón. De joven es alocada y vividora, pero según crece, se va haciendo responsable, discreta y trabajadora, más de lo que hubiera pensado en su juventud.
Onomástica: 10 de julio y 19 de septiembre.
Otros idiomas: Catalán: Amèlia. Gallego: Amelia. Bable: Melia. Inglés, alemán e italiano: Amelia. Francés: Amélie.

América

Etimología: Nombre italiano de origen germánico-céltico. Deriva de *amal-rich,* «rey del trabajo».
Personalidad: Tiene vocación de entrega. Según su carácter, puede ser devota del trabajo, del amor, de las causas humanitarias o del puro y simple hedonismo. Eso sí, corre el riesgo de descuidar todos los demás campos de su vida.
Onomástica: 1 de noviembre.
Otros idiomas: Bable: América (Mérica, Meri). Italiano: América.

Amina

Etimología: Nombre italiano de origen germánico-céltico. Deriva de *amal-rich,* «rey del trabajo». También, nombre árabe que significa «llena de fe». Así se llamaba la madre del profeta Mahoma.
Personalidad: Tiene vocación de entrega. Según su carácter, puede ser devota del trabajo, del amor, de las causas humanitarias o del puro y simple hedonismo. Eso sí, corre el riesgo de descuidar todos los demás campos de su vida.
Onomástica: 1 de noviembre.
Otros idiomas: Bable: América (Mérica, Meri). Italiano: Amina.

Amira

Etimología: Nombre que en árabe significa «princesa» y en hebreo «habladora».
Personalidad: Es una mujer inquieta, siempre en busca de nuevas aventuras y experiencias en todos los ámbitos de su vida. Se niega a ser conformista, ama la libertad y sólo aceptará un compromiso cuando esté profundamente segura de que es eso lo que quiere. Aunque parezca alocada, sus actos siempre tienen un sentido.
Onomástica: No tiene.

Ammia

Etimología: Deriva de *Ammón,* nombre de un Dios egipcio.
Personalidad: Es quizá demasiado idealista, por lo que concede más importancia a lo espiritual que a lo material. Es paciente, con gran capacidad de estudio, lógica y análisis. Sin embargo, es muy exigente consigo misma. Cae con facilidad en el pesimismo y se aísla de los demás. Tiene cualidades para la enseñanza.
Onomástica: 31 de agosto.

Amparo

Etimología: Nombre cristiano que hace referencia a la Virgen del Amparo. Deriva del latín *manuparare,* «tender la mano».
Personalidad: Amparo es la señora de la creación. Optimista y constructiva, en su juventud le gusta abrir nuevos senderos, hasta que encuentra su camino. Su mayor riesgo es caer en la excentricidad e incluso en el absurdo.
Onomástica: Segundo domingo de mayo.
Otros idiomas: Catalán: Empar. Euskera: Itzal, Babesne, Maldera. Gallego y bable: Amparo. Inglés: Amparo. Italiano: Maria del Rifugio.

Ana

Etimología: Deriva del hebreo *Hannah,* que significa «gracia, compasión».
Personalidad: Honrada y sincera, siempre se atreve a ser lo que es. Suele ser versátil y tam-

bién algo inconstante en su juventud, pero eso cambia en la madurez, cuando por fin da con aquello que llena su vida de sentido y se dedica a ello con pasión y ánimo inagotables.
Onomástica: 26 de junio.
Otros idiomas: Catalán: Anna. Euskera: Ana, Ane. Gallego y bable: Ana. Inglés: Ana, Anne, Hannah. Francés: Anna, Anne. Alemán e italiano: Anna.

ANABEL
Etimología: Nombre de origen escocés, anterior al uso de Anne.
Personalidad: Anabel es voluntariosa, dinámica y emprendedora. Posee una fuerte personalidad y sabe elegir bien sus oportunidades. Prefiere la vida profesional a la familiar.
Onomástica: 26 de julio.
Otros idiomas: Catalán: Annabel. Inglés: Annabel. Variantes: Annabella, Arabella, Mabel.

ANACAONA
Etimología: Nombre que procede de una tribu de indios americanos, que significa «flor de oro».
Personalidad: Su principal característica es el exceso, en cualquier sentido. Lo mismo se trata de una personalidad excesivamente soñadora como de un materialismo consumado, de hedonistas y narcisistas como de estoicas que rozan el ascetismo. Hay que vigilar la tendencia a la indiscreción, así como al inconformismo, muchas veces por puro capricho.
Onomástica: 1 de noviembre.
Otros idiomas: Bable: Anaonda.

ANAÍS
Etimología: Es una variante de *Ana* muy frecuente en Francia.
Personalidad: Emotiva, altruista e idealista. Fiel a sus amistades y amores, tiene gran necesidad de ayudar y compartir, tanto en lo material como en lo espiritual. Es influenciable, le cuesta ser realista y es algo desordenada. En lo espiritual, tiende también a padecer desórdenes ciclotímicos.

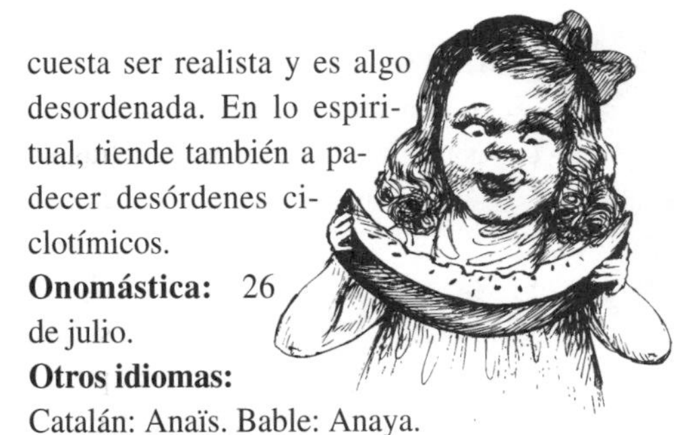

Onomástica: 26 de julio.
Otros idiomas: Catalán: Anaïs. Bable: Anaya.

ANALA
Etimología: Nombre hindú cuyo significado es «bonita».
Personalidad: Es como una niña. Crédula, ingenua y risueña. Concede una gran importancia al amor durante toda su vida. En su profesión demuestra que es brillante, creativa y muy trabajadora; tiene ambición, pero no se deja dominar por ella.
Onomástica: No tiene.

ANALÍA
Etimología: Dell hebreo *Hannah,* «gracia, compasión», y *leah,* «cansada, lánguida». Se ha formado con la unión de *Ana* y *Lía.*
Personalidad: Debe luchar entre dos tendencias: la de una cierta espiritualidad y la necesidad de independencia. Además de ternura y afecto, busca la seguridad y es una abnegada madre de familia. A veces resulta menos sentimental, pero capaz de realizar grandes cosas.
Onomástica: 1 y 26 de junio.

ANASTASIA
Etimología: Deriva del griego *anastasimos,* «el que no muere, el que resucita».
Personalidad: Es, por encima de todo, sincera. El tacto, la diplomacia y la hipocresía son palabras desconocidas para ella, que presume siempre de ir con la verdad por delante. Es también complicada, intuitiva y dotada de una gran creatividad.
Onomástica: 11 de mayo.

Otros idiomas: Catalán y euskera: Anastasi. Gallego: Anastasia. Bable: Nastasia. Francés: Anastase. Alemán: Anastasius.

ANATOLIA

Etimología: De origen griego, se forma como toponímico de la región de *Anatolia,* que significaba «Oriente, Levante».

Personalidad: Independiente y magnética. Aunque parezca un modelo a seguir, suele parecer lejana e inaccesible. Pero a veces se siente esclava de esa imagen y le gusta permitirse una debilidad, que se perdona muy fácilmente.

Onomástica: 1 de noviembre.

Otros idiomas: Gallego: Anatolia.

ANDREA

Etimología: Proviene del griego *andros,* que significa «hombre».

Personalidad: Inteligente, práctica, muy apegada a la realidad. Tiene un carácter fuerte y dominante, que sin embargo sabe controlar cuando lo considera necesario. Presenta una gran afición por el lujo y la ostentación, que la obliga a trabajar más de lo que quisiera para conseguirlo

Onomástica: 11 de mayo.

Otros idiomas: Catalán: Andrea. Euskera: Andere. Gallego: Andreia. Bable: Andrea, Andresa. Francés: Andrée. Italiano: Andreina.

ANDRÓMACA

Etimología: Del nombre mitológico griego *Andromakos,* «que lucha como un hombre».

Personalidad: El rasgo dominante de su personalidad es el alto dominio sobre sí misma. Sabe medir sus capacidades, que suelen armonizar con todo lo que le rodea. Refinada, amable, simpática y de buen talante, suele hacer amigos con gran facilidad y le gusta ayudar a los demás. Quizá demasiado soñadora.

Onomástica: No tiene.

Otros idiomas: Catalán: Andròmaca. Francés: Andromaque.

ANDRÓMEDA

Etimología: Nombre de la mitología griega, que significa «justa, prudente».

Personalidad: Posee una gran capacidad de adaptación, por lo cual le entusiasman los viajes y todo lo que requiera audacia e innovación. En lo negativo, inestabilidad y superficialidad.

Onomástica: No tiene.

Otros idiomas: Catalán: Andròmeda. Francés: Andromède.

ÁNGELA

Etimología: Del griego *aggelos,* «mensajero». En la tradición cristiana, es el nombre que se le da a los espíritus servidores de Dios.

Personalidad: Ángela es una mujer refinada, que destila sensibilidad y comprensión. Bajo su apariencia susceptible, es más fuerte que casi todos los que le rodean. Necesita sentirse amada y protegida.

Onomástica: 27 de enero.

Otros idiomas: Catalán: Àngela. Euskera: Gotzone. Gallego: Ánxela, Anxos. Bable: Ánxela, Anxela (Xela). Inglés, alemán e italiano: Angela. Francés: Angèle.

ÁNGELES

Etimología: Nombre cristiano que conmemora a la Virgen María como Reina de los Ángeles.

Personalidad: Preocupación por los demás, ése es su lema. Pueden ser sus amigos o familiares, pero normalmente son problemas más lejanos y más elevados. Su problema es que nunca logra distanciarse lo suficiente de las desgracias de los demás.

Onomástica: 2 de agosto.

Otros idiomas: Catalán: Àngels. Bable: Ánxeles.

Angélica

Etimología: Del latín *angelicus,* «angelical», que a su vez deriva del griego *aggelos,* «mensajero».

Personalidad: Soñadora empedernida que siente una profunda atracción por el misterio. Le gustan las ciencias ocultas, el espiritismo y la videncia.

Onomástica: 5 de mayo.

Otros idiomas: Catalán: Angèlica. Inglés e italiano: Angelica. Francés: Angélique. Alemán: Angelika.

Angelina

Etimología: Del griego *aggelos,* «mensajero». En la tradición cristiana, es el nombre que se le da a los espíritus servidores de Dios.

Personalidad: Pasional y algo exótica, es una mujer dotada de una gran intuición que persigue unos difíciles pero justos ideales. Le gusta trabajar, aunque el dinero y la fama poco le importan. A lo que sí atribuye una gran importancia es al amor, y no será feliz hasta que no haya encontrado una persona que la satisfaga.

Onomástica: 13 y 14 de julio.

Otros idiomas: Bable: Anxelina (Xelina).

Angustias

Etimología: Del latín *Angustus,* «angosto, estrecho, cerrado».

Personalidad: Reservada e introvertida es una mujer muy dada a la reflexión. Posee una gran voluntad y capacidad de análisis lo que le hace ser, a veces, detallista y posesiva.

Onomástica: 15 de septiembre.

Otros idiomas: Euskera: Atsege, Atsege.

Ania

Etimología: Proviene del latín *Annia,* una gens romana consagrada a la diosa del año, Anna Perenna.

Personalidad: Ania es ingenua y optimista, cree en el género humano. Pero aprende deprisa, y si la vida consigue desilusionarla lo suficiente, termina volviéndose fría e insensible, capaz del mayor de los desprecios.

Onomástica: 31 de agosto.

Otros idiomas: Catalán: Ànnia. Euskera: Anixe. Bable: Ania.

Aniceta

Etimología: Del griego *Aniketos,* «invencible, invicto».

Personalidad: Fuerte, enérgica, pero también paciente y con una fortaleza física notable. Casi siempre consigue lo que se propone ya que posee una mente bien organizada y metódica, que es su gran virtud.

Onomástica: 17 de abril.

Otros idiomas: Gallego: Aniceta. Bable: Neceta.

Anisia

Etimología: Nombre griego que significa «cumplidora».

Personalidad: Tiene un gran dominio de sí misma y sabe medir sus capacidades, de modo que suele acertar en sus decisiones más importantes. Es de buen carácter, amable y valora las cosas hermosas que le ofrece la vida. Suele hacer amigos con bastante facilidad y le gusta ayudar a los demás. Tal vez un poco soñadora.

Onomástica: 30 de diciembre.

Anselma

Etimología: Nombre germánico formado por *Ans* (nombre de una divinidad) y *helm,* «yelmo, protección». Significa «protegido por Dios».

Personalidad: No puede remediarlo, necesita que los demás piensen bien de ella, que le den su aprobación, aunque es más bien solitaria y retraída; una intelectual, en definitiva. Dura y exigente en la amistad y en el amor. En el fondo, es muy insegura.

Onomástica: 21 de abril.

Antea

Etimología: Del nombre griego *Antheia,* uno de los nombres de *Hera.*
Personalidad: Es equilibrada y posee gran encanto, por lo que está dotada para la diplomacia y las relaciones públicas. También valora enormemente la belleza, la armonía y la capacidad de sacrificio. Por contra, es algo indecisa y dada al fatalismo y al exceso de perfeccionismo.
Onomástica: 18 de abril.

Antía

Etimología: Derivado del nombre mitológico *Antheia,* uno de los nombres de *Hera.* Significaba «que planta cara al adversario».
Personalidad: Transmite gran confianza entre sus amigos y compañeros de trabajo, por su espíritu seductor y fuerte. Es también idealista y perfeccionista en todo lo que emprende, lo cual le permite conseguir grandes logros. La parte negativa de su carácter es que puede llegar a volverse autoritaria e impaciente.
Onomástica: 18 de abril.
Otros idiomas: Gallego: Antía.

Antígona

Etimología: Nombre griego derivado de *Antígonos,* «contra la raza».
Personalidad: Suelen ser mujeres de gran belleza, relacionadas con la cultura, el conocimiento, la armonía y la verdad. Disfrutan al máximo de la vida, valorando lo detalles y placeres más insignificantes. Son cooperadoras, entusiastas y afectuosas, por lo que valoran el amor y la amistad. El mayor riesgo se encuentra en la hipersensibilidad y la indecisión.
Onomástica: No tiene.
Otros idiomas: Catalán: Antígona. Francés: Antigone. Alemán: Antigoni.

Antigua

Etimología: Nombre de advocación mariana: Nuestra Señora de la Antigua, patrona de Panamá, que se venera en la ciudad de Santa María Antigua de Darién. En Blanes (Girona) existe también un templo bajo esta advocación.
Personalidad: Posee el impulso de la creación que produce la inspiración. Necesita perseguir ideales y emociones utópicos, por su carácter idealista y perfeccionista. Goza también de ambiciones muy positivas. La parte negativa es la facilidad con que cae en la extravagancia y su tendencia al desánimo. Es algo inconstante en la amistad.
Onomástica: 15 de agosto.

Antíope

Etimología: Nombre griego, de *antiops,* «que está enfrente».
Personalidad: Su problema principal es la pasividad y la indecisión, le parece que todo posee valores negativos y positivos. Es receptiva, sentimental y posee un gran espíritu de equipo. Cuando se siente rechazada, desarrolla una enorme capacidad de destrucción.
Onomástica: No tiene.

Antolina

Etimología: Del latín *Antoninus,* «de la familia de Antonio».
Personalidad: Concede más importancia a lo espiritual que a lo material. Es paciente, con gran capacidad de estudio, lógica y análisis. Muy exigente consigo misma y con los demás. Algo solitaria e introspectiva, por lo que cae con facilidad en el pesimismo.
Onomástica: 2 de septiembre.
Otros idiomas: Euskera: Andoliñe. Italiano: Antolina.

Antonia

Etimología: Nombre de la gens romana *Antonia.* Parece que su origen es etrusco, pero el significado no ha llegado hasta nosotros.
Personalidad: Mujer de una gran pasión, a la que se entrega totalmente: ésa es la única for-

ma de sentirse viva, de darle sentido a su existencia. Muy perseverante.
Onomástica: 29 de abril.
Otros idiomas: Catalán: Antònia. Euskera: Andone, Antxone. Gallego: Antoniña. Bable: Antona. Inglés e italiano: Antonia. Francés: Antoinette. Alemán: Antonie.

ANTONINA

Etimología: De la gens romana *Antonia.* Parece ser que su origen más remoto viene del etrusco, pero el significado no ha llegado hasta nosotros.
Personalidad: De gran energía, no suelen pasar desapercibidas, y tienen habilidades para el liderazgo y la innovación. No les gusta seguir las corrientes establecidas y se empeñan en la originalidad. En el lado negativo tienen cierta tendencia al egoísmo, la vanidad y el orgullo. También pueden ser excéntricas y demasiado dominantes.
Onomástica: 3 de mayo y 12 de junio.

ANUNCIACIÓN

Etimología: Del latín eclesiástico *annuntiato,* «anunciar, notificar, referir a alguien».
Personalidad: Anunciación es una mujer sociable y extravertida, sabe hacer reinar la alegría a su alrededor y detesta las discusiones y los conflictos. Es coqueta y seductora.
Onomástica: 25 de marzo.
Otros idiomas: Catalán: Anunciació. Euskera: Anuntxi, Deiñe, Iragartze, Deñe, Iragarne, Anuntxi. Gallego: Anuncia, Anunciación. Bable: Anuncia (Nuncia). Italiano: Anunziata.

ANUNCIATA

Etimología: Nombre equivalente a *Anunciación* y a *Encarnación.*
Personalidad: Suelen ser mujeres de gran belleza, relacionadas con la cultura, el conocimiento, la armonía y la verdad. Disfrutan al máximo de la vida, valorando lo detalles y placeres más insignificantes. Son cooperadoras, entusiastas y afectuosas, por lo que valoran el amor y la amistad. El mayor riesgo se encuentra en la hipersensibilidad y la indecisión.
Onomástica: 23 de marzo.

APARECIDA

Etimología: Del latín *Aparitio,* «comparecencia, aparición». Nombre que alude a las apariciones de la Virgen o de los santos. Es advocación mariana: Nuestra Señora de la Aparecida, en Santander
Personalidad: Posee una personalidad equilibrada, serena y con las ideas muy claras, aunque también es intuitiva y magnética. Valora el refinamiento y la integridad, la simpatía y la benevolencia. Suele ser idealista sin remedio si cree en una idea determinada.
Onomástica: 15 de septiembre.

APOLONIA

Etimología: Femenino de Apolunio.
Personalidad: Es una mujer sensible, delicada y emotiva.Vive más de sueños que de realidades y a veces puede resultar algo impaciente y fanática.
Onomástica: 9 de febrero
Otros idiomas: Catalán: Apol.lònia. Euskera: Apolone. Gallego: Apolonia. Bable: Poloña.

AQUENE

Etimología: Nombre nativo norteamericano que significa «pacífica».
Personalidad: Su gran pasión radica en la belleza. Es una gran amante del arte en todas sus manifestaciones, y en su propia vida. En el amor y con sus amigos se muestra impulsiva y apasionada. No le gusta trabajar en exceso y no es ambiciosa, por lo que procura buscarse una

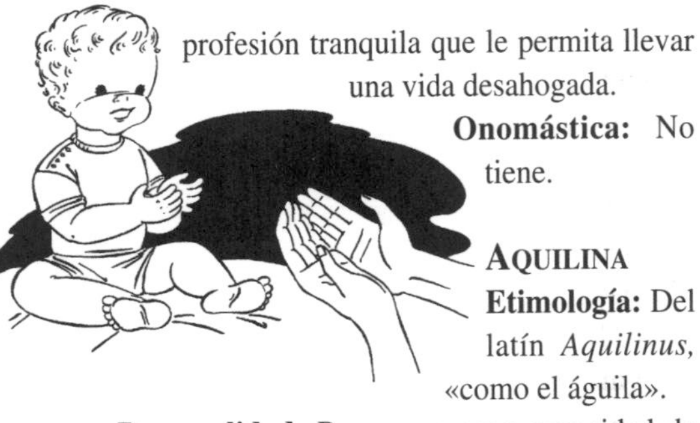

profesión tranquila que le permita llevar una vida desahogada.

Onomástica: No tiene.

Aquilina

Etimología: Del latín *Aquilinus,* «como el águila».

Personalidad: Posee una gran capacidad de adaptación, por lo cual le entusiasman los viajes y todo lo que requiera audacia e innovación. En lo negativo, su personalidad le acarrea ciertos inconvenientes, como accidentes, inestabilidad y superficialidad.

Onomástica: 16 de junio.

Otros idiomas: Catalán: Aquil.lina. Euskera: Aklliñe.

Arabella

Etimología: Variante de *Anabel,* nombre de origen escocés anterior al uso de *Anne.*

Personalidad: Su personalidad es conflictiva, por lo que suele encontrar dificultades para sentirse a gusto consigo misma. También es algo vacilante y no muy enérgica. Sin embargo, posee un cierto espíritu aventurero, incluso algo temerario, y es de una lealtad a prueba de bomba.

Onomástica: 26 de julio.

Otros idiomas: Catalán: Arabel.la.

Araceli

Etimología: Proviene del latín *ara-caeli,* «altar del cielo».

Personalidad: Araceli es, ante todo, una mujer ambiciosa. Tiene una clara imagen de sí misma y consagra su vida a mantener esa imagen. Es generosa en los sentimientos y, muy a su pesar, termina cogiéndole cariño a todo el mundo.

Onomástica: 2 de mayo.

Otros idiomas: Catalán, gallego y bable: Araceli.

Arancha

Etimología: Hipocorístico de *Aránzazu,* que eriva del euskera *ara-antza-a-zu,* «sierra de abundantes picos».

Personalidad: Poseen una gran energía y no suelen pasar desapercibidas, suelen tener habilidades para el liderazgo y la innovación. No les gusta seguir las corrientes establecidas y se empeñan en la originalidad. En el lado negativo tienen cierta tendencia al egoísmo, la vanidad y el orgullo. También pueden ser excéntricas y demasiado dominantes.

Onomástica: 9 de septiembre.

Otros idiomas: Catalán: Aràntzazu. Euskera: Arantzazu. Variante: Arantxa.

Aránzazu

Etimología: Deriva del euskera *ara-antza-a-zu,* «sierra de abundantes picos».

Personalidad: Luchadora y decidida. Tiene sus objetivos, su idea propia de la vida, y no consiente que nadie la aparte de allí. Popular y simpática, sin embargo se muestra algo lejana. Es un desastre en el amor.

Onomástica: 9 de septiembre.

Otros idiomas: Catalán: Aràntzazu. Euskera: Arantzazu. Variantes: Arancha, Arantxa.

Arcángela

Etimología: Nombre evocador de los que gobiernan a los ángeles.

Personalidad: Su carácter puede llegar a esclavizarla de alguna manera: es demasiado orgullosa y un poco rígida de carácter, le cuesta ver los matices de las cosas. Si consigue atemperar ese problema, puede llegar a ser incluso divertida. En el amor y la amistad prefiere lo poco pero bueno.

Onomástica: 29 de enero.

Ares

Etimología: Nombre catalán de advocación mariana: Nuestra Señora de Ares. El *ara* es la

piedra consagrada del altar, su plural en catalán, *ares,* es el origen de este nombre: Mare de Déu de les Ares (Nuestra Señora de las Aras), que se venera en la comarca del Pallars Sobirà (Cataluña), y en el Puerto de les Ares (Huesca).
Personalidad: La estabilidad, la seguridad y la protección son sus ejes fundamentales. Se trata de personas con los pies en el suelo, aunque también ambiciosas, lo cual equilibra su carácter y les permite vivir una existencia activa y variada, repleta de situaciones que les permite crecer y aprender.
Onomástica: 15 de agosto.

ARGEME

Etimología: Nombre de advocación mariana: Nuestra Señora de Argeme. Patrona de la ciudad de Coria y de la diócesis de Coria-Cáceres.
Personalidad: Debe vigilar su tendencia a exagerarlo todo: Lo mismo se trata de una personalidad excesivamente soñadora como de un materialismo consumado, de hedonistas y narcisistas como de estoicas que rozan el ascetismo. Es muy sociable y le gusta sentirse muy integrada en su comunidad.
Onomástica: Segundo domingo de mayo.

ARGIMON

Etimología: Nombre de advocación mariana: Nuestra Señora de Argimon (Mare de Déu de Argimon). Se venera en Esparra (Girona). El nombre *argimon* es de origen germánico y está formado por las palabras *Harji,* «ejército», y *mund,* «defensor», por lo que se podría traducir como «ejército defensor».
Personalidad: Espirituales y místicas, de sentimientos altruistas. Se trata de personas elevadas que intentan cultivar la sabiduría y que valoran la inteligencia y la habilidad. Receptivas y estudiosas, son capaces de disfrutar de la vida. Quizá a veces son demasiado abnegadas y se olvidan de sus propios intereses.
Onomástica: Segundo domingo de septiembre.

ARIADNA

Etimología: Del griego *ari-adnos,* «muy indómita».
Personalidad: Racional y ordenada. Le gustan las cosas tranquilas, sin grandes riesgos. La suerte parece no abandonarla nunca. La diplomacia no es lo suyo, ya que va siempre con la verdad (bien clara) por delante.
Onomástica: 17 de septiembre.
Otros idiomas: Catalán: Ariadna. Euskera: Arene. Gallego: Ariana. Bable: Ariana. Inglés: Ariadne. Francés: Ariane, Arianna, Arianne. Alemán: Ariadne. Italiano: Arianna.

ARIEL

Etimología: Nombre hebreo que significa «leona de Dios».
Personalidad: Tiene un temperamento demasiado variable, nunca se puede estar seguro de cómo va a reaccionar. En el amor, raras veces será correspondida por la persona a quien realmente ama, aunque probablemente termine asentándose en una afable y placentera relación sustentada más por la amistad que por el amor.
Onomástica: No tiene.

ARLETTE

Etimología: Nombre francés de origen medieval, posiblemente derivado de la ciudad de Arles.
Personalidad: La estabilidad, la seguridad y la protección son sus ejes fundamentales. Se trata de personas con los pies en el suelo, aunque también ambiciosas, lo cual equilibra su carácter y les permite vivir una existencia activa y variada, repleta de situaciones que les permite crecer y aprender.
Onomástica: No tiene.
Otros idiomas: Catalán: Arlet.

ARMIDA

Etimología: Contracción de *Ermenfrida,* «al amparo de la fuerza»

Personalidad: Suelen ser mujeres de gran belleza, relacionadas con la cultura, el conocimiento, la armonía y la verdad. Disfrutan al máximo de la vida, valorando lo detalles y placeres más insignificantes. Son cooperadoras, entusiastas y afectuosas, por lo que valoran el amor y la amistad. El mayor riesgo se encuentra en la hipersensibilidad y la indecisión.
Onomástica: No tiene.
Otros idiomas: Catalán: Armida.

Aroa
Etimología: Nombre de origen germánico, de *ara,* «de buena voluntad, bueno».
Personalidad: Mujer nerviosa e inquieta, se muestra distante y poco sociable. Es independiente y desesoa de hacerlo todo a su manera, con cierta inestabilidad y cambios de humor.
Onomástica: 5 de julio.
Otros idiomas: Catalán: Aroa.

Arrako
Etimología: Nombre vasco de advocación mariana: Nuestra Señora de Arrako. Tiene una ermita en Navarra, situada al pie del Barranco de Arrakogoiti, a diez kilómetros de Isaba.
Personalidad: Posee fuerza y determinación, así como una personalidad difícilmente manejable. Obstinada e independiente, ejerce un gran magnetismo, aunque puede caer fácilmente en la intransigencia. Como rara vez se siente contenta durante mucho tiempo, busca cambios de ambiente o de escenario. Para estar satisfecha, su trabajo debe ser muy activo.
Onomástica: 26 de julio.

Artemisa
Etimología: Nombre de la diosa griega de la caza.
Personalidad: Es muy equilibrada y posee un sentido innato de la justicia y el equilibrio, pero también cae con facilidad en ataques de ira y valora en exceso el poder y el triunfo. Es impaciente e impetuosa. Esta personalidad le hace, casi con seguridad, muy celosa.
Onomástica: No tiene.
Otros idiomas: Catalán: Artemis.

Ascensión
Etimología: Nombre en honor de la Ascensión de la Virgen.
Personalidad: La estabilidad, la paciencia, la organización, el realismo, el sentido del deber y el orden son sus principales virtudes. En lo sentimental y con sus amistades son de una fidelidad absoluta. Por contra, caen con facilidad en la rutina y la avaricia.
Onomástica: El día de la Ascensión es variable.
Otros idiomas: Catalán: Ascensió. Euskera: Egone. Bable: Ascensión.

Asha
Etimología: Nombre árabe que puede interpretarse como «vida».
Personalidad: Valiente, sale adelante pase lo que pase. A la hora de trabajar, es seria y responsable, prudente cuando las circunstancias lo requieren, aunque también es capaz de arriesgar. En el amor suele ser desgraciada, quizá porque le resulta difícil encontrar compañeros tan fuertes y seguros como ella misma.
Onomástica: No tiene.

Ashanti
Etimología: Nombre swahili de una tribu de África Occidental.
Personalidad: Es una mujer introvertida, muy encerrada en sí misma y hasta podría decirse que algo huraña. Algunos dicen que peca un poco de misantropía, que desprecia al género humano; pero la realidad es que no logra comprender al resto de las personas, le parecen demasiado complicadas. Aun así, suele encontrar energías para intentar cambiar su mundo.
Onomástica: No tiene.

Aspasia

Etimología: Del nombre griego *Aspasios,* «bienvenidos».

Personalidad: Su principal característica es el exceso, en cualquier sentido. Lo mismo se trata de una personalidad excesivamente soñadora como de un materialismo consumado, de hedonistas y narcisistas como de estoicas que rozan el ascetismo. Hay que vigilar la tendencia a la indiscreción, así como al inconformismo, muchas veces por puro capricho.

Onomástica: 2 de enero.

Otros idiomas: Catalán: Aspàsia.

Aster

Etimología: Nombre griego que deriva de *aster,* «astro, estrella».

Personalidad: El rasgo dominante de su personalidad es el alto dominio sobre sí misma. Sabe medir sus capacidades, que suelen armonizar con todo lo que le rodea. Refinada, amable, simpática y de buen talante, suele hacer amigos con gran facilidad y le gusta ayudar a los demás. Quizá demasiado soñadora.

Onomástica: 10 de agosto.

Ástrid

Etimología: De origen germánico, atribuido a una de las valquirias. Significa «fiel a los dioses».

Personalidad: Astrid es muy emotiva y abnegada, se interesa por las cuestiones humanitarias y sociales. Busca la apertura al mundo de lo extraños. También gusta del poder, el deporte y la aventura. Es una amiga y compañera algo ausente, pero bienintecionada.

Onomástica: 11 de noviembre.

Otros idiomas: Catalán: Astrid. Inglés, alemán e italiano: Astrid.

Asunción

Etimología: Nombre cristiano que conmemora la Asunción de la Virgen María al Cielo.

Personalidad: Tranquila, racional, ordenada, pero perezosa. Sin embargo, tiene una gran fuerza de voluntad y una mente muy clara que le permiten llevar a cabo sus más íntimos deseos.

Onomástica: 15 de agosto.

Otros idiomas: Catalán: Assumpció, Assumpta. Euskera: Jasone, Eragone. Gallego: Asunción, Asunta. Bable: Asuncia, Asunta. Francés: Assomption. Italiano: Assunta.

Asunta

Etimología: Nombre cristiano que conmemora la Asunción de la Virgen María al Cielo. Variante de *Asunción.*

Personalidad: Incertidumbre y soledad, ésas son las dos maldiciones de su carácter: valora las cosas una y otra vez antes de decidirse. Esa tendencia a la reflexión la aparta a menudo de los demás y de la realidad, porque cualquier decisión le parece que tenga inconvenientes y la paraliza.

Onomástica: 15 de agosto.

Otros idiomas: Catalán: Assumpció, Assumpta. Euskera: Jasone, Eragone. Gallego: Asunción, Asunta. Bable: Asuncia, Asunta. Francés: Assomption. Italiano: Assunta.

Atalanta

Etimología: Del nombre mitológico griego *Atalos,* «joven, fuerte».

Personalidad: Emotiva, altruista e idealista. Fiel a sus amistades y amores, tiene gran necesidad de ayudar y compartir, tanto en lo material como en lo espiritual. Es influenciable, le cuesta ser realista y es algo desordenada. En lo espiritual, tiende también a padecer desórdenes ciclotímicos.

Onomástica: No tiene.

Otros idiomas: Catalán: Atalanta.

ATALIA

Etimología: Del nombre mitológico griego *Atalos,* «joven, fuerte».

Personalidad: Su personalidad está marcada por el impulso de creación. Es algo autoritaria, individualista e independiente. Valora la estabilidad en su vida y, para conseguirla, a veces se muestra autoritaria y egoísta.

Onomástica: 3 de diciembre.

ATANASIA

Etimología: Nombre griego formado por *athanatos,* «inmortal».

Personalidad: Perdido en sus sueños de justicia universal y de paz en el mundo, es incapaz de ver el dolor que sus ausencias y despistes provocan en los que le rodean.

Onomástica: 14 de agosto.

Otros idiomas: Catalán: Atanàsia. Euskera: Atananase. Gallego: Atanasia. Bable: Tanasia. Francés: Athanasie.

ATHENA

Etimología: Nombre griego de la diosa de la sabiduría. Significa «la sabia».

Personalidad: Vive mucho más de cara al exterior que para sí misma. En realidad es tierna, afectuosa y está muy necesitada de cariño, pero considera que estas características son signos de debilidad, y prefiere ocultarlas. Aprende a amar a la gente con mucha velocidad, pero también puede ser cruel.

Onomástica: No tiene.

ATOCHA

Etimología: Nombre en honor de la Virgen de Atocha.

Personalidad: La estabilidad, la seguridad y la protección son sus ejes fundamentales. Se trata de personas con los pies en el suelo, aunque también ambiciosas, lo cual equilibra su carácter y les permite vivir una existencia activa y variada, repleta de situaciones que les permite crecer y aprender.

Onomástica: 10 de julio.

AUDREY

Etimología: Nombre de origen germánico, viene de *athal-trut,* «de casta noble».

Personalidad: Es una mujer independiente, individualista. Internamente se siente segura de sí misma, de su valor y de la bondad de sus ideas. Consigue el éxito con el esfuerzo y la paciencia.

Onomástica: 18 de junio.

AUGUSTA

Etimología: Del latín *augustus,* «consagrado por los augures, majestuoso, venerable».

Personalidad: Se trata de una persona reflexiva y seria, aunque nunca sobre temas religiosos, filosóficos o existenciales. Inteligente pero práctica. Valora mucho su libertad y por ello le cuesta comprometerse.

Onomástica: 7 de octubre.

Otros idiomas: Catalán: Augusta. Gallego: Augusta. Bable: Augusta.

ÁUREA

Etimología: Del latín *aurum,* «oro».

Personalidad: Su personalidad es muy creativa, entusiasta, sociable, optimista y muy espiritual. Tiene gran sentido práctico y es muy hábil en las actividades manuales. En contrapartida, puede ser algo intolerante y colérica, y a veces le cuesta concentrarse en una sola cosa.

Onomástica: 19 de julio.

Otros idiomas: Catalán: Àurea, Àuria. Euskera: Auria. Gallego: Aurea, Auria.

AURELIA

Etimología: Nombre de la gens romana Aurelia, que deriva de *aureolus,* «de oro».

Personalidad: Llevan su propio estilo de vida, aunque sin salirse mucho de los moldes sociales. Originales, pero nunca excéntricas ni marginales. Cultas, refinadas e inteligentes, y valoran mucho esta cualidad en sus amigos. Tienden a idealizar a la persona amada.
Onomástica: 25 de septiembre.
Otros idiomas: Catalán: Aurèlia. Gallego: Aurelia. Bable: Aurelia. Francés: Aurélie. Italiano: Aurelia. Variante: Aureliana.

Aurora

Etimología: Del latín *aurora,* de significado idéntico al castellano, que deriva de *ab-aurum,* «de oro».
Personalidad: Aurora es, sencilla y llanamente, buena. Carece por completo de maldad y obra procurando agradar siempre al mayor número de personas: sólo quiere que los demás sean felices. Demasiado exigente consigo misma y, sobre todo, con sus hijos. Lo que más le hace sufrir es no poder conciliar todos los intereses, porque necesita esa armonía.
Onomástica: 15 de septiembre.
Otros idiomas: Catalán, gallego y bable: Aurora. Euskera: Goizane, Goizargi. Inglés, alemán e italiano: Aurora. Francés: Aurore.

Auxiliadora

Etimología: Proviene del latín *auxilium,* «socorro, ayuda, protección». Nombre en conmemoración de María Auxiliadora.
Personalidad: Mujeres de gran belleza, relacionadas con la cultura, el conocimiento, la armonía y la verdad. Disfrutan al máximo de la vida, valorando lo detalles y placeres más insignificantes. Son cooperadoras, entusiastas y afectuosas, por lo que valoran el amor y la amistad. El mayor riesgo se encuentra en la hipersensibilidad y la indecisión.
Onomástica: 16 de mayo.
Otros idiomas: Catalán: Auxiliadora. Gallego: Auxiliadora. Bable: Auxiliadora.

Ava

Etimología: Proviene del latin *avis,* «ave».
Personalidad: Ava es tímida, discreta y elegante. Resulta enigmática y reservada, dudando a veces de sus capacidades. Al menor contratiempo se encierra en sí misma. Pero tiene un corazón de oro es capaz de hacer cualquier cosa por las personas que de verdad le importan. Su mayor virtud es el optimismo.
Onomástica: 5 de febrero.

Avelina

Etimología: De *Avelino,* nombre de una ciudad italiana en la región de Abella, de donde es originario el nombre de las avellanas.
Personalidad: Su problema principal es la pasividad y la indecisión, le parece que todo posee valores negativos y positivos. Es receptiva, sentimental y posee un gran espíritu de equipo. Cuando se siente rechazada, desarrolla una enorme capacidad de destrucción. Suele ser muy observadora.
Onomástica: 31 de mayo y 10 de noviembre.
Otros idiomas: Euskera: Abeliñe. Bable: Velina.

Ayesha

Etimología: Forma persa de *Aisha,* que en swahili significa «vida» y también «mujer».
Personalidad: Hiperactiva y ligeramente inestable, tiene una tendencia no muy sana a tomárselo todo demasiado en serio, casi como un reto personal. Tiene la necesidad de estar siempre haciendo algo productivo, hasta tal punto que llega a agotar a todos los que la rodean. Pierde los nervios con facilidad y se enfada a menudo. Su mayor virtud es la constancia y el espíritu de superación.
Onomástica: No tiene.

Azucena

Etimología: Nombre de flor que deriva del árabe *as-susana,* «el lirio».

Personalidad: A primera vista, puede parecer demasiado superficial. Siempre pendiente de su aspecto, del protocolo, de las formas... muchos creen que realmente no tiene nada en la cabeza. Pero no es así, ni mucho menos. Bajo su apariencia frívola, es una mujer dotada de un gran sentido de la justicia.

Onomástica: 15 de agosto.

Otros idiomas: Catalán: Assutzena. Gallego: Azucena. Bable: Zucena.

Babette

Etimología: Nombre germano que se forma como hipocorístico de *Barbara:* deriva del griego *barbaros,* «extranjero».

Personalidad: Es una persona hipersensible por más que intente disimularlo. Bajo su apariencia fría y un poco despreocupada, siempre pendiente de lo que los demás dicen o hacen y de la actitud que tienen hacia ella. Su gran placer consiste en ayudar a los que la rodean a ser felices.

Onomástica: No tiene.

Baia

Etimología: Nombre gallego, de origen griego, que significa «que habla bien».

Personalidad: Es protectora y de carácter fuerte y seguro, le encanta sentirse útil y necesitada. Es una gran amiga y una gran compañera, siempre está cuando se la necesita. En su vida profesional es ambiciosa, aunque no le gusta demasiado cambiar de actividad ni de escenario.

Onomástica: 1 de noviembre.

Bakhita

Etimología: Nombre africano que significa «afortunada».

Personalidad: Su personalidad es muy creativa, entusiasta, sociable, optimista y muy espiritual. Tiene gran sentido práctico y es muy hábil en las actividades manuales. En contrapartida, puede ser algo intolerante y colérica, y a veces le cuesta concentrarse en una sola cosa.

Onomástica: 31 de marzo.

Balbina

Etimología: Deriva del latín *Balbinus,* «hijo de Balbo». Balbo, a su vez, proviene de *balbus,* «tartamudo».

Personalidad: Analítica y bastante fría. Está llena de energía y trabaja incansablemente, pero sin poner pasión ni sentimiento. Emprendedora y simpática, conquista a todos a pesar de su ligera altivez. Su vida está siempre marcada por la incertidumbre y las dudas.

Onomástica: 31 de marzo.

Otros idiomas: Catalán y gallego: Balbina. Euskera: Balbiñe. Bable: Balba. Italiano: Balbina.

Bárbara

Etimología: Deriva del griego *barbaros,* «extranjero».

Personalidad: Ardiente, aunque reservada e incluso misteriosa, y por ello revela muy poco de sí misma. Concede una gran importancia a su aspecto físico y procura estar siempre bella y deseable, pero no por ello descuida su mente: destacará en su campo profesional.

Onomástica: 4 de diciembre.

Otros idiomas: Catalán: Bàrbara. Euskera: Barbare. Gallego: Bárbara. Inglés: Barbara. Francés: Barbe, Barbara. Alemán: Bärbehen, Barbara. Italiano: Barbara.

Barbie

Etimología: Nombre norteamericano que se forma como hipocorístico de *Barbara:* deriva del griego *barbaros,* «extranjero».

Personalidad: Humanista y entregada por naturaleza: para ser feliz, su vida tiene que serle útil a los demás. No entiende el egoísmo ni la falta de compromiso: ella, realmente, no puede descansar sabiendo que hay alguien que puede necesitarla. El problema es que es demasiado crítica consigo misma.

Onomástica: No tiene.

Bartolomea

Etimología: Nombre hebreo cuya forma primitiva es la de «hijo de Ptolomeo», aunque algunos lo han traducido por «viejo», «abundan-

te en surcos» e incluso «el que detiene las aguas».
Personalidad: La estabilidad, la paciencia, la organización, el realismo, el sentido del deber y el orden son sus principales virtudes. En lo sentimental y con sus amistades son de una fidelidad absoluta. Por contra, caen con facilidad en la rutina y la avaricia.
Onomástica: 27 de junio.

Basila

Etimología: Variante inglesa de *Basilia.*
Personalidad: Su principal virtud es la capacidad de adaptación, por lo cual le entusiasman los viajes y todo lo que requiera audacia e innovación. En lo negativo, su personalidad le acarrea ciertos inconvenientes, como accidentes, inestabilidad y superficialidad.
Onomástica: 17 y 20 de mayo.

Basilia

Etimología: Nombre griego que puede interpretarse como «reina».
Personalidad: Es equilibrada y posee gran encanto, por lo que está dotada para la diplomacia y las relaciones públicas. También valora enormemente la belleza, la armonía y la capacidad de sacrificio. Por contra, es algo indecisa y dada al fatalismo y al exceso de perfeccionismo.
Onomástica: 29 de agosto.

Basilisa

Etimología: Es una variante de *Basilia.*
Personalidad: Concede más importancia a lo espiritual que a lo material. Es paciente, con gran capacidad de estudio, lógica y análisis. Muy exigente consigo misma y con los demás. Algo solitaria e introspectiva, por lo que cae con facilidad en el pesimismo.
Onomástica: 9 de enero y 22 de marzo.
Otros idiomas: Gallego: Basilisa.

Bathsheba

Etimología: Nombre hebreo que significa «hija prometida». Esposa del rey David.
Personalidad: Persona serena, tranquila y hasta un poco parsimoniosa. De inteligencia profunda y muy dotada para la meditación. Sin embargo, parece que le cuesta mucho conciliar sus planteamientos intelectuales con un plan concreto de actuación. Su ideal es ser el cerebro de alguna clase de sociedad, de modo que sean los demás los que llevan a la práctica sus numerosas ideas.
Onomástica: No tiene.

Batilde

Etimología: Nombre que procede de los países nórdicos: «guerrera audaz».
Personalidad: Procura mostrarse siempre ecuánime y posee un sentido innato de la justicia y el equilibrio, pero también cae con facilidad en ataques de ira y valora en exceso el poder y el triunfo. Es impaciente e impetuosa. Esta personalidad la hace, casi con seguridad, muy celosa.
Onomástica: 30 de enero.

Bautista

Etimología: Nombre cristiano que hace referencia al sacramento del bautismo.
Personalidad: Es una gran idealista, siempre actúa movida por la generosidad. Muy amiga de sus amigos, necesita vivir motivada por ellos o por el amor. Tal vez por ello es demasiado influenciable y le cuesta mantener sus puntos de vista. En el terreno espiritual es también demasiado cambiante.
Onomástica: 30 de mayo.
Otros idiomas: Euskera: Uguzne.

Beata

Etimología: Nombre muy común entre los primeros cristianos, que significa «feliz, bienaventurada».

Personalidad: Se distinguen muy especialmente por su personalidad carismática, seductora y fuerte. Es también idealista y perfeccionista, lo cual normalmente la lleva a tener elevadas ambiciones, que no siempre se adaptan a la realidad. La parte negativa de su carácter es que suele ser nerviosa y autoritaria.
Onomástica: 8 de marzo.

Beatriz

Etimología: Deriva del nombre latino *Beatrix,* «la que hace feliz», que a su vez proviene del verbo *beo,* «hacer feliz».
Personalidad: Hace felices a los demás, pero raramente a sí misma. Reservada. Activa, rebosante de energía, suele dar el aspecto de dominante, excepto en las relaciones de pareja.
Onomástica: 19 de enero y 24 de julio.
Otros idiomas: Catalán: Beatriu. Euskera: Batirtze. Gallego: Beta, Beatriz. Bable: Beatriz. Inglés: Beatrix, Betrice. Francés: Béatrice. Alemán: Beatrice, Beatrix. Italiano: Beatrice, Bice.

Bega

Etimología: Nombre germánico de origen poco claro, posiblemente venga de *Berta:* «ilustre, brillante». También se puede escribir Begga
Personalidad: Es muy creativa y está dotada del impulso de la inspiración. Le gustan las emociones y es muy dada a perseguir ideales utópicos. Es también idealista y perfeccionista, lo cual normalmente la lleva a tener elevadas ambiciones. La parte negativa es la facilidad con que cae en la extravagancia y su tendencia a la inestabilidad.
Onomástica: 17 de diciembre.

Begonia

Etimología: Nombre vasco compuesto por *beg-oin-a,* «lugar de la colina dominante». En conmemoración de la Virgen de Begoña, cuyo apelativo hace referencia a su posición geográfica.
Personalidad: Valora la amistad y la lealtad por encima de cualquier otra cosa. Su familia es lo primero para ella, por lo que suele relegar a un segundo plano todo lo relacionado con el mundo profesional, aunque se ve favorecida por una enorme capacidad de aprendizaje.
Onomástica: 15 de agosto y 11 de octubre.
Otros idiomas: Catalán: Begònia. Bable: Gegoña. Alemán: Begonia.

Begoña

Etimología: Nombre vasco compuesto por *beg-oin-a,* «lugar de la colina dominante». En conmemoración de la Virgen de Begoña, cuyo apelativo hace referencia a su posición geográfica.
Personalidad: De carácter contundente y convicciones profundas. No le gusta mandar ni que la manden: es una independiente por naturaleza. Es sin embargo algo ingenua, sobre todo en el amor.
Onomástica: 15 de agosto y 11 de octubre.
Otros idiomas: Catalán: Begònia. Bable: Gegoña. Alemán: Begonia.

Bela

Etimología: Nombre gallego que es una variante de *Isabel,* que procede del hebreo y que significa «Baal da la salud».
Personalidad: Sabe combinar una férrea determinación con un tacto y una diplomacia exquisitos. Sabe lo que quiere y no se rendirá hasta que lo consiga. Altruista y a menudo desinteresada, siente un gran placer ayudando al prójimo. Su gran defecto es la ingenuidad.
Onomástica: 8 de julio y 19 de noviembre.
Otros idiomas: Catalán: Isabel, Elisabet. Euskera: Elisa, Elixabet. Gallego: Sabel, Sabela. Inglés: Elisabeth, Elizabeth. Francés: Isabelle, Elisabeth, Ysabel. Italiano: Isabella, Elisabetta, Lisa. Alemán: Isabella, Elisabeth.

Belarmina

Etimología: Es un derivado germánico del asirio *habel,* «hijo», al que se añade el adjetivo *hard,* «fuerte». Significa «hija fuerte».

Personalidad: Protectora, fuerte y segura, le encanta sentirse útil, necesitada. Es una gran amigo y compañera. En su vida profesional es ambiciosa, aunque quizá poco constante.

Onomástica: 2 de enero.

Otros idiomas: Bable: Belarmina, Belarma, Belmira.

Belén

Etimología: Nombre cristiano de origen hebreo: conmemora la ciudad donde nació Jesucristo, *Betlehem* (Belén en castellano), literalmente «casa de pan».

Personalidad: Belén es mucho menos dulce y sensible de lo que aparenta. Fundamentalmente lógica y racional. Hace lo que sea por sentirse aceptada y por resultar simpática a los que la rodean.

Onomástica: 25 de diciembre.

Otros idiomas: Catalán: Betlem. Euskera: Ostatxu. Gallego y bable: Belén.

Belina

Etimología: Nombre que se forma como hipocorístico de *Bela.*

Personalidad: Es muy creativa y está dotada del impulso de la inspiración. Le gustan las emociones y es muy dada a perseguir ideales utópicos. Es también idealista y perfeccionista, lo cual normalmente la lleva a tener elevadas ambiciones. La parte negativa es la facilidad con que cae en la extravagancia y su tendencia a la inestabilidad.

Onomástica: 19 de febrero.

Belinda

Etimología: Deriva del germánico *bern-lind,* «defensa del oso»; en sentido figurado, «defensa del guerrero».

Personalidad: De niña, tiende a ser callada, introspectiva, sentimental. Cuando se da cuenta de que así no llegará lejos, se vuelve toda simpatía y exuberancia. Le encanta coquetear y sentirse amada o apreciada, pero valora la fidelidad y el respeto por encima de todo.

Onomástica: 25 de diciembre.

Bella

Etimología: Nombre hebreo que significa «Baal da la salud». Es una variante de *Isabella.*

Personalidad: Sabe combinar una férrea determinación con un tacto y una diplomacia exquisitos. Sabe lo que quiere y no se rendirá hasta que lo consiga. Altruista y a menudo desinteresada, siente un gran placer ayudando al prójimo. Su gran defecto es la ingenuidad.

Onomástica: 8 de julio y 19 de noviembre.

Otros idiomas: Gallego: Bela. Alemán: Isabella. Italiano: Elisabetta, Lisa.

Benedicta

Etimología: Forma antigua de *Benita,* que procede del latín *benedictus,* «bendito», a su vez compuesto por *bene-dico,* «hablar bien».

Personalidad: La pasividad y la indecisión son su principal problema: piensa y piensa y todo le parece con valores negativos y positivos. Es receptivo, sentimental y en el terreno laboral se vale muy bien de su espíritu de equipo. En lo sentimental, si se siente rechazado, es muy rencoroso.

Onomástica: 4 de enero y 9 de agosto.

Benigna

Etimología: Deriva del latín *benignus,* «benigno».

Personalidad: Creativa e ingeniosa, pero tranquila. Profundamente religiosa. Es buena por naturaleza, pero su afición a la soledad la convierte en un ser un tanto egoísta, que olvida los problemas sencillos de sus seres queridos para entregarse a profundas causas filosóficas.

Onomástica: 13 de febrero y 9 de noviembre.
Otros idiomas: Catalán: Benigna. Euskera: Beniñe. Gallego: Benigna. Bable. Benigna. Francés: Benigne. Italiano: Benigna.

Benilde

Etimología: Nombre de origen germánico que significa «bandera del guerrero».
Personalidad: Es una mujer repleta de vida que siempre rebosa optimismo y felicidad. Nunca se la ha visto deprimida. Siempre está entregada a alguna actividad, ya que le gusta disfrutar de la vida al máximo. En lo que se refiere al terreno sentimental, no le gustan demasiado los compromisos.
Onomástica: 15 de junio.

Benita

Etimología: Procede del latín *benedictus,* «bendito», a su vez compuesto por *bene-dico,* «hablar bien».
Personalidad: Tímida y solitaria, extremadamente introvertida. Idealista y soñadora, trabaja sin descanso por aquello en lo que cree. Si logra vencer su pesimismo, puede ser una auténtica revolucionaria.
Onomástica: 29 de junio.
Otros idiomas: Catalán: Beneta. Euskera: Benite, Donetsi. Gallego: Bieita. Bable: Benita. Francés: Benoite. Italiano: Benedetta. Variante: Benedicta.

Benjamina

Etimología: Deriva del hebreo *ben-ynm,* «hijo de mi mano derecha», es decir, «hija predilecta». Hace alusión a la hija pequeña, que tradicionalmente es la favorita.
Personalidad: Benjamina es una mujer asaltada por las dudas; piensa demasiado y le cuesta decidirse a actuar, aunque cuando vence la incertidumbre se vuelve precipitada y temeraria.
Onomástica: 31 de marzo.
Otros idiomas: Bable: Benxamín, Xamina.

Berenguela

Etimología: Del nombre germánico *Beringar,* «oso listo para el combate»
Personalidad: Mujeres de gran belleza, relacionadas con la cultura, el conocimiento, la armonía y la verdad. Disfrutan al máximo de la vida, valorando lo detalles y placeres más insignificantes. Son cooperadoras, entusiastas y afectuosas, por lo que valoran el amor y la amistad. El mayor riesgo se encuentra en la hipersensibilidad y la indecisión.
Onomástica: 2 de octubre.
Otros idiomas: Catalán: Berenguera, Berenguela.

Berenice

Etimología: Proviene del griego *bere-niké,* «portadora de la victoria». Nombre muy común entre las reinas y princesas del antiguo Egipto.
Personalidad: Efectivamente, Berenice siempre gana. No es que esté dotada de una especial inteligencia: su truco es la tenacidad, y en ocasiones, su falta de escrúpulos: es una gran manipuladora. Eso sí, es solidaria.
Onomástica: 29 de junio y 4 de octubre.
Otros idiomas: Catalán: Bereniç. Inglés: Berenice. Francés: Bérénice. Variante: Bernice.

Bernarda

Etimología: Deriva del germánico *berin-hard,* «oso fuerte».
Personalidad: Sincera, fiel y solidaria. En ocasiones se muestra algo autoritaria. Le resulta mucho más difícil solucionar sus propios problemas que los de los demás. Se preocupa hasta la obsesión por el qué dirán.
Onomástica: 15 de junio y 20 de agosto.
Otros idiomas: Catalán: Bernarda. Euskera: Benate, Bernate. Gallego: Bernalda. Bable:

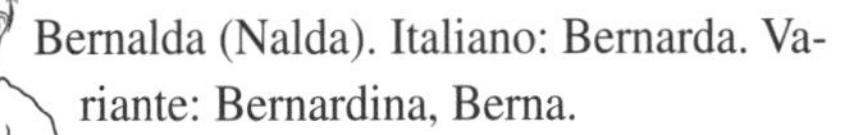

Bernalda (Nalda). Italiano: Bernarda. Variante: Bernardina, Berna.

Berta

Etimología: Nombre germánico que proviene de *berth,* «brillante, ilustre».

Personalidad: La incansable, la que nunca se rinde. Es dada a consagrar su vida a una sola causa, y en ella persevera hasta el final. Es extremadamente exigente consigo misma. Buena y afectuosa, sin embargo es un poco intolerante con las debilidades humanas.

Onomástica: 15 de mayo, 4 de julio.

Otros idiomas: Catalán, gallego y bable: Berta. Inglés: Bertha. Francés: Bertha, Berthe. Alemán: Bertha, Berte, Bertel. Italiano: Berta.

Bertila

Etimología: Es una variante de *Berta,* nombre germánico que proviene de *berth,* «brillante, ilustre».

Personalidad: Intransigente por naturaleza, sólo va adquiriendo flexibilidad y comprensión hacia los demás con el paso de los años. Es muy temperamental, propensa a las decisiones repentinas, inesperadas y poco o nada meditadas. Esto se compensa con su aguda inteligencia e intuición.

Onomástica: 5 de noviembre.

Bertilia

Etimología: Es una variante de *Berta,* nombre germánico que proviene de *berth,* «brillante, ilustre».

Personalidad: Es una mujer ambiciosa y adaptable que nunca se marca un límite sobre lo que puede conseguir. Le gusta experimentar en campos distintos, de modo que pueda llevar una vida lo más variada posible. Aunque no confía plenamente en el amor ni en la amistad, se irá rodeando de personas muy especiales.

Onomástica: 3 de enero.

Bertina

Etimología: Es una variante de *Berta,* nombre germánico que proviene de *berth,* «brillante, ilustre».

Personalidad: Es del todo ajena a la lógica. Parece que vive en su propio mundo, regida por sus propias normas y leyes. Feliz con su independencia, procura evitar los compromisos a toda costa. En el amor es romántica y muy fantasiosa.

Onomástica: 2 de mayo y 5 de septiembre.

Bertoaria

Etimología: Nombre germánico cuyo significado es «pueblo o ejército brillante, célebre».

Personalidad: Segura y emprendedora, no se rinde fácilmente. Se ilusiona enseguida con cualquier proyecto, y es capaz de trabajar hasta la extenuación, aunque sólo si se divierte mientras lo hace. Exige a los demás la misma dedicación y es muy intransigente con la pereza. Muchas veces descuida su vida personal.

Onomástica: 4 de diciembre.

Beth

Etimología: Nombre hebreo, de origen arameo, que significa «casa de Dios, templo».

Personalidad: Sensible y fuerte al mismo tiempo. Necesita ser original, aunque muchas veces no sabe muy bien cómo hacerlo. Le gusta sentir que es ella la que domina, y no soporta que los demás no le hagan caso o que no hagan lo que ella quiere. De joven es una idealista soñadora.

Onomástica: No tiene.

Betina

Etimología: Nombre hebreo que significa «Baal da la salud». Variante de *Isabel.*

Personalidad: Sabe combinar una férrea determinación con un tacto y una diplomacia exquisitos. Sabe lo que quiere y no se rendirá hasta que lo consiga. Altruista y a menudo de-

sinteresada, siente un gran placer ayudando al prójimo. Su gran defecto es la ingenuidad.
Onomástica: 8 de julio y 19 de noviembre.

Betty

Etimología: Nombre hebreo que significa «consagrada a Dios». En inglés, es hipocorístico de *Elizabeth.*
Personalidad: Recta, tranquila, equilibrada, es una de esas personas que procura no decir nunca una palabra más alta que otra. Es extremadamente comprensiva, y para sus amigos se convierte en un inmejorable apoyo. En su profesión es ambiciosa y puede llegar a mostrarse intransigente con las debilidades ajenas.
Onomástica: No tiene.

Bianca

Etimología: Deriva del germánico *blank,* «blanco». Es una variante de *Blanca.*
Personalidad: Su carácter es muy creativo. Le gustan las emociones y es muy dada a perseguir ideales utópicos. Es también idealista y perfeccionista, lo cual normalmente la lleva a tener elevadas ambiciones. La parte negativa es la facilidad con que cae en la extravagancia y su tendencia a la inestabilidad.
Onomástica: 5 de agosto.
Otros idiomas: Francés e italiano: Bianca.

Bibiana

Etimología: Del latín *vividus,* «vivo, animado, fogoso».
Personalidad: Extraordinariamente compleja, aunque al mismo tiempo sencilla. Vive plenamente, con mayúsculas: es Madre, Esposa, Amiga, Amante... y cuando se consagra a su trabajo, también lo hace plenamente. Siempre pone toda la carne en el asador.
Onomástica: 2 y 26 de diciembre.
Otros idiomas: Catalán: Viviana. Eusquera: Bibiñe. Inglés: Vivien. Francés: Vivienne. Italiano: Viviana.

Bienvenida

Etimología: Nombre medieval cuyo origen se encuentra en la expresión latina *bene-venutus,* «bienvenido». En un principio se aplicaba a los hijos muy deseados.
Personalidad: No soporta con facilidad que le lleven la contraria, y es propensa a los ataques de ira. La estética es su verdadera obsesión. Posee una gran imaginación e inteligencia, pero se deja invadir fácilmente por el desaliento.
Onomástica: 30 de octubre.

Bitilda

Etimología: Nombre de origen germánico que significa «guerrera famosa».
Personalidad: Es la optimista por excelencia: cuando hay problemas, siempre ve una salida inmediata. En el amor y con sus amigos lo da todo, sin reservas, y espera lo mismo. Detesta la indiferencia y la indecisión, y en cualquier circunstancia exige de los demás el mismo compromiso.
Onomástica: 27 de noviembre.

Blanca

Etimología: Deriva del germánico *blank,* «blanco».
Personalidad: Hace las cosas bien, es atractiva, inteligente, simpática... pero para ella nada es suficiente.Tiende a compararse con los demás y en su fuero interno sale malparada. Original, incluso algo excéntrica. El amor es la verdadera meta de su vida, lo que le proporciona la seguridad que ella tanto necesita.
Onomástica: 5 de agosto.
Otros idiomas: Catalán y bable: Blanca. Euskera: Zuria, Zuriñe. Gallego: Branca. Inglés: Blanche. Francés: Blanche, Bianca. Alemán: Blanka. Italiano: Bianca.

Blanda

Etimología: Deriva del latín *blanda,* «que se gana el cariño, agradable».

Personalidad: Tiene una auténtica obsesión por su aspecto: siempre perfecta, brillante, hermosa. Le gusta ser original y hasta un poco extravagante, y obtiene un gran placer escandalizando a los demás. Independiente y luchadora, persigue con vehemencia sus objetivos profesionales.
Onomástica: 10 de mayo.

Blandina
Etimología: Deriva del latín *blanda,* «que se gana el cariño, agradable».
Personalidad: Trabajadora incansable. Cuando tiene un momento de ocio, le gusta disfrutarlo al máximo, y es una amante consumada de la buena vida, del lujo y de las comodidades. Posee ideales muy profundos y siempre procura actuar de acuerdo con ellos y con absoluta independencia.
Onomástica: 18 de mayo y 2 de junio.

Blasa
Etimología: Deriva del latín *blaesus,* «tartamudo», aunque su origen más remoto se encuentra en el griego *blaisos,* «zambo».
Personalidad: Conservadora. Le gusta aparentar que es seria, intelectual, que desprecia los placeres mundanos, aunque en realidad no sea así en absoluto. Dotada de una inteligencia profunda, le apasionan las abstracciones, los números, las grandes teorías. Parece que quiere que todo en su vida sea exacto.
Onomástica: 3 de febrero.

Blesila
Etimología: Deriva del latín *blaesus,* «tartamudo», aunque su origen más remoto se encuentra en el griego *blaisos,* «zambo».
Personalidad: Tiene condiciones para ser la madre perfecta. Cariñosa, entregada, es capaz de sacrificarlo todo por el bien de sus seres queridos, sobre todo si son sus propios hijos. Sin embargo, cuando no se siente segura, es irreflexiva y pesimista, propensa a tomar decisiones erróneas. Generosa y desprendida.
Onomástica: 22 de enero.
Otros idiomas: Bable: Brasa.

Bonanova
Etimología: Nombre en honor de la Virgen de la Bonanova.
Personalidad: Su personalidad es conflictiva, por lo que suele encontrar dificultades para sentirse a gusto consigo misma. También es algo vacilante y no muy enérgica. Sin embargo, posee un cierto espíritu aventurero, incluso es algo temeraria, y con sus amigos es de una lealtad inquebrantable.
Onomástica: El domingo posterior al 8 de septiembre.

Bonajunta
Etimología: Nombre de origen latino que significa «buena, unida». Se suele interpretar como «buena esposa o buena compañía».
Personalidad: Persona tranquila y reflexiva, un auténtico maestra del auto del autocontrol. Posee un innato sentido de la justicia y es capaz de luchar por aquello en lo que cree. Disfruta mucho en compañía de sus amigos y seres queridos, adora una buena tertulia y procura encontrar un trabajo que le obligue a estar continuamente en contacto con la gente.
Onomástica: 12 febrero y 31 agosto.

Brenda
Etimología: Femenino de *Brand,* «espada». Nombre muy común en Islandia.
Personalidad: Es lenta pero segura. Sus decisiones siempre se hacen esperar y están profundamente meditadas, pero una vez que han sido tomadas, nada en el universo es capaz de hacer que no se cumplan. Y es que es implacable, aunque puede ser la mejor de las amigas, y sin duda un apoyo inmejorable en situaciones difíciles.

Onomástica: 16 de mayo.
Otros idiomas: Catalán: Brenda. Inglés: Brenda.

BRIANNA

Etimología: Nombre de origen irlandés que significa «mujer fuerte».
Personalidad: Juguetona e insistente, puede parecer que no le da importancia a casi nada, pero realmente le toma mucho cariño a la gente y sufre agudas decepciones cuando alguien le falla. Es poco reflexiva y raramente piensa antes de actuar.
Onomástica: No tiene.

BRIDGET

Etimología: Nombre de origen irlandés que significa «mujer fuerte».
Personalidad: Altiva e independiente, lista y decidida, implacable con sus enemigos y capaz de casi cualquier cosa para conseguir sus objetivos. Su modo de afrontar los problemas es quizá un poco retorcido. Defiende su territorio y a su familia con uñas y dientes. La parte positiva es que es el mejor apoyo para su familia.
Onomástica: No tiene.

BRÍGIDA

Etimología: El nombre de Brígida procede de la diosa gaélica del fuego, *Brighid.* Su origen parece remontarse a la voz céltica *brigh,* «fuerza».
Personalidad: Dominante y autoritaria, no cede nunca, pero su diversión favorita consiste en hacer creer a los otros que son ellos los que deciden. Es una mujer dotada de infinita paciencia, pero de decisiones precipitadas, por lo que tiende a escoger siempre al compañero sentimental más inadecuado.
Onomástica: 1 de febrero y 8 de octubre.
Otros idiomas: Catalán: Brígida. Euskera: Birxita, Birkide. Gallego y bable: Bríxida. Inglés: Brigitte, Bridget. Francés y alemán: Brigitte. Italiano: Brígida.

BRIGITTE

Etimología: El nombre de Brigitte es una variante francesa de *Bígida,* que procede de la diosa gaélica del fuego *Brighid.* Su origen parece remontarse a la voz céltica *brigh,* «fuerza».
Personalidad: Posee una personalidad equilibrada, serena y con las ideas muy claras, aunque también es intuitiva y magnética. Valora el refinamiento y la integridad, la simpatía y la benevolencia. Suele ser idealista sin remedio si cree en una idea determinada.
Onomástica: 1 de febrero y 8 de octubre.
Otros idiomas: Catalán: Brígida. Euskera: Birxita, Birkide. Gallego: Bríxida. Inglés: Brigitte, Bridget. Francés y alemán: Brigitte. Italiano: Brígida.

BRISDA

Etimología: Nombre que procede de la diosa gaélica del fuego, *Brighid.* Su origen parece remontarse a la voz céltica *brigh,* «fuerza».
Personalidad: Alegre y frívola, incluso dispersa, aunque ella tiene muy claras sus prioridades en la vida, y en primera instancia se dedica a ellas. En general, puede decirse que es poco detallista y propensa a olvidarse de aniversarios y felicitaciones, pero cuando se la necesita, es una amiga de las de verdad.
Onomástica: 1 de febrero y 23 de junio.

BRISEIDA

Etimología: Del griego *Briseis,* relativo al nombre de *Dionisos.*
Personalidad: Su principal característica es el exceso, en cualquier sentido. Lo mismo se trata de una personalidad excesivamente soñadora como de un materialismo consumado, de hedonistas y narcisistas como de estoicas que rozan el ascetismo. Hay que vigilar la tenden-

cia a la indiscreción, así como al inconformismo.

Onomástica: No tiene.

Otros idiomas: Catalán: Briseida.

Britany

Etimología: Nombre inglés toponímico de Bretaña: *Britany.*

Personalidad: Es una mujer hogareña que desea pasar su vida del modo más apacible y tranquilo. El trabajo es para ella una maldición, y mucho más la vida en la ciudad. Su ideal es retirarse al campo y cultivar con sus manos, sin más compañía que su familia y amigos más íntimos.

Onomástica: No tiene.

Britney

Etimología: Nombre inglés toponímico de Bretaña: *Britany.*

Personalidad: Son personas sencillas y auténticas. Detestan a los que actúan de una determinada manera sólo por guardar las apariencias y, por eso, prefieren que les digan las cosas a la cara, sin rodeos ni ambages. Odian la mentira y la hipocresía. Su sistema moral es simple pero incorruptible.

Onomástica: No tiene.

Brooklyn

Etimología: Nombre americano que se forma por la combinación de *Brooke* y *Lynn.*

Personalidad: Es una mujer inquieta, siempre en busca de nuevas aventuras y experiencias en todos los ámbitos de su vida. Se niega a ser conformista, ama la libertad y sólo aceptará un compromiso cuando esté profundamente segura de que es eso lo que quiere. Aunque parezca alocada, sus actos siempre tienen un sentido.

Onomástica: No tiene.

Bruna

Etimología: Procede del germánico *prunja,* «coraza», y no de *brun,* «oscuro», como pudiera parecer.

Personalidad: Tozuda y obstinada. Puede ser orgullosa, pero también sincera y justa. Siente pasión por todo tipo de actividades intelectuales. En el amor y en la amistad se muestra muy entregada. Detesta actuar por conveniencia y siguiendo las pautas sociales.

Onomástica: 26 de abril y 6 de octubre.

Otros idiomas: Euskera: Burne.

Brunilda

Etimología: Procede del germánico *prunja,* «coraza» y no de *brun,* «oscuro», como pudiera parecer.

Personalidad: Tozuda y obstinada. Puede ser orgullosa, pero también sincera y justa. Siente pasión por todo tipo de actividades intelectuales. En el amor y en la amistad se muestra solícita. Detesta actuar por conveniencia y siguiendo las pautas sociales.

Onomástica: 6 de octubre.

Otros idiomas: Catalán: Brunilda. Francés: Brunehault, Brunehilde. Alemán: Brunhilde, Brunhild.

Cabeza

Etimología: Nombre de advocación mariana: Virgen de la Cabeza. Tiene un santuario en Andújar (Jaén). También en Madrid se utiliza este nombre en honor de Santa María de la Cabeza.

Personalidad: Es un poco perezosa y, aunque sepa lo que quiere y qué ha de hacer para conseguirlo, le cuesta ponerse manos a la obra. Es romántica y soñadora, muy dada a perderse en el mundo de sus fantasías amorosas. Cariñosa y entregada, pero también muy exigente. Cuando hay problemas sabe ser fuerte y tranquila.

Onomástica: 8 de septiembre.

Caitlin

Etimología: Nombre de origen irlandés que significa «pura»

Personalidad: Es como una niña. Crédula, ingenua y risueña. Concede una gran importancia al amor durante toda su vida. En su profesión demuestra que es brillante, creativa y muy trabajadora; tiene ambición, pero no se deja dominar por ella.

Onomástica: No tiene.

Calamanda

Etimología: Nombre catalán, en honor de la santa del mismo nombre, patrona de Calaf (Barcelona). Parece proceder del latín *calamus,* «caña, de forma de caña».

Personalidad: Lo hace todo con el corazón; ella presume de ser pasional, impulsiva y profundamente sensible. Quizá tenga un miedo patológico a la soledad. Detesta las discusiones y en muchas circunstancias prefiere guardar silencio para no provocar una disputa. Es una compañera dulce y romántica.

Onomástica: 5 de febrero.

Calíope

Etimología: Del nombre griego *Kallιópe,* formado por *kalós,* «bello», y *ops,* «voz», o sea, «hermosa voz».

Personalidad: Emotiva, altruista e idealista. Fiel a sus amistades y amores, tiene gran necesidad de ayudar y compartir, tanto en lo material como en lo espiritual. Es influenciable, le cuesta ser realista y es algo desordenada. En lo espiritual, tiende también a padecer desórdenes ciclotímicos.

Onomástica: 8 de junio.

Otros idiomas: Catalán: Cal.líope, Cal.líop. Euskera: Kalupe. Italiano: Calliope.

Calipso

Etimología: Del griego *Kalypsis,* «la que distrae». Ninfa de la mitología griega.

Personalidad: Su principal característica es el exceso, en cualquier sentido. Lo mismo se trata de una personalidad excesivamente soñadora como de un materialismo consumado, de hedonistas y narcisistas como de estoicas que rozan el ascetismo. Hay que vigilar la tendencia a la indiscreción, así como al inconformismo.

Onomástica: No tiene.

Otros idiomas: Catalán: Calipso.

Calixta

Etimología: Nombre griego formado por el superlativo de *kalós, kállistos,* que significa «bellísimo».

Personalidad: Románticas empedernidas que dedican la vida entera a buscar a su alma gemela. Excesivamente imaginativas, les cuesta vivir en el mundo real. Inquietas y pasionales, podría decirse que desprecian el llamado autocontrol y el racionalismo.

Onomástica: 25 de abril y 2 de septiembre.

Otros idiomas: Catalán: Calixte. Euskera: Kalixte. Gallego: Calista. Bable: Calista. Francés: Calixte.

Callista

Etimología: Nombre griego formado por el superlativo de *kalós, kállistos,* que significa «bellísimo».

Personalidad: Su gran pasión radica en la belleza. Es una gran amante del arte en todas sus manifestaciones, y en su propia vida. En el amor y con sus amigos se muestra impulsiva y apasionada. No le gusta trabajar en exceso y no es ambiciosa, por lo que procura buscarse una profesión tranquila que le permita llevar una vida desahogada.

Onomástica: No tiene.

Camelia

Etimología: Del latín popular *camellus,* «camello».

Personalidad: El rasgo dominante de su personalidad es el alto dominio sobre sí misma. Sabe medir sus capacidades, que suelen armonizar con todo lo que le rodea. Refinada, amable, simpática y de buen talante, suele hacer amigos con gran facilidad y le gusta ayudar a los demás. Quizá demasiado soñadora.

Onomástica: No tiene.

Otros idiomas: Catalán: Camèlia. Italiano: Camelia.

Cameron

Etimología: Nombre escocés cuyo significado original era «nariz torcida».

Personalidad: Tiene un temperamento demasiado variable, nunca se puede estar seguro de cómo va a reaccionar. En el amor, raras veces será correspondida por la persona a quien realmente ama, aunque probablemente termine asentándose en una afable y placentera relación sustentada más por la amistad que por el amor.

Onomástica: No tiene.

Camila

Etimología: Algunos consideran que deriva de *Camilos,* uno de los dioses de los Cabirios. Otros opinan que proviene del griego *kadmilos,* «nacido de justas bodas». También podría tener su origen en el etrusco *casmillus,* «ministro», o incluso en el hebreo *kadm-El,* «mensajero de Dios».

Personalidad: Metódica y equilibrada, le asusta tremendamente el caos y las pasiones incontrolables. De ideas fijas y convicciones profundas. Ligeramente insegura, necesita el afecto y la comprensión de los demás. Suele entregarse a relaciones tranquilas y racionales.

Onomástica: 14 de julio.

Otros idiomas: Catalán: Camil·la. Euskera: Kamille. Gallego y bable: Camila. Inglés e italiano: Camilla. Francés: Camille. Alemán: Camilla, Kamilla.

Camino

Etimología: Nombre cristiano que hace honor a Nuestra Señora del Camino, protectora de los viajeros y de los peregrinos.

Personalidad: Como su propio nombre indica, Camino suele señalarse de muy niña cuál es su meta y cuál es la senda más adecuada para conseguirla. Perseverante y pertinaz, pero de amplias miras, que procura disfrutar de todo lo que la vida tiene que ofrecer.

Onomástica: 8 y 15 de septiembre.

Otros idiomas: Catalán: Camí. Euskera: Bidane. Gallego: Camiño.

Cancianila

Etimología: Del latín *cantio,* «canción».

Personalidad: Es, definitivamente, una mujer de muchas caras... Tiene una personalidad muy compleja. Por un lado, es fuerte, luchadora y decidida, es muy ambiciosa y procura parecer siempre altiva y un poco superior. Pero hay una parte de ella que parece no estar a gusto consigo misma.

Onomástica: 31 de mayo.
Otros idiomas: Bable: Canciana.

Candela

Etimología: Suele emplearse como nombre cristiano en conmemoración de la Virgen de la Candelaria. Proviene del latín *candela,* «cirio, vela».
Personalidad: Desde el mismo momento de su nacimiento, Candela es una niña especial. Irradia un aire de sencillez y seguridad. Cuando crece, se convierte en una mujer valiente y creativa. Afectuosa y compasiva, es una excelente amiga y una compañera inmejorable.
Onomástica: 2 de febrero.
Otros idiomas: Catalán, gallego y bable: Candela.

Candelaria

Etimología: Suele emplearse como nombre cristiano en conmemoración de la Virgen de la Candelaria. Proviene del latín *candela,* «cirio, vela».
Personalidad: Desde el mismo momento de su nacimiento, Candela es una niña especial. Irradia un aire de sencillez y seguridad. Cuando crece, se convierte en una mujer valiente y creativa. Afectuosa y compasiva, es una excelente amiga y una compañera inmejorable.
Onomástica: 2 de febrero.
Otros idiomas: Catalán: Candelera. Gallego: Candelaria, Candeloria.

Candice

Etimología: Nombre y título de las reinas de la antigua Escocia. Significaba «brillante, luminosa».
Personalidad: Valiente, sale adelante pase lo que pase. A la hora de trabajar, es seria y responsable, prudente cuando las circunstancias lo requieren, aunque también es capaz de arriesgar. En el amor suele ser desgraciada, quizá porque le resulta difícil encontrar compañeros tan fuertes y seguros como ella misma.
Onomástica: No tiene.

Cándida

Etimología: Del latín *candidus,* «blanco».
Personalidad: Aunque su nombre signifique blanco, su color es el rojo. Pasional, optimista y autoritaria, posee un agudo sentido de la realidad que le evita luchar por causas perdidas. En ocasiones resulta algo imprudente. Tiene una voluntad de hierro y es algo intolerante.
Onomástica: 4 de septiembre.
Otros idiomas: Catalán: Càndida. Euskera: Candide. Gallego: Candida. Bable: Cándida. Inglés: Candice, Candida. Francés: Candide, Candida. Italiano: Candida.

Canòlic

Etimología: Nombre catalán de advocación mariana: Mare de Déu de Canòlic, patrona de Sant Julià de Lòria (Andorra).
Personalidad: Es dulce y divertida, aunque un poco superficial. En su juventud, suele tener muchos amigos y una vida social trepidante... pero según pasan los años procura por todos los medios encontrar a personas verdaderas, que la llenen, y no se limiten a hacerle compañía. Eso sí, nunca abandonará su obsesión por tener una apariencia perfecta.
Onomástica: Último sábado de mayo.

Capitolina

Etimología: Deriva de un nombre latino en honor del Capitolio, una de las siete colinas de Roma.
Personalidad: Introvertida, reservada, es una persona discreta y comedida. Tiene muy claras las ideas sobre cómo deben hacerse las cosas, pero no le gusta imponerse por la fuerza, sino por la persuasión. Prefiere rodearse de poca gente, pero de confianza. Se desenvuelve bien en las profesiones liberales.
Onomástica: 27 de octubre.

CARIDAD

Etimología: Del latín *caritas,* que de significar «carestía», pasó a designar el amor cristiano por el prójimo.

Personalidad: Extrovertida y trabajadora. No goza de una imaginación desbordante. Es cariñosa y tiene algunos destellos de caridad que hacen honor a su nombre. Su existencia suele ser activa y variada.

Onomástica: 8 de septiembre.

Otros idiomas: Catalán: Caritat. Euskera: Karitte. Gallego: Caridade. Bable: Caridá. Inglés: Charity. Italiano: Caritá.

CARINA

Etimología: Proviene del griego *Xrino,* «gracioso».

Personalidad: Amable y sociable, agracede la compañía y suele destacar en el grupo por su buen carácter, aunque no suele tener deseos de liderar, sino de ayudar.

Onomástica: 7 de noviembre.

Otros idiomas: Catalán, gallego y bable: Carina. Euskera: Kariñe. Francés: Karine.

CARLA

Etimología: De origen germánico, deriva de *karl,* «viril, dotado de gran inteligencia».

Personalidad: Enérgica y obstinada, sabe actuar con rapidez y eficacia. No soporta la supeditación y cuando se ve obligada a hacerlo se convierte en irritabe e impulsiva.

Onomástica: 4 de noviembre.

Otros idiomas: Catalán: Carla. Euskera: Karla. Gallego: Carola. Bable: Carola. Francés: Charlotte. Italiano: Carola.

CARLOTA

Etimología: Proviene de Charlotte, que es el diminutivo francés de *Carla.*

Personalidad: Carlota es femenina y muy coqueta, enormemente afectiva y cariñosa. A veces es víctima de un orgullo que no sabe disimular, pero esto no le impide pedir perdón cuantas veces sea necesario, siempre.

Onomástica: 17 de julio.

Otros idiomas: Catalán: Carlota. Inglés, francés y alemán: Charlotte. Italiano: Carlota, Carla. Variante: Carla.

CARMELA

Etimología: Del hebreo *karm-El,* «jardín de Dios». El monte Carmelo, situado en el desierto entre Galilea y Samaria, siempre ha tenido una especial importancia religiosa, tanto para los judíos como para los cristianos. Carmen se utiliza en honor de la Virgen del Carmen.

Personalidad: Busca fundamentalmente la paz interior, estar satisfecha consigo misma. La vida superficial y las diversiones de ese estilo no le interesan ni lo más mínimo. Necesita desempeñar una profesión que la mantenga ocupada y le exija un cierto esfuerzo, para sentirse a gusto. En el amor necesita seguridad y solidez.

Onomástica: 16 de julio.

Otros idiomas: Catalán, gallego y bable: Carmela. Euskera: Karmela. Italiano: Carmela.

CARMEN

Etimología: Del hebreo *karm-El,* «jardín de Dios». El monte Carmelo, situado en el desierto entre Galilea y Samaria, siempre ha tenido una especial importancia religiosa, tanto para los judíos como para los cristianos. Carmen se utiliza en honor de la Virgen del Carmen.

Personalidad: Es una mística alocada. Persigue la justicia universal, pero n puede desprenderse de ese aura de hada, con toques de frivolidad, que impide que la gente la tome en serio. Independiente, pero necesita tener siempre compañía. Incapaz de mentir en el amor o en la amistad.

Onomástica: 16 de julio.

Otros idiomas: Catalán: Carme. Euskera: Karmele, Karmiña. Gallego: Carme, Carmela,

Carmiña. Bable: Carme. Francés y alemán: Carmen. Italiano: Carmine.

Carola

Etimología: De origen germánico, deriva de *karl,* «viril, dotado de gran inteligencia».

Personalidad: Son personas independientes, ágiles y luchadoras. No suelen avenirse a los deseos y caprichos de nadie. Son más originales que trabajadoras o perseverantes, y su carrera profesional suele estar repleta de pequeños éxitos que luego no son capaces de mantener.

Onomástica: 18 de noviembre.

Otros idiomas: Bable: Carola.

Carolina

Etimología: Forma diminutiva femenina de *Carlos.* De origen germánico, deriva de *karl,* «viril, dotado de gran inteligencia».

Personalidad: Es un animal social, que vive fundamentalmente para relacionarse con los demás. Quizá un poco susceptible, suele quejarse de que su familia no le comprende. Es trabajadora, decidida y valiente, aunque sufre altibajos.

Onomástica: 4 de noviembre.

Otros idiomas: Catalán, allego y bable: Carolina. Inglés y francés: Caroline. Alemán: Karoline. Italiano: Caroline.

Carrie

Etimología: Nombre inglés que se forma como hipocorístico de *Caroline.*

Personalidad: Es una mujer introvertida, muy encerrada en sí misma y hasta podría decirse que algo huraña. Algunos dicen que peca un poco de misantropía, que desprecia al género humano; pero la realidad es que no logra comprender al resto de las personas, le parecen demasiado complicadas. Aun así, suele encontrar energías para intentar cambiar su mundo.

Onomástica: No tiene.

Casandra

Etimología: Del griego *kassandra,* «protectora de hombres».

Personalidad: Respeta la vida por encima de cualquier otra cosa, y por ello nadie termina de entender sus extrañas prioridades o su forma de actuar. Ama de forma apasionada y se entrega a sus seres queridos sin ningún tipo de reservas.

Onomástica: 16 de mayo.

Otros idiomas: Catalán: Cassandra. Inglés e italiano: Casandra. Francés: Cassandre.

Casia

Etimología: Del nombre romano *Cassius,* de *cassi,* «yelmo».

Personalidad: La estabilidad, la paciencia, la organización, el realismo, el sentido del deber y el orden son sus principales virtudes. En lo sentimental y con sus amistades son de una fidelidad absoluta. Por contra, caen con facilidad en la rutina y la avaricia.

Onomástica: 20 de julio.

Otros idiomas: Bable: Casia. Italiano: Cassia.

Casilda

Etimología: A pesar de la similitud fonética con el verbo árabe *kassilda,* «cantar», se cree que deriva del germánico *hathu-hild,* «el combativo».

Personalidad: Tierna y afectuosa, esconde bajo su apariencia delicada la fuerza de un roble. De lágrima fácil. Pero es tenaz y decidida, capaz de luchar sin rendirse por aquello que quiere o por lo que cree.

Onomástica: 9 de mayo.

Otros idiomas: Catalán: Casilda. Euskera: Kasilde. Bable: Casildra. Alemán: Kasilde. Italiano: Casilda.

CASIMIRA

Etimología: Del polaco *Kazimurz,* significa «la que impone la paz».

Personalidad: Es tranquila y conciliadora. No soporta los conflictos y procura que a su alrededor reine la armonía, aunque para ello tenga que ceder. Es generosa e idealista.

Onomástica: 4 de marzo.

Otros idiomas: Gallego: Casomira. Bable: Arximiro, Casomira (Mira).

CASTALIA

Etimología: En la mitología griega, ombre de una ninfa que fue convertida en fuente por Apolo.

Personalidad: Le gusta estar en constante movimiento, buscar nuevos intereses, conocer nuevos lugares: su curiosidad se mantiene siempre viva. Necesita desempeñar profesiones que requieran poner en juego estas características, no soportaría una vida monótona o un trabajo mecánico. Es muy leal.

Onomástica: No tiene.

Otros idiomas: Catalán: Castàlia.

CATALINA

Etimología: Del griego *Aikatharina,* pasó al latín como *Katharina,* con el significado de «pura».

Personalidad: Franca, fuerte y decidida, no se rinde ni se amilana ante las dificultades. Autoritaria y agresiva, puede llegar a ser ligeramente cruel. Sus ideales tienden a ser elevados, es muy optimista y demuestra una gran generosidad. En el amor y la amistad es selectiva y sumamente exigente.

Onomástica: 29 de abril y 28 de julio.

Otros idiomas: Catalán: Caterina. Euskera: Katarin, Kattalin, Katisa, Kateriñe, Katrin. Gallego: Catarina, Catuxa. Bable: Catalina, Catarina (Catala), Catana, Catuxa (Tuxa). Inglés: Catharine. Francés: Catherine. Alemán: Katharine. Italiano: Catarina.

CATHAISA

Etimología: Nombre guanche originario de Tenerife. Una niña con este nombre fue vendida en Valencia en 1494.

Personalidad: Es una mujer repleta de vida que siempre rebosa optimismo y felicidad. Nunca se la ha visto deprimida. Siempre está entregada a alguna actividad, ya que le gusta disfrutar de la vida al máximo. En el terreno sentimental, evita los compromisos.

Onomástica: No tiene.

CATRINA

Etimología: Variante de *Catalina,* que del griego *Aikatharina* pasó al latín como *Katharina,* con el significado de «pura».

Personalidad: Es muy sensible y, por ello, también muy propensa a los cambios de humor. Nunca se sabe lo que puede afectarle, ya que de pronto el más ridículo de los detalles puede hacerla inmensamente feliz o sumergirla en la melancolía.

Onomástica: 5 de octubre.

CAYETANA

Etimología: Gentilicio latino para los habitantes de Caieta, la actual Gaeta, un puerto de la Campania.

Personalidad: No es muy comunicativa. Tímida y retraída, les cuesta llegar a confiar en la gente y tiene un carácter bastante frío. Le gusta lo tradicional, lo tranquilo, lo conocido en definitiva. Con grandes dotes organizativas.

Onomástica: 7 de agosto.

Otros idiomas: Bable: Gaitana.

CECILIA

Etimología: Del etrusco *celi,* «septiembre».

Personalidad: Inconformista donde las haya, está siempre dispuesta a cambiar el mundo.

Presenta una personalidad cambiante. Le cuesta mucho fijarse un camino. Puede parecer muy extrovertida, pero en realidad es cuidadosa y selectiva.
Onomástica: 15 de mayo.
Otros idiomas: Catalán: Cacília. Euskera: Koikille, Xixili. Gallego: Cecilia, Cecia, Icia. Bable: Cecía, Cecilia. Inglés: Cecily. Francés: Cécile, Cécilie. Alemán: Cäecilie.

CEFERINA

Etimología: Deriva del latín *Zephyrus,* «viento suave del oeste».
Personalidad: Inteligente y creativao, no sabe lo que es estar sin hacer nada. Es extremadamente tímida y, para tratar con los demás, se refugia bajo una máscara de desdén que no le ayuda nada a conseguir amistades.
Onomástica: 26 de mayo.
Otros idiomas: Catalán: Ceferina. Euskera: Keperiñe. Bable: Cefera.

CELA

Etimología: Procede del latín *marcesco,* «marchitarse, languidecer». Es una variante de Marcelina.
Personalidad: Introspectiva e introvertida, tiende a encerrarse en su torre de marfil cuando la realidad no coincide con sus sueños. Posesiva, detallista y con una fuerte voluntad, puede ir de un extremo al otro. Sin embargo su tesón le hace superar sus problemas y conseguir sus sueños.
Onomástica: 17 de julio.

CELEDONIA

Etimología: Variante del nombre latino *Celonio,* «golondrina».
Personalidad: Se trata de una persona extraordinariamente compleja y de reacciones inesperadas. Le gusta vivir plenamente, con mayúsculas: cuando se consagra a su trabajo, también lo hace de lleno, plenamente, sin reservas. Podría decirse que en todos los campos de su vida siempre pone toda la carne en el asador.
Onomástica: 13 de octubre.

CELERINA

Etimología: Nombre latino derivado de *Celer,* «rápida, vivaz».
Personalidad: Es una mujer alegre, creativa y habilidosa, que no soporta estar sin hacer nada. Le gusta llenar su vida de pequeños detalles. Está dotada de un gran sentido de la responsabilidad, y siempre dispuesta a abandonar sus múltiples actividades si un compromiso o la necesidad de un amigo se lo requieren.
Onomástica: 3 de febrero.

CELESTE

Etimología: Del latín *caelestis,* «del cielo».
Personalidad: Algo soñadora y distraída. Intelectual. Ligeramente ingenua. Prefiere el pragmatismo a la inteligencia, y se desenvuelve como nadie en el universo de lo mundano.
Onomástica: 2 y 19 de mayo.
Otros idiomas: Catalán: Celest. Bable: Celesta. Inglés e italiano: Celeste. Francés: Céleste. Alemán: Zölestin. Variante: Celestina.

CELESTINA

Etimología: Del latín *caelestis,* «del cielo», relativo a Júpiter.
Personalidad: Es una mujer compasiva y abnegada, está interesada en formar parte de rupos de sus mismo ideales, aunque siempre sobresale por su fuerte personalidad.
Onomástica: 27 julio y 19 mayo.
Otros idiomas: Catalán: Celestina. Gallego: Celestina. Bable: Celesta. Francés: Celestine.

CELIA

Etimología: Deriva de la gens romana *Coelia,* que dio nombre a una de las siete colinas de Roma.

Personalidad: Vitalista, amante de los placeres y muy hábil para lograr sus objetivos. Aunque no posee una excesiva imaginación, es determinada. En el amor le cuesta llegar a confiar en alguien, pero cuando lo hace se entrega con ardor y devoción.
Onomástica: 21 de octubre y 22 de noviembre.
Otros idiomas: Catalán: Celia. Euskera: Koikille. Gallego: Celia, Cecía. Bable: Cilia.

Celina

Etimología: Deriva de la gens romana *Coelia,* que dio nombre a una de las siete colinas de Roma.
Personalidad: Es una mujer repleta de vida que siempre rebosa optimismo y felicidad. Nunca se la ha visto deprimida. Siempre está entregada a alguna actividad, ya que le gusta disfrutar de la vida al máximo. En lo que se refiere al terreno sentimental, no le gustan demasiado los compromisos.
Onomástica: 21 de octubre.

Celsa

Etimología: Deriva del latín *Celsus,* «excelsa».
Personalidad: Mujer extremadamente compleja. Ama su profesión y se dedica a ella con auténtico fervor, aunque no por ello descuida a su familia ni a sus amigos. Es una madre espléndida. Sentimental hasta la médula, tiene debilidad por las historias de amor y es un poco celestina.
Onomástica: 28 de julio.
Otros idiomas: Gallego y bable: Celsa. Italiano: Celsa.

Cesárea

Etimología: Procede de *Cognomen* de la familia romana de los Julio César, que deriva de *caesaries*, «melena», en alusión a la deslumbrante cabellera de que disfrutaban los antepasados del famoso Julio (aunque éste era calvo desde su juventud).
Personalidad: Es una líder. Orgullosa y dominante, sin embargo sabe controlarse a la perfección. Ambiciosa y seductora, esconde a una auténtica sentimental que necesita fervorosamente amar y ser amada.
Onomástica: 26 de agosto.
Otros idiomas: Bable: Cesaria.

Chanel

Etimología: Nombre inglés cuyo significado es «canal, cauce».
Personalidad: Alegre y feliz, rebosa encanto e imaginación y rechaza por principios cualquier prejuicio o convención social. Sin embargo, es muy terca y no soporta que le lleven la contraria. Además, puede llegar a ser un poco excéntrica y sentir que no es comprendida.
Onomástica: No tiene.

Chantal

Etimología: Gentilicio de *Chantal,* nombre de una población francesa, que proviene del occitano *Cantal*, «piedra, hito».
Personalidad: Es una mujer arquetipo de la belleza apasionada, del entusiasmo por las casuas nobles. Le gusta ser admirada y respetada y lo consigue, siendo el centro de atención donde se encuentre.
Onomástica: 12 de diciembre.

Charlotte

Etimología: Nombre de origen francés, variante de *Carlota.*
Personalidad: Vive mucho más de cara al exterior que para sí misma. En realidad es tierna, afectuosa y está muy necesitada de cariño, pero considera que estas características son signos de debilidad, y prefiere ocultarlas. Aprende a amar a la gente con mucha velocidad, pero también puede ser cruel.
Onomástica: No tiene.

Chelsea

Etimología: Gentilicio inglés de *Chelsea,* que también puede interpretarse como «puerto de mar».

Personalidad: No es fácil llegar a su corazón: corazas y más corazas protegen lo más recóndito de su ser. Aunque cuando se alcanza su amistad y su confianza, nada ni nadie puede interponerse... Más vale no defraudarla, porque es una persona profundamente susceptible.

Onomástica: 1 de noviembre.

Chenoa

Etimología: Nombre de los indios norteamericanos, que significa «paloma blanca».

Personalidad: Hiperactiva y ligeramente inestable, tiene una tendencia no muy sana a tomárselo todo demasiado en serio, casi como un reto personal. Tiene la necesidad de estar siempre haciendo algo productivo, hasta tal punto que llega a agotar a todos los que la rodean. Pierde los nervios con facilidad y se enfada a menudo.

Onomástica: No tiene.

Cherokee

Etimología: Nombre que se forma como gentilicio de una tribu norteamericana.

Personalidad: Es una persona hipersensible por más que intente disimularlo. Bajo su apariencia fría, segura y un poco despreocupada, hay una mujer que está siempre pendiente de lo que los demás dicen o hacen y de la actitud que tienen hacia ella. Su gran placer consiste en ayudar a los que la rodean a ser felices.

Onomástica: No tiene.

Cheyanne

Etimología: Nombre que se forma como gentilicio de una tribu norteamericana: *Cheyenne.* Es una variante.

Personalidad: Humanista y entregada por naturaleza: para ser feliz, su vida tiene que serle útil a los demás. No entiende el egoísmo ni la falta de compromiso: ella, realmente, no puede descansar sabiendo que hay alguien que puede necesitarla. El problema es que es demasiado crítica consigo misma.

Onomástica: No tiene.

Ciara

Etimología: Del latín *clarus,* «claro, ilustre». Es una variante de *Clara.*

Personalidad: Es una persona extraordinariamente compleja y de reacciones inesperadas. Le gusta vivir plenamente, con mayúsculas: cuando se consagra a su trabajo, también lo hace de lleno, plenamente, sin reservas. Podría decirse que en todos los campos de su vida siempre pone toda la carne en el asador.

Onomástica: 5 de enero.

Cicely

Etimología: Nombre inglés, variante de *Cecily,* y éste del etrusco *celi,* «septiembre».

Personalidad: Es una mujer dinámica y activa. La alegría parece empapar cada uno de sus actos, y a la gente le gusta estar cerca de ella por su optimismo contagioso. Le gusta que los demás dependan de ella en cierta medida, aunque su sentido de la independencia le impide ser ella misma la que necesite a otra persona.

Onomástica: 21 de octubre y 22 de noviembre.

Cinderella

Etimología: Nombre inglés, que es el equivalente de *Cenicienta,* la heroína del cuento infantil.

Personalidad: Sensible y fuerte al mismo tiempo. Necesita ser original, aunque muchas veces no sabe muy bien cómo hacerlo. Le gusta sentir que es ella la que domina, y no sopor-

ta que los demás no le hagan caso o que no hagan lo que ella quiere. De joven es una idealista soñadora.
Onomástica: No tiene.

CINDY

Etimología: Del griego *kyntia,* gentilicio de *Kynthos,* famoso monte de Delos. Variante de Cintia.
Personalidad: Amante de la poesía y las artes. Posee una gran sensibilidad, lo que le hace ser apta para la literatura y las artes plásticas. También puede ser valiente y atrevida en defensa de sus ideales.
Onomástica: No tiene.
Otros idiomas: Catalán: Cintia. Francés e inglés: Cynthia, Cindy. Italiano: Cinzia.

CINTA

Etimología: Este nombre es de advocación-mariana: Nuestra Señora de la Cinta (Mare de Déu de la Cinta), patrona de Tortosa (Tarragona).
Personalidad: Es una mujer de fuerte carácter, trabajadora infatigable. Resulta alegre y divertida en las reuniones de amigos y es muy amante de la familia y de sus allegados.
Onomástica: el primer sábado de septiembre.
Otros idiomas: Catalán: Cinta.

CINTIA

Etimología: Del griego *kyntia,* gentilicio de *Kyntohos,* la famosa montaña mitológica de Delos, donde nacieron Apolo y Artemis.
Personalidad: Amante de la poesía y las artes. Posee una gran sensibilidad, lo que le hace ser apta para la literatura y las artes plásticas. También puede ser valiente y atrevida en defensa de sus ideales.
Onomástica: No tiene onomástica propia, pero, por similitud fonética, las que llevan este nombre lo celebran por Nuestra Señora de la Cinta, el primer sábado de septiembre.
Otros idiomas: Catalán y gallego: Cintia. Francés e inglés: Cynthia, Cindy. Italiano: Cinzia.

CIRCE

Etimología: De la mitología griega. Circe convirtió en cerdos a los compañeros de Ulises.
Personalidad: Su personalidad es muy creativa, entusiasta, sociable, optimista y muy espiritual. Tiene gran sentido práctico y es muy hábil en las actividades manuales. En contrapartida, puede ser algo intolerante y colérica, y a veces le cuesta concentrarse en una sola cosa.
Onomástica: No tiene.
Otros idiomas: Catalán: Circe.

CIRENIA

Etimología: Nombre de procedencia griega, derivado de del nombre de una ciudad: *Kyrenaia.*
Personalidad: Serena, con las ideas muy claras, segura de sí misma y con facilidad para las relaciones sociales. Valora el refinamiento, pero sobre todo el buen carácter, la lealtad y la integridad de sus amigos. En el amor es muy exigente. Si cree plenamente en una causa o idea, pone todo su empeño en ella.
Onomástica: 1 de noviembre.

CIRIA

Etimología: Nombre cristiano de procedencia griega: *Kyrios,* «Señor» (Dios).
Personalidad: Es un poco arrogante y no tolera con facilidad las críticas o las opiniones adversas. Tiene una imagen muy clara de cómo deben ser las cosas que la rodean, incluso las personas. La familia para ella es lo más importante y está dispuesta a cualquier sacrificio para sacarla adelante, aunque exige en los demás una actitud semejante.
Onomástica: 5 de junio.

CIRÍACA

Etimología: Nombre cristiano de procedencia griega, que significa «amor a Dios».

Personalidad: No le gusta llamar la atención. Su imaginación está trabajando constantemente, de tal forma que en ocasiones le impide centrar su mente en el mundo real. En el amor es exigente y muy celosa, aunque en su defensa hay que decir que nunca pide nada que no esté dispuesta a dar.
Onomástica: 20 de marzo, 19 de mayo y 21 de agosto.

Cirila

Etimología: Del griego *kyrios,* «señor».
Personalidad: Peca de un exceso de imaginación. Su problema radica en que es muy sugestionable. Capaz de sentir el más agudo de los terrores, Es, sin embargo, valiente porque lucha por controlar su miedo. En el amor es muy protectora, probablemente porque teme mucho la soledad.
Onomástica: 5 de julio y 28 de octubre.
Otros idiomas: Catalán: Cirila. Euskera: Kuirile. Gallego:Cirila. Bable: Cirila. Francés: Cyrille. Inglés: Cyril. Italiano: Cirilla.

Cisa

Etimología: Nombre de advocación mariana: Nuestra Señora de la Cisa (Mare de Déu de la Cisa), que se venera en Premià de Dalt (Barcelona). Los marineros de la comarca del Maresme le tienen mucha devoción.
Personalidad: Inteligente y creativa, es, sin embargo, demasiado perezosa y tiene que luchar contra ello para no acomodarse. Busca una vida relativamente tranquila, sin grandes sobresaltos. En el amor le falta un poco de confianza en sus posibilidades, por lo cual suele refugiarse en una actitud distante.
Onomástica: 8 de septiembre.

Clara

Etimología: Del latín *clarus,* «claro, ilustre».
Personalidad: Uno de los nombres más afortunados, ya que es, ante todo, una buena persona. Es tremendamente idealista y está dotada de una gran imaginación. Tierna y cariñosa. Su gran problema es la falta de seguridad.
Onomástica: 11 y 17 de agosto.
Otros idiomas: Catalán y bable: Clara. Euskera: Argia, Argiñe, Garbi, Kalare, Garbi. Gallego: Clara, Crara. Alemán: Klara. Francés: Claire. Inglés: Clare, Clara. Italiano: Chiara, Ciara.

Clarisa

Etimología: Del latín *clarus,* «claro, ilustre». Es una variante de *Clara.*
Personalidad: Suelen ser mujeres de gran belleza, relacionadas con la cultura, el conocimiento, la armonía y la verdad. Disfrutan al máximo de la vida, valorando lo detalles y placeres más insignificantes. Son cooperadoras, entusiastas y afectuosas, por lo que valoran el amor y la amistad. El mayor riesgo se encuentra en la hipersensibilidad y la indecisión.
Onomástica: 11 y 17 de agosto.

Claudia

Etimología: Deriva de la gens romana *Claudia,* cuy nombre se remonta a la época de los etruscos: «de la familia de Claudio».
Personalidad: Es afectuosa y profundamente maternal. No es demasiado imaginativa ni original, pero lo compensa con una impresionante capacidad de trabajo y una lealtad incorruptible. Es feliz si tiene una causa en la que ocuparse.
Onomástica: 20 de marzo y 18 de mayo.
Otros idiomas: Catalán: Clàudia. Euskera: Kaulde. Gallego: Claudia. Bable: Clodia. Francés: Claude. Alemán: Claudia. Italiano: Claudina.

Claudina

Etimología: Deriva de la gens romana *Claudia,* cuy nombre se remonta a la época de los etruscos: «de la familia de Claudio».

Personalidad: Desarrolla una intensa vida social y siente un gran amor por el lujo y la comodidad, y tiene un carácter un tanto exigente, incluso con las personas queridas. Asu favor tiene la virtud de la simpatía y de inspirar grandes pasiones a su alrededor. Suele tener éxito en el mundo laboral.
Onomástica: 3 de febrero.
Otros idiomas: Gallego: Claudia, Clodia. Francés: Claudine. Alemán: Claudine. Italiano: Claudina.

CLAUSTRO

Etimología: En honor de la Virgen del mismo nombre, que se venera en Tarragona.
Personalidad: Es equilibrada y posee gran encanto, por lo que está dotada para la diplomacia y las relaciones públicas. También valora enormemente la belleza, la armonía y la capacidad de sacrificio. Por contra, es algo indecisa y dada al fatalismo y al exceso de perfeccionismo.
Onomástica: 9 de septiembre.
Otros idiomas: Catalán: Claustre.

CLELIA

Etimología: Nombre de la gens romana *Cloelia,* de Alba. Forma antigua de *Celia.*
Personalidad: Posee una gran capacidad de adaptación, por lo cual le entusiasman los viajes y todo lo que requiera audacia e innovación. En lo negativo, su personalidad le acarrea ciertos inconvenientes, como accidentes, inestabilidad y superficialidad.
Onomástica: 13 de julio.
Otros idiomas: Catalán: Clelia. Francés: Clélie, Clélia. Italiano: Clelia.

CLEMENCIA

Etimología: Del latín *clemens,* «clemente, bueno, indulgente».
Personalidad: Es quizá demasiado idealista, por lo que concede más importancia a lo espiritual que a lo material. Es paciente, con gran capacidad de estudio, lógica y análisis. Sin embargo, es muy exigente consigo misma. Cae con facilidad en el pesimismo y se aísla de los demás. Tiene cualidades para la enseñanza.
Onomástica: 23 de noviembre.
Otros idiomas: Euskera: Kelmene.

CLEMENTINA

Etimología: Del latín *clemens,* «clemente, bueno, indulgente».
Personalidad: Sabe realmente perdonar. Intentar comprender a sus semejantes, disculpando sus fallos o maldades. Es poco activa y le cuesta tomar decisiones. Odia la hipocresía y la doblez, y todo lo que no sea sencillo y humilde. Si consigue un trabajo relacionado con la naturaleza o el aire libre, se siente profundamente feliz.
Onomástica: 23 de noviembre.
Otros idiomas: Catalán y bable: Clementina. Euskera: Onbera. Inglés: Clementine, Clementina. Francés: Clémentine. Alemán: Clementine. Italiano: Clementina.

CLEOPATRA

Etimología: De origen griego, proviene de *Kléos,* «gloria», y *páter,* «padre», significa «gloria del padre».
Personalidad: Sensible, tranquila y seductora. Es también una mujer seria y austera. Puede llegar a ser enérgica y obstinada, con gran ambición y deseos de conseguir poder y riqueza.
Onomástica: 20 de octubre.
Otros idiomas: Catalán: Cleòpatra. Francés: Cléopâtre. Italiano: Cleopatra. Variante: Cleo.

CLIMENE

Etimología: Nombre mitológico griego, mujer de Prometeo y madre de Heleno.
Personalidad: Concede más importancia a lo espiritual que a lo material. Es paciente, con gran capacidad de estudio, lógica y análisis.

Muy exigente consigo misma y con los demás. Algo solitaria e introspectiva, por lo que cae con facilidad en el pesimismo.
Otros idiomas: Catalán: Climene.

CLÍO
Etimología: Procede del griego *kleitos,* «famoso», que deriva del verbo *kleio,* «celebrar».
Personalidad: Amable y sociable, agradece la compañía y suele destacar en el grupo por su buen carácter, aunque no suele tener deseos de liderar, sino de ayudar. Su gran imaginación es una de sus cualidades, aunque sabe analizar la realidad y tener los pies en al tierra.
Onomástica: No tiene.
Otros idiomas: Catalán: Clio.

CLOE
Etimología: Proviene de la palabra griega *kloé,* «hierba verde», epíteto de Deméter.
Personalidad: Enérgica y obstinada, sabe actuar con rapidez y eficacia. No soporta la supeditación y cuando se ve obligada a hacerlo se convierte en irritable e impulsiva. Es perspicaz y difícil de dejarse engañar.
Onomástica: No tiene.

CLOELIA
Etimología: Nombre de la gens romana *Cloelia,* de Alba. Forma antigua de *Celia.*
Personalidad: Encantadora. Siempre tiene la palabra exacta, la sonrisa adecuada, el chiste justo o la anécdota perfecta. Además de sensible y una gran estudiosa del arte. Sus momentos de soledad son escasos, pero los necesita para no perderse en un mar de gente.
Onomástica: 13 de julio.

CLOSINDA
Etimología: Nombre de origen germánico que significa «insigne».
Personalidad: Atractiva y femenina. Le cuesta hacer que la tomen en serio, que respeten y valoren su inteligencia y sus muchas cualidades. Ese aspecto de frivolidad y de preocupación por las apariencias es el que le obliga a trabajar el doble de lo normal para hacerse un lugar en el mundo.
Onomástica: 30 de junio.

CLOTILDE
Etimología: Del germánico *hlod-hild,* «guerrero glorioso».
Personalidad: Su principal virtud es la eficiencia: lo que hace, lo hace realmente bien. Es generosa y equilibrada. Su corazón es inmenso y le resulta imposible no amar a cuantos conoce.
Onomástica: 3 de junio.
Otros idiomas: Catalán y gallego: Clotilde. Euskera: Kotilde. Francés e italiano: Clotilde. Alemán: Klothilde.

CÒIA
Etimología: Nombre catalán, variante de *Misericordia*: del latín *misericordis,* de *miseror,* «compadecerse». Es de advocación mariana.
Personalidad: De gran energía, no suelen pasar desapercibidas, y tienen habilidades para el liderazgo y la innovación. No les gusta seguir las corrientes establecidas y se empeñan en la originalidad. En el lado negativo tienen cierta tendencia al egoísmo, la vanidad y el orgullo. También pueden ser excéntricas y demasiado dominantes.
Onomástica: 25 de septiembre.

COLETA
Etimología: Nombre francés. Su etimología es muy curiosa, ya que es la abreviación de *Nicolette* (Nicolasita), el diminutivo de *Nicolle* (Nicolasa).
Personalidad: La necesidad de crear es lo más importante de su personalidad, que suele ser muy artística. En lo sentimental valora mucho la estabilidad y, para conseguirla, se muestra a

veces un poco egoísta. Es muy individualista e independiente, lo cual le hace algo autoritaria.
Onomástica: 7 de febrero.

COLMANA

Etimología: Nombre derivado de *Coloma,* formado a partir de un intercambio de letras.
Personalidad: La pasividad y la indecisión son su principal problema: piensa y piensa y todo le parece con valores negativos y positivos. Es receptiva, sentimental y en el terreno laboral se vale muy bien de su espíritu de equipo. En lo sentimental, si se siente rechazada, es muy rencorosa.
Onomástica: 17 de septiembre.

COLUMBA

Etimología: Variante italiana de *Paloma,* Nombre cristiano en honor de Nuestra Señora de la Paloma.
Personalidad: Es, definitivamente, una mujer de muchas caras... Tiene una personalidad muy compleja. Por un lado, es fuerte, luchadora y decidida, es muy ambiciosa y procura parecer siempre altiva y un poco superior. Pero hay una parte de ella que parece no estar a gusto consigo misma.
Onomástica: 15 de agosto y 31 de diciembre.
Otros idiomas: Catalán: Coloma. Euskera: Usoa. Gallego: Pomba. Bable: Colomba. Inglés: Colum, Colm. Francés: Columba. Italiano: Columba.

CONCEPCIÓN

Etimología: Nombre cristiano que conmemora la Inmaculada Concepción de la Virgen María.
Personalidad: Es buena, delicada y servicial, aunque a veces se muestra demasiado indulgente. La mayor parte de las veces es propensa a la melancolía. Su gran pasión es el estudio.
Onomástica: 8 de diciembre.
Otros idiomas: Catalán: Concepció. Euskera: Sorkunde, Sorne, Kontxesi, Kontzeziona. Gallego: Concepción. Bable: Conceición, Concia. Inglés y francés: Conception. Italiano: Concetta.

CONCESA

Etimología: Del latín *concessio,* «concesión». Solía ponerse a una hija largamente esperada.
Personalidad: Es paciente, realista, y el sentido del deber y el orden son sus principales virtudes. Valora mucho la estabilidad en su vida, por lo que en el amor y la amistad es de una fidelidad absoluta. En lo negativo, cae con facilidad en la rutina y la avaricia.
Onomástica: 8 de abril.

CONCORDIA

Etimología: Del latín *concordia,* «armonía, unión».
Personalidad: Es muy creativa, entusiasta, sociable y optimista. Aunque le gusta presumir de espiritual, lo cierto es que el sentido práctico es su principal virtud y es muy hábil en las actividades manuales. Debe vigilar cierta tendencia a la intolerancia y a las rabietas, y a veces se dispersa en demasiadas actividades, porque todo le interesa.
Onomástica: 13 de agosto.

CONNIE

Etimología: Nombre inglés, que es el equivalente de *Constanza:* del latín *constantia,* «firmeza de carácter».
Personalidad: Recta, tranquila, equilibrada, es una de esas personas que procura no decir nunca una palabra más alta que otra. Es extremadamente comprensiva, y para sus amigos se convierte en un inmejorable apoyo. En su profesión es ambiciosa y puede llegar a mostrarse intransigente con las debilidades ajenas, pero si lo corrige puede ser una jefa excelente.
Onomástica: No tiene.

CONSOLACIÓN

Etimología: Del latín *consolatio,* «consuelo, alentamiento».

Personalidad: Nacida para amar, seducir y repartir paz y armonía, es responsable y metódica, pero excesivamente detallista, aunque de vez en cuando le asalta la tentación de la aventura. Tiene un carácter humanitario y muy sociable. En el amor es muy idealista, todo le parece de color de rosa.

Onomástica: 4 de septiembre.

Otros idiomas: Catalán: Consolació, Consol. Euskera: Atseguiñe, Pozne. Gallego: Consolación. Bable: Consuelo.

CONSORCIA

Etimología: Del latín *consortium,* «consorcio, asociación».

Personalidad: Le lleva tiempo encontrarse a gusto consigo misma, por lo que tiene dificultades para llegar a descubrir su verdadero camino. Aunque vacila y no es muy enérgica, posee un cierto espíritu aventurero, incluso algo temerario, que le sirve de contrapeso. Es de una lealtad inquebrantable con sus amigos y en el amor.

Onomástica: 22 de junio.

CONSTANCIA

Etimología: Del latín *constantia,* «firmeza de carácter».

Personalidad: Y efectivamente, Constancia es firme, casi se diría que implacable. Las dificultades parecen no afectarle, ella sigue su camino como si nada estuviera ocurriendo. Algo oportunista. Sin embargo, tiene un gran instinto protector hacia los débiles, y es capaz de sacrificar todo lo que ha conseguido por una causa que considere realmente justa.

Onomástica: 19 de septiembre.

Otros idiomas: Catalán: Constància. Euskera: Kostanze. Inglés y francés: Constance. Alemán: Konstanza, Constanze.

CONSTANZA

Etimología: Del latín *constantia,* «firmeza de carácter».

Personalidad: Emotiva, altruista e idealista. Fiel a sus amistades y amores, tiene gran necesidad de ayudar y compartir, tanto en lo material como en lo espiritual. Es influenciable, le cuesta ser realista y es algo desordenada. En lo espiritual, tiende también a padecer desórdenes ciclotímicos.

Onomástica: 19 de septiembre.

Otros idiomas: Catalán: Constança. Euskera: Kostanze. Gallego: Constanza. Inglés y francés: Constance. Alemán: Konstanza, Constanze.

CONSUELO

Etimología: Es hipocorístico de *Consolación:* del latín *consolatio,* «consuelo, alentamiento».

Personalidad: Nacida para amar, seducir y repartir paz y armonía, es responsable y metódica, pero excesivamente detallista, aunque de vez en cuando le asalta la tentación de la aventura. Tiene un carácter humanitario y muy sociable.

Onomástica: 4 de septiembre.

Otros idiomas: Catalán: Consolació, Consol. Euskera: Atsegiñe, Pozkari. Gallego: Consolación. Bable: Consuelo.

COPELIA

Etimología: Personaje de un cuento de Hoffman.

Personalidad: Su impresión es que ha nacido en un tiempo que no le corresponde. Ella necesita vivir fuera de la realidad, en un refugio de fantasía y romanticismo. Es muy propensa al teatro y a la exageración, amante de melodramas e historias imposibles. Sin embargo, tiene un corazón de oro y es capaz de desvivirse por ayudar a su prójimo.

Onomástica: No tiene.

Otros idiomas: Catalán: Copèl.lia.

Cora

Etimología: Del griego *Korinna,* diminutivo de *koré,* «doncella, muchacha».

Personalidad: Es una mujer muy positiva, siempre pendiente de avanzar en el terreno personal y profesional. Aun así, en el amor es muy soñadora y le concede una gran importancia, por lo que cuando se sienta segura se esforzará en conservarlo para toda la vida. Con sus amigos es muy leal.

Onomástica: 14 de mayo.

Coral

Etimología: Del griego *korallion,* «coral». También existe Nuestra Señora del Coral, que se venera en Prats de Molló (Pirineos).

Personalidad: Coral es pragmática. Le gustan las cosas concretas y asequibles. Soñadora, sí, pero con la realidad y con lo realizable. La tradición asegura que el amor la tocará una sola vez en su vida, pero esa vez será amor verdadero.

Onomástica: 8 de septiembre.

Otros idiomas: Catalán y bable: Coral. Italiano: Corallina.

Corazón

Etimología: Nombre de advocación mariana: Nuestra Señora del Sagrado Corazón, también llamada Inmaculado Corazón de María.

Personalidad: Es tan sencilla que roza la ingenuidad. Es capaz de ser feliz con los detalles más nimios, y está siempre dispuesta a pensar lo mejor de los demás. Odia los esquemas y las obligaciones, así como las convenciones sociales. Concibe el amor más bien como una buena amistad.

Onomástica: sábado después del Domingo de Corpus.

Cordelia

Etimología: Del latín *cordis,* «cordial, afable». Es la hija menor en el *El rey Lear* de Shakespeare.

Personalidad: Posee una gran capacidad de adaptación, por lo cual le entusiasman los viajes y todo lo que requiera audacia e innovación. En lo negativo, su personalidad le acarrea ciertos inconvenientes, como accidentes, inestabilidad y superficialidad.

Onomástica: 22 de octubre.

Otros idiomas: Catalán: Cordèlia. Ingles e italiano: Cordelia.

Corina

Etimología: Del griego *Korinna,* diminutivo de *koré,* «doncella, muchacha».

Personalidad: Es equilibrada y posee gran encanto, por lo que está dotada para la diplomacia y las relaciones públicas. También valora enormemente la belleza, la armonía y la capacidad de sacrificio. Por contra, es algo indecisa y dada al fatalismo y al exceso de perfeccionismo.

Onomástica: 14 de mayo.

Otros idiomas: Catalán: Corina. Inglés y francés: Corinne. Alemán: Corina. Italiano: Corinna. Variante: Corinna.

Cornelia

Etimología: Nombre de la gens romana *Cornelia*, una de las familias patricias más ilustres de Roma. Parece derivar de *corneus,* «córneo», aunque hay que precisar que en latín los cuernos no tenían ninguna acepción metafórica semejante a la castellana.

Personalidad: Presentan una aguda incapacidad para ser felices. Tienen todo lo que desean, se adaptan a la perfección a su ámbito social y a sus obligaciones, e incluso gozan de cierta fama y notoriedad. Pero siempre caen en la melancolía. Muy pasionales, saben, sin embargo, controlarse a la perfección.

Onomástica: 31 de marzo.

Otros idiomas: Catalán: Cornèlia. Euskera: Kornel. Francés: Cornélie, Cornélia. Alemán: Kornelie. Italiano: Cornelia.

Coro

Etimología: Nombre de advocación mariana. Nuestra Señora del Coro.

Personalidad: Inteligente y creativa, es, sin embargo, demasiado perezosa. Necesita las comodiades, aunque no le gusta el lujo excesivo. Busca una vida relativamente tranquila, sin grandes sobresaltos. En el amor le falta un poco de confianza en sus posibilidades, por lo cual suele refugiarse en una actitud distante.

Onomástica: 8 de septiembre.

Corona

Etimología: Nombre de origen latino, con el mismo significado que el actual.

Personalidad: Es quizá demasiado idealista, por lo que concede más importancia a lo espiritual que a lo material. Es paciente, con gran capacidad de estudio, lógica y análisis. Sin embargo, es muy exigente consigo misma. Cae con facilidad en el pesimismo y se aísla de los demás. Tiene cualidades para la enseñanza.

Onomástica: 14 de mayo.

Cósima

Etimología: Del griego *kosmetes,* «pulido, adornado».

Personalidad: Presenta una extraña combinación de valor y abnegación. Inteligente y decidido, es capaz de conseguir prácticamente cualquier cosa. Sin embargo, su bondad natural y su entrega a los seres queridos muchas veces le llevan a renunciar al éxito y a las posibilidades de ascenso social y profesional.

Onomástica: 26 de septiembre.

Courtney

Etimología: Nombre inglés que puede interpretarse como «cortesana».

Personalidad: Juguetona e insistente, puede parecer que no le da importancia a casi nada, pero realmente le toma mucho cariño a la gente y sufre agudas decepciones cuando alguien le falla. Es poco reflexiva y raramente piensa antes de actuar.

Onomástica: No tiene.

Covadonga

Etimología: Nombre cristiano en honor de la Virgen de Covadonga, patrona de Asturias. Hace referencia al lugar donde se venera la imagen de esta Virgen, una cueva situada en los Picos de Europa que recibió el nombre de *cova-donna,* «cueva de la Señora».

Personalidad: Covadonga es sumamente independiente, que suele trazar su camino y mantenerse en él al margen de lo que puedan opinar los que la rodean. Tiene una imagen clara de sí misma, y le gusta mantenerla hasta el final. Detesta que la gente se atribuya el derecho de opinar sobre su vida.

Onomástica: 8 de septiembre.

Otros idiomas: Bable: Cuadonga.

Creixell

Etimología: Nombre catalán que procede del latín *Crassiellus,* diminutivo de *Crassus,* «grueso, gordo». Es el nombre de una población catalana, cerca de Figueres. Es también advocación mariana: *Mare de Déu de Creixell* (Nuestra Señora de Creixell).

Personalidad: Pasional y algo exótica, es una mujer dotada de una gran intuición que persigue unos difíciles pero justos ideales. Le gusta trabajar, aunque el dinero y la fama poco le importan. A lo que sí atribuye una gran importancia es al amor, y no será feliz hasta que no haya encontrado una persona que la satisfaga plenamente.

Onomástica: 8 de septiembre.

Crescencia

Etimología: Nombre de origen latino, cuyo significado es «que crece».

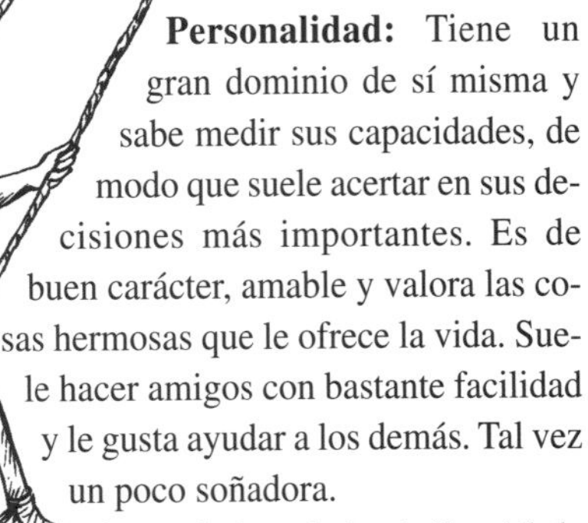

Personalidad: Tiene un gran dominio de sí misma y sabe medir sus capacidades, de modo que suele acertar en sus decisiones más importantes. Es de buen carácter, amable y valora las cosas hermosas que le ofrece la vida. Suele hacer amigos con bastante facilidad y le gusta ayudar a los demás. Tal vez un poco soñadora.
Onomástica: 5 de abril y 15 de junio.

CRESCENCIANA

Etimología: Nombre de origen latino, cuyo significado es «el que crece».
Personalidad: Transmite gran confianza entre sus amigos y compañeros de trabajo, por su espíritu seductor y fuerte. Es también idealista y perfeccionista en todo lo que emprende, lo cual le permite conseguir grandes logros. La parte negativa de su carácter es que puede llegar a volverse autoritaria e impaciente.
Onomástica: 5 de mayo.

CREUSA

Etimología: Nombre griego. Así se llamaba la esposa de Eneas.
Personalidad: La estabilidad, la paciencia, la organización, el realismo, el sentido del deber y el orden son sus principales virtudes. En lo sentimental y con sus amistades son de una fidelidad absoluta. Por contra, caen con facilidad en la rutina y la avaricia.
Onomástica: No tiene.
Otros idiomas: Catalán e italiano: Creusa.

CRISPINA

Etimología: Del latín *Crispus,* nombre de una familia romana. Puede que en su origen significara «de pelo rizado»
Personalidad: Emotiva, altruista e idealista. Fiel a sus amistades y amores, tiene gran necesidad de ayudar y compartir, tanto en lo material como en lo espiritual. Es influenciable, le cuesta ser realista y es algo desordenada. En lo espiritual tampoco es muy constante y tiende a padecer cambios de humor.
Onomástica: 19 de noviembre.
Otros idiomas: Euskera: Kispiñe.

CRISANTA

Etimología: Nombre derivado del griego *Krisós,* «oro», y de *Anthos,* «flor»: «flor de oro», aunque la traducción más correcta sería «flor de hojas amarillas».
Personalidad: Le lleva tiempo encontrarse a gusto consigo misma, por lo que tiene dificultades para llegar a descubrir su verdadero camino. Aunque vacila y no es muy enérgica, posee un cierto espíritu aventurero, incluso algo temerario, que le sirve de contrapeso. Es de una lealtad inquebrantable con sus amigos y en el amor.
Onomástica: 25 de octubre.
Otros idiomas: Bable: Cresanta.

CRÍSPULA

Etimología: Del latín *Crispus,* nombre de una familia romana.
Personalidad: Valora la amistad y la lealtad por encima de cualquier otra cosa. Su familia es lo primero para ella, por lo que suele relegar a un segundo plano todo lo relacionado con el mundo profesional, aunque se ve favorecida por una enorme capacidad de aprendizaje.
Onomástica: 10 de junio.
Otros idiomas: Bable: Créspula.

CRISTAL

Etimología: Nombre latín, variante de *Cristina,* y éste deriva del griego *Christós:* «el ungido».
Personalidad: Persona serena, tranquila y hasta un poco parsimoniosa. De inteligencia profunda y muy dotada para la meditación. Sin

embargo, parece que le cuesta mucho conciliar sus planteamientos intelectuales con un plan concreto de actuación. Su ideal es ser el cerebro de alguna clase de sociedad, de modo que sean los demás los que llevan a la práctica sus numerosas ideas.
Onomástica: No tiene.

Cristeta

Etimología: Diminutivo femenino de *Cristo,* que deriva del griego *Christós,* «el ungido». Usado por los primitivos cristianos, que consideraban usar el nombre de Jesús como algo irreverente.
Personalidad: Por un lado busca la estabilidad, el orden y el rigor, y por el otro siente la necesidad de ir siempre adelante, de triunfar y de progresar en todo lo que emprende, contando con su facilidad para aprender sobre la marcha. Es capaz de esforzarse y luchar con orden y constancia.
Onomástica: 31 agosto y 27 octubre.

Cristiana

Etimología: Nombre de origen griego que significa «que pertenece a la religión de Jesucristo».
Personalidad: El rasgo dominante de su personalidad es el alto dominio sobre sí misma. Sabe medir sus capacidades, que suelen armonizar con todo lo que le rodea. Refinada, amable, simpática y de buen talante, suele hacer amigos con gran facilidad y le gusta ayudar a los demás. Quizá demasiado soñadora.
Onomástica: 15 de diciembre.
Otros idiomas: Catalán: Cristiana. Euskera: Kistaina. Bable: Crista. Francés y alemán: Christiane. Italiano: Cristiana.

Cristina

Etimología: Deriva del griego *Christós,* «el ungido».
Personalidad: Es una persona muy abierta, que disfruta enormemente relacionándose con los demás. A veces resulta demasiado influenciable. Tiene frecuentes ataques de pesimismo, pero siempre consigue salir adelante. Le encanta gastar, y en ocasiones peca de una excesiva frivolidad.
Onomástica: 24 de julio.
Otros idiomas: Catalán: Cristina. Euskera: Kistiñe. Gallego: Cristina, Cristiña. Bable: Cristina. Inglés: Christina, Christine. Francés: Christine. Alemán: Christa, Christine. Italiano: Cristina. Variantes: Crista, Cristiana.

Cruz

Etimología: Nombre cristiano que hace alusión a la crucifixión de Cristo. El nombre completo suele ser *María de la Cruz.*
Personalidad: Es un ser benévolo, idealista y muy espiritual. Aunque a veces cae en ideas simplistas, sobre todo en lo religioso, posee precisamente la virtud de la simplicidad: las cosas importantes a ella le parecen tremendamente sencillas y siempre sabe cuáles son.
Onomástica: 5 de noviembre.
Otros idiomas: Euskera: Gurutze, Gurutzi, Guruzne. Gallego y bable: Cruz.

Cunegunda

Etimología: Nombre de origen germánico que significa «audaz y famosa».
Personalidad: Posee el impulso de la creación que produce la inspiración. Necesita perseguir ideales y emociones utópicos, por su carácter idealista y perfeccionista. Goza también de ambiciones muy positivas. La parte negativa es la facilidad con que cae en la extravagancia y su tendencia al desánimo.
Onomástica: 3 de marzo.

Cuniberga

Etimología: Nombre de origen germánico que significa «famosa por su prudencia».
Personalidad: Intransigente por naturaleza, sólo va adquiriendo flexibilidad y compren-

sión hacia los demás con el paso de los años. Es muy temperamental, propensa a las decisiones repentinas, inesperadas y poco o nada meditadas. Esto se compensa con su aguda inteligencia e intuición.
Onomástica: 26 de agosto.

CUTBURGA

Etimología: Nombre de origen germánico que significa «protección del sabio».
Personalidad: Es una mujer ambiciosa, pero se adapta a cualquier circunstancia y nunca se marca un límite sobre lo que puede conseguir. Le gusta experimentar en campos distintos, de modo que pueda llevar una vida lo más variada posible. Aunque no confía plenamente en el amor ni en la amistad, se irá rodeando de personas muy especiales.
Onomástica: 31 de agosto.

CUSTODIA

Etimología: Nombre de origen latino que podría traducirse como «ángel guardían».
Personalidad: Posee una personalidad equilibrada, serena y con las ideas muy claras, aunque también es intuitiva y magnética. Valora el refinamiento y la integridad, la simpatía y la benevolencia. Suele ser idealista sin remedio si cree en una idea determinada.
Onomástica: 1 de marzo.

Dacia

Etimología: Se forma como gentilicio latino de la Dacia: «oriundo o natural de Dacia».

Personalidad: Es una mujer hogareña que desea pasar su vida del modo más apacible y tranquilo. El trabajo es para ella una maldición, y mucho más la vida en la ciudad. Su ideal es retirarse al campo y cultivar con sus manos, sin más compañía que su familia y amigos más íntimos.

Onomástica: 14 y 27 de enero.

Dafna

Etimología: Nombre de una ninfa de la mitología griega: «coronada de laureles»

Personalidad: Concede más importancia a lo espiritual que a lo material. Es paciente, con gran capacidad de estudio, lógica y análisis. Muy exigente consigo misma y con los demás. Algo solitaria e introspectiva, por lo que cae con facilidad en el pesimismo.

Onomástica: No tiene.

Dafne

Etimología: Nombre de una ninfa de la mitología griega, de la que se enamoró Apolo.

Personalidad: Posee una personalidad equilibrada, serena y con las ideas muy claras, aunque también es intuitiva y magnética. Valora el refinamiento y la integridad, la simpatía y la benevolencia. Suele ser idealista sin remedio si cree en una idea determinada.

Onomástica: No tiene.

Otros idiomas: Catalán: Dafne. Inglés: Daphne.

Dagomar

Etimología: Del danés *dag,* «claridad», y *mar,* «ilustre, brillante».

Personalidad: Espirituales y místicas, de sentimientos altruistas. Se trata de personas elevadas que intentan cultivar la sabiduría y que valoran la inteligencia y la habilidad. Receptivas y estudiosas, son capaces de disfrutar de la vida. Quizá a veces son demasiado abnegadas y se olvidan de sus propios intereses.

Onomástica: No tiene.

Daisy

Etimología: Nombre inglés, que procede del latín *margarita,* «perla», aunque en la actualidad hace alusión al nombre de la flor.

Personalidad: Son personas sencillas y auténticas. Detestan a los que actúan de una determinada manera sólo por guardar las apariencias y, por eso, prefieren que les digan las cosas a la cara, sin rodeos ni ambages. Odian la mentira y la hipocresía. Su sistema moral es simple pero incorruptible.

Onomástica: 23 de febrero.

Dakota

Etimología: Nombre que se forma como gentilicio de una tribu india norteamericana.

Personalidad: Es una mujer inquieta, siempre en busca de nuevas aventuras y experiencias en todos los ámbitos de su vida. Se niega a ser conformista, ama la libertad y sólo aceptará un compromiso cuando esté profundamente segura de que es eso lo que quiere. Aunque parezca alocada, sus actos siempre tienen un sentido.

Onomástica: No tiene.

Dalia

Etimología: Este nombre viene de la palabra sueca *Dahl,* que significa «valle». Así se llama una hermosa flor.

Personalidad: Emotiva, altruista e idealista. Fiel a sus amistades y amores, tiene gran necesidad de ayudar y compartir, tanto en lo material como en lo espiritual. Es influenciable, le cuesta ser realista y es algo desordenada. En lo

espiritual, tiende también a padecer desórdenes ciclotímicos.
Onomástica: No tiene.
Otros idiomas: Catalán: Dàlia. Bable: Dalia.

DALILA
Etimología: Del hebreo, *D'lilah,* «pobreza».
Personalidad: Su personalidad es muy creativa, entusiasta, sociable, optimista y muy espiritual. Tiene gran sentido práctico y es muy hábil en las actividades manuales. En contrapartida, puede ser algo intolerante y colérica, y a veces le cuesta concentrarse en una sola cosa.
Onomástica: No tiene.
Otros idiomas: Catalán: Dalila. Francés: Dalila. Italiano: Dàlila.

DAMIA
Etimología: Nombre de una diosa griega de la antigüedad.
Personalidad: Es tozuda y obstinada, aunque no actúa con mala intención. Puede ser orgullosa, pero también sincera y justa. Siente pasión por todo tipo de actividades intelectuales y es dada a la polémica. En el amor y la amistad se muestra muy sólida. No le gustan las personas que actúan sólo por conveniencia.
Onomástica: No tiene.

DÁMARIS
Etimología: Del griego *Damar,* «esposa».
Personalidad: La estabilidad, la paciencia, la organización, el realismo, el sentido del deber y el orden son sus principales virtudes. Con esas virtudes, siempre lleva ventaja en su trabajo. En lo sentimental y con sus amistades son de una fidelidad absoluta. Por el contrario, caen con facilidad en la rutina y la avaricia.
Onomástica: 4 de octubre.
Otros idiomas: Catalán: Dàmaris. Italiano: Damaris.

DÁNAE
Etimología: Proviene del griego *Daio,* nombre de la tierra que es fecundada por la lluvia.
Personalidad: Dánae tiene una fuerte personalidad, dinámica e inteligente. Es una mujer jovial, simpática y acogedora y deseosa de hacer amistades y establecer contactos. A veces se muestra autosuficiente y despegada, pero suele ser fácil de tratar.
Onomástica: No tiene.

DANIELA
Etimología: Del hebreo *dan-i-El,* «justicia de Dios».
Personalidad: Sus amigos la suelen acusar de ser demasiado independiente. Y es así, a menudo le cuesta confiar en alguien más que en sí misma. Si se casa, se entrega totalmente a su marido, llegando en ocasiones a depender demasiado de él y a ser muy absorbente.
Onomástica: 8 de agosto y 21 de julio.
Otros idiomas: Catalán: Daniel.la. Euskera: Danel. Gallego: Daniela. Bable: Daniela. Inglés, francés y alemán: Danielle. Italiano: Daniele.

DARÍA
Etimología: Deriva del persa *darayavahush,* «el que mantiene el bien». Más tarde se latinizó como Dareus.
Personalidad: A Daría le encanta la gente. Encantadora, simpática y sociable. Sin embargo, le cuesta mantener a sus amigos, probablemente porque siempre quiere salirse con la suya, y es capaz de cualquier cosa por alcanzar sus objetivos.
Onomástica: 125 de octubre.
Otros idiomas: Catalán: Daria. Fancés y alemán: Daria. Italiano: Daría.

DARIANA
Etimología: Deriva del persa *darayavahush,* «el que mantiene el bien». Más tarde se latinizó como Dareus.

Personalidad: Es una mujer de amplias miras, que se adapta a cualquier situación y nunca se marca un límite sobre lo que puede conseguir. Le gusta tener intererses diversos, de modo que pueda llevar una vida lo más variada posible. Aunque no confía plenamente en el amor ni en la amistad, se irá rodeando de personas muy especiales.
Onomástica: 25 de octubre.

Dashiki

Etimología: Nombre swahili, que es el nombre de una prenda que se usa África, como una camisa.
Personalidad: Es como una niña. Crédula, ingenua y risueña. Concede una gran importancia al amor durante toda su vida. En su profesión demuestra que es brillante, creativa y muy trabajadora; tiene ambición, pero no se deja dominar por ella, porque siempre pone en primer plano sus relaciones personales.
Onomástica: No tiene.

Davinia

Etimología: Del hebreo *dawich,* «amado»
Personalidad: Es una mujer de carácter. Muy dada a las discusiones espectaculares y melodramáticas, aunque al final siempre acaba cediendo. Es extremadamente ambiciosa en su vida personal y profesional. Aunque le encanta el chismorreo, es una buena amiga, pero un poco superficial.
Onomástica: 29 de diciembre.

Dayana

Etimología: Nombre de origen latino: es una contracción de *Diviana,* «divina».
Personalidad: Tiene mucho de la diosa romana de su mismo nombre. Es La Cazadora, altiva e independiente, profundamente femenina y seductora, pero inalcanzable para la mayoría de los mortales. En su fuero interno sólo busca el cariño y la protección de los demás. Concede una desmedida importancia a la estética y las apariencias.
Onomástica: 10 de junio.

Deandra

Etimología: Nombre norteamericano que se forma con la partícula *Dee* y *Andrea.*
Personalidad: Su gran pasión radica en la belleza. Es una gran amante del arte en todas sus manifestaciones, y en su propia vida. En el amor y con sus amigos se muestra impulsiva y apasionada. No le gusta trabajar en exceso y no es ambiciosa, por lo que procura buscarse una profesión tranquila que le permita llevar una vida desahogada.
Onomástica: No tiene.

Débora

Etimología: Procede de la raíz hebrea *dbrh,* «abeja».
Personalidad: Para Débora, lo más importante en esta vida es la amistad. Cree que el secreto de la perfección es el trabajo en equipo. Altruísta y humanitaria, necesita elegir una profesión que contribuya a mejorar la sociedad. El amor lo vive muy profundamente, aunque no perdona fácilmente traiciones y desengaños.
Onomástica: 21 de septiembre.
Otros idiomas: Catalán: Dèbora. Gallego: Débora. Bable: Débora, Dobra. Inglés: Deborah. Francés: Déborah. Italiano: Debora.

Debra

Etimología: Procede de la raíz hebrea *dbrh,* «abeja».
Personalidad: Para Débora, lo más importante en esta vida es la amistad. Cree que el secreto de la perfección es el trabajo en equipo. Altruísta y humanitaria, necesita elegir una profesión que contribuya a mejorar la sociedad. El amor lo vive muy profundamente, aunque no perdona fácilmente traiciones y desengaños.

Onomástica: 21 de septiembre.
Otros idiomas: Catalán: Dèbora. Gallego: Débora. Bable: Débora, Dobra. Inglés: Deborah. Francés: Déborah. Italiano: Debora.

Dejanira

Etimología: Del nombre griego *Déianeira,* «destructora de hombres».
Personalidad: El rasgo dominante de su personalidad es el alto dominio sobre sí misma. Sabe medir sus capacidades, que suelen armonizar con todo lo que le rodea. Refinada, amable, simpática y de buen talante, suele hacer amigos con gran facilidad y le gusta ayudar a los demás. Quizá demasiado soñadora.
Onomástica: No tiene.
Otros idiomas: Catalán: Dejanira. Italiano: Deianira.

Delfina

Etimología: Deriva del griego *delphís,* «delfín».
Personalidad: Al contrario que los delfines, Delfina no se muestra nada sociable ni juguetona. Más bien es una persona seria, amable pero severa, que prefiere los placeres intelectuales antes que el trato con los demás. Tímida hasta el exceso, se rodea de un núcleo protector muy reducido. Es propensa a la melancolía.
Onomástica: 24 de diciembre.
Otros idiomas: Catalán: Delfina. Euskera: Delbiñe. Gallego: Delfina. Bable: Delfina. Francés: Dauphine. Italiano: Delfine.

Delia

Etimología: Del nombre propio griego *Delia,* sobrenombre de *Artemisa* (Diana), por haber nacido, al igual que su hermano Apolo en la isla de Delos. Variante de *Adela, Adelaida* o *Cordelia.*
Personalidad: Enérgica y obstinada, sabe actuar con rapidez y eficacia. No soporta la supeditación y cuando se ve obligada a hacerlo se convierte en irritable e impulsiva. Sueña con grandes proyectos, es una idealista que aspira a vivir libremente, sin ataduras.
Onomástica: 14 de julio y 22 de octubre.
Otros idiomas: Catalán: Dèlia. Gallego: Delia. Bable: Dela. Francés: Dèlia. Italiano: Delia.

Delicias

Etimología: Nombre de advocación mariana que alude a la alegría de la Virgen.
Personalidad: Es del todo ajena a la lógica. Parece que vive en su propio mundo, regida por sus propias normas y leyes. Feliz con su independencia, procura evitar los compromisos a toda costa. En el amor es romántica y muy fantasiosa.
Onomástica: 31 de mayo.

Delmira

Etimología: Nombre de origen germánico que significa «de noble estirpe».
Personalidad: Desde niña tiene que luchar con su inseguridad. Tiende a compararse con los demás y en su fuero interno siempre sale malparada. Hay algo en su interior que la obliga a fijarse en los demás y esa falta de criterio puede hacerla un tanto excéntrica. Su verdadera meta en la vida es hallar a alguien que le proporcione la seguridad que tanto necesita.
Onomástica: No tiene.

Deméter

Etimología: En la mitología griega, hermana de Zeus, diosa de la fertilidad y la agricultura.
Personalidad: Emotiva, altruista e idealista. Fiel a sus amistades y amores, tiene gran necesidad de ayudar y compartir, tanto en lo material como en lo espiritual. Es influenciable, le cuesta ser realista y es algo desordenada. En lo espiritual, tiende también a padecer desórdenes ciclotímicos.
Onomástica: No tiene.
Otros idiomas: Catalán Demèter.

Demetria

Etimología: Procede del griego *Demétrios,* «consagrado a Deméter». Ésta era diosa de la agricultura y de la abundancia en general.

Personalidad: Demetria suele ser práctica y decidida. Es una amante del orden, que encuentra su seguridad en la rutina y la repetición. Detesta las sorpresas y las innovaciones y, por tanto, es profundamente conservadora. Muy familiar.

Onomástica: 21 de junio

Otros idiomas: Catalán: Demetria. Euskera: Demetire. Gallego: Demetria. Bable: Demetria. Francés: Démétrie. Italiano: Demetria.

Denise

Etimología: Del griego *Dios-Nysa,* «el dios de Nysa». Nysa era una pequeña localidad egipcia. Variante de *Dionisia.*

Personalidad: Dionisia es una persona tranquila y sosegada. Extremadamente habladora, no le gusta tener grandes sobresaltos en su vida, pero es algo cotilla. Es tierna y afectuosa, muy solícita con su pareja, aunque poco dada a comprender y aceptar las exigencias de sus amigos.

Onomástica: 15 de mayo y 6 de diciembre.

Otros idiomas: Catalán: Dionisia. Euskera: Dunixe. Gallego: Dionisia. Bable: Dionisia (Nisia, Nisa), Donisia. Francés, alemán e italiano: Denise.

Desideria

Etimología: Proviene del adjetivo latino *desiderius,* «deseable».

Personalidad: Siempre accesible, da los mejores consejos que se puedan imaginar, gracias a su enorme sentido común y a su capacidad de ver las cosas fríamente. En el trabajo se muestra eficaz y perseverante, aunque nada ambiciosa. Para élla, el mundo laboral es un simple medio para conseguir una cierta estabilidad económica.

Onomástica: 11 de febrero y 23 de mayo.

Desirée

Etimología: Proviene del adjetivo latino *desiderius,* «deseable».

Personalidad: Siempre accesible, da los mejores consejos que se puedan imaginar, gracias a su enorme sentido común y a su capacidad de ver las cosas fríamente. En el trabajo se muestra eficaz y perseverante, aunque nada ambiciosa. Para ella, el mundo laboral es un simple medio para conseguir una cierta estabilidad económica.

Onomástica: 23 de mayo.

Diamantina

Etimología: Proviene del adjetivo latino *adamantinus,* «diamantino», que puede interpretarse como «claro, precioso».

Personalidad: Es generosa y sensible, devota de la verdad y del conocimiento. No le gusta perderse en frivolidades ni tonterías, siempre va al grano. Aunque quiere aparentar seguridad en sí misma, la verdad es que depende de la opinión de los demás y sobre todo necesita la aprobación de su familia. Se entrega con facilidad a las causas humanitarias.

Onomástica: 1 de noviembre.

Otros idiomas: Bable: Diamantina, Tina (Mantina).

Diana

Etimología: Nombre de origen latino: es una contracción de *Diviana,* «divina».

Personalidad: Tiene mucho de la diosa romana de su mismo nombre. Es La Cazadora, altiva e independiente, profundamente femenina y seductora, pero inalcanzable para la mayoría de los mortales. En su fuero interno sólo busca el cariño y la protección de los demás. Conce-

de una desmedida importancia a la estética y las apariencias.
Onomástica: 10 de junio.
Otros idiomas: Catalán, gallego y bable: Diana. Inglés, alemán e italiano: Diana. Francés: Diana.

DICTINA

Etimología: En la mitología griega, *Dictina* era la diosa del mar que recibía culto en Creta.
Personalidad: La pasividad y la indecisión son su principal problema: piensa y piensa y todo le parece con valores negativos y positivos. Es receptiva, sentimental y en el terreno laboral se vale muy bien de su espíritu de equipo. En lo sentimental, si se siente rechazada, es muy rencorosa.
Onomástica: 2 de junio.

DIGNA

Etimología: Del latín *Digna,* femenino de *Dignus,* «merecedor de algo», «digno de», adjetivo derivado de *decet,* «conviene».
Personalidad: Desea ser útil a los demás y le gustaría promover un mundo mejor y más humano. Amable y sociable, agradece la compañía y suele destacar en el grupo por su buen carácter y por ofrecer su ayuda a cuantos la necesiten.
Onomástica: 14 de junio.
Otros idiomas: Catalán y gallego: Digna. Euskera: Diñe.

DIMNA

Etimología: Es de origen irlandés y significa «conveniente». Nombre mencionado en una obra medieval titulada *Calila e Dimna.*
Personalidad: Segura y emprendedora, no se rinde fácilmente. Se ilusiona enseguida con cualquier proyecto, y es capaz de trabajar hasta la extenuación, aunque sólo si se divierte mientras lo hace. Exige a los demás la misma dedicación y es muy intransigente con la pereza. Muchas veces descuida su vida personal.
Onomástica: 15 de mayo.

DINA

Etimología: Nombre hebreo, femenino de *Dan.*
Personalidad: Poseen una personalidad marcada por el impulso de creación. Es algo autoritaria, individualista e independiente. Valora la estabilidad en su vida y, para conseguirla, a veces se muestra autoritaria y egoísta.
Onomástica: 4 de septiembre.
Otros idiomas: Catalán: Dina. Inglés: Dinah. Francés: Dina, Dine. Alemán e italiano: Dina.

DINORAH

Etimología: Nombre hebreo, que puede tener su origen en el antiguo arameo.
Personalidad: Es muy equilibrada y posee un sentido innato de la justicia y el equilibrio, pero también cae con facilidad en ataques de ira y valora en exceso el poder y el triunfo. Es impaciente e impetuosa. Esta personalidad le hace, casi con seguridad, muy celosa.
Onomástica: No tiene.
Otros idiomas: Catalán e italiano: Dinorah.

DIONISIA

Etimología: Del griego *Dios-Nysa,* «el dios de Nysa». Nysa era una pequeña localidad egipcia.
Personalidad: Dionisia es una persona tranquila y sosegada. Extremadamente habladora, no le gusta tener grandes sobresaltos en su vida, pero es algo cotilla. Es tierna y afectuosa, muy solícita con su pareja, aunque poco dada a comprender y aceptar las exigencias de sus amigos.
Onomástica: 15 de mayo, 6 y 12 de diciembre.
Otros idiomas: Catalán: Dionisia. Euskera: Dioni, Dunixe. Gallego: Dionisia. Bable: Dionisia (Nisia, Nisa), Donisia. Francés, alemán e italiano: Denise.

Divina

Etimología: Nombre de advocación mariana: Nuestra Señora de la Divina Gracia y Nuestra Señora de la Divina Pastora.

Personalidad: Es la optimista por excelencia: cuando hay problemas, siempre ve una salida inmediata. En el amor y con sus amigos lo da todo, sin reservas, y espera lo mismo. Detesta la indiferencia y la indecisión, y en cualquier circunstancia exige de los demás el mismo compromiso.

Onomástica: 23 de julio (Nuestra Señora de la Divina Gracia) y sábado de la tercera semana de Pascua (Nuestra Señora de la Divina Pastora).

Dolores

Etimología: Advocación mariana de la Virgen de los Dolores.

Personalidad: En su juventud, Dolores es una persona muy exaltada. Loca, divertida, le encanta sorprender a la gente. En el amor quiere aparentar frivolidad y falta de madurez, pero en el fondo es una sentimental empedernida. Según se va haciendo mayor, va transformándose en una mujer protectora de todos los que la rodean.

Onomástica: Viernes de Dolores (el anterior a Semana Santa) y 15 de septiembre.

Otros idiomas: Catalán: Dolors. Euskera: Nekane. Gallego: Dóres. Bable: Dolora. Francés: Dolorés. Alemán: Dolores. Italiano: Addolorata.

Dominica

Etimología: Del latín *Dominicus,* «nacido en domingo».

Personalidad: Poseen una personalidad marcada por el impulso de creación. Es algo autoritaria, individualista e independiente. Valora la estabilidad en su vida y, para conseguirla, a veces se muestra autoritaria y egoísta.

Onomástica: 6 de julio.

Otros idiomas: Catalán: Domínica. Euskera: Domikene, Dominixe. Italiano: Domenica.

Dominga

Etimología: Del latín *dominicus,* «nacido en domingo» o «consagrado a Dios».

Personalidad: Es una mujer de fuerte personalidad, amante de la acción y muy práctica, pero carece del sentido de los matices, lo cual puede llevaerla a la intolerancia. Su defecto es la inestabilidad en todos los órdenes de la vida.

Onomástica: 6 de julio.

Otros idiomas: Catalán: Dominga. Euskera: Txorneka. Gallego: Dominga. Bable: Dominga.

Domitila

Etimología: Deriva del latín *domus,* «casa», con el significado general de «hogareño».

Personalidad: Suele ser una persona muy hogareña, tranquila, amante de los pequeños placeres de la vida. Transmite una sensación de absoluta imperturbabilidad, que puede llegar a confundirse con la apatía o la frialdad. Aunque parece que se preocupa mucho por los seres que le importan, no permite que los demás turben su paz interior.

Onomástica: 12 de mayo.

Otros idiomas: Catalán: Domitil.la. Euskera: Domitille. Gallego: Domitila. Italiano: Domitilla.

Domnina

Etimología: Nombre de procedencia latina que significa «señor, amo».

Personalidad: Tiene una auténtica obsesión por su aspecto: siempre perfecta, brillante, hermosa. Le gusta ser original y hasta un poco extravagante, y obtiene un gran placer escandalizando a los demás. Independiente y luchadora, persigue con vehemencia sus objetivos profesionales.

Onomástica: 12 de octubre.

Donata

Etimología: Procede del latín *donatus,* «dado, regalado».

Personalidad: Es una artista, con todas las connotaciones de la palabra. Creativa, ingeniosa, encantadora, destaca en su profesión. No se rinde fácilmente. Sin embargo, es muy susceptible, ligeramente orgullosa y tiende a despreciar a los demás. Le gustan las aventuras amorosas intensas y apasionadas, no exentas de un toque de romanticismo.
Onomástica: 17 de julio y 31 de diciembre.
Otros idiomas: Catalán: Donata. Euskera: Donate. Gallego: Doada. Bable: Donina. Alemán: Donata. Italiano: Donata, Donate, Donatella.

DONATILA

Etimología: Procede del latín *donatus,* «dado, regalado».
Personalidad: Concede más importancia a lo espiritual que a lo material. Es paciente, con gran capacidad de estudio, lógica y análisis. Muy exigente consigo misma y con los demás. Algo solitaria e introspectiva, por lo que cae con facilidad en el pesimismo.
Onomástica: 30 de julio.
Otros idiomas: Catalán: Donatil.la. Euskera: Donatille. Italiano: Donatilla.

DONVINA

Etimología: Nombre latinizado a partir de una forma germánica, que significa «vigorosa».
Personalidad: Trabajadora incansable. Cuando tiene un momento de ocio, le gusta disfrutarlo al máximo, y es una amante consumada de la buena vida, del lujo y de las comodidades. Posee ideales muy profundos y siempre procura actuar de acuerdo con ellos y con absoluta independencia.
Onomástica: 23 de agosto.

DORA

Etimología: Nombre griego. De *doron,* «don». También puede dársele el significado de «bienaventurada, dichosa». Puede ser variante de *Auxiliadora, Dorotea, Isidora* y *Teodora.*
Personalidad: Sociable, entusiasta y extravertida, y con facilidad de expresión, dulce y pacífica. También es una mujer sensible y humanitaria, cae muy bien a la gente y no le cuesta hacer amigos. Es capaz de realizar grandes esfuerzos cuando se lo propone.
Onomástica: 6 de febrero.
Otros idiomas: Catalán: Dora. Bable: Dora, Sidora. Inglés: Doris. Francés, alemán e italiano: Dora.

DORIS

Etimología: Del griego *doron,* «don». También puede dársele el significado de «bienaventurada, dichosa». Puede ser variante de *Auxiliadora, Dorotea* y *Teodora.*
Personalidad: Su personalidad es conflictiva, por lo que suele encontrar dificultades para sentirse a gusto consigo misma. También es algo vacilante y no muy enérgica. Sin embargo, posee un cierto espíritu aventurero, incluso algo temerario, y es de una lealtad inquebrantable.
Onomástica: 5 de junio.

DOROTEA

Etimología: Deriva del griego *doron-theos,* «don de Dios».
Personalidad: Es algo caprichosa y calculadora. Le gusta presumir de saber cómo manejar al otro sexo, aunque en realidad resulta ser al contrario. En la amistad lo da todo, aunque no es capaz de perdonar una traición. En el trabajo es tremendamente original, aunque algo inconstante y nada paciente.
Onomástica: 6 de febrero y 3 de septiembre.
Otros idiomas: Catalán y gallego: Dorotea. Euskera: Dorote. Inglés: Dorothy, Dorothea. Francés: Dorothée. Alemán: Dorothee. Italiano: Dorotea.

DRUSILLA

Etimología: Nombre latín, que significa «descendiente de Drusus».

Personalidad: Tiene un temperamento demasiado variable, nunca se puede estar seguro de cómo va a reaccionar. En el amor, raras veces será correspondida por la persona a quien realmente ama, aunque probablemente termine asentándose en una afable y placentera relación sustentada más por la amistad que por el amor.
Onomástica: No tiene.

DULCE

Etimología: Del latín *dulcis,* «dulce, agradable». El nombre completo suele ser Dulce Nombre de María.
Personalidad: Tranquila, suave, odia tener que decir una palabra más alta que otra, aunque es capaz de hacerlo, sobre todo en defensa de los demás o de lo que ella considera una causa justa. Le encanta el lujo y la buena vida, y luchará por conseguirlos. En el amor es muy entregada.
Onomástica: 12 de septiembre.
Otros idiomas: Catalán: Dolça. Euskera: Eztizen, Gozo. Inglés: Dulcie.

DULCINEA

Etimología: Nombre de un personaje de *El Quijote de La Mancha,* que sugiere relación con «dulce».
Personalidad: Valiente, sale adelante pase lo que pase. A la hora de trabajar, es seria y responsable, prudente cuando las circunstancias lo requieren, aunque también es capaz de arriesgar. En el amor suele ser desgraciada, quizá porque le resulta difícil encontrar compañeros tan fuertes y seguros como ella misma.
Onomástica: No tiene.

DUNA

Etimología: Nombre de origen germánico cuyo significado original era «colina».
Personalidad: Tiene condiciones para ser la madre perfecta. Cariñosa, entregada, es capaz de sacrificarlo todo por el bien de sus seres queridos, sobre todo si son sus propios hijos. Sin embargo, cuando no se siente segura, es irreflexiva y pesimista, propensa a tomar decisiones erróneas. Generosa y desprendida.
Onomástica: 24 de octubre.

DUNIA

Etimología: Nombre bastante frecuente en Rusia y en los países árabes, que significa «mundo».
Personalidad: Tiene un aire de niña demasiado mimada. No soporta bien que le lleven la contraria. Su principal preocupación es siempre la estética, por encima de la ética: que las cosas tengan un aspecto impecable, que su físico se mantenga... Aunque no es muy constante, sí es bastante ingeniosa y divertida.
Onomástica: 24 de octubre.
Otros idiomas: Catalán: Dúnia.

DYLAN

Etimología: Antiguo nombre galés que significa «mar».
Personalidad: Es una mujer introvertida, muy encerrada en sí misma y hasta podría decirse que un poco huraña. Algunos dicen que peca un de misantropía, que desprecia al género humano; pero la realidad es que no logra comprender al resto de las personas, le parecen demasiado complicadas. Aun así, suele encontrar energías para intentar cambiar su mundo y siempre sabe cuáles son las cosas que más le interesan.
Onomástica: No tiene.

DYMPNA

Etimología: Es de origen irlandés y significa «conveniente».

Personalidad: Segura y emprendedora, no se rinde fácilmente. Se ilusiona enseguida con cualquier proyecto, y es capaz de trabajar hasta la extenuación, aunque sólo si se divierte mientras lo hace. Exige a los demás la misma dedicación y es muy intransigente con la pereza. Muchas veces descuida su vida personal.
Onomástica: 15 de mayo.

Ebba

Etimología: Nombre de origen germánico que significa «poderosa».

Personalidad: Es una mujer tranquila y reflexiva, una verdadera maestra del autocontrol. Posee un innato sentido de la justicia y es capaz de ir hasta el final por aquello en lo que cree. Disfruta mucho en compañía de sus amigos y familiares, no perdona una buena tertulia y procura encontrar un trabajo en el que estar continuamente en contacto con la gente.

Onomástica: 24 de agosto.

Edelmira

Etimología: Nombre de origen germánico que significa «de noble estirpe».

Personalidad: Posee una personalidad carismática, seductora y fuerte. Es también idealista y perfeccionista, lo cual normalmente le lleva a tener elevadas ambiciones. En lo negativo, suele ser nerviosa y autoritaria.

Onomástica: 1 de noviembre.

Otros idiomas: Bable: Delmira.

Edna

Etimología: Nombre germánico que significa «gloria, victoria».

Personalidad: De gran energía, no suelen pasar desapercibidas, y tienen habilidades para el liderazgo y la innovación. No les gusta seguir la corriente establecida y se empeñan en la originalidad. En el lado negativo tienden al egoísmo, la vanidad y el orgullo. También pueden ser excéntricas y demasiado dominantes.

Onomástica: No tiene.

Otros idiomas: Catalán: Edda. Inglés: Edna. Francés, alemán e italiano: Edda. Variante: Edda.

Edelweiss

Etimología: Nombre germánico que deriva de *athal,* «noble», y *weiss,* «blanco». Es el nombre de una flor alpina.

Personalidad: Posee una gran capacidad de adaptación, por lo cual le entusiasman los viajes y todo lo que requiera audacia e innovación. En lo negativo, su personalidad le acarrea ciertos inconvenientes, como accidentes, inestabilidad y superficialidad.

Onomástica: No tiene.

Edita

Etimología: Nombre anglosajón que deriva de *ead,* «riqueza», y *gyth,* «lucha», o sea, «lucha por la riqueza».

Personalidad: La estabilidad, la paciencia, la organización, el realismo, el sentido del deber y el orden son sus principales virtudes. En lo sentimental y con sus amistades son de una fidelidad absoluta. Por contra, caen con facilidad en la rutina y la avaricia.

Onomástica: 16 de septiembre.

Otros idiomas: Catalán: Edita. Bable: Eita. Inglés, francés, alemán e italiano: Edith.

Edith

Etimología: Nombre anglosajón que deriva de *ead,* «riqueza», y *gyth,* «lucha», o sea, «lucha por la riqueza».

Personalidad: Alegre y frívola, incluso dispersa, aunque ella tiene muy claras sus prioridades en la vida. En general, puede decirse que es poco detallista y propensa a olvidarse de aniversarios y felicitaciones, pero cuando se la necesita, es una amiga de las de verdad.

Onomástica: 9 de agosto.

Otros idiomas: Inglés, francés, alemán e italiano: Edith.

Edurne

Etimología: Nombre vasco que es el equivalente de *Nieves.*

Personalidad: Segura y emprendedora, Edurne no se rinde fácilmente. Se ilusiona enseguida con cualquier proyecto, y es capaz de trabajar hasta la extenuación, aunque necesita estar muy motivada para hacerlo. Exige a los demás la misma dedicación y es muy intransigente con la pereza. Muchas veces descuida su vida personal.
Onomástica: 9 de agosto.

Eduvigis

Etimología: Del germánico *hrodwiga,* «luchadora victoriosa».
Personalidad: El rasgo dominante de su personalidad es el alto dominio sobre sí misma. Sabe medir sus capacidades, que suelen armonizar con todo lo que le rodea. Refinada, amable, simpática y de buen talante, suele hacer amigos con gran facilidad y le gusta ayudar a los demás. Quizá demasiado soñadora.
Onomástica: 16 de octubre.
Otros idiomas: Catalán: Eduvigis. Euskera: Edubige. Gallego: Eduvixes. Inglés: Edwig. Francés: Edwige. Alemán: Hadwig. Italiano: Edvige.

Edwina

Etimología: Nombre inglés que significa «amiga próspera».
Personalidad: Alegre y feliz, rebosa encanto e imaginación y rechaza por principios cualquier prejuicio o convención social. Sin embargo, es muy terca y no soporta que le lleven la contraria. Además, puede llegar a ser un poco excéntrica y sentir que no es comprendida.
Onomástica: No tiene.

Effie

Etimología: Proviene del griego *Eu-phemi,* «de buena palabra, elocuente».
Personalidad: Vive mucho más de cara al exterior que para sí misma. En realidad es tierna, afectuosa y está muy necesitada de cariño, pero considera que estas características son signos de debilidad, y prefiere ocultarlas. Aprende a amar a la gente con mucha velocidad, pero también puede ser cruel.
Onomástica: 16 de septiembre.

Egeria

Etimología: Deriva del griego *egeiro,* «excitar, mover».
Personalidad: Poseen una personalidad marcada por el impulso de creación. Es algo autoritaria, individualista e independiente. Valora la estabilidad en su vida y, para conseguirla, a veces se muestra autoritaria y egoísta.
Onomástica: 18 de agosto.
Otros idiomas: Catalán: Egèria. Italiano: Egeria.

Eglé

Etimología: En la mitología griega, esposa de Helios y madre de las Gracias. Deriva de *Aglaya.*
Personalidad: Suelen ser mujeres de gran belleza, relacionadas con la cultura, el conocimiento, la armonía y la verdad. Disfrutan al máximo de la vida, valorando lo detalles y placeres más insignificantes. Son cooperadoras, entusiastas y afectuosas, por lo que valoran el amor y la amistad. El mayor riesgo se encuentra en la hipersensibilidad y la indecisión.
Onomástica: No tiene.
Otros idiomas: Catalán: Eglé. Francés: Eglé. Italiano: Egle.

Eileen

Etimología: Nombre irlandés, variante de *Elena:* que deriva del griego *hélene,* «antorcha brillante».
Personalidad: Hiperactiva y ligeramente inestable, tiene una tendencia no muy sana a to-

mÁrselo todo demasiado en serio, casi como un reto personal. Tiene la necesidad de estar siempre haciendo algo productivo, hasta tal punto que llega a agotar a todos los que la rodean. Pierde los nervios con facilidad y se enfada a menudo.
Onomástica: 18 de agosto.

EIRA

Etimología: Diosa protectora de la salud en la mitología escandinava.
Personalidad: Concede más importancia a lo espiritual que a lo material. Es paciente, con gran capacidad de estudio, lógica y análisis. Muy exigente consigo misma y con los demás. Algo solitaria e introspectiva, por lo que cae con facilidad en el pesimismo.
Onomástica: No tiene.

ELBA

Etimología: Del germánico *alb,* «elfo».
Personalidad: Su problema principal es la pasividad y la indecisión, le parece que todo posee valores negativos y positivos. Es receptiva, sentimental y posee un gran espíritu de equipo. Cuando se siente rechazada, desarrolla una enorme capacidad de destrucción.
Onomástica: 2 de abril.

ELECTRA

Etimología: Del griego *elektron,* «brillante».
Personalidad: Suelen ser mujeres de gran belleza, relacionadas con la cultura, el conocimiento, la armonía y la verdad. Disfrutan al máximo de la vida, valorando lo detalles y placeres más insignificantes. Son cooperadoras, entusiastas y afectuosas, por lo que valoran el amor y la amistad. El mayor riesgo se encuentra en la hipersensibilidad y la indecisión.
Onomástica: No tiene.
Otros idiomas: Catalán: Electra. Inglés: Electra. Francés: Electre. Alemán: Elektra. Italiano: Elettra.

ELENA

Etimología: Deriva del griego *hélene,* «antorcha brillante».
Personalidad: Pura, ingenua y bondadosa, carece por completo de malicia o de mala voluntad. Es profundamente femenina. Las tareas intelectuales no le atraen en demasía, pero lo compensa con una imaginación radiante. Nunca se somete a las convenciones sociales.
Onomástica: 18 de agosto.
Otros idiomas: Catalán: Elen, Elena, Helena. Euskera: Elene. Gallego: Helena. Bable: Lena. Inglés: Hellen. Francés: Héllène.

ELEONOR

Etimología: Adaptación del nombre gaélico *Leonorius,* que probablemente sea una derivación de León.
Personalidad: Altiva y lejana. Mujer segura, idependiente y decidida. Es una persona profundamente pragmática, que posee la habilidad de convertir sus sueños en realidad. Tiende a ignorar a los demás.
Onomástica: 22 de febrero.
Otros idiomas: Catalán: Elionor, Elionora. Euskera: Lonore. Gallego: Eleonor. Inglés: Eleanor. Alemán: Leonore. Variantes: Eleonora, Leonor.

ELEUTERIA

Etimología: Nombre grecolatino que tiene su primer origen en el *Eleutherion,* una fiesta griega en honor de Zeus Liberador. Los romanos adoptaron el nombre bajo la forma de *eleutheria,* que significa «libertad».
Personalidad: Libre de complejos, de limitaciones sociales, de obligaciones y de compromisos. Es un ser encantador. Su existencia suele estar llena de aventuras y sucesos maravillosos, ya que si no logra encontrarlos en la realidad, no tiene ningún problema en inventarlos.
Onomástica: 18 de abril y 8 de agosto.

ELIA

Etimología: Procede del hebreo *Eliyyah,* forma apocopada de *El-Yahveh,* «mi Dios es Yahvé».

Personalidad: O está totalmente en el cielo o vive firmemente apegada a la tierra. ¿El porqué de esta dicotomía? No es una persona de medias tintas. O lo da todo o no da nada. Lo mismo le sucede en el terreno de la amistad. En el amor no suele ser muy afortunada.

Onomástica: 20 de junio.

Otros idiomas: Francés: Élie.

ELIANA

Etimología: Procede del hebreo *Eliyyah,* forma apocopada de *El-Yahveh,* «mi Dios es Yahvé».

Personalidad: Ciertamente es un poco perezosa, y aunque sepa lo que quiere y qué ha de hacer para conseguirlo, le cuesta ponerse manos a la obra. Es romántica y soñadora, muy dada a perderse en el mundo de sus fantasías amorosas. Cariñosa y entregada, pero también muy exigente. Cuando hay problemas sabe ser fuerte, entera y tranquila.

Onomástica: 20 de junio.

Otros idiomas: Francés: Élianne.

ELIDE

Etimología: Gentilicio del valle de Elide, en el Peloponeso: «natural de Elide».

Personalidad: Posee fuerza y determinación, así como una personalidad difícilmente manejable. Obstinada e independiente, ejerce un gran magnetismo, aunque puede caer fácilmente en la intransigencia. Rara vez se siente contenta durante mucho tiempo, así que busca cambios de ambiente o de escenario.

Onomástica: No tiene.

ELIDIA

Etimología: Gentilicio de *Helis,* de la zona del Peloponeso.

Personalidad: Transmite gran confianza entre sus amigos y compañeros de trabajo, por su espíritu seductor y fuerte. Es también idealista y perfeccionista en todo lo que emprende, lo cual le permite conseguir grandes logros. La parte negativa de su carácter es que puede llegar a volverse autoritaria e impaciente.

Onomástica: 25 de enero.

ELISA

Etimología: Proviene del hebreo *El-yasa,* «Dios ha ayudado».

Personalidad: Dotada de un inmenso sentido de la responsabilidad, Elisa siempre hará bien cualquier cosa en la que se embarque. No se muestra exigente con sus amigos, y tiende a ser generosa y comprensiva. Suele ser mujer de un único gran amor, pero si sufre una decepción, se esfuerza en recuperar la ilusión.

Onomástica: 5 de diciembre.

Otros idiomas: Catalán y gallego: Elisa. Euskera: Elixa, Elixi. Bable: Lisa. Inglés: Eliza. Francés: Elise. Alemán: Ilse. Italiano: Elisa, Lisa.

ELÍSABET

Etimología: Del hebreo *El-zabad,* «Dios da».

Personalidad: Mujer extremadamente completa. Ama su profesión y se dedica a ella con auténtico fervor, aunque no por ello descuida a su familia ni a sus amigos. Es una madre espléndida. Sentimental hasta la médula, tiene debilidad por las historias de amor y es un poco celestina.

Onomástica: 17 de noviembre.

Otros idiomas: Catalán: Elisabet. Euskera: Elisabete. Inglés y francés: Elizabeth. Alemán: Elisabet. Italiano: Elisabetta.

ELISENDA

Etimología: Proviene del hebreo *El-yasa,* «Dios ha ayudado». En realidad, es una variante de Elisa.

Personalidad: Dotada de un inmenso sentido de la responsabilidad, Elisenda siempre hará bien aquello en que se embarca. No se muestra exigente con sus amigos, y tiende a ser generosa y comprensiva. Suele ser mujer de un único gran amor.
Onomástica: 8 de febrero.
Otros idiomas: Catalán y euskera: Elisenda.

ELKE

Etimología: Nombre germano, equivalente de *Adelaia* y *Alicia.*
Personalidad: Humanista y entregada por naturaleza: para ser feliz, su vida tiene que serle útil a los demás. No entiende el egoísmo ni la falta de compromiso: ella, realmente, no puede descansar sabiendo que hay alguien que puede necesitarla. El problema es que es demasiado crítica consigo misma.
Onomástica: 24 de diciembre.

ELLEN

Etimología: Nombre griego que deriva de *Heléne,* «resplandeciente». Forma inglesa de *Elena.*
Personalidad: Tienden a ser personas fuera de lo corriente: son comprensivas y afectuosas por naturaleza, capaz de hacer un hueco en el corazón de los más reacios. En el amor suelen ser extremadamente afortunadas y encontrar su alma gemela.
Onomástica: 18 de agosto.
Otros idiomas: Catalán: Elena, Helena. Euskera: Ele. Gallego: Helena. Bable: Lena. Inglés: Ellen, Helen, Helena. Francés: Hélène. Italiano: Elena.

ELOÍNA

Etimología: Es una forma castellana del francés *Héloïse,* que a su vez deriva del germánico *Helewides,* «sano».
Personalidad: Lo hace todo con el corazón; ella presume de ser pasional, impulsiva y profundamente sensible. Quizá tenga un miedo patológico a la soledad. Detesta las discusiones y en muchas circunstancias prefiere guardar silencio para no provocar una disputa. Es una compañera dulce y romántica.
Onomástica: 1 de diciembre.

ELORA

Etimología: Nombre norteamericano que se forma por la unión de *Ella* y *Nora.*
Personalidad: Serena, tranquila y hasta un poco parsimoniosa. De inteligencia profunda y muy dotada para la meditación. Sin embargo, parece que le cuesta mucho conciliar sus planteamientos intelectuales con un plan concreto de actuación. Su ideal es ser el cerebro de alguna clase de sociedad, de modo que sean los demás los que llevan a la práctica sus numerosas ideas.
Onomástica: No tiene.

ELOÍSA

Etimología: Es una forma castellana del francés *Héloïse,* que a su vez deriva del germánico *Helewides,* «sano».
Personalidad: Eloísa es afectuosa y profundamente maternal. No es demasiado imaginativa ni original, pero lo compensa con una impresionante capacidad de trabajo y una lealtad incorruptible. En el amor es algo ingenua, pero prefiere eso a volverse cruel o insensible.
Onomástica: 1 de diciembre.
Otros idiomas: Catalán: Eloísa. Euskera: Eloie. Inglés: Helewise. Francés: Héloïse. Italiano: Eloisa.

ELSA

Etimología: Del hebreo *El-zabad,* «Dios da».
Personalidad: Mujer extremadamente completa. Ama su profesión y se dedica a ella con auténtico fervor, aunque no por ello descuida a

su familia ni a sus amigos. Es una madre espléndida. Sentimental hasta la médula, tiene debilidad por las historias de amor y es un poco celestina.

Onomástica: 4 de enero.

Otros idiomas: Catalán: Elsa. Euskera: Elsie. Gallego: Elisa. Bable: Alsina, Elsa. Francés: Else. Inglés: Elsa, Elsy. Italiano: Elsa.

ELVIA

Etimología: Nombre germánico que podría traducirse como «la que tiene los cabellos rubios».

Personalidad: Su personalidad es conflictiva, por lo que suele encontrar dificultades para sentirse a gusto consigo misma. También es algo vacilante y no muy enérgica. Sin embargo, posee un cierto espíritu aventurero, incluso algo temerario, y es de una lealtad inquebrantable.

Onomástica: No tiene.

ELVIRA

Etimología: Deriva del germánico *athal-wina,* «noble guardiana».

Personalidad: Elvira siempre se dice a sí misma que ha nacido en el tiempo equivocado. Ella necesita vivir fuera de la realidad, en un refugio de fantasía y romanticismo. Es muy propensa al teatro y a la exageración, amante de melodramas e historias imposibles. Sin embargo, tiene un corazón de oro y es capaz de desvivirse por ayudar a su prójimo.

Onomástica: 25 de enero.

Otros idiomas: Catalán y gallego: Elvira. Euskera: Elbir. Bable: Alvira. Francés: Elvire. Alemán e italiano: Elvira.

ELVISA

Etimología: Deriva del germánico *hlod-wig,* «glorioso en la batalla». Es la forma femenina de *Luis.*

Personalidad: Orgullosa hasta el fin, Elvisa siempre tiene que estar a la altura de las circunstancias. Tiene una imagen muy clara de lo que quiere conseguir en el mundo y de lo que quiere llegar a ser. Puede parecer ingenua y extrovertida, pero en realidad siempre se guarda algo para sí misma.

Onomástica: 25 de agosto.

ELYANE

Etimología: Nombre hebreo que significa «Dios me escucha».

Personalidad: Es una persona hipersensible por más que intente disimularlo. Bajo su apariencia fría, segura y un poco despreocupada, hay una mujer que está siempre pendiente de lo que los demás dicen o hacen y de la actitud que tienen hacia ella. Su gran placer consiste en ayudar a los que la rodean a ser felices.

Onomástica: No tiene.

EMELIA

Etimología: Nombre formado por la raíz germánica *Amal,* «trabajo».

Personalidad: Inteligente pero rígida, trabajadora pero poco creativa, es una persona extremadamente tímida que a veces opta por ocultarlo bajo una máscara autoritaria. Es inquieta y tiene verdaderas ansias de saber. Es muy generosa y perdona con facilidad. Es inconstante y se deja llevar mucho más por los sentimientos que por la razón o la lógica.

Onomástica: 30 de mayo.

EMELINA

Etimología: Se forma como hipocorístico de *Emelia,* nombre formado por la raíz germánica *Amal,* «trabajo».

Personalidad: Es, definitivamente, una mujer de muchas caras... Tiene una personalidad muy compleja. Por un lado, es fuerte, luchadora y decidida, es muy ambiciosa y procura parecer siempre altiva y un poco superior. Pero hay

una parte de ella que parece no estar a gusto consigo misma.
Onomástica: 27 de octubre.

EMERENCIANA

Etimología: Nombre latino derivado del nombre griego *Emerio,* que puede interpretarse como «dulce, agradable».
Personalidad: Es dulce y divertida, aunque un poco superficial. En su juventud suele tener muchos amigos y una vida social trepidante... pero según pasan los años procura por todos los medios encontrar a personas más profundas, que la llenen, y no se limiten a hacerle compañía. Eso sí, nunca abandonará su obsesión por tener una apariencia perfecta porque es muy coqueta.
Onomástica: 23 de enero.

EMÉRITA

Etimología: Del latín *emerita,* «emérita, que ha cumplido su servicio».
Personalidad: Introvertida, reservada, es una persona discreta y comedida. Tiene muy claras las ideas sobre cómo deben hacerse las cosas, pero no le gusta imponerse por la fuerza, sino por la persuasión. Prefiere rodearse de poca gente, pero de confianza.
Onomástica: 22 de septiembre.

EMILIA

Etimología: *Aemilius* (que deriva de *aemulus,* «adversario») era el nombre de una ilustre gens romana.
Personalidad: Afortunada. Haga lo que haga, consigue eludir cualquier clase de problemas, queda siempre bien con quien le interesa y consigue los objetivos que persigue. Es propensa a los ataques de cólera y a las venganzas, pero no olvida nunca a quien la ha ayudado.
Onomástica: 24 de agosto.
Otros idiomas: Catalán: Emilia. Euskera: Emille, Milia. Gallego: Emilia. Bable: Milia. Inglés: Emily. Francés: Emile. Italiano: Emilia.

EMILIANA

Etimología: Del latín *Aemilianus,* «de la familia de Emilio».
Personalidad: De gran energía, no suelen pasar desapercibidas, y tienen habilidades para el liderazgo y la innovación. No les gusta seguir las corrientes establecidas y se empeñan en la originalidad. En el lado negativo tienen cierta tendencia al egoísmo, la vanidad y el orgullo. También pueden ser excéntricas y demasiado dominantes.
Onomástica: 30 de junio.
Otros idiomas: Catalán: Emiliana. Euskera: Emiline. Francés: Emilienne. Italiano: Emiliana.

EMMA

Etimología: Hipocorístico de Emmanuela y de otros nombres de origen germánico con la raíz *Ermín.* Su significado sería «fuerza».
Personalidad: Nerviosa e inquieta, se muestra distante y poco sociable, ya sea para preservar su intimidad o por sentirse insegura, y ello la hace variable y con tendencia a dejarse llevar por las circunstancias.
Onomástica: 2 de enero.
Otros idiomas: Catalán: Emma. Gallego y bable: Enma. Variantes: Imma, derivado de Irma.

EMMANUELA

Etimología: Procede del hebreo *emmanu-El,* «Dios con nosotros».
Personalidad: Suelen ser personas sencillas, sin pretensiones, que se dejan llevar fácilmente si creen que así pueden hacer felices a los demás. Tienden a ser un poco perezosas. En el amor lo dan todo y son capaces de construir a su alrededor la más bella historia.
Onomástica: 1 de enero.
Otros idiomas: Italiano: Emmanuela.

Ena

Etimología: Nombre que es hipocorístico del irlandés *Aithna.*

Personalidad: Poco a poco, como una abeja laboriosa, va construyendo a su alrededor un mundo a su medida. Cuando lo consigue, es del todo irrompible. No es que sea materialista, sino que necesita la seguridad de las cosas y las personas que le son familiares. Por lo demás, es muy cariñosa y solidaria.

Onomástica: 1 de noviembre.

Enara

Etimología: Nombre de origen vasco que significa «golondrina».

Personalidad: Le cuesta tiempo encontrar su verdadera personalidad, por lo que tiene dificultades para llegar a descubrir su auténtico camino. Aunque es algo vacilante y no muy enérgica, sin embargo posee un cierto espíritu aventurero, incluso algo temerario, que la ayuda. En el amor y la amistad es de una lealtad inquebrantable.

Onomástica: 1 de noviembre.

Encarnación

Etimología: Nombre cristiano que conmemora la Encarnación del Hijo de Dios en la Virgen María.

Personalidad: Es una mujer de carácter. Muy dada a las discusiones espectaculares y melodramáticas, al final siempre acaba cediendo. Es extremadamente ambiciosa en su vida personal o profesional. Aunque le encanta el chismorreo y es una buena amiga.

Onomástica: 25 de marzo.

Otros idiomas: Catalán: Encarnació. Eusquera: Gixane, Gizane, Maite, Gizakunde. Gallego: Encarnación. Bable: Encarna.

Enedina

Etimología: La etimología no está clara: puede venir del gentilicio latino de la ciudad de Venecia, ya que antiguamente se llamaba *Henetia;* o del griego *Enedynos,* que significa «complaciente».

Personalidad: Es tan sencilla que roza la ingenuidad. Es capaz de ser feliz con los detalles más nimios, y está siempre dispuesta a pensar lo mejor de los demás. Odia los esquemas y las obligaciones, así como las convenciones sociales. Concibe el amor más bien como una buena amistad.

Onomástica: 14 de mayo.

Engracia

Etimología: Del latín *In gratia,* «en gracia». Nombre cristiano relativo al estado de gracia divina.

Personalidad: Es tranquila y reservada, seria y profunda, pero también tímida, honesta y concienzuda. Se inclina por el idealismo y es algo mística, con deseos de ayudar a los demás. Le interesa todo lo relacionado con lo esotérico.

Onomástica: 13 de febrero y 16 de abril.

Otros idiomas: Catalán: Engràcia. Euskera: Geaxi, Ingartze, Xaxi. Gallego: Engracia. Bable: Gracia. Inglés: Grace. Francés: Grâce. Alemán: Engratia. Italiano: Grazia, Graziella.

Enimia

Etimología: Nombre de origen griego que significa «bien vestida».

Personalidad: Es muy sensible y, por ello, también muy propensa a los cambios de humor. Nunca se sabe lo que puede afectarle, ya que de pronto el más ridículo de los detalles puede hacerla inmensamente feliz o sumergirla en la melancolía.

Onomástica: 6 de octubre.

Enma

Etimología: Se forma como hipocorístico de *Enmanuela,* que procede del hebreo *emmanu-El,* «Dios con nosotros».

Personalidad: Alegre y feliz, rebosa encanto e imaginación y rechaza por principios cualquier prejuicio o convención social. Sin embargo, es muy terca y no soporta que le lleven la contraria. Además, puede llegar a ser un poco excéntrica y sentir que no es comprendida.
Onomástica: 1 y 22 de enero.
Otros idiomas: Gallego: Enma.

ENMANUELA

Etimología: Procede del hebreo *emmanu-El,* «Dios con nosotros».
Personalidad: Suelen ser personas sencillas, sin pretensiones, que se dejan llevar fácilmente si creen que así pueden hacer felices a los demás. Tienden a ser un poco perezosas. En el amor lo dan todo y son capaces de construir a su alrededor la más bella historia.
Onomástica: 1 y 22 de enero.
Otros idiomas: Francés: Emanuelle. Italiano: Emanuela.

ENNATA

Etimología: Nombre de origen griego que significa «novena».
Personalidad: Son personas independientes, vivaces y luchadoras. No suelen avenirse a los deseos y caprichos de nadie. Son más originales que trabajadoras o perseverantes, y su carrera profesional suele estar repleta de pequeños éxitos que luego les cuesta mantener. Para tener éxito en pareja, necesitan una pareja de sus mismas características.
Onomástica: 13 de noviembre.

ENRIQUETA

Etimología: Del germánico *heim-richm,* «dueña de su casa».
Personalidad: Seria, apacible, tranquila... sabe transmitir a los que le rodean una sensación se seguridad y de paz. Es extremadamente trabajadora. Por naturaleza es tímida y bastante introvertida. Periódicamente sufre una crisis existencial y planea dar un giro de ciento ochenta grados a su vida, pero pocas veces llega a llevarlo a cabo.
Onomástica: 13 de julio.
Otros idiomas: Catalán: Enriqueta. Euskera: Endike. Gallego y Bable: Enriqueta. Inglés: Henrietta. Francés y alemán: Henriette. Italiano: Enrica.

EPIFANÍA

Etimología: Nombre cristiano que hace alusión a la Epifanía del Señor (que se celebra el día de la Adoración de los Magos). Procede del griego *epiphaneia,* «aparición».
Personalidad: Mística y algo alocada. Sensible y emotiva, aunque es mucho más fuerte de lo que parece. El trabajo no ha sido inventado para ella, y si le dan la opción de elegir, será una vividora maravillosa, viajera incansable. Le gusta ser el centro de atención.
Onomástica: 6 de enero.
Otros idiomas: Catalán: Epifania. Euskera: Agerkunde, Agerne, Epipani, Irakusne, Irkusne. Gallego: Epifanía.

EREA

Etimología: Nombre gallego que deriva del griego *eirene,* «paz».
Personalidad: Ingenua y avispada al mismo tiempo, intenta, muchas veces sin conseguirlo, ser igual que el resto de la gente, no sentirse distinta. Le gusta ser la protagonista de historias románticas, que a veces sólo existen en su imaginación. Decidida y a veces un tanto autoritaria, es, en cualquier caso, una buena persona y muy cariñosa.
Onomástica: 20 de octubre.
Otros idiomas: Catalán y gallego: Irene. Euskera: Ireñe. Inglés, alemán e italiano: Irene. Francés: Irène.

Erena

Etimología: Nombre griego en honor de la divinidad *Heres*.

Personalidad: Es una mujer alegre, creativa y habilidosa, que no soporta estar sin hacer nada. Le gusta llenar su vida de pequeños detalles. Está dotada de un gran sentido de la responsabilidad, y siempre está dispuesta a abandonar sus múltiples actividades si un compromiso o las necesidades de un amigo se lo demandan.

Onomástica: 25 de febrero.

Erenia

Etimología: Nombre griego en honor de la divinidad *Heres*.

Personalidad: A veces puede encontrarse en situaciones comprometidas por su sentido de la justicia: no soporta los abusos contra los débiles. Debe aprender a valorar las posibilidades ajenas, a no subestimar a los demás, aunque sea con ánimo protector. Por su carácter, tiende a relacionarse con personas que buscan protección.

Onomástica: 25 de febrero.

Erica

Etimología: Procede del germánico *ewa-rich,* «regidor eterno».

Personalidad: Tienen muy claro lo que esperan de la vida y ponen todos los medios a su alcance para conseguirlo. Les gusta la originalidad y el riesgo, pero siempre con una nota típica y convencional. Aunque necesitan sentirse protagonistas y siempre parece que van a ir más allá del límite... tienen la virtud de no llegar a quemarse.

Onomástica: 18 de mayo.

Otros idiomas: Catalán y bable: Erica. Euskera y gallego: Erika. Francés: Ericka. Inglés: Erica. Alemán e Italiano: Erika. Variantes: Érica, Erika.

Ermelinda

Etimología: Latinización del nombre germánico *Ermenburga,* «ciudad fuerte» o «protección fuerte».

Personalidad: Serena, con las ideas muy claras, segura de sí misma y con facilidad para las relaciones sociales. Valora el refinamiento, pero sobre todo el buen carácter, la lealtad y la integridad de sus amigos. En el amor es muy exigente. Si cree plenamente en una causa o idea, pone todo su empeño en ella.

Onomástica: 29 de octubre.

Erminia

Etimología: Procede del germánico *airmans,* «grande, fuerte».

Personalidad: Aunque aparenta fuerza y dedicación, tiende a depender excesivamente de los demás. Cuando se siente sola, no sabe hacia dónde dirigirse, y piensa que la vida no tiene ningún sentido. Ahora bien, si está debidamente arropada, puede ser la persona más feliz del universo.

Onomástica: 25 de abril.

Otros idiomas: Catalán: Erminia, Herminia. Euskera: Ermiñe. Gallego: Herminia. Bable: Herminia, Harminia. Francés: Hermine. Alemán: Herminia. Italiano: Erminia.

Ermitana

Etimología: Del griego *Eremos,* «lugar despoblado», evoca a la persona que vive o cuida una ermita. Es advocación mariana: Nuestra Señora Ermitana.

Personalidad: Es un poco arrogante y no tolera con facilidad las críticas o las opiniones adversas. Tiene una imagen muy clara de cómo deben ser las cosas que la rodean, incluso las personas. La familia para ella es lo más importante y está dispuesta a cualquier sacrificio para sacarla adelante, aunque exige en los demás una actitud semejante.

Onomástica: 9 de septiembre.

Ernestina

Etimología: Procede del germánico *ernust,* «tenaz, luchador».

Personalidad: Suele tener varias máscaras: una para estar en público, otra para el trabajo, una más para los muy íntimos... y por fin una verdadero Ernestina que prácticamente nadie ha llegado a observar. ¿Por qué? Quizá inseguridad. Es una excelente compañera.

Onomástica: 7 de noviembre.

Otros idiomas: Bable: Ernestina. Francés: Ernestine.

Erundina

Etimología: De procedencia germánica, «significa «diosa».

Personalidad: No le gusta llamar la atención. Su imaginación está trabajando constantemente, de tal forma que en ocasiones le impide centrar su mente en el mundo real. En el amor es exigente y muy celosa, aunque en su defensa hay que decir que nunca pide nada que no esté dispuesta a dar.

Onomástica: 23 de julio.

Escolástica

Etimología: Del nombre latino *Scholastica,* del griego *schola,* «escuela».

Personalidad: Posee una personalidad equilibrada, serena y con las ideas muy claras, aunque también es intuitiva y magnética. Valora el refinamiento y la integridad, la simpatía y la benevolencia. Suele ser idealista sin remedio si cree en una idea determinada.

Onomástica: 10 de febrero.

Otros idiomas: Catalán: Escolàstica. Euskera: Eskolastike. Gallego: Escolástica. Alemán: Scholastika.

Esmeralda

Etimología: Este nombre hace clara alusión a la piedra preciosa del mismo nombre. Su origen etimológico es complicado: parte del hebreo *maragdos,* «brillar», que pasó al griego como *smaragdos.* Finalmente, se incorporó al latín como *smaragdus,* «esmeralda».

Personalidad: Una fuerza de la naturaleza. Apasionada, desenfrenada, hiperactiva y arrogante, pero siempre de buen humor. Es algo autoritaria e indecisa, por lo que suele faltarle un objetivo claro en la vida. Tiende a actuar de cara a la galería.

Onomástica: 8 de agosto.

Otros idiomas: Catalán: Maragda. Gallego y bable: Esmeralda. Francés: Eméraude. Italiano: Esmeralda, Smeralda.

Esperanza

Etimología: Procede del verbo latino *spero,* «tener confianza en el futuro».

Personalidad: Bajo una apariencia delicada y profundamente femenina, Esperanza es una dama de hierro. Le gusta llevar una vida completa, y aunque se dedique con verdadera ilusión y esfuerzo a su trabajo, no descuida ni un momento a su familia ni a sus amigos.

Onomástica: 1 de agosto.

Otros idiomas: Catalán: Esperança. Euskera: Espe, Itxaro. Gallego y bable: Esperanza. Francés: Espérance. Italiano: Speranza.

Estefanía

Etimología: Deriva del griego *stephanós,* «coronado de laurel», y por extensión, «victorioso».

Personalidad: Religiosa y amante del orden y de la belleza. No le gusta demasiado el trato con la gente, pero cuando tiene un amigo, lo cuida hasta el final. En el trabajo suele ser un árbol de fruto tardío. Banal, algo caprichosa y vengativa, pero con un inmenso instinto maternal.

Onomástica: 2 de enero.

Otros idiomas: Catalán: Estefania. Euskera: Estebeni, Istebeni, Itxebeni. Gallego: Estefania. Bable: Estefania. Inglés: Stephanie, Stefanie. Francés: Etiennette, Stéphanie. Alemán: Stephan, Stefan. Italiano: Stefania.

Estela

Etimología: Procede del latín *stella,* «estrella». En el mundo cristiano, este nombre se utiliza en honor de una de las invocaciones a la Virgen que figuran en la letanía del Rosario: Estrella de la Mañana.

Personalidad: Romántica y soñadora, pero a la vez sencilla, lo cual suele ser una combinación poco habitual. Es afectuosa y detesta el trato impersonal. Es una utópica convencida, siempre preocupada por las causas sociales.

Onomástica: 15 de agosto y 15 de septiembre.

Otros idiomas: Catalán: Estrella. Euskera: Izarne. Gallego: Estela, Estrela, Estel. Bable: Estrella. Inglés: Estella, Stella. Francés, alemán e italiano: Stella.

Ester

Etimología: Deriva de la diosa babilónica *Istar,* vinculada con el planeta Venus.

Personalidad: Ester es decidida y práctica, dispuesta a afirmar su posición en el mundo a costa de lo que sea. Aunque su ambición no es desmedida. Con su pareja está dispuesta a compartirlo todo, pero precisamente por eso se cansa con facilidad.

Onomástica: 8 de diciembre.

Otros idiomas: Catalán, gallego y bable: Ester. Inglés: Esther. Francés: Esther, Ester. Alemán: Esther. Italiano: Ester.

Estíbaliz

Etimología: Nombre vasco que significa literalmente «que sea de miel».

Personalidad: Estíbaliz es una de esas personas verdaderamente originales: se atreve a ser como es sin tenerle miedo a nada. Quizá para compensar, se implica al máximo en los problemas de los demás, llegando a pasarlo peor que los propios interesados.

Onomástica: 12 de septiembre.

Otros idiomas: Catalán: Estíbaliz. Euskera: Estibaliz, Estibalitz, Estibariz, Estiñe, Estitxu.

Estila

Etimología: Nombre de origen latino, cuyo significado es «columna».

Personalidad: Inteligente y creativa, es, sin embargo, demasiado perezosa y tiene que luchar contra ello para no acomodarse. Busca una vida relativamente tranquila, sin grandes sobresaltos. Le gusta conservar sus amistades de siempre, pero en el amor le falta un poco de confianza en sus posibilidades, por lo cual suele refugiarse en una actitud distante.

Onomástica: 19 de julio.

Estrada

Etimología: Nombre de advocación mariana: Nuestra Señora de la Estrada. En la población de Agullana (Girona).

Personalidad: Desarrolla una intensa vida social y siente un gran amor por el lujo y la comodidad, y tiene un carácter un tanto exigente, incluso con las personas queridas. Asu favor tiene la virtud de la simpatía y de inspirar grandes pasiones a su alrededor. Suele tener éxito en el mundo laboral.

Onomástica: 15 de agosto.

Estrella

Etimología: Procede del latín *stella,* «estrella». En el mundo cristiano, este nombre se utiliza en honor de una de las invocaciones a la Virgen que figuran en la letanía del Rosario: Estrella de la Mañana.

Personalidad: Romántica y soñadora, pero a la vez sencilla, lo cual suele ser una combinación poco habitual. Es afectuosa y detesta el trato impersonal, por lo que se esfuerza en conocer a las personas. Es una utópica convencida.

Onomástica: 15 agosto, 8 septiembre y 8 diciembre.

Otros idiomas: Catalán: Estrella, Estel. Euskera: Izar. Gallego: Estela, Estrela, Estel. Bable: Estrella. Inglés: Estella, Stella. Francés, alemán e italiano: Stella. Variantes: Estela.

Etelvina

Etimología: Es una variante de *Adela* y significa «amiga fiel».

Personalidad: Emotiva, altruista e idealista. Fiel a sus amistades y amores, tiene gran necesidad de ayudar y compartir, tanto en lo material como en lo espiritual. Es influenciable, le cuesta ser realista y es algo desordenada. En lo espiritual, tiende también a padecer desórdenes ciclotímicos.

Onomástica: 8 de septiembre y 24 de diciembre.

Otros idiomas: Bable: Telva (Telvina).

Ethel

Etimología: Es una variante de Adela y significa, por tanto, «noble».

Personalidad: Piensa demasiado. Cree que todo debe tener un sentido, un porqué. Deben aprovechar su intuición y aprender a no dar tantas vueltas a las cosas.

Onomástica: 8 de septiembre y 24 de diciembre.

Etienne

Etimología: Deriva del griego *stephanós,* «coronado de laurel», y por extensión, «victorioso».

Personalidad: Seria, religiosa y amante del orden y de la belleza. No le gusta demasiado el trato con la gente, pero cuando tiene una amiga la cuida hasta el final. En el trabajo suele ser un árbol de fruto tardío: encuentra el éxito cuando su carrera profesional ya está muy avanzada.

Onomástica: 3 de agosto y 26 de diciembre.

Eudora

Etimología: Nombre griego que puede interpretarse como «regalo, premio».

Personalidad: Es una mujer dinámica y activa. La alegría parece empapar cada uno de sus actos, y a la gente le gusta estar cerca de ella por su optimismo contagioso. Le gusta que los demás dependan de ella en cierta medida, aunque su sentido de la independencia le impide ser ella misma la que necesite a otra persona.

Onomástica: No tiene.

Eudoxia

Etimología: Nombre griego *Eudoxios,* de *eu,* «bueno», y *doxa,* «fama»: «de buena fama».

Personalidad: Le gusta estar en constante movimiento, buscar nuevos intereses, conocer nuevos lugares: su curiosidad se mantiene siempre viva. Necesita desempeñar profesiones que requieran poner en juego estas características, no soportaría una vida monótona o un trabajo mecánico. Es muy leal.

Onomástica: 1 de marzo.

Otros idiomas: Catalán: Eudòxia. Euskera: Eudose. Gallego: Eudoxia. Bable: Udosia. Francés: Eudocie, Eudoxie. Italiano: Eudixia, Eudosia.

Eufemia

Etimología: Nombre griego proviene de *Euphemi,* «de buena palabra, elocuente».

Personalidad: Dulce y agradables. Es una mujer emotiva y abnegada, intuitiva e imaginativa. Se interesa por las cuestionies humanitarias y su mayor problema consiste en no saber hasta dónde puede llegar en su entrega, pues es muy vulnerable.

Onomástica: 16 de septiembre.

Otros idiomas: Catalán: Eufèmia. Euskera: Eupeme, Primia. Gallego y Bable: Eufemia, Ofemia. Francés: Euphémie. Alemán: Euphemia. Italiano: Eufemia.

Eufrasia

Etimología: Nombre romano que indica la procedencia de la comarca del río *Eúfrates.* También significa «gozo» en su variante griega.

Personalidad: Encantadora. Siempre tiene la palabra exacta, la sonrisa adecuada, el chiste justo o la anécdota perfecta. Además de sensible y una gran estudiosa del arte. Sus momentos de soledad son escasos, pero los necesita para poner en orden sus ideas.
Onomástica: 13 y 20 de marzo.

EUFROSINA
Etimología: Nombre de la mitología latina que significa «pensamiento gozoso».
Personalidad: Atractiva y femenina. Le cuesta hacer que la tomen en serio, que respeten y valoren su inteligencia y sus muchas cualidades. Ese aspecto de frivolidad y de preocupación por las apariencias es el que le obliga a trabajar el doble de lo normal para hacerse un lugar en el mundo.
Onomástica: 1 de enero y 7 de mayo.

EUGENIA
Etimología: Es un nombre de origen griego, que deriva de *eu-genos,* «bien nacido, de buen origen».
Personalidad: Es hermosa y despiadada. Autoritaria y a veces un poco complicada, aficionada a tramar historias y conjuras. Bajo su fachada gélida e indestructible se oculta un buen corazón.
Onomástica: 16 de septiembre y 25 de diciembre.
Otros idiomas: Catalán: Eugènia. Euskera: Eukene. Gallego: Euxenia, Euxea, Uxía. Bable: Euxenia. Francés: Eugènie. Inglés e Italiano: Eugenia. Alemán: Eugenie.

EULALIA
Etimología: Procede del griego *eu-lalos,* «elocuente, bien hablada».
Personalidad: La etimología no nos engaña: Eulalia es extremadamente habladora. Culta e inteligente, se pierde por un buen debate y adora disertar sobre temas que conoce en profundidad. Es segura y decidida. Claro que a veces descuida un poco su aspecto.
Onomástica: 12 de febrero.
Otros idiomas: Catalán: Eulàlia, Laia. Euskera: Eulale, Eulari. Gallego: Alla, Eulalia, Olalla, Valla. Inglés, francés y alemán: Eulalie. Italiano: Eulalia.

EULOGIA
Etimología: Nombre griego que procede de *Eu-logos,* «buen discurso», «buen orador».
Personalidad: Eulogia es encantador y seductora, cuidadosa de su aspecto, es capaz de mostrarse ingeniosa, inteligente y comunicativa, y si a esto unimos su espíritu conciliador y su habilidad manual no es extraño que Eulogia sea muy apreciado por quienes la tratan. Su mayor defecto es la dispersión: la pierde su curiosidad y ganas de cambios.
Onomástica: 11 de marzo
Otros idiomas: Gallego: Euloxia. Bable: Euloxa, Oloxa. Italiano: Eulogia.

EUNICE
Etimología: Nombre de una ninfa en la mitología griega, *Eu-niké,* «victoriosa».
Personalidad: La estabilidad, la seguridad y la protección son sus ejes fundamentales. Se trata de personas con los pies en el suelo, aunque también ambiciosas, lo cual equilibra su carácter y les permite vivir una existencia activa y variada, repleta de situaciones que les permite crecer y aprender.
Onomástica: No tiene.

EUNOMIA
Etimología: Nombre de origen griego, cuya etimología no está clara: *eu-nomos,* «buen nombre», o *eu-gnomos,* «buena ley».
Personalidad: La necesidad de crear es lo más importante de su personalidad, que suele ser

muy artística. En lo sentimental valora mucho la estabilidad y, para conseguirla, se muestra a veces un poco egoísta. Es muy individualista e independiente, lo cual le hace algo autoritaria.
Onomástica: 12 de agosto.

Eurídice

Etimología: Nombre griego que podría significar «gran justiciera».
Personalidad: La estabilidad, la paciencia, la organización, el realismo, el sentido del deber y el orden son sus principales virtudes. En lo sentimental y con sus amistades son de una fidelidad absoluta. Por contra, caen con facilidad en la rutina y la avaricia.
Onomástica: No tiene.

Eurosia

Etimología: Deriva del latín *os, oris,* «boca».
Personalidad: Emotiva, altruista e idealista. Fiel a sus amistades y amores, tiene gran necesidad de ayudar y compartir, tanto en lo material como en lo espiritual. Es influenciable, le cuesta ser realista y es algo desordenada. Tiende también a padecer desórdenes ciclotímicos.
Onomástica: 25 de junio.

Eusebia

Etimología: Del griego *eu-sebeia,* «de buenos sentimientos».
Personalidad: Apegada a las cosas sencillas, a Eusebia le gusta trabajar con sus manos. Creativa y melancólica. Es una gran amiga, ingenua, y desconoce el significado de las palabras rencor o venganza. Siente un gran apego por las tradiciones y es profundamente conservadora.
Onomástica: 16 de marzo y 29 de octubre.
Otros idiomas: Euskera: Usebi. Gallego: Eusebia. Bable: Osebia.

Eustaquia

Etimología: Del griego *eu-stachys,* «espiga buena», por extensión, «fecundo».
Personalidad: Gran amante de la belleza, aunque no siempre la encuentra en los lugares tradicionales. Puede que sea una artista o una enamorada de la moda, pero también puede tratarse de una científica. También demuestra un interés infinito por los seres humanos y por las relaciones entre ellos.
Onomástica: 20 de enero y 28 de septiembre.
Otros idiomas: Gallego: Eustaquia. Bable: Ustaquia.

Euterpe

Etimología: Musa de la música en la mitología griega.
Personalidad: Su carácter es muy creativa y posee el impulso que produce la inspiración. Le gustan las emociones y es muy dada a perseguir ideales utópicos. Es también idealista y perfeccionista, lo cual normalmente la lleva a tener elevadas ambiciones. La parte negativa es la facilidad con que cae en la extravagancia y su tendencia a la inestabilidad.
Onomástica: No tiene.

Eva

Etimología: Deriva del hebreo *hiyya,* «que da vida».
Personalidad: Eva es una persona que deja huella: vitalista, sagaz y constructiva, parece ser inasequible al desaliento. También es pasional e impulsiva, lo cual le lleva a cometer muchos errores; quizá un poco nerviosa, debería cultivar un poco más su paz interior. Es una madraza.
Onomástica: 19 de diciembre.
Otros idiomas: Catalán, gallego y bable: Eva. Inglés: Ev, Ewae. Francés: Eve. Alemán e italiano: Eva.

Evangelina

Etimología: Procede del griego *eu-aggelon,* «buena nueva». En el mundo cristiano, hace alusión al Evangelio.

Personalidad: Evangelina sigue una trayectoria vital intensa y complicada. En su juventud es una rebelde. El cambio le vendrá cuando definitivamente se enamore y siente la cabeza. A partir de entonces se irá volviendo más sedentaria, más tranquila, conservadora incluso.
Onomástica: 27 de diciembre.
Otros idiomas: Catalán: Evangelina. Gallego y bable: Evanxelina. Inglés: Evangeline. Italiano: Evangelina.

Evelina

Etimología: Nombre celta que significa «agradable».
Personalidad: Evelina o «el movimiento». Nunca se detiene, nunca deja de evolucionar, nunca llega a una conclusión definitiva. En el amor no podía ser menos: le cuesta llegar a comprometerse, y cuando lo hace no deja de reprocharse que ha sacrificado su libertad.
Onomástica: 15 de mayo.
Otros idiomas: Catalán: Evelina. Inglés: Eveline, Evelyn. Francés: Eveline, Evelyne. Alemán: Evelyn, Evelyne. Italiano: Evelina. Variante: Eveina. Evelyn.

Everilda

Etimología: Nombre germánico de etimología poco clara, aunque parece una derivación de *Eva* con la terminación alemana *hild,* que significa «guerrera».
Personalidad: La indecisión es su principal problema: piensa y piensa y todo le parece con valores negativos y positivos. Es receptiva, sentimental y en el terreno laboral se vale muy bien de su espíritu de equipo. En lo sentimental, si se siente rechazada, es muy rencorosa.
Onomástica: 9 de julio.

Exaltación

Etimología: Del latín *exaltatio,* «extraordinario, solemne».
Personalidad: Posee fuerza y determinación, así como una personalidad difícilmente manejable. Obstinada e independiente, ejerce un gran magnetismo, aunque puede caer fácilmente en la intransigencia. Rara vez se siente contenta durante mucho tiempo, así que busca cambios de ambiente o de escenario.
Onomástica: 14 de septiembre.
Otros idiomas: Catalán: Exaltació. Euskera: Gorane, Goratzi.

Exuperancia

Etimología: Nombre de origen latino que significa «abundante».
Personalidad: Es muy creativa, entusiasta, sociable y optimista. Aunque le gusta presumir de espiritual, lo cierto es que el sentido práctico es su principal virtud y es muy hábil en las actividades manuales. Debe vigilar cierta tendencia a la intolerancia y a las rabietas, que la indisponen con sus allegados. A veces se dispersa en demasiadas actividades.
Onomástica: 26 de abril.

Exuperia

Etimología: Nombre de origen latino que significa «abundante». Es una variante de *Exuperancia.*
Personalidad: Es paciente, realista, y el sentido del deber y el orden son sus principales virtudes. Valora mucho la estabilidad en su vida, por lo que en el amor y la amistad es de una fidelidad absoluta. En lo negativo, cae con facilidad en la rutina y la avaricia.
Onomástica: 26 de julio.

Fabiana

Etimología: Del gentilicio latino *Fabianus,* «de la familia de Fabio».

Personalidad: Autoritaria, franca, directa y elegante. Es ambiciosa y algo desconfiada, necesita sopesar mucho las cosas antes de decidirse y no otorga su confianza con facilidad. Se mueve entre dos tendencias: la conservadora, estable y ordenada, y la expansiva, ambiciosa y adaptable, tendencias que se alternarán según las circunstancias.

Onomástica: 21 de enero.

Otros idiomas: Catalán: Fabia. Euskera: Paben. Gallego: Fabiana. Bable: Fabia. Inglés: Fabian. Francés: Fabienne. Italiano: Fabiana, Fabia. Variantes: Fabianna, Fabia.

Fabiola

Etimología: Nombre de la gens romana *Fabia,* que a su vez procede de *faba,* «haba».

Personalidad: Es algo contradictoria, pero obtiene la fuerza precisamente de su indecisión. Por medio de la duda consigue retrasar sus decisiones y ganar tiempo para tomar la más adecuada. Por lo demás, es sencilla y hasta algo ingenua, y está muy apegado a las pequeñas tradiciones.

Onomástica: 21 de marzo.

Otros idiomas: Catalán y gallego: Fabiola. Italiano: Fabiola.

Fabriciana

Etimología: Nombre de la gens romana *Fabricia,* que a su vez deriva de *faber,* «artesano».

Personalidad: Adora el arte, la literatura, la música, el teatro... Todo eso le interesa mucho más que el mundo real. Se desenvuelve perfectamente en cualquier actividad artística. Es una gran amiga y como pareja es muy entregada, pero necesita sentir que recibe una devoción igual que la suya.

Onomástica: 22 de agosto.

Faina

Etimología: Nombre de origen griego que significa «la brillante, la famosa».

Personalidad: Es una mujer muy positiva, siempre pendiente de avanzar en el terreno personal y profesional. Aun así, en el amor es muy soñadora y le concede una gran importancia, por lo que cuando se sienta segura se esforzará en conservarlo para toda la vida. Con sus amigos es muy leal.

Onomástica: 18 de mayo.

Faizah

Etimología: Nombre árabe que significa «victoriosa».

Personalidad: Sensible y fuerte al mismo tiempo. Necesita ser original, aunque muchas veces no sabe muy bien cómo hacerlo. Le gusta sentir que es ella la que domina, y no soporta que los demás no le hagan caso o que no hagan lo que ella quiere. De joven es una idealista soñadora.

Onomástica: No tiene.

Fany

Etimología: Deriva del griego *stephanós,* «coronado de laurel», y, por extensión, «victorioso». Es una variante de *Estefanía* y de *Francisca.*

Personalidad: Religiosa y amante del orden y de la belleza. No le gusta demasiado el trato con la gente, pero cuando tiene un amigo, lo cuida hasta el final. En el trabajo suele ser un árbol de fruto tardío. Banal, algo caprichosa y vengativa, pero con un inmenso instinto maternal.

Onomástica: 2 de enero.

Otros idiomas: Catalán: Estefania. Euskera: Estebeni, Istebeni, Itxebeni. Gallego: Estefania. Bable: Estefania. Inglés: Stephanie, Stefanie. Francés: Etiennette, Stéphanie. Alemán: Stephan, Stefan. Italiano: Stefania.

FARA

Etimología: Del nombre árabe *Faraj,* «alegre».
Personalidad: Recta, tranquila, equilibrada, es una de esas personas que procura no decir nunca una palabra más alta que otra. Es extremadamente comprensiva, y para sus amigos se convierte en un inmejorable apoyo. En su profesión es ambiciosa y puede llegar a mostrarse intransigente con las debilidades ajenas.
Onomástica: 7 de diciembre.

FARNERS

Etimología: Advocación mariana: *Mare de Déu de Farners* (Nuestra Señora de Farners), que tiene un santuario cerca de Santa Coloma de Farners (Girona).
Personalidad: Es quizá demasiado idealista, por lo que concede más importancia a lo espiritual que a lo material. Es paciente, con gran capacidad de estudio, lógica y análisis. Sin embargo, es muy exigente consigo misma. Cae con facilidad en el pesimismo y se aísla de los demás. Tiene cualidades para la enseñanza.
Onomástica: 15 de agosto.

FÁTIMA

Etimología: Nombre árabe que significa «la espléndida». En el mundo cristiano, se utiliza en honor de la Virgen de Fátima.
Personalidad: Demasiado sensible, rozando casi la susceptibilidad. También, cuando ocurre algo bueno o hermoso, Fátima lo sabe vivir con más intensidad que cualquier otra persona. Se maneja de forma excelente con los niños, y puede llegar a ser la mejor madre del mundo, aunque quizá demasiado protectora.
Onomástica: 13 de mayo.
Otros idiomas: Catalán: Fàtima. Gallego y Bable: Fátima. Francés e italiano: Fatima.

FAUSTA

Etimología: Nombre cristiano-romano que procede del latín *Faustus,* «feliz».
Personalidad: Pasional y algo exótica, es una mujer dotada de una gran intuición que persigue unos difíciles pero justos ideales, y la mayoría de las veces los realiza. Le gusta trabajar, aunque el dinero y la fama poco le importan. A lo que sí atribuye una gran importancia es al amor, y no será feliz hasta que no haya encontrado una persona que la satisfaga.
Onomástica: 20 de septiembre y 19 de diciembre.

FAUSTINA

Etimología: Nombre cristiano-romano que procede del latín *Faustus,* «feliz».
Personalidad: Es inteligente, trabajadora, creativa, optimista y completamente inmune a los golpes de la suerte o del destino. Pero muchas veces tiende a perderse en su mundo de ideas abstractas, y difícilmente aceptará que un sencillo problema humano puede ser tan importante como una duda metafísica.
Onomástica: 18 de enero.
Otros idiomas: Bable: Fausta.

FE

Etimología: Del latín *fides,* «fe, confianza, lealtad».
Personalidad: Hermosa, altiva y conservadora. Bajo su aparente sumisión a las convenciones, es capaz de salirse siempre con la suya. Conoce todos los resquicios y trampas de la tradición.
Onomástica: 1 de agosto y 6 de octubre.
Otros idiomas: Euskera: Fede. Gallego: Fe.

Febe

Etimología: Del latín *Phoebe,* que deriva del griego *phoibos,* «resplandeciente».

Personalidad: El rasgo dominante de su personalidad es el alto dominio sobre sí misma. Sabe medir sus capacidades, que suelen armonizar con todo lo que le rodea. Refinada, amable, simpática y de buen talante, suele hacer amigos con gran facilidad y le gusta ayudar a los demás. Quizá demasiado soñadora.

Onomástica: No tiene.

Otros idiomas: Catalán: Febe.

Febronia

Etimología: Nombre de origen romano que significa «sacrificio expiatorio, purificación». De aquí deriva el nombre del mes de febrero, ya que antiguamente los romanos dedicaban este mes a realizar ritos purificatorios.

Personalidad: Tiene un gran dominio de sí misma y sabe medir sus capacidades, de modo que suele acertar en sus decisiones más importantes. Es de buen carácter, amable y valora las cosas hermosas que le ofrece la vida. Suele hacer amigos con bastante facilidad y le gusta ayudar a los demás. Tal vez un poco soñadora.

Onomástica: 14 de febrero y 25 de junio.

Federica

Etimología: Procede del germánico *fridureiks,* «rey de la paz».

Personalidad: Polifacética: suele alcanzar el éxito laboral, la felicidad en el amor y amigos excelentes. ¿El secreto? El equilibrio y la reflexión. A veces puede parecer fría y analítica y también es propensa a padecer la ira.

Onomástica: 18 de julio.

Otros idiomas: Gallego: Frederica. Bable: Federa, Federica.

Fedora

Etimología: Del griego *Theodora,* «regalo, don de Dios».

Personalidad: Es una mujer nerviosa e inquieta que necesita acción y cambio, su aspecto es distante y poco sociable, con una pose crítica, escéptica o marginal, ya sea para preservar su independencia y personalidad o porque no se encuentra a gusto consigo misma.

Onomástica: No tiene.

Fedra

Etimología: Del griego *Phaidimos,* «brillante».

Personalidad: Tímida y reservada, a veces se muestra inquieta y nerviosa, dudando de sus propias capacidades y replegándose en sí misma al menor contratiempo. Pero a la vez tiene la necesidad de nuevas experiencias, lo que la impulsa a exteriorizarse. Por ello pasa de un extremo a otro sin solución de continuidad.

Onomástica: No tiene.

Otros idiomas: Catalán: Fedra. Francés: Phédre. Italiano: Fedra.

Felicia

Etimología: Del latín *felicitas,* «felicidad, suerte».

Personalidad: Posee fuerza y determinación, así como una personalidad difícilmente manejable. Obstinada e independiente, ejerce un gran magnetismo, aunque puede caer fácilmente en la intransigencia. Rara vez se siente contenta durante mucho tiempo, así que busca cambios de ambiente o de escenario.

Onomástica: 5 de febrero y 9 de septiembre.

Otros idiomas: Euskera: Feleizia.

Felicidad

Etimología: Del latín *felicitas,* «felicidad, suerte».

Personalidad: Ingenua y sencilla, sí, pero justa y tremendamente trabajadora. Sabe cuáles son sus limitaciones. Leal hasta la muerte, siente un respeto casi sagrado por la palabra dada, y puede ser plenamente feliz consagran-

do su vida a una sola causa si cree que puede merecer la pena.
Onomástica: 7 y 26 de marzo.
Otros idiomas: Catalán: Felicitat. Euskera: Zorione. Gallego: Felicidade.

FELÍCITAS

Etimología: Del latín *felicitas,* «felicidad, suerte». Variante de *Felicia.*
Personalidad: Posee una gran capacidad de adaptación, por lo cual le entusiasman los viajes y todo lo que requiera audacia e innovación. En lo negativo, su personalidad le acarrea ciertos inconvenientes, como accidentes, inestabilidad y superficialidad.
Onomástica: 7 de marzo y 23 de noviembre.
Otros idiomas: Gallego: Felicitas. Bable: Felicidá.

FELIPA

Etimología: Procede del griego *philos-hippos,* «amiga de los caballos».
Personalidad: Tiene verdaderos problemas para aparentar seriedad e interés por los asuntos «importantes». Vividora, juguetona, sólo quiere explorar los distintos senderos de la vida, desconociendo por completo el verdadero significado de la ambición. Cuando el destino quiere situarla en puestos de responsabilidad, sabe estar a la altura, aunque torturándose continuamente con la tentación de arrojarlo todo por la borda.
Onomástica: 26 de febrero y 20 de septiembre.
Otros idiomas: Catalán y bable: Felipa. Euskera: Pilipe.

FELISA

Etimología: Deriva del latín *felix,* «fértil, feliz».
Personalidad: Son personas tranquilas y sencillas que con sus actos cotidianos hacen un poco más felices a los demás. Y es que es ése precisamente sul don: olvidarse de sí misma para mejorar la vida de los que le rodean. ¿Acaso se puede pedir más?
Onomástica: Es muy frecuente en el santoral. Entre otras fechas, 11 y 31 de mayo.
Otros idiomas: Catalán: Feliça, Felissa. Euskera: Pele. Gallego y Bable: Felisa. Inglés e italiano: Felicia. Francés: Félicie.

FERMINA

Etimología: Del latín *firmus,* «firme, sólido».
Personalidad: Perseverante, fija sus objetivos y los va alcanzando poco a poco. Receptiva al máximo, se esfuerza por comprender a los demás y mostrarse solidaria: es una gran amiga y compañera, especialmente sensible a las causas humanitarias. Su mayor defecto es que siente una gran debilidad por las alabanzas y el reconocimiento de los demás.
Onomástica: 24 de noviembre.
Otros idiomas: Catalán: Fermina. Euskera: Fermina, Premiñe.

FERNANDA

Etimología: Deriva del germánico *frad-nand,* «de atrevida inteligencia».
Personalidad: Necesita sentirse diferente y original. Le gusta considerarse excéntrica, pero en realidad es una mujer normal que se esfuerza cada día por no caer en lo convencional. Es muy inteligente, pero a veces superficial. En el amor suele sufrir un gran desengaño y, a partir de entonces, se muestra frívola y hasta ligeramente egoísta.
Onomástica: 30 de mayo.

FIDENCIA

Etimología: Nombre de origen latino que significa«seguridad, confianza».
Personalidad: Transmite gran confianza entre sus amigos y compañeros de trabajo, por su espíritu seductor y fuerte. Es también idealista y perfeccionista en todo lo que emprende, lo cual le permite conseguir grandes logros. La parte

negativa de su carácter es que puede llegar a volverse autoritaria e impaciente.
Onomástica: 27 de septiembre.

FIDELIA
Etimología: Nombre latino, que es el equivalente de *Fe*: del latín *fides,* «fe, confianza, lealtad».
Personalidad: Es lenta pero segura. Sus decisiones siempre se hacen esperar y están profundamente meditadas, pero una vez que han sido tomadas, nada en el universo es capaz de hacer que no se cumplan. Y es que es implacable. Puede ser la mejor de las amigas, y sin duda un apoyo inmejorable en situaciones difíciles.
Onomástica: No tiene.

FILEMONA
Etimología: Procede del griego *philémon,* «amigo».
Personalidad: En su lista de prioridades vitales aparece, en primer lugar, y a mucha distancia del resto, la amistad, entendida como lealtad extrema y entrega hasta el final. De inteligencia ágil y divertida, elige la risa y el absurdo como forma ideal de luchar contra los problemas.
Onomástica: 8 de marzo.

FILIBERTA
Etimología: Del germánico *fili-berth,* «muy famoso».
Personalidad: Aventurero. Odia el sedentarismo y la comodidad, y por encima de todo, detesta un mundo donde parece que ya todo está hecho. Inconformista y contestatario. Le cuesta horrores reconocer o aceptar sus sentimientos, quizá por miedo a que llegue alguna mujer y consiga cortarle las alas.
Onomástica: 22 de agosto.

FILIS
Etimología: Del nombre griego *Phyllis,* «hojarasca».
Personalidad: Posee una personalidad carismática, seductora y fuerte. Es también idealista y perfeccionista, lo cual normalmente la lleva a tener elevadas ambiciones. En lo negativo, suele ser nerviosa y autoritaria.
Onomástica: No tiene.

FILOMENA
Etimología: Proviene del griego *philos-melos,* «amante de la música».
Personalidad: De carácter tranquilo y refinado, es una apasionada del arte en su faceta más erudita e intelectual. Suele ser incapaz de producir obras propias. En el amor combina una cierta dependencia del cariño y la protección de su compañero con algo de desprecio por su falta de interés por la cultura.
Onomástica: 5 de julio y 11 de agosto.
Otros idiomas: Catalán y gallego: Filomena. Euskera: Pillomene. Inglés: Philomena. Francés: Philoméne. Alemán: Philomena. Italiano: Filomena.

FINA
Etimología: Deriva del hebreo *Yosef,* que significa «que Yahvé multiplique».
Personalidad: Vive mucho más para sí misma que para los demás. O bien se convierte en una mujer introvertida, melancólica, o bien se desarrolla como una persona independiente y despreocupada de la opinión de los demás, que vive su vida sin atender a convenciones sociales. En el amor es profundamente devota.
Onomástica: 12 de marzo y el 12 de noviembre.
Otros idiomas: Bable: Fina.

FIONA
Etimología: Del galés *Fionn,* «limpio».
Personalidad: Posee una personalidad marcada por el impulso de creación. Es algo autori-

taria, individualista e independiente. Valora la estabilidad en su vida y, para conseguirla, a veces se muestra autoritaria y egoísta.
Onomástica: No tiene.

Fiorella

Etimología: Del latín *Flora,* diosa de la primavera y de las flores. Se forma como hipocorístico de *Flor.*
Personalidad: Emotiva, altruista e idealista. Fiel a sus amistades y amores, tiene gran necesidad de ayudar y compartir, tanto en lo material como en lo espiritual. Es influenciable, le cuesta ser realista y es algo desordenada. En lo espiritual, tiende también a padecer desórdenes ciclotímicos.
Onomástica: 24 de noviembre.

Flaminia

Etimología: Nombre de la gens romana *Flaminia,* que proviene de *flamen,* «sacerdote».
Personalidad: Posee una personalidad carismática, seductora y fuerte. Es también idealista y perfeccionista, lo cual normalmente la lleva a tener elevadas ambiciones. En lo negativo, suele ser nerviosa y autoritaria.
Onomástica: 2 de mayo.
Otros idiomas: Catalán: Flamínia. Francés, alemán e italiano: Flaminia.

Flavia

Etimología: Nombre de la gens romana *Flavia,* que proviene de *flavus,* «amarillo, dorado, rojizo».
Personalidad: Odian la vulgaridad, y en torno a este hecho hacen girar toda su existencia. A veces superficiales, a veces engreídas, sin embargo saben entregarse cuando encuentran al hombre digno de merecerla. Lo defienden y lo protegen hasta que consiguen conducirlo a lo más alto.
Onomástica: 7 de mayo.
Otros idiomas: Catalán: Flàvia. Euskera: Palbe. Gallego: Flavia. Inglés e italiano: Flavia. Francés: Flavie.

Flor

Etimología: Del latín *Flora,* diosa de la primavera y de las flores.
Personalidad: Delicada y profundamente sensible, encuentra su felicidad en el amor. Fantasiosa, muy soñadora y enamoradiza, sufre por ello agudas decepciones. La tradición asegura que suele tratarse de amores imposibles.
Onomástica: 31 de diciembre.
Otros idiomas: Catalán, gallego y bable: Flor. Euskera: Lore, Lorea.

Flora

Etimología: Del latín *Flora,* diosa de la primavera y de las flores.
Personalidad: Emotiva, altruista e idealista. Fiel a sus amistades y amores, tiene gran necesidad de ayudar y compartir, tanto en lo material como en lo espiritual. Es influenciable, le cuesta ser realista y es algo desordenada. Tiende también a padecer frecuentes cambios de humor.
Onomástica: 24 de noviembre.
Otros idiomas: Catalán y gallego: Flora. Euskera: Lore, Lorea. Inglés, alemán e italiano: Flora. Francés: Flore.

Floreal

Etimología: Nombre de origen latino. Se llamó así al octavo mes del calendario de la Revolución Francesa.
Personalidad: Posee fuerza y determinación, así como una personalidad difícilmente manejable. Obstinada e independiente, ejerce un gran magnetismo, aunque puede caer fácilmente en la intransigencia. Rara vez se siente contenta durante mucho tiempo, así que busca cambios de ambiente o de escenario.
Onomástica: No tiene.

Florence

Etimología: Del latín *florens,* «floreciente». Variante inglesa de *Florencia.*

Personalidad: Juguetona e insistente, puede parecer que no le da importancia a casi nada, pero realmente le toma mucho cariño a la gente y sufre agudas decepciones cuando alguien le falla. Es poco reflexiva y raramente piensa antes de actuar.

Onomástica: 20 de junio y 10 de noviembre.

Otros idiomas: Catalán: Florència. Euskera: Florentxi, Polentxe. Gallego y Bable: Florentina. Francés e Inglés: Florence. Italiano: Fiorenza. Variante: Florentina.

Florencia

Etimología: Del latín *florens,* «floreciente».

Personalidad: Es bella y habladora, amante de la buena vida, una persona alegre que encuentra el medio ambiente perfecto para desenvolverse en las fiestas y convenciones. A pesar de su gusto por lo frívolo, no es tan superficial y le gusta tomar decisiones meditadas.

Onomástica: 20 de junio y 10 de noviembre.

Otros idiomas: Catalán: Florència. Euskera: Florentxi, Polentxe. Gallego y Bable: Florentina. Francés e Inglés: Florence. Italiano: Fiorenza. Variante: Florentina.

Florentina

Etimología: Del latín *florens,* «floreciente».

Personalidad: Su principal característica es el exceso, en cualquier sentido. Lo mismo se trata de una personalidad excesivamente soñadora como de un materialismo consumado, de hedonistas y narcisistas como de estoicos que rozan el ascetismo. Debe que vigilar su tendencia a la indiscreción, así como al inconformismo un poco infantil.

Onomástica: 20 de junio y 14 de marzo.

Otros idiomas: Catalán, gallego y bable: Florentina. Euskera: Polendiñe. Inglés y francés: Florentine.

Flores

Etimología: Nombre de advocación mariana: Nuestra Señora de las Flores. Tiene un santuario en la población de Encinasola (Huelva).

Personalidad: Posee el impulso de la creación que produce la inspiración. Necesita perseguir ideales y emociones utópicos, por su carácter idealista y perfeccionista. Goza también de ambiciones muy positivas. La parte negativa es la facilidad con que cae en la extravagancia y su tendencia al desánimo.

Onomástica: Domingo de Resurrección y segundo domingo de Pascua.

Florida

Etimología: Nombre cristiano que conmemora la Pascua de Resurrección.

Personalidad: Su problema principal es la pasividad y la indecisión, le parece que todo posee valores negativos y positivos. Es receptiva, sentimental y posee un gran espíritu de equipo. Cuando se siente rechazada, desarrolla una enorme capacidad de destrucción.

Onomástica: 12 de junio.

Otros idiomas: Catalán: Florida.

Florinda

Etimología: Nombre surgido a partir del sustantivo latino *Flora* y el adjetivo germánico *lind.* Significa «linda flor», o de forma más general, «hermosa primavera».

Personalidad: Bajo su apariencia sencilla y hasta algo rústica, es una mujer excepcional. Mediante el trabajo y el esfuerzo demuestra siempre que no está dispuesta a rendirse fácilmente. Cultivada, aunque algo rígida e intolerante con las debilidades de los demás.

Onomástica: 1 de mayo.

Fortuna

Etimología: Proviene del latín *fors,* «azar». En la mitología romana, nombre de la diosa *Fortuna.*

Personalidad: El rasgo dominante de su personalidad es el alto dominio sobre sí misma. Sabe medir sus capacidades, que suelen armonizar con todo lo que le rodea. Refinada, amable, simpática y de buen talante, suele hacer amigos con gran facilidad y le gusta ayudar a los demás. Quizá demasiado soñadora.
Onomástica: 20 de octubre.
Otros idiomas: Catalán: Fortuna.

FORTUNATA

Etimología: Proviene del latín *fortunatus,* «afortunado, rico».
Personalidad: Sabe sacar el mejor provecho de las adversidades, siempre logra sobreponerse y afrontar los problemas con la mejor disposición posible. Tiene un agudo sentido del humor y, a la par que se ríe de sus propias aventuras, consigue que los demás afronten los reveses del destino con semejante disposición de ánimo.
Onomástica: 14 de octubre.
Otros idiomas: Catalán: Fortunata. Euskera: Portunate. Gallego: Fortunata.

FRANCISCA

Etimología: Del italiano *Francesco,* «francés». Surge como nombre propio por primera vez cuando san Francisco de Asís recibe ese apodo por su afición a la lengua francesa.
Personalidad: Su capacidad de observación y su agudo sentido práctico a menudo la conducen al éxito. Puede que sea una idealista utópica, pero sabe ponderar la realidad. Es autoritaria y celosa: con su pareja puede ser demasiado posesiva. A su favor: es sencilla y accesible.
Onomástica: 9 de marzo.
Otros idiomas: Catalán: Francesca, Francina. Euskera: Frantsesa, Frantxa, Frantziska, Pantxika, Pantxike, Prantxiska. Gallego: Francisca. Bable: Francisca, Xica. Francés: Françoise. Inglés: Frances, Fanny. Alemán: Franzisca. Italiano: Francesca.

FRANQUEIRA

Etimología: Nombre gallego, de origen germano, que significa «lugar abierto»
Personalidad: Es generosa y dulce, devota de la verdad y del conocimiento. No le gusta perderse en frivolidades ni tonterías, siempre va al grano. Aunque quiere aparentar seguridad en sí misma, la verdad es que depende de la opinión de los demás y sobre todo necesita la aprobación de su familia.
Onomástica: 1 de noviembre.

FREYA

Etimología: Diosa de la fertilidad en la mitología germánica.
Personalidad: Su personalidad es muy creativa, entusiasta, sociable, optimista y muy espiritual. Tiene gran sentido práctico y es muy hábil en las actividades manuales. En contrapartida, puede ser algo intolerante y colérica, y a veces le cuesta concentrarse en una sola cosa.
Onomástica: No tiene.
Otros idiomas: Alemán: Freyja.

FRIDA

Etimología: Del germánico *Fridu,* «paz».
Personalidad: Posee una personalidad equilibrada, serena y con las ideas muy claras, aunque también es intuitiva y magnética. Valora el refinamiento y la integridad, la simpatía y la benevolencia. Suele ser idealista sin remedio si cree en una idea determinada.
Onomástica: No tiene.

FRINÉ

Etimología: Del nombre griego *Phrynos,* «de tez morena».
Personalidad: Es muy equilibrada y posee un sentido innato de la justicia y el equilibrio, pero también cae con facilidad en ataques de ira y valora en exceso el poder y el triunfo. Es impaciente e impetuosa. Esta personalidad le hace, casi con seguridad, muy celosa.

Onomástica: No tiene.
Otros idiomas: Igual en todos los idiomas.

FUENCISCLA

Etimología: Nombre en honor de la virgen de la Fuenciscla, patrona de Segovia.
Personalidad: Irradia tranquilidad y equilibrio: no se irrita, no se enfada, es serena y pretende solucionar cualquier cosa con la argumentación. Sin embargo, esa actitud hace que muchos le acusen de ser muy poco apasionada. La verdad es que le cuesta mostrar sus sentimientos.
Onomástica: 25 de septiembre.

FUENCISLA

Etimología: Nombre en honor de la virgen de la Fuenciscla, patrona de Segovia. Es una variante de *Fuenciscla.*
Personalidad: Su principal característica es el exceso, en cualquier sentido. Lo mismo se trata de una personalidad excesivamente soñadora como de un materialismo consumado, de hedonistas y narcisistas como de estoicas que rozan el ascetismo. Hay que vigilar la tendencia a la indiscreción, así como al inconformismo.
Onomástica: 25 de septiembre.

FUENSANTA

Etimología: Nombre en honor de la virgen de la Fuensanta, patrona de Murcia.
Personalidad: Su personalidad es conflictiva, por lo que suele encontrar dificultades para sentirse a gusto consigo mismo. También es algo vacilante y no muy enérgico. Sin embargo, posee un cierto espíritu aventurero, incluso algo temerario, y es de una lealtad inquebrantable.
Onomástica: 29 de marzo y 8 de septiembre.

FUSCA

Etimología: Nombre de origen latino que significa «oscura».
Personalidad: Es una mujer repleta de vida que siempre rebosa optimismo y felicidad. Nunca se la ha visto deprimida. Siempre está entregada a alguna actividad, ya que le gusta disfrutar de la vida al máximo. En lo que se refiere al terreno sentimental, no le gustan demasiado los compromisos.
Onomástica: 13 de febrero.

Gabriela

Etimología: Del hebreo *gbr-El,* «fuerza de Dios».

Personalidad: Ligeramente hiperactiva, siempre tiene montones de proyectos. También posee un profundo sentido del deber. De joven suele ser un tanto ingenua, pero las frecuentes desilusiones la obligan a volverse más realista. Profundamente femenina y con una tendencia irresistible al coqueteo.

Onomástica: 1 de febrero y 29 de septiembre.

Otros idiomas: Catalán, gallego y bable: Gabriela. Euskera: Gabirele. Inglés e italiano: Gabriella. Francés: Gabrielle.

Gadea

Etimología: Se forma como patronímico de Santa Gadea de Burgos.

Personalidad: No le gusta llamar la atención. Su imaginación está trabajando constantemente, de tal forma que en ocasiones le impide centrar su mente en el mundo real. En el amor es exigente y muy celosa, aunque en su defensa hay que decir que nunca pide nada que no esté dispuesta a dar.

Onomástica: 1 de noviembre.

Otros idiomas: Euskera: Gadea. Bable: Agadía, Gada, Gadea, Gadia.

Gaia

Etimología: Antiguo nombre romano.

Personalidad: El rasgo dominante de su personalidad es el alto dominio sobre sí misma. Sabe medir sus capacidades, que suelen armonizar con todo lo que le rodea. Refinada, amable, simpática y de buen talante, suele hacer amigos con gran facilidad y le gusta ayudar a los demás. Quizá demasiado soñadora.

Onomástica: No tiene.

Otros idiomas: Catalán: Gaia. Francés: Gaïa. Italiano: Gaia.

Gala

Etimología: Del latín *gallus,* «originario de la Galia».

Personalidad: Su personalidad es muy creativa, entusiasta, sociable, optimista y muy espiritual. Tiene gran sentido práctico y es muy hábil en las actividades manuales. En contrapartida, puede ser algo intolerante y colérica, y a veces le cuesta concentrarse en una sola cosa.

Onomástica: 5 de octubre.

Otros idiomas: Catalán: Gal.la, Gala. Euskera: Gale.

Galatea

Etimología: Del griego *gala,* «leche, lácteo».

Personalidad: Posee una personalidad equilibrada, serena y con las ideas muy claras, aunque también es intuitiva y magnética. Valora el refinamiento y la integridad, la simpatía y la benevolencia. Suele ser idealista sin remedio si cree en una idea determinada.

Onomástica: 19 de abril.

Galia

Etimología: Del latín *gallus,* «originario de la Galia».

Personalidad: Su personalidad es muy creativa, entusiasta, sociable, optimista y muy espiritual. Tiene gran sentido práctico y es muy hábil en las actividades manuales. En contrapartida, puede ser algo intolerante y colérica, y a veces le cuesta concentrarse en una sola cosa.

Onomástica: 5 de octubre.

Otros idiomas: Catalán: Gal.la, Gala. Euskera: Gale.

Garbiñe

Etimología: Es el equivalente en euskera de *Inmaculada.*

Personalidad: No suele sentirse satisfecha con lo que la vida le ha proporcionado. Ni su familia, ni sus amigos de siempre, ni el trabajo parecen correctos. Hay algo que le falta. Necesita encontrar una causa en la que creer. Posee un inmenso espíritu de sacrificio y le resulta fácil ilusionarse en el amor.
Onomástica: 8 de diciembre.

Gardenia

Etimología: Del germánico *gardo,* «cercado»; por extensión, «jardín».
Personalidad: Es equilibrada y posee gran encanto, por lo que está dotada para la diplomacia y las relaciones públicas. También valora enormemente la belleza, la armonía y la capacidad de sacrificio. Por contra, es algo indecisa y dada al fatalismo y al exceso de perfeccionismo.
Onomástica: No tiene.

Gaudencia

Etimología: Del latín *gaudium,* «felicidad».
Personalidad: Firme como una roca, consigue despertar confianza y seguridad en quienes la rodean. Sabe cuáles son sus objetivos y no cesa hasta conseguirlos. Va contribuyendo poco a poco a la felicidad de los suyos, logrando casi sin darse cuenta volverse indispensable.
Onomástica: 30 de agosto.
Otros idiomas: Euskera: Pozne.

Gea

Etimología: En la mitología griega, diosa de la Tierra.
Personalidad: La estabilidad, la seguridad y la protección son sus ejes fundamentales. Se trata de personas con los pies en el suelo, aunque también ambiciosas, lo cual equilibra su carácter y les permite vivir una existencia activa y variada, repleta de situaciones que les permite crecer y aprender.
Onomástica: No tiene.

Gema

Etimología: Del latín *gemma,* «piedra preciosa, gema».
Personalidad: Autocontrolada, reflexiva y convencional, odia perder los papeles. Desprecia a la gente que actúa por instinto o siguiendo sus pasiones, aunque procura no demostrarlo. Sin embargo, es una amiga fiel. Suele ser muy hábil en su profesión y, con esfuerzo y férrea autodisciplina, consigue todo aquello que se propone.
Onomástica: 14 de mayo.
Otros idiomas: Catalán: Gemma. Gallego y bable: Xema. Francés e italiano: Gemma.

Genara

Etimología: Deriva del latín *ianuarius,* «de enero».
Personalidad: A Genara le cuesta horrores ponerse en marcha, siempre siente la inercia de la pereza y de quedarse donde está. Sin embargo, una vez que logra ponerse a la tarea, es una gran trabajadora dotada de un enorme sentido de la responsabilidad. En las relaciones personales es impulsiva y temperamental.
Onomástica: 2 de marzo.
Otros idiomas: Bable: Xenara.

Genciana

Etimología: Del antiguo nombre latino *Gentiana,* nombre de una planta de ese mismo nombre.
Personalidad: Suele tener aspecto dulce y frágil. Cuida mucho su apariencia, y aunque es una mujer solitaria, presta una atención desmedida a lo que los demás puedan pensar de ella. Si elige el camino del matrimonio, suele consagrar todos sus esfuerzos a construir lo que ella cree que es una familia modélica. Es profundamente religiosa.
Onomástica: 11 de diciembre.
Otros idiomas: Catalán: Genciana. Italiano: Genziana.

Generosa

Etimología: Del latín *generosa,* «generosa, magnánima». También puede significar «de buena casta».
Personalidad: No es fácil llegar a su corazón: corazas y más corazas protegen lo más recóndito de su ser. Aunque cuando se alcanza su amistad y su confianza, nada ni nadie puede interponerse... Más vale no defraudarla, porque es una persona profundamente susceptible.
Onomástica: 17 de julio.
Otros idiomas: Gallego: Xenerosa. Bable: Xenerosa (Xesa).

Genoveva

Etimología: Existen dos teorías sobre la etimología de este nombre. Puede derivar de la voz galesa *Gwenhuifar,* «blanca como la espuma del mar», o bien del germánico *gen-wifa,* «la primera mujer».
Personalidad: Suele tener aspecto dulce y frágil. Cuida mucho su apariencia, y aunque es una mujer solitaria, presta una atención desmedida a lo que los demás puedan pensar de ella. Si elige el camino del matrimonio, suele consagrar todos sus esfuerzos a construir una familia modélica. Es profundamente religiosa.
Onomástica: 3 de enero.
Otros idiomas: Catalán: Genoveva. Euskera: Kenubep. Gallego: Xenoveva. Bable: Xénova, Xenoveva. Inglés: Genca, Guenevere, Jenifer. Francés: Geneviève. Italiano: Genoveffa.

Gentil

Etimología: Nombre de origen latino que puede significar «de la misma familia», o bien «amable».
Personalidad: Valora las cosas una y otra vez antes de decidirse. Esa tendencia a la reflexión la aparta a menudo de los demás y de la realidad, porque cualquier decisión le parece que tenga inconvenientes.
Onomástica: 28 de enero.

Georgia

Etimología: Del griego *georgos,* «agricultor».
Personalidad: Es una de esas personas que no pasan desapercibidas. La gente la adora o la odia, pero nunca se queda indiferente. Y es que tiene una forma de ser profundamente original, que no atiende a razones ni a convenciones sociales. A veces descuidada, a veces caprichosa.
Onomástica: 15 de febrero.
Otros idiomas: Catalán: Geòrgia. Italiano: Giorgia.

Georgina

Etimología: Del griego *georgos,* «agricultor». Es la forma femenina de *Jorge.*
Personalidad: Posee una personalidad carismática, seductora y fuerte. Es también idealista y perfeccionista, lo cual normalmente la lleva a tener elevadas ambiciones. En lo negativo, suele ser nerviosa y autoritaria.
Onomástica: 15 de febrero.
Otros idiomas: Catalán: Georgina, Jordina. Francés: Georgette.

Geraldine

Etimología: Deriva del germánico *gair-hard,* «noble por la lanza», por extensión, «guardián valiente». Es una forma francesa de *Gerarda.*
Personalidad: Es impaciente e inconstante: espera resultados casi al instante y, si no los obtiene, pierde la paciencia y cambia de objetivo. Destaca por su gran valor. En el amor, sin embargo, es tímida y suele esperar a que sean las mujeres las que den el primer paso.
Onomástica: 24 de septiembre.

Germana

Etimología: En la lengua germánica, *wehrmann* significaba «guerrero». El término fue adoptado por el latín bajo la forma de *germanus,* designando a los habitantes de Germania. Lo curioso de todo esto es que la palabra *germanus* también significaba «hermano»... cuando los romanos consideraban a los «bárbaros» germanos cualquier cosa menos hermanos.

Personalidad: Germana es tímida titubeante, depende por completo del afecto y la protección de los demás. Se entrega a un único amor y, por su afición a las cosas sencillas, está siempre muy apegada a su familia.

Onomástica: 19 de enero.

Otros idiomas: Catalán: Germana. Euskera: Kermana. Bable: Xermanda, Xermana. Francés: Germaine.

GERTRUDIS

Etimología: Del germánico *gair-trud,* «la lanza del amado». Por extensión puede significar «la fortaleza del amado».

Personalidad: Es una de esas raras personas que irradian seguridad. Con sólo estar en su presencia, ya parece que los problemas no son tan graves, y le gusta dar buenos consejos y soluciones. Es tremendamente sensible, y sabe valorar como una niña los pequeños placeres y satisfacciones que a diario se encuentran.

Onomástica: 17 de marzo y 16 de noviembre.

Otros idiomas: Catalán: Gertrudis. Euskera: Gertirudi, Gerturde. Gallego: Xertrude. Bable: Xertrudis. Inglés y francés: Gertrude. Alemán: Gertrud, Gertrand. Italiano: Geltrude, Gertrude.

GIANIRA

Etimología: Nombre mitológico de una ninfa.

Personalidad: Espirituales y místicas, de sentimientos altruistas. Se trata de personas elevadas que intentan cultivar la sabiduría y que valoran la inteligencia y la habilidad. Receptivas y estudiosas, son capaces de disfrutar de la vida. Quizá a veces son demasiado abnegadas y se olvidan de sus propios intereses.

Onomástica: No tiene.

GIANNINA

Etimología: Deriva del hebreo *Yehohanan,* «Dios es misericordioso». Se forma como hipocorístico del nombre italiano *Gianna.*

Personalidad: Fuerte, simpática y perseverante, Giannina tiene el valor de ser sensible en un mundo frío y cada vez más deshumanizado. Tiene convicciones profundas y un intenso deseo de aprender que le durará toda la vida. Muy segura de sí misma en todo menos en el amor. Disfrutará con trabajos en los que se sienta útil a los demás.

Onomástica: 24 de junio.

GILDA

Etimología: Del germánico *gild,* «valiente».

Personalidad: Extremadamente femenina, es casi un estereotipo de mujer frívola. Desprecia todo lo que pueda parecer intelectual, y prefiere entregarse a la moda y la belleza. Le encanta ser el centro de atención y resulta tan divertida como profundamente seductora. Siente un miedo sobrecogedor a la soledad y, por ello, procura tener siempre al lado a un compañero sentimental. Gilda tiene completamente idealizado el amor.

Onomástica: 29 de enero.

Otros idiomas: Catalán: Gilda. Euskera: Kermeilde. Gallego y bable: Xilda. Inglés, francés, alemán e italiano: Gilda.

GILLIAN

Etimología: De la gens romana *Julia* deriva de *Iulo,* el hijo del héroe troyano *Eneas,* uno de los primeros fundadores de Roma.

Personalidad: Altiva e independiente, lista y decidida, implacable con sus enemigos y capaz de casi cualquier cosa para conseguir sus objetivos. Su modo de afrontar los problemas es quizá un poco retorcido. Defiende su territorio y a su familia con uñas y dientes, porque ésa es la parte de su vida que más valora.

Onomástica: 22 de mayo.

GINA

Etimología: Del germánico *hlod-wig,* «glorioso en la batalla». Hipocorístico del nombre italiano *Luigina.*

Personalidad: Su carácter es muy creativa y posee el impulso que produce la inspiración. Le gustan las emociones y es muy dada a perseguir ideales utópicos. Es también idealista y perfeccionista, lo cual normalmente la lleva a tener elevadas ambiciones. La parte negativa es la facilidad con que cae en la extravagancia y su tendencia a la inestabilidad.

Onomástica: 25 de agosto.

GINEBRA

Etimología: Existen dos teorías sobre la etimología de este nombre. Puede derivar de la voz galesa *Gwenhuifar,* «blanca como la espuma del mar», o bien del germánico *gen-wifa,* «la primera mujer». Es una variante de Genoveva.

Personalidad: Suele tener aspecto dulce y frágil. Cuida mucho su apariencia, y aunque es una mujer solitaria, presta una atención desmedida a lo que los demás puedan pensar de ella. Si elige el camino del matrimonio, suele consagrar todos sus esfuerzos a construir una familia modélica. Es profundamente religiosa.

Onomástica: 3 de enero.

Otros idiomas: Catalán: Genoveva. Euskera: Kenubep. Gallego: Xenoveva. Inglés: Genca, Guenevere, Jenifer. Francés: Geneviève. Italiano: Genoveffa.

GINGER

Etimología: Nombre inglés que se forma como hipocorístico de *Virginia.*

Personalidad: Es una mujer hogareña que desea pasar su vida del modo más apacible y tranquilo. El trabajo es para ella una maldición, y mucho más la vida en la ciudad. Su ideal es retirarse al campo y cultivar con sus manos, sin más compañía que su familia y amigos más íntimos.

Onomástica: 21 de mayo, 14 de agosto y 15 de diciembre.

GISELA

Etimología: Proviene del germánico *misil,* «flecha» o «fuerte por su sabiduría».

Personalidad: Emotiva e intuitiva, encantadora y sensual, con una inteligencia viva y facilidad de palabra, parece la encarnación del eterno femenino, pero bajo esta apariencia superficial existe una utópica idealista que busca un sentido a la vida. A veces vive su ideal a través de sueños fantasiosos y quiméricos.

Onomástica: 7 de mayo.

Otros idiomas: Catalán: Gisela. Euskera: Gisela. Gallego y bable: Xisela. Francés: Giselle. Inglés: Giselle. Alemán: Gisela. Italiano: Gisella.

GIUNIA

Etimología: Del nombre latino *Iunius,* relativo a *Juno,* «junio» o «sagrado».

Personalidad: No suelen pasar desapercibidas, y tienen habilidades para el liderazgo y la innovación. No les gusta seguir las corrientes establecidas y se empeñan en la originalidad. En el lado negativo tienen cierta tendencia al egoísmo, la vanidad y el orgullo. También pueden ser excéntricas y demasiado dominantes.

Onomástica: No tiene.

GLADIS

Etimología: Del nombre galés *Gwladys.*

Personalidad: Es muy equilibrada y posee un sentido innato de la justicia y el equilibrio, pero también cae con facilidad en ataques de ira y valora en exceso el poder y el triunfo. Es impaciente e impetuosa. Esta personalidad le hace, casi con seguridad, muy celosa.

Onomástica: 1 de noviembre.

GLAUCA

Etimología: Nombre gallego de origen griego, que significa «verde».

Personalidad: Valora la amistad y la lealtad por encima de cualquier otra cosa. Su familia es lo primero para ella, por lo que suele relegar a un segundo plano todo lo relacionado con el mundo profesional, aunque se ve favorecida por una enorme capacidad de aprendizaje.
Onomástica: 1 de noviembre.

GLENDA

Etimología: Deriva del gaélico *gleann,* «balle boscoso».
Personalidad: Espirituales y místicas, de sentimientos altruistas. Se trata de personas elevadas que intentan cultivar la sabiduría y que valoran la inteligencia y la habilidad. Receptivas y estudiosas, son capaces de disfrutar de la vida. Quizá a veces son demasiado abnegadas y se olvidan de sus propios intereses.
Onomástica: 1 de noviembre.

GLICERA

Etimología: Deriva del griego *Glykera,* «la dulce».
Personalidad: Posee una personalidad carismática, seductora y fuerte. Es también idealista y perfeccionista, lo cual normalmente la lleva a tener elevadas ambiciones. En lo negativo, suele ser nerviosa y autoritaria.
Onomástica: 13 de mayo.

GLORIA

Etimología: Procede del latín *gloria,* «gloria, hazaña». Nombre cristiano que hace alusión a la Gloria de Dios.
Personalidad: Tiene verdadera vocación de vencedora. Poseedora de una personalidad magnética e inteligente, tiene la rara virtud de conseguir lo que quiere sin para ello tener que pasar por encima de los demás. Procura parecer fría y un tanto lejana, pero su corazón de oro suele traicionarla en cuanto se cruza con alguien en apuros.
Onomástica: Domingo de Pascua (de Gloria).
Otros idiomas: Catalán: Glòria. Euskera: Aintza, Aintzane. Gallego y bable: Gloria. Inglés: Glory, Gloria. Francés: Glorie, Gloria. Alemán e italiano: Gloria.

GLOSINDA

Etimología: Nombre de origen germánico del que no se conoce con seguridad su etimología, aunque parece que es «gloria dulce».
Personalidad: Es protectora y de carácter fuerte y seguro, le encanta sentirse útil y necesitada. Es una gran amiga y una gran compañera, siempre está cuando se la necesita. En su vida profesional es ambiciosa, aunque no le gusta demasiado cambiar de actividad ni de escenario.
Onomástica: 25 de julio.

GODIVA

Etimología: Deriva del anglosajón *Godgifu,* de *god,* «Dios», y *gifu,* «regalo», o sea, «regalo de Dios».
Personalidad: Es equilibrada y posee gran encanto, por lo que está dotada para la diplomacia y las relaciones públicas. También valora enormemente la belleza, la armonía y la capacidad de sacrificio. Por contra, es algo indecisa y dada al fatalismo y al exceso de perfeccionismo.
Onomástica: 1 de noviembre.

GODOLEVA

Etimología: Deriva del anglosajón *Godgifu,* de *god,* «Dios», y *gifu,* «regalo», o sea, «regalo de Dios».
Personalidad: Posee una personalidad equilibrada, serena y con las ideas muy claras, aunque también es intuitiva y magnética. Valora el refinamiento y la integridad, la simpatía y la benevolencia. Suele ser idealista sin remedio si cree en una idea determinada.

Onomástica: 6 de julio.
Otros idiomas: Catalán: Godoleva.

Goretti

Etimología: Apellido de la santa italiana María Goretti. En el año 1902 fue asesinada, cuando tenía sólo 12 años, por defender su virginidad.
Personalidad: Independiente y magnética. Aunque parezca un modelo a seguir, suele parecer lejana e inaccesible. Pero a veces se siente esclava de esa imagen y le gusta permitirse una debilidad, que se perdona muy fácilmente.
Onomástica: 6 de julio.

Gracia

Etimología: Del latín *gratia,* «encanto, influencia, amistad». Hace alusión a las tres Gracias de la mitología griega, hijas de Zeus y Afrodita.
Personalidad: Gracia ama la cultura y el arte hasta el punto de rozar la pedantería. Tiene grandes aptitudes para la enseñanza. Es sincera y fiel en el amor, y no perdona fácilmente una traición o una mentira. Es capaz de desvivirse por sus hijos, aunque como madre quizá se muestre demasiado autoritaria.
Onomástica: 23 de junio.
Otros idiomas: Catalán: Gràcia, Engràcia. Euskera: Atsegiñe, Gartze, Gartzene, Geraxane, Graxi, Ingartze, Pampoxa. Gallego y bable: Gracia. Bable: Gracia. Inglés: Grace. Francés: Grâce. Alemán: Engratia. Italiano: Grazia.

Graciela

Etimología: Del latín *gratia,* «encanto, influencia, amistad». Hace alusión a las tres Gracias de la mitología griega, hijas de Zeus y Afrodita. Tiene la misma raíz que *Graziela.*
Personalidad: Ama la cultura y el arte hasta el punto de rozar la pedantería. Tiene grandes aptitudes para la enseñanza. Es sincera y fiel en el amor, y no perdona fácilmente una traición o una mentira. Es capaz de desvivirse por sus hijos, aunque como madre quizá se muestre demasiado autoritaria.
Onomástica: 8 y 12 de diciembre.
Otros idiomas: Catalán: Gràcia, Engràcia. Euskera: Atsegiñe, Gartze, Geaxi, Ingartze. Gallego: Graciela. Bable: Gracia. Inglés: Grace. Francés: Grâce. Alemán: Engratia. Italiano: Graziella.

Grata

Etimología: Del latín *gratia,* «encanto, influencia, amistad». Es variante de *Gracia.*
Personalidad: Es un ser benévolo, idealista y muy espiritual. Aunque a veces cae en ideas simplistas, sobre todo en lo religioso, posee precisamente la virtud de la simplicidad: las cosas importantes a ella le parecen tremendamente sencillas y siempre sabe cuáles son.
Onomástica: 1 de mayo.

Graziela

Etimología: Nombre cristiano en honor de la Virgen. Significa «Graciosa».
Personalidad: La estabilidad, la paciencia, la organización, el realismo, el sentido del deber y el orden son sus principales virtudes. En lo sentimental y con sus amistades son de una fidelidad absoluta. Por contra, caen con facilidad en la rutina y la avaricia.
Onomástica: 15 de agosto.
Otros idiomas: Catalán: Graciosa. Euskera: Gaxux, Gaxuxa. Alemán e italiano: Graziella.

Gregoria

Etimología: Deriva del griego *gregorium,* «vigilante».
Personalidad: Con más memoria que inteligencia, Gregoria es sin duda una trabajadora incansable a quien no asustan los retos. Escéptica y metódica, le gusta la vida tranquila y sencilla. Es muy modesta, pero su visión de las

cosas es un tanto fatalista. Con su familia se muestra muy posesiva.
Onomástica: 25 de mayo.
Otros idiomas: Catalán: Gregòria. Euskera: Gergore, Gergoana. Gallego: Gregoria. Bable: Gregoria (Goya).

Greta
Etimología: De *Grette,* nombre de origen vikingo. Diminutivo germánico de *Margaret,* del latín, «perla».
Personalidad: A pesar de su encanto y carisma, es capaz de competir y ganar a la mayoría de los hombres; sin embargo, su amor al detalle y su necesidad de seguridad hace que le sea muy difícil demostrar lo que realmente vale. Cuando muestra su tesón, es capaz de llegar a lo más alto.
Onomástica: 23 de febrero.
Otros idiomas: Catalán: Greta. Alemán: Grete, Gretchen. Italiano: Greta.

Griselda
Etimología: Del nombre germánico *Grishild.*
Personalidad: Su personalidad es conflictiva, por lo que suele encontrar dificultades para sentirse a gusto consigo misma. Aunque es algo vacilante y no muy enérgica, sin embargo, posee un cierto espíritu aventurero, incluso algo temerario, que le sirve de contrapeso, y es de una lealtad inquebrantable.
Otros idiomas: Catalán: Griselda. Inglés: Grizel, Grizzie. Italiano: Griselda.

Guadalupe
Etimología: Deriva del árabe *wadi-al-lub,* «río de cantos negros». Se emplea en honor de la Virgen de Guadalupe.
Personalidad: Sencilla y divertida. Dotada de una fuerte personalidad, aunque es un poco autoritaria, y no soporta que se le lleve la contraria. En el amor también es exigente, pero lo da todo para encontrar la felicidad. Guadalupe suele sentir un gran apego por las tradiciones religiosas.
Onomástica: 6 de septiembre en España y 12 de diciembre en México.
Otros idiomas: Catalán y gallego: Guadalupe. Euskera: Godalupe. Francés: Guadeloupe. Italiano: Guadalupe.

Gudelia
Etimología: Del germanico *Guda,* «Dios».
Personalidad: Su principal característica es el exceso, en cualquier sentido. Lo mismo se trata de una personalidad excesivamente soñadora como de un materialismo consumado, de hedonistas y narcisistas como de estoicas que rozan el ascetismo. Debe vigilar cierta tendencia a la indiscreción, que antes sus amigos la convierten en poco fiable.
Onomástica: 29 de septiembre.
Otros idiomas: Catalán: Gudèlia. Euskera: Gudele.

Gúdula
Etimología: Del germanico *Guda,* «Dios». Santa Gúdula es la patrona de Bruselas.
Personalidad: Posee una gran capacidad de adaptación, por lo cual le entusiasman los viajes y todo lo que requiera audacia e innovación. En lo negativo, su personalidad le acarrea ciertos inconvenientes, como accidentes, inestabilidad y superficialidad.
Onomástica: 8 de enero.
Otros idiomas: Inglés: Gudula. Francés: Gudula.

Güendolín
Etimología: Nombre galés que significa «la de blancas pestañas».
Personalidad: Es dulce, delicada y muy cuidadosa con su aspecto. Romántica empedernida, hace lo que puede por vivir en la realidad una novela de amor, aunque precisamente por ello suele sufrir agudas decepciones. Encuen-

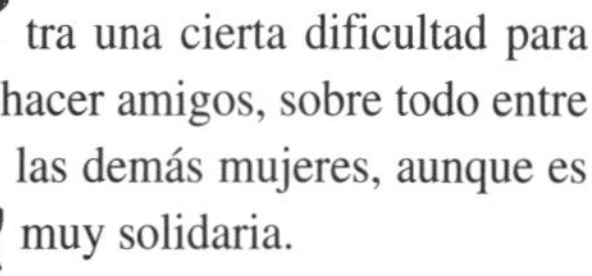

tra una cierta dificultad para hacer amigos, sobre todo entre las demás mujeres, aunque es muy solidaria.
Onomástica: 14 de octubre.
Otros idiomas: Gallego: Güendolina. Inglés: Gwendolen, Gwendolyn, Wendy. Francés: Gwendaline, Gwendoline. Italiano: Guendalina.

Guía

Etimología: Del nombre germánico *Wintan,* «guiar».
Personalidad: Posee una personalidad equilibrada, serena, con las ideas muy claras, y también es intuitiva y magnética. Todo ello la hacen muy hábil en las relaciones sociales. Valora el refinamiento y la integridad, la simpatía y la benevolencia. Si cree en una idea o un proyecto, lo persigue hasta el final, con verdadero compromiso.
Onomástica: 24 de febrero.
Otros idiomas: Catalán: Guia. Euskera: Bidari. Gallego: Guía.

Guillermina

Etimología: Del germánico *will-helm,* «yelmo voluntarioso», por extensión, «protector decidido».
Personalidad: Guillermina es una artista que vive mucho más en sus proyectos y sueños que en la realidad. Aunque al final suele conseguir el triunfo, ha de enfrentarse a graves dificultades para encontrar un estilo propio. Su vida suele ser apasionante y llena de aventuras. Sus amores son profundos e irreales, y tiende a sentirse incomprendida, pero la verdad es que ella valora su vocación por encima de todo.
Onomástica: 10 de enero y 6 de abril.
Otros idiomas: Catalán: Guilleuma, Guillerma. Euskera: Gullelme. Bable: Guillerma, Guillelma.

Guiomar

Etimología: Del germánico *wit-maru,* «mujer ilustre».
Personalidad: Extremadamente introvertida y reservada, no permite llegar a ver con claridad qué guarda en su interior. Se muestra muy cuidadosa con los detalles, tiene un agudo sentido de la justicia (aunque a veces no coincida con la forma de pensar de los demás) y se sacrificaría orgullosa por una causa idealista.
Onomástica: 1 de noviembre.
Otros idiomas: Gallego: Guiomar.

Gumersinda

Etimología: Procede del germánico *gumaswind,* «hombre fuerte».
Personalidad: Sujeta a enormes altibajos emocionales, no suele ser feliz durante periodos demasiado largos. Y no es que las cosas le vayan mal, al contrario, ya que tiene una cierta facilidad para conseguir todo lo que desea realmente. Su problema radica en que no suele saber con claridad qué es lo que desea. Es una persona muy adaptable, por lo que siempre destaca en su trabajo.
Onomástica: 19 de enero.
Otros idiomas: Gallego: Gumersinda. Bable: Sinda.

Gunilla

Etimología: Procede del nombre germánico *Gund-hill,* «guerrero famoso».
Personalidad: Es equilibrada y posee gran encanto, que ella se encarga de cultivar, por lo que está dotada para la diplomacia y las relaciones públicas.Aunque valora enormemente la belleza y la armonía, no es una persona superficial, sino que le importa mucho la capacidad de esfuerzo propia y ajena. La parte negativa es que le cuesta tomar decisiones, y en los momentos difíciles es algo dada al fatalismo y al exceso de perfeccionismo.
Onomástica: No tiene.

Gwyneth

Etimología: Nombre galés que se forma como hipocorístico de *Gwendolyn,* que significa «la de las blancas pestañas».

Personalidad: Son personas sencillas y auténticas. Detestan a los que actúan de una determinada manera sólo por guardar las apariencias y, por eso, prefieren que les digan las cosas a la cara, sin rodeos ni ambages. Odian la mentira y la hipocresía. Su sistema moral es simple pero incorruptible.

Onomástica: 14 de octubre.

Habiba

Etimología: Nombre árabe que significa «querida, amada».

Personalidad: Es una mujer inquieta, siempre en busca de nuevas aventuras y experiencias en todos los ámbitos de su vida. Se niega a ser conformista, ama la libertad y sólo aceptará un compromiso cuando esté profundamente segura de que es eso lo que quiere. Aunque parezca alocada, sus actos siempre tienen un sentido, pero muchas veces sólo ella lo sabe.

Onomástica: No tiene.

Hada

Etimología: Procede del latín *fatum,* «destino, suerte». Nombre que se le da a los seres mitológicos, siempre de sexo femenino, que habitan en los bosques y son capaces de influir mágicamente en los destinos de los seres humanos.

Personalidad: Hada vive en una perpetua revolución contra el universo y sus circunstancias. Ella es sencilla y alegre de corazón, y se pierde en su propio mundo de fantasía. Si no tiene cuidado, corre el riesgo de perder todo contacto con la tierra.

Onomástica: 1 de noviembre.

Hadiya

Etimología: Nombre swahili que significa «regalo, don».

Personalidad: Es como una niña. Crédula, ingenua y risueña. Concede una gran importancia al amor durante toda su vida. En su profesión demuestra que es brillante, creativa y muy trabajadora; tiene ambición, pero no se deja dominar por ella.

Onomástica: No tiene.

Haiden

Etimología: Antiguo nombre inglés que significa «colina cubierta de brezo».

Personalidad: Su gran pasión radica en la belleza. Es una gran amante del arte en todas sus manifestaciones, y en su propia vida. En el amor y con sus amigos se muestra impulsiva y apasionada. No le gusta trabajar en exceso y no es ambiciosa, por lo que procura buscarse una profesión tranquila que le permita llevar una vida desahogada.

Onomástica: No tiene.

Halina

Etimología: Nombre ruso, que es una variante de *Elena:* deriva del griego *hélene,* «antorcha brillante».

Personalidad: Tiene un temperamento demasiado variable, nunca se puede estar seguro de cómo va a reaccionar. En el amor, raras veces será correspondida por la persona a quien realmente ama, aunque probablemente termine asentándose en una afable y placentera relación sustentada más por la amistad que por el amor apasionado.

Onomástica: No tiene.

Hana

Etimología: Nombre que en japonés significa «flor» y en árabe «felicidad».

Personalidad: Valiente, sale adelante pase lo que pase. A la hora de trabajar, es seria y responsable, prudente cuando las circunstancias lo requieren, aunque también es capaz de arriesgar. En el amor suele ser desgraciada, quizá porque es demasiado exigente y le resulta difícil encontrar compañeros tan fuertes y seguros como ella misma.

Onomástica: No tiene.

Hanako

Etimología: Nombre japonés que significa «niña flor».

Personalidad: Es una mujer introvertida, y hasta podría decirse que algo huraña. Algunos dicen que desprecia al género humano; pero la realidad es que no logra comprender al resto de las personas, le parecen demasiado complicadas. Aun así, suele encontrar energías para intentar cambiar su mundo.
Onomástica: No tiene.

HANNAH
Etimología: Forma inglesa de *Ana,* que deriva del hebreo *Hannah:* «gracia, compasión».
Personalidad: Honrada y sincera, siempre se atreve a ser lo que es. Suele ser versátil y también algo inconstante en su juventud, pero eso cambia en la madurez, cuando por fin da con aquello que llena su vida de sentido y se dedica a ello con pasión y ánimo inagotables.
Onomástica: 26 de junio.

HARMONÍA
Etimología: Procede del nombre griego *Harmonía,* «armonía».
Personalidad: Emotiva, altruista e idealista. Fiel a sus amistades y amores, tiene gran necesidad de ayudar y compartir, tanto en lo material como en lo espiritual. Es influenciable, le cuesta ser realista y es algo desordenada. En lo espiritual, tiende también a padecer desórdenes ciclotímicos.
Onomástica: No tiene.

HAYLEY
Etimología: Antiguo nombre inglés que puede traducirse como «campo de heno».
Personalidad: Tiene una tendencia no muy sana a tomárselo todo demasiado en serio, casi como un reto personal. Siente la necesidad de estar siempre haciendo algo productivo, hasta tal punto que llega a agotar a todos los que la rodean. Pierde los nervios con facilidad y se enfada a menudo.
Onomástica: No tiene.

HÉCUBA
Etimología: Nombre de la mitología griega de origen desconocido.
Personalidad: Posee una gran capacidad de adaptación, por lo cual le entusiasman los viajes y todo lo que requiera audacia e innovación. En lo negativo, su personalidad le acarrea ciertos inconvenientes, como accidentes, inestabilidad y superficialidad.
Onomástica: No tiene.

HEIDI
Etimología: Nombre de origen germánico, que es el equivalente de *Adelaida:* de *adelheid,* «de noble casta».
Personalidad: Es una persona hipersensible por más que intente disimularlo. Bajo su apariencia fría, segura y un poco despreocupada, hay una mujer que está siempre pendiente de lo que los demás dicen o hacen y de la actitud que tienen hacia ella. Su gran placer consiste en ayudar a los que la rodean a ser felices.
Onomástica: No tiene.

HEILA
Etimología: Deriva del escandinavo *Helga,* «alta, divina». Es una variante de *Olga.*
Personalidad: Alegre y frívola, incluso dispersa, aunque ella tiene muy claras sus prioridades en la vida, y en primera instancia se dedica a ellas. En general, puede decirse que es poco detallista y propensa a olvidarse de aniversarios y felicitaciones, pero cuando se la necesita, es una amiga de las de verdad.
Onomástica: 11 de julio.
Otros idiomas: Catalán: Olga. Francés, alemán e italiano: Olga.

HELEIA
Etimología: Nombre de la mitología griega, derivado probablemente de la ciudad de *Helos.*
Personalidad: La estabilidad, la seguridad y la protección son sus ejes fundamentales. Se tra-

ta de personas con los pies en el suelo, aunque también ambiciosas, lo cual equilibra su carácter y les permite vivir una existencia activa y variada, repleta de situaciones que les permite crecer y aprender.
Onomástica: No tiene.

Helena

Etimología: Nombre griego que deriva de *Heléne,* «resplandeciente».
Personalidad: Tienden a ser personas fuera de lo corriente: son comprensivas y afectuosas por naturaleza, capaz de hacer un hueco en el corazón de los más reacios. En el amor suelen ser extremadamente afortunadas y encontrar su alma gemela. Pero es que ellas ponen mucho de su parte.
Onomástica: 18 de agosto.
Otros idiomas: Catalán: Elena, Helena. Euskera: Ele, Elene. Bable: Lena. Inglés: Ellen, Helen, Helena. Francés: Hélène. Italiano: Elena.

Helga

Etimología: Deriva del escandinavo *Helga,* «alta, divina». Es una variante de *Olga.*
Personalidad: Alegre y frívola, incluso dispersa, aunque ella tiene muy claras sus prioridades en la vida, y en primera instancia se dedica a ellas. En general, puede decirse que es poco detallista y propensa a olvidarse de aniversarios y felicitaciones, pero es una amiga de las de verdad.
Onomástica: 18 de agosto.
Otros idiomas: Catalán: Helga.

Hélida

Etimología: Gentilicio del Peleponeso (zona geográfica del sur de Grecia).
Personalidad: Intelectual, alejada de la vida cotidiana y muy frecuentemente dominada por un carácter demasiado orgulloso. No hace amigos con facilidad, pero en el amor es capaz de dar cualquier cosa para no perderlo. Tiene pocas manías y no es muy quisquillosa, pero más vale respetarla.
Onomástica: 25 de enero.

Henar

Etimología: Es una advocación mariana: Nuestra Señora del Henar, muy venerada en la población española de Cuéllar (Segovia).
Personalidad: Alegre y feliz, rebosa encanto e imaginación y rechaza por principios cualquier prejuicio o convención social. Sin embargo, es muy terca y no soporta que le lleven la contraria. Además, puede llegar a ser un poco excéntrica y sentir que no es comprendida.
Onomástica: 21 de septiembre.

Hera

Etimología: En la mitología griega, diosa del cielo y de la tierra, esposa y hermana de Zeus.
Personalidad: Es equilibrada y posee gran encanto, por lo que está dotada para la diplomacia y las relaciones públicas. También valora enormemente la belleza, la armonía y la capacidad de sacrificio. Por contra, es algo indecisa y dada al fatalismo y al exceso de perfeccionismo.
Onomástica: No tiene.

Herena

Etimología: Nombre griego en honor de la divinidad *Heres.*
Personalidad: Es una mujer alegre, creativa y habilidosa, que no soporta estar sin hacer nada. Le gusta llenar su vida de pequeños detalles. Está dotada de un gran sentido de la responsabilidad, y siempre dispuesta a abandonar sus múltiples actividades si un compromiso o la necesidad de un amigo se lo requieren.
Onomástica: 25 de febrero.

Herenia

Etimología: Nombre griego en honor de la divinidad *Heres.*

Personalidad: Se trata de una persona extraordinariamente compleja y de reacciones inesperadas. Le gusta vivir plenamente, con mayúsculas: cuando se consagra a su trabajo, también lo hace de lleno, plenamente, sin reservas. Podría decirse que en todos los campos de su vida siempre pone toda la carne en el asador.
Onomástica: 25 de febrero.

HERESVIDA
Etimología: Nombre de origen germánico que significa «ejército numeroso».
Personalidad: Es entusiasta, hermosa y encantadora. Triunfa allá donde va con su aire inocente y dulce. Es tan optimista que se empeña en ver lo mejor de cada situación. Sin embargo, es muy crítica consigo misma y a menudo no da la suficiente importancia a sus logros.
Onomástica: 23 de septiembre.

HERMELINDA
Etimología: Deriva del germánico *Ermin-hild,* «soldado de Ermin». Ermin era un héroe mitológico que dio nombre a la tribu de los ermiones.
Personalidad: El rasgo dominante de su personalidad es el alto dominio sobre sí misma. Sabe medir sus capacidades, que suelen armonizar con todo lo que le rodea. Refinada, amable, simpática y de buen talante, suele hacer amigos con gran facilidad y le gusta ayudar a los demás. Quizá demasiado soñadora.
Onomástica: 28 de octubre.
Otros idiomas: Gallego: Hermelinda.

HERMENEGILDA
Etimología: Deriva del germánico *Ermin-hild,* «soldado de Ermin». Ermin era un héroe mitológico que dio nombre a la tribu de los ermiones.
Personalidad: Tienden a ser personas fuera de lo corriente: son comprensivas y afectuosas por naturaleza, capaz de hacer un hueco en el corazón de los más reacios. En el amor suelen ser extremadamente afortunadas y encontrar su alma gemela.
Onomástica: 13 de abril.
Otros idiomas: Gallego: Hermenexilda.

HERMINIA
Etimología: Procede del germánico *airmans,* «grande, fuerte».
Personalidad: Aunque aparenta fuerza y dedicación, tiende a depender excesivamente de los demás. Cuando se siente sola, no sabe hacia dónde dirigirse, y piensa que la vida no tiene ningún sentido. Ahora bien, si está debidamente arropada, puede ser la persona más feliz del universo.
Onomástica: 25 de abril.
Otros idiomas: Catalán: Erminia, Herminia. Euskera: Ermiñe. Gallego: Herminia. Bable: Herminia, Harminia. Francés: Hermine. Alemán: Herminia. Italiano: Erminia.

HERMIONE
Etimología: En la mitología griega, hija de Helena y de Menelao, rey de Esparta.
Personalidad: Es muy equilibrada y posee un sentido innato de la justicia y el equilibrio, pero también cae con facilidad en ataques de ira y valora en exceso el poder y el triunfo. Es impaciente e impetuosa. Esta personalidad le hace, casi con seguridad, muy celosa.
Onomástica: No tiene.

HERUNDINA
Etimología: De procedencia germánica, «significa «diosa».
Personalidad: No le gusta llamar la atención. Su imaginación está trabajando constantemente, de tal forma que en ocasiones le impide

centrar su mente en el mundo real. En el amor es exigente y muy celosa, aunque en su defensa hay que decir que nunca pide nada que no esté dispuesta a dar.
Onomástica: 23 de julio.

HESPERIA
Etimología: Procede del latín *Hesperia,* nombre mítico de Italia y España.
Personalidad: Posee una personalidad equilibrada, serena y con las ideas muy claras, aunque también es intuitiva y magnética. Valora el refinamiento y la integridad, la simpatía y la benevolencia. Suele ser idealista sin remedio si cree en una idea determinada.
Onomástica: No tiene.

HIGINIA
Etimología: Nombre griego, de *Hygies,* «sano», que forma *Higinios,* «vigoroso».
Personalidad: Sensible y muy dependiente de su entorno, conciliadora, hábil, inteligente, imaginativa y amante de hacer amistades. Posee el sentido de los negocios, en los que no duda en asociarse cuando es necesario. Su mayor inconveniente es que sueña con grandes proyectos y es una idealista, lo que incrementa su emotividad, puede desestabilizarse y conducirla a cambios inesperados.
Onomástica: 11 de enero.
Otros idiomas: Gallego: Hixinia. Bable: Hixinia (Xinia). Italiano: Iginia.

HILARIA
Etimología: Procede del griego *hilaria,* «alegría».
Personalidad: Simpática y comunicativa, podría ser una excelente relaciones públicas. No es en absoluto ambiciosa, y le gusta vivir al día, disfrutando de las pequeñas cosas; a pesar de ello, suele cosechar una larga lista de éxitos sin proponérselo. Con los amigos es atenta, siempre afable y en absoluto rencorosa.
Onomástica: 12 de agosto.
Otros idiomas: Catalán: Hilària. Euskera: Ilariñe. Gallego y Bable: Hilaria. Inglés: Hilary. Francés: Hilarie. Alemán: Ilaria. Italiano: Ilaria.

HILARY
Etimología: Nombre de origen griego que significa «alegre».
Personalidad: Humanista y entregada por naturaleza: para ser feliz, su vida tiene que serle útil a los demás. No entiende el egoísmo ni la falta de compromiso: ella, realmente, no puede descansar sabiendo que hay alguien que puede necesitarla. El problema es que es demasiado crítica consigo misma.
Onomástica: No tiene.

HILDA
Etimología: Proviene del germánico *hild,* «batalla».
Personalidad: Es una mujer extraña: siendo muy femenina, tiene también aspectos muy masculinos. Le encanta cuidarse y parecer deseable, pero también le gusta que en su vida haya una buena dosis de aventura. No es una persona convencional, ni en los afectos ni en el trabajo, y le gustan los negocios.
Onomástica: 18 de marzo y 17 de noviembre.
Otros idiomas: Catalán: Elda, Hilda. Francés: Hilda. Alemán: Elda, Hilda, Ilde. Italiano: Elda, Ilda.

HILDEGARD
Etimología: Proviene del germánico *hild,* «batalla», y *gard,* «morada»; o sea, «morada del combate».
Personalidad: Es equilibrada y posee gran encanto, por lo que está dotada para la diplomacia y las relaciones públicas. También valora enormemente la belleza, la armonía y la capa-

cidad de sacrificio. Por contra, es algo indecisa y dada al fatalismo y al exceso de perfeccionismo.
Onomástica: 20 de abril y 17 de septiembre.
Otros idiomas: Catalán: Hildegarda. Francés: Hildegarde. Italiano: Ildegarda.

Hildegunda

Etimología: Proviene del germánico *hild,* «batalla», y *gund,* «batalladora».
Personalidad: Su personalidad es conflictiva, por lo que suele encontrar dificultades para sentirse a gusto consigo misma. También es algo vacilante y no muy enérgica. Sin embargo, posee un cierto espíritu aventurero, incluso algo temerario, y es de una lealtad inquebrantable.
Onomástica: 20 de abril y 5 de agosto.
Otros idiomas: Catalán: Hildegunda, Hildegonda. Italiano: Ildegonda.

Hildelita

Etimología: Latinización con el sufijo *-itus* del germánico *Hild.* Se puede traducir como «guerrera».
Personalidad: Es generosa y dulce, devota de la verdad y del conocimiento. No le gusta perderse en frivolidades ni tonterías, siempre va al grano. Aunque quiere aparentar seguridad en sí misma, la verdad es que depende de la opinión de los demás y sobre todo necesita la aprobación de su familia.
Onomástica: 22 de diciembre.

Himana

Etimología: Nombre de la mitología griega que se puede traducir como «membrana».
Personalidad: Valora la amistad y la lealtad por encima de cualquier otra cosa. Su familia es lo primero para ella, por lo que suele relegar a un segundo plano todo lo relacionado con el mundo profesional, aunque se ve favorecida por una enorme capacidad de aprendizaje.
Onomástica: 29 de enero.

Hipodamia

Etimología: Del nombre griego *Hippodamos,* «domador de caballos».
Personalidad: Su principal característica es el exceso, en cualquier sentido. Lo mismo se trata de una personalidad excesivamente soñadora como de un materialismo consumado, de hedonistas y narcisistas como de estoicas que rozan el ascetismo. Hay que vigilar la tendencia a la indiscreción, así como al inconformismo.
Onomástica: No tiene.
Otros idiomas: Catalán: Hipodamia.

Hipólita

Etimología: Deriva del griego *hippós-lytós,* «jinete veloz».
Personalidad: Impulsiva y pasional. Sin embargo, la suerte parece no abandonarla, porque nunca se mete en problemas demasiado graves. Es extremadamente juerguista y ligeramente propensa a los excesos. Suele retrasar la hora de sentar la cabeza todo lo posible.
Onomástica: 30 de enero y 2 de diciembre.
Otros idiomas: Catalán: Hipòlita. Euskera: Ipolita. Francés: Hippolyte. Italiano: Ippolita.

Hombelina

Etimología: Nombre germánico que deriva de *hund,* «caudillo».
Personalidad: Posee fuerza y determinación, así como una personalidad difícilmente manejable. Obstinada e independiente, ejerce un gran magnetismo, aunque puede caer fácilmente en la intransigencia. Rara vez se siente contenta durante mucho tiempo, así que busca cambios de ambiente o de escenario.
Onomástica: 12 de febrero.

Honorata

Etimología: Del latín *honoratus,* «honrado, apreciado».
Personalidad: Aunque es más bien espiritual y creativa, los derroteros del destino suelen lle-

varlo por el camino de los negocios y las finanzas. Amable, humano y comprensivo. Prefiere las diversiones apacibles, adora la vida familiar y hogareña y es un gran amigo de sus amigos.
Onomástica: 11 de enero.
Otros idiomas: Catalán: Honorata. Euskera: Onorate. Gallego: Honorata. Bable: Honorata.

HONORIA

Etimología: Del latín *honoratus,* «honrado, apreciado».
Personalidad: La vida sencilla, su familia, su pueblo o su ciudad, sus amigos de siempre, su trabajo... no puede vivir sin ellos. Es feliz haciendo felices a los demás y disfruta de las pequeñas cosas que la vida le ofrece. Por tanto, le produce verdadero terror cualquier cambio, por pequeño que sea.
Onomástica: 11 de enero.
Otros idiomas: Catalán: Honorata. Euskera: Onorate. Gallego: Honorata. Bable: Honoria.

HONORINA

Etimología: Del latín *Honorius,* gentilicio de *honorus,* «honor».
Personalidad: Espirituales y místicas, de sentimientos altruistas. Se trata de personas elevadas que intentan cultivar la sabiduría y que valoran la inteligencia y la habilidad. Receptivas y estudiosas, son capaces de disfrutar de la vida. Quizá a veces son demasiado abnegadas y se olvidan de sus propios intereses.
Onomástica: 27 de febrero.
Otros idiomas: Catalán: Honorina. Bable: Honorina (Norina).

HORTENSIA

Etimología: Nombre de la gens romana *Hortensia,* que procede de *hortus,* «huerta». Así, *hortensia* significaba, en un principio, exactamente «jardinera».
Personalidad: Hacendosa y emprendedora, su auténtico ideal es vivir en el campo con una enorme familia. Si tiene la desgracia de vivir en la ciudad, será capaz de adaptarse, aunque siempre buscando sus reductos de paz, en compañía de sus seres queridos y alejada del mundanal ruido.
Onomástica: 11 de enero.
Otros idiomas: Catalán: Hortènsia. Gallego y Bable: Hortensia. Inglés y francés: Hortense. Alemán: Hortensie. Italiano: Ortensia.

HOSANA

Etimología: Del hebreo *Hoshana,* «alegría».
Personalidad: Es equilibrada y posee gran encanto, por lo que está dotada para la diplomacia y las relaciones públicas. También valora enormemente la belleza, la armonía y la capacidad de sacrificio. Por contra, es algo indecisa y dada al fatalismo y al exceso de perfeccionismo.
Onomástica: 18 de julio.
Otros idiomas: Catalán: Hosanna. Italiano: Osanna.

HUMBELINA

Etimología: Nombre germánico que deriva de *hund,* «caudillo».
Personalidad: Irradia tranquilidad y equilibrio: no se irrita, no se enfada, es serena y pretende solucionar cualquier cosa con la argumentación. Sin embargo, esa actitud hace que muchos le acusen de ser muy poco apasionada. La verdad es que le cuesta mostrar sus sentimientos.
Onomástica: 12 de febrero.

HUMILDAD

Etimología: Nombre latín muy utilizado por los primeros cristianos: «modestia, poca altura, baja».

Personalidad: Es una vencedora. Magnética, creativa e inteligente, suele tener condiciones para convertirse en líder. Sin embargo, corre el riesgo de creérselo y en ocasiones se muestra altiva y poco comprensiva. Si consigue prestar atención a los demás, será una persona maravillosa.

Onomástica: 23 de mayo y 17 de julio.

Ía

Etimología: Nombre mitológico llevado por una hija de Midas. La etimología está poco clara: o viene de *Ia,* «dardo», o de *Iá,* «voz, grito».
Personalidad: Posee el impulso de la creación que produce la inspiración. Necesita perseguir ideales y emociones utópicos, por su carácter idealista y perfeccionista. Goza también de ambiciones muy positivas, pero cae con facilidad en la extravagancia.
Onomástica: 4 de agosto.

Icia

Etimología: Forma gallega de *Cecilia.* No confundir con *Itziar.*
Personalidad: Lucha siempre entre lanzarse a la acción y emplear su enorme energía y capacidad de creación, o dejarse llevar por una cierta incertidumbre que es la parte negativa de su carácter. Si consigue vencer este dilema, brillará en la actividad que se proponga.
Onomástica: 22 de noviembre.

Icíar

Etimología: Nombre vasco femenino muy frecuente últimamente. Quizá procede del topónimo *Iz-i-ar,* «altura orientada al mar».
Personalidad: Le gusta la variedad, la vida activa y retos de los que aprender. También le gusta tener amigos de todo tipo. Muy segura de sí misma, pero no confía plenamente en nadie. Todo lo que tiene se lo gana con gran esfuerzo.
Onomástica: 15 de agosto.
Otros idiomas: Catalán: Itziar.

Ida

Etimología: Nombre germánico, que es sobrenombre de las valquirias.
Personalidad: Su personalidad es conflictiva, por lo que suele encontrar dificultades para sentirse a gusto consigo misma. También es algo vacilante y no muy enérgica. Sin embargo, posee un cierto espíritu aventurero, incluso algo temerario, y es de una lealtad inquebrantable.
Onomástica: 15 de abril.
Otros idiomas: Catalán: Ida. Euskera: Ide. Italiano: Ida.

Idalia

Etimología: Nombre griego que era advocación de *Venus.*
Personalidad: Emotiva, altruista e idealista. Fiel a sus amistades y amores, tiene gran necesidad de ayudar y compartir, tanto en lo material como en lo espiritual. Es influenciable, le cuesta ser realista y es algo desordenada. En lo espiritual, tiende también a padecer desórdenes ciclotímicos.
Onomástica: No tiene.

Idoia

Etimología: Nombre vasco femenino que deriva de *idoi,* «charco, pozo», tal vez aludiendo a una circunstancia topográfica del santuario de la virgen de este nombre.
Personalidad: Idoia no soporta fácilmente tener limitaciones, y hará lo posible por librarse de ellas. Tiene un buen concepto de la naturaleza humana y le gusta dar absoluta libertad a los que la rodean. Su habilidad empática suele estar muy desarrollada. Manifiesta una aguda tendencia al cotilleo.
Onomástica: El lunes después del Domingo de Pentecostés.

Idoya

Etimología: Nombre vasco femenino que deriva de *idoi,* «charco, pozo», tal vez aludiendo a una circunstancia topográfica del santuario de la virgen de este nombre. Es una variante de *Idoia.*

Personalidad: Valiente, lista, generosa y leal, posee un corazón donde caben todos sus muchos amigos y su familia. Suele centrarse en una actividad que le entusiasma y debe tener cuidado, ya que puede perder interés por prácticamente todo excepto eso. Valora la estabilidad en el amor.
Onomástica: El lunes después del Domingo de Pentecostés.

IDUBERGA
Etimología: Nombre germánico formado por *ides,* «mujer, doncella», y por *berg,* «refugio»; o sea, «refugio de doncellas».
Personalidad: No soporta a las personas belicosas. Es sensible y amable, le gusta cultivar la inteligencia y la fuerza de voluntad. Escoge con mucho cuidado a sus amigos y cuando se enamora busca a alguien que tenga sus mismas cualidades y aficiones. Tiene muchas posibilidades de tener una vida feliz.
Onomástica: 8 de mayo.

IFIGENIA
Etimología: Nombre griego, de *ifi,* «fuerte», y *guenos,* «estirpe»: «mujer de fuerte estirpe».
Personalidad: Su principal característica es el exceso, en cualquier sentido. Lo mismo se trata de una personalidad excesivamente soñadora como de un materialismo consumado, de hedonistas y narcisistas como de estoicas que rozan el ascetismo. Hay que vigilar la tendencia a la indiscreción, así como al inconformismo.
Onomástica: 21 de septiembre.
Otros idiomas: Catalán: Ifigènia. Euskera: Epigene. Gallego: Ifixenia. Francés: Iphigénie. Italiano: Ifigenia.

IGNACIA
Etimología: De la voz celtibérica *egnatius,* «ardiente, encendido», que fue adoptada por el latín con el mismo significado bajo la forma de *ignitus.*
Personalidad: Casi siempre actúa movido por su enorme ambición, por su deseo de reconocimiento y por una aguda competitividad que le lleva a intentar mejorarse continuamente a sí mismo. Su gran miedo es la soledad y siempre tratará de estar rodeado de muchos amigos.
Onomástica: 1 de febrero y 31 de julio.
Otros idiomas: Catalán: Ignasia. Euskera: Inaxie. Gallego y Bable: Ignacia. Inglés: Ignatia. Italiano: Ignazia.

IKERNE
Etimología: Nombre vasco que podría traducirse como *Visitación.*
Personalidad: Tal vez es demasiado soñadora: el sentido práctico no es su mejor virtud. Como es muy tierna y compasiva, necesita sentirse muy arropada para estar segura. Sus amigos, su familia y su pareja son lo más importante para ella. Es una madre muy protectora.
Onomástica: 3 de mayo.

ILDA
Etimología: Variante de *Casilda,* que deriva del germánico *hathu-hild,* «el combativo».
Personalidad: Es la mujer tranquila y pacífica por excelencia, cree que los demás tienen sus razones para ser como son y no se mete en las vidas ajenas. En el ámbito profesional suele destacar, aunque no es ambiciosa, por su facilidad para trabajar en equipo y la generosidad con que valora las virtudes de sus colaboradores. Es una amiga muy cariñosa.
Onomástica: 9 de mayo.

ILEANA
Etimología: Nombre que deriva del griego *Heléne,* «resplandeciente».
Personalidad: La vida sencilla, su familia, su pueblo o su ciudad, sus amigos de siempre, su trabajo... no puede vivir sin ellos. Es feliz haciendo felices a los demás y disfruta de las pequeñas cosas que la vida le ofrece. Por tanto, le

produce verdadero terror cualquier cambio, por pequeño que sea.
Onomástica: 18 de agosto.

ILONA

Etimología: Nombre que deriva del griego *Heléne,* «resplandeciente». Es una variante holandesa de *Elena.*
Personalidad: Adora el arte, la literatura, la música, el teatro... Todo eso le interesa mucho más que el mundo real. Se desenvuelve perfectamente en cualquier actividad artística. Es una gran amiga y como pareja es muy entregada, pero necesita sentir que recibe una devoción igual que la suya.
Onomástica: 18 de agosto.

ILSE

Etimología: Proviene del hebreo *El-yasa,* «Dios ha ayudado». Variante de *Elisa.*
Personalidad: Intransigente por naturaleza, sólo va adquiriendo flexibilidad y comprensión hacia los demás con el tiempo. Es propensa a las decisiones repentinas, inesperadas y poco o nada meditadas. Esto se compensa con su aguda inteligencia e intuición.
Onomástica: 5 de diciembre.

ILUMINADA

Etimología: Del nombre latino *Illuminatus,* de *illumino,* «iluminar»: «ser luminoso».
Personalidad: Posee una personalidad marcada por el impulso de creación. Es algo autoritaria, individualista e independiente. Valora la estabilidad en su vida y, para conseguirla, a veces se muestra autoritaria y egoísta.
Onomástica: 29 de noviembre.
Otros idiomas: Gallego: Iluminada. Italiano: Illuminata.

IMALA

Etimología: Nombre de los indios norteamericanos que significa «de mente fuerte».
Personalidad: Persona serena, tranquila y hasta un poco parsimoniosa. De inteligencia profunda y muy dotada para la meditación. Sin embargo, parece que le cuesta mucho conciliar sus planteamientos intelectuales con un plan concreto de actuación. Su ideal es ser el cerebro de alguna clase de sociedad, de modo que sean los demás los que llevan a la práctica sus numerosas ideas.
Onomástica: No tiene.

IMÁN

Etimología: Nombre árabe que significa «creyente».
Personalidad: Es una mujer dinámica y activa. La alegría parece empapar cada uno de sus actos, y a la gente le gusta estar cerca de ella por su optimismo contagioso. Le gusta que los demás dependan de ella en cierta medida, aunque su sentido de la independencia le impide ser ella misma la que necesite a otra persona.
Onomástica: No tiene.

IMELDA

Etimología: Del nombre germánico *Irmhilda,* que deriva de *irmin,* «fuerza», e *hild,* «combate, batalla»; «la que combate con fuerza».
Personalidad: Es una mujer fiel, responsable, paciente y metódica. La verdadera finalidad de su vida es el amor, en el que centra su deseo de estabilidad, felicidad y maternidad. Cuando se propone conseguir algo, lucha con todas sus fuerzas por lograrlo, no desespera ni ante los infortunios.
Onomástica: 16 de septiembre.
Otros idiomas: Catalán: Imelda. Italiano: Imelda.

IMENA

Etimología: Nombre africano que puede interpretarse como «sueño».
Personalidad: Recta, tranquila, equilibrada, es una de esas personas que procura no decir nun-

ca una palabra más alta que otra. Es extremadamente comprensiva, y para sus amigos se convierte en un inmejorable apoyo. Lo malo es que en su profesión es ambiciosa y puede llegar a mostrarse intransigente con las debilidades ajenas.

Onomástica: No tiene.

INA

Etimología: Nombre latín de difícil clasificación, algunos creen que puede ser una contracción de la palabra *Innatus,* «no nacida».

Personalidad: Es una mujer de amplias miras, que se adapta a cualquier situación y nunca se marca un límite sobre lo que puede conseguir. Le gusta tener intererses diversos, de modo que pueda llevar una vida lo más variada posible. Aunque no confía plenamente en el amor ni en la amistad, se irá rodeando de personas muy especiales.

Onomástica: 6 de febrero.

INDIA

Etimología: Nombre que deriva del hindi, y es el nombre que se le da a la India.

Personalidad: Es lenta pero segura. Sus decisiones siempre se hacen esperar y están profundamente meditadas, pero una vez que han sido tomadas, nada en el universo es capaz de hacer que no se cumplan. Y es que es implacable. Puede ser la mejor de las amigas, y sin duda un apoyo inmejorable en situaciones difíciles.

Onomástica: No tiene.

INDIRA

Etimología: Nombre hindi que significa «espléndida». En el sentido religioso se interpreta como «el dios del cielo».

Personalidad: Juguetona e insistente, puede parecer que no le da importancia a casi nada, pero realmente le toma mucho cariño a la gente y sufre agudas decepciones cuando alguien le falla. Es poco reflexiva y raramente piensa antes de actuar.

Onomástica: No tiene.

INÉS

Etimología: Procede del griego *agné,* «pura, casta», aunque algunos autores lo relacionan con el latín *agnus,* cordero.

Personalidad: Mansa, tierna, dulce y con una apariencia de extrema debilidad. En su sencillez y despreocupación por el aspecto físico encuentra la fuente inagotable de la belleza. Pero es mucho más fuerte de lo que aparenta y posee convicciones de las que no se aparta jamás.

Onomástica: 21 de enero.

Otros idiomas: Catalán: Agnès. Euskera: Añes, Ines. Gallego y bable: Inés. Inglés y alemán: Agnes. Francés: Agnès. Italiano: Agnese.

INFANTITA

Etimología: Nombre de advocación mariana: Nuestra Señora de la Divina Infancia o de la Divina Infantita, o también de la Inmaculada Niña, que alude a la infancia de la Virgen María. En catalán también es conocida como *La Mare de Déu Nena* o *La Mare de Déu Xiqueta* (La Virgen Niña).

Personalidad: Es del todo ajena a la lógica. Parece que vive en su propio mundo, regida por sus propias normas y leyes. Feliz con su independencia, procura evitar los compromisos a toda costa. En el amor es romántica y muy fantasiosa.

Onomástica: 8 de septiembre (Natividad de María) y 21 de noviembre (día de la Presentación de María en el templo).

INGRID

Etimología: Nombre germánico, gentilicio de los *Ingviones,* nombre de una tribu bárbara que se consideraba descendente de un personaje

llamado *Ingvi* y que era muy famoso en sus leyendas.

Personalidad: Posee fuerza y determinación, así como una personalidad difícilmente manejable. Obstinada e independiente, ejerce un gran magnetismo, aunque puede caer fácilmente en la intransigencia. Rara vez se siente satifecha durante mucho tiempo con las mismas cosas, así que busca cambios de ambiente o de escenario.

Onomástica: 30 de agosto y 2 de septiembre.

Otros idiomas: Catalán: Íngrid.

INMACULADA

Etimología: Del latín *immaculata,* «sin mancha». Nombre cristiano en honor de la Inmaculada Concepción de la Virgen María.

Personalidad: Inmaculada no suele sentirse satisfecha con lo que la vida le ha proporcionado. Ni su familia, ni sus amigos de siempre, ni el trabajo parecen correctos. Hay algo que le falta. Necesita encontrar una causa en la que creer. Posee un inmenso espíritu de sacrificio y le resulta fácil ilusionarse en el amor.

Onomástica: 8 de diciembre.

Otros idiomas: Catalán y gallego: Inmaculada. Euskera: Garbiñe. Sorkunde. Italiano: Immacolata.

INOA

Etimología: Nombre hawaiano que significa «nombre».

Personalidad: Altiva e independiente, lista y decidida, implacable con sus enemigos y capaz de casi cualquier cosa para conseguir sus objetivos. Su modo de afrontar los problemas es quizá un poco retorcido. Defiende su territorio y a su familia con uñas y dientes porque, en definitiva, son lo que más le importa.

Onomástica: No tiene.

INOCENCIA

Etimología: Deriva del latín *innocens,* «inocente».

Personalidad: Inocencia es cualquier cosa menos inocente. Siempre sabe exactamente qué es lo que está haciendo y por qué, y bajo ningún concepto permite que le tomen el pelo. En el terreno afectivo es muy insegura, por lo cual le cuesta mantener sus amistades, así como las relaciones amorosas.

Onomástica: 12 de marzo y 17 de junio.

Otros idiomas: Gallego: Inocencia.

IOES

Etimología: Nombre griego que equivale a *Yolanda*: de *ion-laos,* «tierra de violetas».

Personalidad: Ella se queja de ser demasiado atractiva y femenina. Y le cuesta hacer que los demás la tomen en serio, que respeten y valoren su inteligencia y sus muchas cualidades. Es por ese aspecto de frivolidad y de preocupación por las apariencias pór lo que tiene que esforzarse mucho para hacerse un hueco en el mundo.

Onomástica: 17 de diciembre.

IOLE

Etimología: Nombre de la mitología griega, de *Ió,* «violeta».

Personalidad: Concede más importancia a lo espiritual que a lo material. Es paciente, con gran capacidad de estudio, lógica y análisis. Muy exigente consigo misma y con los demás. Algo solitaria e introspectiva, por lo que cae con facilidad en el pesimismo.

Onomástica: No tiene.

Otros idiomas: Catalán: Iole. Francés e italiano: Iole.

IONA

Etimología: Variante de *Mariona* y también forma vasca de *Juana.*

Personalidad: Es un poco arrogante y no tolera con facilidad las críticas o las opiniones ad-

versas. Tiene una imagen muy clara de cómo deben ser las cosas a su alrededor, incluso las personas. La familia para ella es lo más importante y está dispuesta a cualquier sacrificio para sacarla adelante, aunque exige en los demás una actitud semejante.
Onomástica: 24 de junio y 15 de agosto.

IONE

Etimología: En la mitología griega, nombre de una ninfa. Procede de *Ió,* «violeta».
Personalidad: No soporta hacer daño a los demás. Tal vez por eso prefiere sufrir una frustración a imponer su criterio, aunque sepa que es el correcto. A pesar de ese carácter bondadoso, no carece de ambiciones, pero suele marcarse un camino que sea muy respetuoso con todos. Es una compañera de trabajo y amiga muy agradable.
Onomástica: 17 de diciembre.

IOSUNE

Etimología: Forma vasca femenina de *Jesus,* que deriva del hebreo *Yehosúa,* «Yahvé es el salvador».
Personalidad: Tiene una auténtica obsesión por su aspecto: siempre perfecta, brillante, hermosa. Le gusta ser original y hasta un poco extravagante, y obtiene un gran placer escandalizando a los demás. Independiente y luchadora, persigue con vehemencia sus objetivos profesionales.
Onomástica: 1 de enero.

IRACEMA

Etimología: Nombre tupí que significa «salida de las abelas».
Personalidad: Busca soluciones y respuestas en lo que le va enseñando la vida: tiene la virtud de la observación, combina inteligencia e intuición. Es muy femenina y su mayor defecto es que se pierde por llamar la atención del sexo opuesto. En el trabajo necesita trabajos que la obliguen a estar en constante movimiento.
Onomástica: No tiene.

IRAGARTZE

Etimología: Forma vasca de *Anunciación.*
Personalidad: Es una mujer sociable y extravertida,que sabe hacer reinar la alegría a su alrededor y detesta las discusiones y los conflictos. Es coqueta y seductora.
Onomástica: 25 de marzo.
Otros idiomas: Catalán: Anunciació. Euskera: Deiñe, Iragartze, Deñe, Iragarne, Anuntxi. Gallego: Anuncia. Bable: Nuncia. Italiano: Anunziata.

IRAIDA

Etimología: Nombre griego que significa «descendiente de Hera» (Hera es un nombre mitológico: la reina de los dioses, esposa de Zeus).
Personalidad: Trabajadora incansable. Cuando tiene un momento de ocio, le gusta disfrutarlo al máximo, y es una amante consumada de la buena vida, del lujo y de las comodidades. Posee ideales muy profundos y siempre procura actuar de acuerdo con ellos y con absoluta independencia.
Onomástica: 22 de septiembre.

IRASEMA

Etimología: Nombre tupí que significa «salida de las abelas». Variedad de *Iracema.*
Personalidad: Posee una gran capacidad de adaptación, por lo cual le entusiasman los viajes y todo lo que requiera audacia e innovación. En lo negativo, su personalidad le acarrea ciertos inconvenientes, como accidentes, inestabilidad y superficialidad.
Onomástica: No tiene.

IRENE

Etimología: Deriva del griego *eirene,* «paz».
Personalidad: Ingenua y avispada al mismo tiempo, intenta, muchas veces sin conseguirlo,

ser igual que el resto de la gente, no sentirse distinta. Le gusta ser la protagonista de historias románticas, que a veces sólo existen en su imaginación. Decidida y a veces un tanto autoritaria, es, en cualquier caso, una buena persona.
Onomástica: 20 de octubre.
Otros idiomas: Catalán y bable: Irene. Euskera: Ireñe. Inglés, alemán e italiano: Irene. Francés: Irène.

Iria

Etimología: Nombre griego que significa «perteneciente a los colores del Arco Iris».
Personalidad: Afortunada. Haga lo que haga, consigue eludir cualquier clase de problemas, queda siempre bien con quien le interesa y consigue los objetivos que persigue. Es propensa a los ataques de cólera y a las venganzas, pero no olvida nunca a quien le ha ayudado.
Onomástica: 4 de septiembre.
Otros idiomas: Gallego: Iria.

Iría

Etimología: Nombre de la cueva en la que se apareció la Virgen María en Fátima. Es, por tanto, de advocación mariana.
Personalidad: Orgullosa hasta el fin, siempre tiene que estar a la altura de las circunstancias. Tiene una imagen muy clara de lo que quiere conseguir en el mundo y de lo que quiere llegar a ser. Puede parecer ingenua y extrovertida, pero en realidad siempre se guarda algo para sí misma.
Onomástica: 13 de mayo.

Irimia

Etimología: Nombre gallego, toponímico del lugar de nacimiento del río Miño.
Personalidad: Irradia tranquilidad y equilibrio: no se irrita, no se enfada, es serena y pretende solucionar cualquier cosa con la argumentación. Sin embargo, esa actitud hace que muchos le acusen de ser muy poco apasionada. La verdad es que le cuesta mostrar sus sentimientos.
Onomástica: 1 de noviembre.

Irina

Etimología: Es el equivalente ruso de *Irene.*
Personalidad: Espirituales y místicas, de sentimientos altruistas. Se trata de personas elevadas que intentan cultivar la sabiduría y que valoran la inteligencia y la habilidad. Receptivas y estudiosas, son capaces de disfrutar de la vida. Quizá a veces son demasiado abnegadas y se olvidan de sus propios intereses.
Onomástica: 20 de octubre.
Otros idiomas: Catalán: Irene. Euskera: Ireñe. Inglés, alemán e italiano: Irene. Francés: Irène.

Iris

Etimología: Nombre mitológico griego, de *Eiro,* «anunciar». Puede interpretarse como «mensajera».
Personalidad: Es una mujer con la que se puede contar, seria y austera, desea ser útil a los demás y le gustaría promover un mundo mejor y más humano, aunque sus deseos se vean limitados por sus responsabilidad, no pierden su sensibilidad y romanticismo.
Onomástica: 4 de septiembre.
Otros idiomas: Catalán y gallego: Iris. Francés e Italiano: Iride, Iris.

Irma

Etimología: Procede del germánico *airmans,* «grande, fuerte». Variante de *Erminia.*
Personalidad: Aunque aparenta fuerza y dedicación, tiende a depender excesivamente de los demás. Cuando se siente sola, no sabe hacia dónde dirigirse, y piensa que la vida no tiene ningún sentido. Ahora bien, si está debidamente arropada, puede ser la persona más feliz del universo.
Onomástica: 9 de julio.
Otros idiomas: Catalán: Irma. Italiano: Irma.

IRMINA

Etimología: Nombre germánico que procede de *ermans,* «fuerza».

Personalidad: Ella es la única que considera que sus ideas son sólidas, porque los demás creen que las cambia con demasiada frecuencia. Es muy afectuosa y en el campo profesional se marca metas que le permitan alcanzar un buen nivel de vida. Como madre se muestra muy responsable.

Onomástica: 24 de diciembre.

Otros idiomas: Catalán: Irmina.

IRUNE

Etimología: Forma vasca de *Trinidad,* nombre católico de origen latino qu significa «reunión de tres». Evoca el misterio de la Santísima Trinidad: Padre, Hijo y Espíritu Santo.

Personalidad: Alegre y frívola, incluso dispersa, aunque ella tiene muy claras sus prioridades en la vida, y en primera instancia se dedica a ellas. En general, es poco detallista, pero cuando se la necesita, es una amiga de las de verdad.

Onomástica: El domingo después del Domingo de Pentecostés.

ISABEL

Etimología: Nombre hebreo que significa «Baal da la salud».

Personalidad: Sabe combinar una férrea determinación con un tacto y una diplomacia exquisitos. Sabe lo que quiere y no se rendirá hasta que lo consiga. Altruista y a menudo desinteresada, siente un gran placer ayudando al prójimo. Su gran defecto es la ingenuidad.

Onomástica: 8 de julio y 19 de noviembre.

Otros idiomas: Catalán: Isabel, Elisabet. Euskera: Elisa, Elisabete, Elixabet. Gallego: Sabel, Sabela, Bela. Bable: Sabel, Sabela. Inglés: Elisabeth, Elizabeth. Francés: Isabelle, Elisabeth, Ysabel. Alemán: Isabella, Elisabeth. Italiano: Isabella, Elisabetta, Lisa.

ISADORA

Etimología: Nombre de etimología mixta greco-egipcia. Procede de *Isis-doron,* «regalo de la diosa Isis».

Personalidad: Ciertamente es un poco perezosa, y aunque sepa lo que quiere y qué ha de hacer para conseguirlo, le cuesta ponerse manos a la obra. Es romántica y soñadora, muy dada a perderse en el mundo de sus fantasías amorosas. Cariñosa y entregada, pero también muy exigente. Cuando hay problemas sabe ser fuerte, entera y tranquila, y siempre está donde se la necesita.

Onomástica: 15 de mayo.

ISAURA

Etimología: Topónimo griego: «que pertenece al pueblo de los Isauras» (Asia).

Personalidad: Lo hace todo con el corazón; ella presume de ser pasional, impulsiva y profundamente sensible. Quizá tenga un miedo patológico a la soledad. Detesta las discusiones y en muchas circunstancias prefiere guardar silencio para no provocar una disputa. Es una compañera dulce y romántica.

Onomástica: 17 de junio.

ISBERGA

Etimología: Nombre de origen germánico cuya traducción podría ser «la que alberga el hielo», ya que *is* quiere decir «hielo» y *berg,* «guardar».

Personalidad: Inteligente pero rígida, trabajadora pero poco creativa, es una persona extremadamente tímida que a veces opta por ocultarlo bajo una máscara autoritaria. Es inquieta y tiene verdaderas ansias de saber. Es muy generosa y perdona con facilidad. Es inconstante y se deja llevar mucho más por los sentimientos que por la razón o la lógica.

Onomástica: 21 de mayo.

Iselda

Etimología: Del nombre germánico *Isold,* que deriva de *isan,* «hierro». Heroína de la leyenda de Tristán.

Personalidad: Es equilibrada y posee gran encanto, por lo que está dotada para la diplomacia y las relaciones públicas. También valora enormemente la belleza, la armonía y la capacidad de sacrificio. Por contra, es algo indecisa y dada al fatalismo y al exceso de perfeccionismo.

Onomástica: No tiene.

Otros idiomas: Catalán: Isolda. Francés: Iseult, Yseult. Alemán: Isolde. Italiano: Isotta.

Isidora

Etimología: Nombre de etimología mixta greco-egipcia. Procede de *Isis-doron,* «regalo de la diosa Isis».

Personalidad: Es más justa que generosa. Siente un gran amor por el conocimiento, aunque muchas veces se vea obligada a abandonar la erudición para dedicarse a terrenos más lucrativos. Con su familia y sus amigos se muestra afable y protectora, y en su actitud siempre hay una nota humorística. Suele ser una persona apegada al trabajo manual y a los placeres tranquilos.

Onomástica: 15 de mayo.

Otros idiomas: Bable: Sidora, Sidra.

Isis

Etimología: En la mitología egipcia, nombre de la diosa *Isis,* símbolo de la resurrección.

Personalidad: Su carácter es muy creativo y posee el impulso que produce la inspiración. Le gustan las emociones y es muy dada a perseguir ideales utópicos. Es también idealista y perfeccionista, lo cual normalmente la lleva a tener elevadas ambiciones. La parte negativa es la facilidad con que cae en la extravagancia y su tendencia a la inestabilidad.

Onomástica: No tiene.

Isolda

Etimología: Del nombre germánico *Isold,* que deriva de *isan,* «hierro». Heroína de la leyenda de Tristán.

Personalidad: Posee fuerza y determinación, así como una personalidad difícilmente manejable. Obstinada e independiente, ejerce un gran magnetismo, aunque puede caer fácilmente en la intransigencia. Rara vez se siente contenta durante mucho tiempo, así que busca cambios de ambiente o de escenario.

Onomástica: No tiene.

Otros idiomas: Catalán y bable: Isolda. Francés: Iseult, Yseult. Alemán: Isolde. Italiano: Isotta.

Isolina

Etimología: Variante de *Isabel,* nombre hebreo que significa «Baal da la salud».

Personalidad: Sabe combinar una férrea determinación con un tacto y una diplomacia exquisitos. Sabe lo que quiere y no se rendirá hasta que lo consiga. Altruista y a menudo desinteresada, siente un gran placer ayudando al prójimo. Su gran defecto es la ingenuidad.

Onomástica: 8 de julio y 19 de noviembre.

Otros idiomas: Catalán: Isabel, Elisabet. Euskera: Elisa, Elixabet. Gallego: Sabel, Sabela, Bela. Bable: Isolina. Inglés: Elisabeth, Elizabeth. Francés: Isabelle, Elisabeth, Ysabel. Italiano: Isabella, Elisabetta, Lisa. Alemán: Isabella, Elisabeth.

Itamar

Etimología: Nombre hebreo que significa «isla de palmeras», «oasis».

Personalidad: Es una mujer hogareña que desea pasar su vida del modo más apacible y tranquilo. El trabajo es para ella una maldición, y mucho más la vida en la ciudad. Su ideal es retirarse al campo y cultivar con sus manos, sin más compañía que su familia y amigos más íntimos.

Onomástica: No tiene.

ITZAL

Etimología: Forma vasca de *Amparo,* nombre cristiano que hace referencia a la Virgen del Amparo.

Personalidad: Es la señora de la creación. Optimista y constructiva, en su juventud le gusta abrir nuevos senderos, hasta que encuentra su camino. Su mayor riesgo es caer en la excentricidad e incluso en el absurdo.

Onomástica: Segundo domingo de mayo.

Otros idiomas: Catalán: Empar. Inglés: Amparo. Italiano: Maria del Rifugio.

ITZÍAR

Etimología: Nombre vasco femenino muy frecuente últimamente. Quizá procede del topónimo *Iz-i-ar,* «altura orientada al mar».

Personalidad: Le gusta la variedad, la vida activa y retos de los que aprender. También le gusta tener amigos de todo tipo. Muy segura de sí misma, pero no confía plenamente en nadie. Todo lo que tiene se lo gana con gran esfuerzo.

Onomástica: 15 de agosto.

Otros idiomas: Catalán: Itziar.

IVA

Etimología: Nombre de origen incierto, femenino de *Ivo,* patrón de la Bretaña francesa.

Personalidad: Su principal característica es el exceso, en cualquier sentido. Lo mismo se trata de una personalidad excesivamente soñadora como de un materialismo consumado, de hedonistas y narcisistas como de estoicas que rozan el ascetismo. Debe vigilar la tendencia a la indiscreción, así como al inconformismo un poco infantil.

Onomástica: 13 de enero.

Otros idiomas: Catalán: Iva. Francés: Yve. Italiano: Iva.

IVANA

Etimología: Nombre de origen hebreo que significa «graciosa, regalo de Dios».

Personalidad: La vida sencilla, su familia, su pueblo o su ciudad, sus amigos de siempre, su trabajo... no puede vivir sin ellos. Es feliz haciendo felices a los demás y disfruta de las pequeñas cosas que la vida le ofrece. Por tanto, le produce verdadero terror cualquier cambio, por pequeño que sea.

Onomástica: 13 de enero.

IVETA

Etimología: Nombre de origen incierto, femenino de *Ivo,* patrón de la Bretaña francesa.

Personalidad: Es, definitivamente, una mujer de muchas caras... Tiene una personalidad muy compleja. Por un lado, es fuerte, luchadora y decidida, es muy ambiciosa y procura parecer siempre altiva y un poco superior. Pero hay una parte de ella que parece no estar a gusto consigo misma.

Onomástica: 13 de enero.

Otros idiomas: Catalán: Ivet. Francés: Yvette.

IVONNE

Etimología: Deriva del teutón y su significado es «la arquera».

Personalidad: Es la mujer tranquila y pacífica por excelencia, cree que los demás tienen sus razones para ser como son y no se mete en las vidas ajenas. En el ámbito profesional suele destacar, aunque no es ambiciosa, por su facilidad para trabajar en equipo y la generosidad con que valora las virtudes de sus colaboradores.

Onomástica: 1 de noviembre.

Otros idiomas: Euskera: Ibone.

IYABO

Etimología: Nombre yoruba que puede interpretarse como «madre que ha vuelto».

Personalidad: Es una mujer inquieta, siempre en busca de nuevas aventuras y experiencias en todos los ámbitos de su vida. Se niega a ser conformista, ama la libertad y sólo aceptará un

compromiso cuando esté profundamente segura de que es eso lo que quiere. Aunque parezca alocada, sus actos siempre tienen un sentido.
Onomástica: No tiene.

IZARRA

Etimología: Forma vasca de *Estrella.* En el mundo cristiano, este nombre se utiliza en honor de una de las invocaciones a la Virgen que figuran en la letanía del Rosario: Estrella de la Mañana.
Personalidad: Romántica y soñadora, pero a la vez sencilla, lo cual suele ser una combinación poco habitual. Es afectuosa y detesta el trato impersonal. Es una utópica convencida.
Onomástica: 15 agosto, 8 septiembre y 8 diciembre.
Otros idiomas: Catalán: Estrella, Estel. Euskera: Izarra, Izarne. Gallego: Estela, Estrela, Estel. Bable: Estrella. Inglés: Estella, Stella. Francés, alemán e italiano: Stella.

IZA

Etimología: Se cree que puede venir del hebreo *Ezra,* «fuerte».
Personalidad: Es dulce y divertida, aunque un poco superficial. En su juventud, suele tener muchos amigos y una vida social trepidante... pero según pasan los años procura por todos los medios encontrar a personas verdaderas, que la llenen, y no se limiten a hacerle compañía. Eso sí, nunca abandonará su obsesión por tener una apariencia perfecta.
Onomástica: 4 de diciembre.

IZASKUN

Etimología: Del vasco *izatz,* «retama»; *k,* «arriba», y *un,* «valle»: «retamal en lo alto del valle».
Personalidad: Apasionada, enérgica, autoritaria y obstinada. Desea conseguir poder y riqueza, para lo que también aprovecha su capacidad de asimilar ideas y experiencias. Sin embargo, también es muy curiosa, activa y enemiga de la rutina, puede llegar a ser demasiado impetuosa y superficial.
Onomástica: 15 de agosto.

IZUSA

Etimología: Nombre de los indios norteamericanos, que significa «piedra blanca».
Personalidad: Es como una niña. Crédula, ingenua y risueña. Concede una gran importancia al amor durante toda su vida. En su profesión demuestra que es brillante, creativa y muy trabajadora; tiene ambición, pero no se deja dominar por ella.
Onomástica: No tiene.

JACINTA

Etimología: Procede del griego *ai-anthos,* «flor del ay».

Personalidad: Existencialista, melancólica y demasiado creativa, encuentra muchos problemas para someterse a la realidad y a las convenciones sociales. Le gusta vivir conforme a sus ideales y es capaz de renunciar a cualquier cosa por no traicionarse a sí misma. Posee una humildad fuera de lo común, por lo cual odia conseguir el éxito.

Onomástica: 30 de enero.

Otros idiomas: Euskera: Jakinde. Gallego: Xacinta. Bable: Xacenta, Xinta.

JACKIE

Etimología: Hipocorístico de *Jacqueline,* forma inglesa y francesa de *Jacoba.*

Personalidad: Su personalidad es muy creativa, entusiasta, sociable, optimista y muy espiritual. Tiene gran sentido práctico y es muy hábil en las actividades manuales. En contrapartida, puede ser algo intolerante y colérica, y a veces le cuesta concentrarse en una sola cosa.

Onomástica: 8 de febrero y 25 de julio.

Otros idiomas: Gallego: Xaquelina. Inglés y francés: Jacqueline. Italiano: Giacomina.

JACOBA

Etimología: Procede del hebreo *Yea-gob,* «Yahvé recompensará», que se latinizó como *Jacobo.* Éste, en la Edad Media, se transformó en *Yago,* y de *Sant-Yago* surge el nombre *Santiago.* Jacoba podría considerarse, entonces, el femenino de Santiago.

Personalidad: Tranquila, romántica y sentimental. Bajo su apariencia descuidada y profundamente desordenada, oculta una preocupación que va más allá de las cuestiones materiales. Encuentra la felicidad en la sencillez. Es exageradamente desprendida y generosa, y tiene una habilidad algo irritante para rodearse de las amistades más extrañas.

Onomástica: 8 de febrero y 25 de julio.

Otros idiomas: Gallego: Xaquelina. Bable: Xacoba. Inglés y francés: Jacqueline. Italiano: Giacomina.

JADE

Etimología: Nombre de una roca que se suponía protectora del riñón.

Personalidad: Posee una personalidad carismática, seductora y fuerte. Es también idealista y perfeccionista, lo cual normalmente la lleva a tener elevadas ambiciones. En lo negativo, suele ser nerviosa y autoritaria.

Onomástica: 1 de noviembre.

Otros idiomas: Alemán: Jada. Italiano: Giada.

JAFFA

Etimología: Nombre hebreo que puede interpretarse como «bonita».

Personalidad: Su gran pasión radica en la belleza. Es una gran amante del arte en todas sus manifestaciones, y en su propia vida. En el amor y con sus amigos se muestra impulsiva y apasionada. No le gusta trabajar en exceso y no es ambiciosa, por lo que procura buscarse una profesión tranquila que le permita llevar una vida desahogada.

Onomástica: No tiene.

JAHA

Etimología: Nombre swahili que significa «dignificada».

Personalidad: Tiene un temperamento demasiado variable, nunca se puede estar seguro de cómo va a reaccionar. En el amor, raras veces será correspondida por la persona a quien realmente ama, aunque probablemente termine asentándose en una afable y placentera rela-

ción sustentada más por la amistad que por el amor.
Onomástica: No tiene.

JALILA

Etimología: Nombre árabe que se interpreta como «grande, buena».
Personalidad: Valiente, sale adelante pase lo que pase. A la hora de trabajar, es seria y responsable, prudente cuando las circunstancias lo requieren, aunque también es capaz de arriesgar. En el amor suele ser desgraciada, quizá porque le resulta difícil encontrar compañeros tan fuertes y seguros como ella misma.
Onomástica: No tiene.

JAMILA

Etimología: Nombre árabe, de *jamal,* belleza».
Personalidad: Posee fuerza y determinación, así como una personalidad difícilmente manejable. Obstinada e independiente, ejerce un gran magnetismo, aunque puede caer fácilmente en la intransigencia. Rara vez se siente contento durante mucho tiempo, así que busca cambios de ambiente o de escenario.
Onomástica: No tiene.

JANA

Etimología: Es una variante de *Juana,* que deriva del hebreo *Yehohanan,* «Dios es misericordioso».
Personalidad: Fuerte, simpática y perseverante, Jana tiene el valor de ser sensible en un mundo frío y cada vez más deshumanizado. Tiene convicciones profundas y un intenso deseo de aprender que le durará toda la vida. Muy segura de sí misma en todo menos en el amor.
Onomástica: 24 de junio.

JANET

Etimología: Es una variante de *Juana,* que deriva del hebreo *Yehohanan,* «Dios es misericordioso».
Personalidad: Introvertida, reservada, es una persona discreta y comedida. Tiene muy claras las ideas sobre cómo deben hacerse las cosas, pero no le gusta imponerse por la fuerza, sino por la persuasión. Prefiere rodearse de poca gente, pero de confianza.
Onomástica: 24 de junio.

JANICE

Etimología: Es una variante de *Juana,* que deriva del hebreo *Yehohanan,* «Dios es misericordioso».
Personalidad: Su principal característica es el exceso, en cualquier sentido. Lo mismo se trata de una personalidad excesivamente soñadora como de un materialismo consumado, de hedonistas y narcisistas como de estoicas que rozan el ascetismo. Hay que vigilar la tendencia a la indiscreción, así como al inconformismo.
Onomástica: 24 de junio.

JANINA

Etimología: Es una variante de *Juana,* que deriva del hebreo *Yehohanan,* «Dios es misericordioso».
Personalidad: Tan sencilla que roza la ingenuidad. Es capaz de ser feliz con los detalles más nimios, y está siempre dispuesta a pensar lo mejor de los demás. Odia las obligaciones, así como las convenciones sociales. Concibe el amor más bien como una buena amistad.
Onomástica: 24 de junio.

JANKA

Etimología: Es una variante de Juana, que deriva del hebreo *Yehohanan,* «Dios es misericordioso».
Personalidad: Posee una personalidad carismática, seductora y fuerte. Es también idealista y perfeccionista, lo cual normalmente la lleva a tener elevadas ambiciones. En lo negativo, suele ser nerviosa y autoritaria.
Onomástica: 24 de junio.

JASMINE

Etimología: Deriva del persa *jasamin*. En latín, *jesminium* y *gelseminum*. Nombre de una flor blanca originaria de la India.

Personalidad: Es una mujer de gran belleza, apasionada y entusiasta, dedicada a las causas nobles a las que se entrega por completo. En algunos casos puede sentirse limitada, pero es consciente de que el éxito no siempre es brillante ni llega de golpe, sino que debe conseguirse a base de trabajo y paciencia.

Onomástica: No tiene.

Otros idiomas: Catalán: Gessamí. Euskera: Iasmina. Inglés: Jessamyn, Yasmin. Francés: Jasmine. Italiano: Gelsomina.

JAVIERA

Etimología: Del euskera *etche-berri,* «casa nueva».

Personalidad: Afable, dulce y divertida. Odia hacer daño a los demás, por lo cual intentará siempre estar a la altura de lo que se espera de ella. Aunque pueda parecer flexible y negociadora, se muestra tenaz y perseverante hasta el punto de parecer cabezota. Suele ser muy afortunada en el terreno profesional y financiero.

Onomástica: 3 de diciembre.

Otros idiomas: Catalán: Xaviera. Euskera: Xabiere. Gallego y Bable: Xabiera. Francés: Xavière. Alemán: Xaveria. Italiano: Saveria.

JAYNA

Etimología: Nombre hebreo que es el equivalente de *Juana*.

Personalidad: Es una mujer introvertida, muy encerrada en sí misma y hasta podría decirse que algo huraña. Algunos dicen que peca un poco de misantropía, que desprecia al género humano; pero la realidad es que no logra comprender al resto de las personas, le parecen demasiado complicadas. Aun así, suele encontrar energías para intentar cambiar su mundo.

Onomástica: No tiene.

JAZMÍN

Etimología: Deriva del persa *jasamin*. En latín, *jesminium* y *gelseminum*. Nombre de una flor blanca originaria de la India.

Personalidad: Necesita tener siempre una apariencia impecable, no soporta el desorden o la incoherencia y está demasiado pendiente de lo que los demás puedan opinan de ella. Si cree que algo merece la pena, no le importa arriesgar todo lo que haga falta para conseguirlo. En el amor prefiere ser conquistada a conquistar, porque necesita sentir que le prestan atención.

Onomástica: No tiene.

Otros idiomas: Catalán: Gessamí. Euskera: Iasmina. Inglés: Jessamyn, Yasmin. Francés: Jasmine. Italiano: Gelsomina.

JEANETTE

Etimología: Deriva del hebreo *Yehohanan,* «Dios es misericordioso».

Personalidad: Fuerte, simpática y perseverante, Jeannette tiene el valor de ser sensible en un mundo frío y cada vez más deshumanizado. Tiene convicciones profundas y un intenso deseo de aprender que le durará toda la vida. Muy segura de sí misma en todo menos en el amor.

Onomástica: 24 de junio.

JEMINA

Etimología: Nombre hebreo que puede interpretarse como «paloma».

Personalidad: Alegre y feliz, rebosa encanto e imaginación y rechaza por principios cualquier prejuicio o convención social. Sin embargo, es muy terca y no soporta que le lleven la contraria. Además, puede llegar a ser un poco excéntrica y sentir que no es comprendida.

Onomástica: No tiene.

JENARA

Etimología: Deriva del latín *ianuarius,* «de enero». Nombre muy usado en la Edad Media.

Personalidad: A Jenara le cuesta horrores ponerse en marcha, siempre siente la inercia de la pereza y de quedarse donde está. Sin embargo, una vez que logra ponerse a la tarea, es una gran trabajadora dotada de un enorme sentido de la responsabilidad. En las relaciones personales es impulsiva y temperamental.

Onomástica: 2 de marzo y 17 de julio.

JENNIFER

Etimología: Existen dos teorías sobre la etimología de este nombre. Puede derivar de la voz galesa *Gwenhuifar,* «blanca como la espuma del mar», o bien del germánico *gen-wifa,* «la primera mujer». Es una variante de *Genoveva.*

Personalidad: Suele tener aspecto dulce y frágil. Cuida mucho su apariencia, y aunque es una mujer solitaria, presta una atención desmedida a lo que los demás puedan pensar de ella. Si elige el camino del matrimonio, suele consagrar todos sus esfuerzos a construir lo que ella considera que es una familia modélica. Es profundamente religiosa.

Onomástica: 3 de enero.

Otros idiomas: Catalán: Genoveva. Euskera: Kenubep. Gallego: Xenoveva. Inglés: Genca, Guenevere, Jenifer. Francés: Geneviève. Italiano: Genoveffa.

JENNY

Etimología: Contracción inglesa de *Johanna* o hipocorístico de *Jane.* También es el hipocorístico de *Eugenia.*

Personalidad: Concede más importancia a lo espiritual que a lo material. Es paciente, con gran capacidad de estudio, lógica y análisis. Muy exigente consigo misma y con los demás. Algo solitaria e introspectiva, por lo que cae con facilidad en el pesimismo.

Onomástica: 30 de mayo.

JESSICA

Etimología: Hipocorístico escocés de *Jane.* Deriva del hebreo *Yehohanan,* «Dios es misericordioso».

Personalidad: Fuerte, simpática y perseverante. Tiene convicciones profundas y un intenso deseo de aprender que le durará toda la vida. Muy segura de sí misma en todo menos en el amor. Discreta, no le gusta entrometerse en la vida de nadie.

Onomástica: 24 de junio.

JESUSA

Etimología: Deriva del hebreo *Yehosúa,* «Yahvé es el salvador».

Personalidad: Tendrá una característica esencial: está dotada de una honda sensibilidad. Percibe los sentimientos más íntimos de los demás y se ve obligado a actuar de forma que contribuya a hacerlos felices. Suele tener el valor de escoger la profesión que le gusta, y es realmente muy buena en ella.

Onomástica: 1 de enero.

Otros idiomas: Euskera: Josune, Mertxe. Gallego: Xesusa. Bable: Xesusa (Susa).

JEZABEL

Etimología: Del nombre hebreo *Izabel,* equivalente a *Isabel* y que significa «Baal da la salud».

Personalidad: Sabe combinar una férrea determinación con un tacto y una diplomacia exquisitos. Sabe lo que quiere y no se rendirá hasta que lo consiga. Altruista y a menudo desinteresada, siente un gran placer ayudando al prójimo. Su gran defecto es la ingenuidad.

Onomástica: 8 de julio y 19 de noviembre.

Otros idiomas: Catalán: Isabel, Elisabet. Euskera: Elisa, Elixabet. Gallego: Sabel, Sabela,

Bela. Inglés: Elisabeth, Elizabeth. Francés: Isabelle, Elisabeth, Ysabel. Italiano: Isabella, Elisabetta, Lisa. Alemán: Isabella, Elisabeth.

JIMENA

Etimología: Procede del euskera *eiz-mendi*, «fiera de montaña».

Personalidad: Jimena no sabe lo que quiere. Como es una persona más impulsiva que propensa a la meditación, de joven suele actuar sencillamente sin pensar, pero según va madurando, se va dando cuenta de cuáles de todas sus experiencias son las más gratificantes y procura orientar su vida en ese sentido.

Onomástica: 5 de enero.

Otros idiomas: Catalán: Eiximena, Ximena. Euskera, gallego y bable: Ximena. Francés: Chimène.

JOAQUINA

Etimología: Del hebreo *Yehoyaquim,* «Jahvé dispondrá».

Personalidad: No tiene un carácter excesivamente dominante, no tiene ningún problema en dejar que sean los demás los que tomen las decisiones. Le gustan las diversiones tranquilas más que los grandes excesos, es muy paciente con las cosas que cree que algún día deben llegar y no se desespera fácilmente.

Onomástica: 22 de mayo.

Otros idiomas: Catalán: Joaquina, Quina. Euskera: Jokiñe. Gallego: Xoaquina. Bable: Xovina. Francés, Inglés y alemán: Joachim. Italiano: Gioachina.

JOCELYN

Etimología: Nombre inglés que deriva del latín y significa «alegre».

Personalidad: Vive mucho más de cara al exterior que para sí misma. En realidad es tierna, afectuosa y está muy necesitada de cariño, pero considera que estas características son signos de debilidad, y prefiere ocultarlas. Aprende a amar a la gente con mucha velocidad, pero también puede ser cruel.

Onomástica: No tiene.

JOKLA

Etimología: Nombre swahili que significa «bonita túnica».

Personalidad: Hiperactiva y ligeramente inestable, tiene una tendencia no muy sana a tomárselo todo demasiado en serio, casi como un reto personal. Tiene la necesidad de estar siempre haciendo algo productivo, hasta tal punto que llega a agotar a todos los que la rodean. Pierde los nervios con facilidad y se enfada a menudo.

Onomástica: No tiene.

JOHANNA

Etimología: Es una variante de Juana, que deriva del hebreo *Yehohanan,* «Dios es misericordioso».

Personalidad: Fuerte, simpática y perseverante, Johanna tiene el valor de ser sensible en un mundo frío y cada vez más deshumanizado. Tiene convicciones profundas y un intenso deseo de aprender que le durará toda la vida. Muy segura de sí misma en todo menos en el amor.

Onomástica: 24 de junio.

JOSEFA

Etimología: Deriva del hebreo *Yosef,* que significa «que Yahvé multiplique».

Personalidad: Josefa vive mucho más para sí misma que para los demás. O bien se convierte en una mujer introvertida, melancólica, o bien se desarrolla como una persona independiente y despreocupada de la opinión de los demás, que vive su vida sin atender a convenciones sociales. En el amor es profundamente devota.

Onomástica: 19 de marzo.

Otros idiomas: Catalán: Josepa. Euskera: Yosebe. Gallego: Xosefa, Xosefina. Bable: Xosefa.

Francés: Joséphine. Inglés: Josephine. Alemán: Josephine. Italiano: Gioseppina. Hipocorísticos: Pepa, Pepita, Josefina, Fina, Jossete, Josie, Jossy, Jo, Giosy, Josepha.

Jovita

Etimología: Gentilicio latino de Júpiter, *Iovis:* «de la casta de Júpiter».

Personalidad: Procura mostrarse siempre ecuánime y posee un sentido innato de la justicia y el equilibrio, pero también cae con facilidad en ataques de ira y valora en exceso el poder y el triunfo. Es impaciente e impetuosa. Esta personalidad la hace, casi con seguridad, muy celosa.

Onomástica: 15 de febrero.

Otros idiomas: Catalán: Jovita. Euskera: Yobita. Italiano: Giovita.

Juana

Etimología: Deriva del hebreo *Yehohanan,* «Dios es misericordioso».

Personalidad: Fuerte, simpática y perseverante, Juana tiene el valor de ser sensible en un mundo frío y cada vez más deshumanizado. Tiene convicciones profundas y un intenso deseo de aprender que le durará toda la vida. Muy segura de sí misma en todo menos en el amor.

Onomástica: 30 de mayo y 24 de junio.

Otros idiomas: Catalán: Joana. Euskera: Jone, Joana, Maneiza, Yoana. Gallego: Xoana. Bable: Xuana. Inglés: Jane, Janet, Jean, Joan. Francés: Jeanne. Alemán: Johanna. Italiano: Gianna, Giovanna.

Judit

Etimología: Del hebreo *Iehuda,* «alabanza a Dios».

Personalidad: Son personas independientes que valoran la libertad por encima de cualquier cosa. Detestan las ataduras y tienen un miedo casi patológico a los compromisos. Saben exactamente lo que quieren y cómo conseguirlo.

Onomástica: 7 y 27 de septiembre.

Otros idiomas: Catalán: Judit. Eusquera: Yudit. Gallego y bable: Xudit. Francés, inglés y alemán: Judith, Judy. Italiano: Giuditta.

Julia

Etimología: El nombre de la gens romana *Julia* deriva de *Iulo,* el hijo del héroe troyano *Eneas,* uno de los primeros fundadores de Roma.

Personalidad: Julia es seria, pero cordial; vividora, pero muy sujeta a las convenciones. Tiene un carácter fuerte y discutidor, y con su pareja y sus amigos se muestra excesivamente celosa. Brillante cuando se lo propone. Tiene un agudo sentido de la justicia, es generosa y desinteresada, y nunca traicionará la confianza de aquellos que la quieren.

Onomástica: 22 de mayo.

Otros idiomas: Catalán: Júlia. Euskera: Jula, Yula. Gallego y bable: Xulia. Francés e inglés: Julie, Julia. Alemán: Julia. Italiano: Giulia.

Juliana

Etimología: Del latín *Iulianus,* «perteneciente a la gens Julia».

Personalidad: Es una trabajadora incansable, una mujer mucho más constante que original. Es influenciable en sus opiniones, optimista y muy necesitada de la aprobación de los demás. Intenta ser fiel a sus amigos, y respeta hasta el final la palabra dada. En el amor no es muy exigente.

Onomástica: 19 de junio.

Otros idiomas: Catalán: Juliana. Euskera: Julene, Yulene. Gallego: Xiana. Bable: Iyana, Xiana, Xuliana. Inglés: Juliana. Francés: Julienne. Alemán: Juliane. Italiano: Giuliana, Gillian.

Julieta

Etimología: Del latín *Iulianus,* «perteneciente a la gens Julia».

Personalidad: Son personas independientes, vivaces y luchadoras. No suelen avenirse a los deseos y caprichos de nadie. Son más originales que trabajadoras o perseverantes, y su carrera profesional suele estar repleta de pequeños éxitos que luego les cuesta mantener.
Onomástica: 22 de mayo.

JUNQUERA

Etimología: Advocación de la Virgen de la Junquera.
Personalidad: Su personalidad es muy creativa, entusiasta, sociable, optimista y muy espiritual. Tiene gran sentido práctico y es muy hábil en las actividades manuales. En contrapartida, puede ser algo intolerante y colérica, y a veces le cuesta concentrarse en una sola cosa. Concede mucha importancia a la vida familiar.
Onomástica: 15 de agosto.
Otros idiomas: Catalán: Jonquera.

JUSTA

Etimología: Del latín *iustus,* «justo, legal, honesto».
Personalidad: Son personas sencillas y auténticas. Detestan a los que actúan de una determinada manera sólo por guardar las apariencias y, por eso, prefieren que les digan las cosas a la cara, sin rodeos ni ambages. Odian la mentira y la hipocresía. Su sistema moral es simple pero incorruptible.
Onomástica: 19 de julio y 14 de mayo.
Otros idiomas: Catalán: Justa. Euskera: Zuzene. Bable: Xusta. Francés: Justine. Italiano: Giusta.

JUSTINA

Etimología: Del nombre latino *Justinianus,* gentilicio de *Justino.*
Personalidad: Parece inasequible, pero no deja indiferente gracias a su carisma personal. Introvertida, intuitiva, clarividente. Es metódica y buena organizadora y sabe dejarse llevar por la corriente cuando le conviene para salvaguardar su independencia, y sus objetivos se centran en desarrollar su creatividad, ya sea en cuestiones artísticas o humanitarias. Su mayor defecto es ser poco comunicativa.
Onomástica: 26 de septiembre.
Otros idiomas: Catalán: Justine. Euskera: Justiñe. Gallego: Xustina. Bable: Xurdtina. Francés: Justine. Inglés: Justine. Italiano: Giustine.

Kai

Etimología: Nombre hawaiano que significa «sauce».

Personalidad: Humanista y entregada por naturaleza: para ser feliz, su vida tiene que serle útil a los demás. No entiende el egoísmo ni la falta de compromiso: ella, realmente, no puede descansar sabiendo que hay alguien que puede necesitarla. El problema es que es demasiado crítica consigo misma.

Onomástica: No tiene.

Kairos

Etimología: En la mitología griega, última diosa nacida de Júpiter, y significa precisamente «última, final completo».

Personalidad: Persona serena, tranquila y hasta un poco parsimoniosa. De inteligencia profunda y muy dotada para la meditación. Sin embargo, parece que le cuesta mucho conciliar sus planteamientos intelectuales con un plan concreto de actuación. Su ideal es ser el cerebro de alguna clase de sociedad, de modo que sean los demás los que llevan a la práctica sus numerosas ideas.

Onomástica: No tiene.

Kaitlin

Etimología: Nombre irlandés que significa «pura».

Personalidad: Es una mujer dinámica y activa. La alegría parece empapar cada uno de sus actos, y a la gente le gusta estar cerca de ella por su optimismo contagioso. Le gusta que los demás dependan de ella en cierta medida, aunque su sentido de la independencia le impide ser ella misma la que necesite a otra persona.

Onomástica: No tiene.

Kali

Etimología: Nombre de una diosa de la India, que significa «la gran negra».

Personalidad: Concede más importancia a lo espiritual que a lo material. Es paciente, con gran capacidad de estudio, lógica y análisis. Muy exigente consigo misma y con los demás. Algo solitaria e introspectiva, por lo que cae con facilidad en el pesimismo.

Onomástica: No tiene.

Kalifa

Etimología: Nombre somalí que significa «casta sagrada».

Personalidad: Sensible y fuerte al mismo tiempo. Necesita ser original, aunque muchas veces no sabe muy bien cómo hacerlo. Le gusta sentir que es ella la que domina, y no soporta que los demás no le hagan caso o que no hagan lo que ella quiere. De joven es una idealista soñadora.

Onomástica: No tiene.

Kalina

Etimología: Nombre eslavo cuyo significado es «flor».

Personalidad: Recta, tranquila, equilibrada, es una de esas personas que procura no decir nunca una palabra más alta que otra. Es extremadamente comprensiva, y para sus amigos se convierte en un inmejorable apoyo. En su profesión es ambiciosa y puede llegar a mostrarse intransigente con las debilidades ajenas.

Onomástica: No tiene.

Kallista

Etimología: Nombre inglés que deriva del griego, formado por el superlativo de *kalós, kállistos,* que significa «bellísimo».

Personalidad: Románticas empedernidas que dedican la vida entera a buscar a su alma gemela. Excesivamente imaginativas, les cuesta vivir en el mundo real. Inquietas y pasionales,

podría decirse que desprecian el llamado autocontrol y el racionalismo.
Onomástica: 25 de abril y 2 de septiembre.
Otros idiomas: Catalán: Calixte. Euskera: Kalixte. Gallego: Calista. Bable: Calista. Francés: Calixte.

Kanene

Etimología: Nombre swahili que significa «pequeña cosa».
Personalidad: Es lenta pero segura. Sus decisiones siempre se hacen esperar y están profundamente meditadas, pero una vez que han sido tomadas, nada en el universo es capaz de hacer que no se cumplan. Y es que es implacable. Puede ser la mejor de las amigas, y sin duda un apoyo inmejorable en situaciones difíciles.
Onomástica: No tiene.

Karen

Etimología: Los significados de *Karen* varían según el idioma: del griego *Aikatharina* hace alusión a una persona pura; al latín pasó como *Katharina* y significa «querida»; en hebreo significa «cuerno o bocina», y en irlandés «niña morena».
Personalidad: Franca, fuerte y decidida, no se rinde ni se amilana ante las dificultades. Autoritaria y agresiva, puede llegar a ser ligeramente cruel. Sus ideales tienden a ser elevados, es muy optimista y demuestra una gran generosidad. En el amor y la amistad es selectiva y sumamente exigente.
Onomástica: 29 de abril y 28 de julio.

Karimah

Etimología: Nombre árabe cuyo significado es «generosa».
Personalidad: Juguetona e insistente, puede parecer que no le da importancia a casi nada, pero realmente le toma mucho cariño a la gente y sufre agudas decepciones cuando alguien le falla. Es poco reflexiva y raramente piensa antes de actuar.
Onomástica: No tiene.

Karina

Etimología: Proviene del griego *Xrino,* «gracioso».
Personalidad: Amable y muy sociable, agradece la compañía y suele destacar en cualquier grupo por su buen carácter, aunque no suele tener deseos de liderar, sino de ayudar.
Onomástica: 7 de noviembre.
Otros idiomas: Catalán, gallego y bable: Carina. Euskera: Kariñe.

Karma

Etimología: Nombre que en hindú significa «destino».
Personalidad: Altiva e independiente, lista y decidida, implacable con sus enemigos y capaz de casi cualquier cosa para conseguir sus objetivos. Su modo de afrontar los problemas es quizá un poco retorcido. Defiende su territorio y a su familia con uñas y dientes.
Onomástica: No tiene.

Karmel

Etimología: Del hebreo *karm-El,* «jardín de Dios». El monte Carmelo, situado en el desierto entre Galilea y Samaria, siempre ha tenido una especial importancia religiosa, tanto para los judíos como para los cristianos. Carmen se utiliza en honor de la Virgen del Carmen.
Personalidad: Es una mujer hogareña que desea pasar su vida del modo más apacible y tranquilo. El trabajo es para ella una maldición, y mucho más la vida en la ciudad. Su ideal es retirarse al campo y cultivar con sus manos, sin más compañía que su familia y amigos más íntimos.
Onomástica: 16 de julio.
Otros idiomas: Catalán, gallego y bable: Carmela. Euskera: Karmela. Italiano: Carmela.

Kassidy

Etimología: Nombre irlandés que significa «inteligente».

Personalidad: Son personas sencillas y auténticas. Detestan a los que actúan de una determinada manera sólo por guardar las apariencias y, por eso, prefieren que les digan las cosas a la cara, sin rodeos ni ambages. Odian la mentira y la hipocresía. Su sistema moral es simple pero incorruptible.

Onomástica: No tiene.

Katia

Etimología: Es una variante de *Catalina:* del griego *Aikatharina,* pasó al latín como *Katharina,* con el significado de «pura».

Personalidad: Es muy sensible y, por ello, también muy propensa a los cambios de humor. Nunca se sabe lo que puede afectarle, ya que de pronto el más ridículo de los detalles puede hacerla inmensamente feliz o sumergirla en la melancolía.

Onomástica: 29 de abril y 28 de julio.

Katixa

Etimología: Nombre vasco, probablemente del euskera *katu,* «gato».

Personalidad: Su personalidad es conflictiva, por lo que suele encontrar dificultades para sentirse a gusto consigo misma. También es algo vacilante y no muy enérgica. Sin embargo, posee un cierto espíritu aventurero, incluso algo temerario, y es de una lealtad inquebrantable con los suyos.

Onomástica: No tiene.

Kayla

Etimología: Nombre árabe cuyo significado es «corona de laurel».

Personalidad: Es una mujer inquieta, siempre en busca de nuevas aventuras y experiencias en todos los ámbitos de su vida. Se niega a ser conformista, ama la libertad y sólo aceptará un compromiso cuando esté profundamente segura de que es eso lo que quiere. Aunque parezca alocada, sus actos siempre tienen un sentido, pero muchas veces sólo ella sabe cuál es.

Onomástica: No tiene.

Keila

Etimología: Nombre hebreo y árabe usado para muchachas de pelo oscuro o de tez morena, ya que podría significar «noche».

Personalidad: Bajo su apariencia dúctil, maleable y cooperadora, es activa y dinámica, sabiendo hacer valer sus derechos. Es amante de la paz, pero también sabe luchar y hacer gala de su mente metódica y bien organizada. Su intuición y carisma personal son capaces de convertirla en una líder.

Onomástica: No tiene.

Otros idiomas: Catalán: Leila. Inglés: Liela, Lila, Lela.

Kendra

Etimología: Antiguo nombre sajón que significa «mujer sabia».

Personalidad: Emotiva, altruista e idealista. Fiel a sus amistades y amores, tiene gran necesidad de ayudar y compartir, tanto en lo material como en lo espiritual. Es influenciable, le cuesta ser realista y es algo desordenada. En lo espiritual, tiende también a padecer desórdenes ciclotímicos.

Onomástica: 1 de noviembre.

Keiko

Etimología: Nombre japonés que significa «niña feliz».

Personalidad: Es como una niña. Crédula, ingenua y risueña. Concede una gran importancia al amor durante toda su vida. En su profesión demuestra que es brillante, creativa y muy trabajadora; tiene ambición, pero no se deja dominar por ella.

Onomástica: No tiene.

KENDALL

Etimología: Antiguo nombre inglés que significa «dueña del valle».

Personalidad: Su gran pasión radica en la belleza. Es una gran amante del arte en todas sus manifestaciones, y en su propia vida. En el amor y con sus amigos se muestra impulsiva y apasionada. No le gusta trabajar en exceso y no es ambiciosa, por lo que procura buscarse una profesión tranquila que le permita llevar una vida desahogada.

Onomástica: No tiene.

KERRY

Etimología: Nombre que se forma como gentilicio de una zona de Irlanda. También significa «de pelo oscuro».

Personalidad: Tiene un temperamento demasiado variable, nunca se puede estar seguro de cómo va a reaccionar. En el amor, raras veces será correspondida por la persona a quien realmente ama, aunque probablemente termine asentándose en una afable y placentera relación sustentada más por la amistad que por el amor.

Onomástica: No tiene.

KHADIJAH

Etimología: Nombre árabe cuyo significado es «fiable, honrada».

Personalidad: Valiente, sale adelante pase lo que pase. A la hora de trabajar, es seria y responsable, prudente cuando las circunstancias lo requieren, aunque también es capaz de arriesgar. En el amor suele ser desgraciada, quizá porque le resulta difícil encontrar compañeros tan fuertes y seguros como ella misma.

Onomástica: No tiene.

KHALIDA

Etimología: Nombre árabe cuyo significado es «inmortal».

Personalidad: Es una mujer introvertida, muy encerrada en sí misma y hasta podría decirse que algo huraña. Algunos dicen que peca un poco de misantropía, que desprecia al género humano; pero la realidad es que no logra comprender al resto de las personas, le parecen demasiado complicadas. Aun así, suele encontrar energías para intentar cambiar su mundo.

Onomástica: No tiene.

KIM

Etimología: Del inglés antiguo y hace alusión a la persona que se encuentra al mando.

Personalidad: Adora el arte, la literatura, la música, el teatro... Todo eso le interesa mucho más que el mundo real. Se desenvuelve perfectamente en cualquier actividad artística. Es una gran amiga y como pareja es muy entregada, pero necesita sentir que recibe una devoción igual que la suya.

Onomástica: 1 de noviembre.

KIMBERLY

Etimología: Nombre de origen inglés que significa «jefe, caudillo».

Personalidad: Alegre y feliz, rebosa encanto e imaginación y rechaza por principios cualquier prejuicio o convención social. Sin embargo, es muy terca y no soporta que le lleven la contraria. Además, puede llegar a ser un poco excéntrica y sentir que no es comprendida.

Onomástica: No tiene.

KINISBURGA

Etimología: Del nombre anglosajón *Cyneburh,* de *cyne,* «, real, regio», y *burth,* «castillo, fortaleza»; o sea, «fortaleza real».

Personalidad: Su principal característica es el exceso, en cualquier sentido. Lo mismo se trata de una personalidad excesivamente soñadora como de un materialismo consumado, de hedonistas y narcisistas como de estoicas que

rozan el ascetismo. Hay que vigilar cierta tendencia a la indiscreción, así como al inconformismo.
Onomástica: 6 de marzo.
Otros idiomas: Catalán: Kinisburga. Alemán: Kuniburga. Inglés: Kinborough. Italiano: Cuneburga.

Kiona

Etimología: Nombre de los indios norteamericanos cuyo significado es «colinas marrones».
Personalidad: Vive mucho más de cara al exterior que para sí misma. En realidad es tierna, afectuosa y está muy necesitada de cariño, pero considera que estas características son signos de debilidad, y prefiere ocultarlas. Aprende a amar a la gente con mucha velocidad, pero también puede ser cruel.
Onomástica: No tiene.

Kira

Etimología: Al sol se le conocía con este nombre en el idioma persa antiguo. Posteriormente, se modificó un poco su signficado para hacer alusión a una persona «brillante o resplandeciente».
Personalidad: Firme como una roca, consigue despertar confianza y seguridad en quienes la rodean. Sabe cuáles son sus objetivos y no cesa hasta conseguirlos. Va contribuyendo poco a poco a la felicidad de los suyos, logrando casi sin darse cuenta volverse indispensable.
Onomástica: 1 de noviembre.

Koffi

Etimología: Nombre swahili que puede interpretarse como «nacida en viernes».
Personalidad: Hiperactiva y ligeramente inestable, tiene una tendencia no muy sana a tomárselo todo demasiado en serio, casi como un reto personal. Tiene la necesidad de estar siempre haciendo algo productivo, hasta tal punto que llega a agotar a todos los que la rodean. Pierde los nervios con facilidad y se enfada a menudo.
Onomástica: No tiene.

Koldobika

Etimología: Forma vasca de *Luisa,* que deriva del germánico *hlod-wig,* «glorioso en la batalla».
Personalidad: Orgullosa hasta el fin, ella siempre tiene que estar a la altura de las circunstancias. Tiene una imagen muy clara de lo que quiere conseguir en el mundo y de lo que quiere llegar a ser. Puede parecer ingenua y extrovertida, pero en realidad siempre se guarda algo para sí misma.
Onomástica: 21 de junio, 25 de agosto y 10 de octubre.
Otros idiomas: Catalán: Lluïsa. Euskera: Aloixe, Koldobiñe, Luixa. Gallego: Luísa; Loisa. Bable: Lluisa, Lluvisa. Francés: Louise. Inglés: Louise. Alemán: Luise. Italiano: Luisa.

Kudio

Etimología: Nombre swahili que puede interpretarse como «nacida en lunes».
Personalidad: Es una persona hipersensible por más que intente disimularlo. Bajo su apariencia fría, segura y un poco despreocupada, hay una mujer que está siempre pendiente de lo que los demás dicen o hacen y de la actitud que tienen hacia ella. Su gran placer consiste en ayudar a los que la rodean a ser felices.
Onomástica: No tiene.

Laia

Etimología: Procede del griego *eu-lalos,* «elocuente, bien hablada». Es una variante de *Eulalia.*

Personalidad: La etimología no nos engaña: Laia es extremadamente habladora. Culta e inteligente, se pierde por un buen debate y adora disertar sobre temas que conoce en profundidad. Es segura y decidida. Claro que a veces descuida un poco su aspecto.

Onomástica: 12 de febrero.

Otros idiomas: Catalán: Laia. Euskera: Eulale, Eulari. Gallego: Alla, Olalla, Valla. Inglés, francés y alemán: Eulalie. Italiano: Eulalia.

Lali

Etimología: Procede del griego *eu-lalos,* «elocuente, bien hablada». Es una variante de *Eulalia.*

Personalidad: Es una mujer alegre, creativa y habilidosa, que no soporta estar sin hacer nada. Le gusta llenar su vida de pequeños detalles. Está dotada de un gran sentido de la responsabilidad, y siempre dispuesta a abandonar sus múltiples actividades si un compromiso o la necesidad de un amigo se lo requieren.

Onomástica: 12 de febrero.

Lana

Etimología: Proviene del céltico *alun,* «armonía».

Personalidad: Lana irradia tranquilidad y equilibrio. No se irrita ni se enfada, es toda lógica y argumentación. Sin embargo, esa actitud puede dar una imagen fría y hasta inhumana de ella, y lo malo es que a veces es cierto que le preocupan poco los sentimientos.

Onomástica: 14 de agosto y 8 de septiembre.

Lara

Etimología: Del latín *lar,* «hogar».

Personalidad: Lara es una mujer inquieta, siempre en busca de nuevas aventuras y experiencias en todos los ámbitos de su vida. Se niega a ser conformista, ama la libertad y sólo aceptará un compromiso cuando esté profundamente segura de que es eso lo que quiere. Aunque parezca alocada, sus actos siempre tienen un sentido. Lo malo es que sólo ella sabe cuál es.

Onomástica: 15 de agosto.

Otros idiomas: Catalán: Lara. Bable: Llara, Llarina. Francés, alemán e italiano: Lara.

Laraine

Etimología: Variante inglesa de *Lorena,* nombre cristiano en honor de la Virgen de Lorena. Lorena es una comarca francesa.

Personalidad: Mujer extremadamente compleja. Ama su profesión y se dedica a ella con auténtico fervor, aunque no por ello descuida a su familia ni a sus amigos, ya que es la parte de su vida que más le importa. Es una madre espléndida. Sentimental hasta la médula, tiene debilidad por las historias de amor y es un poco celestina.

Onomástica: 30 de mayo.

Otros idiomas: Catalán: Lorena. Inglés: Lorraine. Francés e italiano: Lorena.

Larisa

Etimología: Del latín *lar,* «hogar». Variante de *Lara.*

Personalidad: Es una persona muy simpática, afable e inteligente. Su problema principal es precisamente conseguir fijar su atención en actividades realmente serias, porque se empeña en no crecer, en ser una niña eterna. En el amor busca una pareja que centre todas sus energías en ella, aunque en la amistad es mucho más entregada.

Onomástica: 15 de agosto.

Laura

Etimología: Del latín *laurea,* «laurel». Con esta planta se coronaba a los militares más destacados; de modo que, por extensión, Laura también significa «gloria militar».
Personalidad: Laura es como una niña. Crédula, ingenua y risueña. Concede una gran importancia al amor durante toda su vida. En su profesión demuestra que es brillante, creativa y muy trabajadora; tiene ambición, pero no se deja dominar por ella.
Onomástica: 20 de octubre.
Otros idiomas: Catalán y gallego: Laura. Bable: Llaura. Inglés, francés, alemán: Laura. Italiano: Laura, Lauretta.

Laurie

Etimología: Del latín *Laurentum,* un lugar plantado de laureles cerca del monte Ventino. Es una variante de *Lorenza.*
Personalidad: Sus verdaderos defectos son la timidez y la inseguridad, que le llevan a comportarse de forma altiva y un poco superior. Sin embargo, cuando logra abrir su corazón a alguien, se transforma en la persona más amable, sensible y afectuosa que se pueda imaginar.
Onomástica: 10 de agosto y 5 de septiembre.
Otros idiomas: Catalán: Llorença. Euskera: Lorenze. Gallego: Lourenza. Bable: Llourenza. Inglés: Laurence. Francés: Laurence. Italiano: Lorenza, Lola.

Lavinia

Etimología: Nombre de la mitología romana, formado como gentilicio de la ciudad de *Lavinium,* en el Lacio. Podría significar «piedra».
Personalidad: Su principal característica es el exceso, en cualquier sentido. Lo mismo se trata de una personalidad excesivamente soñadora como de un materialismo consumado, de hedonistas y narcisistas como de estoicas que rozan el ascetismo. Hay que vigilar la tendencia a la indiscreción, así como al inconformismo.
Onomástica: No tiene.
Otros idiomas: Catalán: Lavínia. Inglés e italiano: Lavinia. Francés: Lavinie.

Lea

Etimología: Del hebreo *leah,* «cansada, lánguida».
Personalidad: Debe luchar entre dos tendencias: la de una cierta espiritualidad y la necesidad de independencia. Además de ternura y afecto, busca la seguridad y es una abnegada madre de familia. A veces resulta menos sentimental, pero capaz de realizar grandes cosas.
Onomástica: 1 de junio.
Otros idiomas: Catalán: Lia. Gallego y Bable: Lía. Francés e Italiano: Lia.

Leah

Etimología: Nombre hebreo que significa «cansada». En la *Biblia,* nombre de la mujer de Jacob.
Personalidad: Siempre se dice a sí misma que ha nacido en el tiempo equivocado. Ella necesita vivir fuera de la realidad, en un refugio de fantasía y romanticismo. Es muy propensa al teatro y a la exageración, amante de melodramas e historias imposibles. Sin embargo, tiene un corazón de oro y es capaz de desvivirse por ayudar a su prójimo.
Onomástica: No tiene.

Leandra

Etimología: Del griego *leo-andros,* «hombre-león».
Personalidad: La gran pasión de Leandra radica en la belleza. Es una gran amante del arte en todas sus manifestaciones, y en su propia vida. En el amor y con sus amigos se muestra impulsiva y apasionada. No le gusta trabajar

en exceso y no es ambiciosa, por lo que procura buscarse una profesión tranquila que le permita llevar una vida desahogada.
Onomástica: 13 de noviembre.
Otros idiomas: Catalán: Leandra. Euskera: Landere. Gallego y bable: Lleandra. Italiano: Leandra.

Leda

Etimología: Del griego *lada,* «esposa».
Personalidad: La estabilidad, la paciencia, la organización, el realismo, el sentido del deber y el orden son sus principales virtudes. En lo sentimental y con sus amistades son de una fidelidad absoluta. Por contra, caen con facilidad en la rutina y la avaricia.
Onomástica: No tiene.
Otros idiomas: Catalán: Leda. Inglés, alemán e italiano: Leda. Francés: Léda.

Leila

Etimología: Nombre hebreo y árabe usado para muchachas de pelo oscuro o de tez morena, ya que podría significar «noche».
Personalidad: Bajo su apariencia dúctil, maleable y cooperadora, es activa y dinámica, sabiendo hacer valer sus derechos. Es amante de la paz, pero también sabe luchar y hacer gala de su mente metódica y bien organizada. Su intuición y carisma personal son capaces de convertirla en una líder.
Onomástica: No tiene.
Otros idiomas: Catalán: Leila. Inglés: Liela, Lila, Lela.

Lena

Etimología: Nombre que se forma como hipocorístico de *Magdalena* o *Elena.*
Personalidad: Su personalidad es conflictiva, por lo que suele encontrar dificultades para sentirse a gusto consigo misma. También es algo vacilante y no muy enérgica. Sin embargo, posee un cierto espíritu aventurero, incluso algo temerario, y es de una lealtad inquebrantable.
Onomástica: 2 de julio y 18 de agosto.
Otros idiomas: Bable: Lena.

Leocadia

Etimología: Del griego *leukádios,* gentilicio para la isla Laucade (*Laucade* significa, a su vez, «piedras blancas»).
Personalidad: Tiene un temperamento demasiado variable, nunca se puede estar seguro de cómo va a reaccionar. En el amor, raras veces será correspondida por la persona a quien realmente ama, aunque probablemente termine asentándose en una afable y placentera relación sustentada más por la amistad que por el amor pasional.
Onomástica: 9 de diciembre.
Otros idiomas: Catalán: Leocàdia, Llogaia. Euskera: Lakade. Gallego: Locaia. Bable: Llocaya, Locaia. Inglés: Leocade. Francés: Léocadie.

Leocricia

Etimología: Nombre griego derivado de *laoskrisis,* «juez del pueblo».
Personalidad: Es equilibrada y posee gran encanto, por lo que está dotada para la diplomacia y las relaciones públicas. También valora enormemente la belleza, la armonía y la capacidad de sacrificio. Por contra, es algo indecisa y dada al fatalismo y al exceso de perfeccionismo.
Onomástica: 15 de marzo.
Otros idiomas: Catalán: Leocricia.

Leonarda

Etimología: Nombre de etimología greco-germánica: está formado por el sustantivo griego *leo,* «león», y el adjetivo germánico *hard,* «fuerte». Significa «fuerte como un león».
Personalidad: Le gusta el arte, la ciencia, el deporte... todo lo que tenga algo que ver con el

ser humano. Es original y creativa, y destacar en su profesión. El amor lo vive de una forma demasiado literaria y por impulso.
Onomástica: 6 de noviembre.
Otros idiomas: Gallego: Leonarda.

LEONCIA
Etimología: Del latín *Leo,* «león», y por extensión «audaz, bravo, valiente».
Personalidad: Es una mujer excesiva y temperamental, con una gran capacidad de trabajo, que suele triunfar en la vida aunque le cueste esfuerzo y paciencia, y como sabe que el tiempo y la experiencia trabajan a su favor, nunca se apresura. Es enérgica, femenina, valiente y combativa.
Onomástica: 6 de diciembre.
Otros idiomas: Catalán: Leòncia. Bable: Lleoncia.

LEONILDA
Etimología: Nombre de etimología greco-germánica: está formado por el sustantivo griego *leo,* «león», y el germánico *hildi,* «batalla». Significa «la que lucha como un león».
Personalidad: De gran energía, no suelen pasar desapercibidas, y tienen habilidades para el liderazgo y la innovación. No les gusta seguir las corrientes establecidas y se empeñan en la originalidad. En el lado negativo tienen cierta tendencia al egoísmo, la vanidad y el orgullo. También pueden ser excéntricas y demasiado dominantes.
Onomástica: 17 de enero.
Otros idiomas: Bable: Lleontina.

LEONOR
Etimología: Del gaélico *Leonorius,* probablemente una derivación de *Elena:* del griego *hélene,* «antorcha brillante».
Personalidad: Altiva y lejana. Mujer segura, idependiente y decidida. Es una persona profundamente pragmática, que posee la habilidad de convertir sus sueños en realidad. Tiende a ignorar a los demás.
Onomástica: 22 de febrero.
Otros idiomas: Catalán y gallego: Leonor. Euskera: Lonore. Alemán: Eleonore. Inglés: Alinor, Eleanor, Elinor. Italiano: Eleonora.

LESLIE
Etimología: Nombre gaélico cuyo significado podría ser «vigorosa».
Personalidad: Emotiva, altruista e idealista. Fiel a sus amistades y amores, tiene gran necesidad de ayudar y compartir, tanto en lo material como en lo espiritual. Es influenciable, le cuesta ser realista y es algo desordenada. En lo espiritual, tiende también a padecer desórdenes ciclotímicos.
Onomástica: No tiene.

LETICIA
Etimología: Del latín *laetitia,* «fertilidad, alegría».
Personalidad: Es una trabajadora incansable, pero dispersa. Rebosa energía, pero debería pararse a pensar en que es humana. También hay que decir que está llena de alegría de vivir, que lo hace todo con una sonrisa en los labios y de forma desinteresada. Es mejor no convertirse en su enemigo.
Onomástica: Lunes de Pascua, 15 de agosto y 8 de septiembre.
Otros idiomas: Catalán: Leticia. Euskera: Alaia. Gallego y bable: Ledicia. Inglés: Letitia, Laetitia, Lettice. Francés: Laetitia, Laetizia. Alemán: Laetitia. Italiano: Letizia.

LEYRE
Etimología: Nombre de advocación mariana: Nuestra Señora de Leyre, que se venera en el Monasterio de San Salvador de Leyre (Navarra).
Personalidad: Firme como una roca, consigue despertar confianza y seguridad en quienes la

rodean. Sabe cuáles son sus objetivos y no cesa hasta conseguirlos. Va contribuyendo poco a poco a la felicidad de los suyos, logrando casi sin darse cuenta volverse indispensable.
Onomástica: 15 de agosto y 9 de julio.

LÍA

Etimología: Del hebreo *leah,* «cansada, lánguida».
Personalidad: Debe luchar entre dos tendencias: la de una cierta espiritualidad y la necesidad de independencia. Además de ternura y afecto, busca la seguridad y es una abnegada madre de familia. A veces resulta menos sentimental, pero capaz de realizar grandes cosas.
Onomástica: 1 de junio.
Otros idiomas: Catalán: Lia. Gallego y Bable: Lía. Francés e Italiano: Lia.

LIBBY

Etimología: Nombre hebreo que se forma como hipocorístico de *Elizabeth.*
Personalidad: Es tozuda y obstinada, aunque no actúa con mala intención. Puede ser orgullosa, pero también sincera y justa. Siente pasión por todo tipo de actividades intelectuales y es dada a la polémica. En el amor y la amistad se muestra muy sólida. No le gustan las personas que actúan sólo por conveniencia.
Onomástica: No tiene.

LIBERTAD

Etimología: Del latín *liber,* «libre, sin trabas». En España este nombre fue muy frecuente tras la Constitución de 1978.
Personalidad: Debe luchar entre dos tendencias: la de una cierta espiritualidad y la necesidad de independencia. Además de ternura y afecto, busca la seguridad, por lo que se convierte en una abnegada madre de familia. A veces resulta menos sentimental, pero capaz de realizar grandes cosas.
Onomástica: No tiene.
Otros idiomas: Catalán: Llibertat. Gallego: Liberdade. Bable: Llibertá. Francés: Liberté.

LIBIA

Etimología: Nombre romano que se forma como toponímico *Libia:* «procedente de Libia».
Personalidad: No es fácil llegar a su corazón: corazas y más corazas protegen lo más recóndito de su ser. Aunque cuando se alcanza su amistad y su confianza, nada ni nadie puede interponerse... Más vale no defraudarla, porque es una persona profundamente susceptible.
Onomástica: 15 de junio.
Otros idiomas: Euskera: Libe.

LIBRADA

Etimología: Del latín *liberum,* «liberar, cumplir una promesa».
Personalidad: Incertidumbre y soledad, ésas son las dos maldiciones de su carácter: valora las cosas una y otra vez antes de decidirse. Esa tendencia a la reflexión la aparta a menudo de los demás y de la realidad, porque cualquier decisión le parece que tenga inconvenientes.
Onomástica: 18 de enero.

LICIA

Etimología: Deriva del nombre griego *Lygios,* «flexible».
Personalidad: Espirituales y místicas, de sentimientos altruistas. Se trata de personas elevadas que intentan cultivar la sabiduría y que valoran la inteligencia y la habilidad. Receptivas y estudiosas, son capaces de disfrutar de la vida. Quizá a veces son demasiado abnegadas y se olvidan de sus propios intereses.
Onomástica: 28 de junio y 16 de diciembre.
Otros idiomas: Catalán: Lígia. Inglés: Lycia. Italiano: Licia.

Lida

Etimología: Es una variante de *Lidia,* que a su vez es un gentilicio griego de *Lydia,* una región de Asia Menor.

Personalidad: Posee fuerza y determinación, así como una personalidad difícilmente manejable. Obstinada e independiente, ejerce un gran magnetismo, aunque puede caer fácilmente en la intransigencia. Rara vez se siente contenta durante mucho tiempo, así que busca cambios de ambiente o de escenario.

Onomástica: 3 de agosto.

Liddy

Etimología: Es una variante de *Adela* y significa, por tanto, «noble».

Personalidad: Piensa demasiado. Cree que todo debe tener un sentido, un porqué, aunque no sea fácil descubrirlo. Deben aprovechar su intuición y aprender a no dar tantas vueltas a las cosas, sobre todo cuando están más allá de nuestro alcance.

Onomástica: 8 de septiembre y 24 de diciembre.

Lidia

Etimología: Procede del griego *Lydia,* una región de Asia Menor.

Personalidad: Valiente, sale adelante pase lo que pase, y no le importa arriesgar. A la hora de trabajar, Lidia es seria y responsable, prudente cuando las circunstancias lo requieren, aunque también es capaz de arriesgar. En el amor suele ser desgraciada, quizá porque le resulta difícil encontrar compañeros tan fuertes y seguros como ella misma.

Onomástica: 3 de agosto y 27 de marzo.

Otros idiomas: Catalán: Lídia. Euskera: Lide. Gallego: Ledicia, Ludia. Bable: Llidia. Inglés y alemán: Lydia. Francés: Lydie. Italiano: Lidia.

Liduvina

Etimología: Nombre germánico que deriva de *laud-win,* «pueblo victorioso» o «amiga del pueblo». También es el nombre de una advocación a la virgen, patrona de los enfermos.

Personalidad: Introspectiva e introvertida, tiende a encerrarse en su torre de marfil cuando la realidad no coincide con sus sueños. Posesiva, detallista y con una fuerte voluntad, puede ir de un extremo al otro. Sin embargo su tesón le hace superar sus problemas y conseguir sus sueños.

Onomástica: 14 de abril.

Otros idiomas: Catalán: Liduvine. Bable: Lluzdivina, Lludivina.

Lila

Etimología: Se forma como hipocorístico de *Camila,* nombre de origen dudoso. Como nombre árabe, significa «noche», en hindú «la voluntad libre de Dios» y en persa «lila».

Personalidad: Desde niña tiene que luchar con su inseguridad. Tiende a compararse con los demás y en su fuero interno siempre sale malparada. Hay algo en su interior que la obliga a fijarse en los demás y esa falta de criterio puede hacerla un tanto excéntrica. Su verdadera meta en la vida es hallar a alguien que le proporcione la seguridad que tanto necesita.

Onomástica: 14 de julio.

Lilí

Etimología: Deriva del germánico *hlod-wig,* «glorioso en la batalla». Es una variante de Luisa.

Personalidad: Orgullosa hasta el fin, siempre quiere estar a la altura de las circunstancias. Tiene una imagen clara de lo que quiere conseguir en el mundo y de lo que quiere llegar a ser. Puede parecer ingenua y extrovertida, pero en realidad siempre se guarda algo para sí misma.

Onomástica: 21 de junio, 25 de agosto y 10 de octubre.

Lilian

Etimología: Deriva del latín *lilium,* «lirio», símbolo de pureza.
Personalidad: Concede más importancia a lo espiritual que a lo material. Es paciente, con gran capacidad de estudio, lógica y análisis. Muy exigente consigo misma y con los demás. Algo solitaria e introspectiva, por lo que cae con facilidad en el pesimismo.
Onomástica: 27 de julio.

Liliana

Etimología: Es una variante de *Juliana,* y ésta del latín *Iulianus,* «perteneciente a la gens Julia».
Personalidad: Es una trabajadora incansable, una mujer mucho más constante que original. Es influenciable en sus opiniones, optimista y muy necesitada de la aprobación de los demás. Intenta ser fiel a sus amigos, y respeta hasta el final la palabra dada. En el amor no es muy exigente.
Onomástica: 19 de junio.
Otros idiomas: Catalán: Liliana. Euskera: Yulene. Gallego y bable: Xiana. Inglés: Lilian, Lillian, Lily. Francés: Liliane. Alemán: Lilian, Liliana. Italiano: Liliana.

Lina

Etimología: Del latín *linus,* «lino», el hilo de la vida.
Personalidad: El rasgo dominante de su personalidad es el alto dominio sobre sí misma. Sabe medir sus capacidades, que suelen armonizar con todo lo que le rodea. Refinada, amable, simpática y de buen talante, suele hacer amigos con gran facilidad y le gusta ayudar a los demás. Quizá demasiado soñadora.
Onomástica: 23 de septiembre.
Otros idiomas: Bable: Llina.

Linares

Etimología: Nombre de advocación mariana: Nuestra Señora de Linares.
Personalidad: Es protectora y de carácter fuerte y seguro, le encanta sentirse útil y necesitada. Es una gran amiga y una gran compañera, siempre está cuando se la necesita. En su vida profesional es ambiciosa, aunque no le gusta demasiado cambiar de actividad ni de escenario.
Onomástica: Primer domingo de mayo.

Linda

Etimología: Del nombre de origen germánico *Gerlinda.*
Personalidad: Independiente y magnética. Aunque parezca un modelo a seguir, suele parecer lejana e inaccesible. Pero a veces se siente esclava de esa imagen y le gusta permitirse una debilidad, que se perdona muy fácilmente.
Onomástica: 28 de mayo.

Lioba

Etimología: Del germánico *leub,* «valioso».
Personalidad: Su carácter es muy creativo y posee el impulso que produce la inspiración. Le gustan las emociones y es muy dada a perseguir ideales utópicos. Es también idealista y muy perfeccionista, lo cual normalmente la lleva a tener elevadas ambiciones, que casi siempre consigue. La parte negativa es la facilidad con que cae en la extravagancia y su tendencia a la inestabilidad.
Onomástica: 28 de septiembre.

Lira

Etimología: Del latín *lyra,* «lisa»: nombre que evoca el instrumento musical.
Personalidad: Es un ser benévolo, idealista y muy espiritual. Aunque a veces cae en ideas simplistas, sobre todo en lo religioso, y es fácilmente influenciable, posee precisamente la virtud de la simplicidad: las cosas importantes a ella le parecen tremendamente sencillas y siempre sabe cuáles son.
Onomástica: 8 de junio.

Lis

Etimología: Nombre que se forma como hipocorístico de *Elisabeth:* del hebreo *El-zabad,* «Dios da».

Personalidad: Mujer extremadamente completa. Ama su profesión y se dedica a ella con auténtico fervor, aunque no por ello descuida a su familia ni a sus amigos. Es una madre espléndida. Sentimental hasta la médula, tiene debilidad por las historias de amor y es un poco celestina.

Onomástica: 17 de noviembre.

Liuba

Etimología: Forma rusa de *Caridad,* que de significar «carestía», pasó a designar el amor cristiano por el prójimo.

Personalidad: Extrovertida y trabajadora. No goza de una imaginación desbordante. Es cariñosa y tiene algunos destellos de caridad que hacen honor al origen de su nombre, pero es mejor amiga que compañera sentimental. Su existencia suele ser activa y variada.

Onomástica: 8 de septiembre.

Livia

Etimología: Deriva del latín *Livius,* nombre de una importante gen romana que podría derivar de *livero,* «lívido».

Personalidad: Emotiva, altruista e idealista. Fiel a sus amistades y amores, tiene gran necesidad de ayudar y compartir, tanto en lo material como en lo espiritual. Es influenciable, le cuesta ser realista y es algo desordenada. En lo espiritual, tiende también a padecer desórdenes ciclotímicos.

Onomástica: No tiene.

Otros idiomas: Francés: Livie. Alemán e italiano: Livia.

Llanos

Etimología: Nombre de advocación mariana: Nuestra Señora de los Llanos, patrona de Albacete. Normalmente, a este nombre le suele preceder el de *María.*

Personalidad: Intelectual, alejada de la vida cotidiana y muy frecuentemente dominada por un carácter demasiado orgulloso. No hace amigos con facilidad, pero en el amor es capaz de dar cualquier cosa para no perderlo. Tiene pocas manías y no es muy quisquillosa, pero más vale respetarla.

Onomástica: 8 de septiembre.

Lledó

Etimología: Nombre de advocación mariana: *Mare de Déu del Lledó* (Nuestra Señora del Lledó). La palabra proviene de *lledoner,* «almez», y hace referencia a la tradición de que la imagen fue encontrada en dicho árbol. Es la patrona de Castellón de la Plana y de Valls (Tarragona).

Personalidad: Alegre y feliz, rebosa encanto e imaginación y rechaza por principios cualquier prejuicio o convención social. Sin embargo, es muy terca y no soporta que le lleven la contraria. Además, puede llegar a ser un poco excéntrica y sentir que no es comprendida.

Onomástica: El sábado anterior al primer domingo de mayo.

Llogàia

Etimología: Nombre catalán: del griego *leukádios,* gentilicio para la isla Laucade (*Laucade* significa, a su vez, «piedras blancas»).

Personalidad: Tiene un temperamento demasiado variable, nunca se puede estar seguro de cómo va a reaccionar. En el amor, raras veces será correspondida por la persona a quien realmente ama, aunque probablemente termine asentándose en una afable y placentera relación sustentada más por la amistad que por el amor.

Onomástica: 9 de diciembre.

Otros idiomas: Catalán: Leocàdia, Llogaia. Euskera: Lakade. Gallego y bable: Locaia. Inglés: Leocade. Francés: Léocadie.

Loisia

Etimología: Deriva del germánico *hlod-wig,* «glorioso en la batalla». Es una variante de *Luisa.*

Personalidad: Siempre tiene que estar a la altura de las circunstancias. Tiene una imagen muy clara de lo que quiere conseguir en el mundo y de lo que quiere llegar a ser. Puede parecer ingenua y extrovertida, pero en realidad siempre se guarda algo para sí misma.

Onomástica: 21 de junio, 25 de agosto y 10 de octubre.

Loredana

Etimología: Nombre cristiano en honor de la Virgen de Loreto. Del latín *Laurentum,* un lugar plantado de laureles cerca del monte Ventino. Es una variante italiana de Loreto.

Personalidad: Loreto se preocupa demasiado por las apariencias: le gusta comer bien, vestir bien, tener una buena casa y un buen trabajo... en definitiva, le gusta la buena vida. Siente un verdadero pánico por la soledad. Tiene un brillante sentido del humor, pero le encanta discutir y demostrar que lleva la razón.

Onomástica: 10 de diciembre.

Otros idiomas: Catalán: Loreto, Lloret. Euskera: Lorete. Bable: Llorentina. Francés: Lorette. Italiano: Loreta, Loredana.

Loreley

Etimología: Nombre de la protagonista de una célebre balada germánica, que hace alusión a una roca sobre el Rhin. En Europa se extendió su uso a partir del éxito de una ópera de Alfredo Catalani basada en esta leyenda.

Personalidad: Posee una gran capacidad de adaptación, por lo cual le entusiasman los viajes y todo lo que requiera audacia e innovación. En lo negativo, su personalidad le acarrea ciertos inconvenientes, como accidentes, inestabilidad y superficialidad.

Onomástica: No tiene.

Lorena

Etimología: Nombre cristiano en honor de la Virgen de Lorena. Lorena es una comarca francesa.

Personalidad: Atractiva, dulce, simpática, inteligente... Lorena lo tiene todo para ser la mujer perfecta, el prototipo de feminidad. No es ambiciosa en su trabajo. Detesta las discusiones y los embrollos. A veces tiende a exagerar demasiado sus desgracias.

Onomástica: 30 de mayo.

Otros idiomas: Catalán: Lorena. Inglés: Lorraine. Francés e italiano: Lorena.

Lorenza

Etimología: Del latín *Laurentum,* un lugar plantado de laureles cerca del monte Ventino.

Personalidad: Sus verdaderos defectos son la timidez y la inseguridad, que la llevan a comportarse de forma altiva y un poco superior. Sin embargo, cuando alguien consigue abrir su corazón e inspirarle confianza, se transforma en la persona más amable, sensible y afectuosa que se pueda imaginar.

Onomástica: 10 de agosto y 5 de septiembre.

Otros idiomas: Catalán: Llorença. Euskera: Lorenze. Gallego: Lourenza. Bable: Llourenza. Francés: Laurence. Inglés: Laurence. Italiano: Lorenza, Lola.

Loreto

Etimología: Nombre cristiano en honor de la Virgen de Loreto. Del latín *Laurentum,* un lugar plantado de laureles cerca del monte Ventino.

Personalidad: Loreto se preocupa demasiado por las apariencias: le gusta comer bien, vestir bien, tener una buena casa y un buen trabajo... en definitiva, le gusta la buena vida. Siente un verdadero pánico por la soledad. Tiene un bri-

llante sentido del humor, pero le encanta discutir y demostrar que lleva la razón.
Onomástica: 10 de diciembre.
Otros idiomas: Catalán: Loreto, Lloret. Euskera: Lorete. Gallego: Loreto. Bable: Lloreta. Francés: Lorette. Italiano: Loreta, Loredana.

LORNA

Etimología: Es una variante de *Lorena,* nombre cristiano en honor de la Virgen de Lorena.
Personalidad: Procura mostrarse siempre ecuánime y posee un sentido innato de la justicia y el equilibrio, pero también cae con facilidad en ataques de ira y valora en exceso el poder y el triunfo. Es impaciente e impetuosa. Esta personalidad la hace, casi con seguridad, muy celosa.
Onomástica: 30 de mayo.

LOURDES

Etimología: Nombre cristiano en honor de la Virgen de Lourdes. Deriva del euskera *lorde,* «altura prolongada en pendiente».
Personalidad: No es que sea perezosa, pero odia tener obligaciones, odia ver su libertad limitada, odia que sean los demás los que hayan de planificar su tiempo. Ella es feliz desarrollando muchas actividades distintas. Suele sentir interés profundo por lo misterioso y lo paranormal, aunque más en el plano teórico que en el práctico.
Onomástica: 11 de febrero.
Otros idiomas: Catalán: Lourdes, Lorda. Euskera: Lorda. Gallego: Lurdes. Francés e inglés: Lourdes.

LUANA

Etimología: Nombre latino en honor de la diosa de las expiaciones *Lua.* Tiene un significado relacionado con la expiación, el perdón.
Personalidad: Posee una gran capacidad de adaptación, por lo cual le entusiasman los viajes y todo lo que requiera audacia e innovación. En lo negativo, su personalidad le acarrea ciertos inconvenientes, como accidentes, inestabilidad y superficialidad.
Onomástica: 20 de agosto.
Otros idiomas: Catalán: Llúcia. Euskera: Lutxi. Inglés: Lucy. Francés: Lucie, Luce. Alemán: Lucie. Italiano: Lucia.

LUCÍA

Etimología: Deriva del latín *lucis,* genitivo de *lux,* «luz».
Personalidad: Suele ser una persona bastante contradictoria. Es irreflexiva y pasional, pero también valiente. Aunque procure aparentar independencia, en la práctica depende de las opiniones de sus amigos y de los más allegados, ya que necesita sentirse querida e incluso un poco admirada. Y es que su principal problema es que le gusta ser el centro de atención.
Onomástica: 13 de diciembre.
Otros idiomas: Catalán: Llúcia. Euskera: Lutxi. Gallego: Lucía. Bable: Llucía. Inglés: Lucy. Francés: Lucie, Luce. Alemán: Lucie. Italiano: Lucia.

LUCIANA

Etimología: Deriva del latín *Lucianus,* gentilicio de *Lucas,* y éste de *lucis,* genitivo de *lux,* «luz».
Personalidad: Espirituales y místicas, de sentimientos altruistas. Se trata de personas elevadas que intentan cultivar la sabiduría y que valoran la inteligencia y la habilidad. Receptivas y estudiosas, son capaces de disfrutar de la vida. Quizá a veces son demasiado abnegadas y se olvidan de sus propios intereses.
Onomástica: 25 de junio.
Otros idiomas: Catalán: Llluciana. Euskera: Lukene. Bable: Lluciana, Xana. Francés: Lucienne. Italiano: Luciana.

Lucila

Etimología: Del latín *lucilla,* «lucecita».

Personalidad: Algo frívola, pero práctica y serena, con los pies muy bien asentados en el suelo. Tiene una mente matemática muy dotada para los negocios, así como grandes capacidades para liderar grupos. Su sentido de la justicia es implacable y un poco desmedido.

Onomástica: 29 de julio.

Otros idiomas: Catalán: Lucil.la. Euskera: Lukiñe. Bable: Llucila. Inglés: Lucilla. Francés: Lucile, Lucille. Italiano: Lucilla.

Lucina

Etimología: En la mitología romana, diosa a la que se invocaba en los partos.

Personalidad: Concede más importancia a lo espiritual que a lo material. Es paciente, con gran capacidad de estudio, lógica y análisis. Muy exigente consigo misma y con los demás. Algo solitaria e introspectiva, por lo que cae con facilidad en el pesimismo.

Onomástica: 30 de junio.

Otros idiomas: Catalán: L.lucina. Francés e italiano: Lucina.

Lucrecia

Etimología: Del latín *lucros,* «ganar, obtener beneficios».

Personalidad: Sueña con un mundo ideal, pero como es una mujer práctica y segura intenta cambiar el mundo de acuerdo a su particular visión de las cosas. Extremadamente activa y con fama de incansable, es capaz de luchar hasta el agotamiento si cree que la causa merece la pena. Cree ciegamente en la familia, aunque el papel de esposa y madre abnegada nunca ha sido para ella.

Onomástica: 23 de noviembre.

Otros idiomas: Catalán: Lucrècia. Euskera: Lukertze. Gallego: Lucrecia. Bable: Llucrecia. Inglés: Lucrece, Lucretia. Francés: Lucrèce. Alemán: Lukretia. Italiano: Lucrezia.

Ludmila

Etimología: Nombre eslavo que podría traducirse como «querida por el pueblo».

Personalidad: De gran energía, no suelen pasar desapercibidas, y tienen habilidades para el liderazgo y la innovación. No les gusta seguir las corrientes establecidas y se empeñan en la originalidad. En el lado negativo tienen cierta tendencia al egoísmo, la vanidad y el orgullo. También pueden ser excéntricas y demasiado dominantes.

Onomástica: 13 de septiembre.

Otros idiomas: Catalán: Ludmila. Italiano: Ludmila.

Ludovica

Etimología: Deriva del germánico *hlod-wig,* «glorioso en la batalla». Es una variante de *Luisa.*

Personalidad: El rasgo dominante de su personalidad es el alto dominio sobre sí misma. Sabe medir sus capacidades, que suelen armonizar con todo lo que le rodea. Refinada, amable, simpática y de buen talante, suele hacer amigos con gran facilidad y le gusta ayudar a los demás. Quizá demasiado soñadora.

Onomástica: 1 de octubre.

Luisa

Etimología: Deriva del germánico *hlod-wig,* «glorioso en la batalla».

Personalidad: Orgullosa hasta el fin, Luisa siempre tiene que estar a la altura de las circunstancias. Tiene una imagen muy clara de lo que quiere conseguir en el mundo y de lo que quiere llegar a ser. Puede parecer ingenua y extrovertida, pero en realidad siempre se guarda algo para sí misma.

Onomástica: 21 de junio, 25 de agosto y 10 de octubre.

Otros idiomas: Catalán: Lluïsa. Euskera: Aloixe, Koldobike, Koldobiñe, Luixa. Gallego: Luísa; Loisa. Bable: Lluisa, Lluvisa. Francés: Louise. Inglés: Louise. Alemán: Luise. Italiano: Luisa. Variantes: Eloisa, Lusita, Allison, Loisia. Hipocorístico: Lilí. Como compuestos de Luisa y María: Marilú, Malú, Lulú.

Luján

Etimología: Advocación mariana, en honor de la Virgen de Luján, patrona de Argentina y de Buenos Aires. Se suele acompañar de *María.*

Personalidad: Su personalidad es muy creativa, entusiasta, sociable, optimista y muy espiritual. Tiene gran sentido práctico y es muy hábil en las actividades manuales. En contrapartida, puede ser algo intolerante y colérica, y a veces le cuesta concentrarse en una sola cosa.

Onomástica: 8 de mayo.

Luminosa

Etimología: Del latín *luminosa,* «brillante».

Personalidad: Posee fuerza y determinación, así como una personalidad difícilmente manejable. Obstinada e independiente, ejerce un gran magnetismo, aunque puede caer fácilmente en la intransigencia. Rara vez se siente contenta durante mucho tiempo, así que busca cambios de ambiente o de escenario.

Onomástica: 9 de mayo.

Otros idiomas: Catalán: Lluminosa. Italiano: Luminosa.

Luna

Etimología: Nombre de advocación mariana: Virgen de la Luna. Patrona de diversas localidades, como Escacena del Campo (Huelva), Villanueva de Córdoba y Pozoblanco (Córdoba), y en Cubas de la Sagra (Madrid).

Personalidad: Es entusiasta, hermosa y encantadora. Triunfa allá donde va con su aire inocente y dulce. Es tan optimista que se empeña en ver lo mejor de cada situación. Sin embargo, es muy crítica consigo misma y a menudo no da la suficiente importancia a sus méritos.

Onomástica: 15 de agosto y primer domingo de julio.

Otros idiomas: Gallego: Lúa.

Lupa

Etimología: Nombre gallego que deriva del latín *lupa,* «loba».

Personalidad: Es una vencedora. Magnética, creativa e inteligente, suele tener condiciones para convertirse en líder. Sin embargo, corre el riesgo de creérselo y en ocasiones se muestra altiva y poco comprensiva. Si consigue prestar atención a los demás, será una persona maravillosa.

Onomástica: 1 de noviembre.

Lurdes

Etimología: Nombre cristiano en honor de la Virgen de Lourdes. Deriva del euskera *lorde,* «altura costera». Es una variante de Lourdes.

Personalidad: Odia tener obligaciones, odia ver su libertad limitada, odia que sean los demás los que hayan de planificar su tiempo. Ella es feliz desarrollando muchas actividades distintas. Suele sentir interés profundo por lo misterioso y lo paranormal, aunque más en el plano teórico que en el práctico.

Onomástica: 11 de febrero.

Otros idiomas: Catalán: Lourdes, Lorda. Euskera: Lorda. Gallego: Lurdes. Francés e inglés: Lourdes.

Luz

Etimología: Del latín *lux,* «luz». Se utiliza en honor de Nuestra Señora de la Luz.

Personalidad: Luz vive mucho más de cara al exterior que para sí misma. En realidad es tierna, afectuosa y está muy necesitada de cariño, pero considera que estas características son signos de debilidad, y prefiere ocultarlas. Aprende a amar a la gente con mucha velocidad, pero también puede ser cruel.

Onomástica: 1 de junio.

Otros idiomas: Catalán: Llum. Euskera: Argia, Argiñe. Bable: Lluz. Italiano: Luce.

LYA

Etimología: Del hebreo *leah,* «cansada, lánguida».

Personalidad: Debe luchar entre dos tendencias: la de una cierta espiritualidad y la necesidad de independencia. Además de ternura y afecto, busca la seguridad y es una abnegada madre de familia. A veces resulta menos sentimental, pero capaz de realizar grandes cosas.

Onomástica: 1 de junio.

Otros idiomas: Catalán: Lia. Gallego y Bable: Lía. Francés e Italiano: Lia.

MABEL

Etimología: Deriva del latín *amabilis,* «amable, simpática». Es una variante de *Amabel.*

Personalidad: Es fuerte y determinada, y tiene una personalidad en absoluto manejable. Aunque corre el peligro de caer en la intransigencia, por su carácter obstinado e independiente, ejerce un gran magnetismo sobre sus amigos y compañeros. Tiene dificultades para sentirse satisfecha durante mucho tiempo seguido, lo cual la obliga a buscar continuos cambios.

Onomástica: 3 de julio.

MACARENA

Etimología: Nombre cristiano en honor de la Nuestra Señora de la Esperanza, cuya iglesia está situada en el barrio de la Macarena de Sevilla, en el extremo norte del casco antiguo de la ciudad. La basílica da nombre al barrio y a las murallas que la rodean.

Personalidad: Tiene facilidad para casi todo, pero para ella siempre habrá una prioridad: su familia. Quizá no entienda su papel dentro de ella a la manera tradicional de ama de casa, esposa y madre, pero considera que crear un ambiente hogareño de felicidad y confianza es el mejor regalo que puede hacerle a la sociedad.

Onomástica: 18 de diciembre.

MACARIA

Etimología: Del griego *makarios,* «mujer afortunada».

Personalidad: Es una mujer introvertida, muy encerrada en sí misma y hasta podría decirse que algo huraña. Algunos dicen que peca un poco de misantropía, que desprecia al género humano; pero la realidad es que no logra comprender al resto de las personas, le parecen demasiado complicadas. Aun así, suele encontrar energías para intentar cambiar su mundo.

Onomástica: 8 de abril.

Otros idiomas: Gallego: Macaria.

MACAWI

Etimología: Nombre de los indios dakota, que significa «generosa».

Personalidad: Tiene un aire de niña demasiado mimada. No soporta bien que le lleven la contria. Su principal preocupación es siempre la estética, por encima de la ética: que las cosas tengan un aspecto impecable, que su físico se mantenga... Aunque no es muy constante, sí es bastante ingeniosa y divertida.

Onomástica: No tiene.

MACHIKO

Etimología: Nombre japonés que significa «niña afortunada».

Personalidad: Poco a poco, como una abeja laboriosa, va construyendo a su alrededor un mundo a su medida. Cuando lo consigue, es del todo irrompible. No es que sea materialista, sino que necesita la seguridad de las cosas y las personas que le son familiares. Por lo demás, es muy cariñosa y solidaria.

Onomástica: No tiene.

MACKENNA

Etimología: Nombre norteamericano de origen irlandés, cuyo significado es «hija del líder sabio».

Personalidad: A veces puede encontrarse en situaciones comprometidas por su sentido de la justicia: no soporta los abusos contra los débiles. Debe aprender a valorar las posibilidades ajenas, a no subestimar a los demás, aunque sea con ánimo protector. Por su carácter, tiende a relacionarse con personas que buscan protección.

Onomástica: No tiene.

Maeko

Etimología: Nombre japonés que significa «niña honesta».

Personalidad: Le gusta estar en constante movimiento, buscar nuevos intereses, conocer nuevos lugares: su curiosidad se mantiene siempre viva. Necesita desempeñar profesiones que requieran poner en juego estas características, no soportaría una vida monótona o un trabajo mecánico. Es muy leal.

Onomástica: No tiene.

Mafalda

Etimología: Procede del germánico *maganfrid,* «caudillo pacificador».

Personalidad: A Mafalda nada parece salirle como ella espera y, por mucho que trabaje y muchos esfuerzos que haga, los resultados siempre son escasos. Ahora bien, ella es absolutamente incansable y nunca se da por vencida. Esa lucha hará de ella una mujer fuerte y valerosa que es capaz de manejar cualquier circunstancia.

Onomástica: 2 de mayo.

Otros idiomas: Catalán: Mafalda. Francés: Mahault, Mahaut. Alemán: Mafalda. Italiano: Mafalda.

Magalí

Etimología: Hipocorístico de *Margarita* en lengua provenzal.

Personalidad: Sensible y fuerte al mismo tiempo. Necesita ser original, aunque muchas veces no sabe muy bien cómo hacerlo. Le gusta sentir que es ella la que domina, y no soporta que los demás no le hagan caso o que no hagan lo que ella quiere. De joven es una idealista soñadora.

Onomástica: 23 de febrero.

Magdalena

Etimología: Gentilicio para la región de Magdala, en hebreo *Migda-El,* «Torre de Dios».

Personalidad: Cauta y tranquila. Detesta tomar las decisiones de forma precipitada, pero algunas veces tarda tanto en decidirse que se le escapa el tren. A lo largo de los años, Magdalena va cultivando una profunda sabiduría, no basada en filosofías eruditas, sino en esas experiencias cotidianas.

Onomástica: 22 de julio.

Otros idiomas: Catalán: Magdalena. Euskera: Maialen, Malen, Matale, Matxalen. Gallego: Magdalena. Bable: Mada, Madalena (Lena). Inglés: Magdalen, Maud. Francés: Madelaine, Madeleine. Alemán: Magdalena, Magdalene. Italiano: Maddalena.

Magina

Etimología: Nombre de etimología latina incierta, aunque parece variante de *mago* o de *maximus,* «grande».

Personalidad: Es generosa y dulce, devota de la verdad y del conocimiento. No le gusta perderse en frivolidades ni tonterías, siempre va al grano. Aunque quiere aparentar seguridad en sí misma, la verdad es que depende de la opinión de los demás y sobre todo necesita la aprobación de su familia.

Onomástica: 3 de diciembre.

Magnolia

Etimología: No tiene un origen claro, es uno de los nombres de flor que hacen honor a su belleza.

Personalidad: De gran energía, no suelen pasar desapercibidas, y tienen habilidades para el liderazgo y la innovación. No les gusta seguir las corrientes establecidas y se empeñan en la originalidad. En el lado negativo tienen cierta tendencia al egoísmo, la vanidad y el orgullo. También pueden ser excéntricas y demasiado dominantes.

Onomástica: No tiene.

Otros idiomas: Catalán: Magnòlia. Italiano: Magnolia.

Mahala

Etimología: Nombre que en árabe significa «gorda, tierna», y entre los indios norteamericanos «mujer poderosa».

Personalidad: Busca fundamentalmente la paz interior, estar satisfecha consigo misma. La vida superficial y las diversiones de ese estilo no le interesan ni lo más mínimo. Necesita desempeñar una profesión que la mantenga ocupada y le exija un cierto esfuerzo, para sentirse a gusto. En el amor necesita seguridad y solidez.

Onomástica: No tiene.

Mahesa

Etimología: Nombre hindú que significa «gran señora». Es uno de los nombres de la diosa Shiva.

Personalidad: Es una conversadora por el gusto de intercambiar impresiones: lo que más le interesa en este mundo son las personas y su comportamiento. Su virtud principal es el interés por el conocimiento y la literatura, aunque sólo sea por el placer que le producen las personas relacionadas con las humanidades.

Onomástica: No tiene.

Mahina

Etimología: Nombre hawaiano que se traduce como «luz de luna».

Personalidad: Su carácter puede llegar a esclavizarla de alguna manera: es demasiado orgullosa y un poco rígida de carácter, le cuesta ver los matices de las cosas. Si consigue atemperar ese problema, puede llegar a ser incluso divertida. En el amor y la amistad prefiere lo poco pero bueno.

Onomástica: No tiene.

Mahira

Etimología: Nombre hebreo que significa «enérgica».

Personalidad: No soporta hacer daño a los demás. Tal vez por eso prefiere sufrir una frustración a imponer su criterio, aunque sepa que es el correcto. A pesar de ese carácter bondadoso, no carece de ambiciones, pero suele marcarse un camino que sea muy respetuoso con todos. Es una compañera de trabajo y amiga muy agradable.

Onomástica: No tiene.

Maia

Etimología: Del nombre mitológico griego *Maia,* «nodriza».

Personalidad: Es equilibrada y posee gran encanto, por lo que está dotada para la diplomacia y las relaciones públicas. También valora enormemente la belleza, la armonía y la capacidad de sacrificio. Por contra, es algo indecisa y dada al fatalismo y al exceso de perfeccionismo.

Onomástica: No tiene.

Maica

Etimología: Se forma como hipocorístico de *María del Carmen.*

Personalidad: El rasgo dominante de su personalidad es el alto dominio sobre sí misma. Sabe medir sus capacidades, que suelen armonizar con todo lo que le rodea. Refinada, amable, simpática y de buen talante, suele hacer amigos con gran facilidad y le gusta ayudar a los demás. Quizá demasiado soñadora.

Onomástica: 16 de julio y 15 de agosto.

Maiola

Etimología: Nombre catalán, diminutivo de *mayo,* «fiel a Dios».

Personalidad: Es un poco arrogante y no tolera con facilidad las críticas o las opiniones adversas. Tiene una imagen muy clara de cómo deben ser las cosas a su alrededor, incluso las personas. La familia para ella es lo más importante y está dispuesta a cualquier sacrificio para sacarla adelante, aunque exige en los demás una actitud semejante.

Onomástica: 11 de mayo.

Maira

Etimología: Nombre mitológico griego que significa «resplandeciente».

Personalidad: Voluntariosa, dinámica, emprendedora, discreta y con unprofundo sentido de la justicia, posee una fuerte personalidad que la impulsa a mandar y dirigir, no sabiendo perder, pero afortunadamente sabe elegir bien las oportunidades y sabe llevarlas a la práctica. Se inclina más por la vida profesional que por la familiar.

Onomástica: No tiene.

Maitane

Etimología: Nombre femenino vasco, variante de *Maite,* «amada».

Personalidad: Es la fuerza del corazón, de la pasión, del amor: todo lo hace poniendo su alma en ello. Su característica más singular es que sabe combinar esta impetuosidad con una profunda amabilidad y sensibilidad. Es un poco ingenua y siempre está preocupada por el sentido de la existencia y la naturaleza humana.

Onomástica: 25 de marzo.

Maite

Etimología: Nombre vasco que se usa como advocación mariana, de *Maite,* «amada».

Personalidad: Es una mujer de carácter. Muy dada a las discusiones espectaculares y melodramáticas, al final siempre acaba cediendo. Es extremadamente ambiciosa en su vida personal o profesional. Aunque le encanta el chismorreo y es una buena amiga.

Onomástica: 25 de marzo.

Majidah

Etimología: Nombre árabe cuyo significado es «generosa».

Personalidad: Busca soluciones y respuestas en lo que le va enseñando la vida: tiene la virtud de la observación, combina inteligencia e intuición. Es muy femenina y su mayor defecto es que se pierde por llamar la atención del sexo opuesto. En el trabajo necesita trabajos que la obliguen a estar en constante movimiento.

Onomástica: No tiene.

Malibrán

Etimología: De origen germánico: de *aman,* «trabajo», y *brand,* «espada».

Personalidad: Posee una personalidad carismática, seductora y fuerte. Es también idealista y perfeccionista, lo cual normalmente la lleva a tener elevadas ambiciones. En lo negativo, suele ser nerviosa y autoritaria.

Onomástica: No tiene.

Malka

Etimología: Nombre hebreo que significa «reina».

Personalidad: Su carácter es muy creativo y posee el impulso que produce la inspiración. Le gustan las emociones y es muy dada a perseguir ideales utópicos. Es también idealista y perfeccionista, lo cual normalmente la lleva a tener elevadas ambiciones. La parte negativa es la facilidad con que cae en la extravagancia y su tendencia a la inestabilidad.

Onomástica: No tiene.

Mallory

Etimología: Nombre de origen germánico que significa «consejera del ejército».

Personalidad: Ella es la única que considera que sus ideas son sólidas, porque los demás creen que las cambia continuamente. Como en todo, se deja llevar por las modas. Es muy afectuosa y en el campo profesional se marca metas que le permitan alcanzar un buen nivel de vida. Como madre es muy responsable.

Onomástica: No tiene.

Malú

Etimología: Es una variante de Lourdes, nombre cristiano en honor de la Virgen de Lourdes. Deriva del euskera *lorde,* «altura costera». También puede ser una variante de María Luisa.

Personalidad: Odia tener obligaciones, odia ver su libertad limitada, odia que sean los demás los que hayan de planificar su tiempo. Ella es feliz desarrollando muchas actividades distintas. Suele sentir interés profundo por lo misterioso y lo paranormal, aunque más en el plano teórico que en el práctico.

Onomástica: 11 de febrero, 21 de junio, 25 de agosto y 10 de octubre.

Mandara

Etimología: Nombre hindú que significa «tranquilo, calmado». Árbol místico que hace que las preocupaciones desaparezcan.

Personalidad: Vive en su propio mundo, en sus pensamientos y fantasías. Reflexiva y poco convencional, por tanto, no es fácil que se atenga a los patrones sociales imperantes. Como pareja y como amiga también es un poco despistada, pero de sentimientos nobles y muy profundos. Suele conseguir lo que se proponga.

Onomástica: No tiene.

Mandisa

Etimología: Nombre que en un dialecto sudafricano significa «dulce».

Personalidad: Posee fuerza y determinación, así como una personalidad difícilmente manejable. Obstinada e independiente, ejerce un gran magnetismo sobre los que la rodean, aunque puede caer fácilmente en la intransigencia. Rara vez se siente contenta durante mucho tiempo, así que busca cambios de ambiente o de escenario.

Onomástica: No tiene.

Manón

Etimología: Es una variante francesa de *María,* que proviene del hebreo *maryam,* «altura, eminencia».

Personalidad: Es una mujer emotiva y afectuosa que encuentra su felicidad entregándose a los demás. Su fuerza reside en su buen humor y en su optimismo , que la ayuda a salir adelante en las peores circunstancias que uno pueda imaginar. El gran reto de su vida será encontrar a una persona en la que pueda confiar y que nunca la traicione.

Onomástica: 15 de agosto.

Manuela

Etimología: Procede del hebreo *emmanu-El,* «Dios con nosotros».

Personalidad: Suelen ser personas sencillas, sin pretensiones, que se dejan llevar fácilmente si creen que así pueden hacer felices a los demás. Tienden a ser un poco perezosas. En el amor lo dan todo y son capaces de construir a su alrededor la más bella historia.

Onomástica: 1 y 22 de enero.

Otros idiomas: Catalán: Manela. Gallego: Manoela. Bable: Manela, Mela, Nela. Francés: Emanuelle. Italiano: Emanuela.

Mar

Etimología: Nombre cristiano en honor de Nuestra Señora del Mar, patrona de Almería y Santander.

Personalidad: Hiperactiva y ligeramente inestable, tiene una tendencia no muy sana a tomárselo todo demasiado en serio, casi como un reto personal. Tiene la necesidad de estar siempre haciendo algo productivo, hasta tal punto que llega a agotar a todos los que la rodean. Pierde los nervios con facilidad y se enfada a menudo.

Onomástica: 15 de agosto, el lunes después del domingo de Pentecostés (Santander) y en el último sábado del mes de agosto (Almería).

Otros idiomas: Catalán: Mar. Euskera: Itxaso. Bable: Mar.

Mara

Etimología: Del hebreo *marah,* «amargura».

Personalidad: Es una persona hipersensible por más que intente disimularlo. Bajo su apariencia fría, segura y un poco despreocupada, hay una mujer que está siempre pendiente de lo que los demás dicen o hacen y de la actitud que tienen hacia ella. Su gran placer consiste en ayudar a los que la rodean a ser felices.

Onomástica: 1 de noviembre.

Otros idiomas: Gallego: Mara. Francés, alemán e italiano: Mara.

Maravillas

Etimología: Deriva del latín *mirabilis,* «maravilloso, milagroso».

Personalidad: Humanista y entregada por naturaleza: para ser feliz, su vida tiene que serle útil a los demás. No entiende el egoísmo ni la falta de compromiso: ella, realmente, no puede descansar sabiendo que hay alguien que puede necesitarla. El problema es que es demasiado crítica consigo misma.

Onomástica: 11 de diciembre.

Otros idiomas: Catalán: Maravella. Inglés: Marvel, Marvela.

Marcela

Etimología: Procede del latín *Marcellus,* diminutivo de *Marcus,* «martillo».

Personalidad: Persona serena, tranquila y hasta un poco parsimoniosa. De inteligencia profunda y muy dotada para la meditación. Sin embargo, parece que le cuesta mucho conciliar sus planteamientos intelectuales con un plan concreto de actuación. Su ideal es ser el cerebro de alguna clase de sociedad, de modo que sean los demás los que llevan a la práctica sus numerosas ideas.

Onomástica: 31 de enero y 28 de junio.

Otros idiomas: Catalán: Marcel.la. Euskera: Markele. Gallego: Marcela. Bable: Marcela (Cela). Inglés e italiano: Marcella. Francés: Marcella.

Marceliana

Etimología: Procede del latín *Marcellus,* diminutivo de *Marcus,* «martillo».

Personalidad: Irradia tranquilidad y equilibrio: no se irrita, no se enfada, es serena y pretende solucionar cualquier cosa con la argumentación. Sin embargo, esa actitud hace que muchos le acusen de ser muy poco apasionada. La verdad es que le cuesta mostrar sus sentimientos.

Onomástica: 17 de julio.

Marcelina

Etimología: Procede del latín *marcesco,* «marchitarse, languidecer».

Personalidad: Introspectiva e introvertida, suele encerrarse en su torre de marfil cuando la realidad no coincide con sus sueños. Posesiva, detallista y con fuerte voluntad, puede ir de un extremo al otro. Sin embargo su tesón le hace superar sus problemas y conseguir sus sueños.

Onomástica: 17 de julio.

Otros idiomas: Catalán: Marcel.lina. Euskera: Martxeliñe. Gallego: Marcelina. Bable: Marcela. Francés: Marcelline.

Marcia

Etimología: Del latín *martius,* «consagrado al dios Marte, belicoso».

Personalidad: Es una mujer dinámica y activa. La alegría parece empapar cada uno de sus actos, y a la gente le gusta estar cerca de ella por su optimismo contagioso. Le gusta que los demás dependan de ella en cierta medida, aunque su sentido de la independencia le impide ser ella misma la que necesite a otra persona.

Onomástica: 5 y 21 de junio.

Otros idiomas: Catalán: Màrcia. Italiano: Marzia.

Marciana

Etimología: Del latín *martius,* «consagrado al dios Marte, belicoso».

Personalidad: Valora la amistad y la lealtad por encima de cualquier otra cosa. Su familia es lo primero para ella, por lo que suele relegar a un segundo plano todo lo relacionado con el mundo profesional, aunque se ve favorecida por una enorme capacidad de aprendizaje.

Onomástica: 3 de marzo y 9 de enero.

Marelda

Etimología: Nombre de origen germánico que significa «guerrera famosa».

Personalidad: Necesita tener siempre una apariencia impecable, no soporta el desorden o la incoherencia y está demasiado pendiente de lo que opinan de ella. Si cree que algo merece la pena, no le importa arriesgar todo lo que haga falta. En el amor prefiere ser conquistada a conquistar, porque necesita sentir que le prestan atención.

Onomástica: No tiene.

Marfisa

Etimología: No tiene una etimología clara. Parece que aparece por primera vez como un personaje de *La Dorotea de* Lope de Vega.

Personalidad: Es equilibrada y posee gran encanto, por lo que está dotada para la diplomacia y las relaciones públicas. También valora enormemente la belleza, la armonía y la capacidad de sacrificio. Por contra, es algo indecisa y dada al fatalismo y al exceso de perfeccionismo.

Onomástica: No tiene.

Margarita

Etimología: Procede del latín *margarita,* «perla», aunque en la actualidad hace alusión al nombre de la flor.

Personalidad: Sensible y fuerte al mismo tiempo. Necesita ser original, aunque muchas veces no sabe muy bien cómo hacerlo. Le gusta sentir que es ella la que domina, y no soporta que los demás no le hagan caso o que no hagan lo que ella quiere. De joven es una idealista soñadora.

Onomástica: 23 de febrero.

Otros idiomas: Catalán: Margarida, Margalida. Euskera: Hostaizka, Hostaitza, Margarite. Gallego: Margarida. Bable: Margalita (Lita). Inglés: Margaret, Margery. Francés: Marguerite, Margerie. Alemán: Margarethe, Margreth, Gretchen. Italiano: Margherita.

Margot

Etimología: Hipocorístico del francés *Marguerite,* que procede del latín *margarita,* «perla», aunque en la actualidad hace alusión al nombre de la flor.

Personalidad: Posee una gran capacidad de adaptación, por lo cual le entusiasman los viajes y todo lo que requiera audacia e innovación. En lo negativo, su personalidad le acarrea ciertos inconvenientes, como accidentes, inestabilidad y superficialidad.

Onomástica: 1 de febrero.

María

Etimología: Proviene del hebreo *maryam,* «altura, eminencia».

Personalidad: María es una mujer emotiva y afectuosa que encuentra su felicidad entregándose a los demás. Su fuerza reside en su buen humor y en su optimismo, que la ayuda a salir adelante en las peores circunstancias que uno pueda imaginar. El gran reto de su vida será encontrar a una persona en la que poder confiar.

Onomástica: 15 de agosto y 12 de septiembre (Dulce Nombre de María).

Otros idiomas: Catalán: Maria. Euskera: Maddi, Maia, Mari, Maria, Maritxu, Miren, Mirenkaia, Miretxu. Gallego y bable: María (Maruxa). Inglés: Mary. Francés: Marie. Alemán: Maria, Marie. Italiano: Maria.

Mariam

Etimología: Del latín *marianus,* «relativo a María». Es una variante de *María.*

Personalidad: Es una vencedora. Creativa e inteligente, suele tener condiciones para convertirse en líder. Sin embargo, corre el riesgo de creérselo y en ocasiones se muestra altiva y poco comprensiva. Si consigue prestar atención a los demás, será una persona maravillosa.

Onomástica: 15 de agosto.

Marián

Etimología: Del latín *marianus,* «relativo a María». Es una variante de *Mariana.*

Personalidad: Posee una gran capacidad de adaptación, por lo cual le entusiasman los viajes y todo lo que requiera audacia e innovación. En lo negativo, su personalidad le acarrea ciertos inconvenientes, como accidentes, inestabilidad y superficialidad.

Onomástica: 30 de abril y 1 de diciembre.

Otros idiomas: Catalán: Mariana, Marianna. Euskera, Gallego y Bable: Mariana. Inglés: Marian, Marianne. Francés: Mariane, Marianne. Alemán: Marianne. Italiano: Mariana, Marianna.

Mariana

Etimología: Del latín *marianus,* «relativo a María».

Personalidad: Recta, tranquila, equilibrada, es una de esas personas que procura no decir nunca una palabra más alta que otra. Es extremadamente comprensiva, y para sus amigos se convierte en un inmejorable apoyo. En su profesión es ambiciosa y puede llegar a mostrarse intransigente con las debilidades ajenas.

Onomástica: 26 de mayo.

Otros idiomas: Catalán: Mariana, Marianna. Euskera, Gallego y Bable: Mariana. Inglés: Marian, Marianne. Francés: Mariane, Marianne. Alemán: Marianne. Italiano: Mariana, Marianna.

Mariazel

Etimología: Nombre de advocación mariana: Nuestra Señora de Mariazel, que se venera en la población austriaca del mismo nombre.

Personalidad: Lucha siempre entre lanzarse a la acción y emplear su enorme energía y capacidad de creación, o dejarse llevar por una cierta incertidumbre que es la parte negativa de su carácter. Si consigue vencer este dilema, brillará en la actividad que se proponga.

Onomástica: 15 de septiembre.

Mariela

Etimología: Proviene del hebreo maryam, «altura, eminencia». Variante de María.

Personalidad: Es una persona muy simpática, afable e inteligente. Su problema principal es precisamente conseguir fijar su atención en actividades serias, porque se empeña en no crecer. En el amor busca una pareja que centre todas sus energías en ella, aunque en la amistad es mucho más entregada.

Onomástica: 15 de agosto.

Marina

Etimología: Del latín *marinus,* «perteneciente al mar».

Personalidad: Trabajadora incansable, Marina sabe exactamente lo que vale y exige que el mundo lo reconozca: necesita ser el centro de atención y ahí radica su principal defecto. Le gusta llenar su tiempo con muy diversas actividades y estar siempre más que ocupada. Sin embargo, el amor y sus hijos, cuando los tiene, son su prioridad absoluta.

Onomástica: 18 de junio, 18 de julio y 28 de septiembre.

Otros idiomas: Catalán y bable: Marina. Euskera: Itsasne, Mariñe. Gallego: Mariña. Inglés, alemán e italiano: Marina. Francés: Marine.

Mariola

Etimología: Es una variante italiana de *María,* que proviene del hebreo *maryam,* «altura, eminencia».

Personalidad: Es muy equilibrada y posee un sentido innato de la justicia y el equilibrio, pero también cae con facilidad en ataques de ira y valora en exceso el poder y el triunfo. Es impaciente e impetuosa. Esta personalidad le hace, casi con seguridad, muy celosa.

Onomástica: 15 de agosto.

Mariona

Etimología: Es una variante de *María,* que proviene del hebreo *maryam,* «altura, eminencia».

Personalidad: Valiente, lista, generosa y leal, posee un corazón donde caben todos sus muchos amigos y en primer lugar su familia. Suele centrarse en una actividad que le entusiasme, pero debe tener cuidado, ya que puede perder interés por prácticamente todo excepto por eso. Valora la estabilidad en el amor, más que la pasión o la novedad.

Onomástica: 15 de agosto.

Marisol

Etimología: Se ha formado del nombre compuesto *María del Sol.*

Personalidad: Es una mujer emotiva y afectuosa que encuentra su felicidad entregándose a los demás, por lo que siempre busca causas por las que luchar. Su fuerza reside en su buen humor y en su optimismo , que la ayuda a salir adelante aunque sea en las peores circunstancias que uno pueda imaginar. El gran reto de su vida será encontrar a una persona en la que pueda confiar y que nunca la traicione.

Onomástica: 15 de agosto.

Otros idiomas: Bable: Miasol.

Marjorie

Etimología: Variante escocesa del nombre de *María.*

Personalidad: Tiene una personalidad muy fuerte, actúa siempre con una contundencia y seguridad que puede resultar chocante. En el amor, sin embargo, le falta seguridad, y le cuesta mantener sus conquistas. Quienes más la valoran son sus amigos y compañeros de trabajo.

Onomástica: 15 de agosto.

Marlene

Etimología: Nombre que surge como hipocorístico del *Marie Helene* alemán.

Personalidad: Pura, ingenua y bondadosa, carece por completo de malicia o mala voluntad. Es profundamente femenina. Las tareas intelectuales no le atraen demasiado, pero lo compensa con una imaginación radiante. Nunca se somete a las convenciones sociales.

Onomástica: 15 y 18 de agosto.

Marta

Etimología: Nombre arameo que significa literalmente «ama de casa, señora».

Personalidad: Bajo su femenina apariencia de dulzura y encanto, Marta es una mujer fuerte y valerosa que lucha por sus objetivos con la constancia metódica de una abeja que construye su panal. En la amistad y en el amor se muestra siempre alerta y desconfiada, aunque deseosa de encontrar a las personas adecuadas.

Onomástica: 29 de julio.

Otros idiomas: Catalán y bable: Marta. Euskera: Marte. Gallego: Marta, Martiña. Inglés y alemán: Martha. Francés: Marthe. Italiano: Marta.

Martina

Etimología: Procede del latín *martius,* «de Marte».

Personalidad: Es una persona contenida y prudente que intenta mantener siempre una

distancia entre ella y los demás. No tiene ningún enemigo, pero no cuenta con verdaderos amigos. En su trabajo es creativa y original, pero se niega a aceptar riesgos.
Onomástica: 30 de enero.
Otros idiomas: Catalán: Martina. Euskera: Martiñe, Martixa, Martiza. Gallego: Martiña. Bable: Martina. Francés: Martine. Alemán: Martina. Italiano: Martina.

Martirio

Etimología: Nombre cristiano de origen latino, cuyo significado original, por evidentes motivos, era «testimonio».
Personalidad: Es una mujer repleta de vida que siempre rebosa optimismo y felicidad. Nunca se la ha visto deprimida. Siempre está entregada a alguna actividad, ya que le gusta disfrutar de la vida al máximo. En lo que se refiere al terreno sentimental, no le gustan demasiado los compromisos.
Onomástica: 14 de octubre.

Mati

Etimología: Nombre guanche originario de Tenerife. Una niña con este nombre fue vendida en Valencia en 1495.
Personalidad: Pasional y algo exótica, es una mujer dotada de una gran intuición que persigue unos difíciles pero justos ideales. Le gusta trabajar, aunque el dinero y la fama poco le importan. A lo que sí atribuye una gran importancia es al amor, y no será feliz hasta que no haya encontrado una persona que la satisfaga.
Onomástica: No tiene.

Matilde

Etimología: Del germánico *math-hild,* «poderosa en el combate».
Personalidad: Es lenta pero segura. Sus decisiones siempre se hacen esperar y están profundamente meditadas, pero una vez que han sido tomadas, nada en el universo es capaz de hacer que no se cumplan. Y es que es implacable. Puede ser la mejor de las amigas, y sin duda un apoyo inmejorable en situaciones difíciles.
Onomástica: 14 de marzo.
Otros idiomas: Catalán, euskera y gallego: Matilde. Bable: Matilda. Inglés: Mathilda, Matilda. Francés: Mathilde. Alemán: Mathilda, Mathilde. Italiano: Matilde.

Matsuko

Etimología: Nombre japonés que significa «pino».
Personalidad: Mujer extremadamente compleja. Ama su profesión y se dedica a ella con auténtico fervor, aunque no por ello descuida a su familia ni a sus amigos. Es una madre espléndida. Sentimental hasta la médula, tiene debilidad por las historias de amor y es un poco celestina.
Onomástica: No tiene.

Maud

Etimología: Es una variante inglesa de *Matilde,* y ésta del germánico *math-hild,* «guerrero fuerte».
Personalidad: La estabilidad, la seguridad y la protección son sus ejes fundamentales. Se trata de personas con los pies en el suelo, aunque también ambiciosas, lo cual equilibra su carácter y les permite vivir una existencia activa y variada, repleta de situaciones que les permite crecer y aprender.
Onomástica: 14 de marzo.

Maura

Etimología: Del latín *maurus,* gentilicio de *Mauritania* o, por extensión, «moro, africano».
Personalidad: Juguetona e insistente, puede parecer que no le da importancia a casi nada, pero realmente le toma mucho cariño a la gente y sufre agudas decepciones cuando alguien le falla. Es poco reflexiva y raramente piensa antes de actuar.

Onomástica: 13 de febrero, 3 de mayo y 30 de noviembre.
Otros idiomas: Gallego: Mauricia. Bable: Mouricia. Italiano: Maurizia.

Máxima

Etimología: Procede del latín *maximus,* «magno, grande».
Personalidad: Desprendida, fiel y luchadora, suele decirse que no conoce la ambición, pero que está dispuesta a darlo todo por una buena causa. Por muy elevados que sean los honores que alcance, para ella lo más importante siempre será la sencillez de su hogar y su familia.
Onomástica: 8 de abril y 16 de mayo.
Otros idiomas: Gallego: Máxima.

Maya

Etimología: En la mitología griega, nombre de una ninfa, la más hermosa de las Pléyades, hija de Atlas y madre de Hermes. Es también la forma vasca de *María.* En hindú puede interpretarse como «el poder creador de Dios»
Personalidad: No soporta a las personas belicosas. Es sensible y amable, le gusta cultivar la inteligencia y la fuerza de voluntad. Escoge con mucho cuidado a sus amigos y cuando se enamora busca a alguien que tenga sus mismas cualidades y aficiones. Tiene muchas posibilidades de tener una vida feliz.
Onomástica: 15 de agosto.

Maysun

Etimología: Nombre árabe que puede interpretarse como «bonita, hermosa».
Personalidad: Es afectuosa y profundamente maternal. No es demasiado imaginativa ni original, pero lo compensa con una impresionante capacidad de trabajo y una lealtad incorruptible. En el amor es algo ingenua, pero prefiere eso a volverse cruel o insensible. Es feliz si tiene una causa en la que ocuparse.
Onomástica: No tiene.

Medea

Etimología: Nombre de la mitología griega, *Medeia,* de *medomai,* «meditar».
Personalidad: Posee una personalidad marcada por el impulso de creación. Es algo autoritaria, individualista e independiente. Valora la estabilidad en su vida y, para conseguirla, a veces se muestra autoritaria y egoísta.
Onomástica: No tiene.
Otros idiomas: Catalán: Medea. Bable: Medera. Francés: Médée. Italiano: Medea.

Meg

Etimología: Hipocorístico del inglés *Margaret,* que procede del latín *margarita,* «perla», aunque en la actualidad hace alusión al nombre de la flor.
Personalidad: Espirituales y místicas, de sentimientos altruistas. Se trata de personas elevadas que intentan cultivar la sabiduría y que valoran la inteligencia y la habilidad. Receptivas y estudiosas, son capaces de disfrutar de la vida. Quizá a veces son demasiado abnegadas y se olvidan de sus propios intereses.
Onomástica: 23 de febrero.

Megan

Etimología: Nombre de origen irlandés que deriva de *Margaret:* del latín, «perla».
Personalidad: A pesar de su encanto y carisma, es capaz de competir y ganar a la mayoría de los hombres; sin embargo, su amor al detalle y su necesidad de seguridad hace que le sea muy difícil demostrar lo que realmente vale. Cuando muestra su tesón, es capaz de llegar a lo más alto.
Onomástica: 23 de febrero.

Melania

Etimología: Del griego *melanios,* un derivado de *melas,* «negro, oscuro».
Personalidad: Altiva e independiente, lista y decidida, implacable con sus enemigos y capaz

de casi cualquier cosa para conseguir sus objetivos. Su modo de afrontar los problemas es quizá un poco retorcido. Defiende su territorio y a su familia con uñas y dientes.

Onomástica: 31 de diciembre.

Otros idiomas: Catalán: Melània. Bable: Melania. Inglés: Melanie, Mellony. Francés: Mélanie. Alemán: Melanie. Italiano: Melania.

MELBA

Etimología: Nombre inglés que probablemente surge como abreviatura de *Melbourne*.

Personalidad: Su principal característica es el exceso, en cualquier sentido. Lo mismo se trata de una personalidad excesivamente soñadora como de un materialismo consumado, de hedonistas y narcisistas como de estoicas que rozan el ascetismo. Hay que vigilar la tendencia a la indiscreción, así como al inconformismo.

Onomástica: No tiene.

MELIBEA

Etimología: Tiene origen dudoso, pero se relaciona con la mujer espiritual del Renacimiento, por el personaje de *Los amores de Calixto y Melibea.*

Personalidad: Posee una personalidad carismática, seductora y fuerte. Es también idealista y perfeccionista, lo cual normalmente la lleva a tener elevadas ambiciones. En lo negativo, suele ser nerviosa y autoritaria.

Onomástica: No tiene.

MELINA

Etimología: Nombre de origen latino que significa «canario amarillo». En griego, es una forma de *Melinda:* «abeja»,

Personalidad: Su impresión es que ha nacido en un tiempo que no le corresponde. Ella necesita vivir fuera de la realidad, en un refugio de fantasía y romanticismo. Es muy propensa al teatro y a la exageración, amante de melodramas e historias imposibles. Sin embargo, tiene un corazón de oro y es capaz de desvivirse por ayudar a su prójimo.

Onomástica: No tiene.

MELINDA

Etimología: Nombre de origen griego, que significa «abeja».

Personalidad: Es una mujer de carácter. Muy dada a las discusiones espectaculares y melodramáticas, aunque al final siempre acaba cediendo. Es extremadamente ambiciosa en su vida personal y profesional. Aunque le encanta el chismorreo, es una buena amiga, pero un poco superficial.

Onomástica: No tiene.

MELISA

Etimología: Deriva del nombre griego *Mélissa,* «abeja».

Personalidad: Tranquila, reservada, seria y profunda, pero también tímida y honesta. Es idealista y algo mística, a veces duda de sus capacidades y se protege con un aspecto frío y altanero. Pero en su vida dominará la parte honesta y conseguirá grandes cosas.

Onomástica: No tiene.

Otros idiomas: Catalán: Melissa. Francés: Mélissa. Alemán: Melisa. Italiano: Melisa.

MELISENDA

Etimología: Nombre germánico, de *amal,* «trabajo», y *swintha,* «fuerte»; o sea, «fuerte para el trabajo».

Personalidad: Su carácter es muy creativo y posee el impulso que produce la inspiración. Le gustan las emociones y es muy dada a perseguir ideales utópicos. Es también idealista y perfeccionista, lo cual normalmente la lleva a tener elevadas ambiciones. La parte negativa es la facilidad con que cae en la extravagancia y su tendencia a la inestabilidad.

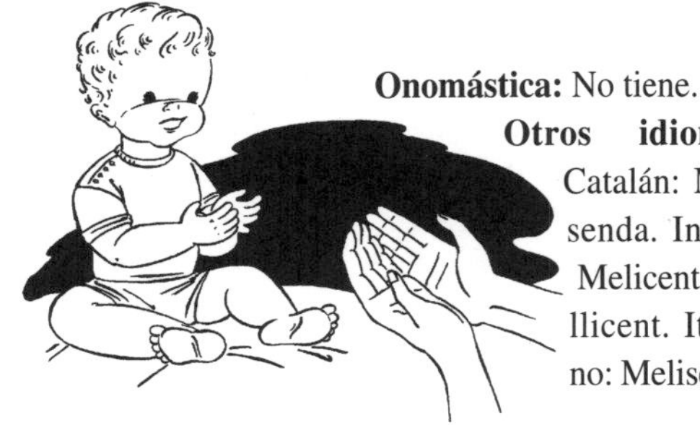

Onomástica: No tiene.
Otros idiomas: Catalán: Melisenda. Inglés: Melicent, Millicent. Italiano: Melisenda.

Melita

Etimología: Del nombre griego *Mélissa,* «abeja». Es una variante de Melisa.
Personalidad: Espirituales y místicas, de sentimientos altruistas. Se trata de personas elevadas que intentan cultivar la sabiduría y que valoran la inteligencia. Son capaces de disfrutar de la vida. Quizá a veces son demasiado abnegadas y se olvidan de sus propios intereses.
Onomástica: No tiene.
Otros idiomas: Catalán: Melissa. Francés: Mélissa. Alemán: Melisa. Italiano: Melisa.

Melitina

Etimología: Procede del latín *melitus,* «dulce, de miel».
Personalidad: Es una mujer hogareña que desea pasar su vida del modo más apacible y tranquilo. El trabajo es para ella una maldición, y mucho más la vida en la ciudad. Su ideal es retirarse al campo y cultivar con sus manos, sin más compañía que su familia y amigos más íntimos.
Onomástica: 15 de septiembre.

Melody

Etimología: Nombre de origen griego, que significa «melodía».
Personalidad: Es tozuda y obstinada, aunque no actúa con mala intención. Puede ser orgullosa, pero también sincera y justa. Siente pasión por todo tipo de actividades intelectuales y es dada a la polémica. En el amor y la amistad se muestra muy sólida. No le gustan las personas que actúan sólo por conveniencia.
Onomástica: No tiene.

Mencía

Etimología: Es un hipocorístico de *Clementina:* del latín *clemens,* «clemente, bueno, indulgente».
Personalidad: Es quizá demasiado idealista, por lo que concede más importancia a lo espiritual que a lo material. Es paciente, con gran capacidad de estudio, lógica y análisis. Sin embargo, es muy exigente consigo misma. Cae con facilidad en el pesimismo y se aísla de los demás. Tiene cualidades para la enseñanza y para tratar a los niños.
Onomástica: 23 de noviembre.
Otros idiomas: Euskera: Mentzia.

Menodora

Etimología: Nombre de origen griego que puede traducirse como «don de Mene». *Mene* era una diosa en la mitología griega.
Personalidad: Tal vez es demasiado soñadora: el sentido práctico no es su mejor virtud. Como es muy tierna y compasiva, necesita sentirse muy arropada para estar segura. Sus amigos, su familia y su pareja son lo más importante para ella. Es una madre muy protectora.
Onomástica: 20 de septiembre.

Mercedes

Etimología: Procede del latín *merces,* «salario, paga, recompensa». Nombre cristiano en honor de la Virgen de la Merced.
Personalidad: El amor es el centro de la vida de Mercedes. Trabajo, amistad, familia... todo lo demás viene después. Por regla general, detesta las medias tintas y procurará siempre tomar partido por aquello en lo que cree... o que más le conviene, según el caso.
Onomástica: 24 de septiembre.
Otros idiomas: Catalán: Mercè. Euskera: Eskarne, Mertxe, Mesede. Gallego: Mercedes, Mercés. Bable: Mercé, Mercedes (Cheres). Inglés: Mercy. Francés: Mercédès. Alemán: Mercedes. Italiano: Mercede.

Mercuria

Etimología: Femenino de *Mercurio.* Nombre mitológico que equivale en Roma al dios griego *Hermes.* Era el protector del comercio, tal y como indica su nombre en latín.

Personalidad: Es una mujer tranquila y pacífica por excelencia, cree que los demás tienen sus razones para ser como son y no se mete en las vidas ajenas. En el ámbito profesional suele destacar, aunque no sea ambiciosa, por su facilidad para trabajar en equipo y la generosidad con que valora las virtudes de sus colaboradores.

Onomástica: 12 de diciembre.

Meredith

Etimología: Nombre de Gales que podría traducirse como «guardiana del mar».

Personalidad: La estabilidad, la paciencia, la organización, el realismo, el sentido del deber y el orden son sus principales virtudes. En lo sentimental y con sus amistades son de una fidelidad absoluta. Por contra, caen con facilidad en la rutina y la avaricia.

Onomástica: No tiene.

Meritxell

Etimología: Nombre en honor de la *Mare de Déu de Meritxell* (Nuestra Señora de Meritxell), que es la patrona de Andorra.

Personalidad: La estabilidad, la paciencia, la organización, el realismo, el sentido del deber y el orden son sus principales virtudes. En lo sentimental y con sus amistades son de una fidelidad absoluta. Por contra, caen con facilidad en la rutina y la avaricia.

Onomástica: 8 de septiembre.

Merudina

Etimología: Nombre germánico latinizado, que significa «insigne».

Personalidad: La vida sencilla, su familia, su pueblo o su ciudad, sus amigos de siempre, su trabajo... no puede vivir sin ellos. Es feliz haciendo felices a los demás y disfruta de las pequeñas cosas que la vida le ofrece. Por tanto, le produce verdadero terror cualquier cambio, por pequeño que sea.

Onomástica: 29 de octubre.

Meruvina

Etimología: Nombre germánico latinizado, que significa «insigne victoria».

Personalidad: Adora el arte, la literatura, la música, el teatro... Todo eso le interesa mucho más que el mundo real. Se desenvuelve perfectamente en cualquier actividad artística. Es una gran amiga y como pareja es muy entregada, pero necesita sentir que recibe una devoción igual que la suya.

Onomástica: 27 de abril.

Mesalina

Etimología: De *Mesala,* nombre de una gen romana oriunda de la población de Mesala (Sicilia): «de la familia de Mesala».

Personalidad: Posee una personalidad equilibrada, serena y con las ideas muy claras, aunque también es intuitiva y magnética. Valora el refinamiento y la integridad, la simpatía y la benevolencia. Suele ser idealista sin remedio si cree en una idea determinada.

Onomástica: 23 de enero.

Otros idiomas: Catalán: Messalina. Francés: Messaline. Italiano: Messalina.

Metrodora

Etimología: Nombre griego que significa «don bien medido».

Personalidad: Intransigente por naturaleza, sólo va adquiriendo flexibilidad y comprensión hacia los demás con el paso de los años. Es muy temperamental, propensa a las decisiones repentinas, inesperadas y poco o nada meditadas. Esto se compensa con su aguda inteligencia e intuición.

Onomástica: 10 de septiembre.

Micaela

Etimología: Del hebreo *mi-ka-El,* «¿Quién como Dios?».

Personalidad: Es una amante de la comodidad y de los lujos, una fiel seguidora de la ley del mínimo esfuerzo que siempre intentará rentabilizar al máximo su trabajo. Con sus amigos y en el amor se muestra orgullosa y demasiado independiente: necesita sentir que tiene siempre el control absoluto sobre su propia existencia.

Onomástica: 29 de septiembre.

Otros idiomas: Catalán: Micaelina. Euskera: Mikele, Mikeliñe. Inglés y francés: Michelle. Italiano: Michelina.

Miguela

Etimología: Del hebreo *mi-ka-El,* «¿Quién como Dios?».

Personalidad: Es equilibrada y posee gran encanto, por lo que está dotada para la diplomacia y las relaciones públicas. También valora enormemente la belleza, la armonía y la capacidad de sacrificio. Por contra, es algo indecisa y dada al fatalismo y al exceso de perfeccionismo.

Onomástica: 19 de junio.

Otros idiomas: Bable: Miguela.

Milagros

Etimología: Deriva del latín *miraculum,* «prodigio; portento, milagro». Nombre cristiano en honor de Nuestra Señora de los Milagros.

Personalidad: Siempre risueña y jovial. Cumple sus obligaciones y afronta las desdichas con la mejor disposición posible, y es un apoyo indispensable para cuantos llegan a conocerla. Es generosa y desprendida, carece por completo de malicia y de egoísmo y su felicidad radica en ayudar al que lo necesita.

Onomástica: 14 de enero, 19 de abril y 9 de julio, entre otras.

Otros idiomas: Catalán: Miracle. Euskera: Alazne, Mirari. Gallego: Milagres, Miragres. Bable: Miragres.

Milagrosa

Etimología: Deriva del latín *miraculum,* «prodigio; portento, milagro». Advocación mariana muy popular en las islas Canarias: Nuestra Señora de la Medalla Milagrosa.

Personalidad: Posee fuerza y determinación, así como una personalidad difícilmente manejable. Obstinada e independiente, ejerce un gran magnetismo, aunque puede caer fácilmente en la intransigencia. Rara vez se siente contenta durante mucho tiempo, así que busca cambios de ambiente o de escenario.

Onomástica: 27 de noviembre.

Otros idiomas: Catalán: Miraculosa.

Mildred

Etimología: Nombre anglosajón que deriva de *mildi,* «suave», y *thruth,* «querido»; o sea, «suave y querida».

Personalidad: Su personalidad es muy creativa, entusiasta, sociable, optimista y muy espiritual. Tiene gran sentido práctico y es muy hábil en las actividades manuales. En contrapartida, puede ser algo intolerante y colérica, y a veces le cuesta concentrarse en una sola cosa.

Onomástica: 20 de febrero y 13 de julio.

Milena

Etimología: Nombre eslavo que deriva de *Milu,* «misericordioso», o de *Miroslava,* «famoso por su bondad».

Personalidad: Introvertida y prudente, pero dulce y encantadora. Es muy emotiva y cuando se siente herida emocionalmente se refugia en sueños quiméricos y utópicos. Muy humana, le gusta participar en tareas sociales y humanitarias, así como en movimientos místicos o esotéricos.

Onomástica: 23 de febrero.

Otros idiomas: Francés: Myléne.

Milgita

Etimología: Nombre germánico que significa «mujer agradable».

Personalidad: Es una mujer de amplias miras, que se adapta a cualquier situación y nunca se marca un límite sobre lo que puede conseguir. Le gusta tener intererses diversos, de modo que pueda llevar una vida lo más variada posible. Aunque no confía plenamente en el amor ni en la amistad, se irá rodeando de personas muy especiales.
Onomástica: 26 de febrero.

MILKA

Etimología: Viene de Yugoslavia y su significado es «amor constante».
Personalidad: Incertidumbre y soledad, ésas son las dos maldiciones de su carácter: valora las cosas una y otra vez antes de decidirse. Esa tendencia a la reflexión la aparta a menudo de los demás y de la realidad, porque cualquier decisión le parece que tenga inconvenientes.
Onomástica: 1 de noviembre.

MINA

Etimología: Del germánico *will-helm,* «yelmo voluntarioso», por extensión, «protector decidido». Es una variante de Guillermina.
Personalidad: Mina es una artista que vive mucho más en sus sueños que en la realidad. Aunque al final suele conseguir el triunfo, ha de enfrentarse a graves dificultades para encontrar un estilo propio. Su vida suele ser apasionante y llena de aventuras. Sus amores son profundos e irreales, y tiende a sentirse incomprendida.
Onomástica: 10 de enero y 6 de abril.

MINERVA

Etimología: Nombre mitológico romano que deriva de *mens,* «mente».
Personalidad: Intelectual, seria, trabajadora y responsable, nunca pierde el control de sí misma. Es muy consciente de que su éxito depende de una lucha continua, y por nada se permitiría un momento de debilidad. Necesita el reconocimiento de los demás, lo cual la hace en cierto sentido muy sensible a la adulación.
Onomástica: 23 de agosto.
Otros idiomas: Catalán: Minerva. Francés: Minerve. Italiano: Minerva.

MINIA

Etimología: Nombre gallego de origen germánico: «grande, fuerte».
Personalidad: Lucha siempre entre lanzarse a la acción y emplear su enorme energía y capacidad de creación, o dejarse llevar por una cierta incertidumbre que es la parte negativa de su carácter. Si consigue vencer este dilema, brillará en la actividad que se proponga.
Onomástica: 1 de noviembre.

MIRANDA

Etimología: Del latín *mirus*, «asombroso».
Personalidad: Es una mujer distinguida y cuidadosa de su aspecto, puede parecer superficial, pero bajo su exterior sonriente se enconde una mujer seria y profunda, amante del orden, la tradición y la seguridad, que sabe asumir sus responsbilidades y no le gusta pedir ayuda ni compasión.
Onomástica: No tiene.
Otros idiomas: Catalán: Miranda. Inglés, francés, alemán e italiano: Miranda.

MIREYA

Etimología: Nombre de origen provenzal. Su significado es dudoso: «maravilla» o «espejo». Actualmente se considera un equivalente de *Maria.*
Personalidad: Posee una personalidad bien definida, pues es noble, seductora y sencilla. Es ambiciosa y trabajadora, paciente y tenaz. A veces es algo testaruda y autoritaria, está capacitada para asumir cargos directivos. Busca la paz y la conciliación, deseando ser amiga de

todo el mundo, aunque llegue a ser demasiado perfeccionista.
Onomástica: 15 de agosto.
Otros idiomas: Catalán y euskera: Mireia. Francés: Mireille.

Miriam

Etimología: Forma primitiva hebrea de *Maria* (*Myriam*). Su origen no es seguro, pero posiblemente provenga del egipcio *Myrim*, que significa «amada de Amón».
Personalidad: Es discreta, elegante, enigmática y reservada. A veces se muestra inquieta y nerviosa, dudando de sus capacidades y replegándose en sí misma al menor contratiempo. Pero todo ello se halla en contradicción con su sed de realización, que la impulsa a exteriorizarse, a conocer nuevas experiencias y conocimientos
Onomástica: 15 de agosto.
Otros idiomas: Catalán: Miriam. Francés: Myriam. Italiano: Miriam. Variante: Miryam.

Mirta

Etimología: Sobrenombre de la diosa griega *Afrodita* y de la romana *Venus,* diosas del amor.
Personalidad: Muy emotiva y sentimental, activa y abnegada, cuando se siente contrariada o herida se encierra en sí misma o descarga su frustración trabajando intensamente. Le gusta trabajar en equipo, y tiene un elevado sentido de la justicia y de lo social y humanitario.
Onomástica: No tiene.
Otros idiomas: Catalán: Mirta. Inglés: Mirtle. Italiano: Mirta.

Misericordia

Etimología: Del latín *misericordis,* de *miseror,* «compadecerse». Nombre de advocación mariana: Nuestra Señora de la Misericordia.
Personalidad: De gran energía, no suelen pasar desapercibidas, y tienen habilidades para el liderazgo y la innovación. No les gusta seguir las corrientes establecidas y se empeñan en la originalidad. En el lado negativo tienen cierta tendencia al egoísmo, la vanidad y el orgullo. También pueden ser excéntricas y demasiado dominantes.
Onomástica: 19 de abril y 8 y 25 de septiembre, entre otras.
Otros idiomas: Catalán: Misericòrdia. Euskera: Erruki, Gupide.

Modesta

Etimología: Del latín *modesta,* «modesta, moderada, afable».
Personalidad: Parece que está condenada a vivir a la sombra de alguien. Es una mujer inteligente, creativa y trabajadora... pero siempre aparece algún compañero más ambicioso que se adjudica los éxitos que ella ha cosechado. Extremadamente familiar, se revela como una esposa atenta y cariñosa y una madre espléndida.
Onomástica: 6 de octubre, 13 marzo y 4 noviembre.
Otros idiomas: Bable: Modesta.

Mogrony

Etimología: Nombre de la virgen que se venera en Gombrèn (Girona), que originariamente era la *Mare de Déu de la Llet* (Virgen de la Leche): *Mogrony* pueda venir de *mugró,* una palabra catalana que significa «pezón». También puede venir del latín *mucro, mucronis,* «fortaleza». Es patrona de las mujeres que están en periodo de lactancia.
Personalidad: Es del todo ajena a la lógica. Parece que vive en su propio mundo, regida por sus propias normas y leyes. Feliz con su independencia, procura evitar los compromisos a toda costa. En el amor es romántica y muy fantasiosa.
Onomástica: 8 de septiembre.

Moira

Etimología: En la mitología griega, diosa de la fortuna y del destino.

Personalidad: No es fácil llegar a su corazón: corazas y más corazas protegen lo más recóndito de su ser. Aunque cuando se alcanza su amistad y su confianza, nada ni nadie puede interponerse... Más vale no defraudarla, porque es una persona profundamente susceptible.

Onomástica: 1 de noviembre.

Mona

Etimología: Nombre irlandés que podría traducirse como «noble».

Personalidad: Procura mostrarse siempre ecuánime y posee un sentido innato de la justicia y el equilibrio, pero también cae con facilidad en ataques de ira y valora en exceso el poder y el triunfo. Es impaciente e impetuosa. Esta personalidad la hace, casi con seguridad, muy celosa.

Onomástica: 4 de septiembre.

Mónica

Etimología: Procede del griego *monos,* «solitario», que a su vez dio lugar a *monachós,* «monje».

Personalidad: Fuerte y decidida, Mónica es una luchadora solitaria, una mujer inquebrantable que a menudo tiene problemas para encontrar a alguien en quien confiar. Bella, inteligente y original. En el amor, no le importa esperar para encontrar a un auténtico compañero.

Onomástica: 27 de agosto.

Otros idiomas: Catalán: Mònica. Euskera: Monike. Gallego y bable: Mónica. Inglés y francés: Monique. Alemán: Monika. Italiano: Monica.

Mont

Etimología: Nombre catalán de advocación mariana: *Mare de Déu del Mont* (Nuestra Señora del Monte).

Personalidad: Segura y emprendedora, no se rinde fácilmente. Se ilusiona enseguida con cualquier proyecto, y es capaz de trabajar hasta la extenuación, aunque sólo si se divierte mientras lo hace. Exige a los demás la misma dedicación y es muy intransigente con la pereza. Muchas veces descuida su vida personal.

Onomástica: 8 de septiembre.

Montaña

Etimología: Nombre de advocación mariana: Nuestra Señora de la Montaña.

Personalidad: Es la optimista por excelencia: cuando hay problemas, siempre ve una salida inmediata. En el amor y con sus amigos lo da todo, sin reservas, y espera lo mismo. Detesta la indiferencia y la indecisión, y en cualquier circunstancia exige de los demás el mismo compromiso.

Onomástica: Sábado de la segunda semana pascual.

Montesclaros

Etimología: Nombre de advocación mariana: Nuestra Señora de Montesclaros, que se venera en Carabeos (Cantabria).

Personalidad: Tiene una auténtica obsesión por su aspecto: siempre perfecta, brillante, hermosa. Le gusta ser original y hasta un poco extravagante, y obtiene un gran placer escandalizando a los demás. Independiente y luchadora, persigue con vehemencia sus objetivos profesionales.

Onomástica: 8 de septiembre.

Montserrat

Etimología: Nombre catalán que significa «monte aserrado». Hace alusión a la *Mare de Déu de Montserrat* (Nuestra Señora de Montserrat), patrona de Cataluña.

Personalidad: Es una mujer contradictoria en muchos sentidos. Presume de independencia, pero cuida en extremo su aspecto físico y pro-

cura guardar siempre las apariencias. Es muy ambiciosa y trabaja duramente para alcanzar el éxito en su profesión. Pero el amor lo es todo para ella y siempre lo pone en primer lugar. También es una buena amiga.
Onomástica: 27 de abril.
Otros idiomas: Euskera: Muntsaratz, Muntxaraz. Gallego: Monserrat. Italiano: Montserrato.

Morgana

Etimología: Nombre celta que podría traducirse como «mujer del mar».
Personalidad: Es una persona muy simpática, afable e inteligente. Su problema principal es precisamente conseguir fijar su atención en actividades serias, porque se empeña en no crecer y actuar como si fuera una niña eterna. En el amor busca una pareja que centre todas sus energías en ella y, aunque en la amistad es mucho más entregada.
Onomástica: No tiene.
Otros idiomas: Catalán: Morgana. Italiano: Morgana.

Muriel

Etimología: Nombre celta que podría traducirse como «brillante como el mar».
Personalidad: Emotiva, altruista e idealista. Fiel a sus amistades y amores, tiene gran necesidad de ayudar y compartir, tanto en lo material como en lo espiritual. Es influenciable, le cuesta ser realista y es algo desordenada. En lo espiritual, tiende también a padecer desórdenes ciclotímicos.
Onomástica: No tiene.

Musa

Etimología: Forma árabe femenina de *Moisés* («salvado de las aguas»).
Personalidad: Trabajadora incansable. Cuando tiene un momento de ocio, le gusta disfrutarlo al máximo, y es una amante consumada de la buena vida, del lujo y de las comodidades. Posee ideales muy profundos y siempre procura actuar de acuerdo con ellos y con absoluta independencia.
Onomástica: 2 de abril.

Nabila

Etimología: Nombre árabe cuyo significado es «nacida noble».

Personalidad: Tiene un aire de niña demasiado mimada. No soporta bien que le lleven la contraria. Su principal preocupación es siempre la estética, por encima de la ética: que las cosas tengan un aspecto impecable, que su físico se mantenga... Aunque no es muy constante, sí es bastante ingeniosa y divertida.

Onomástica: No tiene.

Nadia

Etimología: Diminutivo del nombre ruso *Nadezhna,* «esperanza».

Personalidad: Es una mujer alegre, ingeniosa e inteligente. Es más fuerte de lo que aparenta y se halla capacitada para el trabajo en asociaciones políticas, comerciales o sociales. Es amante de la aventura, por lo cual se asocia cuanto tiene garantizada su independencia personal. Su vida puede ser tan apasionante como su ambición, a veces se muestra testaruda y egocéntrica.

Onomástica: 1 de agosto.

Otros idiomas: Catalán: Nádia. Inglés: Nadine.

Nadira

Etimología: Nombre árabe cuyo significado es «rara, preciosa».

Personalidad: Poco a poco, como una abeja laboriosa, va construyendo a su alrededor un mundo a su medida. Cuando lo consigue, es del todo irrompible. No es que sea materialista, sino que necesita la seguridad de las cosas y las personas que le son familiares. Por lo demás, es muy cariñosa y solidaria.

Onomástica: No tiene.

Nagore

Etimología: Nombre de advocación mariana, en el valle de Arce (Navarra).

Personalidad: Espirituales y místicas, de sentimientos altruistas. Se trata de personas elevadas que intentan cultivar la sabiduría y que valoran la inteligencia y la habilidad. Receptivas y estudiosas, son capaces de disfrutar de la vida. Quizá a veces son demasiado abnegadas y se olvidan de sus propios intereses.

Onomástica: 8 de septiembre.

Nahid

Etimología: En la mitología persa, equivalente d Venus, la diosa de la belleza y del amor.

Personalidad: A veces puede encontrarse en situaciones comprometidas por su sentido de la justicia: no soporta los abusos contra los débiles. Debe aprender a valorar las posibilidades ajenas, a no subestimar a los demás, aunque sea con ánimo protector. Por su carácter, tiende a relacionarse con personas que buscan protección.

Onomástica: No tiene.

Naiara

Etimología: Nombre de advocación mariana, en Nájera (Rioja).

Personalidad: Suelen ser mujeres de gran belleza, relacionadas con la cultura, el conocimiento, la armonía y la verdad. Disfrutan al máximo de la vida, valorando lo detalles y placeres más insignificantes. Son cooperadoras, entusiastas y afectuosas, por lo que valoran el amor y la amistad. El mayor riesgo se encuentra en la hipersensibilidad y la indecisión.

Onomástica: 8 de septiembre.

Nahimana

Etimología: Entre los indios dakota, nombre que significa «mística».

Personalidad: Le gusta estar en constante movimiento, buscar nuevos intereses, conocer

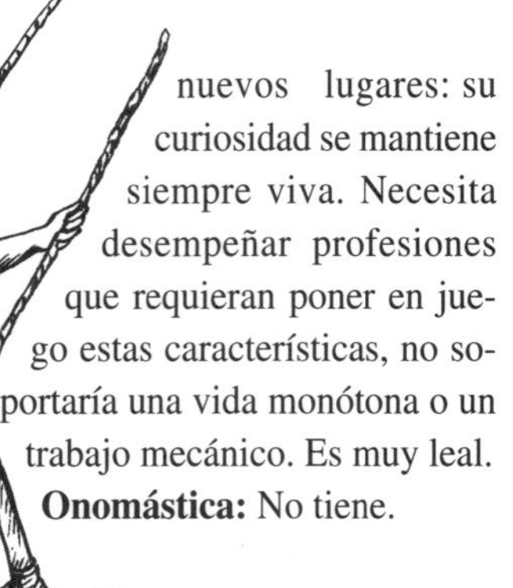

nuevos lugares: su curiosidad se mantiene siempre viva. Necesita desempeñar profesiones que requieran poner en juego estas características, no soportaría una vida monótona o un trabajo mecánico. Es muy leal.
Onomástica: No tiene.

NAHILA

Etimología: Nombre árabe cuyo significado es «triunfadora, mujer de éxito».
Personalidad: Busca fundamentalmente la paz interior, estar satisfecha consigo misma. La vida superficial y las diversiones de ese estilo no le interesan ni lo más mínimo. Necesita desempeñar una profesión que la mantenga ocupada y le exija un cierto esfuerzo, para sentirse a gusto. En el amor necesita seguridad y solidez.
Onomástica: No tiene.

NAJAM

Etimología: Nombre árabe cuyo significado es «estrella».
Personalidad: Es una conversadora por el gusto de intercambiar impresiones: lo que más le interesa en este mundo son las personas y su comportamiento. Su virtud principal es el interés por el conocimiento y la literatura, aunque sólo sea por el placer que le producen las personas relacionadas con las humanidades.
Onomástica: No tiene.

NAJILA

Etimología: Nombre árabe cuyo significado es «ojos brillantes».
Personalidad: Su carácter puede llegar a esclavizarla de alguna manera: es demasiado orgullosa y un poco rígida de carácter, le cuesta ver los matices de las cosas. Si consigue atemperar ese problema, puede llegar a ser incluso divertida. En el amor y la amistad prefiere lo poco pero bueno.
Onomástica: No tiene.

NAKIA

Etimología: Nombre árabe cuyo significado es «pura, honrada».
Personalidad: No soporta hacer daño a los demás. Por eso prefiere sufrir una frustración a imponer su criterio, aunque sepa que es el correcto. A pesar de ese carácter bondadoso, no carece de ambiciones, pero suele marcarse un camino que sea muy respetuoso con todos. Es una compañera de trabajo y amiga muy agradable.
Onomástica: No tiene.

NANCY

Etimología: Forma inglesa de *Ana,* que deriva del hebreo *Hannah:* «gracia, compasión».
Personalidad: Honrada y sincera, siempre se atreve a ser lo que es. Suele ser versátil y también algo inconstante en su juventud, pero eso cambia en la madurez, cuando por fin da con aquello que llena su vida de sentido y se dedica a ello con pasión y ánimo inagotables.
Onomástica: 26 de junio.

NAOMI

Etimología: Del hebreo *noah,* «apacible, longevo». Es una variante de *Noemí.*
Personalidad: Ella es la única que considera que sus ideas son sólidas, porque los demás creen que las cambia con demasiada frecuencia. Como en todo, se deja llevar por las modas. Es muy afectuosa y en el campo profesional se marca metas que le permitan alcanzar un buen nivel de vida. Como madre se muestra muy responsable.
Onomástica: 4 de junio.

NARA

Etimología: En la mitología india, unos de los 1.008 nombres de la diosa Visnú.

Personalidad: Posee fuerza y determinación, así como una personalidad difícilmente manejable. Obstinada e independiente, ejerce un gran magnetismo, aunque puede caer fácilmente en la intransigencia. Rara vez se siente contenta durante mucho tiempo, así que busca cambios de ambiente o de escenario.
Onomástica: No tiene.

NARCISA

Etimología: Procede del griego *Narkissos,* un derivado del verbo *narkao,* «producir sopor».
Personalidad: Intransigente por naturaleza, sólo va adquiriendo flexibilidad y comprensión hacia los demás con el paso de los años. Es muy temperamental, propensa a las decisiones repentinas, inesperadas y poco o nada meditadas. Esto se compensa con su aguda inteligencia e intuición.
Onomástica: 29 de octubre.
Otros idiomas: Bable: Narcisa.

NASYA

Etimología: Nombre hebreo con el significado de «milagro divino».
Personalidad: Introvertida y prudente, no por ello deja de ser dulce y encantadora. Es muy emotiva y cuando se siente herida emocionalmente se refugia en sueños quiméricos y utópicos. Muy humana, le gusta participar en tareas sociales y humanitarias, así como en movimientos místicos o esotéricos.
Onomástica: No tiene.

NATACHA

Etimología: Forma rusa de *Natividad.* Deriva del latín *nativitas,* «nacimiento». Hace alusión al día de Navidad.
Personalidad: Su carácter es muy creativo y posee el impulso que produce la inspiración. Le gustan las emociones y es muy dada a perseguir ideales utópicos. Es también idealista y perfeccionista, lo cual normalmente la lleva a tener elevadas ambiciones. La parte negativa es la facilidad con que cae en la extravagancia y su tendencia a la inestabilidad.
Onomástica: 25 de diciembre.

NATALENA

Etimología: Nombre que se ha formado como hipocorístico de *Natalia* y *Elena.*
Personalidad: Afortunada. Haga lo que haga, consigue eludir cualquier clase de problemas, queda siempre bien con quien le interesa y consigue los objetivos que persigue. Es propensa a los ataques de cólera y a las venganzas, pero no olvida nunca a quien le ha ayudado.
Onomástica: 10 de noviembre.

NATALIA

Etimología: Proviene del latín *natalis-dies,* «día del nacimiento», en alusión al día de Navidad.
Personalidad: Es una mujer ambiciosa y adaptable que nunca se marca un límite sobre lo que puede conseguir. Le gusta experimentar en campos distintos, de modo que pueda llevar una vida lo más variada posible. Aunque no confía plenamente en el amor ni en la amistad, se irá rodeando de personas muy especiales.
Onomástica: 27 de julio y 1 de diciembre.
Otros idiomas: Catalán: Natàlia. Euskera: Natale. Gallego: Natalia. Inglés y alemán: Nathalie. Francés: Natalie, Nathalie. Italiano: Natalina.

NATIVIDAD

Etimología: Deriva del latín *nativitas,* «nacimiento». Hace referencia al nacimiento de la madre de Jesús.
Personalidad: Natividad es del todo ajena a la lógica. Parece que vive en su propio mundo, regida por sus propias normas y leyes. Feliz con su independencia, procura evitar los compromisos a toda costa. En el amor es romántica y muy fantasiosa.

Onomástica: 8 de septiembre.
Otros idiomas: Catalán: Nativitat, Nadal. Euskera: Gabone, Jaione, Marigabon, Solbezi. Gallego: Natividade. Bable: Nadalina. Francés: Noël. Italiano: Natale.

NAZARET

Etimología: Nombre de advocación mariana: Nuestra Señora de Nazaret. Evoca la localidad donde Jesús pasó gran parte de la infancia y de la juventud en casa de sus padres.
Personalidad: Su personalidad está marcada por el impulso de creación. Es algo autoritaria, individualista e independiente. Valora la estabilidad en su vida y, para conseguirla, a veces se muestra autoritaria y egoísta.
Onomástica: 8 de septiembre.

NAZARIA

Etimología: Nombre hebreo que puede interpretarse como «flor, corona, coronada».
Personalidad: Siempre tiene que estar a la altura de las circunstancias. Tiene una imagen muy clara de lo que quiere conseguir en el mundo y de lo que quiere llegar a ser. Puede parecer ingenua y extrovertida, pero en realidad siempre se guarda algo para sí misma.
Onomástica: 6 de julio.

NEERA

Etimología: Del nombre griego *Nearia,* «joven». En la mitología griega, nombre de una ninfa.
Personalidad: Procura mostrarse siempre ecuánime y posee un sentido innato de la justicia y el equilibrio, pero también cae con facilidad en ataques de ira y valora en exceso el poder y el triunfo. Es impaciente e impetuosa. Esta personalidad la hace, casi con seguridad, muy celosa.
Onomástica: No tiene.
Otros idiomas: Catalán: Neera. Francés: Neïs. Italiano: Neera.

NEFELE

Etimología: Nombre de la mitología griega *Nephele,* «nube».
Personalidad: Posee una personalidad carismática, seductora y fuerte. Es también idealista y perfeccionista, lo cual normalmente la lleva a tener elevadas ambiciones. En lo negativo, suele ser nerviosa y autoritaria.
Onomástica: No tiene.

NEKANE

Etimología: Nombre vasco, equivalente de *Dolores.*
Personalidad: En su juventud es una persona muy exaltada. Loca, divertida, le encanta sorprender a la gente. En el amor quiere aparentar frivolidad y falta de madurez, pero en el fondo es una sentimental empedernida. Según se va haciendo mayor, se transforma en una mujer protectora de todos los que la rodean.
Onomástica: Viernes de Dolores (el anterior a Semana Santa) y 15 de septiembre.
Otros idiomas: Catalán: Dolors. Gallego: Dóres. Francés: Dolorés. Alemán: Dolores. Italiano: Addolorata.

NELA

Etimología: Variante de Magdalena, que deriva del gentilicio para la región de *Magdala,* en hebreo *Migda-El,* «Torre de Dios».
Personalidad: Cauta y tranquila. Detesta tomar las decisiones de forma precipitada, pero algunas veces tarda tanto en decidirse que se le escapa el tren. A lo largo de los años, Nela va cultivando una profunda sabiduría, no basada en filosofías eruditas, sino en esas experiencias cotidianas.
Onomástica: 2 de mayo.

NÉLIDA

Etimología: Hipocorístico de *Cornelia.*
Personalidad: Presentan una aguda incapacidad para ser felices. Tienen todo lo que desean,

se adaptan a la perfección a su ámbito social y a sus obligaciones, e incluso gozan de cierta fama y notoriedad. Pero siempre caen en la melancolía. Muy pasionales, saben, sin embargo, controlarse a la perfección.
Onomástica: 31 de marzo.

NELLIE

Etimología: Nombre inglés que se ha formado como hipocorístico de *Cornelia, Eleanor, Helen* y *Prunella.*
Personalidad: Necesita tener siempre una apariencia impecable, no soporta el desorden o la incoherencia y está demasiado pendiente de lo que opinan de ella. Si cree que algo merece la pena, no le importa arriesgar todo lo que haga falta. En el amor prefiere ser conquistada a conquistar, porque necesita sentir que le prestan atención.
Onomástica: 31 de marzo.

NELLY

Etimología: Hipocorístico de *Elena, Leonora* o *Cornelia.*
Personalidad: Tienden a ser personas fuera de lo corriente: son comprensivas y afectuosas por naturaleza, capaz de hacer un hueco en el corazón de los más reacios. En el amor suelen ser extremadamente afortunadas y encontrar su alma gemela.
Onomástica: 18 de agosto.
Otros idiomas: Catalán: Elena, Helena. Euskera: Ele. Inglés: Ellen, Helen, Helena. Francés: Hélène. Italiano: Elena.

NEMESIA

Etimología: Deriva del nombre de la diosa romana *Némesis,* protectora de la justicia y vengadora de los crímenes.
Personalidad: Es una vencedora. Magnética, creativa e inteligente, suele tener condiciones para convertirse en líder. Sin embargo, corre el riesgo de creérselo y en ocasiones se muestra altiva y poco comprensiva. Si consigue prestar atención a los demás, será una persona maravillosa. 
Onomástica: 19 de julio.
Otros idiomas: Catalán y euskera: Nemesi. Gallego: Nemesio. Bable: Demesia. Italiano: Nemesio.

NÉMESIS

Etimología: Deriva del nombre de la diosa romana *Némesis,* protectora de la justicia y vengadora de los crímenes.
Personalidad: Piensa casi siempre en ella misma antes que en los demás. No es en absoluto detallista. En el trabajo es seria y luchadora, pero en sus momentos de ocio se convierte en una compañera agradable y divertida. En ocasiones especialmente injustas aflora su fibra sensible y humanitaria.
Onomástica: 19 de julio y 10 de septiembre.

NEREA

Etimología: De *Nereo,* nombre de la mitología griega. Parece derivar de *náo,* «nadar», y podría significar «nadador».
Personalidad: Emotiva, altruista e idealista. Fiel a sus amistades y amores, tiene gran necesidad de ayudar y compartir, tanto en lo material como en lo espiritual. Es influenciable, le cuesta ser realista y es algo desordenada. Su principal defecto es que tiene cambios bruscos de humor.
Onomástica: 12 de mayo y 16 de octubre.
Otros idiomas: Catalán: Nerea. Euskera: Nere, Nerea. Francés: Nérée. Italiano: Nerea.

NEREIDA

Etimología: De *Nereo,* nombre de la mitología griega. Parece derivar de *náo,* «nadar», y po-

dría significar «nadador». Es una variante de *Nerea.*

Personalidad: Es una persona muy simpática, afable e inteligente. Su problema principal es precisamente conseguir fijar su atención en actividades serias, porque se empeña en no crecer y comportarse eternamente como una niña. En el amor busca una pareja que centre todas sus energías en ella, aunque en la amistad es mucho más entregada.

Onomástica: 12 de mayo y 16 de octubre.

NICETA

Etimología: Del nombre griego *Niketos,* que deriva de *niké,* «victoria»; podríamos interpretarlo como «victoriosa».

Personalidad: Su personalidad es conflictiva, por lo que suele encontrar dificultades para sentirse a gusto consigo misma. También es algo vacilante y no muy enérgica. Sin embargo, posee un cierto espíritu aventurero, incluso algo temerario, y es de una lealtad inquebrantable.

Onomástica: 24 de julio.

NICOLASA

Etimología: Del griego *niké-laos,* «vencedor del pueblo».

Personalidad: Tiene las ideas muy claras, pero encuentra grandes dificultades para imponer su criterio. Le gustan las diversiones tranquilas y un tanto aburguesadas. Lujos y comodidades sí, pero en la justa medida.

Onomástica: 10 de septiembre y 6 de diciembre.

Otros idiomas: Catalán: Nicolaua. Euskera: Nikole. Bable: Nicolasa (Colasa). Francés: Nicole, Colette. Alemán: Nicoletta. Italiano: Nicoletta.

NIDIA

Etimología: Del nombre latino *Nidius,* que s du vez deriva de *nitidus,* «nítido, brillante».

Personalidad: Debe luchar entre dos tendencias: la de una cierta espiritualidad y la necesidad de independencia. Además de ternura y afecto, busca la seguridad y es una abnegada madre de familia. A veces resulta menos sentimental, pero capaz de realizar grandes cosas.

Onomástica: No tiene.

NIEVES

Etimología: Nombre cristiano que hace alusión a la Virgen de las Nieves.

Personalidad: Segura y emprendedora, Nieves no se rinde fácilmente. Se ilusiona enseguida con cualquier proyecto, y es capaz de trabajar hasta la extenuación, aunque sólo si se divierte mientras lo hace. Exige a los demás la misma dedicación y es muy intransigente con la pereza. Muchas veces descuida su vida personal.

Onomástica: 5 de agosto.

Otros idiomas: Catalán: Neus. Euskera: Ederne, Edurne. Gallego: Neves. Bable: Nieves, Ñeves. Francés: Marie-Neige. Italiano: Maria della Neve, Nives.

NILDA

Etimología: Hipocorístico de *Brunilda:* procede del germánico *prunja,* «coraza», y no de *brun,* «oscuro», como pudiera parecer.

Personalidad: Tozuda y obstinada. Puede ser orgullosa, pero también sincera y justa. Siente pasión por todo tipo de actividades intelectuales. En el amor y en la amistad se muestra solícita. Detesta actuar por conveniencia y siguiendo las pautas sociales.

Onomástica: 6 de octubre.

NINA

Etimología: Hipocorístico italiano de *Giovannina* y *Annin.* Es también hipocorístico ruso de *Catalina* y de *Ana.*

Personalidad: Es inteligente, dinámica, curiosa y con espíritu de empresa. Nerviosa y siempre tensa con reacciones vivas, puede parecer inestable y versátil, pero siempre buscando preservar su libertad. Sin embargo, al ser muy compleja sentimentalmente, en el fondo es algo depresiva y amante de la soledad.
Onomástica: 15 de diciembre.
Otros idiomas: Catalán: Nina.

NINFA

Etimología: Del griego *Nimfe,* «ninfa, novia». En la mitología griega, diosa que habitaba en los campos y las fuentes.
Personalidad: Posee una personalidad equilibrada, serena y con las ideas muy claras, aunque también es intuitiva y magnética. Valora el refinamiento y la integridad, la simpatía y la benevolencia. Suele ser idealista sin remedio si cree en una idea determinada.
Onomástica: 10 de noviembre.
Otros idiomas: Catalán: Nimfa. Euskera: Ninbe. Italiano: Ninfa.

NIOBE

Etimología: Personaje de la mitología griega que desafió a los dioses. Su etimología es desconocida.
Personalidad: Posee una personalidad marcada por el impulso de creación. Es algo autoritaria, individualista e independiente. Valora la estabilidad en su vida y, para conseguirla, a veces se muestra autoritaria y egoísta.
Onomástica: No tiene.

NIRA

Etimología: Nombre guanche originario de La Palma. Su significado era «golondrina sin nido».
Personalidad: Desarrolla una intensa vida social y siente un gran amor por el lujo y la comodidad, y tiene un carácter un tanto exigente, incluso con las personas queridas. Asu favor tiene la virtud de la simpatía y de inspirar grandes pasiones a su alrededor. Suele tener éxito en el mundo laboral.
Onomástica: No tiene.

NISA

Etimología: Nombre árabe cuyo significado es «mujer».
Personalidad: Tiene una personalidad muy fuerte, actúa siempre con una contundencia y seguridad en sus opiniones que puede resultar chocante. En el amor, sin embargo, le falta seguridad, y le cuesta mantener sus conquistas. Quienes más la valoran son sus amigos y compañeros de trabajo.
Onomástica: No tiene.

NOA

Etimología: Nombre gallego de origen hebreo que significa «reposo».
Personalidad: Valiente, lista, generosa y leal, posee un corazón donde caben todos sus muchos amigos y su familia. Suele centrarse en una actividad que le entusiasma y debe tener cuidado, ya que puede perder interés por prácticamente todo excepto eso. Valora la estabilidad en el amor.
Onomástica: 1 de noviembre.

NOELIA

Etimología: Nombre de origen francés que celebra la Navidad (*Noël*).
Personalidad: Alegre y frívola,aunque ella tiene muy claras sus prioridades en la vida, y en primera instancia se dedica a ellas. Puede decirse que es poco detallista y propensa a olvidarse de aniversarioss, pero cuando se la necesita, es una amiga de las de verdad.
Onomástica: 24 de diciembre.
Otros idiomas: Gallego y bable: Noela.

NOEMÍ

Etimología: Del hebreo *noah,* «apacible, longevo».

Personalidad: Es la optimista por excelencia: cuando hay problemas, siempre ve una salida inmediata. En el amor y con sus amigos lo da todo, sin reservas, y espera lo mismo. Detesta la indiferencia y la indecisión, y en cualquier circunstancia exige de los demás el mismo compromiso.
Onomástica: 4 de junio.
Otros idiomas: Catalán: Noemí. Gallego y bable: Noemi, Noemia. Inglés: Naomi. Francés: Noémie. Italiano: Noemi.

NONA

Etimología: Este nombre se solía poner al noveno hijo si era una niña, ya que el latín *nona* significa «novena».
Personalidad: Ciertamente es un poco perezosa, y aunque sepa lo que quiere y qué ha de hacer para conseguirlo, le cuesta ponerse manos a la obra. Es romántica y soñadora, muy dada a perderse en el mundo de sus fantasías amorosas. Cariñosa y entregada, pero también muy exigente. Cuando hay problemas sabe ser fuerte, entera y tranquila.
Onomástica: 5 de agosto.
Otros idiomas: Catalán: Nonna.

NOOR

Etimología: Nombre de origen arameo, cuyo significado es «delgada, ligera».
Personalidad: Mujer extremadamente compleja. Ama su profesión y se dedica a ella con auténtico fervor, aunque no por ello descuida a su familia ni a sus amigos. Es una madre espléndida. Sentimental hasta la médula, tiene debilidad por las historias de amor y es un poco celestina.
Onomástica: No tiene.

NORA

Etimología: Del gaélico *Leonorius,* probablemente una derivación de *Elena:* del griego *hélene,* «antorcha brillante». También es un nombre árabe, en este caso con el significado de «noria», y por último una advocación mariana, ya que en la población de Sangüesa (Navarra) hay una ermita dedicada a Nuestra Señora de Nora.
Personalidad: Altiva y lejana. Mujer segura, idependiente y decidida. Es una persona profundamente pragmática, que posee la habilidad de convertir sus sueños en realidad. Tiende a ignorar a los demás.
Onomástica: 23 de febrero.
Otros idiomas: Euskera y bable: Nora.

NORBERTA

Etimología: Nombre de origen germánico: de *nord,* «norte, venido del norte», y *berth,* «famoso»; o sea, «mujer famosa venida del norte».
Personalidad: La estabilidad, la paciencia, la organización, el realismo, el sentido del deber y el orden son sus principales virtudes. En lo sentimental y con sus amistades son de una fidelidad absoluta. Por contra, caen con facilidad en la rutina y la avaricia.
Onomástica: 6 de junio.
Otros idiomas: Catalán: Norberta. Gallego y bable: Norberta.

NOREIA

Etimología: Nombre de una diosa celta perteneciente a la tribu de los nóricos. El equivalente romano sería la diosa *Fortuna.*
Personalidad: De gran energía, no suelen pasar desapercibidas, y tienen habilidades para el liderazgo y la innovación. No les gusta seguir las corrientes establecidas y se empeñan en la originalidad. En el lado negativo tienen cierta tendencia al egoísmo, la vanidad y el orgullo. También pueden ser excéntricas y demasiado dominantes.
Onomástica: No tiene.

NORMA

Etimología: Procede del latín *norma,* «norma, precepto», aunque hay quien opina que podría tratarse de una adaptación del germánico *north-mann,* «hombre del norte».

Personalidad: Tiene una auténtica obsesión por su aspecto: siempre perfecta, brillante, hermosa. Le gusta ser original y hasta un poco extravagante, y obtiene un gran placer escandalizando a los demás. Independiente y luchadora, persigue con vehemencia sus objetivos profesionales.

Onomástica: 1 de noviembre.

Otros idiomas: Catalán y bable: Norma. Francés, alemán e italiano: Norma.

NOTBURGA

Etimología: Nombre germánico que puede traducirse como «belleza protegida».

Personalidad: Lo hace todo con el corazón; ella presume de ser pasional, impulsiva y profundamente sensible. Quizá tenga un miedo patológico a la soledad. Detesta las discusiones y en muchas circunstancias prefiere guardar silencio para no provocar una disputa. Es una compañera dulce y romántica.

Onomástica: 31 de octubre.

NUGA

Etimología: Nombre guanche de procedencia no determinada. Una indígena con ese nombre fue vendida en Valencia.

Personalidad: Encantadora. Siempre tiene la palabra exacta, la sonrisa adecuada, el chiste justo o la anécdota perfecta. Además de sensible y una gran estudiosa del arte. Sus momentos de soledad son escasos, pero los necesita para no perderse en un mar de gente.

Onomástica: No tiene.

NUNA

Etimología: Nombre de los indios norteamericanos que significa «tierra, territorio».

Personalidad: Es afectuosa y profundamente maternal. No es demasiado imaginativa ni original, pero lo compensa con una impresionante capacidad de trabajo y una lealtad incorruptible. En el amor es algo ingenua, pero prefiere eso a volverse cruel o insensible. Es feliz sabiendo que hay quien necesita de sus cuidados.

Onomástica: No tiene.

NUNILA

Etimología: Del latín *nunius,* «noveno hijo».

Personalidad: Emotiva, altruista e idealista. Fiel a sus amistades y amores, tiene gran necesidad de ayudar y compartir, tanto en lo material como en lo espiritual. Es influenciable, le cuesta ser realista y es algo desordenada. En lo espiritual, tiende también a padecer desórdenes ciclotímicos.

Onomástica: 22 de octubre.

NURIA

Etimología: Aunque es un nombre de uso frecuente en catalán, su origen es más bien vascuence: deriva del euskera *n-uri-a,* «lugar entre colinas». Es nombre de advocación mariana: Nuestra Señora de Núria (*Mare de Déu de Núria*), que tiene un santuario cerca de Queralbs (Girona).

Personalidad: Es una trabajadora incansable, aunque cuando tiene un momento de ocio sabe cómo disfrutarlo al máximo. Es una mujer a la que le gusta disfrutar de la buena vida, del lujo y de las comodidades. Aun así, posee ideales muy profundos y siempre procura actuar de acuerdo con ellos, sin traicionarse, y con absoluta independencia.

Onomástica: 8 de septiembre.

Otros idiomas: Catalán: Núria. Gallego y bable: Nuria. Francés: Nuria.

OBDULIA

Etimología: Forma latinizada del árabe *Abdullah,* «siervo de Dios».

Personalidad: Tiene condiciones para ser la madre perfecta. Cariñosa, entregada, es capaz de sacrificarlo todo por el bien de sus seres queridos, sobre todo si son sus propios hijos. Sin embargo, cuando no se siente segura, es irreflexiva y pesimista, propensa a tomar decisiones erróneas y precipitadas. Generosa y desprendida.

Onomástica: 5 de septiembre.

Otros idiomas: Catalán: Obdúlia. Euskera: Otule. Gallego y bable: Obdulia (Dulia), Odila, Odilia. Francés: Odile. Italiano: Obdulia.

OCILIA

Etimología: Variante de *Otilia:* deriva de *Otilius,* latinización del nombre germánico *Otón* y éste de *od, audo,* «joya, tesoro».

Personalidad: Su personalidad es conflictiva, por lo que suele encontrar dificultades para sentirse a gusto consigo misma. También es algo vacilante y no muy enérgica. Sin embargo, posee un cierto espíritu aventurero, incluso algo temerario, y es de una lealtad inquebrantable si se le necesita.

Onomástica: 21 de octubre.

OCTAVIA

Etimología: Nombre de una gens romana que deriva de *octavus,* «octavo».

Personalidad: Persona tranquila y reflexiva, un auténtico maestra del autocontrol. Posee un innato sentido de la justicia y es capaz de luchar por aquello en lo que cree. Disfruta mucho en compañía de sus amigos y seres queridos, adora una buena tertulia y procura encontrar un trabajo que le obligue a estar continuamente en contacto con la gente.

Onomástica: 20 de noviembre.

Otros idiomas: Catalán: Octàvia. Francés e inglés: Octavia. Alemán: Oktavia. Italiano: Ottavia.

OCTAVIANA

Etimología: Nombre de una gens romana que deriva de *octavus,* «octavo».

Personalidad: Posee una gran capacidad de adaptación, por lo cual le entusiasman los viajes y todo lo que requiera audacia e innovación. En lo negativo, su personalidad le acarrea ciertos inconvenientes como accidentes, inestabilidad y superficialidad.

Onomástica: 22 de marzo y 20 de noviembre.

ODA

Etimología: Del nombre germánico *Otón* y éste de *od, audo,* «joya, riqueza».

Personalidad: Inteligente pero rígida, trabajadora pero poco creativa, es una persona extremadamente tímida que a veces opta por ocultarlo bajo una máscara autoritaria. Es inquieta y tiene verdaderas ansias de saber. Es muy generosa y perdona con facilidad. Es inconstante y se deja llevar mucho más por los sentimientos que por la razón o la lógica.

Onomástica: 19 de octubre.

ODETTE

Etimología: Forma francesa de *Otilia* de *Otilius,* latinización del nombre germánico *Otón* y éste de *od, audo,* «joya, tesoro».

Personalidad: Es, definitivamente, una mujer de muchas caras... Tiene una personalidad muy compleja. Por un lado, es fuerte, luchadora y decidida, es muy ambiciosa y procura parecer siempre altiva y un poco superior. Pero hay una parte de ella que parece no estar a gusto consigo misma.

Onomástica: 19 de octubre.

Ofelia

Etimología: Del griego *ofeleia,* «ayuda, socorro, utilidad».

Personalidad: La estabilidad, la seguridad y la protección son sus ejes fundamentales. Se trata de personas con los pies en el suelo, aunque también ambiciosas, lo cual equilibra su carácter y les permite vivir una existencia activa y variada, repleta de situaciones que les permite crecer y aprender.

Onomástica: No tiene.

Otros idiomas: Catalán: Ofèlia. Gallego y bable: Ofelia. Inglés y alemán: Ophelia. Francés: Ophélie. Italiano: Ofelia.

Ofra

Etimología: Nombre que en hebreo significa «joven» y en árabe «del color de la tierra».

Personalidad: Su impresión es que ha nacido en un tiempo que no le corresponde. Ella necesita vivir fuera de la realidad, en un refugio de fantasía y romanticismo. Es muy propensa al teatro y a la exageración, amante de melodramas e historias imposibles. Sin embargo, tiene un corazón de oro y es capaz de desvivirse por ayudar a su prójimo.

Onomástica: No tiene.

Olalla

Etimología: Del germánico *ald-gar,* «pueblo antiguo». Forma gallega de *Eulalia.*

Personalidad: Tímida y reservada, a veces se muestra inquieta y nerviosa, dudando de sus propias capacidades y replegándose en sí misma al menor contratiempo. A pesar de su inseguridad, a la vez tiene la necesidad de nuevas experiencias, lo que la impulsa a exteriorizarse. Por ello pasa de un extremo a otro sin solución de continuidad.

Onomástica: 6 de marzo.

Otros idiomas: Catalán: Oleguer. Euskera: Olaia, Olalla. Gallego: Olalla. Bable: Olaya. Variante: Olaya.

Olga

Etimología: Deriva del escandinavo *Helga,* «alta, divina, invulnerable».

Personalidad: Alegre y frívola, incluso dispersa, aunque ella tiene muy claras sus prioridades en la vida, y en primera instancia se dedica a ellas. En general, puede decirse que es poco detallista y propensa a olvidarse de aniversarios y felicitaciones, pero cuando se la necesita, es una amiga de las de verdad.

Onomástica: 11 de julio.

Otros idiomas: Catalán, gallego y bable: Olga. Francés, alemán e italiano: Olga.

Olimpia

Etimología: Del griego *Olimpyos,* «perteneciente al Olimpo», la morada de los dioses.

Personalidad: Voluntariosa, dinámica, emprendedora, discreta y con un profundo sentido de la justicia, su fuerte personalidad la impulsa a mandar y dirigir, no sabiendo perder, pero afortunadamente sabe elegir bien las oportunidades y sabe llevarlas a la práctica. Se inclina más por la vida profesional que por la familiar.

Onomástica: 28 de enero.

Otros idiomas: Catalán: Olimpia. Euskera: Olinbe. Gallego y bable: Olimpia. Francés: Olympie. Inglés: Olympia. Italiano: Olimpia.

Oliva

Etimología: Del latín *oliva,* «olivo, aceituna o rama de olivo».

Personalidad: Ciertamente es un poco perezosa, y aunque sepa lo que quiere y qué ha de hacer para conseguirlo, le cuesta ponerse manos a la obra. Es romántica y soñadora, muy dada a perderse en el mundo de sus fantasías amorosas. Cariñosa y entregada, pero también muy exigente. Cuando hay problemas sabe ser fuerte, entera y tranquila.

Onomástica: 3 de junio.

Otros idiomas: Catalán y bable: Oliva. Inglés y francés: Olive. Italiano: Oliva.

Olivia

Etimología: Del latín *oliva,* «olivo, aceituna o rama de olivo». Es una variante de *Olivia.*
Personalidad: Espirituales y místicas, de sentimientos altruistas. Se trata de personas elevadas que intentan cultivar la sabiduría y que valoran la inteligencia y la habilidad. Receptivas y estudiosas, son capaces de disfrutar de la vida. Quizá a veces son demasiado abnegadas y se olvidan de sus propios intereses.
Onomástica: 5 de marzo.
Otros idiomas: Catalán: Oliva. Gallego: Oliva, Olivia. Inglés y francés: Olive. Italiano: Oliva.

Olvido

Etimología: Nombre cristiano en honor de Nuestra Señora del Olvido.
Personalidad: Olvido lo hace todo con el corazón; ella presume de ser pasional, impulsiva y profundamente sensible. Quizá tenga un miedo patológico a la soledad. Detesta las discusiones y en muchas circunstancias prefiere guardar silencio para no provocar una disputa. Es una compañera dulce y romántica.
Onomástica: 8 de septiembre.
Otros idiomas: Catalán: Oblit. Bable: Olvidu.

Omaira

Etimología: Nombre árabe cuyo significado es «de color rojo».
Personalidad: Es una mujer de carácter. Muy dada a las discusiones espectaculares y melodramáticas, aunque al final siempre acaba cediendo. Es extremadamente ambiciosa en su vida personal y profesional. Aunque le encanta el chismorreo, es una buena amiga, pero un poco superficial.
Onomástica: No tiene.

Ondina

Etimología: Del latín *unda,* «onda». En la mitología romana, espíritu elemental de las aguas, que vive preferentemente en los manantiales.
Personalidad: La estabilidad, la paciencia, la organización, el realismo, el sentido del deber y el orden son sus principales virtudes. En lo sentimental y con sus amistades son de una fidelidad absoluta. Por contra, caen con facilidad en la rutina y la avaricia.
Onomástica: No tiene.
Otros idiomas: Catalán: Ondina. Francés: Ondine. Italiano: Ondina.

Onfalia

Etimología: Del griego *Onphále,* y éste de *onphálos,* «ombligo». Podría significar «mujer de bello ombligo». Personaje de la mitología griega.
Personalidad: Su personalidad es conflictiva, por lo que suele encontrar dificultades para sentirse a gusto consigo misma. También es algo vacilante y no muy enérgica. Sin embargo, posee un cierto espíritu aventurero, incluso algo temerario, y es de una lealtad inquebrantable.
Onomástica: No tiene.
Otros idiomas: Catalán: Onfàlia. Francés: Onphalie. Italiano: Onfale.

Opal

Etimología: Nombre hindú cuyo significado es «piedra preciosa».
Personalidad: Es tozuda y obstinada, aunque no actúa con mala intención. Puede ser orgullosa, pero también sincera y justa. Siente pasión por todo tipo de actividades intelectuales y es dada a la polémica. En el amor y la amistad se muestra muy sólida. No le gustan las personas que actúan sólo por conveniencia.
Onomástica: No tiene.

Oración

Etimología: Nombre cristiano que deriva del latín *oralis*, «oral».

Personalidad: Es equilibrada y posee gran encanto, por lo que está dotada para la diplomacia y las relaciones públicas. También valora enormemente la belleza, la armonía y la capacidad de sacrificio. Por contra, es algo indecisa y dada al fatalismo y al exceso de perfeccionismo.
Onomástica: No tiene.
Otros idiomas: Catalán: Oració. Euskera: Arrene.

ORELLANA

Etimología: Es una variante de *Aurelia,* nombre de una gens romana que deriva de *aureolus,* «de oro».
Personalidad: Llevan su propio estilo de vida, aunque sin salirse mucho de los moldes sociales. Originales, pero nunca excéntricas ni marginales. Cultas, refinadas e inteligentes, y valoran mucho esta cualidad en sus amigos. Tienden a idealizar a la persona amada.
Onomástica: 25 de septiembre.

ORIA

Etimología: Del latín *aurum,* «oro». Es una variante de *Áurea.*
Personalidad: Su personalidad es muy creativa, entusiasta, sociable, optimista y muy espiritual. Tiene gran sentido práctico y es muy hábil en las actividades manuales. En contrapartida, puede ser algo intolerante y colérica, y a veces le cuesta concentrarse en una sola cosa.
Onomástica: 20 de diciembre.
Otros idiomas: Catalán: Òria. Bable: Oria.

ORIANA

Etimología: Del latín *aurum,* «oro». Es una variante de *Áurea.*
Personalidad: Su principal característica es el exceso, en cualquier sentido. Lo mismo se trata de una personalidad excesivamente soñadora como de un materialismo consumado, de hedonistas y narcisistas como de estoicas que rozan el ascetismo. Hay que vigilar la tendencia a la indiscreción, así como al inconformismo.
Onomástica: 10 de marzo.
Otros idiomas: Catalán: Oriana. Inglés y francés: Oriana. Italiano: Oriana, Orietta.

ORNELIA

Etimología: Deriva del latín y podría significar «muchacha honrada». Es una variante de *Ornella.*
Personalidad: La estabilidad, la seguridad y la protección son sus ejes fundamentales. Se trata de personas con los pies en el suelo, aunque también ambiciosas, lo cual equilibra su carácter y les permite vivir una existencia activa y variada, repleta de situaciones que les permite crecer y aprender.
Onomástica: No tiene.
Otros idiomas: Inglés, francés e italiano: Ornella.

ORNELLA

Etimología: Deriva del latín y podría significar «muchacha honrada».
Personalidad: Afectuosa y sentimental en exceso, es amable y simpática. Le gusta rodearse de gente y ayudar a los demás. Sus buenos deseos le permiten dominar su lado negativo.
Onomástica: No tiene.
Otros idiomas: Inglés, francés e italiano: Ornella.

OROSIA

Etimología: Deriva del latín *os, oris,* «boca».
Personalidad: Emotiva, altruista e idealista. Fiel a sus amistades y amores, tiene gran necesidad de ayudar y compartir, tanto en lo material como en lo espiritual. Es influenciable, le cuesta ser realista y es algo desordenada. En lo

espiritual, tiende también a padecer desórdenes ciclotímicos.

Onomástica: 25 de junio.

Otros idiomas: Catalán: Oròsia. Euskera: Orose, Oroxi.

Osane

Etimología: Forma vasca de *Remedios*, nombre cristiano en honor de Nuestra Señora de los Remedios.

Personalidad: Pone toda su inteligencia al servicio de su ambición, que afortunadamente no es desmedida. No se conforma con lo que tiene, pero tampoco se va a volver loca si no consigue más. Suele ser seria y un tanto severa, aunque a veces siente que le gustaría escapar de sus propios y autoimpuestos límites.

Onomástica: 5 de agosto y segundo domingo de octubre.

Otros idiomas: Catalán: Remei. Gallego: Remedios. Francés: Remède. Italiano: Maria Remedio.

Otilia

Etimología: Deriva de *Otilius,* latinización del nombre germánico *Otón* y éste de *od, audo,* «joya, tesoro».

Personalidad: Son personas sencillas y auténticas. Detestan a los que actúan de una determinada manera sólo por guardar las apariencias y, por eso, prefieren que les digan las cosas a la cara, sin rodeos ni ambages. Odian la mentira y la hipocresía. Su sistema moral es simple pero incorruptible.

Onomástica: 13 de diciembre.

Otros idiomas: Catalán: Otília. Euskera: Otila. Gallego: Odilia, Otilia. Bable: Odilia. Alemán: Otila.

PACIANA

Etimología: Del latín *pacis,* genitivo de *pax,* «paz».

Personalidad: Débil de carácter. Quizá sea demasiado flexible, y es cierto que es capaz de ceder en cualquier tema. También es una mujer sensible. Lleva una existencia tranquila y sin grandes sobresaltos, a ser posible en compañía de un hombre sereno y protector.

Onomástica: 9 de marzo.

Otros idiomas: Euskera: Pakene.

PACIENCIA

Etimología: Del latín *patientia,* «constancia, paciencia».

Personalidad: Es dulce y divertida, aunque un poco superficial. En su juventud, suele tener muchos amigos y una vida social trepidante... pero según pasan los años procura por todos los medios encontrar a personas verdaderas, que la llenen, y no se limiten a hacerle compañía. Eso sí, nunca abandonará su obsesión por tener una apariencia perfecta.

Onomástica: 1 de mayo.

PALADIA

Etimología: Nombre de origen desconocido.

Personalidad: Introvertida, reservada, es una persona discreta y comedida. Tiene muy claras las ideas sobre cómo deben hacerse las cosas, pero no le gusta imponerse por la fuerza, sino por la persuasión. Prefiere rodearse de poca gente, pero de confianza.

Onomástica: 24 de mayo.

PALMIRA

Etimología: Del hebreo *Tadmor,* «de palmas», en alusión al Domingo de Ramos.

Personalidad: El rasgo dominante de su personalidad es el alto dominio sobre sí misma. Sabe medir sus capacidades, que suelen armonizar con todo lo que le rodea. Refinada, amable, simpática y de buen talante, suele hacer amigos con gran facilidad y le gusta ayudar a los demás. Quizá demasiado soñadora.

Onomástica: Domingo de Ramos.

Otros idiomas: Catalán y bable: Palmira. Francés: Palmyre. Italiano: Palmira.

PALOMA

Etimología: Deriva del latín *palumbes,* «paloma». Nombre cristiano en honor de Nuestra Señora de la Paloma.

Personalidad: Es, definitivamente, una mujer de muchas caras... Tiene una personalidad muy compleja. Por un lado, es fuerte, luchadora y decidida, es muy ambiciosa y procura parecer siempre altiva y un poco superior. Pero hay una parte de ella que parece no estar a gusto consigo misma.

Onomástica: 15 de agosto y 31 de diciembre.

Otros idiomas: Catalán: Coloma. Euskera: Usoa. Gallego: Comba, Pomba. Bable: Colomba, Palomba. Inglés: Colum, Colm. Francés: Columba. Italiano: Columba.

PAMELA

Etimología: Nombre de origen griego de etimología bastante dudosa. Los expertos coinciden en identificar su primer elemento, *pan,* que significa «todo», pero no hay acuerdo en torno al segundo. Podría tratarse de *méli,* «miel», de *melos,* «canto», o incluso de *melas,* «negro».

Personalidad: Pamela es dulce y divertida, aunque un poco superficial. En su juventud, suele tener muchos amigos y una vida social trepidante... pero según pasan los años procura por todos los medios encontrar a personas verdaderas, que la llenen, y no se limiten a hacerle compañía. Eso sí, nunca abandonará su obsesión por tener una apariencia perfecta.

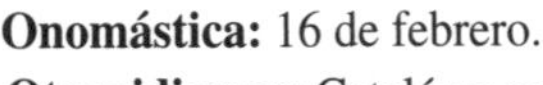

Onomástica: 16 de febrero.
Otros idiomas: Catalán y gallego: Pamela. Inglés, alemán e italiano: Pamela. Francés: Paméla.

Pandora

Etimología: Deriva del griego *pan-dóron,* «todos los dioses».
Personalidad: Tranquila, reservada, seria y profunda, pero también tímida y honesta. Es idealista y algo mística, a veces duda de sus capacidades y se protege con un aspecto frío y altanero. Pero en su vida dominará la parte honesta y conseguirá grandes cosas.
Onomástica: No tiene.
Otros idiomas: Catalán y gallego: Pandora. Francés: Pandore.

Pánfila

Etimología: Del griego *pan-philos,* «amigo del todo, amigo hasta el final».
Personalidad: Introvertida, reservada, es una persona discreta y comedida. Tiene muy claras las ideas sobre cómo deben hacerse las cosas, pero no le gusta imponerse por la fuerza, sino por la persuasión. Prefiere rodearse de poca gente, pero de confianza.
Onomástica: 1 de junio.

Paola

Etimología: Deriva del latín *paulus,* «pequeño, poco, débil». Es el equivalente de *Paula* en italiano.
Personalidad: Inteligente pero rígida, trabajadora pero poco creativa, es una persona extremadamente tímida que a veces opta por ocultarlo bajo una máscara autoritaria. Es inquieta y tiene verdaderas ansias de saber. Es muy generosa y perdona con facilidad. Es inconstante y se deja llevar mucho más por los sentimientos que por la razón o la lógica.
Onomástica: 24 de enero y 29 de junio.

Pascuala

Etimología: Nombre cristiano que evoca la festividad de la Pascua.
Personalidad: Es tan sencilla que roza la ingenuidad. Es capaz de ser feliz con los detalles más nimios, y está siempre dispuesta a pensar lo mejor de los demás. Odia los esquemas y las obligaciones, así como las convenciones sociales. Concibe el amor más bien como una buena amistad.
Onomástica: 17 de mayo.
Otros idiomas: Catalán: Pasquala. Euskera: Paskalin, Paxkalin. Bable: Pascuala. Francés: Pascale. Italiano: Pasqualina.

Pastora

Etimología: Se trata de un nombre cristiano que, en su forma masculina, hace alusión a Jesucristo, mientras que en la femenina se refiere a la Virgen María en tanto que Divina Pastora.
Personalidad: Son personas independientes, ágiles y luchadoras. No suelen avenirse a los deseos y caprichos de nadie. Son más originales que trabajadoras o perseverantes, y su carrera profesional suele estar repleta de pequeños éxitos que muchas veces no son capaces de mantener después.
Onomástica: Cuarto sábado de Pascua y 8 de septiembre.
Otros idiomas: Catalán y gallego: Pastora. Euskera: Unaisa.

Pasua

Etimología: Nombre swahili cuyo significado es «nacida mediante cesárea».
Personalidad: Desde niña tiene que luchar con su inseguridad. Tiende a compararse con los demás y en su fuero interno siempre sale malparada. Hay algo en su interior que la obliga a fijarse en los demás y esa falta de criterio y falta de confianza puede hacerla un tanto excéntrica. Su verdadera meta en la vida es hallar

a alguien que le proporcione el amparo que tanto necesita.
Onomástica: No tiene.

PATRICIA

Etimología: Del latín *patricius,* «patricio», clase social privilegiada en la antigua Roma, equivalente a la más alta nobleza.
Personalidad: Patricia es muy sensible y, por ello, también muy propensa a los cambios de humor. Nunca se sabe lo que puede afectarle, ya que de pronto el más ridículo de los detalles puede hacerla inmensamente feliz o sumergirla en la melancolía.
Onomástica: 13 de marzo y 25 de agosto.
Otros idiomas: Catalán y gallego: Patricia. Euskera: Patirke. Bable: Patricia, Paricia. Inglés y francés: Patricia. Alemán e italiano: Patrizia.

PATROCINIO

Etimología: Del latín *patrocinium,* «defensa, protección, patrocinio». Nombre cristiano en honor del Patrocinio de Nuestra Señora.
Personalidad: Es una mujer alegre, creativa y habilidosa, que no soporta estar sin hacer nada. Le gusta llenar su vida de pequeños detalles. Está dotada de un gran sentido de la responsabilidad, y siempre dispuesta a abandonar sus múltiples actividades si un compromiso o la necesidad de un amigo se lo requieren.
Onomástica: Primer y segundo sábado de noviembre.
Otros idiomas: Catalán: Patrocini. Euskera: Aterbe, Babesne, Zaiñe, Zañe.

PATTY

Etimología: Nombre que se ha formado como hipocorístico de Martha o Matilde, en inglés.
Personalidad: Bajo su femenina apariencia de dulzura y encanto, Marta es una mujer fuerte y valerosa que lucha por sus objetivos con la constancia metódica de una abeja que construye su panal. En la amistad y en el amor se muestra siempre alerta y desconfiada, aunque deseosa de encontrar a las personas adecuadas.
Onomástica: 14 de marzo y 29 de julio.

PAULA

Etimología: Deriva del latín *paulus,* «pequeño, poco, débil».
Personalidad: Inteligente pero rígida, trabajadora pero poco creativa, es una persona extremadamente tímida que a veces opta por ocultarlo bajo una máscara autoritaria. Es inquieta y tiene verdaderas ansias de saber. Es muy generosa y perdona con facilidad. Es inconstante y se deja llevar mucho más por los sentimientos que por la razón o la lógica.
Onomástica: 26 de enero y 26 de febrero.
Otros idiomas: Catalán: Paula, Piula. Euskera: Pauli. Gallego: Paula. Bable: Paula, Paulina. Francés: Paule, Paulette. Italiano: Paola.

PAULINA

Etimología: Del latín *Paulinus,* gentilicio de *Paulo,* que podría significar «pequeño, poco, débil».
Personalidad: La estabilidad, la paciencia, la organización, el realismo, el sentido del deber y el orden son sus principales virtudes. En lo sentimental y con sus amistades son de una fidelidad absoluta. Por contra, caen con facilidad en la rutina y la avaricia.
Onomástica: 2 y 31 de diciembre.
Otros idiomas: Catalán y gallego: Paulina. Gallego: Paz. Inglés y francés: Pauline. Alemán: Paulina. Italiano: Paolina.

PAZ

Etimología: Del latín *pax,* «paz». Nombre cristiano en honor de Nuestra Señora de la Paz.
Personalidad: Muy sensible para las causas sociales y las necesidades del prójimo, y al mismo tiempo tremendamente preocupada por las formas y las apariencias. Suele ser poco co-

municativa, algo huraña si se trae algo entre manos y no desea que la distraigan. Es una excelente compañera en lo profesional.
Onomástica: 24 de enero.
Otros idiomas: Catalán: Pau. Euskera: Bakene, Gentzane, Pakene. Gallego y bable: Paz.

PEDRINA

Etimología: Del latín *petrus,* «firme como la piedra».
Personalidad: La constancia y el trabajo duro son sus secretos. Es una firme defensora de que la amistad y el amor se construyen poco a poco. En lo profesional es de las que piensan que la valía se demuestra minuto a minuto, y no con un destello de genialidad completamente aislado. Es muy reflexiva.
Onomástica: 1 de febrero y 6 de mayo.

PEGGY

Etimología: Hipocorístico del inglés *Margaret,* que procede del latín *margarita,* «perla», aunque en la actualidad hace alusión al nombre de la flor.
Personalidad: Sensible y fuerte al mismo tiempo. Necesita ser original, aunque muchas veces no sabe muy bien cómo hacerlo. Le gusta sentir que es ella la que domina, y no soporta que los demás no le hagan caso o que no hagan lo que ella quiere. De joven es una idealista soñadora.
Onomástica: 23 de febrero.

PELAGIA

Etimología: Procede del griego *pelagios,* «marino, hombre de mar». Es una variante de *Petra.*
Personalidad: Posee una personalidad marcada por el impulso de creación. Es algo autoritaria, individualista e independiente. Valora la estabilidad en su vida y para conseguirla a veces se muestra autoritaria y egoísta.
Onomástica: 4 de mayo y 9 de junio.
Otros idiomas: Catalán: Pelàgia. Bable: Pelaya. Francés: Pélagie. Italiano: Pelagia.

PENÉLOPE

Etimología: Nombre griego compuesto por *pene,* «hilo», y *lopia,* «hinchazón».
Personalidad: Es ambiciosa, independiente y profundamente exigente con los demás. Ama el desorden, y le encanta sentir que se sale un poco de lo habitual, que no es igual que el resto de la gente. Profundamente femenina, tiene una actitud de constante coqueteo, aunque procura que la tomen en serio.
Onomástica: 1 de noviembre.
Otros idiomas: Catalán: Penèlope. Inglés, alemán e italiano: Penelope. Francés: Pénélope.

PEÑA

Etimología: Nombre de advocación mariana: Nuestra Señora de la Peña.
Personalidad: Es tan sencilla que roza la ingenuidad. Capaz de ser feliz con los detalles más nimios, está siempre dispuesta a pensar lo mejor de los demás. Odia las obligaciones, así como las convenciones sociales. Concibe el amor más bien como una buena amistad.
Onomástica: 28 de septiembre.

PEREGRINA

Etimología: Del latín *peregrinus,* «peregrino, que va por el campo».
Personalidad: Tal vez es demasiado soñadora: el sentido práctico no es su mejor virtud. Como es muy tierna y compasiva, necesita sentirse muy arropada para estar segura. Sus amigos, su familia y su pareja son lo más importante para ella. Es una madre muy protectora.
Onomástica: 1 de noviembre.
Otros idiomas: Bable: Pelegrina.

PERLA

Etimología: Del latín popular *pernula,* diminutivo de *perna* «pierna».

Personalidad: Emotiva, altruista e idealista. Fiel a sus amistades y amores, tiene gran necesidad de ayudar y compartir, tanto en lo material como en lo espiritual. Es influenciable, le cuesta ser realista y es algo desordenada. En lo espiritual, tiende también a padecer desórdenes ciclotímicos.
Onomástica: No tiene.
Otros idiomas: Catalán: Perla. Inglés: Pearl.

PERPETUA
Etimología: Nombre cristiano que deriva del latín *perpetuus,* «permanente» (en la fe).
Personalidad: Posee fuerza y determinación, así como una personalidad difícilmente manejable. Obstinada e independiente, ejerce un gran magnetismo, aunque puede caer fácilmente en la intransigencia. Rara vez se siente contenta durante mucho tiempo, así que busca cambios de ambiente o de escenario.
Onomástica: 7 de marzo, 4 de agosto y 12 de septiembre.
Otros idiomas: Catalán: Perpètua. Euskera: Betiñe, Perpete. Gallego: Perpetua. Bable: Perfeuta. Francés: Perpétue. Italiano: Perpetua.

PERSÉFONE
Etimología: Del latín *proserpere,* «brotar».
Personalidad: Procura mostrarse siempre ecuánime y posee un sentido innato de la justicia y el equilibrio, pero también valora en exceso el poder y el triunfo. Es impaciente e impetuosa. Esta personalidad la hace, casi con seguridad, muy celosa.
Onomástica: No tiene.
Otros idiomas: Catalán: Persèfone.

PERSEVERANDA
Etimología: Del latín *perseverantia,* «perseverancia».
Personalidad: Son personas independientes, vivaces y luchadoras. No suelen avenirse a los deseos y caprichos de nadie. Son más originales que trabajadoras o perseverantes, y su carrera profesional suele estar repleta de pequeños éxitos que luego les cuesta mantener.
Onomástica: 26 de junio.

PETRA
Etimología: Del latín *petrus,* «firme como la piedra». Empezó a utilizarse como nombre en la era cristiana, como calco del arameo *Kefa,* «piedra».
Personalidad: La constancia y el trabajo duro son los secretos de Petra. Es una firme defensora de que la amistad y el amor se construyen poco a poco. En lo profesional, es de las que piensan que la valía se demuestra minuto a minuto, y no con un destello de genialidad completamente aislado. Es muy reflexiva.
Onomástica: 16 de octubre.
Otros idiomas: Catalán y bable: Petra. Euskera: Betisa, Betiza, Kepe. Francés: Pierrette. Alemán: Piera. Italiano: Piera.

PETRONILA
Etimología: Es una variante de *Petra,* del latín *piusm* «devoto, piadoso».
Personalidad: Es equilibrada y posee gran encanto, por lo que está dotada para la diplomacia y las relaciones públicas. También valora enormemente la belleza, la armonía y la capacidad de sacrificio. Por contra, es algo indecisa y dada al fatalismo y al exceso de perfeccionismo.
Onomástica: 31 de mayo.
Otros idiomas: Catalán: Peronella, Petronil.la. Euskera: Petornille. Gallego: Petronela. Francés: Petronille, Pétronie. Italiano: Petronilla.

PETUNIA
Etimología: Uno de los nombres que toman el nombre de una flor.

Personalidad: Es una mujer inquieta, siempre en busca de nuevas aventuras y experiencias en todos los ámbitos de su vida. Se niega a ser conformista, ama la libertad y sólo aceptará un compromiso cuando esté profundamente segura de que es eso lo que quiere. Aunque parezca alocada, sus actos siempre tienen un sentido.
Onomástica: No tiene.
Otros idiomas: Catalán: Petúnia. Italiano: Petunia.

Pía

Etimología: Del latín *piusm* «devoto, piadoso».
Personalidad: Buena, sencilla de carácter y poco aficionada a las disputas. Huye de los problemas como los gatos del agua, y tampoco le gusta sentir que está demasiado comprometida. Le cuesta tomar decisiones radicales, y en los asuntos de verdad importantes suele dejarse llevar por la opinión de los demás.
Onomástica: 19 de enero.
Otros idiomas: Catalán: Pia. Euskera: Pije. Gallego y bable: Píao. Inglés, francés, alemán e italiano: Pia.

Piedad

Etimología: Nombre cristiano en honor de Nuestra Señora de la Piedad.
Personalidad: Se trata de una mujer trabajadora y entregada, responsable y capaz de cualquier sacrificio por los suyos. Su auténtica realización se encuentra en el hogar, y especialmente en los hijos. En el amor y en la amistad no es demasiado exigente: Piedad sólo pide comprensión y cariño.
Onomástica: 21 de septiembre.
Otros idiomas: Catalán: Pietat. Euskera: Errukine, Oneraspen. Gallego: Piedade. Bable: Piedá, Piedade. Italiano: Pietà.

Piencia

Etimología: Del latín *piusm* «devoto, piadoso».
Personalidad: Es muy sensible y, por ello, también muy propensa a los cambios de humor. Nunca se sabe lo que puede afectarle, ya que de pronto el más ridículo de los detalles puede hacerla inmensamente feliz o sumergirla en la melancolía.
Onomástica: 11 de octubre.
Otros idiomas: Catalán: Piença, Piència.

Pilar

Etimología: Nombre cristiano en honor de la Virgen del Pilar.
Personalidad: Pilar es una persona de convicciones profundas. Siempre sabe exactamente lo que está haciendo y por qué. Se dedique al campo que se dedique, es muy ambiciosa: tiene que destacar en el hogar y en la familia, en el trabajo y, desde luego, ser la mejor amiga.
Onomástica: 12 de octubre.
Otros idiomas: Catalán y gallego: Pilar. Euskera: Abene, Arroin, Pilare, Zedarri, Zutoia. Bable: Pilar, Pilara. Francés: Pilar.

Pino

Etimología: Nombre cristiano en honor de la Virgen del Pino, patrona de Las Palmas.
Personalidad: Espirituales y místicas, de sentimientos altruistas. Se trata de personas elevadas que intentan cultivar la sabiduría y que valoran la inteligencia y la habilidad. Receptivas y estudiosas, son capaces de disfrutar de la vida. Quizá a veces son demasiado abnegadas y se olvidan de sus propios intereses.
Onomástica: 8 de septiembre.

Plácida

Etimología: Del latín *placidus,* «tranquilo, apacible».
Personalidad: Precisamente es paz y tranquilidad lo que más echa de menos Plácida. Pare-

ce que su vida siempre fuera demasiado complicada para ella.. Por lo demás, suele ser una mujer feliz, moderadamente afortunada y que da mucha importancia a la gente de la que se rodea.
Onomástica: 22 de octubre.
Otros idiomas: Bable: Plácida.

Placidia

Etimología: Del latín *placidus,* «tranquilo, apacible».
Personalidad: Es una mujer alegre, creativa y habilidosa, que no soporta estar sin hacer nada. Le gusta llenar su vida de pequeños detalles. Está dotada de un gran sentido de la responsabilidad, y siempre dispuesta a abandonar sus múltiples actividades si un compromiso o la necesidad de un amigo se lo requieren.
Onomástica: 11 de octubre.

Plena

Etimología: Nombre de origen latino que significa «abundante, completa».
Personalidad: Firme como una roca, consigue despertar confianza y seguridad en todos los que la rodean. Sabe cuáles son sus objetivos y no se deiene hasta conseguirlos. Va contribuyendo poco a poco a la felicidad de los suyos, logrando casi sin darse cuenta volverse indispensable.
Onomástica: 8 de octubre.

Polixena

Etimología: Nombre griego que deriva de *polixenos,* «hospitalario».
Personalidad: Espirituales y místicas, de sentimientos altruistas. Se trata de personas elevadas que intentan cultivar la sabiduría y que valoran la inteligencia y la habilidad. Receptivas y estudiosas, son capaces de disfrutar de la vida. Quizá a veces son demasiado abnegadas y se olvidan de sus propios intereses.
Onomástica: 23 de septiembre.

Pomona

Etimología: Del nombre latino *Poma,* «fruto». En la mitología romana, diosa protectora de los árboles frutales.
Personalidad: Posee una gran capacidad de adaptación, por lo cual le entusiasman los viajes y todo lo que requiera audacia e innovación. En lo negativo, su personalidad le acarrea ciertos inconvenientes, como accidentes, inestabilidad y superficialidad.
Onomástica: No tiene.

Pompeya

Etimología: Del latín *Pompeius,* «solemne, fastuoso». Es el nombre de una ciudad italiana en la provincia de Nápoles y también una advocación mariana: Nuestra Señora de Pompeya.
Personalidad: No es fácil llegar a su corazón: corazas y más corazas protegen lo más recóndito de su ser. Aunque cuando se alcanza su amistad y su confianza, nada ni nadie puede interponerse... Más vale no defraudarla, porque es una persona profundamente susceptible.
Onomástica: 8 de mayo.

Porfiria

Etimología: Del griego *porphyrion,* «purpúreo». Puede hacer alusión al privilegio que tenían los poderosos de vestir de púrpura.
Personalidad: Es equilibrada y posee gran encanto, por lo que está dotada para la diplomacia. También valora enormemente la belleza, la armonía y la capacidad de sacrificio. Por contra, es algo indecisa y dada al fatalismo y al exceso de perfeccionismo.
Onomástica: 15 de septiembre.
Otros idiomas: Catalán: Porfíria. Gallego: Porfiria. Italiano: Porfiria.

Potenciana

Etimología: Del latín *potens,* «poderosa»
Personalidad: Incertidumbre y soledad, ésas son las dos maldiciones de su carácter: valora

las cosas una y otra vez antes de decidirse. Esa tendencia a la reflexión la aparta a menudo de los demás y de la realidad, porque cualquier decisión le parece que tenga inconvenientes.
Onomástica: 15 de abril.

PRÁXEDES

Etimología: Del griego *prassein,* «practicar»; o sea, «emprendedora, laboriosa, activa».
Personalidad: Es una seductora, enamorada de la libertad, el cambio y la aventura. Por ello, apenas consigue lo que desea, pierda interés y lo abandona en busca de un nuevo objetivo y sigue su eterna búsqueda. Idealista y soñadora, no soporta la rutina ni la soledad, pero como es emotiva y abnegada, siempre está dispuesta a echar una mano a quien la necesite.
Onomástica: 21 de julio.
Otros idiomas: Catalán: Práxedes, Praxedis. Euskera: Partsede. Gallego: Práxedes. Bable: Praceres, Práxedes. Alemán: Praxedis. Italiano: Prassede.

PRECIOSA

Etimología: Del latín *pretiosa,* «generosa».
Personalidad: El rasgo dominante de su personalidad es el alto dominio sobre sí misma. Sabe medir sus capacidades, que suelen armonizar con todo lo que le rodea. Refinada, amable, simpática y de buen talante, suele hacer amigos con gran facilidad y le gusta ayudar a los demás. Quizá demasiado soñadora.
Onomástica: No tiene.
Otros idiomas: Catalán: Preciosa. Italiano: Preziosa.

PRESENTACIÓN

Etimología: Del latín *praesens,* «estar presente». Nombre cristiano que recuerda cuando Jesús fue presentado en el templo de Jerusalén y la purificación de María.
Personalidad: Emotiva, altruista e idealista. Fiel a sus amistades y amores, tiene gran necesidad de ayudar y compartir, tanto en lo material como en lo espiritual. Es influenciable, le cuesta ser realista y es algo desordenada. En lo espiritual, tiende también a padecer desórdenes ciclotímicos.
Onomástica: 2 de febrero.
Otros idiomas: Catalán: Presentació. Euskera: Aurkene. Gallego: Presentación.

PRIMITIVA

Etimología: Del latín *primitus,* «originariamente».
Personalidad: Optimista y tremendamente positiva: cree que todo tiene solución. Tiene una gran fuerza de voluntad. Es profundamente hogareña, al tiempo que conservadora; por tanto, intenta reproducir del modo más fiel posible los roles familiares tradicionales.
Onomástica: 24 de febrero y 23 de julio.
Otros idiomas: Euskera: Primia. Gallego: Primitiva.

PRISCA

Etimología: Del nombre latino *Priscus,* «anciano, venerable».
Personalidad: Posee una personalidad carismática, seductora y fuerte. Es también idealista y perfeccionista, lo cual normalmente la lleva a tener elevadas ambiciones. En lo negativo, suele ser nerviosa y autoritaria.
Onomástica: 18 de enero.
Otros idiomas: Catalán: Prisca. Euskera: Piske. Gallego: Prisca. Alemán: Priska. Italiano: Prisca.

PRISCILA

Etimología: Procede del griego *prin-skia,* «reflejo de otro tiempo».
Personalidad: El equilibrio emocional no es una de sus virtudes. También se dice que no tiene el don de la oportunidad. Sin embargo, todo ello se le perdona a causa de su bondad natural y de la ternura que despierta en todos

los que la rodean. Puede resultar simpática y extrovertida, pero en realidad le cuesta coger confianza con la gente.
Onomástica: 16 de enero y 8 de julio.
Otros idiomas: Catalán: Priscil.la. Gallego: Priscila. Alemán e italiano: Priscilla.

Providencia

Etimología: Nombre de advocación mariana: Nuestra Señora de la Providencia.
Personalidad: Es protectora y de carácter fuerte y seguro, le encanta sentirse útil y necesitada. Es una gran amiga y una gran compañera, siempre está cuando se la necesita. En su vida profesional es ambiciosa, aunque no le gusta demasiado cambiar de actividad ni de escenario.
Onomástica: 24 de mayo.

Prudencia

Etimología: Del latín *prudens,* «que prevé por anticipado».
Personalidad: Dotada de poca imaginación. Le aterra lo desconocido, y prefiere sin lugar a dudas la seguridad que le da la rutina, lo convencional. No tiene grandes aspiraciones y acepta sin preguntas lo que la vida quiera ofrecerle. Suele ser una mujer feliz.
Onomástica: 28 de abril y 6 de mayo.
Otros idiomas: Catalán: Prudència. Euskera: Prudentzi, Purdentze, Zuhurne, Zurtasun. Gallego y bable: Prudencia. Francés e Inglés: Prudence. Italiano: Prudenza.

Publia

Etimología: Nombre latino derivado de *publicus,* «perteneciente o relativo al pueblo».
Personalidad: Es equilibrada y posee gran encanto, por lo que está dotada para la diplomacia. También valora enormemente la belleza, la armonía y la capacidad de sacrificio. Por contra, es algo indecisa y dada al fatalismo y al exceso de perfeccionismo.
Onomástica: 19 de octubre.

Puerto

Etimología: Nombre de advocación mariana: Nuestra Señora del Puerto.
Personalidad: Independiente y magnética. Aunque parezca un modelo a seguir, suele parecer lejana e inaccesible. Pero a veces se siente esclava de esa imagen y le gusta permitirse una debilidad, que se perdona muy fácilmente.
Onomástica: 8 de septiembre.

Pulqueria

Etimología: Del latín *pulchra,* «pulcra, limpia, bella».
Personalidad: Es un ser benévolo, idealista y muy espiritual, que cree en la bondad del ser humano. Aunque a veces cae en ideas simplistas, sobre todo en lo religioso, posee precisamente la virtud de la simplicidad: las cosas importantes a ella le parecen tremendamente sencillas y siempre sabe cuáles son.
Onomástica: 10 de septiembre.

Pura

Etimología: Del latín *purus,* «puro, limpio».
Personalidad: Posee una gran capacidad de adaptación, por lo cual le entusiasman los viajes y todo lo que requiera audacia e innovación. En lo negativo, su personalidad le acarrea ciertos inconvenientes, como accidentes, inestabilidad y superficialidad.
Onomástica: 8 de diciembre.
Otros idiomas: Euskera: Garbi, Kutsuge. Catalán, gallego y bable: Pura.

Purificación

Etimología: Nombre cristiano en honor de la Purificación de la Virgen María.
Personalidad: Alegre y sencilla, no muy tra-

bajadora, aunque casi siempre consigue vencer la pereza. Es extremadamente sociable, y le gusta estar rodeada de muchas personas. Sin embargo, tiene una tendencia algo irritante a juzgar a los demás. Con las personas a las que realmente quiere es de una fidelidad incondicional.

Onomástica: 2 de febrero.

Otros idiomas: Catalán: Purificació. Euskera: Garbikunde. Gallego: Purificación.

Pusina

Etimología: Del latín *pusio,* «niño».

Personalidad: La estabilidad, la seguridad y la protección son sus ejes fundamentales. Se trata de personas con los pies en el suelo, aunque también ambiciosas, lo cual equilibra su carácter y les permite vivir una existencia activa y variada.

Onomástica: 23 de abril.

Otros idiomas: Catalán: Pussina.

QADIRA

Etimología: Nombre árabe cuyo significado es «poderosa».

Personalidad: No soporta bien que le lleven la contraria. Su principal preocupación es siempre la estética, por encima de la ética: que las cosas tengan un aspecto impecable, que su físico se mantenga... Aunque no es muy constante, sí es bastante ingeniosa y divertida.

Onomástica: No tiene.

QUBILAH

Etimología: Nombre árabe cuyo significado es «agradable».

Personalidad: Poco a poco, como una abeja laboriosa, va construyendo a su alrededor un mundo a su medida. Cuando lo consigue, es del todo irrompible. No es que sea materialista, sino que necesita la seguridad de las cosas y las personas que le son familiares. Por lo demás, es muy cariñosa y solidaria.

Onomástica: No tiene.

QUELIDONIA

Etimología: Variante del nombre latino *Celonia,* «golondrina».

Personalidad: Se trata de una persona extraordinariamente compleja y de reacciones inesperadas. Le gusta vivir plenamente, con mayúsculas: cuando se consagra a su trabajo, también lo hace de lleno, plenamente, sin reservas. Podría decirse que en todos los campos de su vida siempre pone toda la carne en el asador.

Onomástica: 13 de octubre.

QUERALT

Etimología: Nombre prerromano: «roca antigua». Nombre de advocación mariana: Nuestra Señora de Queralt, cuyo santuario está en la comarca catalana del Berguedà (Barcelona).

Personalidad: Intelectual, alejada de la vida cotidiana y muy frecuentemente dominada por un carácter demasiado orgulloso. No hace amigos con facilidad, pero en el amor es capaz de dar cualquier cosa para no perderlo. Tiene pocas manías y no es muy quisquillosa.

Onomástica: 8 de septiembre.

QUINTA

Etimología: Del latín *quintus,* «quinto». Nombre que se daba al quinto de los hijos.

Personalidad: De gran energía, no suelen pasar desapercibidas, y tienen habilidades para el liderazgo y la innovación. No les gusta seguir las corrientes establecidas y se empeñan en la originalidad. En el lado negativo tienen cierta tendencia al egoísmo, la vanidad y el orgullo. También pueden ser excéntricas.

Onomástica: 29 de octubre.

Otros idiomas: Gallego y bable: Quinta. Italiano: Quinta.

QUIONIA

Etimología: Gentilicio de la isla de Quíos.

Personalidad: Alegre y feliz, rebosa encanto e imaginación y rechaza por principios cualquier prejuicio o convención social. Sin embargo, es muy terca y no soporta que le lleven la contraria. Además, puede llegar a ser un poco excéntrica y sentir que no es comprendida.

Onomástica: 3 de abril.

QUETA

Etimología: Del germánico *heim-richm,* «jefe de su casa». Se forma como hipocorístico de *Enriqueta.*

Personalidad: Seria, apacible, tranquila... sabe transmitir a los que le rodean una sensación se seguridad y de paz. Es extremadamente trabajadora. Por naturaleza es tímida y bastante introvertida. Periódicamente sufre una

crisis existencial y planea dar un giro de ciento ochenta grados a su vida, pero pocas veces llega a llevarlo a cabo.
Onomástica: 13 de julio.
Otros idiomas: Catalán, gallego y bable: Queta. Francés y alemán: Henriette.

QUITERIA

Etimología: Del nombre griego *Xitone,* de *xiton,* «túnica corta», en alusión a la diosa *Artemisa.*
Personalidad: Su personalidad es conflictiva, por lo que suele encontrar dificultades para sentirse a gusto consigo misma. También es algo vacilante y no muy enérgica. Sin embargo, posee un cierto espíritu aventurero, incluso algo temerario, y es de una lealtad inquebrantable cuando de verdad se la necesita.
Onomástica: 22 de mayo.
Otros idiomas: Catalán y gallego: Queta. Bable: Queta, Quiteria. Francés y alemán: Henriette.

Radegunda

Etimología: Nombre de origen germánico que significa «consejo famoso».

Personalidad: Es entusiasta, hermosa y encantadora. Triunfa allá donde va con su aire inocente y dulce. Es tan optimista que se empeña en ver lo mejor de cada situación. Sin embargo, es muy crítica consigo misma y a menudo no da la suficiente importancia a sus méritos.

Onomástica: 13 de agosto.

Radiante

Etimología: Del latín *radians, radiantis,* «el sol, esplendorosa, luminosa».

Personalidad: Es generosa y dulce, devota de la verdad y del conocimiento. No le gusta perderse en frivolidades ni pequeñeces, siempre va al grano. Aunque quiere aparentar seguridad en sí misma, la verdad es que depende de la opinión de los ajena más de lo que le gustaría reconocer, y sobre todo necesita la aprobación de su familia.

Onomástica: 13 de agosto.

Radwa

Etimología: Nombre árabe que se forma como toponímico de una montaña de Medina, en La Meca.

Personalidad: A veces puede encontrarse en situaciones comprometidas por su sentido de la justicia: no soporta los abusos contra los débiles. Debe aprender a valorar las posibilidades ajenas, a no subestimar a los demás, aunque sea con ánimo protector. Por su carácter, tiende a relacionarse con personas que buscan protección.

Onomástica: No tiene.

Rafaela

Etimología: Del hebreo *rapha-El,* «Dios sana».

Personalidad: Eternamente distraída, siempre está perdida en su propio mundo. Tiene un carácter tímido y bondadoso: siempre echa una mano a quien lo necesite, pero raramente pide ayuda. Le cuesta decidir cuál ha de ser su camino, pero una vez que lo ha encontrado, se mantiene firme en él.

Onomástica: 23 de febrero.

Otros idiomas: Catalán: Rafaela, Rafela. Euskera: Errapele. Gallego: Rafaela. Bable: Rafaela. Bable: Refaela. Francés: Raphaëlle. Alemán: Raffaela. Italiano: Raffaella.

Ráidah

Etimología: Nombre árabe que puede interpretarse como «líder».

Personalidad: Le gusta estar en constante movimiento, buscar nuevos intereses, conocer nuevos lugares: su curiosidad se mantiene siempre viva. Necesita desempeñar profesiones que requieran poner en juego estas características, no soportaría una vida monótona o un trabajo mecánico. Es muy leal.

Onomástica: No tiene.

Raisa

Etimología: Nombre árabe que significa «conductora, soberana». En Rusia es una variante de *Rosa.*

Personalidad: Valora la amistad y la lealtad por encima de cualquier otra cosa. Su familia es lo primero para ella, por lo que suele relegar a un segundo plano todo lo relacionado con el mundo profesional, aunque se ve favorecida por una enorme capacidad de aprendizaje.

Onomástica: 28 de junio.

Ramona

Etimología: Deriva del germánico *reginmund,* «consejo protector».

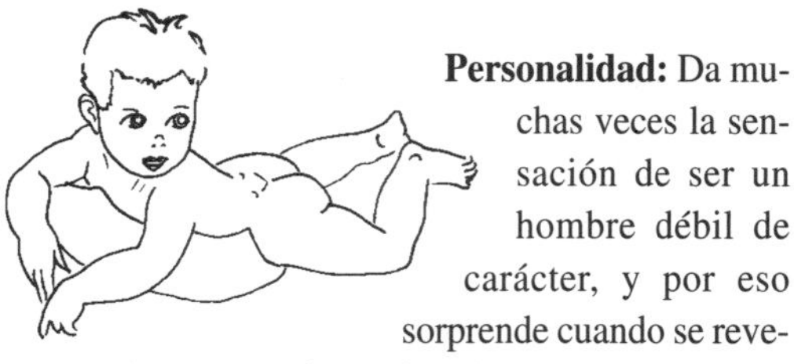

Personalidad: Da muchas veces la sensación de ser un hombre débil de carácter, y por eso sorprende cuando se revelan su gran fuerza interior y su voluntad. No concede ninguna importancia a las convenciones sociales y a los tabúes. Suele tener muy buena opinión de sí misma.
Onomástica: 31 de agosto.
Otros idiomas: Euskera: Erramune. Bable: Ramona.

Raquel

Etimología: Procede del hebreo *rahel,* «oveja».
Personalidad: Da muchas veces la sensación de ser una persona débil de carácter, y por eso sorprende cuando se revelan su gran fuerza interior y su voluntad. No concede ninguna importancia a las convenciones sociales y a los tabúes. Suele tener muy buena opinión de sí misma.
Onomástica: 2 de septiembre.
Otros idiomas: Catalán, gallego y bable: Raquel. Inglés: Rachel, Raquel. Inglés, francés y alemán: Rachel. Italiano: Rachele.

Rashida

Etimología: Nombre turco, de origen swahili, que significa «de carácter recto».
Personalidad: Es una conversadora por el gusto de intercambiar impresiones: lo que más le interesa en este mundo son las personas y su comportamiento. Su virtud principal es el interés por el conocimiento y la literatura, aunque sólo sea por el placer que le producen las personas relacionadas con las humanidades.
Onomástica: No tiene.

Raziya

Etimología: Nombre swahili cuyo significado es «agradable».
Personalidad: Su carácter puede llegar a esclavizarla de alguna manera: es demasiado orgullosa y un poco rígida de carácter, le cuesta ver los matices de las cosas. Si consigue atemperar ese problema, puede llegar a ser incluso divertida. En el amor y la amistad prefiere lo poco pero bueno.
Onomástica: No tiene.

Rea

Etimología: No tiene un origen cierto. En la antigua mitología griega, madre de Zeus.
Personalidad: Concede más importancia a lo espiritual que a lo material. Es paciente, con gran capacidad de estudio, lógica y análisis. Muy exigente consigo misma y con los demás. Algo solitaria e introspectiva, por lo que cae con facilidad en el pesimismo.
Onomástica: No tiene.
Otros idiomas: Catalán: Rea. Inglés, francés, alemán e italiano: Rhea.

Real

Etimología: Forma parte del nombre de la advocación de: Nuestra Señora Real de la Almudena, patrona de Madrid.
Personalidad: Mujer de increíbles virtudes, pero también de grandes defectos. Fuerte, inteligente, creativa, es capaz de destacar en aquello que se proponga. Sin embargo, cuando le llega el momento de crisis, siente la necesidad de romper con todo y empezar de nuevo.
Onomástica: 9 de noviembre.

Rebeca

Etimología: Proviene del hebreo *rivké,* «lazo».
Personalidad: Rebeca parece que siempre tiene una sonrisa en los labios. Es capaz de adaptarse a cualquier situación sin dejar por eso de ser ella misma. Aunque suele triunfar en las profesiones creativas, su verdadero éxito es la familia: es una magnífica esposa y madre.

Onomástica: 25 de marzo.

Otros idiomas: Catalán, gallego y bable: Rebeca. Inglés, francés e italiano: Rebecca. Alemán: Rebekka.

Refugio

Etimología: Del latín *refugium,* «refugio». Nombre que evoca la advocación mariana de Nuestra Señora Refugio de los Pecadores.

Personalidad: Rebeca parece que siempre tiene una sonrisa en los labios. Es capaz de adaptarse a cualquier situación sin dejar por eso de ser ella misma. Aunque suele triunfar en las profesiones creativas, su verdadero éxito es la familia: es una magnífica esposa y madre.

Onomástica: 13 de agosto.

Otros idiomas: Catalán: Refugi. Hipocorístico mexicano: Cuca.

Regina

Etimología: Del latín *regina,* «reina».

Personalidad: Regina está entregada a su vida social. Preocupada siempre por las apariencias y el protocolo, es una anfitriona excelente con un sentido de la hospitalidad extremo. Combina su dulzura con su voluntad de hierro para conseguir prácticamente todo lo que desea.

Onomástica: 7 de septiembre.

Otros idiomas: Catalán: Regina. Euskera: Erregina. Gallego: Rexina. Bable: Reinalda, Rexina (Xina). Inglés e italiano: Regina. Francés: Régine, Régis. Alemán: Regina, Regine.

Regla

Etimología: Nombre de advocación mariana: Nuestra Señora de Regla (o de la Regla). Tiene un santuario en Chipiona (Cádiz) y en otras poblaciones del continente americano.

Personalidad: Irradia tranquilidad y equilibrio: no se irrita, no se enfada, es serena y pretende solucionar cualquier cosa con la argumentación. Sin embargo, esa actitud hace que muchos le acusen de ser muy poco apasionada. La verdad es que le cuesta mostrar sus sentimientos.

Onomástica: 8 de septiembre.

Régula

Etimología: Nombre de origen latino que significa «pequeño rey».

Personalidad: Lucha siempre entre lanzarse a la acción y emplear su enorme energía y capacidad de creación, o dejarse llevar por una cierta incertidumbre que es la parte negativa de su carácter. Si consigue vencer este dilema, brillará en la actividad que se proponga.

Onomástica: 11 de septiembre.

Reina

Etimología: Nombre cristiano de advocación mariana: Santa María Reina, que reconoce a María como la Reina del «Rey de Reyes».

Personalidad: Es una vencedora. Magnética e inteligente, suele tener condiciones para convertirse en líder. Sin embargo, corre el riesgo de creérselo y en ocasiones se muestra altiva y poco comprensiva. Si consigue prestar atención a los demás, será una persona maravillosa.

Onomástica: 22 de agosto.

Otros idiomas: Euskera: Erregina.

Reinalda

Etimología: Nombre germánico que podría traducirse como «la que gobierna con inteligencia».

Personalidad: Es quizá demasiado idealista, por lo que concede más importancia a lo espiritual que a lo material. Es paciente, con gran capacidad de estudio, lógica y análisis. Sin embargo, es muy exigente consigo misma. Cae con facilidad en el pesimismo y se aísla de los demás.

Onomástica: 9 de febrero.

Relinda

Etimología: Nombre germánico que podría traducirse como «dulce consejo».

Personalidad: Valiente, lista, generosa y leal, posee un corazón donde caben todos sus muchos amigos y su familia. Suele centrarse en una actividad que le entusiasma y debe tener cuidado, ya que puede perder interés por prácticamente todo excepto eso. Valora la estabilidad en el amor.
Onomástica: 17 de agosto.

Remedios

Etimología: Del latín *remedium,* «remedio, solución, medicamento». Nombre cristiano en honor de Nuestra Señora de los Remedios.
Personalidad: Pone toda su inteligencia y su fuerza de voluntad al servicio de su ambición, que afortunadamente no es desmedida. No se conforma con lo que tiene, pero tampoco se va a volver loca si no consigue más. Suele ser seria, aunque a veces siente que le gustaría escapar de sus propios y autoimpuestos límites.
Onomástica: 5 de agosto y segundo domingo de octubre.
Otros idiomas: Catalán: Remei. Euskera: Osane. Gallego y bable: Remedios. Francés: Remède. Italiano: Maria Remedio.

Remigia

Etimología: Procede del latín *remigium,* «fila u orden de remos, remeros, tripulación de un barco».
Personalidad: Bajo su apariencia casi insensible, es una mujer de buen corazón, tierna y hasta susceptible, pero los sucesivos golpes de la vida la obligan a protegerse del daño que puedan hacerle los demás e impide que sus sentimientos se manifiesten. Su anhelo más íntimo es encontrar a una persona en quien poder confiar.
Onomástica: 1 de octubre.
Otros idiomas: Bable: Remicia.

Renata

Etimología: Del latín *renatus,* «renacido». En los primeros años del Cristianismo, se usaba con el significado de «renacido por el bautismo».
Personalidad: En Renata lo que más destaca es su carácter caprichoso y un poco frívolo, que no hace sino ocultar una tendencia a la melancolía y a la tristeza. Tantos en los estudios como en el trabajo es metódica, trabajadora y ambiciosa.
Onomástica: 1 de febrero.
Otros idiomas: Catalán: Renata. Francés e inglés: Renée. Alemán: Renate. Italiano: Renata.

Restituta

Etimología: Del latín *restituto,* «volver a su estado primitivo». Nombre de origen cristiano que alude a la gracia de los sacramentos.
Personalidad: La estabilidad, la seguridad y la protección son sus ejes fundamentales. Se trata de personas con los pies en el suelo, aunque también ambiciosas, lo cual equilibra su carácter y les permite vivir una existencia activa y variada, repleta de situaciones que les permite crecer y aprender.
Onomástica: 17 de mayo.
Otros idiomas: Catalán: Restituta. Euskera: Errestituta. Italiano: Restituta.

Resurrección

Etimología: Del latín *resurgo,* «resurgir». Nombre de origen cristiano que alude a la resurrección de Cristo.
Personalidad: Posee una personalidad marcada por el impulso de creación. Es algo autoritaria, individualista e independiente. Valora la estabilidad en su vida y, para conseguirla, a veces se muestra autoritaria y egoísta.
Onomástica: Domingo de Resurrección.
Otros idiomas: Catalán: Resurrecció. Euskera: Berbixe, Pizkunde.

Reyes

Etimología: Nombre alusivo a la fiesta de la Epifanía. Es también nombre de advocación

mariana: Nuestra Señora de los Reyes, muy apreciada en Sevilla.
Personalidad: Reyes es una gran amiga. Disfruta de la compañía de los demás, y le encanta mostrarse en todo momento alegre, divertida y servicial. En el trabajo no es excesivamente ambiciosa, pero sí perfeccionista. Su gran pasión son los niños, por lo cual será una madre estupenda y una gran maestra o profesora.
Onomástica: 6 de enero y 15 de agosto.
Otros idiomas: Catalán y gallego: Reis.

Rhonda

Etimología: Nombre de origen galés que significa «mujer grande».
Personalidad: No soporta hacer daño a los demás. Tal vez por eso prefiere sufrir una frustración a imponer su criterio, aunque sepa que es el correcto. A pesar de ese carácter bondadoso, no carece de ambiciones, pero suele marcarse un camino que sea muy respetuoso con todos. Es una compañera de trabajo y amiga muy agradable.
Onomástica: No tiene.

Riánsares

Etimología: Nombre de advocación mariana: Nuestra Señora de Riánsares, que tiene su santuario en Tarancón (Cuenca).
Personalidad: No soporta a las personas belicosas. Es sensible y amable, le gusta cultivar la inteligencia y la fuerza de voluntad. Escoge con mucho cuidado a sus amigos y cuando se enamora busca a alguien que tenga sus mismas cualidades y aficiones. Tiene muchas posibilidades de tener una vida feliz.
Onomástica: 8 de septiembre.

Ricarda

Etimología: Procede del germánico *rich-hari,* «caudillo del ejército».
Personalidad: Si hay algo que le falta es seguridad en sí misma, aunque procura ocultarlo. Rehuye, en general, la compañía de los demás, y es muy sensible a las críticas o a las opiniones adversas. En su profesión se muestra intransigente y perfeccionista.
Onomástica: 18 de septiembre.

Rita

Etimología: Procede del latín *margarita,* «perla», aunque en la actualidad hace alusión al nombre de la flor.
Personalidad: Sensible y fuerte al mismo tiempo. Necesita ser original, aunque muchas veces no sabe muy bien cómo hacerlo. Le gusta sentir que es ella la que domina, y no soporta que los demás no le hagan caso o que no hagan lo que ella quiere. De joven es una idealista soñadora.
Onomástica: 22 de mayo.
Otros idiomas: Catalán: Rita. Euskera: Errite. Gallego y bable: Rita. Francés: Rita, Rite. Inglés: Rita. Alemán e italiano: Rita.

Roberta

Etimología: Deriva el germánico *hruot-berth,* «el brillo de la fama».
Personalidad: Tiene muy buen concepto de sí misma. Su principal habilidad es la elocuencia, ya sea de palabra o por escrito: es capaz de convencer a quien sea de cualquier cosa que se proponga. En el amor es poco pasional, incluso podría decirse que algo fría.
Onomástica: 17 de abril.
Otros idiomas: Catalán: Roberta. Gallego: Roberta. Bable: Reberta, Roberta. Italiano: Roberta.

Rocío

Etimología: Nombre de advocación mariana en honor de la Virgen del Rocío, muy venerada en toda Andalucía.
Personalidad: Combina en su persona una gran ambición con un gusto desmedido por la

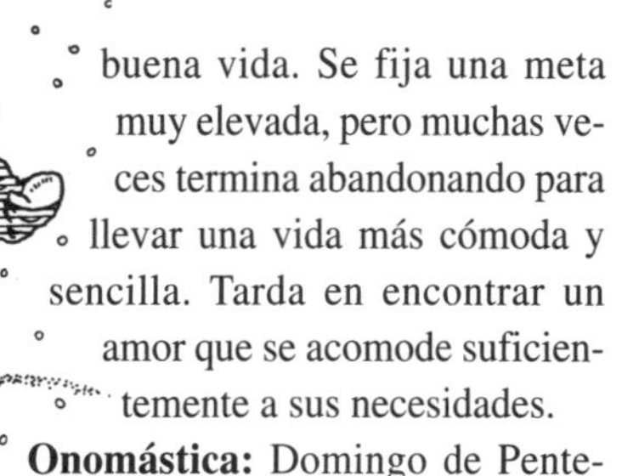

buena vida. Se fija una meta muy elevada, pero muchas veces termina abandonando para llevar una vida más cómoda y sencilla. Tarda en encontrar un amor que se acomode suficientemente a sus necesidades.

Onomástica: Domingo de Pentecostés.

Otros idiomas: Euskera: Ihintza, Intza.

ROGELIA

Etimología: Deriva del germánico *hrod-gair,* «famosa por su lanza».

Personalidad: Idealista pero práctica, soñadora pero consciente de la realidad. Posee una idea clarísima de cómo debería ser el mundo, pero sabe demasiado bien que cambiar las cosas es imposible. De modo que, en vez de luchar por aquello en lo que cree, termina sumergiéndose en la melancolía.

Onomástica: 16 de septiembre.

Otros idiomas: Gallego: Roxelia. Bable: Roxelia, Rexeria, Ruxera. Italiano: Ruggera.

ROLANDA

Etimología: Nombre germánico que signfica «tierra gloriosa».

Personalidad: Tal vez es demasiado soñadora: el sentido práctico no es su mejor virtud. Como es muy tierna y compasiva, necesita sentirse muy arropada para estar segura. Sus amigos, su familia y su pareja son lo más importante para ella. Es una madre muy protectora.

Onomástica: 13 de mayo.

ROMANA

Etimología: Gentilicio de *Roma.*

Personalidad: Es la mujer tranquila y pacífica por excelencia, cree que los demás tienen sus razones para ser como son y no se mete en las vidas ajenas. En el ámbito profesional suele destacar, aunque no es ambiciosa, por su facilidad para trabajar en equipo y la generosidad con que valora las virtudes de sus colaboradores.

Onomástica: 23 de febrero.

Otros idiomas: Euskera: Erromane.

ROMERO

Etimología: Nombre de advocación mariana: Nuestra Señora del Romero.

Personalidad: La vida sencilla, su familia, su pueblo o su ciudad, sus amigos de siempre, su trabajo... no puede vivir sin ellos. Es feliz haciendo felices a los demás y disfruta de las pequeñas cosas que la vida le ofrece. Por tanto, le produce verdadero terror cualquier cambio.

Onomástica: Domingo siguiente al 8 de septiembre.

ROMILDA

Etimología: Nombre germánico que deriva de *hruo,* «fama», e *hild,* «combate, batalla»; o sea, «famoso en el combate».

Personalidad: Posee una personalidad carismática, seductora y fuerte. Es también idealista y perfeccionista, lo cual normalmente la lleva a tener elevadas ambiciones. En lo negativo, suele ser nerviosa y autoritaria.

Onomástica: No tiene.

Otros idiomas: Catalán: Romilda. Alemán e italiano: Romilda.

ROMILIA

Etimología: Femenino de *Rómulo,* nombre del cual no se conoce la etimología y que en la mitología latina es uno de los dos hermanos fundadores de la ciudad de Roma.

Personalidad: Posee fuerza y determinación, así como una personalidad difícilmente manejable. Obstinada e independiente, ejerce un gran magnetismo, aunque puede caer fácilmente en la intransigencia. Rara vez se siente contentadurante mucho tiempo, así que busca cambios de ambiente o de escenario.

Onomástica: 6 de julio.

Rómula

Etimología: Femenino de *Rómulo,* que en la mitología latina es uno de los fundadores de la ciudad de Roma.

Personalidad: Posee fuerza y determinación, así como una personalidad difícilmente manejable. Obstinada e independiente, ejerce un gran magnetismo, aunque puede caer fácilmente en la intransigencia. Rara vez se siente contenta durante mucho tiempo, así que busca cambios de ambiente o de escenario.

Onomástica: 23 de julio.

Romy

Etimología: Nombre de flor de origen latino. Es una variante de *Rosa.*

Personalidad: Suelen ser mujeres de gran belleza, relacionadas con la cultura y el conocimiento. Disfrutan al máximo de la vida. Son cooperadoras, entusiastas y afectuosas, por lo que valoran el amor y la amistad. El mayor riesgo se encuentra en la hipersensibilidad y la indecisión.

Onomástica: 20 de enero y 23 de agosto.

Roquelina

Etimología: Nombre de etimología muy discutida. Podría derivar del escandinavo *hrokr,* «hombre alto»; del germánico *hruk,* «corneja», o incluso del provenzal *roc,* «rojo».

Personalidad: Aparentemente tranquila y frío, es una mujer que oculta un gran temperamento interior que deja aflorar en muy contadas ocasiones. Está dotada de un irresistible encanto: sus amigos la consideran alegre y divertida, aunque no niegan que en algunas circunstancias puede ser un poco egoísta.

Onomástica: 16 de agosto.

Rosa

Etimología: Del latín *rosa,* «rosa».

Personalidad: Rosa es una mujer emotiva y pasional que lo hace todo poniendo su corazón en ello. Puede ser algo injusta con las personas a las que quiere, ya que siendo ella profundamente independiente, exige de los demás una cierta devoción. Realmente no le gusta trabajar.

Onomástica: 23 de agosto (en Perú el 30).

Otros idiomas: Catalán, gallego y bable: Rosa. Euskera: Arrosa, Arrosane, Errose, Larrosa. Inglés y francés: Rose. Alemán: Rosa. Italiano: Rosa, Rosina, Rosetta.

Rosalba

Etimología: Del latín *rosa* y *alba,* «rosa blanca».

Personalidad: Es una mujer alegre, ingeniosa e inteligente. Es más fuerte de lo que aparenta y se halla capacitada para el trabajo en asociaciones políticas, comerciales o sociales. Es amante de la aventura, por lo cual se asocia cuanto tiene garantizada su independencia personal. Su vida puede ser tan apasionante como su ambición, a veces se muestra testaruda y egocéntrica.

Onomástica: 23 de agosto

Rosalía

Etimología: Nombre que evoca una festividad romana en la cual se ofrecían rosas a los difuntos.

Personalidad: Rosalía es la sensibilidad contenida, el amor que no llega a expresarse libremente. Y no por miedo, ni timidez, ni falta de seguridad. Ella prefiere guardar sus sentimientos para abonar con ellos su propio jardín interior, privado, oculto. De este modo, Rosalía parece fría y callada.

Onomástica: 4 de septiembre.

Otros idiomas: Catalán: Rosalia. Euskera: Errosali. Gallego y bable: Rosalía. Inglés, francés y alemán: Rosalie. Italiano: Rosalia.

Rosalinda

Etimología: Nombre catalán de origen medieval.

Personalidad: Es equilibrada y posee gran encanto, por lo que está dotada para la diplomacia y las relaciones públicas. También valora enormemente la belleza, la armonía y la capacidad de sacrificio. Por contra, es algo indecisa y dada al fatalismo y al exceso de perfeccionismo.
Onomástica: 17 de enero.
Otros idiomas: Catalán y gallego: Rosalinda. Inglés y alemán: Rosalind. Francés: Rosalinde. Italiano: Rosalinda.

ROSAMUNDA

Etimología: Nombre germánico que deriva de *hrod-lind,* «famosa por su dulzura».
Personalidad: Posee una personalidad carismática, seductora y fuerte. Es también idealista y perfeccionista, lo cual normalmente la lleva a tener elevadas ambiciones. En lo negativo, suele ser nerviosa y autoritaria.
Onomástica: 17 de enero.
Otros idiomas: Catalán y gallego: Rosamunda. Inglés: Rosamond, Rosmund. Francés: Rosemonde. Italiano: Rosmunda.

ROSANA

Etimología: Deriva del persa *roakshna,* «la brillante». Es también combinación de Rosa y Ana.
Personalidad: Introvertida y prudente. Es muy emotiva y cuando se siente herida emocionalmente se refugia en sueños quiméricos y utópicos. Muy humana, le gusta participar en tareas sociales y humanitarias, así como en movimientos místicos o esotéricos.
Onomástica: 22 de mayo.
Otros idiomas: Catalán: Roxana. Euskera: Roxane. Gallego: Roxana. Bable: Rosana, Roxana. Inglés y alemán: Roxana. Francés: Rosanna, Roxane. Italiano: Rosanna.

ROSARIO

Etimología: Del latín *rosarium,* «rosaleda». Nombre cristiano en honor de la Virgen del Rosario.
Personalidad: Es una mujer de verdad, sincera, implacable. Todo fuego. No consiente las mentiras ni las verdades a medias. Tiene una voluntad de hierro. Su punto débil es el amor, al cual le da una importancia y una trascendencia algo exageradas. Lo da todo y lo pide todo; como siempre, no conoce ni permite términos medios.
Onomástica: 7 de octubre.
Otros idiomas: Catalán: Roser. Euskera: Agurtne, Agurtzane, Txaro, Errosali. Gallego: Rosario. Bable: Rosaria, Rosario. Inglés: Rosary. Italiano: Rosaria, Rosario.

ROSAURA

Etimología: Del latín *rosa aurea,* «rosa de oro».
Personalidad: Es muy extrovertida y capaz de destacar en cuanto se relacione con la creatividad, la comunicación y la seducción. Es ordenada, metódica y con sentido del detalle, lo que la hace muy crítica. Su único inconveniente es su excesivo deseo de perfección, lo cual la hace a veces intolerante y le dificulta encontrar pareja.
Onomástica: 23 de agosto.
Otros idiomas: Catalán y gallego: Rosaura. Italiano: Rosaura.

ROSELINA

Etimología: Del latín *rosa,* «rosa». Es una variante de *Rosa.*
Personalidad: Su principal característica es el exceso, en cualquier sentido. Lo mismo se trata de una personalidad excesivamente soñadora como de un materialismo consumado, de hedonistas y narcisistas como de estoicas que rozan el ascetismo. Hay que vigilar la tendencia a la indiscreción, así como al inconformismo.
Onomástica: 11 de junio.
Otros idiomas: Catalán: Roseliana. Francés: Roseline. Italiano: Rosellina.

ROSENDA

Etimología: Del germánico *hrod-sinths,* «que se dirige a la fama».

Personalidad: Idealista pero tranquila, no es un luchadora. Prefiere limitarse a exponer sus ideas con claridad, pero sin comprometerse ella misma en el día a día de llevar a cabo lo que en realidad son sus propios objetivos. Con sus amigos es afectuosa y leal, lo mismo que en el amor. No perdona fácilmente las traiciones.

Onomástica: 1 de marzo.

ROSÓ

Etimología: Del latín *rosa,* «rosa». Es una variante de *Rosa.* Variante catalana de *Roser.* Este nombre es muy popular en Cataluña a partir de una canción titulada «Pel teu amor», de los años cuarenta.

Personalidad: Adora el arte, la literatura, la música, el teatro... Todo eso le interesa mucho más que el mundo real. Se desenvuelve perfectamente en cualquier actividad artística. Es una gran amiga y como pareja es muy entregada, pero necesita sentir que recibe una devoción igual que la suya.

Onomástica: 11 de junio.

ROSOÍNDA

Etimología: Del latín *rosa,* «rosa». Es una variante de *Rosa.*

Personalidad: Intransigente por naturaleza, sólo va adquiriendo flexibilidad y comprensión hacia los demás con el paso de los años. Es muy temperamental, propensa a las decisiones repentinas, inesperadas y poco o nada meditadas. Esto se compensa con su aguda inteligencia e intuición.

Onomástica: 16 de septiembre.

RÓSULA

Etimología: Del latín *rosa,* «rosa». Es una variante de *Rosa.*

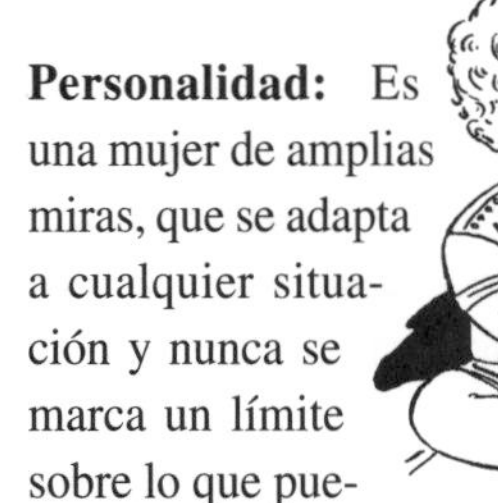

Personalidad: Es una mujer de amplias miras, que se adapta a cualquier situación y nunca se marca un límite sobre lo que puede conseguir. Le gusta tener intererses diversos, de modo que pueda llevar una vida lo más variada posible. Aunque no confía plenamente en el amor ni en la amistad, y precisamente por ser tan selectiva, se irá rodeando de personas muy especiales.

Onomástica: 14 de septiembre.

ROSWITHA

Etimología: Nombre de flor de origen latino. Es una variante de *Rosa.*

Personalidad: Posee una personalidad carismática, seductora y fuerte. Es también idealista y perfeccionista, lo cual normalmente la lleva a tener elevadas ambiciones. En lo negativo, suele ser nerviosa y autoritaria. Tiene más suerte en el campo laboral que en el afectivo.

Onomástica: 20 de enero y 23 de agosto.

ROXANA

Etimología: Deriva del persa *roakshna,* «alba, aurora»; o sea, «la brillante». Nombre de la esposa de Alejandro Magno.

Personalidad: Resaltar en medio de la multitud. ¿Por qué? Normalmente, es el aura de vitalidad que la rodea, esa sensación de que está intensamente viva y de que nada ni nadie sería capaz de detenerla. Es una luchadora incansable, que nunca se conforma con lo que ha conseguido y que además no permite las injusticias a su alrededor.

Onomástica: 1 de noviembre.

Otros idiomas: Catalán: Roxana. Euskera: Roxane. Gallego y bable: Roxana. Inglés y alemán: Roxana. Francés: Rosanna, Roxane. Italiano: Rosanna.

Rufina

Etimología: Del latín *rufus,* «pelirrojo».

Personalidad: Rufina no suele tomarse las cosas demasiado en serio. Odia trabajar, así como cualquier cosa que implique sacrificios u obligaciones... pero lo hace, para costearse una buena vida. Su vida social suele ser amplísima y muy complicada: combina grupos de amigos y relaciones sentimentales varias.

Onomástica: 19 de julio.

Otros idiomas: Catalán y gallego: Rufina. Euskera: Errupiñe. Bable: Rufa, Rufina.

Rústica

Etimología: Del latín *rustica,* «campesina, sencilla».

Personalidad: Es del todo ajena a la lógica. Parece que vive en su propio mundo, regida por sus propias normas y leyes. Feliz con su independencia, procura evitar los compromisos a toda costa. En el amor es muy fantasiosa.

Onomástica: 31 diciembre.

Ruth

Etimología: Nombre hebreo que significa «belleza», aunque algunos expertos le dan el significado de «amiga, compañera».

Personalidad: Los rasgos más destacables de Ruth son su bondad y su sensibilidad. Siempre está atenta a las necesidades de las personas a las que quiere, y hace todo lo humanamente posible por ayudarlas a ser felices. De todas formas, no resulta fácil llegar al corazón de Ruth, ya que es muy selectiva.

Onomástica: 4 de junio.

Otros idiomas: Catalán, gallego y bable: Rut. Euskera: Errut, Urte. Inglés, francés y alemán: Rut. Italiano: Ruth.

S

SABELA

Etimología: Una variante de *Isabel* en gallego. Nombre hebreo que significa «Baal da la salud».

Personalidad: Sabe combinar una férrea determinación con un tacto y una diplomacia exquisitos. Sabe lo que quiere y no se rendirá hasta que lo consiga. Altruista y a menudo desinteresada, siente un gran placer ayudando al prójimo. Su gran defecto es la ingenuidad.

Onomástica: 8 de julio y 19 de noviembre.

Otros idiomas: Catalán: Isabel, Elisabet. Euskera: Elisa, Elixabet. Gallego: Sabel, Bela, Sabela. Inglés: Elisabeth, Elizabeth. Francés: Isabelle, Elisabeth, Ysabel. Italiano: Isabella, Elisabetta, Lisa. Alemán: Isabella, Elisabeth.

SABINA

Etimología: Nombre latino que designa al pueblo de los sabinos, los cuales, al unirse a los latinos, dieron lugar a la ciudad de Roma.

Personalidad: No es una mujer muy segura de sí misma. Procura superar esa debilidad de carácter, pero a menudo reacciona de un modo casi despótico. Con sus amigos y familiares está siempre pendiente de los detalles, porque necesita que tengan un buen concepto de ella.

Onomástica: 27 y 29 de agosto.

Otros idiomas: Catalán: Sabina. Euskera: Sabadin, Sabiñe, Xabadine. Gallego y bable: Sabina. Francés: Sabine, Savine. Inglés: Sabine, Sabina. Alemán: Sabine. Italiano: Savina.

SABRINA

Etimología: Del el río Severno, en latín *Severnius:* «que vive al otro lado de la frontera».

Personalidad: Es una mujer con la que se puede contar, seria y austera, desea ser útil a los demás y le gustaría promover un mundo mejor y más humano, aunque sus deseos se vean limitados por sus responsabilidad, no pierden su sensibilidad y romanticismo.

Onomástica: No tiene.

SACRAMENTO

Etimología: Del latín *sacramentum,* ofrecimiento que se hacía a los dioses para congraciarse con ellos; de *sacer,* «sagrado».

Personalidad: Atractiva, sofisticada, encantadora y simpática. Es una mujer seductora y muy comunicativa, puede parecer superficial, pero en el fondo es idealista e incluso a veces religiosa, poseyendo además mucha habilidad y buena mentalidad, sentido artístico y capacidad de destacar en cualquier actividad que se proponga.

Onomástica: No tiene.

Otros idiomas: Catalán: Sagrament. Euskera: Graziturri.

SADIRA

Etimología: Nombre árabe cuyo significado es «árbol del loto».

Personalidad: Busca soluciones y respuestas en lo que le va enseñando la vida: tiene la virtud de la observación, combina inteligencia e intuición. Es muy femenina y su mayor defecto es que se pierde por llamar la atención del sexo opuesto. En el trabajo necesita trabajos que la obliguen a estar en constante movimiento.

Onomástica: No tiene.

SADIYA

Etimología: Nombre árabe cuyo significado es «afortunada».

Personalidad: Ella es la única que considera que sus ideas son sólidas, porque los demás creen que las cambia con demasiada frecuencia. Como en todo, se deja llevar por las modas. Es muy afectuosa y en el campo profesio-

nal se marca metas que le permitan alcanzar un buen nivel de vida. Como madre se muestra muy responsable.
Onomástica: No tiene.

Safiya

Etimología: Nombre árabe cuyo significado es «pura, serena».
Personalidad: Vive en su propio mundo, en sus pensamientos y fantasías. Reflexiva y poco convencional, por tanto, no es fácil que se atenga a los patrones sociales imperantes. Como pareja y como amiga también es un poco despistada, pero de sentimientos nobles y muy profundos. Suele conseguir lo que se proponga.
Onomástica: No tiene.

Sagrario

Etimología: Del latín *sagrarium,* «sagrario, capilla, santuario».
Personalidad: Necesita realmente sentir que es la mejor en su campo, que todo lo que hace lo hace bien. Cuando se considera experta en algo, no consiente que se le lleve la contraria, y será capaz de discutir hasta la saciedad por defender su argumento. No suele concederle demasiada importancia a su vida personal.
Onomástica: 15 de agosto.
Otros idiomas: Euskera: Sagari. Gallego: Sagrario. Bable: Sagrario (Gayo).

Saida

Etimología: Nombre hebreo, variante de *Sara:* de *Saray,* «princesa».
Personalidad: Necesita tener siempre una apariencia impecable, no soporta el desorden o la incoherencia y está demasiado pendiente de lo que opinan de ella. Si cree que algo merece la pena, no le importa arriesgar todo lo que haga falta. En el amor prefiere ser conquistada a conquistar, porque necesita sentir que le prestan atención.
Onomástica: 9 de octubre.

Sakura

Etimología: Nombre japonés que significa «cerezo» y, por extensión «próspera, saludable».
Personalidad: Es una persona muy simpática, afable e inteligente. Su problema principal es precisamente conseguir fijar su atención en actividades serias, porque se empeña en no crecer. En el amor busca una pareja que centre todas sus energías en ella, aunque en la amistad es mucho más entregada.
Onomástica: No tiene.

Salali

Etimología: Nombre cherokee que significa «ardilla».
Personalidad: Tiene una personalidad muy fuerte, actúa siempre con una contundencia y seguridad en sus opiniones que puede resultar chocante. En el amor, sin embargo, le falta seguridad, y le cuesta mantener sus conquistas. Quienes más la valoran son sus amigos y compañeros de trabajo.
Onomástica: No tiene.

Saleta

Etimología: Nombre de advocación mariana: Nuestra Señora de Saleta. Su santuario está situado en Francia, cerca de Grenoble.
Personalidad: Segura y emprendedora, no se rinde fácilmente. Se ilusiona enseguida con cualquier proyecto, y es capaz de trabajar hasta la extenuación, aunque sólo si se divierte mientras lo hace. Exige a los demás la misma dedicación y es muy intransigente con la pereza. Muchas veces descuida su vida personal.
Onomástica: 19 de septiembre.

Salima

Etimología: Nombre árabe cuyo significado es «mujer segura».
Personalidad: Son personas sencillas y auténticas. Detestan a los que actúan de una deter-

minada manera sólo por guardar las apariencias y, por eso, prefieren que les digan las cosas a la cara, sin rodeos ni ambages. Odian la mentira y la hipocresía. Su sistema moral es simple pero incorruptible.
Onomástica: No tiene.

SALINAS

Etimología: Nombre de advocación mariana: *Mare de Déu de les Salines* (Nuestra Señora de las Salinas). Tiene un santuario en la población gerundense de Maçanet de Cabrenys.
Personalidad: Es la optimista por excelencia: cuando hay problemas, siempre ve una salida inmediata. En el amor y con sus amigos lo da todo, sin reservas, y espera lo mismo. Detesta la indiferencia y la indecisión, y en cualquier circunstancia exige de los demás el mismo compromiso.
Onomástica: Primer domingo de agosto.

SALOMÉ

Etimología: Del hebreo *shalem,* «hermosa, perfecto».
Personalidad: Bajo una apariencia tímida y sencilla, Salomé es una mujer inteligente y manipuladora. Es hábil y astuta, y le gusta valerse de medios insólitos para conseguir sus objetivos. En lo afectivo es a ella a la que siempre consiguen enamorar.
Onomástica: 29 de julio y 18 de noviembre.
Otros idiomas: Catalán: Salomé. Euskera: Xalome. Gallego: Salomé. Bable: Solomé. Inglés y alemán: Salome. Francés e italiano: Salomé.

SALUD

Etimología: Nombre de advocación mariana: Virgen de la Salud. Del latín *salus,* «salud, conservación».
Personalidad: Enérgica, obstinada por una gran ambición y deseos de conseguir poder y riqueza, puede ser una excelente mujer de negocios, pero para ello necesita sentirse motivada. Dado que es perspicaz es muy difícil que se deje engañar. Sin embargo, a veces sus ambiciones son más moderadas y se conforma con el trabajo en equipo, aun cuando siga deseando mantenerse en un primer plano.
Onomástica: 8 y 12 de septiembre.
Otros idiomas: Catalán: Salut. Gallego: Saúde.

SALUSTIA

Etimología: Del latín *salus,* «salud».
Personalidad: Es seria y responsable, con vocación de erudita. Trabaja duramente por conseguir un conocimiento lo más amplio posible sobre los temas que le interesan, que suelen ser muchos y variados. No es muy dada a las diversiones, aunque le encanta relajarse y desconectar de las preocupaciones junto a sus seres más queridos.
Onomástica: 8 de junio.

SAMANTA

Etimología: Nombre arameo que significa «la que escucha».
Personalidad: Samanta necesita imperiosamente vivir en tiempos interesantes, destacar en algo, ser original. Lo cual suele traducirse en que, si no tiene problemas, suele buscárselos ella misma. Le gusta pensar que la vida es una especie de conspiración, aunque afortunadamente se toma todo esto como un juego.
Onomástica: 1 de noviembre.
Otros idiomas: Catalán: Samanta. Inglés, francés, alemán e italiano: Samantha.

SAMIRA

Etimología: Nombre árabe podría interpretarse como «divertida, entretenida».
Personalidad: Es una mujer inquieta, siempre en busca de nuevas aventuras y experiencias en todos los ámbitos de su vida. Se niega a ser conformista, ama la libertad y sólo aceptará un compromiso cuando esté profundamente segu-

ra de que es eso lo que quiere. Aunque parezca alocada, sus actos siempre tienen un sentido.
Onomástica: No tiene.

Sancha

Etimología: Deriva del latín *sanctus,* «sangrado, inviolable, venerado».
Personalidad: Sancha tiene buenas ideas, pero le falta paciencia y perseverancia, espera obtener resultados de forma inmediata. Es muy sensible a las adulaciones, y necesita que los demás le estén constantemente recordando lo mucho que vale y lo que podría conseguir si se lo propusiera.
Onomástica: 13 de marzo.
Otros idiomas: Euskera: Santsa.

Sandra

Etimología: Variante de *Alejandra:* del griego *Aléxandros,* «protector de hombres».
Personalidad: Valiente, lista, generosa y fiel. Tiende a centrarse en un gran objetivo y a olvidarse de todo lo demás. De adulta puede ser orgullosa y caprichosa.
Onomástica: 18 de mayo.
Otros idiomas: Euskera: Txandra. Bable: Xandra.

Santiga

Etimología: Nombre catalán formado por la contracción de la advocación mariana *Santa Maria de l'Antiga* (Santa María de la Antigua).
Personalidad: Tiene una auténtica obsesión por su aspecto: siempre perfecta, brillante, hermosa. Le gusta ser original y hasta un poco extravagante, y obtiene un gran placer escandalizando a los demás. Independiente y luchadora, persigue con vehemencia sus objetivos profesionales.
Onomástica: 8 de septiembre.

Saphira

Etimología: Nombre hebreo que deriva del griego y que significa «zafiro».
Personalidad: Es como una niña. Crédula, ingenua y risueña. Concede una gran importancia al amor durante toda su vida. En su profesión demuestra que es brillante, creativa y muy trabajadora; tiene ambición, pero no se deja dominar por ella.
Onomástica: No tiene.

Sara

Etimología: Adaptación del hebreo *Saray,* «princesa».
Personalidad: Hay dos «Saras», la interior y la exterior. La primera es sensible, tímida, melancólica y excesivamente preocupada por el sentido de la existencia. Pero le da miedo mostrarse así ante los demás, por lo cual la Sara que actúa de cara a la galería es frívola, chismosa, inquieta, alegre y siempre rodeada de un cierto aura de altivez.
Onomástica: 9 de octubre.
Otros idiomas: Catalán, gallego y bable: Sara. Inglés y francés: Sarah. Alemán e italiano: Sara.

Saray

Etimología: Del hebreo *Saray,* «princesa».
Personalidad: La estabilidad, la seguridad y la protección son sus ejes fundamentales. Se trata de personas con los pies en el suelo, aunque también ambiciosas, lo cual equilibra su carácter y les permite vivir una existencia activa y variada, repleta de situaciones que les permite crecer y aprender.
Onomástica: 13 de julio.

Sasa

Etimología: Nombre guanche originario de Tenerife. Una niña indígena con este nombre fue vendida en Valencia en 1497.
Personalidad: Inteligente y creativa, es, sin embargo, demasiado perezosa. Es una devota de las comodiades, aunque no le gusta el lujo excesivo. Busca una vida relativamente tran-

quila, sin grandes sobresaltos. En el amor le falta un poco de confianza en sus posibilidades, por lo cual suele refugiarse en una actitud distante.
Onomástica: No tiene.

SATURNINA

Etimología: Deriva del latín *saturninus,* «relativo a Saturno». A su vez, el nombre de este dios proviene de *satur,* «saciado, harto, saturado».
Personalidad: De inteligencia singular y con gran capacidad de liderazgo, aunque sus enemigos la consideren una engreída. No suele ser consciente de sus propias limitaciones, y puede mostrarse despectiva o desdeñosa con los problemas de los demás. En el amor sueña buscar a alguien más fuerte que ella.
Onomástica: 4 de junio.

SAULA

Etimología: Nombre de origen griego, que podría interpretarse como «tierna y delicada».
Personalidad: De personalidad equilibrada, serena y con las ideas muy claras, aunque también es intuitiva y magnética. Valora el refinamiento y la integridad, la simpatía y la benevolencia. Suele ser idealista sin remedio si cree en una idea determinada.
Onomástica: 20 de octubre.

SEBASTIANA

Etimología: Procede del griego *sebastós,* «venerado, augusto».
Personalidad: El secreto de su éxito es la serenidad y la capacidad de reflexión: no pierde los nervios ante ninguna circunstancia. Posee un rígido autocontrol y, gracias a esto, consigue aparentar una inteligencia aún mayor de la que posee. Es una fervorosa amante de la vida familiar.
Onomástica: 16 de septiembre.
Otros idiomas: Euskera: Sastiana, Saustiza, Sostiza. Bable: Bastiana, Sebastiana.

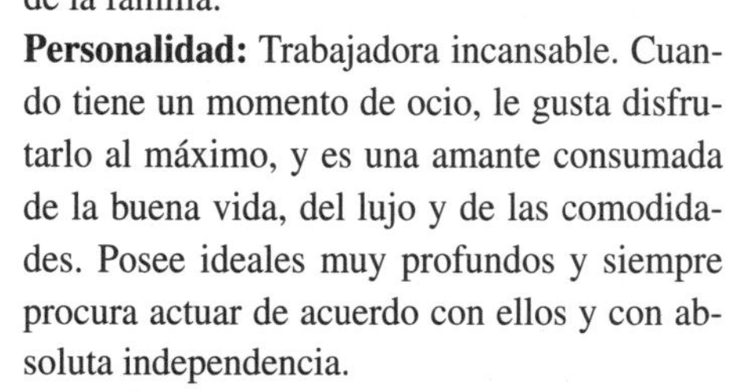

SECUNDINA

Etimología: Del latín *secunda,* «segunda». Nombre que se ponía a la segunda hija de la familia.
Personalidad: Trabajadora incansable. Cuando tiene un momento de ocio, le gusta disfrutarlo al máximo, y es una amante consumada de la buena vida, del lujo y de las comodidades. Posee ideales muy profundos y siempre procura actuar de acuerdo con ellos y con absoluta independencia.
Onomástica: 15 de enero.
Otros idiomas: Bable: Secundina (Cunda).

SEGENE

Etimología: De origen germánico. Significa «victoriosa».
Personalidad: Afortunada. Haga lo que haga, consigue eludir cualquier clase de problemas, queda siempre bien con quien le interesa y consigue los objetivos que persigue. Es propensa a los ataques de cólera y a las venganzas, pero no olvida nunca a quien le ha ayudado.
Onomástica: 12 de agosto.

SEGUNDA

Etimología: Del latín *secunda,* «segunda». Nombre que se ponía a la segunda hija de la familia.
Personalidad: Orgullosa hasta el fin, siempre tiene que estar a la altura de las circunstancias. Tiene una imagen muy clara de lo que quiere conseguir en el mundo y de lo que quiere llegar a ser. Puede parecer ingenua y extrovertida, pero en realidad siempre se guarda algo para sí misma.
Onomástica: 10, 17 y 30 julio.
Otros idiomas: Gallego y bable: Segunda.

Selena

Etimología: Del nombre mitológico griego *Seléne,* «la Luna», y éste de *selas,* «luz, resplandor». Es una variante de *Selene.*
Personalidad: Apasionada y entusiasta, dedicada a las causas nobles a las que se entrega por completo, con ambición y deseos de ser conocida. En algunos casos puede sentirse limitada, pero es consciente de que el éxito no siempre es brillante ni llega de golpe, sino que debe conseguirse a base de trabajo y paciencia.
Onomástica: No tiene.
Otros idiomas: Catalán: Selena. Bable: Selina. Francés: Sélene. Inglés y alemán: Selene. Italiano: Selena.

Selene

Etimología: Del nombre mitológico griego *Seléne,* «la Luna», y éste de *selas,* «luz, resplandor».
Personalidad: Espirituales y místicas, de sentimientos altruistas. Se trata de personas elevadas que intentan cultivar la sabiduría y que valoran la inteligencia y la habilidad. Receptivas y estudiosas, son capaces de disfrutar de la vida. Quizá a veces son demasiado abnegadas y se olvidan de sus propios intereses.
Onomástica: No tiene.
Otros idiomas: Bable: Selina. Francés: Sélene. Inglés y alemán: Selene.

Serafina

Etimología: Procede del hebreo *seraphim,* «serpientes».
Personalidad: Le gusta sentir que la admiran. El lado bueno es que trabaja realmente duro para ser admirable. Vigila de forma rígida su moral, es muy severa e intransigente con sus propios errores y defectos (menos el orgullo), y procura siempre mostrarse amable y comprensiva.
Onomástica: 29 de julio.
Otros idiomas: Bable: Serafa.

Serapia

Etimología: Nombre que deriva del dios mitológico egipcio *Serapis,* al que se le dio culto especialmente para la curación y que fue adoptado en el mundo romano. En Alejandría tuvo un gran templo dedicado, el *serapis* (*Serapeión*).
Personalidad: Alegre y frívola, incluso dispersa, aunque ella tiene muy claras sus prioridades en la vida, y en primera instancia se dedica a ellas. En general, puede decirse que es poco detallista y propensa a olvidarse de aniversarios y felicitaciones, pero cuando se la necesita, es una amiga de las de verdad.
Onomástica: 29 de julio y 3 de septiembre.

Serena

Etimología: Del latín *Serena,* «serena, tranquila».
Personalidad: Nacida para amar, seducir y repartir paz y armonía, es responsable y metódica, pero excesivamente detallista, aunque de vez en cuando le asalta la tentación de la aventura. Sin embargo, su emotividad y abnegación le impulsan a tomar parte en asociaciones de carácter humanitario o social.
Onomástica: 16 de agosto.
Otros idiomas: Catalán, gallego y bable: Serena. Inglés y alemán: Serena. Francés: Séréna. Italiano: Serena.

Severa

Etimología: Del latín *severus,* «severo, grave, austero».
Personalidad: Valiente y no muy dado a la reflexión, es pasional y actúa guiada por impulsos. Por ello suele dedicarse a profesiones creativas, donde se busquen ideas geniales o periodos intermitentes de mucha actividad. En el amor también es una aventurera que en gran

medida disfruta enamorando y desenamorando.
Onomástica: 20 de julio.
Otros idiomas: Bable: Severa.

Severina

Etimología: Del latín *severus,* «severo, grave, austero».
Personalidad: Es muy equilibrada y posee un sentido innato de la justicia y el equilibrio, pero también cae con facilidad en ataques de ira y valora en exceso el poder y el triunfo. Es impaciente e impetuosa. Esta personalidad le hace, casi con seguridad, muy celosa.
Onomástica: 23 de octubre.

Shafira

Etimología: Nombre swahili cuyo significado es «distinguida».
Personalidad: Es una gran amante del arte en todas sus manifestaciones, y en su propia vida. En el amor y con sus amigos se muestra impulsiva y apasionada. No le gusta trabajar en exceso y no es ambiciosa, por lo que procura buscarse una profesión tranquila que le permita llevar una vida desahogada.
Onomástica: No tiene.

Shaianne

Etimología: Nombre cheyenne, que es gentilicio de la tribu: «perteneciente a los cheyenne».
Personalidad: Tiene un temperamento demasiado variable, nunca se puede estar seguro de cómo va a reaccionar. En el amor, raras veces será correspondida por la persona a quien realmente ama, aunque probablemente termine asentándose en una afable y placentera relación sustentada más por la amistad que por el amor.
Onomástica: No tiene.

Shakila

Etimología: Nombre árabe cuyo significado es «hermosa, bonita».
Personalidad: Valiente, sale adelante pase lo que pase. A la hora de trabajar, es seria y responsable, prudente cuando las circunstancias lo requieren, aunque también es capaz de arriesgar. En el amor suele ser desgraciada, quizá porque le resulta difícil encontrar compañeros tan fuertes y seguros como ella misma.
Onomástica: No tiene.

Shakira

Etimología: Nombre árabe que puede interpretarse como «agradecida».
Personalidad: Es una mujer introvertida, muy encerrada en sí misma y hasta podría decirse que algo huraña. Algunos dicen que peca un poco de misantropía, que desprecia al género humano; pero la realidad es que no logra comprender al resto de las personas, le parecen demasiado complicadas. Aun así, suele encontrar energías para intentar cambiar su mundo.
Onomástica: No tiene.

Shamara

Etimología: Nombre árabe cuyo significado es «lista para la batalla».
Personalidad: Alegre y feliz, rebosa encanto e imaginación y rechaza por principios cualquier prejuicio o convención social. Sin embargo, es muy terca y no soporta que le lleven la contraria. Además, puede llegar a ser un poco excéntrica y sentir que no es comprendida.
Onomástica: No tiene.

Shamira

Etimología: Nombre hebreo que significa «gema, piedra preciosa».
Personalidad: Vive mucho más de cara al exterior que para sí misma. En realidad es tierna, afectuosa y está muy necesitada de cariño, pero considera que estas características son signos de debilidad, y prefiere ocultarlas. Enseguida se encariña con la gente.
Onomástica: No tiene.

SHANTAL

Etimología: Nombre norteamericano que deriva de *song,* «canción».

Personalidad: Hiperactiva y ligeramente inestable, tiene una tendencia no muy sana a tomárselo todo demasiado en serio, casi como un reto personal. Tiene la necesidad de estar siempre haciendo algo productivo, hasta tal punto que llega a agotar a todos los que la rodean. Pierde los nervios con facilidad y se enfada a menudo.

Onomástica: No tiene.

SHANY

Etimología: Nombre swahili cuyo significado es «maravillosa».

Personalidad: Es una persona muy sensible por más que intente disimularlo. Bajo su apariencia fría, segura y un poco despreocupada, hay una mujer que está siempre pendiente de lo que los demás dicen o hacen y de la actitud que tienen hacia ella. Su gran placer consiste en ayudar a los que la rodean a ser felices.

Onomástica: No tiene.

SHAPPA

Etimología: Nombre de los indios norteamericanos que significa «trueno rojo».

Personalidad: Humanista y entregada por naturaleza: para ser feliz, su vida tiene que serle útil a los demás. No entiende el egoísmo ni la falta de compromiso: ella, realmente, no puede descansar sabiendo que hay alguien que puede necesitarla. El problema es que es demasiado crítica consigo misma.

Onomástica: No tiene.

SHAQUIRA

Etimología: Nombre árabe que puede interpretarse como «agradecida».

Personalidad: Persona serena, tranquila y hasta un poco parsimoniosa. De inteligencia profunda y muy dotada para la meditación. Sin embargo, parece que le cuesta mucho conciliar sus planteamientos intelectuales con un plan concreto de actuación. Su ideal es ser el cerebro de alguna clase de sociedad, de modo que sean los demás los que llevan a la práctica sus numerosas ideas.

Onomástica: No tiene.

SHEENA

Etimología: Es una variante de Juana, que deriva del hebreo *Yehohanan,* «Dios es misericordioso».

Personalidad: Posee una personalidad carismática, seductora y fuerte. Es también idealista y perfeccionista, lo cual normalmente la lleva a tener elevadas ambiciones. En lo negativo, suele ser nerviosa y autoritaria.

Onomástica: 24 de junio.

SHEILA

Etimología: Nombre irlandés que deriva de *Sile,* variante de *Celia.*

Personalidad: Apasionada, enérgica, autoritaria y obstinada. Sheila desea conseguir poder y riqueza, para lo que también aprovecha su capacidad de asimilar ideas y experiencias. Sin embargo, también es muy curiosa, activa y enemiga de la rutina.

Onomástica: 21 de octubre.

SHERA

Etimología: Nombre de origen arameo que significa «delgada, ligera».

Personalidad: La alegría parece empapar cada uno de sus actos, y a la gente le gusta estar cerca de ella por su optimismo contagioso. Le gusta que los demás dependan de ella en cierta medida, aunque su sentido de la independencia le impide a ella depender de otra persona.

Onomástica: No tiene.

SHIRA

Etimología: Nombre de origen hebreo que significa «canción».

Personalidad: Sensible y fuerte al mismo tiempo. Necesita ser original, aunque muchas veces no sabe muy bien cómo hacerlo. Le gusta sentir que es ella la que domina, y no soporta que los demás no le hagan caso o que no hagan lo que ella quiere. De joven es una idealista soñadora.

Onomástica: No tiene.

SHIRLEY

Etimología: Nombre anglosajón cuyo significado es «prado blanco».

Personalidad: Es una mujer con una fuerte personalidad, dinámica, hábil, inteligente. Suele ser jovial, simpática y acogedora, deseosa de hacer amistades y establecer contactos. A veces muestra deseos de aparentar ser dueña de su propia vida, mientras que otras busca la facilidad y el dejarse llevar por las circunstancias de la vida.

Onomástica: No tiene.

SHULA

Etimología: Nombre de origen árabe que significa «brillante, flameante».

Personalidad: Recta, tranquila, equilibrada, es una de esas personas que procura no decir nunca una palabra más alta que otra. Es extremadamente comprensiva, y para sus amigos se convierte en un inmejorable apoyo. En su profesión es ambiciosa y puede llegar a mostrarse intransigente con las debilidades ajenas.

Onomástica: No tiene.

SIARA

Etimología: Nombre irlandés que significa «morena».

Personalidad: Es lenta pero segura. Sus decisiones siempre se hacen esperar y están profundamente meditadas, pero una vez que han sido tomadas, nada en el universo es capaz de hacer que no se cumplan. Y es que es implacable. Puede ser la mejor de las amigas, y sin duda un apoyo inmejorable en situaciones difíciles.

Onomástica: No tiene.

SIBBISSE

Etimología: Nombre guanche originario de Tenerife. Una indígena con este nombre fue vendida en Valencia en 1495.

Personalidad: Inteligente y creativa, es, sin embargo, demasiado perezosa. Necesita las comodiades, aunque no le gusta el lujo excesivo. Busca una vida relativamente tranquila, sin grandes sobresaltos. En el amor le falta un poco de confianza en sus posibilidades, por lo cual suele refugiarse en una actitud distante.

Onomástica: No tiene.

SIBILA

Etimología: Del griego *sybylla,* «voluntad de Júpiter».

Personalidad: De acusada personalidad, activa, dinámica y emprendedora, desea estar en el escenario de la vida para representar su papel y ser admirada. Pero también es capaz de organizar y administrar. Pero sensible y emotiva, es capaz de entregarse abnegadamente a cualquier causa humanitaria si puede ocupar un lugar destacado.

Onomástica: No tiene.

Otros idiomas: Catalán: Sibil.la. Francés: Sibilla. Inglés: Sybill. Alemán: Sybille. Italiano: Sibilla.

SIGOURNEY

Etimología: Antiguo nombre inglés que significa «conquistadora, victoriosa».

Personalidad: Juguetona e insistente, puede parecer que no le da importancia a casi nada, pero realmente le toma mucho cariño a la gente y sufre agudas decepciones cuando alguien

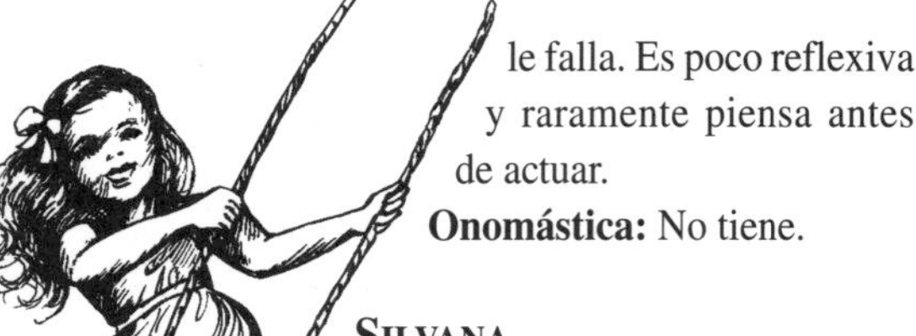

le falla. Es poco reflexiva y raramente piensa antes de actuar.
Onomástica: No tiene.

Silvana

Etimología: Del latín *Silvanos,* «silvestre, selvático, boscoso».
Personalidad: Es una mujer que parece inasequible, pero que no deja indiferente gracias a su carisma personal. Introvertida, intuitiva, clarividente. Es metódica y buena organizadora y sabe dejarse llevar por la corriente cuando le conviene para salvaguardar su independencia, y sus objetivos se centran en desarrollar su creatividad, ya sea en cuestiones artísticas o humanitarias. Su mayor defecto es ser poco comunicativa.
Onomástica: 1 de noviembre.
Otros idiomas: Catalán: Silvana. Euskera: Silbane. Gallego y bable: Silvana. Francés: Sylvaine. Italiano: Silvana.

Silvia

Etimología: Del latín *silva,* «selva, bosque».
Personalidad: Es una gran amante de la naturaleza, que sufre por el medio ambiente y adora a los animales. Curiosamente, en el amor, puede llegar a tener fama de despiadada, al menos hasta que encuentra al hombre de su vida. En su trabajo es seria y muy responsable, aunque no por ambición, sino por simple deseo de hacer las cosas bien.
Onomástica: 3 de noviembre.
Otros idiomas: Catalán: Sílvia. Euskera: Silbe, Oihana, Oihane. Gallego: Silvia. Inglés y francés: Sylvie. Alemán: Sylvia. Italiano: Silvia.

Silvina

Etimología: Del latín *silvinus,* «relativo a Silvia o al bosque».
Personalidad: Ciertamente es un poco perezosa, y aunque sepa lo que quiere y qué ha de hacer para conseguirlo, le cuesta ponerse manos a la obra. Es romántica y soñadora, muy dada a perderse en el mundo de sus fantasías amorosas. Cariñosa y entregada, pero también muy exigente. Cuando hay problemas sabe ser fuerte, entera y tranquila.
Onomástica: 18 de febrero y 3 de noviembre.
Otros idiomas: Bable: Selvina.

Simoneta

Etimología: Del griego *simós,* «que tiene la nariz chata».
Personalidad: Es la paz personificada: irradia tranquilidad y serenidad. Parece como si ya lo hubiera vivido todo y se muestra siempre imperturbable y sensata. Tiene fama de culta y hasta de sabia, aunque lo fundamental es que aprende sobre todo de sus propias experiencias.
Onomástica: 28 de octubre.
Otros idiomas: Catalán: Simona. Euskera: Simone. Francé: Simone. Alemán: Simona, Simone. Italiano: Simona, Simonetta.

Sinforosa

Etimología: Nombre griego que significa «acompañada».
Personalidad: Lo hace todo con el corazón; ella presume de ser pasional, impulsiva y profundamente sensible. Quizá tenga un miedo patológico a la soledad. Detesta las discusiones y en muchas circunstancias prefiere guardar silencio para no provocar una disputa. Es una compañera dulce y romántica.
Onomástica: 2 y 18 de julio.
Otros idiomas: Bable: Senfuriana.

Sión

Etimología: Advocación mariana: Nuestra Señora de Monte Sión (escrito también como Montesión o Monte-Sión), que alude a una de

las colinas de Jerusalén. En la *Biblia,* Sión es sinónimo de Jerusalén.
Personalidad: Inteligente pero rígida, trabajadora pero poco creativa, es una persona extremadamente tímida que a veces opta por ocultarlo bajo una máscara autoritaria. Es inquieta y tiene verdaderas ansias de saber. Es muy generosa y perdona con facilidad. Es inconstante y se deja llevar mucho más por los sentimientos que por la razón o la lógica.
Onomástica: 8 de septiembre.
Otros idiomas: Catalán: Sió.

Sira

Etimología: Este nombre procede de de la palabra latina *Sirius* y es el femenino de *Siro:* «habitante de Siria», que a su vez procede del griego *Seirios*, «que quema», aludiendo al calor de este país oriental.
Personalidad: Es, definitivamente, una mujer de muchas caras... Tiene una personalidad muy compleja. Por un lado, es fuerte, luchadora y decidida, es muy ambiciosa y procura parecer siempre altiva y un poco superior. Pero hay una parte de ella que parece no estar a gusto consigo misma.
Onomástica: 23 de septiembre.
Otros idiomas: Bable: Sira.

Sisika

Etimología: Nombre indio norteamericano que significa «trino».
Personalidad: Altiva e independiente, lista y decidida, implacable con sus enemigos y capaz de casi cualquier cosa para conseguir sus objetivos. Su modo de afrontar los problemas es quizá un poco retorcido. Defiende su territorio y a su familia con uñas y dientes.
Onomástica: No tiene.

Socorro

Etimología: Nombre cristiano en honor de Nuestra Señora del Perpetuo Socorro.
Personalidad: Es una mujer alegre y bondadosa. Desconoce la ambición, y como tampoco tiene vicios caros ni aprecia demasiado los lujos y comodidades, nunca se esfuerza demasiado en su trabajo, prefiriendo reservarse para cuidar de su familia. La parte menos atractiva de su personalidad es su afición a los chismes y cotilleos.
Onomástica: 27 de junio y 8 de septiembre.
Otros idiomas: Catalán: Socors. Euskera: Laguntzane, Sorospen. Gallego: Agarimo. Bable: Socorro. Italiano: Soccorso.

Sofía

Etimología: Del griego *sophia,* «sabiduría».
Personalidad: Es la corrección por excelencia. Bajo esta fachada tan formal se esconde una mujer profundamente sensible y melancólica, extremadamente femenina y dotada de una gran intuición. Es muy posesiva con la gente a la que quiere, especialmente con su marido y sus hijos.
Onomástica: 30 de abril.
Otros idiomas: Catalán: Sofia. Euskera: Sope. Gallego: Sofía. Bable: Sofia. Inglés: Sophia, Sophy. Francés: Sophie. Alemán: Sophia, Sophie. Italiano: Sofia.

Sol

Etimología: Nombre latín que hace referencia al astro «sol». Es nombre de advocación mariana: Nuestra Señora del Sol, patrona de la ciudad de Tarifa (Cádiz).
Personalidad: Es dulce y divertida, aunque un poco superficial. En su juventud, suele tener muchos amigos y una vida social trepidante... pero según pasan los años procura por todos los medios encontrar a personas verdaderas, que la llenen, y no se limiten a hacerle compañía. Eso sí, nunca abandonará su obsesión por tener una apariencia perfecta.
Onomástica: 3 de diciembre.
Otros idiomas: Euskera: Ekhiñe. Bable: Sol.

Solange

Etimología: Nombre francés que signfica «digna».

Personalidad: Es una mujer hogareña que desea pasar su vida del modo más apacible y tranquilo. El trabajo es para ella una maldición, y mucho más la vida en la ciudad. Su ideal es retirarse al campo y cultivar con sus manos, sin más compañía que su familia y amigos más íntimos.

Onomástica: No tiene.

Soledad

Etimología: Nombre cristiano en honor de la Virgen de la Soledad.

Personalidad: Soledad está siempre rodeada de un cierto aura de sacrificio, como si los problemas existenciales no dejaran de rodearla, pero ella lo afronta con entereza y valor. A menudo se siente oprimida por las convenciones sociales, por el sometimiento al qué dirán, por lo que la sociedad espera de ella, y termina desdeñándolo todo y atreviéndose a vivir en libertad.

Onomástica: Viernes y Sábado Santos.

Otros idiomas: Catalán: Soledat. Euskera: Bakarne, Bakartxo. Gallego: Soidade. Bable: Soledá, Soledade.

Sonia

Etimología: Hipocorístico ruso de *Sofía (Sinja),* que se ha convertido en nombre independiente. *Sofía* proviene del griego y significa «sabiduría».

Personalidad: Agradable, servicial y afectuosa, sabe hacer frente a sus responsabilidades y obligaciones; su emotividad e imaginación son muy poderosas y aprecia sobremanera el mundo de las formas y los colores, de la belleza en general. Su capacidad de entrega hace que sienta la necesidad de dar sentido a su existencia.

Onomástica: 30 de abril.

Otros idiomas: Catalán: Sònia. Bable: Sonia.

Sonsoles

Etimología: Nombre en honor de la Virgen de Sonsoles, patrona de Ávila, a quien se invoca en momentos de sequía y epidemias.

Personalidad: Es equilibrada y posee gran encanto, por lo que está dotada para la diplomacia y las relaciones públicas. También valora enormemente la belleza, la armonía y la capacidad de sacrificio. Por contra, es algo indecisa y dada al fatalismo y al exceso de perfeccionismo.

Onomástica: Primer domingo de julio.

Sorara

Etimología: Nombre de origen persa que significa «princesa».

Personalidad: Mujer extremadamente compleja. Ama su profesión y se dedica a ella con auténtico fervor, aunque no por ello descuida a su familia ni a sus amigos. Es una madre espléndida. Sentimental hasta la médula, tiene debilidad por las historias de amor y es un poco celestina.

Onomástica: No tiene.

Sorne

Etimología: Nombre vasco que es el equivalente de *Concepción.*

Personalidad: Es buena, delicada y servicial, aunque a veces se muestra demasiado indulgente. La mayor parte de las veces es propensa a la melancolía. Su gran pasión es el estudio, que no abandonará a lo largo de su vida.

Onomástica: 8 de diciembre.

Otros idiomas: Catalán: Concepció. Euskera: Sorne, Sorkunde, Konxesi. Inglés y francés: Conception. Italiano: Concetta.

Sotera

Etimología: Nombre de origen griego que puede traducirse por «salvadora».

Personalidad: Introvertida, reservada, es una persona discreta y comedida. Tiene muy claras

las ideas sobre cómo deben hacerse las cosas, pero no le gusta imponerse por la fuerza, sino por la persuasión. Prefiere rodearse de poca gente, pero de confianza.
Onomástica: 10 de febrero.

Soterraña

Etimología: Nombre de advocación mariana: Nuestra Señora de Soterraña venerada en sus santuarios de Santa María de la Nieva (Segovia) y Olmedo (Valladolid).
Personalidad: Es tan sencilla que roza la ingenuidad. Es capaz de ser feliz con los detalles más nimios, y está siempre dispuesta a pensar lo mejor de los demás. Odia los esquemas y las obligaciones, así como las convenciones sociales. Concibe el amor más bien como una buena amistad.
Onomástica: 8 de septiembre.

Suniva

Etimología: Adaptación latina de un nombre germánico donde está la palabra *sund.* Se puede traducir por «radiante, iluminada» o «sol».
Personalidad: Son personas independientes, vivaces y luchadoras. No suelen avenirse a los deseos y caprichos de nadie. Son más originales que trabajadoras o perseverantes, y su carrera profesional suele estar repleta de pequeños éxitos que luego les cuesta mantener.
Onomástica: 8 de julio.

Susana

Etimología: Procede del hebreo *shus-hannah,* que significa «graciosa azucena».
Personalidad: Dulce, sensible, seductora. A pesar de todo, es una persona sencilla que aprecia los placeres más pequeños de la vida y que no tiene grandes ambiciones. En su juventud adolece de falta de seguridad en sí misma, pero conforme van pasando los años, va construyéndose una personalidad cada vez más fuerte.
Onomástica: 24 de mayo, 11 de agosto y 19 de septiembre.
Otros idiomas: Catalán: Susanna. Euskera: Xusana. Gallego y bable: Susana. Inglés: Susan, Susanna. Francés: Suzanne. Alemán: Susanna, Suschen, Suzette. Italiano: Susanna.

Suyapa

Etimología: Nombre de advocación mariana: Nuestra Señora de Suyapa. Muy venerada en Honduras, país de donde es patrona.
Personalidad: Es muy sensible y, por ello, también muy propensa a los cambios de humor. Nunca se sabe lo que puede afectarle, ya que de pronto el más ridículo de los detalles puede hacerla inmensamente feliz o sumergirla en la melancolía.
Onomástica: 3 de febrero.

Tábata

Etimología: Nombre de origen arameo que significa «gacela».

Personalidad: Es afectuosa y profundamente maternal. No es demasiado imaginativa ni original, pero lo compensa con una impresionante capacidad de trabajo y una lealtad incorruptible. En el amor es algo ingenua, pero prefiere eso a volverse cruel o insensible. Es feliz si tiene una causa en la que ocuparse.

Onomástica: No tiene.

Tabita

Etimología: Del arameo *tabitha,* «gacela».

Personalidad: Posee una personalidad marcada por el impulso de creación. Es algo autoritaria, individualista e independiente. Valora la estabilidad en su vida y, para conseguirla, a veces se muestra autoritaria y egoísta.

Onomástica: 25 de octubre.

Otros idiomas: Catalán: Tabita. Inglés y alemán: Tabitha.

Taciana

Etimología: Nombre de una familia latina: «perteneciente a la familia de Taci».

Personalidad: Es una mujer alegre, creativa y habilidosa, que no soporta estar sin hacer nada. Le gusta llenar su vida de pequeños detalles. Está dotada de un gran sentido de la responsabilidad, y siempre dispuesta a abandonar sus múltiples actividades si un compromiso o la necesidad de un amigo se lo requieren.

Onomástica: 12 de enero.

Taffy

Etimología: Nombre galés que significa «amada».

Personalidad: Su principal característica es el exceso, en cualquier sentido. Lo mismo se trata de una personalidad excesivamente soñadora como de un materialismo consumado, de hedonistas y narcisistas como de estoicas que rozan el ascetismo. Hay que vigilar la tendencia a la indiscreción, así como al inconformismo.

Onomástica: No tiene.

Tahira

Etimología: Nombre árabe que significa «pura, virginal».

Personalidad: Su impresión es que ha nacido en un tiempo que no le corresponde. Ella necesita vivir fuera de la realidad, en un refugio de fantasía y romanticismo. Es muy propensa al teatro y a la exageración, amante de melodramas e historias imposibles. Sin embargo, tiene un corazón de oro y es capaz de desvivirse por ayudar a su prójimo.

Onomástica: No tiene.

Talía

Etimología: Del griego *Thalein,* «florecer». Nombre de una de las tres Gracias y de la musa de la comedia y la poesía jocosa.

Personalidad: Bajo su apariencia dúctil, maleable y cooperadora, es activa y dinámica, sabiendo hacer valer sus derechos. Es amante de la paz, pero también sabe luchar y hacer gala de su mente metódica y bien organizada. Su intuición y carisma personal son capaces de convertirla en una líder.

Onomástica: 27 de julio y 1 de diciembre.

Talitha

Etimología: Nombre de origen arameo que significa «muchacha joven».

Personalidad: Es una mujer de carácter. Muy dada a las discusiones espectaculares y melodramáticas, aunque al final siempre acaba cediendo. Es extremadamente ambiciosa en su

vida personal y profesional. Aunque le encanta el chismorreo, es una buena amiga, pero un poco superficial.
Onomástica: No tiene.

TALLULAH

Etimología: Nombre de los choctaw, tribu india norteamericana, que significa «salto de agua, cascada».
Personalidad: Es tozuda y obstinada, aunque no actúa con mala intención. Puede ser orgullosa, pero también sincera y justa. Siente pasión por todo tipo de actividades intelectuales y es dada a la polémica. En el amor y la amistad se muestra muy sólida. No le gustan las personas que actúan sólo por conveniencia.
Onomástica: No tiene.

TAMARA

Etimología: Del hebreo *thamar,* «palmera».
Personalidad: Es una mujer libre, sin limitaciones, sin complejos. Por ello suele ser una líder nata: los que la rodean se sienten admirados por su forma innovadora de actuar y tienden a seguirla y a imitarla. Muchas veces incomprendida en el amor, le cuesta encontrar a alguien con quien compartir sus ansias de libertad.
Onomástica: 1 de octubre.
Otros idiomas: Catalán: Tàmar, Tamara. Gallego: Tamara. Bable: Tamar. Francés: Tamar, Tamara. Alemán e italiano: Tamara. Variante: Tamar.

TANIA

Etimología: Forma familiar de *Tatiana,* del ruso *Taciana* (patronímico de *Tacio,* rey de los sabinos).
Personalidad: Nacida para amar, seducir y repartir paz y armonía, es responsable y metódica, pero excesivamente detallista, aunque de vez en cuando le asalta la tentación de la aventura. Sin embargo, su emotividad y abnegación le impulsan a tomar parte en asociaciones de carácter humanitario o social.
Onomástica: 12 de enero.
Otros idiomas: Catalán: Tània. Gallego y bable: Tatiana, Tania. Francés: Tania. Alemán: Tanja. Italiano: Tania.

TÁRSILA

Etimología: Del griego *tharsos,* «valor, atrevimiento».
Personalidad: Posee fuerza y determinación, así como una personalidad difícilmente manejable. Obstinada e independiente, ejerce un gran magnetismo, aunque puede caer fácilmente en la intransigencia. Rara vez se siente contenta durante mucho tiempo, así que busca cambios de ambiente o de escenario.
Onomástica: 24 de diciembre.
Otros idiomas: Catalán: Tàrsila. Euskera: Tartsille.

TATIANA

Etimología: Forma rusa del latín *Taciana* (patronímico de Tacio, rey de los sabinos).
Personalidad: Serena, dulce y algo melancólica. A primera vista cualquiera diría que es tan frágil que se derrumbará al primer golpe. Pero ella es mucho más fuerte que todo eso; supera los complejos y los problemas a fuerza de lógica y de perseverancia, negándose al autoengaño y viendo siempre las cosas tal y como son.
Onomástica: 12 de enero.
Otros idiomas: Catalán y gallego: Tatiana. Francés e italiano: Tatiana.

TATUM

Etimología: Antiguo nombre inglés que significa «agradable».
Personalidad: Desde niña tiene que luchar con su inseguridad. Tiende a compararse con los demás y en su fuero interno siempre sale malparada. Hay algo en su interior que la obli-

ga a fijarse en los demás y esa falta de criterio puede hacerla un tanto excéntrica. Su verdadera meta en la vida es hallar a alguien que le proporcione la seguridad que tanto necesita.
Onomástica: No tiene.

TECLA

Etimología: Nombre de origen griego, *Théosleos*, «gloria de Dios».
Personalidad: Es una mujer que parece inasequible, pero que no deja indiferente gracias a su carisma personal. Introvertida, intuitiva, clarividente. Es metódica y buena organizadora y sabe dejarse llevar por la corriente cuando le conviene para salvaguardar su independencia, y sus objetivos se centran en desarrollar su creatividad, ya sea en cuestiones artísticas o humanitarias. Su mayor defecto es ser poco comunicativa.
Onomástica: 23 de septiembre.
Otros idiomas: Catalán: Tecla. Euskera: Tekale. Gallego: Tegra. Bable: Tecla. Francés: Thècle. Alemán: Thekla. Italiano: Tecla.

TEGUISE

Etimología: Nombre guanche originario de Lanzarote. Una princesa que casó con un conquistador parece que dio el nombre a la villa de Teguise.
Personalidad: Pasional y algo exótica, es una mujer dotada de una gran intuición que persigue unos difíciles pero justos ideales. Le gusta trabajar, aunque el dinero y la fama poco le importan. A lo que sí atribuye una gran importancia es al amor, y no será feliz hasta que no haya encontrado una persona que la satisfaga.
Onomástica: No tiene.

TELMA

Etimología: Es una derivación de San Pedro González Telmo. Junto a la Virgen del Carmen, es el patrón de los marineros porque predicó entre los de Galicia y Asturias.
Personalidad: Su carácter es muy creativo y posee el impulso que produce la inspiración. Le gustan las emociones y es muy dada a perseguir ideales utópicos. Es también idealista y perfeccionista, lo cual normalmente la lleva a tener elevadas ambiciones. La parte negativa es la facilidad con que cae en la extravagancia y su tendencia a la inestabilidad.
Onomástica: 4 de abril.
Otros idiomas: Catalán, gallego y bable: Telma.

TEODORA

Etimología: Del griego *théos-doron,* «don de Dios».
Personalidad: Es una mujer ambiciosa e implacable, de esas personas que creen que han de labrarse su propia suerte. Es constante y valora todo lo que tiene. Concede gran importancia al amor y a la amistad, y es innegablemente una gran compañera.
Onomástica: 28 de abril.
Otros idiomas: Bable: Dora, Tiadora.

TEODOSIA

Etimología: Del griego *théos-doron,* «don de Dios».
Personalidad: Emotiva, altruista e idealista. Fiel a sus amistades y amores, tiene gran necesidad de ayudar y compartir, tanto en lo material como en lo espiritual. Es influenciable, le cuesta ser realista y es algo desordenada. Su gran defecto es que sufre bruscos cambios de humor.
Onomástica: 29 mayo.
Otros idiomas: Gallego: Teodosia.

TEÓFILA

Etimología: Del griego *Teóphilos,* «amigo de Dios».
Personalidad: La estabilidad, la paciencia, la organización, el realismo, el sentido del deber y el orden son sus principales virtudes. En lo

sentimental y con sus amistades son de una fidelidad absoluta. Por contra, caen con facilidad en la rutina y la avaricia.
Onomástica: 28 de diciembre.

TERESA

Etimología: Se desconoce el origen de este nombre, aunque hay quien lo considera la forma femenina del adivino mitológico *Tharesios*.
Personalidad: Teresa es la fuerza del corazón, de la pasión, del amor: todo lo hace poniendo su alma en ello. Su característica más singular es que sabe combinar esta impetuosidad con una profunda amabilidad y sensibilidad. Está demasiado atenta a lo que puedan pensar de ella, revelando su propia inseguridad, y siempre está preocupada por ideas elevadas.
Onomástica: 15 de octubre.
Otros idiomas: Catalán: Teresa. Euskera: Terese, Tetxa. Gallego: Tareixa, Teresa. Bable: Taresa. Inglés: Theresa. Francés: Thérèse. Alemán: Therese, Theresia. Italiano: Teresa.

TERPSÍCORE

Etimología: Del griego *Terpsis-choros,* «coro agradable». En la mitología griega, musa de la danza y del canto coral.
Personalidad: Procura mostrarse siempre ecuánime y posee un sentido innato de la justicia y el equilibrio, pero también cae con facilidad en ataques de ira y valora en exceso el poder y el triunfo. Es impaciente e impetuosa. Esta personalidad la hace, casi con seguridad, muy celosa.
Onomástica: No tiene.
Otros idiomas: Catalán: Terpsícore.

TERRY

Etimología: Es una variante inglesa de *Teresa,* del que se desconoce el origen, aunque hay quien lo considera la forma femenina del adivino mitológico *Tharesios*.
Personalidad: Tiene un aire de niña demasiado mimada. No soporta bien que le lleven la contraria. Su principal preocupación es siempre la estética, por encima de la ética: que las cosas tengan un aspecto impecable, que su físico se mantenga... Aunque no es muy constante, sí es bastante ingeniosa y divertida.
Onomástica: 15 de octubre.

TESSA

Etimología: Es una variante inglesa de *Teresa,* del que se desconoce el origen, aunque hay quien lo considera la forma femenina del adivino mitológico *Tharesios*.
Personalidad: Poco a poco, como una abeja laboriosa, va construyendo a su alrededor un mundo a su medida. Cuando lo consigue, es del todo irrompible. No es que sea materialista, sino que necesita la seguridad de las cosas y las personas que le son familiares. Por lo demás, es muy cariñosa y solidaria.
Onomástica: 15 de octubre.

THAIS

Etimología: Puede derivar del griego *thais,* «tocado para la cabeza».
Personalidad: Su personalidad es conflictiva, por lo que suele encontrar dificultades para sentirse a gusto consigo misma. También es algo vacilante y no muy enérgica. Sin embargo, posee un cierto espíritu aventurero, incluso algo temerario, y es de una lealtad inquebrantable.
Onomástica: 8 de octubre.
Otros idiomas: Catalán: Thaís. Francés: Thaïs.

TIFFANY

Etimología: Del nombre griego *Theophania,* que deriva del latín y que significa «Trinidad».

Personalidad: A veces puede encontrarse en situaciones comprometidas por su sentido de la justicia: no soporta los abusos contra los débiles. Debe aprender a valorar las posibilidades ajenas, a no subestimar a los demás, aunque sea con ánimo protector. Por su carácter, tiende a relacionarse con personas que buscan protección.
Onomástica: No tiene.

TILDA

Etimología: Es una hipocorístico del inglés de *Matilda,* y ésta del germánico *math-hild,* «guerrero fuerte».
Personalidad: Su problema principal es la pasividad y la indecisión, le parece que todo posee valores negativos y positivos. Es receptiva, sentimental y posee un gran espíritu de equipo. Cuando se siente rechazada, desarrolla una enorme capacidad de destrucción.
Onomástica: 14 de marzo.

TILLY

Etimología: Es una variante inglesa de *Matilde,* y ésta del germánico *math-hild,* «guerrero fuerte».
Personalidad: Es lenta pero segura. Sus decisiones siempre se hacen esperar y están profundamente meditadas, pero una vez que han sido tomadas, nada en el universo es capaz de hacer que no se cumplan. Y es que es implacable. Puede ser la mejor de las amigas, y sin duda un apoyo inmejorable en situaciones difíciles.
Onomástica: 14 de marzo.

TITANIA

Etimología: Nombre que Shakespeare inventó para la reina de las hadas en su obra *El sueño de una noche de verano.*
Personalidad: La estabilidad, la paciencia, la organización, el realismo, el sentido del deber y el orden son sus principales virtudes. En lo sentimental y con sus amistades son de una fidelidad absoluta. Por contra, caen con facilidad en la rutina y la avaricia.
Onomástica: No tiene.

TOMASA

Etimología: Deriva del arameo *thoma,* «gemelo, mellizo».
Personalidad: Tomasa vive con los pies asentados en la tierra, donde vive, y no tiene reparo para desenvolverse del mejor modo posible. Procura disfrutar de cada uno de los placeres que la existencia pueda proporcionarle, tratando de no traicionar por ello sus creencias más profundas.
Onomástica: 7 de marzo y 3 de julio.
Otros idiomas: Euskera: Tome, Tomasi. Bable: Tomasa. Italiano: Tommasa.

TRIANA

Etimología: Nombre de un barrio de Sevilla, al otro lado del río Guadalquivir, donde existe una Hermandad cuya patrona es la Virgen de la Esperanza y que es conocida como la Virgen de Triana. Lo curioso es que no existe ninguna imagen bajo esta advocación.
Personalidad: Firme como una roca, consigue despertar confianza y seguridad en quienes la rodean. Sabe cuáles son sus objetivos y no cesa hasta conseguirlos. Va contribuyendo poco a poco a la felicidad de los suyos, logrando casi sin darse cuenta volverse indispensable.
Onomástica: 18 de septiembre.

TRINIDAD

Etimología: Nombre católico de origen latino: «reunión de tres». Evoca el misterio de la Santísima Trinidad: Padre, Hijo y Espíritu Santo.
Personalidad: Alegre y frívola, incluso dispersa, aunque ella tiene muy claras sus priori-

dades en la vida, y en primera instancia se dedica a ellas. En general, puede decirse que es poco detallista, pero cuando se la necesita es una amiga de las de verdad.
Onomástica: El domingo después del Domingo de Pentecostés.
Otros idiomas: Euskera: Hirune. Gallego: Trindade. Bable: Trinidá.

TULA

Etimología: Variante de *Gertrudis.*
Personalidad: La estabilidad, la paciencia, la organización, el realismo, el sentido del deber y el orden son sus principales virtudes. En lo sentimental y con sus amistades son de una fidelidad absoluta. Por contra, caen con facilidad en la rutina y la avaricia.
Onomástica: No tiene.

TURA

Etimología: Nombre antiguo catalán que se utilizaba para «toro» o buey de pasto. Advocación mariana: *Mare de Déu del Tura* (Nuestra Señora del Tura), patrona de Olot (Girona).
Personalidad: Posee fuerza y determinación, así como una personalidad difícilmente manejable. Obstinada e independiente, ejerce un gran magnetismo, aunque puede caer fácilmente en la intransigencia. Rara vez se siente contenta durante mucho tiempo, así que busca cambios de ambiente o de escenario.
Onomástica: 8 de septiembre.

TYLER

Etimología: Nombre de origen inglés, que significa «sastra».
Personalidad: Le gusta estar en constante movimiento, buscar nuevos intereses, conocer nuevos lugares: su curiosidad se mantiene siempre viva. Necesita desempeñar profesiones que requieran poner en juego estas características, no soportaría una vida monótona o un trabajo mecánico. Es muy leal.
Onomástica: No tiene.

ULLA

Etimología: Nombre celta que significa «joya del mar».

Personalidad: Tiene madera de líder, es muy seductora y fuerte. Es también idealista y perfeccionista, lo cual normalmente la lleva a tener elevadas ambiciones. En lo negativo, puede ser nerviosa y autoritaria.

Onomástica: No tiene.

UMA

Etimología: En la mitología hindú, uno de los nombres de la diosa Shakti. Significa «madre».

Personalidad: Busca fundamentalmente la paz interior, estar satisfecha consigo misma. La vida superficial y las diversiones de ese estilo no le interesan ni lo más mínimo. Necesita desempeñar una profesión que la mantenga ocupada y le exija un cierto esfuerzo, para sentirse a gusto. En el amor necesita seguridad y solidez.

Onomástica: No tiene.

UMBELINA

Etimología: Nombre germánico que deriva de *hund,* «caudillo».

Personalidad: Irradia tranquilidad y equilibrio: no se irrita, no se enfada, es serena y pretende solucionar cualquier cosa con la argumentación. Sin embargo, esa actitud hace que muchos le acusen de ser muy poco apasionada. La verdad es que le cuesta mostrar sus sentimientos.

Onomástica: 12 de febrero.

UMEKO

Etimología: Nombre de japonés que significa «mujer paciente».

Personalidad: Es una conversadora por el gusto de intercambiar impresiones: lo que más le interesa en este mundo son las personas y su comportamiento. Su virtud principal es el interés por el conocimiento y la literatura, aunque sólo sea por el placer que le producen las personas relacionadas con las humanidades.

Onomástica: No tiene.

URRACA

Etimología: Nombre muy frecuente en la Edad media en España que se asimila a María.

Personalidad: No es fácil llegar a su corazón: corazas y más corazas protegen lo más recóndito de su ser. Aunque cuando se alcanza su amistad y su confianza, nada ni nadie puede interponerse... Más vale no defraudarla, porque es una persona profundamente susceptible.

Onomástica: 15 de agosto.

Otros idiomas: Euskera: Urraka. Gallego y bable: Urraca.

ÚRSULA

Etimología: Del latín *ursula,* «osita».

Personalidad: Es equilibrada y posee gran encanto, por lo que está dotada para la diplomacia y las relaciones públicas. También valora enormemente la belleza, la armonía y la capacidad de sacrificio. Por contra, es algo indecisa y dada al fatalismo y al exceso de perfeccionismo.

Onomástica: 21 de octubre.

Otros idiomas: Catalán, gallego y bable: Úrsula. Euskera: Urtsule. Inglés: Ursula. Francés: Ursule. Alemán: Ursula, Ursel. Italiano: Orsola.

USHA

Etimología: Nombre de hindú, cuyo significado es «sonriente».

Personalidad: Su carácter puede llegar a esclavizarla de alguna manera: es demasiado orgullosa y un poco rígida de carácter, le cuesta

ver los matices de las cosas. Si consigue atemperar ese problema, puede llegar a ser incluso divertida. En el amor y la amistad prefiere lo poco pero bueno.
Onomástica: No tiene.

Uxué

Etimología: Nombre vasco de advocación mariana que significa «paloma»: Nuestra Señora de Uxué. Se venera en el pueblo del mismo nombre situado en Navarra.
Personalidad: Incertidumbre y soledad, ésas son las dos maldiciones de su carácter: valora las cosas una y otra vez antes de decidirse. Esa tendencia a la reflexión la aparta a menudo de los demás y de la realidad, porque cualquier decisión le parece que tenga inconvenientes.
Onomástica: 31 de diciembre.

V

VALENTINA

Etimología: Procede del latín *valens,* «valiente, fuerte, robusto».

Personalidad: Valentina es una persona entrañable y afectuosa. Tiene auténticas preocupaciones sociales y humanitarias, y aunque rebosa inteligencia, no tiene ambiciones excesivas. Aunque tenga disgustos con su familia o sus amigos, su gran corazón le impide tenerlo en cuenta o guardarles rencor.

Onomástica: 25 de julio.

Otros idiomas: Gallego: Valentina. Euskera: Balen, Balene. Bable: Valentina (Tina).

VALERIA

Etimología: Deriva del verbo latino *valeo,* «valer, ser eficaz».

Personalidad: Valeria es una mujer extremadamente nerviosa, casi hiperactiva. Necesita estar siempre haciendo algo y, si es posible, varias cosas al mismo tiempo. Valora mucho su independencia y no permite que nadie intente siquiera decirle lo que tiene que hacer.

Onomástica: 9 de diciembre.

Otros idiomas: Bable: Valeria. Inglés: Valerie. Francés: Valérie.

VALERIANA

Etimología: Del nombre latino *Valerianus,* «fuerte y sano».

Personalidad: Con una fuerte personalidad y don de mando y dirección. Es imaginativa y de rápidas decisiones, asume voluntariosao cuantas responsabilidades se le presenten; sin embargo, en el fondo es muy sensible y emotiva. Pero cuando tiene posibilidades de poder y dominio posee una gran ambición que le impulsa a lanzarse a fondo sin reflexionar.

Onomástica: 15 de septiembre.

Otros idiomas: Euskera: Balen, Balene. Gallego y bable: Valeriana. Italiano: Valeriana.

VALLIVANA

Etimología: Nombre de advocación mariana. La Virgen de Vallivana es la patrona de Morella, en Castellón.

Personalidad: Le cuesta tiempo encontrar su verdadera personalidad, por lo que tiene dificultades para llegar a descubrir su verdadero camino. Aunque es algo vacilante y no muy enérgica, sin embargo posee un cierto espíritu aventurero, incluso algo temerario, que la ayuda. En el amor y la amistad es de una lealtad inquebrantable.

Onomástica: 8 de septiembre.

VALVANERA

Etimología: Nombre de advocación mariana en honor de la Virgen de Valvanera, patrona de La Rioja. Desde aquí también se ha extendido su adoración en Sevilla, Zafra (Extremadura) y Lima (Perú).

Personalidad: Emotiva, altruista e idealista. En la amistad y en el amor es incondicional, tiene gran necesidad de ayudar y compartir, tanto en lo material como en lo espiritual. Es influenciable, le cuesta ser realista y es algo desordenada. Debe vigilar cierta tendencia a padecer bruscos cambios de humor.

Onomástica: Segundo domingo de septiembre.

VANESA

Etimología: Nombre inventado por el poeta Jonathan Swift para su obra autobiográfica *Cadenus y Vanessa.*

Personalidad: Pasional y algo exótica, Vanesa es una mujer dotada de una gran intuición que persigue unos difíciles pero justos ideales. Le gusta trabajar, aunque por el mero placer de hacer las cosas bien y de demostrar lo que vale,

ya que el dinero y la fama poco le importan. A lo que sí atribuye una gran importancia es al amor.
Onomástica: 1 de noviembre.
Otros idiomas: Catalán: Vanessa. Inglés, francés, alemán e italiano: Vanessa.

VASHTI

Etimología: Nombre de origen persa que significa «querida». En la *Biblia,* mujer de Ahasuerus, rey de Persia.
Personalidad: No soporta hacer daño a los demás. Tal vez por eso prefiere sufrir una frustración a imponer su criterio, aunque sepa que es el correcto. A pesar de ese carácter bondadoso, no carece de ambiciones, pero suele marcarse un camino que sea muy respetuoso con todos. Es una compañera de trabajo y amiga muy agradable.
Onomástica: No tiene.

VEDA

Etimología: Nombre de origen sánscrito que significa «sabia». Los *Vedas* son los escritos sagrados del hinduismo.
Personalidad: Busca soluciones y respuestas en lo que le va enseñando la vida: tiene la virtud de la observación, combina inteligencia e intuición. Es muy femenina y su mayor defecto es que se pierde por llamar la atención del sexo opuesto. En el trabajo necesita trabajos que la obliguen a estar en constante movimiento.
Onomástica: No tiene.

VEGA

Etimología: Es nombre de advocación mariana: Nuestra Señora de la Vega, patrona de Benavente (Zamora), Vegas de Pas (Cantabria) y Haro (La Rioja).
Personalidad: Independiente y magnética. Aunque parezca un modelo a seguir, suele parecer lejana e inaccesible. Pero a veces se siente esclava de esa imagen y le gusta permitirse una debilidad, que se perdona muy fácilmente.
Onomástica: Segundo lunes después del Domingo de Pascua y 8 de septiembre.

VELANIA

Etimología: En la mitología romana, esposa del dios Jano.
Personalidad: Su carácter es muy creativo y posee el impulso que produce la inspiración. Le gustan las emociones y es muy dada a perseguir ideales utópicos. Es también idealista y perfeccionista, lo cual normalmente la lleva a tener elevadas ambiciones. La parte negativa es la facilidad con que cae en la extravagancia y su tendencia a la inestabilidad.
Onomástica: No tiene.

VENANCIA

Etimología: Del latín *Venantium,* y éste de *venator,* «cazador»
Personalidad: Es una seductora, enamorada de la libertad, el cambio y la aventura. Por ello, apenas consigue lo que desea, pierda interés y lo abandona en busca de un nuevo objetivo y sigue su eterna búsqueda. Idealista y soñadora, no soporta la rutina ni la soledad, pero como es emotiva y abnegada, siempre está dispuesta a echar una mano a quien la necesite.
Onomástica: 18 de mayo.
Otros idiomas: Gallego y bable: Venancia. Bable: Venancia. Francés: Venance. Inglés: Venance. Alemán: Veantius. Italiano: Venanzia.

VENERANDA

Etimología: Del latín *venerandus,* «digna de veneración».
Personalidad: Es protectora y de carácter fuerte y seguro, le encanta sentirse útil y necesitada. Es una gran amiga y una gran compañera, siempre está cuando se la necesita. En su vida profesional es ambiciosa, aunque no le

gusta demasiado cambiar de actividad ni de escenario.

Onomástica: 14 de noviembre.

VENUS

Etimología: Su origen no está muy claro, aunque podría derivar del antiguo sánscrito con elsignificado de «deseable». Era el nombre latino de Afrodita, diosa de la belleza y el amor.

Personalidad: Suelen ser mujeres de gran belleza, relacionadas con la cultura, el conocimiento, la armonía y la verdad. Disfrutan al máximo de la vida, valorando lo detalles y placeres más insignificantes. Son cooperadoras, entusiastas y afectuosas, por lo que valoran el amor y la amistad. El mayor riesgo se encuentra en la hipersensibilidad y la indecisión.

Onomástica: No tiene.

Otros idiomas: Catalán: Venus. Francés: Vénus.

VERA

Etimología: Del latín *vera,* «verdadera, sincera». Este nombre puede hacer alusión a la «Vera Cruz», los fragmentos de madera de la cruz de Jesucristo, una reliquia que se venera en diferentes templos del mundo. También hay quien lo considera de origen eslavo: en la iglesia ortodoxa rusa, *Vera,* «la fe», es una de las tres virtudes teologales.

Personalidad: Apasionada, enérgica, autoritaria y obstinada. Sheila desea conseguir poder y riqueza, para lo que también aprovecha su capacidad de asimilar ideas y experiencias. Sin embargo, también es muy curiosa, activa y enemiga de la rutina.

Onomástica: 1 de agosto.

Otros idiomas: Bable: Vera.

VERENA

Etimología: Del latín *venerabilis,* «venerable».

Personalidad: Intelectual, alejada de la vida cotidiana y muy frecuentemente dominada por un carácter demasiado orgulloso. No hace amigos con facilidad, pero en el amor es capaz de dar cualquier cosa para no perderlo. Tiene pocas manías y no es muy quisquillosa, pero más vale respetarla.

Onomástica: 1 de septiembre.

VERENICE

Etimología: Proviene del griego *bere-niké,* «portadora de la victoria». Nombre muy común entre las reinas y princesas del antiguo Egipto. Variante de *Berenice.*

Personalidad: Ella es la única que considera que sus ideas son sólidas, porque los demás creen que las cambia con demasiada frecuencia. Como en todo, se deja llevar por las modas. Es muy afectuosa y en el campo profesional se marca metas que le permitan alcanzar un buen nivel de vida. Como madre se muestra muy responsable.

Onomástica: 4 de febrero y 10 de julio.

VERIDIANA

Etimología: Del latín *vera,* «verdadera, sincera, que dice la verdad».

Personalidad: Es un ser benévolo, idealista y muy espiritual. Aunque a veces cae en ideas simplistas, sobre todo en lo religioso, posee precisamente la virtud de la simplicidad: las cosas importantes a ella le parecen tremendamente sencillas y siempre sabe cuáles son.

Onomástica: 1 de febrero.

VERNICE

Etimología: Proviene del griego *bere-niké,* «portadora de la victoria». Nombre muy común entre las reinas y princesas del antiguo Egipto. Variante de *Berenice.*

Personalidad: Vive en su propio mundo, en sus pensamientos y fantasías. Reflexiva y poco convencional, por tanto, no es fácil que se

atenga a los patrones sociales imperantes. Como pareja y como amiga también es un poco despistada, pero de sentimientos nobles y muy profundos. Suele conseguir lo que se proponga.
Onomástica: 29 de junio y 4 de octubre.

VERÓNICA

Etimología: Del griego *vera-eikon,* «verdadera imagen». Es una variante de *Berenice,* nombre muy común entre las reinas y princesas del antiguo Egipto, que proviene del griego *bereniké,* «portadora de la victoria».
Personalidad: Verónica siempre gana. Su truco es la tenacidad, y en ocasiones, su falta de escrúpulos para conseguir lo que busca: es una gran manipuladora. Eso sí, es solidaria.
Onomástica: 4 de febrero y 10 de julio.
Otros idiomas: Catalán: Verònica. Euskera: Beronike. Gallego y bable: Verónica. Inglés e italiano: Veronica. Francés: Véronique. Alemán: Veronika.

VICENTA

Etimología: Deriva del latín *vicens,* «vencedor».
Personalidad: Dulce y amable, aunque no por ello carente de energía y de auténtico vigor. Puede que sea bondadosa, pero también luchadora. Su peculiar sentido de la justicia le lleva a ser implacable cuando considera que alguien la está tratando de un modo que no se merece. Es muy conciliadora.
Onomástica: 25 de mayo y 4 de junio.
Otros idiomas: Catalán, gallego y bable: Vicenta. Euskera: Bingene.

VICTORIA

Etimología: Deriva del latín *victor,* «vencedor». También es nombre de advocación mariana: Nuestra Señora de la Victoria, que tiene su santuario en el barrio malagueño de la Victoria.
Personalidad: Muy simpática, Victoria tiene la virtud y el defecto de inspirar grandes pasiones en la gente, que tiende a esperar mucho de ella y a sentirse más tarde decepcionada con la realidad. En el mundo laboral sólo se esforzará en la medida necesaria para alcanzar el nivel de vida que desea. Le gusta la vida social y el lujo.
Onomástica: 8 de septiembre, 17 noviembre y 23 de diciembre.
Otros idiomas: Catalán: Victòria. Euskera: Bittore, Garaizt, Garaiñe. Gallego: Vitoria. Bable: Vitoria (Toya). Francés: Victoire. Inglés: Victoire, Vicky. Alemán: Viktoria. Italiano: Vittoria.

VICTORIANA

Etimología: Del latín *vincere,* «vencer».
Personalidad: Su principal virtud es la capacidad de adaptación, por lo cual le entusiasman los viajes y todo lo que requiera audacia e innovación. En lo negativo, su personalidad le acarrea ciertos inconvenientes como accidentes, inestabilidad y superficialidad.
Onomástica: 19 de septiembre.

VIDA

Etimología: Nombre de advocación mariana: Nuestra Señora de Vida, que se venera en Cistella (Girona), cerca de Figueres.
Personalidad: Alegre y feliz, rebosa encanto e imaginación y rechaza por principios cualquier prejuicio o convención social. Sin embargo, es muy terca y no soporta que le lleven la contraria. Además, puede llegar a ser un poco excéntrica y sentir que no es comprendida.
Onomástica: 8 de septiembre.

VILANA

Etimología: En latín es diminutivo de «villa» y significa «habitante de un pequeño sitio o pueblo».
Personalidad: Es entusiasta, hermosa y encantadora. Triunfa allá donde va con su aire ino-

cente y dulce. Es tan optimista que se empeña en ver lo mejor de cada situación. Sin embargo, es muy crítica consigo misma y a menudo no da la suficiente importancia a sus méritos.
Onomástica: 29 de enero.
Otros idiomas: Catalán: Vilanna. Italiano: Vilanna.

Vilar

Etimología: Nombre catalán de advocación mariana: Mare de Déu del Vilar (Nuestra Señora del Vilar), que se venera en Blanes (Girona) y es patrona de los marineros y campesinos de esta población.
Personalidad: Es generosa y dulce, devota de la verdad y del conocimiento. No le gusta perderse en frivolidades ni tonterías, siempre va al grano. Aunque quiere aparentar seguridad en sí misma, la verdad es que depende de la opinión de los demás y sobre todo necesita la aprobación de su familia.
Onomástica: Martes de Pascua.

Vilma

Etimología: Del germánico *will-helm,* «yelmo voluntarioso», por extensión, «protector decidido». Es una variante de *Guillermina.*
Personalidad: Vilma es una artista que vive mucho más en sus sueños que en la realidad. Aunque al final suele conseguir el triunfo, ha de enfrentarse a graves dificultades para encontrar un estilo propio. Su vida suele ser apasionante y llena de aventuras. Sus amores son profundos e irreales, y tiende a sentirse incomprendida.
Onomástica: 10 de enero y 6 de abril.
Otros idiomas: Catalán: Guilleuma, Guillerma. Euskera: Gullelme.

Viola

Etimología: Del latín *viola,* «violeta».
Personalidad: Espirituales y místicas, de sentimientos altruistas. Se trata de personas elevadas que intentan cultivar la sabiduría y que valoran la inteligencia y la habilidad. Receptivas y estudiosas, son capaces de disfrutar de la vida. Quizá a veces son demasiado abnegadas y se olvidan de sus propios intereses.
Onomástica: 3 de mayo.
Otros idiomas: Catalán: Viola.

Violante

Etimología: Del germánico *Wioland,* «riqueza, abundancia».
Personalidad: Posee una personalidad carismática, seductora y fuerte. Es también idealista y perfeccionista, lo cual normalmente la lleva a tener elevadas ambiciones. En lo negativo, suele ser nerviosa y autoritaria.
Onomástica: 28 de diciembre.
Otros idiomas: Catalán: Violant.

Violeta

Etimología: Del latín *viola,* «violeta». Es una variante de *Viola.*
Personalidad: No le gusta llamar la atención ni sentirse diferente. Su imaginación está trabajando constantemente y en ocasiones le impide centrar su mente en el mundo real. En el amor es exigente, posesiva y muy celosa, aunque nunca pide nada que no esté dispuesta a dar.
Onomástica: 4 de agosto.
Otros idiomas: Catalán: Violeta. Inglés: Violet. Francés: Violette. Italiano: Violetta.

Virgilio

Etimología: Del latín *Vergilius,* nombre de una gens romana. Probablemente de *vergo,* «inclinarse, doblarse, declinar (un astro)», de donde deriva *Vergiliae* (las Pléyades), que aparecen al final de la primavera.
Personalidad: Tiene una gran capacidad de adaptación, de progreso, es curiosa y de mente flexible. Como le gusta viajar y es comunicativa y audaz, suele inclinarse por profesiones que requieren dinamismo y movilidad. Como

contrapartida, tiene cierta tendencia a sufrir accidentes, es inestable y superficial.
Onomástica: 27 de noviembre.
Otros idiomas: Gallego: Vrixilia. Bable: Virxilia. Italiano: Virgilia.

VIRGINIA

Etimología: Nombre de la gens romana *Virginia,* que a su vez deriva del latín *virgo,* «virgen».
Personalidad: Encantadora: siempre tiene la palabra exacta, la sonrisa adecuada, el chiste justo o la anécdota perfecta. Además es sensible y una gran estudiosa del arte, capaz de disertar durante horas sobre un cuadro o una escultura. Sus momentos de soledad son escasos, pero los disfruta al máximo y los necesita para no perderse en un mar de gente.
Onomástica: 21 de mayo, 14 de agosto y 15 de diciembre.
Otros idiomas: Catalán: Virgínia. Gallego y bable: Virxinia. Inglés, alemán e italiano: Virginia. Francés: Virginie.

VIRIDIANA

Etimología: Del latín *Viridis,* «fresco, juvenil».
Personalidad: Apasionada, enérgica, autoritaria y obstinada. Desea conseguir poder y riqueza, para lo que también aprovecha su capacidad de asimilar ideas y experiencias. Sin embargo, también es muy curiosa, activa y enemiga de la rutina, puede llegar a ser demasiado impetuosa y superficial.
Onomástica: 13 de febrero.
Otros idiomas: Catalán: Viridiana. Francés: Viridienne. Italiano: Verdiana, Viridiana.

VIRTUDES

Etimología: Del latín *virtus, virtutis:* «virtud, ventaja, mérito, perfección de la moral». Nombre de advocación mariana que evoca las virtudes de la Virgen María: fortaleza, entendimiento, templanza, justicia, fe, caridad, ciencia, consejo, esperanza, prudencia.
Personalidad: Valora la amistad y la lealtad por encima de cualquier otra cosa. Su familia es lo primero para ella, por lo que suele relegar a un segundo plano todo lo relacionado con el mundo profesional, aunque se vea favorecida por una enorme capacidad de aprendizaje.
Onomástica: 15 de agosto.
Otros idiomas: Euskera: Kemen. Bable: Virtú, Virtúes.

VISIA

Etimología: Del latín *visio, -onis:* «visión, representación de una idea».
Personalidad: Irradia tranquilidad y equilibrio: no se irrita, no se enfada, es serena y pretende solucionar cualquier cosa con la argumentación. Sin embargo, esa actitud hace que muchos le acusen de ser muy poco apasionada. La verdad es que le cuesta mostrar sus sentimientos.
Onomástica: 12 de abril.
Otros idiomas: Italiano: Visia.

VISITACIÓN

Etimología: Nombre cristiano en honor de la Visitación de María la Virgen a su prima Santa Isabel.
Personalidad: Es un poco arrogante y no tolera con facilidad las críticas o las opiniones adversas. Tiene una imagen muy clara de cómo deben ser las vidas de los que la rodean, hasta tal punto que a veces puede parecer que quiere vivirlas ella misma. La familia para ella es lo más importante y está dispuesta a cualquier sacrificio por sacarla adelante, aunque exige en los demás una actitud semejante.
Onomástica: 31 de mayo.
Otros idiomas: Euskera: Ikerne. Bable: Visita.

VIVALDA

Etimología: Del latín *vivax,* «vivaz, inteligente, de larga vida».

Personalidad: Lucha siempre entre lanzarse a la acción y emplear su enorme energía y capacidad de creación, o dejarse llevar por una cierta incertidumbre que es la parte negativa de su carácter. Si consigue vencer este dilema, brillará en la actividad que se proponga.

Onomástica: 11 de mayo.

VIVECA

Etimología: Del latín *vividus,* «vivo, animado, fogoso». Es una variante inglesa de *Viviana.*

Personalidad: Necesita tener siempre una apariencia impecable, no soporta el desorden o la incoherencia y está demasiado pendiente de lo que opinan de ella. Si cree que algo merece la pena, no le importa arriesgar todo lo que haga falta. En el amor prefiere ser conquistada a conquistar, porque necesita sentir que le prestan atención.

Onomástica: 28 de agosto.

VIVIANA

Etimología: Del latín *vividus,* «vivo, animado, fogoso».

Personalidad: Extraordinariamente compleja, aunque al mismo tiempo sencilla, pero siempre guarda una cierta coherencia con su modo de actuar. Y es que Viviana lo vive todo plenamente, como si lo escribiera con mayúsculas: es Madre, Esposa, Amiga, Amante... y cuando se consagra a su trabajo, también lo hace de sin reservas. Podría decirse que siempre pone toda la carne en el asador.

Onomástica: 28 de agosto.

Otros idiomas: Catalán, gallego y bable: Viviana. Euskera: Bibiñe. Inglés: Vivien. Francés: Vivienne. Italiano: Viviana.

Waheeda

Etimología: Nombre de origen árabe que significa «una y única».

Personalidad: Es una persona muy simpática, afable e inteligente. Su problema principal es precisamente conseguir fijar su atención en actividades serias, porque se empeña en no crecer. En el amor busca una pareja que centre todas sus energías en ella, aunque en la amistad es mucho más entregada.

Onomástica: No tiene.

Wakanda

Etimología: Nombre de los indios dakota, que significa «poder mágico».

Personalidad: Tiene una personalidad muy fuerte, actúa siempre con una contundencia y seguridad en sus opiniones que puede resultar chocante. En el amor, sin embargo, le falta seguridad, y le cuesta mantener sus conquistas. Quienes más la valoran son sus amigos y compañeros de trabajo.

Onomástica: No tiene.

Walquiria

Etimología: Antiguo nombre nórdico que significa «la que elige las víctimas del sacrificio».

Personalidad: Es protectora y de carácter fuerte y seguro, le encanta sentirse útil y necesitada. Es una gran amiga y una gran compañera, siempre está cuando se la necesita. En su vida profesional es ambiciosa, aunque no le gusta demasiado cambiar de actividad ni de escenario.

Onomástica: 1 de noviembre.

Wanda

Etimología: Nombre germánico que deriva de *Wand,* raíz con la que se designa a uno de los pueblos bárbaros, los vándalos. El significado más preciso sería el de «bandera, insignia».

Personalidad: Atractiva, sofisticada, encantadora y simpática. Es una mujer seductora y muy comunicativa, puede parecer superficial, pero en el fondo es idealista e incluso a veces religiosa, poseyendo además mucha habilidad y buena mentalidad, sentido artístico y capacidad de destacar en cualquier actividad que se proponga.

Onomástica: 1 de noviembre.

Otros idiomas: Francés, alemán e italiano: Wanda.

Weeko

Etimología: Nombre de los indios dakota, que significa «muchacha bonita».

Personalidad: Son personas sencillas y auténticas. Detestan a los que actúan de una determinada manera sólo por guardar las apariencias y, por eso, prefieren que les digan las cosas a la cara, sin rodeos ni ambages. Odian la mentira y la hipocresía. Su sistema moral es simple pero incorruptible.

Onomástica: No tiene.

Wendy

Etimología: Nombre galés que significa «la de blancas pestañas».

Personalidad: Es dulce y muy cuidadosa con su aspecto. Romántica empedernida, hace lo que puede por vivir en la realidad una novela de amor, aunque precisamente por ello suele sufrir agudas decepciones. Encuentra una cierta dificultad para hacer amigos, sobre todo entre las demás mujeres, aunque es muy solidaria.

Onomástica: 14 de octubre.

Otros idiomas: Inglés: Gwendolen, Gwendolyn, Wendy. Francés: Gwendaline, Gwendoline. Italiano: Guendalina.

Whitney

Etimología: Nombre de origen inglés, que significa «isla blanca».

Personalidad: Es como una niña. Crédula, ingenua y risueña. Concede una gran importancia al amor durante toda su vida. En su profesión demuestra que es brillante, creativa y muy trabajadora; tiene ambición, pero no se deja dominar por ella.
Onomástica: No tiene.

WILMA

Etimología: Del germánico *will-helm,* «yelmo voluntarioso», por extensión, «protector decidido».
Personalidad: Wilma es una artista que vive mucho más en sus sueños que en la realidad. Aunque al final suele conseguir el triunfo, ha de enfrentarse a graves dificultades para encontrar un estilo propio. Su vida suele ser apasionante y llena de aventuras. Sus amores son profundos e irreales, y tiende a sentirse incomprendida.
Onomástica: 10 de enero y 6 de abril.
Otros idiomas: Catalán: Guilleuma, Guillerma. Euskera: Gullelme.

WINDA

Etimología: Nombre swahili, que significa «cazadora».
Personalidad: Su gran pasión radica en la belleza. Es una gran amante del arte en todas sus manifestaciones, y en su propia vida. En el amor y con sus amigos se muestra impulsiva y apasionada. No le gusta trabajar en exceso y no es ambiciosa, por lo que procura buscarse una profesión tranquila que le permita llevar una vida desahogada.
Onomástica: No tiene.

WINNA

Etimología: Nombre que en una tribu africana significa «amiga».
Personalidad: Tiene un temperamento demasiado variable, nunca se puede estar seguro de cómo va a reaccionar. En el amor, raras veces será correspondida por la persona a quien realmente ama, aunque probablemente termine asentándose en una afable y placentera relación sustentada más por la amistad que por el amor.
Onomástica: No tiene.

WINONA

Etimología: Nombre con que los indios dakota denominan a «la hija mayor».
Personalidad: Valiente, sale adelante pase lo que pase. A la hora de trabajar, es seria y responsable, prudente cuando las circunstancias lo requieren, aunque también es capaz de arriesgar. En el amor suele ser desgraciada, quizá porque le resulta difícil encontrar compañeros tan fuertes y seguros como ella misma.
Onomástica: No tiene.

WYANET

Etimología: Nombre propio de los indios norteamericanos, que significa «legendaria por su belleza».
Personalidad: Es una mujer introvertida y hasta podría decirse que algo huraña. Algunos dicen que peca un poco de misantropía, pero la realidad es que no logra comprender al resto de las personas, le parecen demasiado complicadas. Aun así, suele encontrar energías para intentar cambiar su mundo.
Onomástica: No tiene.

XENIA

Etimología: Del griego *xénos,* «huésped». Podría interpretarse como «hospitalaria».

Personalidad: Emotiva, altruista e idealista. En la amistad y en el amor es incondicional, tiene gran necesidad de ayudar y compartir, tanto en lo material como en lo espiritual. Es influenciable, le cuesta ser realista y es algo desordenada. Lo negativo de su personalidad es la tendencia a padecer desórdenes ciclotímicos.

Onomástica: 24 de enero.

Otros idiomas: Catalán: Xènia. Italiano: Xenia.

XESCA

Etimología: Nombre catalán que es una variante de *Francisca:* del italiano *Francesco,* «francés»

Personalidad: Su capacidad de observación y su agudo sentido práctico a menudo la conducen al éxito. Puede que sea una idealista utópica, pero sabe ponderar la realidad. Es autoritaria y celosa: con su pareja puede ser demasiado posesiva. A su favor: es sencilla y accesible.

Onomástica: 9 de marzo.

XIANA

Etimología: Nombre gallego que deriva del latín *Iulianus,* «perteneciente a la gens Julia».

Personalidad: Es una trabajadora incansable, una mujer mucho más constante que original. Es influenciable en sus opiniones, optimista y muy necesitada de la aprobación de los demás. Intenta ser fiel a sus amigos, y respeta hasta el final la palabra dada. En el amor no es muy exigente.

Onomástica: 19 de junio.

Otros idiomas: Catalán: Juliana. Euskera: Julene, Yulene. Bable: Xiana. Inglés: Juliana. Francés: Julienne. Alemán: Juliane. Italiano: Giuliana, Gillian.

XIMENA

Etimología: Variante de *Jimena,* que procede del euskera *eiz-mendi,* «fiera de montaña».

Personalidad: Ximena no sabe lo que quiere. Como es una persona más impulsiva que propensa a la meditación, de joven suele actuar sencillamente sin pensar, pero según va madurando, se va dando cuenta de cuáles de todas sus experiencias son las más gratificantes y procura orientar su vida en ese sentido.

Onomástica: 5 de enero.

Otros idiomas: Catalán: Eiximena, Ximena. Francés: Chimène.

XIOMARA

Etimología: Nombre de origen teutón, que significa «bosque glorioso» o «bosque legendario».

Personalidad: Alegre y feliz, rebosa encanto e imaginación y rechaza por principios cualquier prejuicio o convención social. Sin embargo, es muy terca y no soporta que le lleven la contraria. Además, puede llegar a ser un poco excéntrica y sentir que no es comprendida por los que la rodean.

Onomástica: No tiene.

XOCHITI

Etimología: Nombre de origen azteca, que significa «jardín».

Personalidad: Vive mucho más de cara al exterior que para sí misma. En realidad es tierna, afectuosa y está muy necesitada de cariño, pero considera que estas características son signos de debilidad, y prefiere ocultarlas. Aprende a amar a la gente con mucha velocidad, pero también puede ser cruel.

Onomástica: No tiene.

YADIRA

Etimología: Nombre hebreo que significa «amiga».

Personalidad: Hiperactiva y ligeramente inestable, tiene una tendencia no muy sana a tomárselo todo demasiado en serio, casi como un reto personal. Tiene la necesidad de estar siempre haciendo algo productivo, hasta tal punto que llega a agotar a todos los que la rodean. Pierde los nervios con facilidad y se enfada a menudo.

Onomástica: No tiene.

YAEL

Etimología: Nombre hebreo que significa «el poder de Dios».

Personalidad: Es una persona muy sensible por más que intente disimularlo. Bajo su apariencia fría, segura y un poco despreocupada, hay una mujer que está siempre pendiente de lo que los demás dicen o hacen y de la actitud que tienen hacia ella. Su gran placer consiste en ayudar a los que la rodean a ser felices.

Onomástica: No tiene.

YAFFA

Etimología: Nombre hebreo que significa «hermosa, bonita».

Personalidad: Humanista y entregada por naturaleza: para ser feliz, tiene que ser útil a los demás. No entiende el egoísmo ni la falta de compromiso: ella, realmente, no puede descansar si hay alguien que la necesitar. El problema es que es demasiado crítica consigo misma.

Onomástica: No tiene.

YAKIRA

Etimología: Nombre hebreo que significa «preciosa, querida».

Personalidad: Persona serena, tranquila y hasta un poco parsimoniosa. De inteligencia profunda y muy dotada para la meditación. Sin embargo, parece que le cuesta mucho conciliar sus planteamientos intelectuales con un plan concreto de actuación. Su ideal es ser el cerebro de alguna clase de sociedad, de modo que sean los demás los que llevan a la práctica sus numerosas ideas.

Onomástica: No tiene.

YAMILA

Etimología: Nombre árabe, de *jamal,* belleza».

Personalidad: Posee fuerza y determinación, así como una personalidad difícilmente manejable. Obstinada e independiente, ejerce un gran magnetismo, aunque puede caer fácilmente en la intransigencia. Rara vez se siente contento durante mucho tiempo, así que busca cambios de ambiente o de escenario.

Onomástica: No tiene.

YASHIRA

Etimología: Nombre de origen afgano que significa «serena, tranquila». Para los árabes significa «saludable»

Personalidad: Es una mujer dinámica y activa. La alegría parece empapar cada uno de sus actos, y a la gente le gusta estar cerca de ella por su optimismo contagioso. Le gusta que los demás dependan de ella en cierta medida, aunque su sentido de la independencia le impide ser ella misma la que necesite a otra persona.

Onomástica: No tiene.

YASMINA

Etimología: Nombre árabe derivado del persa *yasaman,* que significa «jazmín».

Personalidad: Vivaz, alegre y comunicativa, le gusta agradar y sentirse querida. Estudiosa, hábil y adaptable, desea destacar en cuanto se relacione con la creatividad, la expresión o la comunicación. Para ello también se apoya en sus

cualidades de orden, método y espíritu crítico, no obstante y a pesar de ser muy razonable, siempre será ella quien diga la última palabra.
Onomástica: No tiene.
Otros idiomas: Catalán: Jasmina. Euskera: Iasmina. Inglés, francés y alemán: Jasmina.

Yguanira

Etimología: Nombre guanche originario de Gran Canaria. Era hija del valeroso caudillo Doramas.
Personalidad: Tiene un gran dominio de sí misma y sabe medir sus capacidades, de modo que suele acertar en sus decisiones más importantes. Es de buen carácter, amable y valora las cosas hermosas que le ofrece la vida. Suele hacer amigos con bastante facilidad y le gusta ayudar a los demás. Tal vez un poco soñadora.
Onomástica: No tiene.

Yocasta

Etimología: Nombre de etimología incierta. En la mitología griega, madre de Edipo.
Personalidad: Concede más importancia a lo espiritual que a lo material. Es paciente, con gran capacidad de estudio, lógica y análisis. Muy exigente consigo misma y con los demás. Algo solitaria e introspectiva, por lo que cae con facilidad en el pesimismo.
Onomástica: No tiene.
Otros idiomas: Catalán: Iocasta, Jocasta.

Yoko

Etimología: Nombre japonés que significa «buena chica».
Personalidad: Sensible y fuerte al mismo tiempo. Necesita ser original, aunque muchas veces no sabe muy bien cómo hacerlo. Le gusta sentir que es ella la que domina, y no soporta que los demás no le hagan caso o que no hagan lo que ella quiere. De joven es una idealista soñadora.
Onomástica: No tiene.

Yolanda

Etimología: Deriva del griego *ion-laos,* «tierra de violetas».
Personalidad: Yolanda se queja de ser demasiado atractiva y femenina. Le cuesta hacer que los demás la tomen en serio, que respeten y valoren su inteligencia y sus muchas cualidades. Es por ese aspecto de frivolidad y de preocupación por las apariencias por lo que tiene que esforzarse mucho para hacerse un hueco en el mundo.
Onomástica: 17 y 28 de diciembre.
Otros idiomas: Catalán y gallego: Iolanda. Inglés y alemán: Jolanda. Francés: Yolanda, Yolande. Italiano: Iolanda, Jolanda, Yolanda.

Yovanna

Etimología: Deriva del hebreo *Yehohanan,* «Dios es misericordioso».
Personalidad: Es una persona hipersensible por más que intente disimularlo. Bajo su apariencia fría, segura y un poco despreocupada, hay una mujer que está siempre pendiente de lo que los demás dicen o hacen y de la actitud que tienen hacia ella. Su gran placer consiste en ayudar a los que la rodean a ser felices.
Onomástica: 30 de mayo y 24 de junio.

Yuri

Etimología: Forma rusa de *Georgina:* del griego *georgos,* «agricultor».
Personalidad: Posee una personalidad carismática, seductora y fuerte. Es también idealista y perfeccionista, lo cual normalmente la lleva a tener elevadas ambiciones. En lo negativo, suele ser nerviosa y autoritaria.
Onomástica: 15 de febrero.

ZAFIRAH

Etimología: Nombre árabe cuyo significado es «victoriosa, triunfadora».

Personalidad: Recta, tranquila, equilibrada, es una de esas personas que procura no decir nunca una palabra más alta que otra. Es extremadamente comprensiva, y para sus amigos y colaboradores se convierte en un inmejorable apoyo. En su profesión es ambiciosa y puede llegar a mostrarse intransigente con las debilidades ajenas.

Onomástica: No tiene.

ZAHRAH

Etimología: Nombre swahili que significa «flor».

Personalidad: Es lenta pero segura. Sus decisiones siempre se hacen esperar y están profundamente meditadas, pero una vez que han sido tomadas, nada en el universo es capaz de hacer que no se cumplan. Y es que es implacable. Contrariamente, puede ser la mejor de las amigas y un apoyo inmejorable en situaciones difíciles.

Onomástica: No tiene.

ZAIDA

Etimología: Nombre árabe que significa «la que crece».

Personalidad: Es una vencedora. Magnética, creativa e inteligente, suele tener condiciones para convertirse en líder. Sin embargo, corre el riesgo de creérselo y en ocasiones se muestra altiva y poco comprensiva. Si consigue prestar atención a los demás, será una persona maravillosa.

Onomástica: 23 de julio.

Otros idiomas: Gallego: Zaida.

ZAÍRA

Etimología: Nombre árabe que significa «florecida».

Personalidad: Es muy extrovertida y capaz de destacar en cuanto se relacione con la creatividad, la comunicación y la seducción. Es ordenada, metódica y con sentido del detalle, lo que la hace muy crítica. Su único inconveniente es su excesivo deseo de perfección lo que hace que le sea difícil encontrar pareja.

Onomástica: No tiene.

Otros idiomas: Catalán: Zaïra. Gallego y bable: Zaida. Francés: Zaïre.

ZAKIA

Etimología: Nombre swahili que puede interpretarse como «inteligente». También es nombre árabe y significa «casta».

Personalidad: Juguetona e insistente, puede parecer que no le da importancia a casi nada, pero realmente le toma mucho cariño a la gente y sufre agudas decepciones cuando alguien le falla. Es poco reflexiva y raramente piensa antes de actuar.

Onomástica: No tiene.

ZALIKA

Etimología: Nombre swahili cuyo significado es «nacida para reinar».

Personalidad: Altiva e independiente, lista y decidida, implacable con sus enemigos y capaz de casi cualquier cosa para conseguir sus objetivos. Su modo de afrontar los problemas es quizá un poco retorcido. Defiende su territorio y a su familia con uñas y dientes.

Onomástica: No tiene.

ZALTANA

Etimología: Nombre que entre los indios norteamericanos significa «montaña alta».

Personalidad: Es una mujer hogareña que desea pasar su vida del modo más apacible y tranquilo. El trabajo es para ella una maldición, y mucho

más la vida en la ciudad. Su ideal es retirarse al campo y cultivar con sus manos, sin más compañía que su familia y amigos más íntimos.
Onomástica: No tiene.

Zarifa

Etimología: Nombre árabe cuyo significado es «victoriosa, triunfadora».
Personalidad: Mujer extremadamente compleja. Ama su profesión y se dedica a ella con auténtico fervor, aunque no por ello descuida a su familia ni a sus amigos. Es una madre espléndida. Sentimental hasta la médula, tiene debilidad por las historias de amor y es un poco celestina.
Onomástica: No tiene.

Zaynah

Etimología: Nombre árabe cuyo significado es «mujer hermosa».
Personalidad: Es afectuosa y profundamente maternal. No es demasiado imaginativa ni original, pero lo compensa con una impresionante capacidad de trabajo y una lealtad incorruptible. En el amor es algo ingenua, pero prefiere eso a volverse cruel o insensible. Es feliz si tiene una causa en la que ocuparse.
Onomástica: No tiene.

Zebina

Etimología: Nombre de origen griego, que significa «jabalina, dardo del cazador».
Personalidad: Valiente, lista, generosa y leal, posee un corazón donde caben todos sus amigos y su familia. Suele centrarse en una actividad que le entusiasme y debe tener cuidado, ya que puede perder interés por prácticamente todo excepto eso. Valora la estabilidad en el amor.
Onomástica: 13 de noviembre.

Zenaida

Etimología: Nombre de origen griego, que significa «la hija de Zeus».
Personalidad: No soporta a las personas belicosas. Es sensible y amable, le gusta cultivar la inteligencia y la fuerza de voluntad. Escoge con mucho cuidado a sus amigos y cuando se enamora busca a alguien que tenga sus mismas cualidades y aficiones. Tiene muchas posibilidades de tener una vida feliz.
Onomástica: 11 de octubre.

Zenda

Etimología: Nombre de origen persa, que significa «sagrada, femenina».
Personalidad: Su impresión es que ha nacido en un tiempo que no le corresponde. Ella necesita vivir fuera de la realidad, en un refugio de fantasía y romanticismo. Es muy propensa al teatro y a la exageración, amante de melodramas e historias imposibles. Sin embargo, tiene un corazón de oro y es capaz de desvivirse por ayudar a su prójimo.
Onomástica: No tiene.

Zenobia

Etimología: Nombre de origen griego, compuesto de *koinos,* «común», y *bios,* «vida»; o sea, «vida en común».
Personalidad: Introvertida y prudente, no por ello deja de ser dulce y encantadora. Es muy emotiva y cuando se siente herida emocionalmente se refugia en sueños quiméricos y utópicos. Muy humana, le gusta participar en tareas sociales y humanitarias, así como en movimientos místicos o esotéricos.
Onomástica: 30 de octubre.
Otros idiomas: Catalán: Zenòbia. Francés: Zénobie. Italiano: Zenobia.

Zita

Etimología: Nombre que en dialecto napolitano significa «doncella, soltera».
Personalidad: Su carácter es muy creativo y posee el impulso que produce la inspiración. Le gustan las emociones y es muy dada a per-

seguir ideales utópicos. Es también idealista y perfeccionista, lo cual normalmente la lleva a tener elevadas ambiciones. La parte negativa es la facilidad con que cae en la extravagancia y su tendencia a la inestabilidad.
Onomástica: 27 de abril.
Otros idiomas: Catalán y euskera: Zita. Francés e italiano: Zita.

Zoé
Etimología: Nombre griego que significa «vida».
Personalidad: Zoé es una mujer repleta de vida que siempre rebosa optimismo y felicidad. Nunca se la ha visto deprimida y parece que, cuanto peor están las cosas, mejor ánimo tiene ella. Siempre está entregada a alguna actividad, ya que considera que es su sagrada obligación disfrutar de la vida al máximo. No le gustan demasiado los compromisos.
Onomástica: 2 de mayo.
Otros idiomas: Catalán: Zoè. Inglés: Zoe. Francés: Zoé. Italiano: Zòe.

Zoila
Etimología: Nombre de origen griego y que significa «viva».
Personalidad: La pasividad y la indecisión son su principal problema: piensa y piensa y todo le parece con valores negativos y positivos. Es receptiva, sentimental y en el terreno laboral se vale muy bien de su espíritu de equipo. En lo sentimental, si se siente rechazada, es muy rencorosa.
Onomástica: 27 de junio.
Otros idiomas: Euskera: Zoila.

Zoraida
Etimología: Nombre árabe que significa «mujer elegante, cautivadora, graciosa».
Personalidad: Es una mujer alegre, ingeniosa e inteligente. Es más fuerte de lo que aparenta y se halla capacitada para el trabajo en asociaciones políticas, comerciales o sociales. Es amante de la aventura, por lo cual se asocia cuanto tiene garantizada su independencia personal. Su vida puede ser tan apasionante como su ambición, a veces se muestra testaruda y egocéntrica.
Onomástica: 24 de julio.

Zósima
Etimología: Nombre de origen griego que significa «vital, vigorosa».
Personalidad: Tal vez es demasiado soñadora: el sentido práctico no es su mejor virtud. Como es muy tierna y compasiva, necesita sentirse muy arropada para estar segura. Sus amigos, su familia y su pareja son lo más importante para ella. Es una madre muy protectora.
Onomástica: 15 de julio.

Zuleica
Etimología: Nombre árabe que ignifica, «bella, hermosa», o «brillante».
Personalidad: Es discreta, elegante, enigmática y reservada. A veces se muestra inquieta y nerviosa, dudando de sus capacidades y replegándose en sí misma al menor contratiempo. Pero todo ello se halla en contradicción con su sed de realización, que la impulsa a exteriorizarse, a conocer nuevas experiencias y conocimientos.
Onomástica: No tiene.

Zulema
Etimología: Nombre árabe que ignifica, «sana, pacífica».
Personalidad: Independiente y magnética. Aunque parezca un modelo a seguir, suele parecer lejana e inaccesible. Pero a veces se siente esclava de esa imagen y le gusta permitirse una debilidad, que se perdona muy fácilmente.
Onomástica: 1 de noviembre.
Otros idiomas: Bable: Zulima.

ZUWENA

Etimología: Nombre swahili que puede interpretarse como «mujer buena».

Personalidad: Es tozuda y obstinada, aunque no actúa con mala intención. Puede ser orgullosa, pero también sincera y justa. Siente pasión por todo tipo de actividades intelectuales y eso la hace muy aficionada a polemizar por gusto. En el amor y la amistad se muestra muy sólida. No le gustan las personas que actúan sólo por conveniencia.

Onomástica: No tiene.

Niños

AARÓN

Etimología: Este nombre tiene una doble etimología: en egipcio antiguo quiere decir «arca» y en hebreo, «iluminado, alto».

Personalidad: Firme como una roca, irradia confianza y seguridad. Aarón va contribuyendo poco a poco a la felicidad de los que le rodean y sabe hacerse indispensable.

Onomástica: 1 de julio.

Otros idiomas: Inglés: Aaron.

ÁBACO

Etimología: Nombre de origen hebreo con el sufijo céltico *acus,* «padre».

Personalidad: Le lleva tiempo encontrarse a gusto consigo mismo, por lo que tiene dificultades para llegar a descubrir su verdadero camino. Aunque vacila y no es muy enérgico, posee un cierto espíritu aventurero, incluso algo temerario, que le sirve de contrapeso. Es de una lealtad inquebrantable con sus amigos y en el amor.

Onomástica: 19 de enero.

ABAN

Etimología: En la mitología persa, figura asociada con el agua y con las artes.

Personalidad: Son personas sencillas y auténticas. Detestan a los que actúan de una determinada manera sólo por guardar las apariencias y, por eso, prefieren que les digan las cosas a la cara, sin rodeos ni ambages. Odian la mentira y la hipocresía. Su sistema moral es simple pero incorruptible.

Onomástica: No tiene.

ABASI

Etimología: Nombre swahili que significa «severo, austero».

Personalidad: Es un hombre inquieto, siempre en busca de nuevas aventuras y experiencias en todos los ámbitos de su vida. Se niega a ser conformista, ama la libertad y sólo aceptará un compromiso cuando esté profundamente seguro de que es eso lo que quiere. Aunque parezca alocado, sus actos siempre tienen un sentido.

Onomástica: No tiene.

ABBA

Etimología: Nombre de origen hebreo que signfica «padre».

Personalidad: Inteligente y creativo, es, sin embargo, demasiado perezoso. Devoto de las comodidades, aunque no le gusta el lujo excesivo. Busca una vida relativamente tranquila, sin grandes sobresaltos. En el amor le falta un poco de confianza en sus posibilidades, por lo cual suele refugiarse en una actitud distante.

Onomástica: 27 de octubre.

ABDALLAH

Etimología: Nombre árabe que podría traducirse como «el siervo de Dios».

Personalidad: Su personalidad es conflictiva, por lo que suele encontrar dificultades para encontrarse a gusto consigo mismo. También es algo vacilante y no muy enérgico. Sin embargo, posee un cierto espíritu aventurero, incluso algo temerario, y es de una lealtad inquebrantable.

Onomástica: 16 de septiembre.

ABDELAZIZ

Etimología: Nombre árabe que significa «el Poderso (Dios)».

Personalidad: Su gran pasión radica en la belleza. Es un gran amante del arte en todas sus manifestaciones, y en su propia vida. En el amor y con sus amigos se muestra impulsivo y apasionado. No le gusta trabajar en exceso y no es ambicioso, por lo que procura buscarse

una profesión tranquila que le permita llevar una vida desahogada.
Onomástica: No tiene.

ABDELRAMÁN
Etimología: Nombre árabe que significa «siervo del Compasivo (Dios)».
Personalidad: Valiente, sale adelante pase lo que pase. A la hora de trabajar, es serio y responsable, prudente cuando las circunstancias lo requieren, aunque también es capaz de arriesgar. En el amor suele ser desgraciado, quizá porque le resulta difícil encontrar una compañera tan fuerte y segura como él misma.
Onomástica: No tiene.

ABDERICO
Etimología: Nombre de origen hebreo que significa «poderoso, rico».
Personalidad: Tiene un temperamento demasiado variable, nunca se puede estar seguro de cómo va a reaccionar. En el amor, raras veces será correspondido por la persona a quien realmente ama, aunque probablemente termine asentándose en una afable y placentera relación sustentada más por la amistad que por el amor pasional.
Onomástica: 27 de septiembre.

ABDÍAS
Etimología: Nombre de origen hebreo que significa «esclavo de Dios». Es el nombre de un profeta del Antiguo Testamento.
Personalidad: Le entusiasman los viajes y todo lo que tiene que ver con la aventura y la innovación. Es capaz de adaptarse a cualquier situación y ambiente. En su contra tiene ciertos inconvenientes, como la inestabilidad, la superficialidad y la falta de previsión, lo cual no le facilita una vida sentimental.
Onomástica: 19 de noviembre.

ABDÓN
Etimología: Nombre de origen dudoso, hebreo o árabe, que significa «siervo de Dios».
Personalidad: Es un hombre repleto de vida que siempre rebosa optimismo y felicidad. Nunca se le ha visto deprimido. Siempre está entregado a alguna actividad, ya que le gusta disfrutar de la vida al máximo. En lo que se refiere al terreno sentimental, no le gustan demasiado los compromisos.
Onomástica: 30 de julio.
Otros idiomas: Euskera: Adon.

ABDUL
Etimología: Nombre árabe que podría traducirse como «el siervo de Dios».
Personalidad: Es como una niño: crédulo, ingenuo y alegre. Concede una gran importancia al amor y a la amistad durante toda su vida. En su profesión demuestra que es brillante, creativo y muy trabajador; tiene ambición, pero es comedido y valora tanto la lealtad que no se deja dominar por ella.
Onomástica: No tiene.

ABDULLAH
Etimología: Nombre árabe que significa «siervo de Dios».
Personalidad: Tiene un temperamento demasiado variable, nunca se puede estar seguro de cómo va a reaccionar. En el amor, raras veces será correspondido por la persona a quien realmente ama, aunque probablemente termine asentándose en una afable y placentera relación sustentada más por la amistad que por el amor pasional.
Onomástica: No tiene.

ABEL
Etimología: Deriva del asirio *habel* o *habal*, que significa «hijo».
Personalidad: No es fácil llegar al corazón de Abel, pero cuando se alcanza su amistad nada

puede interponerse. Pero más vale no defraudarle, porque es profundamente susceptible.
Onomástica: 25 de marzo.
Otros idiomas: Bable: Abel. Italiano: Abele.

Abelardo

Etimología: Es un nombre germánico, aunque se cree que deriva del asirio *habel,* «hijo», al que se añade el adjetivo *hard,* «fuerte». Por tanto, significa «hijo fuerte».
Personalidad: Protector, fuerte y seguro, le encanta sentirse útil, necesitado. Es un gran amigo y compañero. En su vida profesional es ambicioso, aunque quizá poco constante. No dedica demasiado tiempo a su vida familiar.
Onomástica: 2 de enero.
Otros idiomas: Catalán e inglés: Abelard. Gallego: Abel. Bable: Belardo. Francés: Abélard.

Abi

Etimología: Nombre turco que significa «el hermano mayor».
Personalidad: Es un hombre introvertido, muy encerrado en sí mismo y hasta podría decirse que algo huraño. Algunos dicen que peca un poco de misantropía, que desprecia al género humano; pero la realidad es que no logra comprender al resto de las personas, le parecen demasiado complicadas. Aun así, suele encontrar energías para intentar cambiar su mundo.
Onomástica: No tiene.

Abibo

Etimología: Nombre de origen hebreo que significa «querido».
Personalidad: Es muy creativo, entusiasta, sociable y optimista. Aunque le gusta presumir de espiritual, lo cierto es que el sentido práctico es su principal virtud y es muy hábil en las actividades manuales. Debe vigilar cierta tendencia a la intolerancia y a las rabietas, y a veces se dispersa en demasiadas actividades.
Onomástica: 15 de noviembre.

Abilio

Etimología: Nombre de origen hebreo que significa «experto, hábil».
Personalidad: Es un poco arrogante y no tolera con facilidad las críticas o las opiniones adversas. Tiene una imagen muy clara de cómo deben ser las cosas a su alrededor, incluso las personas. La familia para él es lo más importante y está dispuesto a cualquier sacrificio para sacarla adelante, aunque exige en los demás una actitud semejante.
Onomástica: 22 de febrero y 23 de julio.
Otros idiomas: Bable: Abilio.

Abner

Etimología: Nombre hebreo que significa «padre de la luz». En la *Biblia,* nombre del comandante de los ejércitos del rey Saúl.
Personalidad: Vive mucho más de cara al exterior que para sí mismo. En realidad es tierno y afectuoso, y está muy necesitado de cariño, pero considera que estas características son signos de debilidad, y prefiere ocultarlas. Enseguida se encariña con la gente, pero también puede ser cruel.
Onomástica: No tiene.

Abraham

Etimología: Del hebreo *ab-rab-hamon,* «padre de multitudes». Dios le dio este nombre a Abram (*abrab,* «padre excelso») cuando lo eligió padre del pueblo elegido.
Personalidad: Independiente, magnético, suele dar la impresión de ser casi un modelo a seguir. Pero a veces Abraham se siente esclavo de esa imagen y de una cierta intolerancia.
Onomástica: 16 de marzo y 15 de junio.
Otros idiomas: Euskera: Abarran. Gallego: Abraam. Bable: Abrán. Italiano: Abramo.

Absalón

Etimología: Del hebreo *Abshalòm,* de *ab,* «padre» (Dios), y *shalom,* «paz»: «paz de Dios».

Personalidad: Posee una personalidad equilibrada, serena y con las ideas muy claras, aunque también es intuitivo y magnético. Valora el refinamiento y la integridad, la simpatía y la benevolencia. Suele ser idealista sin remedio si cree en una idea determinada.
Onomástica: 2 de marzo.
Otros idiomas: Catalán: Absaló. Italiano: Assalonne.

Abundio

Etimología: Compuesto latino de *ab-unda,* «de la ola, de la onda», con el significado general de «fuera de onda». Expresión muy moderna que también se usaba en la antigüedad.
Personalidad: Benévolo, idealista y muy religioso. La simplicidad es una virtud, porque las cosas realmente importantes suelen ser muy sencillas.
Onomástica: 11 de julio.
Otros idiomas: Catalán y euskera: Abundi. Bable: Abundio. Italiano: Abbondio.

Acacio

Etimología: Nombre de origen griego que significa «honesto, que no tiene malicia».
Personalidad: Es un rebelde, un hombre que no se conforma con pensar que el mundo es como es, sino que desea cambiarlo. No acepta consejos ni órdenes de los demás: quierer probarlo todo por sí mismo. Suele tener algunos problemas por su su carácter independiente y su falta de respeto a los convencionalismos.
Onomástica: 9 de abril y 8 de mayo.

Acai

Etimología: Nombre catalán, de origen griego que significa «inoportuno».
Personalidad: Fiel a sus amistades y en el amor, le produce gran satisfacción ayudar y compartir, tanto material como espiritualmente. Es Emotivo, altruista e idealista, pero muy influenciable, le cuesta ser realista y es algo desordenado. Su principal peligro está en los frecuentes altibajos anímicos.
Onomástica: 28 de abril.

Acar

Etimología: Nombre turco que significa «luminoso, claro».
Personalidad: Es una persona muy sensible, por más que intente disimularlo. Bajo su apariencia fría, segura y un poco despreocupada, hay un hombre que está siempre pendiente de lo que los demás dicen o hacen y de la actitud que tienen hacia él. Su gran placer consiste en ayudar a los que le rodean a ser felices.
Onomástica: No tiene.

Acaymo

Etimología: Nombre guanche de Tenerife. Éste era el nombre de varios menceys (reyes), como el de Tacoronte en el siglo XV.
Personalidad: Su principal característica es el exceso, en cualquier sentido. Lo mismo se trata de una personalidad excesivamente soñadora como de un materialismo consumado, de hedonistas y narcisistas como de estoicos que rozan el ascetismo. Hay que vigilar la tendencia a la indiscreción, así como al inconformismo.
Onomástica: No tiene.

Acilino

Etimología: De la gen romana *Acilinus,* que se puede traducir como «agudo».
Personalidad: La necesidad de crear es lo más importante de su personalidad, que suele ser muy artística. En lo sentimental valora mucho la estabilidad y, para conseguirla, se muestra a veces un poco egoísta. Es muy individualista e independiente, lo cual le hace algo autoritario.
Onomástica: 17 de julio.

Acisclo

Etimología: Nombre latín cuyo significado es «martillo pequeño».

Personalidad: Es un hombre repleto de vida que siempre rebosa optimismo y felicidad. Nunca se le ha visto deprimido. Siempre está entregado a alguna actividad, ya que le gusta disfrutar de la vida al máximo. En lo que se refiere al terreno sentimental, no le gustan demasiado los compromisos.

Onomástica: 17 de noviembre.

Otros idiomas: Catalán: Iscle.

ADAIR

Etimología: Nombre de origen escocés, que señalaba una procedencia, y significa «vado del roble».

Personalidad: Sereno, tranquilo y hasta un poco parsimonioso. Muy dotado para la meditación. Sin embargo, parece que le cuesta mucho conciliar sus planteamientos intelectuales con un plan concreto de actuación. Su ideal es ser el cerebro de alguna clase de sociedad, de modo que sean los demás los que llevan a la práctica sus numerosas ideas.

que la rodean.

Onomástica: No tiene.

ADALBERTO

Etimología: Del germánico *Adalberth,* significa «de estirpe noble».

Personalidad: Emotivo, altruista e idealista. Fiel a sus amistades y amores, tiene gran necesidad de ayudar y compartir, tanto en lo material como en lo espiritual. Es influenciable, le cuesta ser realista y es algo desordenado. En lo espiritual, tiende también a padecer desórdenes ciclotímicos.

Onomástica: 22 de abril.

Otros idiomas: Catalán: Adalbert. Eusquera: Adalberta. Inglés y francés: Adalbert. Alemán: Albrecht. Italiano: Adalberto.

ADÁN

Etimología: Nombre de origen hebreo que hace referencia a la creación del hombre según el Antiguo Testamento: viene de *adam,* «de la tierra», que también significa «hombre».

Personalidad: La tradición quiere que Adán sea un intelectual, algo alejado de la vida cotidiana y frecuentemente dominado por las mujeres. En el amor suele ser quisquilloso.

Onomástica: 25 de diciembre y 29 de julio.

Otros idiomas: Catalán: Adam. Euskera: Adame. Gallego y bable: Adán. Inglés, francés y alemán: Adam. Italiano: Adamo.

ADAHY

Etimología: Nombre cherokee que significa «dentro de los bosques».

Personalidad: Humanista y entregado por naturaleza: para ser feliz necesita sentir que es útil a los demás. No entiende el egoísmo ni la falta de compromiso:él, realmente, no puede descansar sabiendo que hay alguien que necesita su ayuda. El problema consiste en que es demasiado crítico consigo mismo.

Onomástica: No tiene.

ADELARDO

Etimología: Proviene del germánico *Adelhard,* que a su vez deriva de *athal,* «estirpe noble», y *hard,* «audaz».

Personalidad: Enérgico y obstinado, le gusta el poder y la riqueza y lucha por conseguirla. Su personalidad le hace destacar en labores de administración y de investigación.

Onomástica: 2 de enero.

Variantes: Catalán: Adelard. Euskera: Adelaida. Gallego: Abelardo. Bable: Adelu. Alemán: Adelhard.

ADELELMO

Etimología: Proviene del germánico *Adalhelm,* que a su vez deriva de *athal,* «estirpe no-

ble», y *helm*, «yelmo», o sea, «el que se protege con su nobleza».

Personalidad: Su personalidad es conflictiva, por lo que suele encontrar dificultades para encontrarse a gusto consigo mismo. También es algo vacilante y no muy enérgico. Sin embargo, posee un cierto espíritu aventurero, incluso algo temerario, y es de una lealtad inquebrantable.

Onomástica: 30 de enero.

Otros idiomas: Catalán: Adelelm.

ADELINO

Etimología: Nombre que procede del germánico *adel,* «noble».

Personalidad: Piensa demasiado. Cree que todo debe tener un sentido, un porqué. Deben aprovechar su intuición y aprender a no dar tantas vueltas a las cosas, para que su vida sea más placentera.

Onomástica: 3 de febrero y 27 de junio.

Otros idiomas: Bable: Adelín.

ADELIO

Etimología: Nombre de origen germánico que significa «padre del príncipe noble».

Personalidad: Posee una personalidad carismática, seductora y fuerte. Es también idealista y perfeccionista, lo cual normalmente le lleva a tener elevadas ambiciones. En lo negativo, suele ser nervioso y autoritario.

Onomástica: No tiene.

ADELMARO

Etimología: Nombre de origen germánico que podría traducirse como «padre del príncipe noble».

Personalidad: Posee fuerza y determinación, así como una personalidad difícilmente manejable. Obstinado e independiente, ejerce un gran magnetismo, aunque puede caer fácilmente en la intransigencia. Rara vez se siente contento durante mucho tiempo, así que busca cambios de ambiente o de escenario.

Onomástica: No tiene.

ADELMO

Etimología: Nombre de origen germánico que podría traducirse como «noble protector».

Personalidad: Es equilibrado y posee gran encanto, por lo que está dotado para la diplomacia. También valora enormemente la belleza, la armonía y la capacidad de sacrificio. Por contra, es algo indeciso y dado al fatalismo y al exceso de perfeccionismo.

Onomástica: No tiene.

ADEMAR

Etimología: Nombre de origen germánico que podría traducirse como «famoso guerrero».

Personalidad: Espirituales y místicos, de sentimientos altruistas. Se trata de personas elevadas que intentan cultivar la sabiduría y que valoran la inteligencia y la habilidad. Receptivos y estudiosos, son capaces de disfrutar de la vida. Quizá a veces son demasiado abnegados y se olvidan de sus propios intereses.

Onomástica: 29 de enero.

ADIL

Etimología: Nombre árabe que significa «justo, sabio».

Personalidad: Es un hombre dinámico y activo. La alegría parece empapar cada uno de sus actos, y a la gente le gusta estar cerca de él por su optimismo contagioso. Le gusta que los demás dependan de él en cierta medida, aunque su sentido de la independencia le impide ser él mismo el que necesite a otra persona. Muy dotado para el mundo de los negocios o las profesiones liberales.

Onomástica: No tiene.

Adir

Etimología: Nombre hebreo que significa «majestuoso, noble».

Personalidad: Sensible y fuerte al mismo tiempo. Necesita ser original, aunque muchas veces no sabe muy bien cómo hacerlo. Le gusta sentir que es él quien domina la situación, y no soporta que los demás no le hagan caso o que no hagan lo que él quiere. De joven es un idealista soñador.

Onomástica: No tiene.

Adolfo

Etimología: Deriva del germánico *adel-wolf,* «lobo noble». Ya que el lobo simboliza al guerrero en la mitología nórdica, viene a significar «noble guerrero».

Personalidad: Moderno, activo, de voluntad poderosa, suele tomarse las cosas con calma y afrontar el peligro directamente. Noble. Adolfo es seguro en todo menos en el amor.

Onomástica: 11 de febrero, 30 de junio y 27 de septiembre.

Otros idiomas: Catalán: Adolf. Euskera: Adolba. Gallego: Adolfo. Bable: Dolfo. Inglés y francés: Adolphe. Alemán: Adolf.

Adonis

Etimología: Nombre de un dios semita que cumplía la función equivalente a Orfeo en el panteón romano.

Personalidad: Poseen una personalidad marcada por el impulso de creación. Es algo autoritario, individualista e independiente. Valora la estabilidad en su vida y para conseguirla a veces se muestra autoritario y egoísta.

Onomástica: 16 de septiembre.

Variantes: Catalán: Adonis. Italiano: Adone.

Adrián

Etimología: Procede del gentilicio latino para los habitantes de la ciudad de Adria, que recibió su nombre del mar Adriático. Adria deriva del latín *ater,* «negro», y por ello se considera que Adrián significa oscuro.

Personalidad: Tiene una doble cara. Ante la gente intenta aparentar frivolidad, pero en la intimidad suele ser bueno y sencillo, y sólo busca el respeto y el cariño de los demás.

Onomástica: 1 de marzo y 26 de agosto.

Otros idiomas: Catalán: Adriá. Euskera: Adiran. Gallego: Hadrián. Bable: Adrián. Inglés y alemán: Adrian. Francés: Adrien. Italiano: Adriano.

Adriano

Etimología: Procede del gentilicio latino para los habitantes de la ciudad de Adria, que recibió su nombre del mar Adriático. Adria deriva del latín *ater,* «negro», y por ello se considera que *Adrián* significa oscuro. Es una variante de *Adrián.*

Personalidad: Posee una personalidad marcada por el impulso de creación. Es algo autoritario, individualista e independiente. Valora la estabilidad en su vida y para conseguirla a veces se muestra autoritario y egoísta. Como padre y esposo es muy protector, pero también controlador.

Onomástica: 1 de marzo y 26 de agosto.

Adriel

Etimología: Nombre de origen hebreo que podría traducirse como «perteneciente a la grey de Dios».

Personalidad: Su personalidad es conflictiva, por lo que suele encontrar dificultades para encontrarse a gusto consigo mismo. También es algo vacilante y no muy enérgico. Sin embargo, posee un cierto espíritu aventurero, incluso algo temerario, y es de una lealtad inquebrantable.

Onomástica: 1 de noviembre.

Afram

Etimología: Nombre africano, que surge como toponímico de un río de ese nombre, en Ghana.

Personalidad: Recto, tranquilo, equilibrado, es una de esas personas que procura no decir nunca una palabra más alta que otra. Extremadamente comprensivo, para sus amigos se convierte en un inmejorable apoyo. En su profesión es ambicioso y puede llegar a mostrarse intransigente con las debilidades ajenas. Suele conseguir sus metas.
Onomástica: No tiene.

Agamenón
Etimología: Del griego *agamémnon,* «admirable, constante».
Personalidad: Posee fuerza y determinación, así como una personalidad difícilmente manejable. Obstinado e independiente, ejerce un gran magnetismo, aunque puede caer fácilmente en la intransigencia. Rara vez se siente contento durante mucho tiempo, así que busca cambios de ambiente o de escenario.
Onomástica: No tiene.
Otros idiomas: Catalán: Agamèmnon. Italiano: Agamènnone.

Agapito
Etimología: Deriva de la palabra latina *agape,* que designaba las primeras comidas en común que celebraban los primitivos cristianos. A su vez, proviene del griego *agapitós,* «amable».
Personalidad: Dotado de una gran inteligencia, no es hombre rico, famoso ni triunfador. Él sólo quiere ser feliz: en su trabajo, con su familia, con sus amigos. Y lo consigue. Tiene condiciones para vivir feliz en el campo.
Onomástica: 6 y 18 de agosto.
Otros idiomas: Catalán: Agapit. Francés: Agapet.

Agatón
Etimología: Procede del griego antiguo.
Personalidad: Es equilibrado y posee gran encanto, por lo que está dotado para la diplomacia. También valora enormemente la belleza, la armonía y la capacidad de sacrificio. Por contra, es algo indeciso y dado al fatalismo y al exceso de perfeccionismo.
Onomástica: 10 de enero.
Otros idiomas: Catalán: Agató. Euquera: Agatón. Francés: Agathon.

Agesilao
Etimología: Procede del griego *Agesilaos,* que a su vez se forma de *agein,* «obrar», y *laos,* «pueblo», o sea, «conductor del pueblo».
Personalidad: Es muy equilibrado y posee un sentido innato de la justicia y el equilibrio, pero también cae con facilidad en ataques de ira y valora en exceso el poder y el triunfo. Es impaciente e impetuoso. Esta personalidad le hace, casi con seguridad, muy celoso.
Onomástica: No tiene.
Otros idiomas: Catalán: Agesilau.

Agila
Etimología: Del germánico *aghild,* «espada del guerrero» o «espada de guerra».
Personalidad: La estabilidad, la seguridad y la protección son sus ejes fundamentales. Se trata de personas con los pies en el suelo, aunque también ambiciosas, lo cual equilibra su carácter y les permite vivir una existencia activa y variada, repleta de situaciones que les permite crecer y aprender.
Onomástica: 30 de agosto.

Agomar
Etimología: Nombre de origen germánico que significa «espada ilustre».
Personalidad: Sereno, con las ideas muy claras, seguro de sí mismo y con facilidad para las relaciones sociales. Valora el refinamiento, pero sobre todo el buen carácter, la lealtad y la integridad de sus amigos. En el amor es muy exigente. Si cree plenamente en una causa o idea, pone todo su empeño en ella.
Onomástica: 7 de noviembre.

Agrícola

Etimología: Nombre de origen latino que deriva de *agri,* «campo», y *colo,* «coger»; o sea, «campesino».

Personalidad: Le lleva tiempo encontrarse a gusto consigo mismo, por lo que tiene dificultades para llegar a descubrir su verdadero camino. Aunque vacila y no es muy enérgico, posee un cierto espíritu aventurero, incluso algo temerario, que le sirve de contrapeso. Es de una lealtad inquebrantable con sus amigos y en el amor.

Onomástica: 17 de marzo.

Agripa

Etimología: Del nombre romano *Agrippa.*

Personalidad: Emotivo, altruista e idealista. Fiel a sus amistades y amores, tiene gran necesidad de ayudar y compartir, tanto en lo material como en lo espiritual. Es influenciable, le cuesta ser realista y es algo desordenado. En lo espiritual, tiende también a padecer desórdenes ciclotímicos.

Onomástica: 19 de mayo.

Otros idiomas: Catalán: Agripa. Francés e italiano: Agrippa.

Agripino

Etimología: Deriva del adjetivo griego *agathós,* «bueno». El nombre hace alusión a la piedra que conocemos como *ágata.*

Personalidad: Posee una gran capacidad de adaptación, por lo cual le entusiasman los viajes y todo lo que requiera audacia e innovación. En lo negativo, su personalidad le acarrea ciertos inconvenientes, como accidentes, inestabilidad y superficialidad.

Onomástica: 23 de junio.

Agustín

Etimología: Deriva del latín *Augustus,* «consagrado por los augures», más tarde «majestuoso, venerable».

Personalidad: Su dilema es hacer o no hacer. Está dotado de una infinita energía y capacidad de creación, pero... ¿debe utilizarla? Si vence su incertidumbre, dejará huella en el campo en que se lo proponga.

Onomástica: 28 de agosto.

Otros idiomas: Catalán: Agustí. Euskera: Agosti, Auxkin. Gallego: Agostiño. Bable: Agustín. Inglés: Augustin, Austin. Francés y alemán: Augustin. Italiano: Agostino.

Ahanu

Etimología: Nombre de los indios norteamericanos que significa «risueño».

Personalidad: Es lento pero seguro. Sus decisiones siempre se hacen esperar y están profundamente meditadas, pero una vez que han sido tomadas, nada en el universo es capaz de hacer que no se cumplan. Y es que es implacable. Puede ser el mejor de los amigos, y sin duda un apoyo inmejorable en situaciones difíciles.

Onomástica: No tiene.

Ahdik

Etimología: Nombre de los indios norteamericanos que significa «caribú».

Personalidad: Juguetón y caprichoso, puede parecer que no le da importancia a casi nada, pero realmente le toma mucho cariño a la gente y sufre agudas decepciones cuando alguien le falla. Aunque sin mala intención, es demasiado impulsivo y poco reflexivo, así que raramente piensa antes de actuar.

Onomástica: No tiene.

Ahmed

Etimología: Nombre swahili que significa «loable».

Personalidad: Orgulloso e independiente, astuto y decidido, implacable con sus enemigos y

capaz de casi cualquier cosa para conseguir sus objetivos. Su modo de afrontar los problemas es quizá un poco retorcido. Defiende su territorio y a su familia con uñas y dientes.

Onomástica: No tiene.

Ahsán

Etimología: Nombre árabe que significa «caritativo».

Personalidad: Es un hombre hogareño que desea pasar su vida del modo más apacible y tranquilo. El trabajo es para él una maldición, y mucho más la vida en la ciudad. Su ideal es retirarse al campo y cultivar con sus manos, sin más compañía que su familia y amigos más íntimos.

Onomástica: No tiene.

Aitor

Etimología: Del euskera *aita,* «padre». Nombre de reciente creación, a partir de una leyenda relatada por Agustín Chao en 1845.

Personalidad: Sociable, extravertido, seductor, comunicativo y con gran imaginación. Le gusta rodearse de amigos. En su vida íntima es serio, conservador y siempre va al grano. Puede llegar a ser tan meticuloso que incluso desarrollo un estilo un tanto obsesivo.

Onomástica: Aunque se ha extendido su celebración el 22 de mayo, no existe San Aitor, por lo que lo correcto es celebrarlo el Día de Todos los Santos: el 1 de noviembre.

Ajala

Etimología: De origen yoruba, significa «ceramista, alfarero».

Personalidad: No le gustan las convenciones sociales, porque busca puntos de vista propios. Ama su profesión y se dedica a ella con auténtico fervor, aunque no por ello descuida a su familia ni a sus amigos. Como padre, es muy cariñoso. Sentimental hasta la médula, tiene debilidad por las historias de amor y es un poco conquistador.

Onomástica: No tiene.

Akash

Etimología: Nombre hindú que significa «celestial».

Personalidad: Es afectuoso y profundamente protector. No es demasiado imaginativo ni original, pero lo compensa con una impresionante capacidad de trabajo y una lealtad incorruptible. En el amor es algo ingenuo, pero prefiere eso a volverse cruel o insensible. Es feliz si tiene una causa en la que ocuparse.

Onomástica: No tiene.

Akbar

Etimología: Nombre árabe que significa «poderoso, grande».

Personalidad: Su impresión es que ha nacido en un tiempo que no le corresponde. Él necesita vivir fuera de la realidad, en un refugio de fantasía propio. Su carácter le da ventaja en profesiones relacionadas con la interpretación o la escritura. Por lo demás, tiene un corazón de oro y es capaz de desvivirse por ayudar a su prójimo.

Onomástica: No tiene.

Akecheta

Etimología: Nombre de los sioux que significa «guerrero».

Personalidad: Es un hombre de carácter. Muy dado a las discusiones espectaculares y melodramáticas, aunque al final siempre acaba cediendo. Es extremadamente ambicioso en su vida personal y profesional. Aunque le encanta la intriga, es un buen amigo, pero un poco superficial.

Onomástica: No tiene.

AKIM

Etimología: Del hebreo *Yehoyaquim,* «Dios establecerá». Nombre ruso equivalente a Joaquín.

Personalidad: No tiene un carácter excesivamente dominante, ni le plantea ningún problema dejar que sean los demás los que tomen las decisiones. Al contrario, él valora más la vida tranquila, las diversiones relacionadas con sus aficiones, más que los grandes excesos. Es muy paciente con las cosas que cree que algún día deben llegar y no se desespera fácilmente.

Onomástica: 26 de julio.

Otros idiomas: Catalán: Joaquim. Euskera: Yokin. Gallego: Xaquin, Xoaquin. Inglés, francés y alemán: Joachim. Italiano: Giovacchino.

AKINS

Etimología: Nombre yoruba que significa «valiente, bravo».

Personalidad: Le gusta salirse siempre con la suya, es tozudo y obstinado, aunque no actúa con mala intención. Puede ser orgulloso, pero también sincero y justo. Siente pasión por todo tipo de actividades intelectuales y es dado a la polémica. En el amor y la amistad se muestra muy sólido. No soporta a las personas que actúan sólo por conveniencia.

Onomástica: No tiene.

AKIRA

Etimología: Nombre japonés que significa «inteligente».

Personalidad: Desde niño tiene que luchar con su inseguridad. Tiende a compararse con los demás y en su fuero interno siempre sale malparado. Hay algo en su interior que le obliga a fijarse en los demás y esa falta de criterio puede convertirlo en un tipo excéntrico. Su verdadera meta en la vida es hallar a alguien que le proporcione la seguridad que tanto necesita.

Onomástica: No tiene.

AKMAL

Etimología: Nombre árabe que significa «perfecto».

Personalidad: Tiene un aire de niño demasiado mimado. No soporta bien que le contradigan. Su principal preocupación es siempre la estética, por encima de la ética: que las cosas tengan un aspecto impecable, que su físico se mantenga... Aunque no es muy constante, sí es bastante ingenioso y divertido.

Onomástica: No tiene.

ALADINO

Etimología: Nombre árabe que significa «el que tiene fe».

Personalidad: Poco a poco, porque es muy trabajador, va construyendo a su alrededor un mundo a su medida. Cuando lo consigue, es del todo irrompible. No es que sea materialista, sino que necesita la seguridad de las cosas y las personas que le son familiares. Por lo demás, es muy cariñoso y solidario.

Onomástica: No tiene.

ALAN

Etimología: Proviene del céltico *alun,* «armonía».

Personalidad: Alan irradia tranquilidad y equilibrio. No se irrita ni se enfada, es todo lógica y argumentación. Sin embargo, esa actitud puede hacerle parecer frío y hasta inhumano.

Onomástica: 14 de agosto y 8 de septiembre.

Otros idiomas: Euskera: Alain. Inglés: Alan. Francés: Alain. Variante: Alano.

ALARICO

Etimología: Proviene del nombre germánico *Athal-ric,* «noble y poderoso».

Personalidad: A veces puede encontrarse en situaciones comprometidas por su sentido de la justicia: no soporta que se abuse de los débiles. Debe aprender a valorar las posibilidades ajenas, a no subestimar a los demás, aunque sea

con ánimo protector. Por su carácter, tiende a relacionarse con personas que buscan protección.
Onomástica: 29 septiembre.
Otros idiomas: Catalán y francés: Alaric.

Albano

Etimología: Nombre romano que deriva del latín *Albanus*.
Personalidad: Posee una personalidad marcada por el impulso de creación. Es algo autoritario, individualista e independiente. Valora la estabilidad en su vida y para conseguirla a veces se muestra autoritario y egoísta.
Onomástica: 22 de junio.
Otros idiomas: Catalán: Albà. Eusquera: Albant. Bable: Albanu. Francés y alemán: Alban. Italiano: Albano.

Alberto

Etimología: Nombre germánico compuesto por *adel,* «noble», y *bertha,* «resplandeciente«: significa «resplandece por su nobleza».
Personalidad: Es el gran conciliador, el diplomático por excelencia. Alberto intenta repartir justicia por donde va. A veces se muestra caprichoso e incluso irascible si se le contradice.
Onomástica: 23 de abril y 7 de agosto.
Otros idiomas: Catalán: Albert. Gallego: Alberte, Alberto. Bable: Alberto, Berto. Inglés y francés: Albert. Alemán: Albert, Albretch.

Albino

Etimología: Del latín *Albinus,* que proviene de *albus,* «blanco».
Personalidad: Emotivo, altruista e idealista. Fiel a sus amistades y amores, tiene gran necesidad de ayudar y compartir, tanto en lo material como en lo espiritual. Es influenciable, le cuesta ser realista y es algo desordenado. En lo espiritual, tiende también a padecer desórdenes ciclotímicos.
Onomástica: 1 de marzo.
Otros idiomas: Catalán: Albí, Albanyà. Eusquera: Albin, Txurio, Zuriko. Francés: Albin. Alemán: Albinus. Italiano: Albino.

Albrado

Etimología: Nombre de origen germánico que significa «consejo de elfo». Los elfos son genios de la mitología nórdida, que simbolizan las fuerzas de la naturaleza, especialmente los fenómenos atmosféricos.
Personalidad: Tiene un gran dominio de sí mismo y sabe medir sus capacidades, de modo que suele acertar en sus decisiones más importantes. Tiene buen carácter, es amable y valora las cosas hermosas que le ofrece la vida. Suele hacer amigos con bastante facilidad y le gusta ayudar a los demás. Tal vez un poco soñador.
Onomástica: 11 de enero.

Albwin

Etimología: Nombre germánico que procede de *Alb,* «Dios», y *win,* «amigo»: «amigo de Dios».
Personalidad: La pasividad y la indecisión son su principal problema: piensa y piensa y todo le parece con valores negativos y positivos. Es receptivo, sentimental y en el terreno laboral se vale muy bien de su espíritu de equipo. En lo sentimental, si se siente rechazado, es muy rencoroso.
Onomástica: 5 de febrero.

Alcibíades

Etimología: Del nombre griego *Alkibiades,* que deriva de *alké,* «fuerza», y *bios,* «vida».
Personalidad: Posee una personalidad equilibrada, serena y con las ideas muy claras, aunque también es intuitivo y magnético. Valora el refinamiento y la integridad, la simpatía y la benevolencia. Suele ser idealista sin remedio si cree en una idea determinada.
Onomástica: 2 de junio.
Otros idiomas: Catalán: Alcibíades. Italiano: Alcibiade.

Alcides

Etimología: Nombre de origen griego que podría traducirse como «fuerte y vigoroso».

Personalidad: Emotivo, altruista e idealista. Fiel a sus amistades y amores, tiene gran necesidad de ayudar y compartir, tanto en lo material como en lo espiritual. Es influenciable, le cuesta ser realista y es algo desordenado. En lo espiritual, tiende también a padecer desórdenes ciclotímicos.

Onomástica: No tiene.

Alcuino

Etimología: Nombre de origen germánico que significa «amigo del templo».

Personalidad: Tiene un gran dominio de sí mismo y sabe medir sus capacidades, de modo que suele acertar en sus decisiones más importantes. Tiene buen carácter, es amable y valora las cosas hermosas que le ofrece la vida. Suele hacer amigos con bastante facilidad y le gusta ayudar a los demás. Tal vez un poco soñador.

Onomástica: 19 de marzo.

Aldemar

Etimología: Nombre de origen germánico que significa «famoso por su nobleza».

Personalidad: La pasividad y la indecisión son su principal problema: piensa y piensa y todo le parece con valores negativos y positivos. Es receptivo, sentimental y en el terreno laboral se vale muy bien de su espíritu de equipo. En lo sentimental, si se siente rechazado, es muy rencoroso.

Onomástica: 24 de marzo.

Aldo

Etimología: Del germánico *ald,* «noble, valeroso».

Personalidad: Es equilibrado y posee gran encanto, por lo que está dotado para la diplomacia. También valora enormemente la belleza, la armonía y la capacidad de sacrificio. Por contra, es algo indeciso y dado al fatalismo y al exceso de perfeccionismo.

Onomástica: 18 de noviembre.

Otros idiomas: Catalán: Ald. Inglés: Aldous. Francés: Alde. Alemán e italiano: Aldo.

Alejandro

Etimología: Del griego *Aléxandros,* quiere decir «protector de hombres».

Personalidad: Valiente, listo, generoso y fiel. Tiende a centrarse en un gran objetivo y a olvidarse de todo lo demás. De adulto puede ser orgulloso y caprichoso.

Onomástica: 24 de abril y 21 de septiembre.

Otros idiomas: Catalán y gallego: Alexandre. Euskera: Alesander, Alexander. Bable: Alexandro, Xandro. Inglés y alemán: Alexander. Francés: Alexandre. Italiano: Alessandro.

Alejo

Etimología: Del griego *Alexios,* «defensor, vencedor».

Personalidad: Posee fuerza y determinación, así como una personalidad difícilmente manejable. Obstinado e independiente, ejerce un gran magnetismo, aunque puede caer fácilmente en la intransigencia. Rara vez se siente contento durante mucho tiempo, así que busca cambios de ambiente o de escenario.

Onomástica: 17 de julio.

Otros idiomas: Catalán: Aleix. Eusquera: Ales, Alex. Gallego: Aleixo, Alexo, Leixo. Inglés y francés: Alexis. Alemán e italiano: Alessio.

Alexis

Etimología: Del griego *Alexios,* «defensor, vencedor». Variante de *Alejo.*

Personalidad: El rasgo dominante de su personalidad es el alto dominio sobre sí mismo.

Sabe medir sus capacidades, que suelen armonizar con todo lo que le rodea. Refinado, amable, simpático y de buen talante, suele hacer amigos con gran facilidad y le gusta ayudar a los demás. Quizá demasiado soñador.
Onomástica: 17 de julio.
Otros idiomas: Catalán: Aleix.

Alfonso

Etimología: Nombre de origen germánico compuesto por *hathus,* «lucha», *all,* «todo», y *funs,* «preparado». Significa «guerrero totalmente preparado para la lucha».
Personalidad: Al contrario de lo que pueda sugerir su etimología, es pacífico y odia combatir, no soporta los enfrentamientos. Es sensible e impresionable, y aunque destaca por su inteligencia, carece de fuerza de voluntad.
Onomástica: 26 de enero.
Otros idiomas: Catalán: Alfons. Euskera: Albontsa. Gallego: Afonso. Bable: Alfonso, Alifonso. Inglés y francés: Alphonse. Alemán: Alfons.

Alfredo

Etimología: Deriva del germánico *adel-fridu,* «noble pacificador».
Personalidad: Alfredo es el hombre tranquilo, el hombre pacífico por excelencia. No suele gritar, ni enfadarse. Responsable y equilibrado, suele destacar en su ámbito profesional.
Onomástica: 26 de agosto y 28 de octubre.
Otros idiomas: Catalán: Alfred. Euskera: Alperda. Gallego y bable: Alfredo. Inglés, francés y alemán: Alfred.

Alfrido

Etimología: Deriva del germánico *adel-fridu,* «noble pacificador». Es una variante de *Alfredo.*
Personalidad: Es paciente, realista, y el sentido del deber y el orden son sus principales virtudes. Valora mucho la estabilidad en su vida, por lo que en el amor y la amistad es de una fidelidad absoluta. En lo negativo, cae con facilidad en la rutina y la avaricia.
Onomástica: 20 de junio.

Algerio

Etimología: Nombre de origen germánico que significa «noble, preparado para el combate».
Personalidad: Inteligente y creativo, es, sin embargo, demasiado perezoso. Devoto de las comodidades, aunque no le gusta el lujo excesivo. Busca una vida relativamente tranquila, sin grandes sobresaltos. En el amor le falta un poco de confianza en sus posibilidades, por lo cual suele refugiarse en una actitud distante.
Onomástica: 9 de mayo.

Alí

Etimología: Nombre árabe de raíz semítica, que lo mismo puede significar «alto, sublime, el más grande» que hacer alusión a Dios, *Allah* en árabe.
Personalidad: Le gusta estar en constante movimiento, buscar nuevos intereses, conocer nuevos lugares: su curiosidad se mantiene siempre viva. Necesita desempeñar profesiones que requieran poner en juego estas características, no soportaría una vida monótona o un trabajo mecánico. Es un amigo muy leal.
Onomástica: No tiene.
Otros idiomas: Catalán: Alí.

Alicio

Etimología: No está claro el origen de este nombre. Puede que se trate de una derivación del griego *alethos,* «sincero».
Personalidad: Puede parecer soñador, pero es una persona dotada de gran sentido práctico. Lo que despista de él es el hecho de que siempre tiene ilusiones y proyectos. Es fuerte y de-

cidido, tierno y sentimental, y le gusta sentirse muy arropado por su familia y amigos.
Onomástica: 4 de julio.

Alipio
Etimología: Nombre de origen griego que significa «despreocupado».
Personalidad: Desarrolla una intensa vida social y siente un gran amor por el lujo y la comodidad, y tiene un carácter un tanto exigente, incluso con las personas queridas. Asu favor tiene la virtud de la simpatía y de inspirar grandes pasiones a su alrededor. Suele tener éxito en el mundo laboral.
Onomástica: 26 de noviembre.

Aloisio
Etimología: Deriva del germánico *hlod-wig,* «glorioso en la batalla». Es una variante de Luis.
Personalidad: Orgulloso hasta el fin, Aloisio siempre tiene que estar a la altura de las circunstancias. Tiene una imagen muy clara de lo que quiere conseguir en el mundo y de lo que quiere llegar a ser. Puede parecer ingenuo y extrovertido, pero en realidad siempre se guarda algo para sí mismo.
Onomástica: 21 de junio, 25 de agosto y 10 de octubre.

Alonso
Etimología: Nombre de origen germánico compuesto por *hathus,* «lucha», *all,* «todo», y *funs,* «preparado». Significa «guerrero totalmente preparado para la lucha».
Personalidad: Su carácter no responde a su etimología: al contrario, es una persona pacífica y conciliadora, de manera que si hay algo que no soporta es precisamente los enfrentamientos gratuitos. Es sensible e impresionable, y aunque destaca por su inteligencia, carece de fuerza de voluntad.
Onomástica: 26 de enero.

Álvaro
Etimología: Del germánico *all-wars,* «totalmente sabio».
Personalidad: Entre sus dudas e incertidumbres, sólo una cosa le queda clara: lo más importante es su familia. Trabajador incansable y leal hasta la muerte. No es ambicioso.Sólo aspira a una vida feliz y sencilla
Onomástica: 19 de febrero.
Otros idiomas: Gallego y bable: Álvaro.

Amable
Etimología: Deriva del latín *amabilis,* «amable, simpático».
Personalidad: Es fuerte y determinado, y tiene una personalidad en absoluto manejable. Aunque corre el peligro de caer en la intransigencia, por su carácter obstinado e independiente, ejerce un gran magnetismo sobre sus amigos y compañeros. Tiene dificultades para sentirse satisfecho durante mucho tiempo seguido, lo cual le lleva a buscar continuos cambios.
Onomástica: 3 de julio.
Otros idiomas: Bable: Mable.

Amadeo
Etimología: Deriva del latín *ama-Deus,* «el que ama a Dios».
Personalidad: Su familia, su casa, su pequeño trabajo... cosas sencillas y placenteras que le permitan dedicarse a lo que realmente le gusta: hacer felices a los demás.
Onomástica: 31 de marzo.
Otros idiomas: Catalán: Amadeu. Euskera: Amate. Gallego: Amadeo. Bable: Amadeo, Madeo. Inglés y alemán: Amadeus. Francés: Amédée. Italiano: Amedeo.

Amado
Etimología: Proviene del latín *amatus,* que significa «amado».
Personalidad: Buen amigo, buen compañero, buen socio, buen jefe... y buen marido. Le

gusta compartir su vida con los demás y no suele ser capaz de afrontar la soledad.
Onomástica: 13 de septiembre.
Otros idiomas: Catalán: Amat. Euskera: Amata. Francés: Aimé. Italiano: Amato.

Amador

Etimología: Proviene del latín *amatus,* que significa «amado».
Personalidad: Su verdadera preocupación es la justicia y el equilibrio, tanto en su vida personal como en la sociedad. Pero le cuesta conseguirlo, porque valora en exceso el triunfo y el poder, y es propenso a sufrir ataques de ira. En su vida sentimental puede ser algo posesivo y celoso
Onomástica: 30 de abril y 1 de mayo.
Otros idiomas: Bable: Amador, Mador.

Amalio

Etimología: Nombre que deriva del griego *amalós,* «tierno, suave».
Personalidad: Amalio es metódica y equilibrado. Valiente hasta el fin, odia los rodeos y las ambigüedades. No le gusta seguir el camino de los demás: independiente y desapegado. ¿Su mayor defecto?: le preocupa hasta la obsesión lo superficial.
Onomástica: 10 de julio.
Otros idiomas: Catalán: Amàlio. Gallego: Amalio. Bable: Amalio, Malio. Italiano: Amalio.

Amán

Etimología: Nombre árabe que podría traducirse como «el magnífico».
Personalidad: Posee una personalidad carismática, seductora y fuerte. Es también idealista y perfeccionista, lo cual normalmente le lleva a tener elevadas ambiciones, pero también a ser obsesivo. En lo negativo, suele ser nervioso y autoritario.
Onomástica: No tiene.

Amancio

Etimología: Del latín *amantius,* «amante».
Personalidad: Es agradable y seductor. Le gusta estar rodeado de gente y cuida la amistad con esmero. Es detallista, aunque a veces en exceso, y amante de la perfección.
Onomástica: 19 de marzo.
Otros idiomas: Catalán: Amanç, Amanci. Euskera: Amantzi. Gallego: Amancio. Bable: Amancio, Mancio.

Amando

Etimología: Un participio latino que proviene del verbo *amo,* «amar». Se trata de *amandus,* que significa «que ha de ser amado».
Personalidad: Sienten una irresistible atracción por el misterio. Muy sociables, pero con sólo unos pocos amigos de verdad. Idealista: cree fervientemente en las utopías.
Onomástica: 18 de junio y 18 de noviembre.
Otros idiomas: Catalán y eusquera: Amand. Francés: Amand. Alemán: Amandus.

Amaranto

Etimología: Nombre de flor que deriva del latín, lengua que a su vez lo tomó del griego *amaratós,* «inmarcesible».
Personalidad: Tiende a ser culto, refinado, amante de la buena vida y de los pequeños placeres. Algo excéntrico, aunque él prefiere considerarse simplemente original. Sus amigos y familiares le adoran porque alrededor de él nunca existe el aburrimiento.
Onomástica: 7 de noviembre.

Amaro

Etimología: Variante de *Mauro*, gentilicio de *Maurus,* «moro, de Mauritania».
Personalidad: Enérgico y obstinado, confiado en sí mismo y deseoso de hacerlo todo y mejor que los demás. Necesita gastar la enorme energía que es capaz de desarrollar e ir siempre hacia delante gracias a su imaginación y capaci-

dad de reacción. Es amante del hogar y la familia, pero es muy celoso de sus prerrogativas.
Onomástica: 10 de mayo.
Otros idiomas: Gallego: Amaro.

AMARU
Etimología: Nombre de origen quechua con que se denominaba a la serpiente sagrada.
Personalidad: Posee una personalidad carismática, seductora y fuerte. Es también idealista y perfeccionista, lo cual normalmente le lleva a tener elevadas ambiciones. En lo negativo, suele ser nervioso y autoritario.
Onomástica: No tiene.

ÁMBAR
Etimología: Del sánscrito, significa «cielo».
Personalidad: Busca fundamentalmente la paz interior, estar satisfecho consigo mismo. La vida superficial y las diversiones de ese estilo no le interesan ni lo más mínimo. Para sentirse a gusto necesita desempeñar una profesión que lo mantenga ocupado y le exija un cierto esfuerzo. En el amor necesita seguridad y solidez.
Onomástica: No tiene.

AMBERTO
Etimología: Nombre de origen germánico, que significa «trabajo brillante».
Personalidad: Necesita estar en continuo movimiento, por lo que le entusiasman los viajes y todo lo que tiene que ver con la aventura y la innovación. Es capaz de adaptarse a cualquier situación y ambiente. En su contra tiene ciertos inconvenientes, como la inestabilidad, la superficialidad y la falta de previsión, lo cual no le facilita una vida sentimental.
Onomástica: 30 de diciembre.

AMBROSIO
Etimología: Deriva del griego *an-brotós,* «inmortal».
Personalidad: Metódico, frío, jamás se permitirá expresar un sentimiento. Es conservador y tradicional, odia las sorpresas y le gusta que todo quede bien ordenado. Argumentador implacable, es muy difícil derrotarle en una discusión.

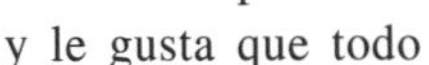

Onomástica: 7 de diciembre.
Otros idiomas: Catalán: Ambròs, Ambrosi. Euskera: Amborts, Ambortsi. Gallego: Ambrosio. Inglés: Ambrose. Francés: Amboise. Alemán: Ambrosius. Italiano: Ambroigo.

AMÉRICO
Etimología: Nombre italiano de origen germánico-céltico. Deriva de *amal-rich,* «rey del trabajo».
Personalidad: Tiene vocación de entrega. Según su carácter, puede ser devoto del trabajo, del amor, de las causas humanitarias o del puro y simple hedonismo. Eso sí, corre el riesgo de descuidar todos los demás campos de su vida.
Onomástica: 1 de noviembre.

AMÍLCAR
Etimología: Del nombre fenicio *Ha-Melkart,* de *mal-kart,* «rey de la ciudad».
La seguridad y la protección son sus ejes fundamentales. Se trata de personas con los pies en el suelo, aunque también ambiciosas, lo cual equilibra su carácter y les permite vivir una existencia activa y variada, repleta de situaciones que les permite crecer y aprender.
Onomástica: No tiene.
Otros idiomas: Catalán: Amílcar. Francés: Amilcar. Italiano: Amilcare.

AMÍN
Etimología: Nombre árabe que significa «creyente, hombre fiel».

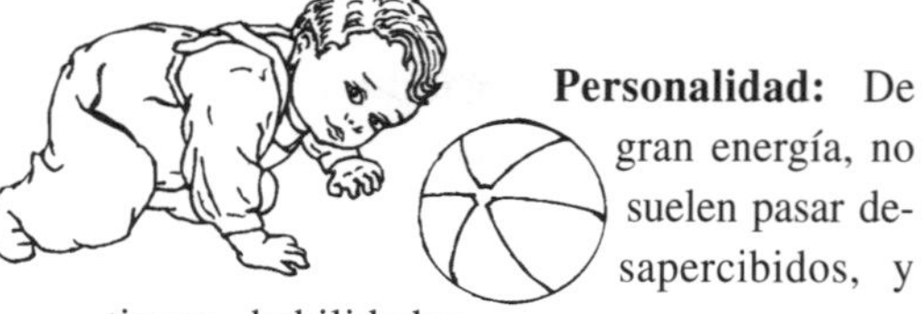

Personalidad: De gran energía, no suelen pasar desapercibidos, y tienen habilidades para el liderazgo y la innovación. No les gusta seguir las corrientes establecidas y se empeñan en la originalidad. En el lado negativo tienen cierta tendencia al egoísmo, la vanidad y el orgullo. También pueden ser excéntricos y demasiado dominantes.

Onomástica: No tiene.

AMIR

Etimología: Nombre árabe que podría traducirse como «jefe» o «ministro del rey».

Personalidad: Es equilibrado y posee gran encanto, por lo que está dotado para la diplomacia. También valora enormemente la belleza, la armonía y la capacidad de sacrificio. Por contra, es algo indeciso y dado al fatalismo y al exceso de perfeccionismo.

Onomástica: No tiene.

AMÓN

Etimología: Nombre de origen hebreo que podría traducirse como «leal».

Personalidad: Se trata de una persona extraordinariamente compleja y de reacciones inesperadas. Le gusta vivir plenamente, con mayúsculas: cuando se consagra a su trabajo, también lo hace de lleno, absolutamente, sin reservas. Podría decirse que en todos los campos de su vida siempre pone toda la carne en el asador.

Onomástica: 1 de septiembre.

AMÓS

Etimología: Nombre de origen hebreo que podría traducirse como «Dios sostiene». Así se llamaba uno de los profetas del Antiguo Testamento.

Personalidad: Su personalidad es conflictiva, por lo que suele encontrar dificultades para encontrarse a gusto consigo mismo. También es algo vacilante y no muy enérgico. Sin embargo, posee un cierto espíritu aventurero, incluso algo temerario, y es de una lealtad inquebrantable.

Onomástica: 31 de marzo.

ANACLETO

Etimología: Del griego *anakletos,* «solicitado».

Personalidad: Hombre de convicciones profundas, rozando incluso la terquedad. Esto le aporta una gran seguridad y entereza, al tiempo que honradez y dedicación. Pero también le hace ser intolerante, poco comprensivo y muy propenso a juzgar a los demás.

Onomástica: 13 de julio.

ANANÍAS

Etimología: Nombre de origen hebreo que puede traducirse como «Dios responde» o «Dios premia».

Personalidad: Transmite gran confianza entre sus amigos y compañeros de trabajo, por su espíritu seductor y fuerte. Es también idealista y perfeccionista en todo lo que emprende, lo cual le permite conseguir grandes logros. La parte negativa de su carácter es que puede llegar a volverse autoritario e impaciente.

Onomástica: 25 de enero.

ANASTASIO

Etimología: Deriva del griego *anastasimos,* «el que no muere, el que resucita».

Personalidad: Es, por encima de todo, sincero. El tacto, la diplomacia y la hipocresía son palabras desconocidas para él, que presume siempre de ir con la verdad por delante. Es también complicado, intuitivo y dotado de una gran creatividad.

Onomástica: 11 de mayo.

Otros idiomas: Catalán y euskera: Anastasi. Gallego: Anastasio. Bable: Nastasio. Francés: Anastase. Alemán: Anastasius.

Ánder

Etimología: Nombre vasco que es equivalente de *Andrés:* del griego *andros,* que significa «hombre».
Personalidad: Firme como una roca, consigue despertar confianza y seguridad en quienes le rodean. Sabe cuáles son sus objetivos y no cesa hasta conseguirlos. Va contribuyendo poco a poco a la felicidad de los suyos, logrando casi sin darse cuenta volverse indispensable.
Onomástica: 30 de noviembre.
Otros idiomas: Catalán: Andreu. Gallego y francés: André. Inglés: Andrew. Italiano: Andrea. Alemán: Andreas.

Andrés

Etimología: Proviene del griego *andros,* que significa «hombre».
Personalidad: Inteligente, práctico, muy apegado a la realidad. Tiene un carácter fuerte y dominante, que sin embargo sabe controlar cuando lo considera necesario.
Onomástica: 30 de noviembre.
Otros idiomas: Catalán: Andreu. Euskera: Ander. Gallego: André. Bable: Andrés, Andresu. Francés: André. Inglés: Andrew. Alemán: Andreas. Italiano: Andrea.

Androcles

Etimología: Proviene del griego *Androkles,* de *andrós,* «hombre», y *kleos,* «gloria»: «hombre glorioso».
Personalidad: La estabilidad, la paciencia, la organización, el realismo, el sentido del deber y el orden son sus principales virtudes. En lo sentimental y con sus amistades son de una fidelidad absoluta. Por contra, caen con facilidad en la rutina y la avaricia. Tiene muy buenas cualidades para las profesiones relacionadas con las matemáticas o la administración.
Onomástica: No tiene.
Otros idiomas: Catalán: Androcles. Francés: Androclès.

Ángel

Etimología: Del griego *aggelos,* «mensajero». En la tradición cristiana, es el nombre que se le da a los espíritus servidores de Dios.
Personalidad: Ángel es un hombre refinado, que destila sensibilidad y comprensión. Bajo su apariencia susceptible, es más fuerte que casi todos los que le rodean.
Onomástica: 13 de octubre.
Otros idiomas: Euskera: Aingeru, Aintza, Aintzin, Gotzon. Gallego: Anxo. Bable: Anxelu, Ánxelu (Xelu). Francés: Ange. Italiano: Angelo. Variante: Ángelo.

Angélico

Etimología: Del latín *angelicus,* «angelical», que a su vez deriva del griego *aggelos,* «mensajero».
Personalidad: Soñador empedernido, suele ser muy imaginativo. Son personas que tienen un alto sentido religioso.
Onomástica: 5 de mayo.

Aníbal

Etimología: Deriva del fenicio *Hanan-Baal,* «gracia de Baal».
Personalidad: Curiosa mezcla de novedad y tradición, de conservador y progresista. Le gusta aprender, explorar y cambiar. Pero hay una serie de valores y costumbres que para él son inamovibles. Profundamente familiar. Prefiere pocos amigos pero buenos.
Onomástica: 1 de noviembre.

Aniceto

Etimología: Del griego *Aniketos,* «invencible, invicto».
Personalidad: Fuerte, enérgico, pero también paciente y con una fortaleza física notable. Casi siempre consigue lo que se propone, ya que posee una mente bien organizada y metódica, que es su gran virtud.
Onomástica: 17 de abril.

Otros idiomas: Catalán: Anicet. Euskera: Aniketa. Gallego: Aniceto. Bable: Anicetu. Francés: Anicet. Italiano: Aniceto.

Anselmo

Etimología: Nombre germánico formado por *Ans* (nombre de una divinidad) y *helm,* «yelmo, protección». Significa «protegido por Dios».
Personalidad: No puede remediarlo, necesita que los demás piensen bien de él, que le den su aprobación, aunque es más bien solitario y retraído; un intelectual, en definitiva. Duro y exigente en la amistad y en el amor.
Onomástica: 21 de abril.
Otros idiomas: Catalán: Anselm. Euskera: Antselma. Gallego: Anselmo. Bable: Anselmo, Selmo. Francés: Anselme. alemán: Anselm.

Antolín

Etimología: Del latín *Antoninus,* «de la familia de Antonio».
Personalidad: Es equilibrado y posee gran encanto, por lo que está dotado para la diplomacia. También valora enormemente la belleza, la armonía y la capacidad de sacrificio. Por contra, es algo indeciso y dado al fatalismo y al exceso de perfeccionismo.
Onomástica: 2 de septiembre.
Otros idiomas: Catalán: Antoll. Eusquera: Andolin, Andoli, Antton. Bable: Antolín (Tolino). Alemán: Antolin. Italiano: Antolino.

Antonio

Etimología: Nombre de la gens romana Antonia. Parece ser que su origen más remoto viene del etrusco, pero el significado no ha llegado hasta nosotros.
Personalidad: Hombre de grandes pasiones. En el amor, en el trabajo, en todos los aspectos de la vida, se entrega totalmente.
Onomástica: 13 de junio.
Otros idiomas: Catalán: Antoni. Euskera: Andoni, Anton, Antxon. Gallego: Antón, Antonio, Antoiño. Bable: Antón (Toño). Inglés: Anthony, Antony. Francés: Antoine. Alemán: Anton. Italiano: Tonio.

Anwar

Etimología: Nombre árabe que significa «luminoso».
Personalidad: Es un conversador por el gusto de intercambiar impresiones: lo que más le interesa en este mundo son las personas y su comportamiento. Su virtud principal es el interés por el conocimiento y la literatura, aunque sólo sea por el placer que le producen las personas relacionadas con las humanidades.
Onomástica: No tiene.

Apeles

Etimología: Proviene del griego y significa «consejero del pueblo».
Personalidad: Es un seductor, enamorado de la vida y los placeres, que sabe adaptarse a todas las circunstancias. Sin embargo, su curiosidad e inestabilidad le suelen procurar serios problemas en su vida.
Onomástica: 22 de abril.
Otros idiomas: Catalán: Apel.les. Euskera: Apel. Inglés: Apelles. Francés: Apèlle. Italiano: Apelle.

Apolinar

Etimología: Deriva del latín *Apollinaris,* «lugar consagrado a Apolo».
Personalidad: Sencillo, pero entregado y perseverante. Le cuesta relacionarse con los demás a causa de su timidez, de forma que conserva para siempre a sus amigos. Tiene grandes ideales y con frecuencia consagra su vida a ellos. Sin embargo, es algo mezquino con los detalles y puede llegar a parecer maniático.
Onomástica: 8 de enero, 23 de julio y 12 de septiembre.

Otros idiomas: Catalán: Apol.linar. Euskera: Apoliñari. Francés: Apollinaire. Italiano: Apollinare.

Apolo

Etimología: Nombre mitológico del dios Apolo, divinidad romana. Deriva a su vez del griego *Apollon,* de *apo,* «lejos», y *ollymi,* «perecer».
Personalidad: Posee fuerza y determinación, así como una personalidad difícilmente manejable. Obstinada e independiente, ejerce un gran magnetismo, aunque puede caer fácilmente en la intransigencia. Rara vez se siente contenta durante mucho tiempo, así que busca cambios de ambiente o de escenario.
Onomástica: 21 de abril.
Variantes: Catalán: Apol.lo, Apol.ló. Inglés e italiano: Apollo. Francés: Apollon.

Apolonio

Etimología: Deriva del adjetivo griego *Apollonios,* «relativo a Apolo», referido al dios Apolo.
Personalidad: Bajo su apariencia flemática, altiva y distante es tranquilo y reservado, serio y profundo, aunque también algo tímido. Suele ser honesto, concienzudo y detallista.
Onomástica: 18 de agosto.
Otros idiomas: Catalán: Apol.loni. Euskera: Apoloni. Gallego: Apolonio. Francés: Apollonius. Italiano: Apollonio.

Aquiles

Etimología: Nombre mitológico griego que deriva de *a-cheileia,* «el que carece de labios», lo cual hace referencia al origen del héroe: según la Ilíada, nunca fue amamantado.
Personalidad: Fuerte y ambicioso, de voluntad inquebrantable y carácter muy dominante. Simpático y detallista, amigo de sus amigos, y también enemigo de sus enemigos. Le gusta el riesgo, la aventura y la libertad.
Onomástica: 7 de noviembre.
Otros idiomas: Catalán: Aquilles. Euskera: Akil. Bable: Aquilín. Inglés y alemán: Achilles. Francés e italiano: Achille.

Aquilino

Etimología: Del latín *Aquilinus,* «como el águila».
Personalidad: La estabilidad, la seguridad y la protección son sus ejes fundamentales. Se trata de personas con los pies en el suelo, aunque también ambiciosas, lo cual equilibra su carácter y les permite vivir una existencia activa y variada, repleta de situaciones que les permite crecer y aprender.
Onomástica: 16 de junio.
Otros idiomas: Catalán: Aquil.lí. Euskera: Akillin. Gallego: Aquilino.

Arcadio

Etimología: Del griego *Arkádios,* gentilicio de la región de Arcadia, situada en la zona central del Peloponeso.
Personalidad: Es una persona muy suya. Por ello termina convirtiéndose en un solitario, entregado a alguna empresa intelectual o a un amor imposible.
Onomástica: 12 de enero.
Otros idiomas: Catalán: Arcadi. Gallego: Arcadio. Bable: Arcadio, Arcayo. Francés: Arcade, Arcadius.

Arcángel

Etimología: Del griego *Archos-águelos,* «que gobierna los ángeles».
Personalidad: Es muy equilibrado y posee un sentido innato de la justicia y el equilibrio, pero también cae con facilidad en ataques de ira y valora en exceso el poder y el triunfo. Es impaciente e impetuoso. Esta personalidad le hace, casi con seguridad, muy celoso.
Onomástica: 5 de julio.

Otros idiomas: Catalán: Arcàngel. Eusquera: Gontzon, Gongotzon. Gallego: Arcanxo. Italiano: Arcángelo.

ARES

Etimología: No se conoce.
Personalidad: El rasgo dominante de su personalidad es el alto dominio sobre sí mismo. Sabe medir sus capacidades, que suelen armonizar con todo lo que le rodea. Refinado, amable, simpático y de buen talante, suele hacer amigos con gran facilidad y le gusta ayudar a los demás. Quizá demasiado soñador.
Onomástica: No tiene.
Otros idiomas: Catalán: Ares.

ARIEL

Etimología: Proviene del hebreo y significa «león de Dios».
Personalidad: Posen una personalidad marcada por el impulso de creación. Es algo autoritario, individualista e independiente. Valora la estabilidad en su vida y para conseguirla a veces se muestra autoritario y egoísta.
Onomástica: No tiene.
Otros idiomas: Catalán: Ariel.

ARIF

Etimología: Nombre árabe que significa «sabio, conocedor».
Personalidad: Es demasiado orgulloso y un poco rígido de carácter, le cuesta ver los matices de las cosas. Si consigue atemperar ese problema, puede llegar a ser incluso divertido. En el amor y la amistad prefiere lo poco, pero bueno.
Onomástica: No tiene.

ARÍSTIDES

Etimología: Del nombre griego *Aristeides,* de *aristos-eidos,* «el más valiente».
Personalidad: El rasgo dominante de su personalidad es el alto dominio sobre sí mismo. Sabe medir sus capacidades, que suelen armonizar con todo lo que le rodea. Refinado, amable, simpático y de buen talante, suele hacer amigos con gran facilidad y le gusta ayudar a los demás. Quizá demasiado soñador.
Onomástica: 31 de agosto.
Otros idiomas: Catalán: Arístides. Eusquera: Aristida. Inglés: Aristides. Francés e italiano: Aristide. Alemán: Aristides.

ARISTÓFANES

Etimología: Del nombre griego *Aristofánes,* de *aristos,* «selecto», y *phanein,* «brillar»: «el mejor»
Personalidad: De gran energía, no suelen pasar desapercibidos, y tienen habilidades para el liderazgo y la innovación. No les gusta seguir las corrientes establecidas. En el lado negativo son un poco egoístas, vanidosos y orgullosos. También pueden ser excéntricos y demasiado dominantes.
Onomástica: No tiene.
Otros idiomas: Catalán: Aristófanes. Francés: Aristophane.

ARMANDO

Etimología: Deriva del germánico *hard-mann,* «hombre fuerte».
Personalidad: Apasionado, impulsivo, Armando es un hombre de excesos. Detesta las medias tintas. En su madurez sienta la cabeza, normalmente junto a alguien tranquilo y sosegado que sepa domesticarlo a fuerza de cariño y de paciencia.
Onomástica: 8 de junio y 2 de septiembre.
Otros idiomas: Catalán: Armand. Bable: Armando. Francés: Armand. Alemán: Hermann.

ARMENGOL

Etimología: Derivado del nombre de un semidiós de la mitología escandinava, *Ermin.*

Personalidad: Posen una personalidad marcada por el impulso de creación. Es algo autoritario, individualista e independiente. Valora la estabilidad en su vida y para conseguirla a veces se muestra autoritario y egoísta.
Onomástica: 3 de noviembre.
Otros idiomas: Catalán: Ermengol.

Arnaldo

Etimología: Del germánico *arin-ald,* «águila que gobierna».
Personalidad: Amante de la belleza y del orden, es perfeccionista, rayando incluso la obsesión. Es concienzudo y metódico, ycarece de imaginación o de fantasía, por lo que vive siempre muy apegado a la realidad y a los aspectos materiales.
Onomástica: 10 de febrero.
Otros idiomas: Catalán: Arnau. Euskera: Arnot, Ellande, Enaut. Inglés y alemán: Arnold. Francés: Arnaud.

Arnold

Etimología: Nombre de origen germánico, que significa «jefe águila».
Personalidad: No soporta hacer daño a los demás. Tal vez por eso prefiere sufrir una frustración a imponer su criterio, aunque sepa que es el correcto. A pesar de ese carácter bondadoso, no carece de ambiciones, pero suele marcarse un camino que sea muy respetuoso con todos. Es un compañero de trabajo y amigo muy agradable.
Onomástica: No tiene.

Arsenio

Etimología: Del griego *arsén,* «viril».
Personalidad: Arsenio es creativo, capaz de sorprender a todos descubriendo un camino nuevo. Detallista y sentimental, suele vivir el amor de forma tranquila, sin grandes pasiones, pero con un hondo y continuo sentimiento.
Onomástica: 19 de julio.
Otros idiomas: Catalán y euskera: Arseni. Bable: Arsenio (Senio).

Artemi

Etimología: Nombre guanche de Gran Canaria. Se conoce un personaje con este nombre que era hermano del *guanarteme* de Telde.
Personalidad: Concede más importancia a lo espiritual que a lo material. Es paciente, con gran capacidad de estudio, lógica y análisis. Muy exigente consigo mismo y con los demás. Algo solitario e introspectivo, por lo que cae con facilidad en el pesimismo.
Onomástica: No tiene.

Artemio

Etimología: Nombre derivado de la diosa *Artemisa.*
Personalidad: Su personalidad es muy creativa, entusiasta, sociable, optimista y muy espiritual. Tiene gran sentido práctico y es muy hábil en las actividades manuales. En contrapartida, puede ser algo intolerante y colérico, y a veces le cuesta concentrarse en una sola cosa.
Onomástica: 6 de junio.
Otros idiomas: Catalán y euskera: Artemi. Italiano: Artemio.

Arturo

Etimología: Muy diversa: no en vano es uno de los nombres más antiguos que se conocen. Parece que deriva del etrusco *artorius,* de significado desconocido; también del céltico *artva,* «nube o piedra», y del irlandés *art,* «oso».
Personalidad: De sentimientos profundos, lo vive todo con intensidad, por lo que en ocasiones se sumerge en la melancolía. Pero otras veces se siente profundamente feliz. Altruista y fiel, siempre empeñado en alguna gran empresa.
Onomástica: 1 de septiembre.
Otros idiomas: Catalán, euskera y gallego: Artur. Bable: Arturo. Inglés, francés y alemán: Arthur. Italiano: Arturo.

ASAF

Etimología: Nombre de origen hebreo que significa «escogido por Dios».

Personalidad: Posee una personalidad marcada por el impulso de creación. Es algo autoritario, individualista e independiente. Valora la estabilidad en su vida y para conseguirla a veces se muestra autoritario y egoísta.

Onomástica: No tiene.

ASCANIO

Etimología: En la mitología griega, hijo de *Eneas*.

Personalidad: Posee el impulso de la creación que produce la inspiración. Necesita perseguir ideales y emociones utópicos, por su carácter idealista y perfeccionista. Goza también de ambiciones muy positivas. La parte negativa es la facilidad con que cae en la extravagancia y su tendencia al desánimo.

Onomástica: 10 de julio.

ASHANTI

Etimología: Nombre swahili que designa a una tribu del Oeste de África.

Personalidad: Busca soluciones y respuestas en lo que le va enseñando la vida: tiene la virtud de la observación, combina inteligencia e intuición. Es un conquistador y su mayor defecto es que se pierde por llamar la atención del sexo opuesto. En el trabajo necesita trabajos que le obliguen a estar en constante movimiento.

Onomástica: No tiene.

ASHUR

Etimología: Nombre swahili, que tiene su origen en la principal deidad asiria.

Personalidad: Él es el único que considera que sus ideas son sólidas, porque los demás creen que las cambia con demasiada frecuencia. Como en todo, se deja llevar por las modas. Es muy afectuoso y en el campo profesional se marca metas que le permitan alcanzar un buen nivel de vida. Como padre se muestra muy responsable.

Onomástica: No tiene.

ASIER

Etimología: Nombre vasco que no tiene ni una etimología ni un significado claros. Aunque podría derivar del hebreo *Asher,* «feliz, bendito».

Personalidad: Adora el arte, la literatura, la música, el teatro... Todo eso le interesa mucho más que el mundo real. Se desenvuelve perfectamente en cualquier actividad artística. Es un gran amigo y como pareja es muy entregado, pero necesita sentir que recibe una devoción igual que la suya.

Onomástica: 1 de noviembre.

ASTERIO

Etimología: Nombre griego que deriva de *aster,* «astro, estrella».

Personalidad: Es un hombre repleto de vida que siempre rebosa optimismo y felicidad. Nunca se le ha visto deprimido. Siempre está entregado a alguna actividad, ya que le gusta disfrutar de la vida al máximo. En lo que se refiere al terreno sentimental, no le gustan demasiado los compromisos, de forma que retrasa todo lo posible sentar la cabeza.

Onomástica: 3 de marzo.

Otros idiomas: Euskera: Aster, Asteri.

ATAHUALPA

Etimología: Del quechua *atau,* «felicidad», y *huallpa,* «ave»; o sea, «ave de la felicidad».

Personalidad: Su personalidad es muy creativa, entusiasta, sociable, optimista y muy espiritual. Tiene gran sentido práctico y es muy hábil en las actividades que requieran destreza manual. En contrapartida, puede ser algo intolerante y colérico, y a veces le cuesta concentrarse en una sola cosa.

Onomástica: No tiene.

Atanasio

Etimología: Del griego *Athanatos,* «inmortal», y éste de *thanatos,* «muerte», y la partícula *a.*

Personalidad: Suelen poseer gran belleza, relacionados con la cultura, el conocimiento, la armonía y la verdad. Disfrutan al máximo de la vida, valorando lo detalles y placeres más insignificantes. Son cooperadores, entusiastas y afectuosos, por lo que valoran el amor y la amistad. El mayor riesgo se encuentra en la hipersensibilidad y la indecisión.

Onomástica: 2 de mayo.

Otros idiomas: Catalán y euskera: Atanasi. Gallego: Atanasio. Bable: Tanasio. Inglés: Athanasius. Francés: Athanase. Alemán: Atanasius. Italiano: Atanasio.

Ataúlfo

Etimología: Del germánico *adel-wulf,* «lobo noble», o, por extensión, «noble guerrero».

Personalidad: Ataúlfo es un ser gregario. Lo esencial es pertenecer al grupo, sentirse arropado, no estar solo. Tradicional y conservador, necesita la estabilidad y procura planificarlo todo con la debida antelación para que su vida transcurra dentro de los cauces previstos. Resulta fácil sorprenderle.

Onomástica: 26 de enero.

Otros idiomas: Catalán: Ataülf.

Atilano

Etimología: Nombre resultante de la latinización de *Atilanus (Atila).*

Personalidad: Se trata de una persona extraordinariamente compleja y de reacciones inesperadas. Le gusta vivir plenamente, con mayúsculas: cuando se consagra a su trabajo, también lo hace de lleno, absolutamente, sin reservas. Podría decirse que en todos los campos de su vida siempre pone toda la carne en el asador.

Onomástica: No tiene.

Atilio

Etimología: Nombre de origen latino cuyo significado es «el favorito del abuelo».

Personalidad: Su personalidad es conflictiva, por lo que suele encontrar dificultades para encontrarse a gusto consigo mismo. También es algo vacilante y no muy enérgico. Sin embargo, posee un cierto espíritu aventurero, incluso algo temerario, y es de una lealtad inquebrantable.

Onomástica: No tiene.

Otros idiomas: Euskera: Atilio.

Audaz

Etimología: Nombre de origen latino que significa «audaz, valiente».

Personalidad: Sereno, con las ideas muy claras, seguro de sí mismo y con facilidad para las relaciones sociales. Valora el refinamiento, pero sobre todo el buen carácter, la lealtad y la integridad de sus amigos. En el amor es muy exigente y puede llegar a ser muy controlador o celoso. Si cree plenamente en una causa o idea, pone todo su empeño en ella.

Onomástica: 9 de julio.

Augusto

Etimología: Del latín *augustus,* «consagrado por los augures, majestuoso, venerable».

Personalidad: Se trata de una persona reflexiva y seria, aunque nunca sobre temas religiosos, filosóficos o existenciales, sino sobre los problemas diarios o la planificación de su vida. Inteligente pero práctico. Valora mucho su libertad y por ello le cuesta comprometerse.

Onomástica: 7 de octubre.

Otros idiomas: Catalán: August. Euskera: Augusta, Goren. Gallego: Augusto. Inglés: Augustus. Francés: Auguste. Alemán: August.

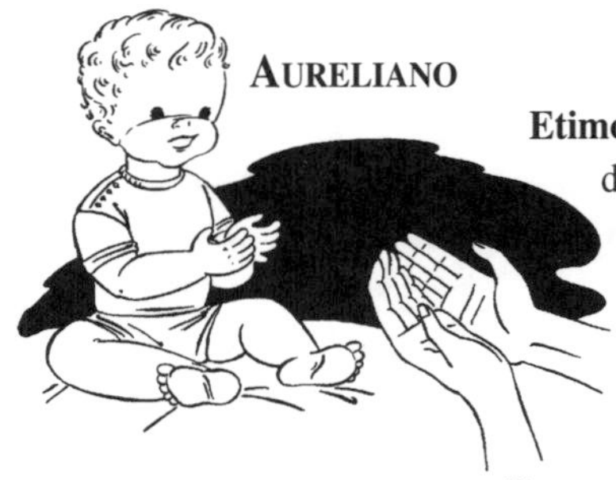

AURELIANO

Etimología: Nombre de la gens romana *Aurelia,* que deriva de *aureolus,* «áureo». Variante de *Aurelio.*

Personalidad: Es un poco arrogante y no tolera con facilidad las críticas o las opiniones adversas. Tiene una imagen muy clara de cómo deben ser las cosas a su alrededor, incluso las personas. La familia para él es lo más importante y está dispuesto a cualquier sacrificio para sacarla adelante, aunque exige en los demás una actitud semejante.

Onomástica: 16 de julio.

Otros idiomas: Catalán: Aurèlia. Bable: Oreyano.

AURELIO

Etimología: Nombre de la gens romana *Aurelia,* que deriva de *aureolus,* «áureo».

Personalidad: Llevan su propio estilo de vida, aunque sin salirse mucho de los moldes sociales. Originales, pero nunca excéntricos ni marginales. Cultos, refinados e inteligentes, y valoran mucho esta cualidad en sus amigos. Tienden a idealizar a la persona amada.

Onomástica: 27 de julio.

Otros idiomas: Catalán: Aureli. Gallego: Aurelio. Bable: Aurelio, Oreyo. Francés: Aurèle. Alemán: Aurelius.

AURI

Etimología: Nombre catalán que deriva del latín *aureolus,* «áureo».

Personalidad: Le lleva tiempo encontrarse a gusto consigo mismo, por lo que tiene dificultades para llegar a descubrir su verdadero camino. Aunque vacila y no es muy enérgico, posee un cierto espíritu aventurero, incluso algo temerario, que le sirve de contrapeso. Es de una lealtad inquebrantable con sus amigos y en el amor.

Onomástica: 16 de julio.

AUSIAS

Etimología: Nombre catalán que procede del nombre hebreo *Hoshea,* «salvación». En el Antiguo Testamento, el primero de los profetas menores.

Personalidad: Procura mantenerse siempre ecuánime y posee un sentido innato de la justicia y el equilibrio, pero también cae con facilidad en ataques de ira y valora en exceso el poder y el triunfo. Es impaciente e impetuoso. Esta personalidad le hace, casi con seguridad, muy celoso.

Onomástica: 4 de julio.

AUSPICIO

Etimología: Nombre procedente del latín *auspicium,* «mando supremo».

Personalidad: Es un rebelde, un hombre que no se conforma con pensar que el mundo es como es, sino que desea cambiarlo. No acepta consejos ni órdenes de los demás: quierer probarlo todo por sí mismo. Suele tener algunos problemas por su su carácter independiente y su falta de respeto a los convencionalismos. Muy dotado para las profesiones liberales.

Onomástica: 8 de julio.

AUSTÍN

Etimología: Deriva del latín *Augustus,* «consagrado por los augures», más tarde «majestuoso, venerable».

Personalidad: Su dilema es hacer o no hacer. Está dotado de una infinita energía y capacidad de creación, pero... ¿debe utilizarla? Si vence su incertidumbre, dejará huella en el campo en que se lo proponga.

Onomástica: 28 de agosto.

Otros idiomas: Catalán: Agustí. Euskera: Agosti, Auxkin. Gallego: Agostiño. Bable:

Agustín. Inglés: Augustin, Austin. Francés y alemán: Augustin. Italiano: Agostino.

Avelino

Etimología: Nombre de origen latino, gentilicio de *Avella,* ciudad de Italia; o sea, «nacido en Avella».

Personalidad: Es muy equilibrado y posee un sentido innato de la justicia y el equilibrio, pero también cae con facilidad en ataques de ira y valora en exceso el poder y el triunfo. Es impaciente e impetuoso. Esta personalidad le hace, casi con seguridad, muy celoso.

Onomástica: 10 de noviembre.

Otros idiomas: Euskera: Abelin. Bable: Avelín, Velino.

Awan

Etimología: Nombre de los indios norteamericanos, que significa «pequeño roble».

Personalidad: Vive en su propio mundo, en sus pensamientos y fantasías. Reflexivo y poco convencional, por tanto, no es fácil que se atenga a los patrones sociales imperantes. Como pareja y como amigo también es un poco despistado, pero de sentimientos nobles y muy profundos. Suele conseguir lo que se proponga.

Onomástica: No tiene.

Axel

Etimología: Nombre hebreo que deriva de *Absalom,* «padre de la paz». En la historia bíblica, así se llamaba un hijo del rey David.

Personalidad: Hiperactivo y ligeramente inestable, tiene una tendencia no muy sana a tomárselo todo demasiado en serio, casi como un reto personal. Tiene la necesidad de estar siempre haciendo algo productivo, hasta tal punto que llega a agotar a todos los que le rodean. Pierde los nervios con facilidad y se enfada a menudo.

Onomástica: No tiene.

Azarías

Etimología: Nombre de origen hebreo que podría traducirse como «el Señor me sostiene y me guía».

Personalidad: Su principal característica es el exceso, en cualquier sentido. Lo mismo se trata de una personalidad excesivamente soñadora como de un materialismo consumado, de hedonistas y narcisistas como de estoicos que rozan el ascetismo. Hay que vigilar la tendencia a la indiscreción, así como al inconformismo.

Onomástica: 3 de febrero.

Azariel

Etimología: Nombre de origen hebreo que podría traducirse como «el Señor me sostiene y me guía».

Personalidad: Posee una personalidad carismática, seductora y fuerte. Es también idealista y perfeccionista, lo cual normalmente le lleva a tener elevadas ambiciones. En lo negativo, suele ser nervioso y autoritario.

Onomástica: 12 de mayo.

Azim

Etimología: Nombre árabe que significa «defensors».

Personalidad: ANecesita tener siempre una apariencia impecable, no soporta el desorden o la incoherencia y está demasiado pendiente de lo que opinan de él. Si cree que algo merece la pena, no le importa arriesgar todo lo que haga falta. En el amor prefiere ser conquistado a conquistar, porque necesita sentir que le prestan atención.

Onomástica: No tiene.

BAKARI

Etimología: Nombre que en swahili significa «noble promesa».

Personalidad: Es una persona muy simpática, afable e inteligente. Su problema principal es precisamente conseguir fijar su atención en actividades serias, porque se empeña en no crecer. En el amor busca una pareja que centre todas sus energías en él, aunque en la amistad es mucho más entregado.

Onomástica: No tiene.

BALBINO

Etimología: Deriva del latín *Balbinus,* «hijo de Balbo». Balbo, a su vez, proviene de *balbus,* «tartamudo».

Personalidad: Es un hombre analítico y bastante frío, aunque su vida está siempre marcada por la inceretidumbre y las dudas. Está lleno de energía y trabaja incansablemente por aquello que se propone, pero sin poner pasión ni sentimiento. Emprendedor y simpático, conquista a todos a pesar de su ligera altivez.

Onomástica: 31 de marzo.

Otros idiomas: Bable: Balbín, Balbo.

BALDEMAR

Etimología: Nombre de origen germánico, que significa «valiente, famoso».

Personalidad: Tiene una personalidad muy fuerte, actúa siempre con una contundencia y seguridad en sus opiniones que puede resultar chocante e incluso ofensiva. Pero no es igual en el amor, donde, sin embargo, le falta seguridad y le cuesta mantener sus conquistas. Quienes más le valoran son sus amigos y compañeros de trabajo.

Onomástica: No tiene.

BALDOMERO

Etimología: Proviene del germánico *baldmiru,* «famoso por su valor».

Personalidad: Apasionado, sencillo, valiente y siempre bienintencionado. Sin absolutamente nada de tacto. Resulta algo paternalista y odia que le lleven la contraria, pero es un gran admirador del refinamiento y la cultura en los demás.

Onomástica: 27 de febrero.

Otros idiomas: Catalán y euskera: Baldomer. Gallego: Baldomero. Italiano: Baldomero.

BALDUINO

Etimología: Deriva del germánico *bald-win,* «amigo valiente».

Personalidad: Analítico hasta el extremo, casi calculado. Por eso mismo es magnífico resolviendo problemas. Decidido y encantador, es sin embargo ligeramente vanidoso y necesita que los demás le confirmen que hace las cosas bien.

Onomástica: 15 de julio y 16 de octubre.

Otros idiomas: Catalán: Balduí. Inglés: Baldwin. Francés: Baudouin. Alemán: Balduin. Italiano: Baldovino.

BALRA

Etimología: Nombre hindú que significa «el más fuerte».

Personalidad: Son personas sencillas y auténticas. Detestan a los que actúan de una determinada manera sólo por guardar las apariencias y, por eso, prefieren que les digan las cosas a la cara, sin rodeos ni ambages. Odian la mentira y la hipocresía. Su sistema moral es simple pero incorruptible.

Onomástica: No tiene.

BALTASAR

Etimología: Nombre de origen asirio formado por *Bel-tas-assar,* «que Bel proteja al rey».

Personalidad: Tan sumamente perceptivo que adivina al punto las intenciones de los demás.

Ama la cultura, el conocimiento y, por encima de todo, la buena vida. Puede mostrarse hipersensible o incluso quisquilloso, ya que detesta que alguien turbe su tranquilidad. En el fondo es un solitario y le cuesta comprometerse.
Onomástica: 6 de enero.
Otros idiomas: Catalán y gallego: Baltasar. Euskera: Baldasar. Inglés y francés: Balthazar. Alemán: Balthasar. Italiano: Baldassare.

Bartolomé

Etimología: Nombre de raíces griegas por un lado y hebreas por otro, proviene de *bar-Tolmay*, «hijo de Ptolomeo».
Personalidad: Controlado, tenaz y perseverante. En el amor y con los amigos es tremendamente exigente. Demasiado sensible en ocasiones, no olvida fácilmente a los que le han hecho daño.
Onomástica: 24 de agosto.
Otros idiomas: Catalán: Bartomeu. Euskera: Bardol, Bertol. Gallego: Bartolomeu, Bartomeu, Bértalo. Bable: Bartuelo. Inglés: Bartholomew, Bartlemy. Francés: Barthélemy. Alemán: Bartholomäus. Italiano: Bartolomeo.

Baruch

Etimología: Del nombre hebreo *Baruk,* «bendito».
Personalidad: De gran energía, no suelen pasar desapercibidos, y tienen habilidades para el liderazgo y la innovación. No les gusta seguir las corrientes establecidas y se empeñan en la originalidad. En el lado negativo tienen cierta tendencia al egoísmo, la vanidad y el orgullo. También pueden ser excéntricos y demasiado dominantes.
Onomástica: 1 de mayo.
Otros idiomas: Catalán: Baruc.

Baruj

Etimología: Del nombre hebreo *Baruk,* «bendito».
Personalidad: El rasgo dominante de su personalidad es el alto dominio sobre sí mismo. Sabe medir sus capacidades, que suelen armonizar con todo lo que le rodea. Refinado, amable, simpático y de buen talante, suele hacer amigos con gran facilidad y le gusta ayudar a los demás. Quizá demasiado soñador.
Onomástica: 1 de mayo.
Otros idiomas: Catalán: Baruc.

Basileo

Etimología: Nombre de origen griego: deriva de *basileus,* «rey». Es una variante de *Basilio.*
Personalidad: Desarrolla una intensa vida social y siente un gran amor por el lujo y la comodidad, y tiene un carácter un tanto exigente, incluso con las personas queridas. Asu favor tiene la virtud de la simpatía y de inspirar grandes pasiones a su alrededor. Suele tener éxito en el mundo laboral.
Onomástica: 2 de marzo.

Basilio

Etimología: Nombre de origen griego: deriva de *basileus,* «rey».
Personalidad: Bonachón. Parece despreocupado, pero se esfuerza por mantenerse a la altura de lo que se espera de él. Es la persona idónea para recurrir cuando se está en apuros, ya que nunca falla.
Onomástica: 4 de marzo.
Otros idiomas: Catalán: Basili. Euskera: Baraxil, Bazil. Gallego y bable: Basilio. Inglés: Basil. Francés: Basile. Alemán: Basilius. Italiano: Basilio.

Basir

Etimología: Nombre turco que significa «inteligente.
Personalidad: Es un hombre inquieto, siempre en busca de nuevas aventuras y experiencias en todos los ámbitos de su vida. Se niega a ser conformista, ama la libertad y sólo acep-

tará un compromiso cuando esté profundamente seguro de que es eso lo que quiere. Aunque parezca alocado, sus actos siempre tienen un sentido.
Onomástica: No tiene.

BASTIÁN

Etimología: Nombre gallego que procede del griego *sebastós,* «venerado, augusto»
Personalidad: Es fuerte y determinado, y tiene una personalidad en absoluto manejable. Aunque corre el peligro de caer en la intransigencia, por su carácter obstinado e independiente, ejerce un gran magnetismo sobre sus amigos y compañeros. Tiene dificultades para sentirse satisfecho durante mucho tiempo seguido, lo cual le lleva a buscar continuos cambios en su vida.
Onomástica: 20 de enero.
Otros idiomas: Euskera: Sastin. Gallego: Bastián. Bable: Bastián, Sebastián. Inglés: Bastian. Alemán: Bastien. Italiano: Bastiano. Variante: Bastian.

BAUDELIO

Etimología: Del nombre latino *Baudilius,* de *boudi,* «victoria» Es una variante de *Baudilio.*
Personalidad: Tiene un gran dominio de sí mismo y sabe medir sus capacidades, de modo que suele acertar en sus decisiones más importantes. Tiene buen carácter, es amable y valora las cosas hermosas que le ofrece la vida. Suele hacer amigos con bastante facilidad y los conserva, porque le gusta ayudar a los demás. Tal vez un poco soñador.
Onomástica: 20 de mayo.
Otros idiomas: Catalán: Baudili, Boi, Baldiri. Euskera: Baudili. Francés: Baudel. Italiano: Battista.

BAUDILIO

Etimología: Del nombre latino *Baudilius,* de *boudi,* «victoria».
Personalidad: Posee una personalidad equilibrada, serena y con las ideas muy claras, aunque también es intuitivo y magnético. Valora el refinamiento y la integridad, la simpatía y la benevolencia. Suele ser idealista sin remedio si cree en una idea determinada.
Onomástica: 20 de mayo.
Otros idiomas: Catalán: Baudili, Boi, Baldiri. Euskera: Baudili. Francés: Baudel. Italiano: Battista.

BAUTISTA

Etimología: Nombre cristiano de origen griego. Deriva de *baptistes,* «el que bautiza».
Personalidad: Inteligente, creativo y cambiante. Muy versátil, es capaz de adaptarse a cualquier situación. Es muy pasional, pero pierde con mucha facilidad el interés por las cosas o las personas.
Onomástica: 2 de junio.
Otros idiomas: Catalán: Baptista. Euskera: Batista, Ugutz. Gallego: Bautista. Bable: Bautista (Tista). Francés: Baptiste. Italiano: Battista.

BEDA

Etimología: Nombre de origen germánico que significa «el que lucha».
Personalidad: La necesidad de crear es lo más importante de su personalidad, que suele ser muy artística. En lo sentimental valora mucho la estabilidad y, para conseguirla, se muestra a veces un poco egoísta. Es muy individualista e independiente, lo cual le hace algo autoritario.
Onomástica: 25 de mayo.

BELARMINO

Etimología: Es un derivado germánico del asirio *habel,* «hijo», al que se añade el adjetivo *hard,* «fuerte». Significa «hijo fuerte».
Personalidad: Protector, fuerte y seguro, le encanta sentirse útil, necesitado. Es un gran amigo y compañero. En su vida profesional es ambicioso, aunque quizá poco constante.

Onomástica: 2 de enero.
Otros idiomas: Bable: Belarmo (Mino), Belmiro.

Belisario

Etimología: Del griego *Belisarios,* de *Belos,* «saeta, arquero».
Personalidad: Su personalidad es muy creativa, entusiasta, sociable, optimista y muy espiritual. Tiene gran sentido práctico y es muy hábil en las actividades manuales. En contrapartida, puede ser algo intolerante y colérico, y a veces le cuesta concentrarse en una sola cosa.
Onomástica: 26 de noviembre.
Otros idiomas: Catalán: Belisari.

Beltrán

Etimología: Deriva del germánico *berath-raban,* «cuervo ilustre». El cuervo era el símbolo de Odín, dios de la inteligencia, por lo cual Beltrán se podría traducir metafóricamente como «ilustre por su inteligencia».
Personalidad: Vale mucho más de lo que aparenta. Es difícil que se valoren sus méritos, y parece estar siempre rodeado de gente dispuesta a apropiarse sus proyectos y sus éxitos. En el amor le ocurre algo similar.
Onomástica: 16 de octubre.
Otros idiomas: Catalán: Beltran, Bertan. Bable: Beltrán. Inglés, francés y alemán: Bertrand.

Bencomo

Etimología: Nombre guanche originario de Tenerife. Se conoce a un personaje con este nombre, poderoso mencey de Tahoro.
Personalidad: Es un rebelde, un hombre que no se conforma con pensar que el mundo es como es, sino que desea cambiarlo. No acepta consejos ni órdenes de los demás: quierer probarlo todo por sí mismo. Suele tener algunos problemas por su su carácter independiente y su falta de respeto a los convencionalismos.
Onomástica: No tiene.

Benedicto

Etimología: Forma antigua de *Benito,* que procede del latín *benedictus,* «bendito», a su vez compuesto por *benedico,* «hablar bien».
Personalidad: La pasividad y la indecisión son su principal problema: piensa y piensa y todo le parece con valores negativos y positivos. Es receptivo, sentimental y en el terreno laboral se vale muy bien de su espíritu de equipo. En lo sentimental, si se siente rechazado, es muy rencoroso.
Onomástica: 7 de mayo y 7 de julio.

Benigno

Etimología: Deriva del latín *benignus,* «benigno».
Personalidad: Creativo e ingenioso, pero tranquilo. Profundamente religioso. Es bueno por naturaleza, pero su afición a la soledad le convierte en un ser un tanto egoísta, que olvida los problemas sencillos de sus seres queridos para entregarse a profundas causas filosóficas.
Onomástica: 13 de febrero y 9 de noviembre.
Otros idiomas: Catalán: Benigne. Euskera: Benin, Onbera. Gallego: Benigno. Bable: Benino. Inglés: Bening. Francés: Bénigne. Alemán: Benignus. Italiano: Benigno.

Benildo

Etimología: Nombre de origen teutón que podría traducirse como «el que lucha contra los osos».
Personalidad: Posee fuerza y determinación, así como una personalidad difícilmente manejable. Obstinado e independiente, ejerce un gran magnetismo, aunque puede caer fácilmente en la intransigencia. Rara vez se siente contento durante mucho tiempo, así que busca cambios de ambiente o de escenario.
Onomástica: 13 de agosto.

Benito

Etimología: Procede del latín *benedictus,* «bendito», a su vez compuesto por *bene-dico,* «hablar bien».

Personalidad: Tímido y solitario, extremadamente introvertido. Idealista y soñador, trabaja sin descanso por aquello en lo que cree. Si logra vencer su pesimismo, puede ser un auténtico revolucionario.

Onomástica: 12 de enero y 11 de julio.

Otros idiomas: Catalán: Benet. Euskera: Benoat, Beñat. Gallego: Bento, Bieto, Bieito, Benedito. Bable: Benito. Inglés: Benedict. Francés: Benoit. Alemán: Benedickt. Italiano: Bendetto. Variantes: Benedicto.

Benjamín

Etimología: Deriva del hebreo *ben-ynm,* «hijo de mi mano derecha», es decir, «hijo predilecto». Hace alusión al hijo pequeño, que tradicionalmente es el favorito.

Personalidad: Benjamín es un hombre asaltado por las dudas; piensa demasiado y le cuesta decidirse a actuar, aunque cuando vence la incertidumbre se vuelve precipitado y temerario, prefiere no pensar para no quedarse parado.

Onomástica: 31 de marzo.

Otros idiomas: Catalán: Benjamí. Euskera: Benkamin. Gallego: Benxamín. Bable: Benxamín (Xamo), Xamín. Francés, inglés y alemán: Benjamin. Italiano: Beniamino.

Berenguer

Etimología: Del nombre germánico *Beringar,* «oso listo para el combate».

Personalidad: Posee fuerza y determinación, así como una personalidad difícilmente manejable. Obstinado e independiente, ejerce un gran magnetismo, aunque puede caer fácilmente en la intransigencia. Rara vez se siente contento durante mucho tiempo, así que busca cambios de ambiente o de escenario.

Onomástica: 2 de octubre.

Otros idiomas: Catalán: Berenguer. Francés: Bérenguer. Italiano: Berengario, Berlinghiero.

Bernabé

Etimología: Deriva del arameo *bar-nabwh,* «hijo de la profecía».

Personalidad: Es un volcán en reposo, pero latente. Callado, abnegado, es todo un ejemplo de modestia y generosidad. Pero, ¡ay del que consiga hacerle enfadar o le traicione!, porque es capaz de cualquier cosa. Amante de la verdad y del conocimiento, su gran aspiración es encontrarle un sentido a todo lo que ocurre en el mundo.

Onomástica: 11 de junio.

Otros idiomas: Catalán: Bernabé, Bernabeu. Euskera: Bernaba, Barnaba. Gallego: Bernabé, Bernabel, Bernabeu. Bable: Bernabel. Inglés y alemán: Barnabas. Italiano: Bernaba, Bàrnaba.

Bernardino

Etimología: Del nombre germánico *Bernardo.*

Personalidad: La estabilidad, la seguridad y la protección son sus ejes fundamentales. Se trata de personas con los pies en el suelo, aunque también ambiciosas, lo cual equilibra su carácter y les permite vivir una existencia activa y variada, repleta de situaciones que les permite crecer y aprender.

Onomástica: 20 de mayo.

Otros idiomas: Catalán: Bernardí. Euskera: Bernatin. Gallego: Bernaldino. Francés: Berdadin. Italiano: Bernardino.

Bernardo

Etimología: Deriva del germánico *berin-hard,* «oso fuerte».

Personalidad: Sincero, fiel y solidario. En ocasiones se muestra algo autoritario. Le resulta mucho más difícil solucionar sus propios problemas que los de los demás. Se preocupa hasta la obsesión por el qué dirán.

Onomástica: 15 de junio y 20 de agosto.

Otros idiomas: Catalán: Bernat, Bernard. Euskera: Benate, Beñer, Bernat. Gallego: Bernaldo, Bernal. Bable: Bernaldo. Inglés: Bernard, Barnad, Barnett. Francés: Bernard. Alemán: Bernhard.

Bertín

Etimología: Latinización del nombre germánico *Bert,* que significa «ilustre, famoso, brillante».

Personalidad: Es muy creativo, entusiasta, sociable y optimista. Aunque le gusta presumir de espiritual, lo cierto es que el sentido práctico es su principal virtud y es muy hábil en las actividades manuales. Debe vigilar cierta tendencia a la intolerancia y a las rabietas, y a veces se dispersa en demasiadas actividades.

Onomástica: 2 de mayo y 5 de septiembre.

Bertrán

Etimología: Deriva del germánico *berath-raban,* «cuervo ilustre». El cuervo era el símbolo de Odín, dios de la inteligencia, por lo cual podría traducirse metafóricamente como «ilustre por su inteligencia».

Personalidad: Vale mucho más de lo que aparenta. Es difícil que se valoren sus méritos, y parece estar siempre rodeado de gente dispuesta a apropiarse sus proyectos y sus éxitos. En el amor le ocurre algo similar.

Onomástica: 30 de junio y 6 de septiembre.

Otros idiomas: Catalán: Bertan. Inglés, francés y alemán: Bertrand.

Bibiano

Etimología: Del latín *vividus,* «vivo, animado, fogoso».

Personalidad: Extraordinariamente complejo, aunque al mismo tiempo sencillo. Vive plenamente, con mayúsculas: es Padre, Esposo, Amigo, Amante... y cuando se consagra a su trabajo, también lo hace plenamente. Siempre pone toda la carne en el asador..

Onomástica: 28 de agosto.

Bienvenido

Etimología: Nombre medieval cuyo origen se encuentra en la expresión latina *benevenutus,* «bienvenido». En un principio se aplicaba a los hijos muy deseados.

Personalidad: No soporta con facilidad que le lleven la contraria, y es propenso a los ataques de ira. Posee una gran imaginación e inteligencia, pero se deja invadir fácilmente por el desaliento.

Onomástica: 15 de mayo, 4 de julio.

Otros idiomas: Catalán: Benvingut. Gallego: Benvido. Francés: Bienvenu. Italiano: Benvenuto.

Blanco

Etimología: Nombre germánico que significa «blanco».

Personalidad: Es paciente, realista, y el sentido del deber y el orden son sus principales virtudes. Valora mucho la estabilidad en su vida, por lo que en el amor y la amistad es de una fidelidad absoluta. En lo negativo, cae con facilidad en la rutina y la avaricia.

Onomástica: 10 de agosto.

Blas

Etimología: Deriva del latín *blaesus,* «tartamudo», aunque su origen más remoto se encuentra en el griego *blaisos,* «zambo».

Personalidad: Conservador. Le gusta aparentar que es un hombre serio, intelectual, que desprecia los placeres mundanos, aunque en realidad no sea así en absoluto. Dotado de una inteligencia profunda, le apasionan las abstracciones, los números, las grandes teorías.

Onomástica: 3 de febrero.

Otros idiomas: Catalán: Blai, Blasi. Euskera: Baladi, Bladi. Gallego: Brais, Bras. Bable: Bras. Inglés: Blase. Francés: Blaise. Alemán: Blasius. Italiano: Biagio.

Bonifacio

Etimología: Proviene del latin *Bonifacio,* «benefactor», el que hace el bien.

Personalidad: Fuerte personalidad y don de mando, asume voluntarioso cuantas responsabilidades se le presenten; posee una gran ambición.

Onomástica: 5 de junio.

Otros idiomas: Catalán: Bonifaç, Bonifaci. Euskera: Bonipagui, Ongile. Gallego: Bonifacio. Bable: Bonifacio, Boni. Inglés: Boniface. Francés: Boniface. Alemán: Bonifatius, Bonifaz. Italiano: Bonifazio, Bonifacio.

Boris

Etimología: Nombre ruso que deriva del eslavo *borotj,* «guerrero combativo».

Personalidad: Exagerado en todo lo que hace, quizá porque le gusta ser el centro de atención. Es un acérrimo defensor de la justicia. Boris no pierde la oportunidad de enriquecerse mientras lucha por construir un mundo mejor. Sensible y dotado de un gran sentido del humor, le cuesta pasar desapercibido.

Onomástica: 24 de julio.

Otros idiomas: Catalán, inglés, francés, alemán e italiano: Boris.

Borja

Etimología: Abreviatura de Francisco de Borja, virrey de Cataluña del siglo XVI. En catalán, significa «barraca».

Personalidad: Creativo, pasional, magnético, el defecto más visible de Borja es que siente demasiada debilidad por la buena vida. Amante del ocio y de las diversiones frívolas, corre el riesgo de volverse un poco egoísta. Individualista e independiente, sin embargo es un gran trabajador, cuando entiende lo difícil que es mantener su nivel de vida sin trabajar para ello.

Onomástica: 3 de octubre.

Otros idiomas: Catalán: Borja.

Braham

Etimología: Nombre de origen hindú, que significa «creador».

Personalidad: Es como una niño: crédulo, ingenuo y alegre. Concede una gran importancia al amor y a la amistad durante toda su vida. En su profesión demuestra que es brillante, creativo y muy trabajador; tiene ambición, pero es comedido y valora tanto la lealtad que no se deja dominar por ella.

Onomástica: No tiene.

Brandán

Etimología: Nombre gallego de origen celta que significa «olor». Es un personaje lejendario que emigra mar adelante.

Personalidad: Le entusiasman los viajes y todo lo que tiene que ver con la aventura y la innovación. Es capaz de adaptarse a cualquier situación y ambiente. En su contra tiene ciertos inconvenientes, como la inestabilidad, la superficialidad y la falta de previsión, lo cual no le facilita una vida sentimental.

Onomástica: 29 de noviembre.

Brandon

Etimología: Nombre de origen inglés, que significa «la colina del faro».

Personalidad: Concede más importancia a lo espiritual que a lo material. Es paciente, con gran capacidad de estudio, lógica y análisis. Muy exigente consigo mismo y con los demás. Algo solitario e introspectivo, por lo que cae con facilidad en el pesimismo.

Onomástica: No tiene.

Braulio

Etimología: Nombre de origen germánico, aunque no queda muy claro si deriva de *brand,* «espada», o de *brau,* «toro».

Personalidad: Valiente y bondadoso, Braulio sale a menudo derrotado por su excesiva indecisión. En relaciones personales peca de exce-

siva timidez, pero una vez que la supera, se convierte en un auténtico seductor.
Onomástica: 26 de marzo.
Otros idiomas: Catalán: Brauli. Euskera: Baurli. Gallego: Braulio. Italiano: Braulione.

BREIXO

Etimología: Nombre gallego de origen latino, que significa «muy cierto».
Personalidad: Independiente y de carácter magnético. Aunque parezca un modelo a seguir, suele parecer lejano e inaccesible. Pero a veces se siente esclavo de esa imagen y le gusta permitirse una debilidad, que se perdona muy fácilmente.
Onomástica: 1 de noviembre.

BREOGÁN

Etimología: De nombre céltico *Breo,* y de, *Gan*, indicatio de clan o familia.
Personalidad: De gran energía, no suelen pasar desapercibidos, y tienen habilidades para el liderazgo y la innovación. No les gusta seguir las corrientes establecidas y se empeñan en la originalidad. En el lado negativo tienen cierta tendencia al egoísmo, la vanidad y el orgullo. También pueden ser excéntricos y demasiado dominantes.
Onomástica: No tiene.
Otros idiomas: Catalán: Breogan. Gallego: Breogán.

BRIAN

Etimología: Nombre de origen celta que podría traducirse como «el fuerte».
Personalidad: Emotivo, altruista e idealista. Fiel a sus amistades y amores, tiene gran necesidad de ayudar y compartir, tanto en lo material como en lo espiritual. Es influenciable, le cuesta ser realista y es algo desordenado. En lo espiritual, tiende también a padecer desórdenes ciclotímicos.
Onomástica: No tiene.

BRICCIO

Etimología: Nombre de origen celta que podría traducirse como «el fuerte».
Personalidad: La estabilidad, la seguridad y la protección son sus ejes fundamentales. Se trata de personas con los pies en el suelo, aunque también ambiciosas, lo cual equilibra su carácter y les permite vivir una existencia activa y variada, repleta de situaciones que les permite crecer y aprender.
Onomástica: 9 de julio.

BRODERIC

Etimología: Nombre de origen anglosajón, que significa «hijo del soberano».
Personalidad: Su gran pasión radica en la belleza. Es un gran amante del arte en todas sus manifestaciones, y en su propia vida. En el amor y con sus amigos se muestra impulsivo y apasionado. No le gusta trabajar en exceso y no es ambicioso, por lo que procura buscarse una profesión tranquila que le permita llevar una vida desahogada.
Onomástica: No tiene.

BRUNO

Etimología: Procede del germánico *prunja,* «coraza», y no de *brun,* «oscuro», como pudiera parecer.
Personalidad: Tozudo y obstinado. Puede ser orgulloso, pero también sincero y justo. Siente pasión por todo tipo de actividades intelectuales. En el amor y en la amistad se muestra solícito. Detesta actuar por conveniencia y siguiendo las pautas sociales.
Onomástica: 6 de octubre.
Otros idiomas: Catalán: Bru. Euskera: Burnon. Gallego: Bruno. Francés y alemán: Bruno. Italiano: Braulione, Brunetto.

BUENAVENTURA

Etimología: De procedencia latina, significa «buen augurio».

Personalidad: Es imprevisible y animoso, pero también algo dominante y autoritario. Busca la estabilidad y el matrimonio, aunque es excesivo su deseo de cambiarlo todo y su curiosidad y necesidad de libertad.

Onomástica: 15 de julio.

Otros idiomas: Catalán: Bonaventura. Euskera: Doatasun, Bonabendur. Gallego: Boaventura. Bable: Boaventura. Francés: Bonaventure. Italiano: Bonaventura.

CAIRO

Etimología: Nombre árabe, gentilicio de la capital egipcia.

Personalidad: Tiene un temperamento demasiado variable, nunca se puede estar seguro de cómo va a reaccionar. En el amor, raras veces será correspondido por la persona a quien realmente ama, aunque probablemente termine asentándose en una afable y placentera relación sustentada más por la amistad que por el amor pasional.

Onomástica: No tiene.

CALEB

Etimología: Del nombre hebreo *Kaleb,* «impetuoso, audaz». En la historia bíblica, compañero de Moisés.

Personalidad: Valiente, sale adelante pase lo que pase. A la hora de trabajar, es serio y responsable, prudente cuando las circunstancias lo requieren, aunque también es capaz de arriesgar. En el amor suele ser desgraciado, quizá porque le resulta difícil encontrar una compañera tan fuerte y segura como él misma.

Onomástica: No tiene.

Otros idiomas: Catalán: Caleb.

CALIXTO

Etimología: Nombre griego formado por el superlativo de *kalós, kállistos,* que significa «bellísimo».

Personalidad: Románticos empedernidos que dedican la vida entera a buscar a su alma gemela. Excesivamente imaginativos, les cuesta vivir en el mundo real. Inquietos y pasionales, podría decirse que desprecian el llamado autocontrol y el racionalismo.

Onomástica: 14 de octubre.

Otros idiomas: Catalán: Calixt, Calixte, Cal.listo. Euskera: Calista. Gallego y bable: Calisto. Inglés: Callistus. Francés: Calixte. Alemán: Kalixt. Italiano: Callisto. Variante: Calisto.

CALÓGERO

Etimología: Nombre griego que significa «buen viejo». Algunos etimologistas ven en esta palabra la designación de «monje».

Personalidad: Inteligente y creativo, es, sin embargo, demasiado perezoso. Devoto de las comodidades, aunque no le gusta el lujo excesivo. Busca una vida relativamente tranquila, sin grandes sobresaltos. En el amor le falta un poco de confianza en sus posibilidades, por lo cual suele refugiarse en una actitud distante.

Onomástica: 18 de abril y 19 de mayo.

CALVIN

Etimología: Nombre de origen latino, que significa «valiente».

Personalidad: Es un hombre introvertido, muy encerrado en sí mismo y hasta podría decirse que algo huraño. Algunos dicen que peca un poco de misantropía, que desprecia al género humano; pero la realidad es que no logra comprender al resto de las personas, le parecen demasiado complicadas. Aun así, suele encontrar energías para intentar cambiar su mundo.

Onomástica: No tiene.

CAMERON

Etimología: Nombre de origen escocés, que significa «nariz torcida».

Personalidad: Alegre y feliz, rebosa simpatía e imaginación, y rechaza por principio cualquier prejuicio o convención social. Sin embargo, es muy terco y no soporta que le lleven la contraria. Además, puede llegar a ser un poco excéntrico y egoísta, lo cual le hace pensar que no es comprendido.

Onomástica: No tiene.

Camilo

Etimología: Algunos consideran que deriva de *Camilos,* uno de los dioses de los Cabirios. Otros opinan que proviene del griego *kadmilos,* «nacido de justas bodas». También podría tener su origen en el etrusco *casmillus,* «ministro», o incluso en el hebreo *kadm-El,* «mensajero de Dios».

Personalidad: Metódico y equilibrado, le asusta tremendamente el caos y las pasiones incontrolables. De ideas fijas y convicciones profundas. Ligeramente inseguro, necesita el afecto y la comprensión de los demás. Suele entregarse a relaciones tranquilas y racionales.

Onomástica: 14 de octubre y 14 de julio.

Otros idiomas: Catalán: Camil. Euskera: Kamil. Gallego y bable: Camilo. Inglés: Camillus. Francés: Camille. Alemán: Kamill. Italiano: Camillo.

Cancio

Etimología: Del latín *cantio,* «canción».

Personalidad: Es quizá demasiado idealista, por lo que concede más importancia a lo espiritual que a lo material. Es paciente, con gran capacidad de estudio, lógica y análisis. Sin embargo, es muy exigente consigo mismo. Cae con facilidad en el pesimismo y se aísla de los demás.

Onomástica: 31 de mayo.

Otros idiomas: Bable: Canciano.

Cándido

Etimología: Del latín *candidus,* «blanco».

Personalidad: Aunque su nombre signifique blanco, su color es el rojo. Pasional, optimista y autoritario, posee un agudo sentido de la realidad que le evita luchar por causas perdidas. En ocasiones resulta algo imprudente. Tiene una voluntad de hierro y es algo intolerante.

Onomástica: 3 de octubre.

Otros idiomas: Catalán: Càndid, Candi. Euskera: Kandidi. Gallego y bable: Cándido. Francés: Candide. Italiano: Candido.

Carim

Etimología: Nombre árabe que podría traducirse como «generoso».

Personalidad: Emotivo, altruista e idealista. Fiel a sus amistades y amores, tiene gran necesidad de ayudar y compartir, tanto en lo material como en lo espiritual. Es influenciable, le cuesta ser realista y es algo desordenado. En lo espiritual, tiende también a padecer desórdenes ciclotímicos.

Onomástica: No tiene.

Canuto

Etimología: Es un nombre germánico llevado por diferentes reyes de Dinamarca e Inglaterra, que significa «necesidad, lo necesario».

Personalidad: Su verdadera preocupación es la justicia y el equilibrio, tanto en su vida personal como en la sociedad. Pero le cuesta conseguirlo, porque valora en exceso el triunfo y el poder, y es propenso a sufrir ataques de ira. En su vida sentimental puede ser algo posesivo y celoso

Onomástica: 19 de enero.

Carlos

Etimología: De origen germánico, deriva de *karl,* «viril, dotado de gran inteligencia».

Personalidad: Carlos es un animal social, que vive fundamentalmente para relacionarse con los demás. Es enormemente afectivo y cariñoso. Quizá un poco susceptible, suele quejarse de que su familia no le comprende. Es trabajador, aunque con ocasionales ataques de pereza. Sufre frecuentes altibajos anímicos

Onomástica: 4 de noviembre.

Otros idiomas: Catalán: Carles. Euskera: Xarles. Gallego: Carlos, Calros. Bable: Carlos,

Calros, Carolo. Inglés y francés: Charles. Alemán: Karl, Carl. Italiano: Carlo.

CARMELO

Etimología: Del hebreo *karm-El,* «jardín de Dios». El monte Carmelo, situado en el desierto entre Galilea y Samaria, siempre ha tenido una especial importancia religiosa, tanto para los judíos como para los cristianos.
Personalidad: Es una místico, persigue la justicia universal, pero con toques de frivolidad que impide que la gente le tome realmente en serio. Independiente, es incapaz de mentir en el amor o en la amistad.
Onomástica: 16 de julio.
Otros idiomas: Catalán: Carmel. Euskera: Karmel.

CARTER

Etimología: Nombre de origen inglés, que significa «conductor de carro».
Personalidad: Vive mucho más de cara al exterior que para sí mismo. En realidad es tierno y afectuoso, y está muy necesitado de cariño, pero considera que estas características son signos de debilidad, y prefiere ocultarlas. Enseguida se encariña con la gente, pero también puede ser cruel.
Onomástica: No tiene.

CASANDRO

Etimología: Nombre de origen griego que podría traducirse como «el hermano del héroe».
Personalidad: Su principal característica es el exceso, en cualquier sentido. Lo mismo se trata de una personalidad excesivamente soñadora como de un materialismo consumado, de hedonistas y narcisistas como de estoicos que rozan el ascetismo. Hay que vigilar la tendencia a la indiscreción, así como al inconformismo, que le hace perder amistades y perder ocasiones de afianzarse laboralmente.
Onomástica: No tiene.

CASIANO

Etimología: De *Cassianus,* patronímico de *Cassius,* «yelmo».
Personalidad: Posen una personalidad marcada por el impulso de creación. Es algo autoritario, individualista e independiente. Valora la estabilidad en su vida y para conseguirla a veces se muestra autoritario y egoísta.
Onomástica: 16 de abril, 5 de agosto y 3 de diciembre.
Otros idiomas: Catalán: Cassià, Cassà. Euskera: Kasen. Gallego: Casiano. Bable: Casián, Casiano. Italiano: Cassiano.

CASILDO

Etimología: A pesar de la similitud fonética con el verbo árabe *kassilda,* «cantar», se cree que deriva del germánico *hathu-hild,* «el combativo».
Personalidad: Tierno y afectuoso, esconde bajo su apariencia delicada la fuerza de un roble. De lágrima fácil. Pero es tenaz y decidido, capaz de luchar sin rendirse por aquello que quiere o por lo que cree.
Onomástica: 9 de mayo.

CASIMIRO

Etimología: Del polaco *Kazimurz,* significa «el que impone la paz».
Personalidad: Es tranquilo y conciliador. No soporta los conflictos y procura que a su alrededor reine la armonía, aunque para ello tenga que ceder. Es generoso e idealista.
Onomástica: 4 de marzo.
Otros idiomas: Catalán: Casimir. Euskera: Kasimir. Gallego: Casomiro. Bable: Arximiro, Casomiro (Miro). Inglés: Casimir. Francés: Casimir.

CASIO

Etimología: Del nombre romano *Cassius,* de *cassi,* «yelmo».
Personalidad: La estabilidad, la paciencia, la organización, el realismo, el sentido del deber

y el orden son sus principales virtudes. En lo sentimental y con sus amistades son de una fidelidad absoluta. Por contra, caen con facilidad en la rutina y la avaricia.
Onomástica: 15 de mayo y 29 de junio.
Otros idiomas: Catalán: Cassi, Càssius. Euskera: Kasi. Bable: Casio. Italiano: Cassio.

Casper

Etimología: Nombre de origen germánico, que significa «imperial». También es nombre persa, que deriva de *Kansbar,* «administrador del tesoro».
Personalidad: Hiperactivo y ligeramente inestable, tiene una tendencia no muy sana a tomárselo todo demasiado en serio, casi como un reto personal. Tiene la necesidad de estar siempre haciendo algo productivo, hasta tal punto que llega a agotar a todos los que le rodean. Pierde los nervios con facilidad y se enfada a menudo.
Onomástica: No tiene.
Otros idiomas: Inglés: Jasper, Caspar. Francés: Gaspard. Alemán: Kaspar, Kasper. Italiano: Gaspare.

Casto

Etimología: Del latín *Castus,* «casto».
Personalidad: Su personalidad es conflictiva, por lo que suele encontrar dificultades para encontrarse a gusto consigo mismo. También es algo vacilante y no muy enérgico. Sin embargo, posee un cierto espíritu aventurero, incluso algo temerario, y es de una lealtad inquebrantable.
Onomástica: 6 de octubre.
Otros idiomas: Catalán: Cast. Euskera: Kasta. Gallego: Casto.

Cástor

Etimología: En la mitología griega, Cástor y Pólux eran los gemelos Dióscuros, hijos de Leda y de Zeus.
Personalidad: Su principal característica es el exceso, en cualquier sentido. Lo mismo se trata de una personalidad excesivamente soñadora como de un materialismo consumado, de hedonistas y narcisistas como de estoicos que rozan el ascetismo. Hay que vigilar la tendencia a la indiscreción, así como al inconformismo.
Onomástica: 13 de febrero.
Otros idiomas: Catalán: Càstor. Euskera y gallego: Castor. Alemán: Castor: Italiano: Castore.

Cástulo

Etimología: Del latín *Castus,* «casto». Se forma como hipocorístico de *Casto.*
Personalidad: Transmite gran confianza entre sus amigos y compañeros de trabajo, por su espíritu seductor y fuerte. Es también idealista y perfeccionista en todo lo que emprende, lo cual le permite conseguir grandes logros. La parte negativa de su carácter es que puede llegar a volverse autoritario e impaciente.
Onomástica: 12 enero, 15 febrero, 26 marzo y 30 noviembre.

Cayetano

Etimología: Gentilicio latino para los habitantes de Caieta, la actual Gaeta, un puerto de la Campania.
Personalidad: No suelen ser excesivamente comunicativos. Tímidos y retraídos, les cuesta llegar a confiar en la gente y tienen un carácter bastante frío. Les gusta lo tradicional, lo tranquilo, lo conocido en definitiva. Con extraordinarias dotes organizativas, suelen ser excelentes jefes.
Onomástica: 7 de agosto.
Otros idiomas: Catalán: Gaietà, Caetà, Caietà. Euskera: Kadet, Kaiet, Kaitan. Gallego: Caetano, Caio, Caitán. Bable: Caitano (Cai), Gaitano, Gaitán, Tano. Francés: Gaétan. Alemán: Kajetan. Italiano: Gaetano.

Cayo

Etimología: Nombre de origen latino, cuyo significado es «alegre».

Personalidad: Posee el impulso de la creación que produce la inspiración. Necesita perseguir ideales y emociones utópicos, por su carácter idealista y perfeccionista. Goza también de ambiciones muy positivas. La parte negativa es la facilidad con que cae en la extravagancia y su tendencia al desánimo.

Onomástica: 27 de septiembre.

Otros idiomas: Catalán: Caius. Euskera: Kai. Bable: Cayo.

Cebrián

Etimología: Nombre de origen latino que hace referencia a los nacidos en la isla de Chipre.

Personalidad: Es un hombre repleto de vida que siempre rebosa optimismo y felicidad. Nunca se le ha visto deprimido. Siempre está entregado a alguna actividad, ya que le gusta disfrutar de la vida al máximo. En lo que se refiere al terreno sentimental, no le gustan demasiado los compromisos.

Onomástica: 16 y 26 de septiembre.

Cecilio

Etimología: Del etrusco *celi,* que significa «septiembre».

Personalidad: Inconformista donde los haya, está siempre dispuesto a cambiar el mundo. Presenta una personalidad cambiante. Le cuesta mucho fijarse un camino. Puede parecer muy extrovertido, pero en realidad es cuidadoso y selectivo.

Onomástica: 15 de mayo.

Otros idiomas: Catalán: Cecili. Euskera: Koikilli. Gallego: Cecilio. Bable: Cilio. Inglés: Cecil. Italiano: Cecilio.

Ceferino

Etimología: Deriva del latín *Zephyrus,* «viento suave del oeste».

Personalidad: Inteligente y creativo, no sabe lo que es estar sin hacer nada. Es extremadamente tímido y, para tratar con los demás, se refugia bajo una máscara de desdén que no le ayuda nada a conseguir amistades.

Onomástica: 26 de mayo o el 4 de mayo, en honor del primer beato gitano: Ceferino Giménez Malla.

Otros idiomas: Catalán: Ceferí. Euskera: Tzepirin, Tzeferin, Keperin, Xefe. Gallego: Ceferí, Zeferí. Bable: Cefero (Fero). Francés: Zéphyrin. Alemán: Zephirin. Italiano: Zeffirino.

Celedonio

Etimología: Variante del nombre latino *Celonio,* «golondrina».

Personalidad: Se trata de una persona extraordinariamente compleja y de reacciones inesperadas. Le gusta vivir plenamente, con mayúsculas: cuando se consagra a su trabajo, también lo hace de lleno, absolutamente, sin reservas. Podría decirse que en todos los campos de su vida siempre pone toda la carne en el asador.

Onomástica: 3 de marzo.

Otros idiomas: Euskera: Zeledon, Zernin. Bable: Celín.

Celestino

Etimología: Del latín *caelestis,* «del cielo».

Personalidad: Soñadores, o quizá sabios distraídos. Nunca mantienen los pies en el suelo. Profundamente intelectuales, les cuesta comprender las relaciones humanas. Ligeramente ingenuos.

Onomástica: 2 y 19 de mayo.

Otros idiomas: Catalán: Celestí. Euskera: Zeruko. Gallego: Celestino, Cilistro. Bable: Ce-

lesto. Inglés: Celestine. Francés: Celestin. Italiano: Celestino.

Celio

Etimología: Deriva de la gens romana *Coelia,* que dio nombre a una de las siete colinas de Roma.

Personalidad: Vitalista, amante de los placeres y muy hábil para lograr sus objetivos. Aunque no posee una excesiva imaginación. En el amor le cuesta llegar a confiar en alguien, pero cuando lo hace se entrega con ardor y devoción.

Onomástica: 22 de noviembre.

Otros idiomas: Catalán: Celi.

Celso

Etimología: Deriva del latín *Celsus,* «excelso».

Personalidad: Su problema principal es la pasividad y la indecisión, le parece que todo posee valores negativos y positivos. Es receptivo, sentimental y posee un gran espíritu de equipo. Cuando se siente rechazado, desarrolla una enorme capacidad de destrucción.

Onomástica: 28 de julio.

Otros idiomas: Catalán: Cels. Euskera: Keltsa. Gallego y bable: Celso. Francés: Celse. Italiano: Celso.

César

Etimología: Procede de *Cognomen* de la familia romana de los Julio César, que deriva de *caesaries*, «melena», en alusión a la deslumbrante cabellera de que disfrutaban los antepasados del famoso Julio (aunque éste era calvo desde su juventud).

Personalidad: Líder nato. Orgulloso y dominante, sin embargo sabe controlarse a la perfección. Ambicioso y seductor, esconde a un auténtico sentimental que necesita fervorosamente amar y ser amado.

Onomástica: 15 de marzo y 26 de agosto.

Otros idiomas: Catalán: Cèsar. Euskera: Kesar. Gallego y bable: César. Inglés: Caesar. Francés: Casar. Alemán: Cäsar. Italiano: Cesare. Variante: Cesáreo.

Cesáreo

Etimología: Procede de *Cognomen* de la familia romana de los Julio César, que deriva de *caesaries*, «melena», en alusión a la deslumbrante cabellera de que disfrutaban los antepasados del famoso Julio (aunque éste era calvo desde su juventud). Podría traducirse como «seguidor del César».

Personalidad: Concede más importancia a lo espiritual que a lo material. Es paciente, con gran capacidad de estudio, lógica y análisis. Muy exigente consigo mismo y con los demás. Algo solitario e introspectivo, por lo que cae con facilidad en el pesimismo. Le cuesta decidirse a vivir en pareja.

Onomástica: 15 de marzo y 26 de agosto.

Otros idiomas: Gallego: Cesáreo. Bable: Cesario (Chayo).

Chandler

Etimología: Nombre de origen inglés, que significa «candelero».

Personalidad: Es una persona muy sensible, por más que intente disimularlo. Bajo su apariencia fría, segura y un poco despreocupada, hay un hombre que está siempre pendiente de lo que los demás dicen o hacen y de la actitud que tienen hacia él. Su gran placer consiste en ayudar a los que le rodean a ser felices.

Onomástica: No tiene.

Chane

Etimología: Nombre swahili que significa «serio».

Personalidad: Humanista y entregado por naturaleza: para ser feliz necesita sentir que es útil a los demás. No entiende el egoísmo ni la

falta de compromiso:él, realmente, no puede descansar sabiendo que hay alguien que necesita su ayuda. El problema consiste en que es demasiado crítico consigo mismo.
Onomástica: No tiene.

CHASKA

Etimología: Nombre de los indios sioux, que significa «primogénito».
Personalidad: De carácter sereno, tranquilo y hasta un poco parsimonioso. De inteligencia profunda y muy dotado para la meditación. Sin embargo, parece que le cuesta mucho conciliar sus planteamientos intelectuales con un plan concreto de actuación. Su ideal es ser el cerebro de alguna clase de sociedad, de modo que sean los demás los que llevan a la práctica sus numerosas ideas.
Onomástica: No tiene.

CHAYTON

Etimología: Nombre de los indios dakota, que significa «halcón».
Personalidad: Es un hombre dinámico y activo. La alegría parece empapar cada uno de sus actos, y a la gente le gusta estar cerca de él por su optimismo contagioso. Le gusta que los demás dependan de él en cierta medida, aunque su sentido de la independencia le impide ser él mismo el que necesite a otra persona.
Onomástica: No tiene.

CHEN

Etimología: Nombre chino cuyo significado es «grande, tremendo».
Personalidad: Sensible y fuerte al mismo tiempo. Necesita ser original, aunque muchas veces no sabe muy bien cómo hacerlo. Le gusta sentir que es él quien domina la situación, y no soporta que los demás no le hagan caso o que no hagan lo que él quiere. De joven es un idealista soñador.
Onomástica: No tiene.

CHEROKEE

Etimología: Gentilicio cherokee, que significa «pueblo de idioma distinto».
Personalidad: Recto, tranquilo, equilibrado, es una de esas personas que procura no decir nunca una palabra más alta que otra. Extremadamente comprensivo, para sus amigos se convierte en un inmejorable apoyo. En su profesión es ambicioso y puede llegar a mostrarse intransigente con las debilidades ajenas.
Onomástica: No tiene.

CHESMU

Etimología: Nombre indio norteamericano que significa «valiente».
Personalidad: Es lento pero seguro. Sus decisiones siempre se hacen esperar y están profundamente meditadas, pero una vez que han sido tomadas, nada en el universo es capaz de hacer que no se cumplan. Y es que es implacable. Puede ser el mejor de los amigos, y sin duda un apoyo inmejorable en situaciones difíciles.
Onomástica: No tiene.

CHEYENNE

Etimología: Gentilicio de la tribu india norteamericana del mismo nombre.
Personalidad: Juguetón y caprichoso, puede parecer que no le da importancia a casi nada, pero realmente le toma mucho cariño a la gente y sufre agudas decepciones cuando alguien le falla. Aunque sin mala intención, es demasiado impulsivo y poco reflexivo, así que raramente piensa antes de actuar.
Onomástica: No tiene.

CHOIM

Etimología: Nombre guanche de procedencia desconocida. Un niño con este nombre fue vendido en Valencia en 1494.
Personalidad: Es paciente, realista, y el sentido del deber y el orden son sus principales vir-

tudes. Valora mucho la estabilidad en su vida, por lo que en el amor y la amistad es de una fidelidad absoluta. En lo negativo, cae con facilidad en la rutina y la avaricia.

Onomástica: No tiene.

CHUI

Etimología: Nombre swahili que significa «leopardo».

Personalidad: Orgulloso e independiente, astuto y decidido, implacable con sus enemigos y capaz de casi cualquier cosa para conseguir sus objetivos. Su modo de afrontar los problemas es quizá un poco retorcido. Defiende su territorio y a su familia con uñas y dientes.

Onomástica: No tiene.

CIDRE

Etimología: Nombre gallego equivalente de *Isidoro,* de etimología mixta greco-egipcia: procede de *Isis-doron,* «regalo de la diosa Isis».

Personalidad: Es más justo que generoso. Siente un gran amor por el conocimiento, aunque muchas veces se vea obligado a abandonar la erudición para dedicarse a terrenos más lucrativos. Con su familia y sus amigos se muestra afable y protector, y en su actitud siempre hay una nota humorística. Suele ser una persona apegada al trabajo manual y a los placeres tranquilos.

Onomástica: 15 de mayo.

Otros idiomas: Catalán: Isidre. Euskera: Isidor, Isidro. Gallego: Cidre, Isidro. Bable: Sidor (Doro, Dorio). Inglés y francés: Isidore. Alemán: Isidorus. Italiano: Isidoro.

CIPRIANO

Etimología: De origen grecolatino, deriva de *cyporianus,* gentilicio para la isla de Chipre

Personalidad: Muy activo, pero reservado. Cipriano da siempre la falsa impresión de estar muy ocupado. Le gustan los riesgos, tanto en lo personal como en lo profesional, y durante toda su vida verá muy lejano aquello de sentar la cabeza.

Onomástica: 14 y 16 de septiembre.

Otros idiomas: Catalán: Cebrià. Euskera: Kipiren. Gallego: Cibrán. Inglés y alemán: Cyprian. Francés: Cyprien.

CIRENEO

Etimología: Nombre de origen griego, gentilicio de *Cirene,* «natural de Cirene.

Personalidad: Sereno, con las ideas muy claras, seguro de sí mismo y con facilidad para las relaciones sociales. Valora el refinamiento, pero sobre todo el buen carácter, la lealtad y la integridad de sus amigos. En el amor es muy exigente. Si cree plenamente en una causa o idea, pone todo su empeño en ella.

Onomástica: 1 de noviembre.

CIRÍACO

Etimología: Proviene del griego *Kyriakos,* «amos a Dios».

Personalidad: Es un hombre serio, servicial, concienzudo y disciplinado. Muy activo y obstinado, sabe organizarse muy bien en la vida.

Onomástica: 8 de agosto.

Otros idiomas: Catalán: Ciriac. Euskera: Kiureka. Gallego: Ciriaco. Bable: Ciriaco. Francés: Cyriaque.

CIRILO

Etimología: Del griego *kyrios,* «señor».

Personalidad: Peca de un exceso de imaginación. Su problema radica en que es muy sugestionable. Capaz de sentir el más agudo de los terrores, Es, sin embargo, valiente porque lucha por controlar su miedo. En el amor es muy protector, probablemente porque teme mucho la soledad.

Onomástica: 20 de marzo.

Otros idiomas: Catalán: Ciril. Euskera: Kuiril. Gallego: Cirilo. Bable: Cirilo. Inglés: Cyril.

Francés: Cyrille. Alemán: Kyrill. Italiano: Cirillo.

CIRO

Etimología: Deriva del persa *kuru,* «trono», que a su vez pasó al griego como nombre del rey de reyes Ciro el Grande en la forma de *Kyrós.*

Personalidad: Valiente y orgulloso, Ciro ha nacido para ser un luchador. Rezuma encanto y simpatía, es extrovertido y sabe cómo ganarse a la gente. Fiel. Es amante de la buena vida y del refinamiento.

Onomástica: 31 de enero.

Otros idiomas: Catalán: Cirus. Euskera: Kuir. Bable: Ciro. Inglés y francés: Cyrus. Alemán: Cyrus, Kyros. Italiano: Ciro.

CLAUDIO

Etimología: Deriva de la gens romana *Claudia,* cuy nombre se remonta a la época de los etruscos. Se desconoce su significado.

Personalidad: Busca el éxito fácil. Y la mayoría de las veces lo consigue. En el amor es reservado, ya que le resulta mucho más fácil amar que ser amado.

Onomástica: 23 de agosto.

Otros idiomas: Catalán: Claudi. Euskera: Kauldi. Gallego: Claudio, Clodio, Cloio. Inglés: Claude, Claudius. Francés: Claude. Alemán: Claudius, Claus.

CLAUS

Etimología: Deriva de la gens romana *Claudia,* cuy nombre se remonta a la época de los etruscos. Se desconoce su significado. Es una variante alemana de *Claudio.*

Personalidad: La estabilidad, la paciencia, la organización, el realismo, el sentido del deber y el orden son sus principales virtudes. En lo sentimental y con sus amistades son de una fidelidad absoluta. Por contra, caen con facilidad en la rutina y la avaricia.

Onomástica: 23 de agosto.

CLEMENTE

Etimología: Del latín *clemens,* «clemente, bueno, indulgente».

Personalidad: Sabe realmente perdonar. Intentar comprender a sus semejantes, disculpando sus fallos o maldades. Es poco activo y le cuesta tomar decisiones. Odia la hipocresía y la doblez y todo lo que no sea sencillo y humilde.

Onomástica: 23 de noviembre.

Otros idiomas: Catalán: Climent. Euskera: Kelemen. Bable: Clemencín, Clemente. Inglés: Clement. Francés: Clèment. Alemán: Klemens.

CLEMENTINO

Etimología: Del latín *clemens,* «clemente, bueno, indulgente».

Personalidad: Es quizá demasiado idealista, por lo que concede más importancia a lo espiritual que a lo material. Es paciente, con gran capacidad de estudio, lógica y análisis. Muy exigente consigo mismo. Cae con facilidad en el pesimismo y se aísla de los demás.

Onomástica: 23 de noviembre.

CLEOFÁS

Etimología: De origen griego, proviene de *Kléos,* «gloria», y *páter,* «padre», significa «gloria del padre».

Personalidad: Sensible, tranquilo y seductor. Es también un hombre serio y austero. Puede llegar a ser enérgico y obstinado, con gran ambición y deseos de conseguir poder y riqueza.

Onomástica: 25 de septiembre.

CLIFFORD

Etimología: Nombre de origen inglés que significa «acantilado sobre el río».

Personalidad: Es un hombre hogareño que desea pasar su vida del modo más apacible y

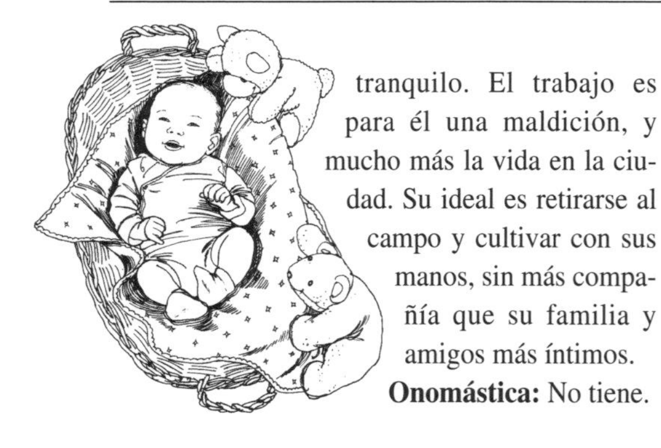

tranquilo. El trabajo es para él una maldición, y mucho más la vida en la ciudad. Su ideal es retirarse al campo y cultivar con sus manos, sin más compañía que su familia y amigos más íntimos.
Onomástica: No tiene.

CLODOMIRO

Etimología: Nombre de origen germánico que podría traducirse como «el de ilustre fama».
Personalidad: El rasgo dominante de su personalidad es el alto dominio sobre sí mismo. Sabe medir sus capacidades, que suelen armonizar con todo lo que le rodea. Refinado, amable, simpático y de buen talante, suele hacer amigos con gran facilidad y le gusta ayudar a los demás. Quizá demasiado soñador.
Onomástica: 1 de noviembe.
Otros idiomas: Bable: Clodio, Clodomiro.

CLORIS

Etimología: Del griego *chloros,* «hierba verde».
Personalidad: Concede más importancia a lo espiritual que a lo material. Es paciente, con gran capacidad de estudio, lógica y análisis. Muy exigente consigo mismo y con los demás. Algo solitario e introspectivo, por lo que cae con facilidad en el pesimismo.
Onomástica: No tiene.
Otros idiomas: Catalán: Cloris. Bable: Cloyo.

CLOVIS

Etimología: Del germánico *Hlodwig.* Es un derivado de *Clodoveo,* del mismo grupo de nombres que *Luis.*
Personalidad: Su personalidad es conflictiva, por lo que suele encontrar dificultades para encontrarse a gusto consigo mismo. También es algo vacilante y no muy enérgico. Sin embargo, posee un cierto espíritu aventurero, incluso algo temerario, y es de una lealtad inquebrantable.
Onomástica: 1 de noviembre.
Otros idiomas: Catalán: Clodoveu. Francés: Clovis. Italiano: Clodoveo.

COCHISE

Etimología: Nombre apache que significa «duro, difícil». Este nombre lo llevaba un famoso guerrero apache, que se levantó contra el avance del hombre blanco y el desplazamiento de los suyos.
Personalidad: No le gustan las convenciones sociales, porque busca puntos de vista propios. Ama su profesión y se dedica a ella con auténtico fervor, aunque no por ello descuida a su familia ni a sus amigos. Como padre, es muy cariñoso. Sentimental hasta la médula, tiene debilidad por las historias de amor y es un poco conquistador.
Onomástica: No tiene.

COLUMBANO

Etimología: Deriva del latín *palumbes,* «paloma». Es el masculino de *Paloma.*
Personalidad: Es, definitivamente, una hombre de muchas caras... Tiene una personalidad muy compleja. Por un lado, es fuerte, luchador y decidido, es muy ambicioso y procura parecer siempre un poco superior. Pero hay una parte de él que parece no estar a gusto consigo mismo ni con esa imagen.
Onomástica: 9 de junio.

CONAN

Etimología: Nombre de origen celta que significa «piadoso, elevado».
Personalidad: Es afectuoso y profundamente protector. No es demasiado imaginativo ni original, pero lo compensa con una impresionante capacidad de trabajo y una lealtad incorruptible. En el amor es algo ingenuo, pero prefiere

eso a volverse cruel o insensible. Es feliz si tiene una causa en la que ocuparse.
Onomástica: No tiene.

Conrado

Etimología: Del germánico *kuon-rat,* «consejero audaz».
Personalidad: Es simpático y adaptable, muy dado a la vida nocturna y a cualquier clase de juerga o diversión. Aunque su alma es profundas, detesta que los demás conozcan esta faceta de su carácter: prefiere mostrarse superficial y divertido. Le cuesta amar, pero cuando lo consigue, lo hace de verdad.
Onomástica: 1 de junio.
Otros idiomas: Catalán: Conrad. Euskera: Corrada. Gallego: Conrado. Bable: Conrao. Inglés y francés: Conrad. Alemán: Konrad. Italiano: Corrado.

Consorcio

Etimología: Del latín *consortium,* «consorcio, asociación, unión».
Personalidad: Le lleva tiempo encontrarse a gusto consigo mismo, por lo que tiene dificultades para llegar a descubrir su verdadero camino. Aunque vacila y no es muy enérgico, posee un cierto espíritu aventurero, incluso algo temerario, que le sirve de contrapeso. Es de una lealtad inquebrantable con sus amigos y en el amor.
Onomástica: 22 de junio.

Constancio

Etimología: Del latín *constantia,* «firmeza de carácter».
Personalidad: Y efectivamente, Constancia es firme, casi se diría que implacable. Las dificultades parecen no afectarle. Algo oportunista. Sin embargo, tiene un gran instinto protector hacia los débiles, y es capaz de sacrificar todo lo que ha conseguido por una causa que considere realmente justa.
Onomástica: 26 de agostoi.
Otros idiomas: Catalán: Constanci. Euskera: Iraunkor, Kostanza. Francés: Constans, Constance. Italiano: Costanzo.

Constantino

Etimología: Es un nombre propio latino, patronímico de *Constantius,* «hijo de Constancio», y éste deriva de *Constans,* «estable, firme, constante».
Personalidad: Metódico, organizado, elegante y con facilidad para asimilar conocimientos y experiencias, es adaptable y maleable, pero sabe hacer valer sus ideas con firmeza. Otra de sus cualidades es su sentido de la cooperación y de los negocios.
Onomástica: 27 de julio y 12 de octubre.
Otros idiomas: Catalán: Constantí. Euskera: Kostandin. Gallego: Constantino. Bable: Constante (Tantín, Tante). Francés: Constantin. Inglés: Constantine. Alemán: Konstandin. Italiano: Constantino. Variantes: Tino.

Cornelio

Etimología: Nombre de la gens romana *Cornelia,* una de las familias patricias más ilustres de Roma. Parece derivar de *corneus,* «córneo», aunque hay que precisar que en latín los cuernos no tenían ninguna acepción metafórica semejante a la castellana.
Personalidad: Presentan una aguda incapacidad para ser felices. Tienen todo lo que desean, se adaptan a la perfección a su ámbito social y a sus obligaciones, e incluso gozan de cierta fama y notoriedad. Pero siempre caen en la melancolía. Muy pasionales, saben, sin embargo, controlarse a la perfección.
Onomástica: 16 de septiembre y 31 de diciembre.
Otros idiomas: Catalán: Corneli, Cornell. Euskera: Korneli. Bable: Corián, Cornelio. Inglés: Cornelius. Francés: Corneille. Alemán: Kornelius. Italiano: Cornelio.

Cosme

Etimología: Del griego *kosmetes,* «pulido, adornado».

Personalidad: Presenta una extraña combinación de valor y abnegación. Inteligente y decidido, es capaz de conseguir prácticamente cualquier cosa. Sin embargo, su bondad natural y su entrega a los seres queridos muchas veces le llevan a renunciar al éxito y a las posibilidades de ascenso social y profesional.

Onomástica: 26 de septiembre.

Otros idiomas: Catalán: Cosme. Euskera: Kosma. Gallego: Cosme, Cosmede. Bable: Cosme. Inglés: Cosmas. Francés: Côme, Cosme. Italiano: Cossimo.

Crescencio

Etimología: Nombre latino que significa «el que crece».

Personalidad: Es un poco arrogante y no tolera con facilidad las críticas o las opiniones adversas. Tiene una imagen muy clara de cómo deben ser las cosas a su alrededor, incluso las personas. La familia para él es lo más importante y está dispuesto a cualquier sacrificio para sacarla adelante, aunque exige en los demás una actitud semejante.

Onomástica: 19 de abril.

Crisanto

Etimología: Nombre derivado del griego *Krisós,* «oro», y de *Anthos,* «flor»: «flor de oro», aunque la traducción más correcta sería «flor de hojas amarillas».

Personalidad: Le cuesta encontrarse a gusto consigo mismo, por lo que tiene dificultades para llegar a descubrir su verdadero camino. Aunque vacila y no es muy enérgico, posee un cierto espíritu aventurero, incluso algo temerario, que le sirve de contrapeso. Es de una lealtad inquebrantable.

Onomástica: 25 de octubre.

Otros idiomas: Bable: Cresanto.

Crisógono

Etimología: Nombre griego cuyo significado es «creador de riqueza»

Personalidad: Es un rebelde, un hombre que no se conforma con pensar que el mundo es como es, sino que desea cambiarlo. No acepta consejos ni órdenes de los demás: quierer probarlo todo por sí mismo. Suele tener algunos problemas por su su carácter independiente y su falta de respeto a los convencionalismos.

Onomástica: 24 de noviembre.

Crispín

Etimología: Ha derivado de *Crispus,* nombre de una familia romana.

Personalidad: Emotivo, altruista e idealista. Fiel a sus amistades y amores, tiene gran necesidad de ayudar y compartir, tanto en lo material como en lo espiritual. Es influenciable, le cuesta ser realista y es algo desordenado. En lo espiritual, tiende también a padecer desórdenes ciclotímicos.

Onomástica: 19 de noviembre.

Otros idiomas: Catalán: Crespí, Crispí. Euskera: Kispin. Francés: Crépin. Alemán: Crispin. Italiano: Crispino.

Crispo

Etimología: Del latín *Crispus,* nombre de una familia romana.

Personalidad: El rasgo dominante de su personalidad es el alto dominio sobre sí mismo. Sabe medir sus capacidades, que suelen armonizar con todo lo que le rodea. Refinado, amable, simpático y de buen talante, suele hacer amigos con gran facilidad y le gusta ayudar a los demás. Quizá demasiado soñador.

Onomástica: 4 de octubre.

Otros idiomas: Catalán: Crisp. Euskera: Kispa.

Críspulo

Etimología: Del latín *Crispus,* nombre de una familia romana.

Personalidad: El rasgo dominante de su personalidad es el alto dominio de sí mismo. Sabe medir sus capacidades, que suelen armonizar con todo lo que le rodea. Refinado, amable, simpático y de buen talante, suele hacer amigos con gran facilidad y le gusta ayudar a los demás. Quizá demasiado soñador.
Onomástica: 10 de junio.
Otros idiomas: Catalán: Crispul. Euskera: Kispul. Bable: Créspulo.

CRISTIAN

Etimología: Deriva del griego *Christós,* «el ungido».
Personalidad: Cristian es muy introvertido y melancólico. Sufre con facilidad, y por tanto se muestra frío y distante tanto en el amor como en la amistad. A veces resulta demasiado influenciable y pesimista, pero siempre se las arregla para salir adelante.
Onomástica: 7 de abril y 11 de noviembre.
Otros idiomas: Catalán: Cristià. Euskera: Kistain. Gallego: Cristiña. Francés: Christian. Alemán: Christian. Italiano: Cristiano.

CRISTO

Etimología: Nombre cristiano, derivado del griego *Christós,* «el ungido», aplicado al Mesías. Usado por los primitivos cristianos, que consideraban usar el nombre de Jesús como algo irreverente.
Personalidad: Por un lado busca la estabilidad, el orden y el rigor, y por el otro siente la necesidad de ir siempre adelante, de triunfar y de progresar en todo lo que emprende, contando con su facilidad para aprender sobre la marcha. Es capaz de esforzarse y luchar con orden y constancia.
Onomástica: 11 de noviembre.
Otros idiomas: Catalán: Crist. Euskera: Kixtin, Kristin. Gallego: Cristo. Bable: Cristo. Francés, inglés y alemán: Christ. Variantes: Cristián, Cristiano, Cristino.

CRISTÓBAL

Etimología: Deriva del griego *Christós-phéro,* «el que lleva a Cristo».
Personalidad: Aventurero por antonomasia, a Cristóbal le gusta buscar sus propios caminos y procura siempre abrir nuevas sendas para la humanidad. Tiene un agudo sentido de la lealtad.
Onomástica: 10 de julio.
Otros idiomas: Catalán: Cristèfor, Cristèfol. Euskera: Kistobal, Kristuel. Gallego: Cristovo. Bable: Cristóbalo. Inglés: Cristopher. Francés: Chirstophe. Alemán: Cristoph. Italiano: Cristòforo, Cristòfono.

CRISTOFER

Etimología: Deriva del griego *Christós-phéro,* «el que lleva a Cristo». Es una variante inglesa de *Cristóbal.*
Personalidad: Su impresión es que ha nacido en un tiempo que no le corresponde. Él necesita vivir fuera de la realidad, en un refugio de fantasía propio. Su carácter le da ventaja en profesiones relacionadas con la interpretación o la escritura. Por lo demás, tiene un corazón de oro y es capaz de desvivirse por ayudar a su prójimo.
Onomástica: 10 de julio.
Otros idiomas: Catalán: Cristèfor, Cristèfol. Euskera: Kistobal, Kristuel. Gallego: Cristovo. Bable: Cristóbalo. Inglés: Cristopher. Francés: Chirstophe. Alemán: Cristoph. Italiano: Cristòforo, Cristòfono.

CUGAT

Etimología: Nombre catalán de etimología discutida. Algunos creen que puede proceder de una lengua africana y otros que puede significar «capucha».
Personalidad: Desarrolla una intensa vida social y siente un gran amor por el lujo y la co-

modidad. Tiene un carácter exigente, incluso con las personas queridas. Es simpático e inspira grandes pasiones a su alrededor. Suele tener éxito en el mundo laboral.
Onomástica: 25 y 27 de julio.

Custodio

Etimología: Nombre de origen latino que podría traducirse como «ángel guardián».
Personalidad: Rebosa simpatía e imaginación, es un hombre bienintencionado y alegre, que rechaza por principio cualquier prejuicio o convención social. Sin embargo, es muy terco y no soporta que le lleven la contraria. Además, puede llegar a ser un poco excéntrico y egoísta, lo cual le hace pensar que no es comprendido.
Onomástica: 1 de marzo.

DABIR

Etimología: Nombre árabe que puede interpretarse como «tutor».

Personalidad: Es un hombre de carácter. Muy dado a las discusiones melodramáticas, aunque al final siempre acaba cediendo. Es extremadamente ambicioso en su vida personal y profesional. Aunque le encanta la intriga, es un buen amigo, pero un poco superficial.

Onomástica: No tiene.

DACIO

Etimología: Gentilicio latino de la Dacia: «oriundo o natural de Dacia».

Personalidad: Es equilibrado y posee gran encanto, por lo que está dotado para la diplomacia. También valora enormemente la belleza, la armonía y la capacidad de sacrificio. Por contra, es algo indeciso y dado al fatalismo y al exceso de perfeccionismo.

Onomástica: 14 y 27 de enero.

Otros idiomas: Bable: Dacio.

DADA

Etimología: Nombre yoruba que significa «de pelo rizado».

Personalidad: Es tozudo y obstinado, aunque no actúa con mala intención. Puede ser orgulloso, pero también sincero y justo. Siente pasión por todo tipo de actividades intelectuales y es dado a la polémica. En el amor y la amistad se muestra muy sólido. No soporta a las personas que actúan sólo por conveniencia.

Onomástica: No tiene.

DAGOBERTO

Etimología: Nombre de origen germánico que significa «resplandeciente como el Sol».

Personalidad: Posee una personalidad carismática, seductora y fuerte. Es también idealista y perfeccionista, lo cual normalmente le lleva a tener elevadas ambiciones. En lo negativo, suele ser nervioso y autoritario.

Onomástica: 9 de marzo.

DAILOS

Etimología: Nombre guanche originario de La Palma. Se sabe que un indígena con este nombre fue bautizado en Sevilla.

Personalidad: Es fuerte y determinado, y tiene una personalidad en absoluto manejable. Aunque corre el peligro de caer en la intransigencia, por su carácter obstinado e independiente, ejerce un gran magnetismo sobre sus amigos y compañeros. Tiene dificultades para sentirse satisfecho durante mucho tiempo seguido, lo cual le lleva a buscar continuos cambios.

Onomástica: No tiene.

DAKOTA

Etimología: Gentilicio de la tribu de indios norteamericanos del mismo nombre. Significa «hermano, amigo».

Personalidad: Desde niño tiene que luchar con su inseguridad. Tiende a compararse con los demás y en su fuero interno siempre sale malparado. Hay algo en su interior que le obliga a fijarse en los demás y esa falta de criterio puede convertirlo en un tipo excéntrico. Su verdadera meta en la vida es hallar a alguien que le proporcione la seguridad que tanto necesita.

Onomástica: No tiene.

DALMACIO

Etimología: Gentilicio de la Dalmacia, una región de los Balcanes, en el Adriático.

Personalidad: Posee una gran capacidad de adaptación, por lo cual le entusiasman los viajes y todo lo que requiera audacia e innovación. En lo negativo, su personalidad le acarrea

ciertos inconvenientes como accidentes, inestabilidad y superficialidad.

Onomástica: 3 de agosto.

Otros idiomas: Catalán: Dalmaci, Dalmau, Dalmai. Italiano: Dalmazio.

DALMIRO

Etimología: Nombre de origen germánico que podría traducirse como «ilustre por su nobleza».

Personalidad: Su carácter es muy creativo y posee el impulso que produce la inspiración. Le gustan las emociones y es muy dado a perseguir ideales utópicos. Es también idealista y perfeccionista, lo cual normalmente le lleva a tener elevadas ambiciones. La parte negativa es la facilidad con que cae en la extravagancia y su tendencia a la inestabilidad.

Onomástica: No tiene.

DALTON

Etimología: Nombre de origen anglosajón, que significa «ciudad del valle».

Personalidad: Tiene un aire de niño demasiado mimado. No soporta bien que le contradigan. Su principal preocupación es siempre la estética, por encima de la ética: que las cosas tengan un aspecto impecable, que su físico se mantenga... Aunque no es muy constante, sí es bastante ingenioso y divertido.

Onomástica: No tiene.

DAMAR

Etimología: Nombre norteamericano, que se forma como hipocorístico de *Marcus.*

Personalidad: Poco a poco, porque es muy trabajador, va construyendo a su alrededor un mundo a su medida. Cuando lo consigue, es del todo irrompible. No es que sea materialista, sino que necesita la seguridad de las cosas y las personas que le son familiares. Por lo demás, es muy cariñoso y solidario.

Onomástica: No tiene.

DÁMASO

Etimología: Proviene del griego *damasós,* «domador».

Personalidad: Dámaso es sinónimo de innovación y perseverancia. Le gusta viajar con el cuerpo y con la mente. Posee una especial hondura de sentimiento que no siempre le ayuda a ser feliz. Tiene una cierta predisposición a desilusionarse con el mundo y con la sociedad, en cuyo caso se construye su propio universo.

Onomástica: 11 de diciembre.

Otros idiomas: Catalán y euskera: Damas. Gállego y bable: Dámaso. Francés: Damase. Alemán: Damasus. Italiano: Damaso.

DAMIÁN

Etimología: Procede del griego *damianós,* «consagrado al culto de Damia». Damia es el sobrenombre de la diosa Cibeles.

Personalidad: Muy apegado a la tierra y a la propiedad, Damián es un hombre de fuertes pasiones. Con sus amigos se muestra jovial y divertido, sensible y muy solícito. Sin embargo, es exigente en extremo y tiende a llevar la amistad hasta sus últimas consecuencias: no es una persona de medias tintas.

Onomástica: 26 de diciembre.

Otros idiomas: Catalán: Damià. Euskera: Damen. Gallego y bable: Damián. Inglés y alemán: Damian. Francés: Damien. Italiano: Damiano.

DAN

Etimología: Nombre hebreo que significa «juez». Uno de los hijos de Jacob y de Bilha, que dio nombre a una de las doce tribus de Israel.

Personalidad: Sociable, seductor y comunicativo, es inteligente, ordenado y con una notable

habilidad manual. Muy curioso, le gusta investigar muchos temas, incluso los relacionados con el más allá.
Onomástica: No tiene.
Otros idiomas: Igual en todos los idiomas.

Daniel

Etimología: Del hebreo *dan-i-El,* «justicia de Dios».
Personalidad: Sus amigos suelen acusarle de ser demasiado independiente. Y es así: a Daniel le cuesta confiar en alguien más que en sí mismo. Por otro lado, odia desilusionar a la gente a la que estima.
Onomástica: 21 de julio.
Otros idiomas: Catalán, gallego y bable: Daniel. Euskera: Danel. Inglés, francés y alemán: Daniel. Italiano: Daniele.

Danilo

Etimología: Es el equivalente servo-croata de *Daniel.*
Personalidad: De gran energía, no suelen pasar desapercibidos, y tienen habilidades para el liderazgo y la innovación. No les gusta seguir las corrientes establecidas y se empeñan en la originalidad. En el lado negativo tienen cierta tendencia al egoísmo, la vanidad y el orgullo. También pueden ser excéntricos y demasiado dominantes.
Onomástica: 21 de julio.
Otros idiomas: Catalán: Daniel. Euskera: Danel. Inglés, francés y alemán: Daniel. Italiano: Daniele.

Dante

Etimología: Nombre de origen latino que podría traducirse como «de carácter firme».
Personalidad: El rasgo dominante de su personalidad es el alto dominio sobre sí mismo. Sabe medir sus capacidades, que suelen armonizar con todo lo que le rodea. Refinado, amable, simpático y de buen talante, suele hacer amigos con gran facilidad y le gusta ayudar a los demás. Quizá demasiado soñador.
Onomástica: No tiene.

Dardo

Etimología: Nombre de origen griego que podría traducirse como «astuto y hábil».
Personalidad: Es muy equilibrado y posee un sentido innato de la justicia y el equilibrio, pero también cae con facilidad en ataques de ira y valora en exceso el poder y el triunfo. Es impaciente e impetuoso. Esta personalidad le hace, casi con seguridad, muy celoso.
Onomástica: No tiene.

Darío

Etimología: Deriva del persa *darayavahush,* «el que mantiene el bien». Más tarde se latinizó como Dareus.
Personalidad: A Darío le encanta la gente. Encantador, simpático y sociable, siempre aparece rodeado de compañeros y admiradores. Sin embargo, le cuesta mantener a sus amigos, probablemente porque siempre quiere salirse con la suya, y es capaz de cualquier cosa por alcanzar sus objetivos.
Onomástica: 19 de diciembre.
Otros idiomas: Catalán: Darius. Euskera: Darí. Gallego: Darío. Bable: Dorio. Inglés y francés: Darius. Italiano: Darío.

Darshan

Etimología: En la religión hindú, uno de los nombres de Shiva.
Personalidad: A veces puede encontrarse en situaciones comprometidas por su sentido de la justicia: no soporta que se abuse de los débiles. Debe aprender a valorar las posibilidades ajenas, a no subestimar a los demás, aunque sea con ánimo protector. Por su carácter, tiende a relacionarse con personas que buscan protección.
Onomástica: No tiene.

David

Etimología: Del hebreo *dawich,* «amado».

Personalidad: Es completamente hermético, nunca revela sus sentimientos. Sin embargo, se muestra simpático y afectuoso, y tiene una enorme facilidad para entablar relaciones superficiales. Nunca pasa desapercibido. Es muy ambicioso.

Onomástica: 29 de diciembre.

Otros idiomas: Catalán, gallego y bable: David. Euskera: Dabi. Inglés: David. Francés y alemán: David. Italiano: Davide.

Dédalo

Etimología: Del griego *Daidalos,* «gracioso».

Personalidad: Su principal característica es el exceso, en cualquier sentido. Lo mismo se trata de una personalidad excesivamente soñadora como de un materialismo consumado, de hedonistas y narcisistas como de estoicos que rozan el ascetismo. Hay que vigilar la tendencia a la indiscreción, así como al inconformismo.

Onomástica: No tiene.

Otros idiomas: Catalán: Dèdal. Italiano: Dedalo.

Dekel

Etimología: Nombre tanto árabe como hebreo, que significa «palma datilera».

Personalidad: Le gusta estar en constante movimiento, buscar nuevos intereses, conocer nuevos lugares: su curiosidad se mantiene siempre viva. Necesita desempeñar profesiones que requieran poner en juego estas características, no soportaría una vida monótona o un trabajo mecánico. Es un amigo muy leal.

Onomástica: No tiene.

Delfín

Etimología: Deriva del griego *delphís,* que se traduce por el nombre del animal: «delfín».

Personalidad: Al contrario que los delfines, Delfín no se muestra nada sociable ni juguetón. Más bien es una persona seria, amable pero severa, que prefiere los placeres intelectuales antes que el trato con los demás. Tímido hasta el exceso, se rodea de un núcleo protector muy reducido. Es propenso a la melancolía.

Onomástica: 24 de diciembre.

Otros idiomas: Catalán: Delfí. Euskera: Delbin. Bable: Delfín. Inglés: Dolphin. Francés: Delphine, Dauphine. Alemán: Delphinus, Delphin. Italiano: Delfino.

Demetrio

Etimología: Procede del griego *Demétrios,* «consagrado a Deméter». Ésta era diosa de la agricultura y de la abundancia en general.

Personalidad: Demetrio suele ser práctico y decidido. Es un amante del orden, que encuentra su seguridad en la rutina y la repetición. Detesta las sorpresas y las innovaciones y, por tanto, es profundamente conservador. Muy familiar.

Onomástica: 22 de diciembre.

Otros idiomas: Catalán Demetri. Euskera: Demetir. Gallego y bable: Demetrio. Inglés: Demetrius. Francés: Démètre, Démétrios. Italiano: Demetrio.

Demócrito

Etimología: Nombre de procedencia griega, que significa «el que juzga al pueblo».

Personalidad: Es fuerte y determinado, y tiene una personalidad en absoluto manejable. Aunque corre el peligro de caer en la intransigencia, por su carácter obstinado e independiente, ejerce un gran magnetismo sobre sus amigos y compañeros. Tiene dificultades para sentirse satisfecho durante mucho tiempo seguido, lo cual le lleva a buscar continuos cambios.

Onomástica: 31 de julio.

Denis

Etimología: Del griego *Dios-Nysa,* «el dios de Nysa». Nysa era una pequeña localidad egipcia. Es una variante francesa de *Dionisio.*

Personalidad: Es una persona tranquila y sosegada. Extremadamente hablador, no le gusta tener grandes sobresaltos en su vida, pero es algo cotilla. Es tierno y afectuoso, muy solícito con su pareja, aunque poco dado a comprender y aceptar las exigencias de sus amigos.
Onomástica: 8 de abril y 3 de octubre.
Otros idiomas: Euskera: Denis, Dunixi. Inglés: Dennis, Denis. Francés: Denis.

DENNISON

Etimología: Del griego *Dios-Nysa,* «el dios de Nysa». Nysa era una pequeña localidad egipcia. Es una variante de *Dionisio.*
Personalidad: Busca fundamentalmente la paz interior, estar satisfecho consigo mismo. La vida superficial y las diversiones de ese estilo no le interesan ni lo más mínimo. Para sentirse a gusto necesita desempeñar una profesión que lo mantenga ocupado y le exija un cierto esfuerzo. En el amor necesita seguridad y solidez.
Onomástica: No tiene.

DEOGRACIAS

Etimología: Nombre usado en la Edad Media, que se ponía a un hijo muy deseado.
Personalidad: Tiene un gran dominio de sí mismo y sabe medir sus capacidades, de modo que suele acertar en sus decisiones más importantes. Tiene buen carácter, es amable y valora las cosas hermosas que le ofrece la vida. Suele hacer amigos con bastante facilidad y le gusta ayudar a los demás. Tal vez es demasiado soñador.
Onomástica: 22 de marzo.
Otros idiomas: Euskera: Dogartzi.

DEREK

Etimología: Nombre de origen germánico, que significa «jefe de la tribu».
Personalidad: Es un conversador por el gusto de intercambiar impresiones: lo que más le interesa en este mundo son las personas y su comportamiento. Su virtud principal es el interés por el conocimiento y la literatura, aunque sólo sea por el placer que le producen las personas relacionadas con las humanidades. 
Onomástica: No tiene.

DESIDERIO

Etimología: Proviene del adjetivo latino *desiderius,* «deseable».
Personalidad: Siempre accesible, da los mejores consejos que se puedan imaginar, gracias a su enorme sentido común y a su capacidad de ver las cosas fríamente. En el trabajo se muestra eficaz y perseverante, aunque nada ambicioso. Para él, el mundo laboral es un simple medio para conseguir una cierta estabilidad económica.
Onomástica: 11 de febrero y 23 de mayo.
Otros idiomas: Francés: Desiré, Didier. Alemán: Desiderius.

DEVIN

Etimología: Nombre irlandés, de origen celta, que significa «poeta».
Personalidad: Su carácter puede llegar a esclavizarlo de alguna manera: es demasiado orgulloso y un poco rígido de carácter, le cuesta ver los matices de las cosas. Si consigue atemperar ese problema, puede llegar a ser incluso divertido. En el amor y la amistad prefiere lo poco, pero bueno.
Onomástica: No tiene.

DIAMANTINO

Etimología: Proviene del adjetivo latino *adamantinus,* «diamantino», que puede interpretarse como «claro, precioso».

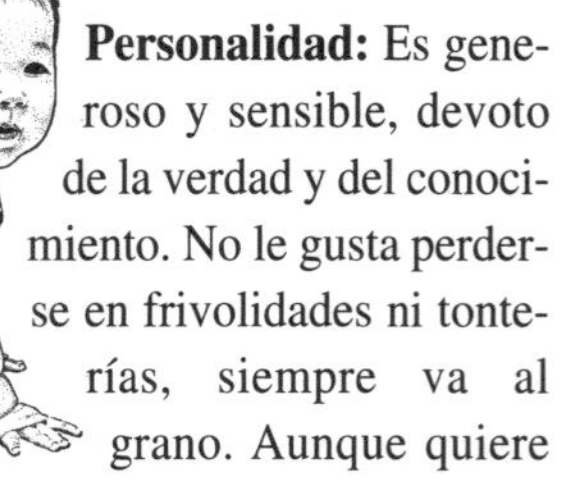

Personalidad: Es generoso y sensible, devoto de la verdad y del conocimiento. No le gusta perderse en frivolidades ni tonterías, siempre va al grano. Aunque quiere aparentar seguridad en sí mismo, la verdad es que depende de la opinión de los demás y sobre todo necesita la aprobación de su familia.
Onomástica: 1 de noviembre.
Otros idiomas: Bable: Diamantino, Tino (Mantino).

DIDIER

Etimología: Proviene del adjetivo latino *desiderius,* «deseable». Es una variante francesa de *Desiderio.*
Personalidad: Su personalidad es conflictiva, por lo que suele encontrar dificultades para encontrarse a gusto consigo mismo. También es algo vacilante y no muy enérgico. Sin embargo, posee un cierto espíritu aventurero, incluso algo temerario, y es de una lealtad inquebrantable.
Onomástica: 15 de noviembre.
Otros idiomas: Francés: Desiré, Didier.

DIDIO

Etimología: Nombre de origen griego que significa «doble».
Personalidad: Es muy creativo, entusiasta, sociable y optimista. Aunque le gusta presumir de espiritual, lo cierto es que el sentido práctico es su principal virtud y es muy hábil en las actividades manuales. Debe vigilar cierta tendencia a la intolerancia y a las rabietas, y a veces se dispersa en demasiadas actividades.
Onomástica: 26 de noviembre.

DIEGO

Etimología: Proviene del griego *didachós,* «didáctico, instruido». Sin embargo, también se considera una variante de Jaime, y por tanto, hipocorístico de Santiago.
Personalidad: Un tanto cuadriculado, Diego tiene unos esquemas muy firmes sobre la existencia. Es tremendamente justo y consecuente. Le gusta estar acompañado, pero normalmente prefiere guardar silencio. En el amor es muy inseguro y desconfiado.
Onomástica: 13 de febrero.
Otros idiomas: Catalán: Dídac. Euskera: Diegotxe. Gallego y bable: Diego. Inglés: James. Francés: Diègue, Jacques. Alemán e italiano: Diego.

DILLON

Etimología: Nombre irlandés, de origen celta, que significa «leal, fiel».
Personalidad: No soporta hacer daño a los demás. Tal vez por eso prefiere sufrir una frustración a imponer su criterio, aunque sepa que es el correcto. A pesar de ese carácter bondadoso, no carece de ambiciones, pero suele marcarse un camino que sea muy respetuoso con todos. Es un compañero de trabajo y amigo muy agradable.
Onomástica: No tiene.

DIMAS

Etimología: Hay expertos que lo hacen derivar del griego *dysmai,* «ocaso», o bien de *di-machos,* que significa «el que combate doblemente» en la misma lengua. También podría ser el gentilicio de la ciudad griega de *Dyme,* o un derivado del latín *Dio-master,* «buscador de Dios».
Personalidad: Posee unas dotes extraordinarias, quizá inteligencia, quizá imaginación o habilidad matemática, siempre tiene algo que le hace destacar. Pero no valora en absoluto la fama ni el reconocimiento. Prefiere llevar una vida tranquila y feliz.
Onomástica: 10 de abril.
Otros idiomas: Catalán: Dimas. Euskera: Dumak, Dima. Bable: Dimas, Dimo. Italiano: Disma.

Dimitri

Etimología: Nombre ruso que procede del griego *Demétrios,* «consagrado a Deméter». Deméter era diosa de la agricultura y de la abundancia en general.

Personalidad: Busca soluciones y respuestas en lo que le va enseñando la vida: tiene la virtud de la observación, combina inteligencia e intuición. Es un conquistador y su mayor defecto es que se pierde por llamar la atención del sexo opuesto. En el trabajo necesita trabajos que le obliguen a estar en constante movimiento.

Onomástica: 22 de diciembre.

Otros idiomas: Catalán Demetri. Euskera: Demetir. Gallego y bable: Demetrio. Inglés: Demetrius. Francés: Démètre, Démétrios. Italiano: Demetrio.

Dino

Etimología: Ha derivado del diminutivo italiano de *Bernardino, Edoardino,* etc.

Personalidad: Concede más importancia a lo espiritual que a lo material. Es paciente, con gran capacidad de estudio, lógica y análisis. Muy exigente consigo mismo y con los demás. Algo solitario e introspectivo, por lo que cae con facilidad en el pesimismo.

Onomástica: No tiene.

Otros idiomas: Alemán e italiano: Dino.

Diodoro

Etimología: Proviene del griego *Diós-doron,* «don de Dios».

Personalidad: Diodoro es un niño lleno de posibilidades, nada se le resiste. Sin embargo, debe centrarse en una cosa, elegir su propio camino, único y nada disperso a ser posible. No se le puede llamar conformista, pero es capaz de ser feliz con aquello que consiga de la vida. Es estable y muy seguro de sí mismo.

Onomástica: 17 de enero y 3 de mayo.

Otros idiomas: Catalán: Diodor. Euskera: Dudor. Francés: Diodore. Italiano: Diodoro.

Diógenes

Etimología: Del griego *dio-genos,* «engendrado por el dios».

Personalidad: Lleno de talentos y habilidades, puede hacer bien aquello que se proponga. Nadie es capaz de comprender cómo algunas veces es tan afortunado. Como los propios dioses, se muestra caprichoso y algo despótico, aunque sabe ser encantador cuando quiere y es capaz de ganarse a la gente.

Onomástica: 6 de abril.

Otros idiomas: Catalán: Diègenes. Euskera: Dugen. Inglés y alemán: Diogenes. Francés: Diogène. Italiano: Diogene.

Diomedes

Etimología: Nombre de origen griego que significa «pensamiento de dios».

Personalidad: Es paciente, realista, y el sentido del deber y el orden son sus principales virtudes. Valora mucho la estabilidad en su vida, por lo que en el amor y la amistad es de una fidelidad absoluta. En lo negativo, cae con facilidad en la rutina y la avaricia.

Onomástica: 2 y 11 de septiembre.

Dión

Etimología: Nombre griego que signfica «de Dios».

Personalidad: Le entusiasman los viajes y todo lo que tiene que ver con la aventura y la innovación. Es capaz de adaptarse a cualquier situación y ambiente. En su contra tiene ciertos inconvenientes, como la inestabilidad, la superficialidad y la falta de previsión, lo cual no le facilita una vida sentimental.

Onomástica: 6 de julio.

Dionisio

Etimología: Del griego *Dios-Nysa,* «el dios de Nysa». Nysa era una pequeña localidad egipcia.

Personalidad: Dionisio es una persona tranquila y sosegada. Extremadamente hablador, no le gusta tener grandes sobresaltos en su vida, pero es algo cotilla. Es tierno y afectuoso, muy solícito con su pareja, aunque poco dado a comprender y aceptar las exigencias de sus amigos.

Onomástica: 8 de febrero y 9 de octubre.

Otros idiomas: Catalán: Dionís, Dionisi. Euskera: Dunixi. Gallego: Dinís, Dionisio. Bable: Donisio (Nisio). Inglés: Dennis, Denis. Francés: Denis. Alemán: Dionysos, Dyonis. Italiano: Dionigi.

DIOSDADO

Etimología: Del latín *Deus dedit*: literalmente, «Dios lo ha dado».

Personalidad: La necesidad de crear es lo más importante de su personalidad, que suele ser muy artística. En lo sentimental valora mucho la estabilidad y, para conseguirla, se muestra a veces un poco egoísta. Es muy individualista e independiente, lo cual le hace algo autoritario.

Onomástica: 10 de agosto.

DIXON

Etimología: Nombre de origen anglosajón, que significa «hijo de Dick».

Personalidad: Él es el único que considera que sus ideas son sólidas, porque los demás creen que las cambia con demasiada frecuencia. Como en todo, se deja llevar por las modas. Es muy afectuoso y en el campo profesional se marca metas que le permitan alcanzar un buen nivel de vida. Como padre se muestra muy responsable.

Onomástica: No tiene.

DOMICIANO

Etimología: Deriva del latín *domus,* «casa», con el significado general de «hogareño».

Personalidad: Suele ser una persona hogareña, tranquila, amante de los pequeños placeres de la vida. Transmite una sensación de absoluta imperturbabilidad, que puede llegar a confundirse con la apatía. Aunque parece que se preocupa mucho por los seres que le importan, no permite que los demás turben su paz interior.

Onomástica: 9 de agosto y 5 de julio.

Otros idiomas: Catalán: Domici. Italiano: Domizio.

DOMINGO

Etimología: Del latín *dominicus,* «del señor». En el mundo cristiano, se traduce como «consagrado a Dios».

Personalidad: Suele ser una persona dudosa y vacilante. Muy tradicional, es un gran amante de las reuniones sociales. Le encanta el orden y la precisión, e intenta reglamentar la vida de los demás. Es algo orgulloso.

Onomástica: 8 de agosto.

Otros idiomas: Catalán: Domènec. Euskera: Domeka, Domiku, Dominix, Montxo, Txomin. Gallego: Domingos. Bable: Domingo, Mingo. Inglés: Dominic. Francés: Dominique. Alemán: Domenicus, Dominik. Italiano: Domenico, Dominicus.

DONALD

Etimología: De origen céltico: *Dumnovalos,* «el que gobierna el mundo».

Personalidad: La estabilidad, la paciencia, la organización, el realismo, el sentido del deber y el orden son sus principales virtudes. En lo sentimental y con sus amistades son de una fidelidad absoluta. Por contra, caen con facilidad en la rutina y la avaricia.

Onomástica: 15 de julio.

Otros idiomas: Catalán: Donald. Inglés: Donald, origen de MacDonald, O'Donnell, etc.

DONARDO

Etimología: De origen céltico: *Dumnovalos,* «el que gobierna el mundo».

Personalidad: Posee una personalidad carismática, seductora y fuerte. Es también idealis-

ta y perfeccionista, lo cual normalmente le lleva a tener elevadas ambiciones. En lo negativo, suele ser nervioso y autoritario.
Onomástica: 15 de julio.

Donato

Etimología: Procede del latín *donatus,* «dado, regalado».
Personalidad: Es un artista, con todas las connotaciones de la palabra. Creativo, ingenioso, encantador, destaca en su profesión. No se rinde fácilmente. Sin embargo, es muy susceptible, ligeramente orgulloso y tiende a despreciar a los demás. Le gustan las aventuras amorosas intensas y apasionadas, no exentas de un toque de romanticismo.
Onomástica: 25 de febrero.
Otros idiomas: Catalán: Donat. Euskera: Donata. Gallego: Donato, Doado. Bable: Donio. Francés: Dieudonné. Italiano: Donato.

Doné

Etimología: Del griego *Dios-Nysa,* «el dios de Nysa». Nysa era una pequeña localidad egipcia. Es una variante de *Dionisio.*
Personalidad: Inteligente y creativo, es, sin embargo, demasiado perezoso. Devoto de las comodidades, aunque no le gusta el lujo excesivo. Busca una vida relativamente tranquila, sin grandes sobresaltos. En el amor le falta un poco de confianza en sus posibilidades, por lo cual suele refugiarse en una actitud distante.
Onomástica: 9 de octubre.

Dong

Etimología: Nombre vietnamita que significa «oriental».
Personalidad: Vive en su propio mundo, en sus pensamientos y fantasías. Reflexivo y poco convencional, por tanto, no es fácil que se atenga a los patrones sociales imperantes. Como pareja y como amigo también es un poco despistado, pero de sentimientos nobles y muy profundos. Suele conseguir lo que se proponga.
Onomástica: No tiene.

Donovan

Etimología: Nombre irlandés, de origen celta, que significa «guerrero oscuro».
Personalidad: Necesita tener siempre una apariencia impecable, no soporta el desorden o la incoherencia y está demasiado pendiente de lo que opinan de él. Si cree que algo merece la pena, no le importa arriesgar todo lo que haga falta. En el amor prefiere ser conquistado a conquistar, porque necesita sentir que le prestan atención.
Onomástica: No tiene.

Doramas

Etimología: Nombre guanche originario de Gran Canaria. Fue un valeroso caudillo en el momento de la conquista de las islas Canarias.
Personalidad: La pasividad y la indecisión son su principal problema: piensa y piensa y todo le parece con valores negativos y positivos. Es receptivo, sentimental y en el terreno laboral se vale muy bien de su espíritu de equipo. En lo sentimental, si se siente rechazado, es muy rencoroso.
Onomástica: No tiene.

Dorian

Etimología: Es una variante de *Isidoro*. Nombre de etimología mixta greco-egipcia. Procede de *Isis-doron,* «regalo de la diosa Isis». Este nombre se consideraba de buena suerte en la Edad Media.
Personalidad: Es una persona muy simpática, afable e inteligente. Su problema principal es precisamente conseguir fijar su atención en actividades serias, porque se empeña en no crecer. En el amor busca una pareja que centre to-

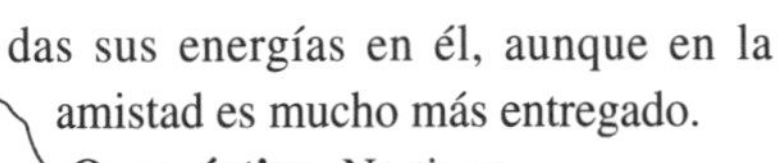

das sus energías en él, aunque en la amistad es mucho más entregado.
Onomástica: No tiene.

Doroteo

Etimología: Deriva del griego *doron-theos,* «don de Dios».
Personalidad: Es algo caprichoso y calculador. Le gusta presumir de saber cómo manejar al otro sexo, aunque en realidad resulta ser al contrario. En la amistad lo da todo, aunque no es capaz de perdonar una traición. En el trabajo es tremendamente original, aunque algo inconstante y nada paciente.
Onomástica: 5 de junio.
Otros idiomas: Catalán: Doroteu. Euskera: Dorota. Gallego: Doroteo. Bable: Doro. Italiano: Doroteo. Variantes: Teodoro, Teo, Doro, Teddy.

Douglas

Etimología: Nombre de origen escocés que significa «río oscuro, corriente oscura».
Personalidad: Tiene una personalidad muy fuerte, actúa siempre con una contundencia y seguridad en sus opiniones que puede resultar chocante. En el amor, sin embargo, le falta seguridad, y le cuesta mantener sus conquistas. Quienes más le valoran son sus amigos y compañeros de trabajo.
Onomástica: No tiene.

Drummond

Etimología: Nombre de origen escocés que significa «druida de la montaña».
Personalidad: Son personas sencillas y auténticas. Detestan a los que actúan de una determinada manera sólo por guardar las apariencias y, por eso, prefieren que les digan las cosas a la cara, sin rodeos ni ambages. Odian la mentira y la hipocresía. Su sistema moral es simple pero incorruptible.
Onomástica: No tiene.

Duarte

Etimología: Nombre portugués y gallego, de origen germano, que podría traducirse como «guardián del tesoro».
Personalidad: Intelectual, alejado de la vida cotidiana y muy frecuentemente dominado por un carácter demasiado orgulloso. No hace amigos con facilidad, pero en el amor es capaz de dar cualquier cosa por no perderlo. Tiene pocas manías y no es muy quisquilloso, pero más vale respetarlo.
Onomástica: 1 de noviembre.

Duilio

Etimología: Nombre de origen latino que podría traducirse como «listo para el combate».
Personalidad: El rasgo dominante de su personalidad es el alto dominio sobre sí mismo. Sabe medir sus capacidades, que suelen armonizar con todo lo que le rodea. Refinado, amable, simpático y de buen talante, suele hacer amigos con gran facilidad y le gusta ayudar a los demás. Quizá demasiado soñador.
Onomástica: 1 de noviembre.

Duman

Etimología: Nombre turco que significa «nebuloso, brumoso».
Personalidad: Es un hombre inquieto, siempre en busca de nuevas aventuras y experiencias en todos los ámbitos de su vida. Se niega a ser conformista, ama la libertad y sólo aceptará un compromiso cuando esté profundamente seguro de que es eso lo que quiere. Aunque parezca alocado, sus actos siempre tienen un sentido.
Onomástica: No tiene.

Duncan

Etimología: Nombre de origen escocés que significa «guerrero marrón».
Personalidad: Es como una niño: crédulo, ingenuo y alegre. Concede una gran importancia

al amor y a la amistad durante toda su vida. En su profesión demuestra que es brillante, creativo y muy trabajador; tiene ambición, pero es comedido y valora tanto la lealtad que no se deja dominar por ella.
Onomástica: No tiene.

DUNSTAN

Etimología: Nombre inglés que deriva del anglosajón, de *dun,* «colina», y *stan,* «piedra», o sea, piedra de colina.
Personalidad: La estabilidad, la seguridad y la protección son sus ejes fundamentales. Se trata de personas con los pies en el suelo, aunque también ambiciosas, lo cual equilibra su carácter y les permite vivir una existencia activa y variada, repleta de situaciones que les permite crecer y aprender.
Onomástica: 19 de mayo.
Otros idiomas: Inglés: Dunstan.

DUSTIN

Etimología: Nombre de origen germánico, que significa «guerrero valiente».
Personalidad: Su gran pasión radica en la belleza. Es un gran amante del arte en todas sus manifestaciones, y en su propia vida. En el amor y con sus amigos se muestra impulsivo y apasionado. No le gusta trabajar en exceso y no es ambicioso, por lo que procura buscarse una profesión tranquila que le permita llevar una vida desahogada.
Onomástica: No tiene.

DWAYNE

Etimología: Nombre irlandés, de origen celta, que significa «oscuro».
Personalidad: Tiene un temperamento demasiado variable, nunca se puede estar seguro de cómo va a reaccionar. En el amor, raras veces será correspondido por la persona a quien realmente ama, aunque probablemente termine asentándose en una afable y placentera relación sustentada más por la amistad que por el amor pasional.
Onomástica: No tiene.

DYAMI

Etimología: Nombre de los indios norteamericanos, que significa «águila remontándose».
Personalidad: Valiente, sale adelante pase lo que pase. A la hora de trabajar, es serio y responsable, prudente cuando las circunstancias lo requieren, aunque también es capaz de arriesgar. En el amor suele ser desgraciado, quizá porque le resulta difícil encontrar una compañera tan fuerte y segura como él misma.
Onomástica: No tiene.

EADBERTO

Etimología: Nombre de origen germánico que significa «glorioso y brillante».

Personalidad: Es quizá demasiado idealista, por lo que concede más importancia a lo espiritual que a lo material. Es paciente, con gran capacidad de estudio, lógica y análisis. Sin embargo, es muy exigente consigo mismo. Cae con facilidad en el pesimismo y se aísla de los demás.

Onomástica: 6 de mayo.

EBEN

Etimología: Nombre hebreo que significa «roca».

Personalidad: Muy encerrado en sí mismo y hasta podría decirse que algo huraño. Algunos dicen que peca un poco de misantropía, pero la realidad es que no logra comprender al resto de las personas, le parecen demasiado complicadas. Aun así, suele encontrar energías para intentar cambiar su mundo.

Onomástica: No tiene.

EBER

Etimología: Nombre de origen hebreo, que podría traducirse como «del más allá».

Personalidad: La estabilidad, la paciencia, la organización, el realismo, el sentido del deber y el orden son sus principales virtudes. En lo sentimental y con sus amistades son de una fidelidad absoluta. Por contra, caen con facilidad en la rutina y la avaricia.

Onomástica: No tiene.

EBERARDO

Etimología: Nombre de origen germánico que podría significar «fuerte como un oso».

Personalidad: Posee fuerza y determinación, así como una personalidad difícilmente manejable. Obstinado e independiente, ejerce un gran magnetismo, aunque puede caer fácilmente en la intransigencia. Rara vez se siente contento durante mucho tiempo, así que busca cambios de ambiente o de escenario.

Onomástica: No tiene.

EDELBERTO

Etimología: Nombre de origen teutón que significa «descendiente de nobles».

Personalidad: Es muy equilibrado y posee un sentido innato de la justicia y el equilibrio, pero también cae con facilidad en ataques de ira y valora en exceso el poder y el triunfo. Es impaciente e impetuoso. Esta personalidad le hace, casi con seguridad, muy celoso.

Onomástica: No tiene.

EDELIO

Etimología: Nombre de origen griego cuyo significado es «que permanece siempre joven».

Personalidad: Su principal característica es el exceso, en cualquier sentido. Lo mismo se trata de una personalidad excesivamente soñadora como de un materialismo consumado, de hedonistas y narcisistas como de estoicos que rozan el ascetismo. Hay que vigilar la tendencia a la indiscreción, así como al inconformismo.

Onomástica: No tiene.

EDELMAR

Etimología: Nombre de origen germánico que significa «noble protector». Variante de *Adelmo.*

Personalidad: Es equilibrado y posee gran encanto, por lo que está dotado para la diplomacia. También valora enormemente la belleza, la armonía y la capacidad de sacrificio. Por contra, es algo indeciso y dado al fatalismo y al exceso de perfeccionismo.

Onomástica: No tiene.

Edelmiro

Etimología: Nombre de origen germánico que significa «célebre por su nobleza».

Personalidad: Posee una personalidad carismática, seductora y fuerte. Es también idealista y perfeccionista, lo cual normalmente le lleva a tener elevadas ambiciones. En lo negativo, suele ser nervioso y autoritario.

Onomástica: 1 de noviembre.

Otros idiomas: Bable: Delmiro, Miro.

Edgar

Etimología: Procede del anglosajón *ead-gar,* «lanza protectora de la riqueza».

Personalidad: Edgar irradia un encanto misterioso, quizá por su carácter reservado, quizá por su fama de justo y honrado. Posee una personalidad muy compleja, y poca gente es capaz de llegar a conocerlo del todo. Tiene un respeto casi religioso por el honor y por la palabra dada. En el amor es atento y afectuoso, pero equilibrado y nada pasional.

Onomástica: 13 de octubre.

Otros idiomas: Catalán: Edgar. Inglés, francés y alemán: Edgar. Italiano: Edgardo.

Edgardo

Etimología: Procede del anglosajón *ead-gar,* «lanza protectora de la riqueza».

Personalidad: Es muy creativo y posee dotes artísticas. Le gustan las emociones y es muy dado a perseguir ideales utópicos. Es también idealista y perfeccionista, lo cual normalmente le lleva a tener elevadas ambiciones. La parte negativa es la facilidad con que cae en la extravagancia y su tendencia a la inestabilidad.

Onomástica: 8 de julio.

Otros idiomas: Catalán: Edgar. Inglés, francés y alemán: Edgar. Italiano: Edgardo.

Edmundo

Etimología: Procede del germánico *hord-mund,* «protector de la victoria».

Personalidad: Probablemente sea uno de los hombres más seguros de sí mismos:. Pero parece que el resto de las personas le desconciertan. Es tímido y nunca sabe muy bien cómo reaccionar ante los cambios de humor de los demás.

Onomástica: 16 y 20 de noviembre.

Otros idiomas: Catalán: Edmon, Edmund. Euskera: Edmunda. Inglés y alemán: Edmund. Francés: Edmon. Italiano: Edmondo.

Eduardo

Etimología: Deriva del germánico *hord-ward,* «guardián glorioso».

Personalidad: Eduardo es práctico y realista: le gustan las cosas medidas, ordenadas, exactas. Posee un enorme sentido del humor. Medita mucho cualquier decisión antes de tomarla, y es más flexible con los demás que consigo mismo. Inteligente y despierto, sin embargo es algo perezoso y demasiado aficionado a la buena vida.

Onomástica: 18 de marzo y 13 de octubre.

Otros idiomas: Catalán: Eduard. Euskera: Edorta. Gallego: Duardos, Eduardo. Inglés: Edward. Francés: Edouard. Alemán: Eduard. Italiano: Edoardo.

Edwin

Etimología: Procede del nombre anglosajón *Eadwine,* de *ead,* «riqueza», y *win,* «amigo», o sea, «amigo de la riqueza».

Personalidad: Suelen poseer gran belleza, relacionados con la cultura, el conocimiento, la armonía y la verdad. Disfrutan al máximo de la vida, valorando lo detalles y placeres más insignificantes. Son cooperadores, entusiastas y afectuosos, por lo que valoran el amor y la amistad. El mayor riesgo se encuentra en la hipersensibilidad y la indecisión.

Onomástica: 12 de octubre.

Otros idiomas: Catalán: Edwim, Edwin. Inglés y alemán: Edwin.

Efraín

Etimología: Procede del hebreo *ephraim,* «muy fructífero».

Personalidad: Es un trabajador nato. No soporta pasar necesidad, por lo cual, desde muy niño, lucha sin descanso por alcanzar una buena posición social. Tiene pocos amigos y con ellos tiene una relación más intelectual que personal. En el amor es atento y muy cortes, aunque algo inflexible.

Onomástica: 9 de junio.

Otros idiomas: Catalán: Efrem, Efraïm. Euskera: Eperna. Italiano: Efraimo.

Efrén

Etimología: Procede del hebreo *ephraim,* «muy fructífero». Ha derivado de Efraín.

Personalidad: La estabilidad, la seguridad y la protección son sus ejes fundamentales. Se trata de personas con los pies en el suelo, aunque también ambiciosas, lo cual equilibra su carácter y les permite vivir una existencia activa y variada, repleta de situaciones que les permite crecer y aprender.

Onomástica: 18 de junio.

Otros idiomas: Catalán: Efrem, Efraïm. Euskera: Eperna. Gallego: Efrén. Italiano: Efraimo.

Egidio

Etimología: Deriva del griego *Helas,* «Grecia», y significa literalmente «griego».

Personalidad: Su personalidad es conflictiva, por lo que suele encontrar dificultades para encontrarse a gusto consigo mismo. También es algo vacilante y no muy enérgico. Sin embargo, posee un cierto espíritu aventurero, incluso algo temerario, y es de una lealtad inquebrantable.

Onomástica: 1 de septiembre.

Otros idiomas: Catalán: Egidi Gallego: Exidio. Inglés: Giles. Francés: Gilles. Italiano: Egidio.

Egisto

Etimología: Deriva del nombre griego *Aigisthos,* «amamantado por una cabra».

Personalidad: Vive mucho más de cara al exterior que para sí mismo. En realidad es tierno y afectuoso, y está muy necesitado de cariño, pero considera que estas características son signos de debilidad, y prefiere ocultarlas. Enseguida se encariña con la gente, pero también puede ser cruel.

Onomástica: No tiene.

Otros idiomas: Catalán: Egist. Francés: Egisthe. Italiano: Egisto.

Ekon

Etimología: Nombre nigerianao que significa «fuerte».

Personalidad: Vive mucho más de cara al exterior que para sí mismo. En realidad es tierno y afectuoso, y está muy necesitado de cariño, pero considera que estas características son signos de debilidad, y prefiere ocultarlas. Enseguida se encariña con la gente, pero también puede ser cruel.

Onomástica: No tiene.

Eladio

Etimología: Deriva del griego *Helas,* «Grecia», y significa literalmente «griego».

Personalidad: Le encanta cultivar todas las facetas de la naturaleza humana: el amor, la cultura, el arte, la inteligencia, sin descuidar, por supuesto, el cuidado del cuerpo. Como nunca llega a centrarse en una actividad concreta, es muy difícil que destaque en su profesión.

Onomástica: 18 de febrero y 28 de mayo.

Otros idiomas: Catalán: Eladi, El.ladi. Euskera: Eladi. Gallego: Heladio. Bable: Eladio, Ladio.

Elbio

Etimología: Nombre de origen celta que significa «el que viene de la montaña ».

Personalidad: Posee fuerza y determinación, así como una personalidad difícilmente manejable. Obstinado e independiente, ejerce un gran magnetismo, aunque puede caer fácilmente en la intransigencia. Rara vez se siente contento durante mucho tiempo, así que busca cambios de ambiente o de escenario.
Onomástica: No tiene.

ELEAZAR

Etimología: Del hebreo *Eleazar,* «Dios me ayuda».
Personalidad: Curioso por naturaleza, dinámico e inasequible al desaliento. Tiene un tipo de inteligencia muy especial; por eso mismo muestra una irritante tendencia a burlarse de los demás. No es especialmente leal, pero es muy amigo de sus amigos. Su ideal romántico es tener ese tipo de relación que te lleva a hacer locuras por amor.
Onomástica: 17 de diciembre.
Otros idiomas: Catalán: Llàtzer. Euskera: Elazar. Inglés y alemán: Lazarus. Francés: Lazare. Italiano: Lazzaro.

ELENIO

Etimología: Deriva del griego *hélene,* «antorcha brillante». Es la forma masculina de *Elena.*
Personalidad: Ingenuo y bondadoso, carece por completo de malicia o de mala voluntad. Las tareas intelectuales no le atraen en demasía, pero lo compensa con una imaginación radiante. Nunca se somete a las convenciones sociales.
Onomástica: 18 de agosto.

ELEODORO

Etimología: Deriva del griego *hélene,* «antorcha brillante». Es la forma masculina de *Elena.*
Personalidad: Su personalidad es muy creativa, entusiasta, sociable, optimista y muy espiritual. Tiene gran sentido práctico y es muy hábil en las actividades manuales. En contrapartida, puede ser algo intolerante y colérico, y a veces le cuesta concentrarse en una sola cosa.
Onomástica: No tiene.

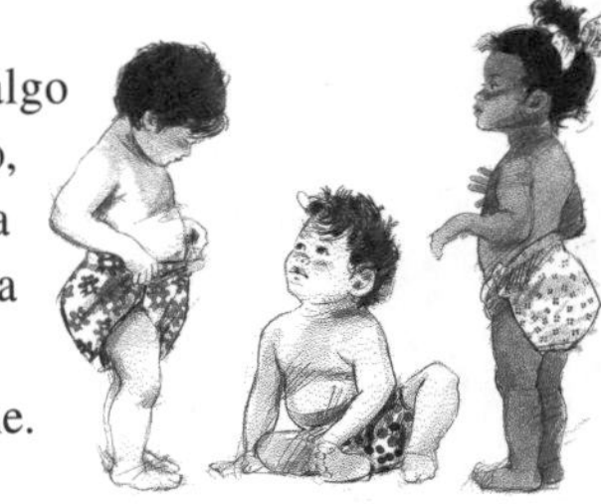

ELEUTERIO

Etimología: Nombre grecolatino que tiene su primer origen en el *Eleutherion,* una fiesta griega en honor de Zeus Liberador. Los romanos adoptaron el nombre bajo la forma de *eleutheria,* que significa «libertad».
Personalidad: Libre de complejos, limitaciones sociales, obligaciones y compromisos. Es un ser encantador. Su existencia suele estar llena de aventuras y sucesos maravillosos, ya que si no logra encontrarlos en la realidad, no tiene ningún problema en inventarlos.
Onomástica: 18 de abril y 8 de agosto.
Otros idiomas: Catalán y euskera: Eleuteri. Gallego: Eleuterio, Leuter, Outelo, Outel. Inglés: Eleanor. Francés: Eleutère. Italiano: Eleuterio.

ELEWAKA

Etimología: Nombre hawaiano, que es una variante de *Eduardo,* y éste del germánico *hordward,* «guardián glorioso»
Personalidad: Alegre y feliz, rebosa simpatía e imaginación, y rechaza por principio cualquier prejuicio o convención social. Sin embargo, es muy terco y no soporta que le lleven la contraria. Además, puede llegar a ser un poco excéntrico y egoísta, lo cual le hace pensar que no es comprendido.
Onomástica: No tiene.

ELIÁN

Etimología: Nombre griego derivado de *helios,* «sol».
Personalidad: Fiel a sus amistades y en el amor, le produce gran satisfacción ayudar y

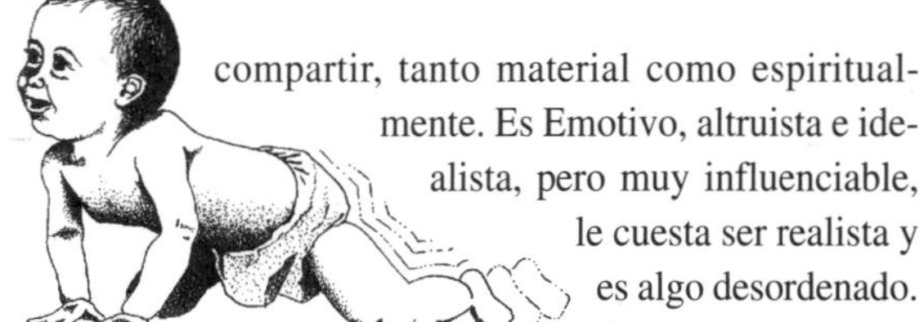

compartir, tanto material como espiritualmente. Es Emotivo, altruista e idealista, pero muy influenciable, le cuesta ser realista y es algo desordenado. Su principal peligro está en los frecuentes altibajos anímicos.
Onomástica: 13 de enero.

ELÍAS

Etimología: Procede del hebreo *Eliyyah,* forma apocopada de *El-Yahveh,* «mi Dios es Yahvé». Uno de los grandes profetas del Antiguo Testamento.
Personalidad: O está totalmente en el cielo o vive firmemente apegado a la tierra. ¿El porqué de esta dicotomía? No es una persona de medias tintas. O lo da todo o no da nada. Lo mismo le sucede en el terreno de la amistad. En el amor no suele ser muy afortunado.
Onomástica: 20 de julio.
Otros idiomas: Catalán: Elies. Euskera: Eli. Gallego: Elías. Bable: Elíes. Inglés: Elias, Elia. Francés: Élie. Alemán: Elias.

ELIAZAR

Etimología: Del hebreo *Eleazar,* «Dios me ayuda».
Personalidad: Posee una personalidad carismática, seductora y fuerte. Es también idealista y perfeccionista, lo cual normalmente le lleva a tener elevadas ambiciones. En lo negativo, suele ser nervioso y autoritario.
Onomástica: 17 de diciembre.
Otros idiomas: Catalán: Llàtzer. Euskera: Elazar. Inglés y alemán: Lazarus. Francés: Lazare. Italiano: Lazzaro.

ELIDIO

Etimología: Gentilicio de *Helis,* de la zona del Peloponeso.
Personalidad: Transmite gran confianza entre sus amigos y compañeros de trabajo, por su espíritu seductor y fuerte. Es también idealista y perfeccionista en todo lo que emprende, lo cual le permite conseguir grandes logros. La parte negativa de su carácter es que puede llegar a volverse autoritario e impaciente.
Onomástica: 25 de enero.

ELIEZER

Etimología: Procede del hebreo *Eliyyah,* forma apocopada de *El-Yahveh,* «mi Dios es Yahvé».
Personalidad: De gran energía, no suelen pasar desapercibidos, y tienen habilidades para el liderazgo y la innovación. No les gusta seguir las corrientes establecidas y se empeñan en la originalidad. En el lado negativo tienen cierta tendencia al egoísmo, la vanidad y el orgullo. También pueden ser excéntricos y demasiado dominantes.
Onomástica: 17 de diciembre.
Otros idiomas: Catalán: Llàtzer. Euskera: Elazar. Inglés y alemán: Lazarus. Francés: Lazare. Italiano: Lazzaro.

ELIGIO

Etimología: Del latín *eligius,* «elegido. Forma parte de los nombres derivados de *Luis.*
Personalidad: Posee el impulso de la creación que produce la inspiración. Necesita perseguir ideales y emociones utópicos, por su carácter idealista y perfeccionista. Goza también de ambiciones muy positivas. La parte negativa es la facilidad con que cae en la extravagancia y su tendencia al desánimo.
Onomástica: 1 de diciembre.

ELISEO

Etimología: Del hebreo *El-i-shúah,* latinizado en *Eliseus,* «Dios es mi salud», o lo que es lo mismo, «Dios es mi salvación».
Personalidad: Con una fuerte personalidad y dinamismo, reservado y responsable. Tiene muchos deseos de triunfar y es laborioso, tenaz y cooperador, pero también predispuesto a la

dispersión e incluso a la abulia, que impiden su búsqueda de la seguridad.

Onomástica: 14 de junio.

Otros idiomas: Catalán: Eliseu. Euskera: Elixi. Gallego: Eliseu. Bable: Lisio. Francés: Elisée. Inglés: Ellis. Italiano: Eliseo.

Elmer

Etimología: Nombre de origen germánico que significa «célebre por su nobleza». Variante de *Edelmiro.*

Personalidad: Posee una personalidad carismática, seductora y fuerte. Es también idealista y perfeccionista, lo cual normalmente le lleva a tener elevadas ambiciones. En lo negativo, suele ser nervioso y autoritario.

Onomástica: No tiene.

Eloy

Etimología: Adaptación francesa del latín *eligius,* «elegido».

Personalidad: No puede centrar su atención en una sola cosa por demasiado tiempo, pero de este modo consigue a lo largo de su vida muchas experiencias. Con sus relaciones sentimentales es un desastre. Sus amigos lo adoran, porque es una persona muy entrañable.

Onomástica: 1 de diciembre.

Otros idiomas: Catalán y euskera: Eloi. Gallego: Elixio, Eloi. Bable: Elói, Loi. Inglés: Eloy. Francés: Eloi. Italiano: Eligio.

Elpidio

Etimología: Nombre de procedencia latina, que significa «esperanza».

Personalidad: Es un hombre repleto de vida que siempre rebosa optimismo y felicidad. Nunca se le ha visto deprimido. Siempre está entregado a alguna actividad, ya que le gusta disfrutar de la vida al máximo. En lo que se refiere al terreno sentimental, no le gustan demasiado los compromisos.

Onomástica: 4 de marzo y 16 de noviembre.

Elsu

Etimología: Nombre de los indios norteamericanos, que significa «halcón».

Personalidad: Hiperactivo y ligeramente inestable, tiene una tendencia no muy sana a tomárselo todo demasiado en serio, casi como un reto personal. Tiene la necesidad de estar siempre haciendo algo productivo, hasta tal punto que llega a agotar a todos los que le rodean. Pierde los nervios con facilidad y se enfada a menudo.

Onomástica: No tiene.

Eluney

Etimología: Nombre de origen mapuche que significa «regalo, obsequio, presente».

Personalidad: Posee una personalidad equilibrada, serena y con las ideas muy claras, aunque también es intuitivo y magnético. Valora el refinamiento y la integridad, la simpatía y la benevolencia. Suele ser idealista sin remedio si cree en una idea determinada.

Onomástica: No tiene.

Elvis

Etimología: Nombre de origen escandinavo que significa «sabio».

Personalidad: Es una persona muy sensible, por más que intente disimularlo. Bajo su apariencia fría, segura y un poco despreocupada, hay un hombre que está siempre pendiente de lo que los demás dicen o hacen y de la actitud que tienen hacia él. Su gran placer consiste en ayudar a los que le rodean a ser felices.

Onomástica: No tiene.

Emre

Etimología: Nombre turco que significa «hermano».

Personalidad: Humanista y entregado por naturaleza: para ser feliz necesita sentir que es útil a los demás. No entiende el egoísmo ni la falta de compromiso:él, realmente, no puede

descansar sabiendo que hay alguien que necesita su ayuda. El problema consiste en que es demasiado crítico consigo mismo.
Onomástica: No tiene.

Enmanuel

Etimología: Procede del hebreo *emmanu-El,* «Dios con nosotros».
Personalidad: Suelen ser personas sencillas, sin pretensiones, que se dejan llevar fácilmente si creen que así pueden hacer felices a los demás. Tienden a ser un poco perezosos. En el amor lo dan todo y son capaces de construir a su alrededor la más bella historia.
Onomástica: 1 de enero.
Otros idiomas: Catalán: Manel. Euskera: Imanol, Manu. Gallego: Manoel. Inglés y francés: Emmanuel. Italiano: Emmanuele.

Emeterio

Etimología: Del nombre griego *Emeterion,* «defensor».
Personalidad: Es muy creativo, entusiasta, sociable y optimista. Tiene gran sentido práctico y es muy hábil en las actividades manuales. Pero puede ser algo intolerante y colérico, y a veces le cuesta concentrarse en una sola cosa.
Onomástica: 3 de marzo.
Otros idiomas: Catalán: Emeteri, Medir. Euskera: Meder, Mederi, Meteri.

Emigdio

Etimología: No está clara su etimología, aunque algunos creen que puede venir del griego *Amygdale* que significa «almendra».
Personalidad: Es un hombre extraordinariamente compleja y de reacciones inesperadas. Le gusta vivir plenamente, con mayúsculas: cuando se consagra a su trabajo, también lo hace de lleno, absolutamente, sin reservas. Podría decirse que en todos los campos de su vida siempre pone toda la carne en el asador.
Onomástica: 5 de agosto.

Emiliano

Etimología: Del latín *Aemilianus,* «de la familia de Emilio».
Personalidad: De gran energía, no suelen pasar desapercibidas, y tienen habilidades para el liderazgo y la innovación. No les gusta seguir las corrientes establecidas y se empeñan en la originalidad. En el lado negativo tienen cierta tendencia al egoísmo, la vanidad y el orgullo. También pueden ser excéntricas y demasiado dominantes.
Onomástica: 8 de febrero.
Otros idiomas: Catalán: Emilià. Euskera: Emillen. Gallego: Emiliano, Millán, Millao. Bable: Miyán, Miyano. Inglés: Emilian. Francés: Emilien. Italiano: Emiliano.

Emilio

Etimología: *Aemilius* (que deriva de *aemulus,* «adversario») era el nombre de una ilustre gens romana.
Personalidad: Haga lo que haga, es un hombre afortunado que consigue eludir cualquier clase de problemas, queda siempre bien con quien le interesa y consigue los objetivos que persigue. Es propenso a los ataques de cólera y a las venganzas, pero no olvida nunca a quien le ha ayudado.
Onomástica: 22 de mayo.
Otros idiomas: Catalán: Emili. Eusquera: Emilli. Gallego: Emilio. Bable: Milio. Inglés: Emil. Francés: Émile. Alemán: Emil. Italiano: Emilio.

Emir

Etimología: Nombre de origen árabe que significa «jefe, comandante».
Personalidad: Posee una personalidad marcada por el impulso de creación. Es algo autoritario, individualista e independiente. Valora la estabilidad en su vida y para conseguirla a veces se muestra autoritario y egoísta.
Onomástica: No tiene.

EMRYS

Etimología: Nombre galés que deriva del griego *an-brotós,* «inmortal».
Personalidad: Metódico, frío, jamás se permitirá expresar un sentimiento. Es conservador y tradicional, odia las sorpresas y le gusta que todo quede bien ordenado. Argumentador implacable, es muy difícil derrotarle en una discusión.
Onomástica: 7 de diciembre.
Otros idiomas: Catalán: Ambròs, Ambrosi. Euskera: Ambortsi, Amborts. Inglés: Ambrose. Francés: Amboise. Alemán: Ambrosius. Italiano: Ambroigo.

ENAPAY

Etimología: Nombre sioux que significa «de fuerte aspecto».
Personalidad: De carácter sereno, tranquilo y hasta un poco parsimonioso. De inteligencia profunda y muy dotado para la meditación. Sin embargo, parece que le cuesta mucho conciliar sus planteamientos intelectuales con un plan concreto de actuación. Su ideal es ser el cerebro de alguna clase de sociedad, de modo que sean los demás los que llevan a la práctica sus numerosas ideas.
Onomástica: No tiene.

ENEAS

Etimología: Del griego *Aineias,* «digno de elogio». Héroe troyano protagonista de la *Eneida,* de Virgilio.
Personalidad: Emotivo, altruista e idealista. Fiel a sus amistades y amores, tiene gran necesidad de ayudar y compartir, tanto en lo material como en lo espiritual. Es influenciable, le cuesta ser realista y es algo desordenado. En lo espiritual, tiende también a padecer desórdenes ciclotímicos.
Onomástica: No tiene.
Otros idiomas: Catalán: Enees. Inglés: Aeneas. Francés: Enée. Alemán: Aneas. Italiano: Enea.

ENEKO

Etimología: Nombre vasco, que es el del primer rey de Navarra: Eneko Aritza.
Personalidad: La vida sencilla, su familia, su pueblo o su ciudad, sus amigos de siempre, su trabajo... no puede vivir sin ellos. Es feliz haciendo felices a los demás y disfruta de las pequeñas cosas que la vida le ofrece. Por tanto, le produce verdadero terror cualquier cambio, por pequeño que sea.
Onomástica: 1 de noviembre.

ENRIQUE

Etimología: Del germánico *heim-richm,* «jefe de su casa».
Personalidad: Apacible, tranquilo... sabe transmitir a los que le rodean seguridad y de paz. Es extremadamente trabajador. Por naturaleza es tímido y bastante introvertido. Periódicamente sufre una crisis existencial y planea dar un giro de ciento ochenta grados a su vida, pero pocas veces llega a llevarlo a cabo.
Onomástica: 13 de julio.
Otros idiomas: Catalán: Enric. Euskera: Endika, Endrike. Gallego: Henrique. Bable: Anrique. Inglés: Henry, Harry, Henniker. Francés: Henri. Alemán: Heinrich, Heinz. Italiano: Enrico, Arrigo.

ÉNVER

Etimología: Nombre turco que significa «brillante».
Personalidad: Es un hombre dinámico y activo. La alegría parece empapar cada uno de sus actos, y a la gente le gusta estar cerca de él por su optimismo contagioso. Le gusta que los demás dependan de él en cierta medida, aunque su sentido de la independencia le impide ser él mismo el que necesite a otra persona.
Onomástica: No tiene.

ENYETO

Etimología: Nombre de los indios norteamericanos, que significa «dócil».

Personalidad: Sensible y fuerte al mismo tiempo. Necesita ser original, aunque muchas veces no sabe muy bien cómo hacerlo. Le gusta sentir que es él quien domina la situación, y no soporta que los demás no le hagan caso o que no hagan lo que él quiere. De joven es un idealista soñador.

Onomástica: No tiene.

ENZI

Etimología: Nombre swahili que significa «poderoso».

Personalidad: Recto, tranquilo, equilibrado, es una de esas personas que procura no decir nunca una palabra más alta que otra. Extremadamente comprensivo, para sus amigos se convierte en un inmejorable apoyo. En su profesión es ambicioso y puede llegar a mostrarse intransigente con las debilidades ajenas.

Onomástica: No tiene.

EPIFANIO

Etimología: Nombre cristiano que hace alusión a la Epifanía del Señor (que se celebra el día de la Adoración de los Magos). Procede del griego *epiphaneia,* «aparición».

Personalidad: Místico y algo alocado. Sensible y emotivo, aunque es mucho más fuerte de lo que parece, y aunque se lamente por una pequeña cosa, sabe afrontar los problemas más graves. El trabajo no ha sido inventado para él, y si le dan la opción de elegir, será un vividor maravilloso, viajero incansable.

Onomástica: 6 de enero y 12 de mayo.

Otros idiomas: Catalán: Epifani. Euskera: Epipani, Irkus, Takus. Gallego: Epifanio. Francés: Epiphane. Alemán: Epiphanius. Italiano: Epifanio.

ERASMO

Etimología: Del griego *erasmios,* «encantador, agradable».

Personalidad: Erasmo es profundamente cerebral. Es metódico y perseverante y, aunque a primera vista no suele resultar simpático, sabe conquistar a la gente poco a poco. Su gran defecto es puede llegar a ser bastante egocéntrico.

Onomástica: 2 de junio.

Otros idiomas: Catalán: Erasme. Euskera: Erasma. Inglés y alemán: Erasmus. Francés: Erasme. Italiano: Erasmo.

ÉRIC

Etimología: Procede del germánico *Ewa-rich,* «regidor eterno».

Personalidad: Tienen muy claro lo que esperan de la vida y ponen todos los medios a su alcance para conseguirlo. Les gusta la originalidad, el riesgo, pero siempre con una nota típica y convencional. Tienen un gran afán de protagonismo y siempre parece que van a ir más allá del límite... pero no llegan a quemarse.

Onomástica: 18 de mayo.

Otros idiomas: Catalán: Eric. Inglés: Eric. Alemán: Erich. Italiano: Erik.

ERICO

Etimología: Nombre germánico *Ewa-ric,* «regidor eterno».

Personalidad: Introvertido y sensible, resulta serio y metódico. Es un buen trabajador, aunque sin demasiadas ambiciones. Desea un hogar estable y duradero, porque su familia es lo más importante. Otra de sus cualidades es su sentido de la cooperación y de los negocios.

Onomástica: 18 de mayo.

Otros idiomas: Catalán: Eric. Inglés: Eric. Italiano: Erico. Alemán: Erich. Variante: Erik.

ERMENEGILDO

Etimología: Procede del nombre germánico *Ermin,* semidiós de esta mitología.

Personalidad: De gran energía, no suelen pasar desapercibidos, y tienen habilidades para el liderazgo y la innovación. No les gusta seguir las corrientes establecidas y se empeñan en la originalidad. En el lado negativo tienen cierta tendencia al egoísmo, la vanidad y el orgullo. También pueden ser excéntricos y demasiado dominantes.
Onomástica: 13 de abril.
Otros idiomas: Catalán: Ermenegild. Gallego: Hermenexildo, Hermexildo, Manexildo. Bable: Merexildo. Francés: Hemenègild. Italiano: Ermenegildo, Gildo.

Ermengol

Etimología: Forma catalana de *Armengol*, derivado del nombre de un semidiós de la mitología escandinava, *Ermin*.
Personalidad: Posen una personalidad marcada por el impulso de creación. Es algo autoritario, individualista e independiente. Valora la estabilidad en su vida y para conseguirla a veces se muestra autoritario y egoísta.
Onomástica: 3 de noviembre.

Erminio

Etimología: Procede del germánico *airmans*, «grande, fuerte».
Personalidad: Aunque aparenta fuerza y dedicación, tiende a depender excesivamente de los demás. Cuando se siente solo, no sabe hacia dónde dirigirse, y piensa que la vida no tiene ningún sentido. Ahora bien, si está debidamente arropado, puede ser la persona más feliz del universo.
Onomástica: 25 de abril.

Ernesto

Etimología: Procede del germánico *ernust*, «tenaz, luchador».
Personalidad: Suele tener varias máscaras: una para estar en público, otra para el trabajo, una más para los muy íntimos... y por fin un verdadero Ernesto que prácticamente nadie ha llegado a observar. ¿Por qué? Quizá inseguridad. Es un excelente compañero.
Onomástica: 7 de noviembre.
Otros idiomas: Catalán: Ernest. Euskera: Arnulba. Gallego y bable: Ernesto. Inglés y francés: Ernest. Alemán: Erns. Italiano: Ernesto.

Ero

Etimología: Nombre gallego de origen germano, que significa «espada».
Personalidad: Es entusiasta, valora mucho la belleza y le gusta mostrarse siempre cn su mejor aspecto. Triunfa allá donde va con su aire inocente y su buen talante. Es tan optimista que se empeña en ver lo mejor de cada situación. Sin embargo, es muy crítico consigo mismo y a menudo no da la suficiente importancia a sus méritos.
Onomástica: 1 de noviembre.

Eros

Etimología: Dios del amor en la mitología griega.
Personalidad: Su principal característica es el exceso, en cualquier sentido. Lo mismo se trata de una personalidad excesivamente soñadora como de un materialismo consumado, de hedonistas y narcisistas como de estoicos que rozan el ascetismo. Hay que vigilar la tendencia a la indiscreción, así como al inconformismo.
Onomástica: No tiene.

Erwin

Etimología: Nombre de origen germánico: «merecedor de honores»
Personalidad: Espirituales y místicos, de sentimientos altruistas. Se trata de personas elevadas que intentan cultivar la sabiduría y que valoran la inteligencia y la habilidad. Receptivos y estudiosos, son capaces de disfrutar de la vida. Quizá a veces son demasiado abnegados y se olvidan de sus propios intereses.

Onomástica: No tiene.
Otros idiomas: Catalán: Eros. Italiano: Eros.

Esaú
Etimología: Nombre hebreo que significa «de fuerte carácter».
Personalidad: Es lento pero seguro. Sus decisiones siempre se hacen esperar y están profundamente meditadas, pero una vez que han sido tomadas, nada en el universo es capaz de hacer que no se cumplan. Y es que es implacable. Puede ser el mejor de los amigos, y sin duda un apoyo inmejorable en situaciones difíciles, pero no admite una traición.
Onomástica: No tiene.

Espartaco
Etimología: Procede del griego *spartakos*, gentilicio para la ciudad de Esparta.
Personalidad: Su nombre puede llegar a esclavizarle: ama la justicia, es cierto, pero también quiere tener una personalidad independiente. Cuando logra superar la frustración de no ser lo que los demás esperan, se convierte en un compañero divertido y agradable, que adora compartir lo que tiene con la gente a la que aprecia.
Onomástica: 1 de noviembre.
Otros idiomas: Catalán: Espàrtac. Inglés y francés: Spartacus. Alemán: Spartakus. Italiano: Spartaco.

Espiridión
Etimología: Nombre de origen griego que significa «aliento, respiración».
Personalidad: Juguetón y caprichoso, puede parecer que no le da importancia a casi nada, pero realmente le toma mucho cariño a la gente y sufre agudas decepciones cuando alguien le falla. Aunque sin mala intención, es demasiado impulsivo y poco reflexivo, así que raramente piensa antes de actuar.
Onomástica: No tiene.

Estanislao
Etimología: Del nombre eslavo *Stanislav,* que deriva de *stan,* «campamento militar», y *slava,* «gloria»: «la gloria del campamento».
Personalidad: Es un hombre excesivo y temperamental, que pasa de un extremo a otro sin términos medios. Se interesa con cuanto sea humanitario y posee una religiosidad innata que puede inclinarlo hacia los temas esotéricos, pero siempre con grandes conflictos internos, por lo que a veces su autoritarismo desmerece sus buenas acciones.
Onomástica: 11 de abril.
Otros idiomas: Catalán y gallego: Estanislau. Euskera: Estanisla. Gallego: Estanislau. Bable: Estanislao, Tanislao. Francés e Inglés: Stanislas. Italiano: Stanislao.

Esteban
Etimología: Deriva del griego *stephanós,* «coronado de laurel», y por extensión, «victorioso».
Personalidad: Serio, religioso y amante del orden y de la belleza. No le gusta demasiado el trato con la gente, pero cuando tiene un amigo, lo cuida hasta el final. En el trabajo suele ser un árbol de fruto tardío: encuentra el éxito cuando su carrera profesional ya está muy avanzada.
Onomástica: 3 de agosto y 26 de diciembre.
Otros idiomas: Catalán: Esteve. Euskera: Estebe, Eztebe, Itxebeni. Gallego: Estevo. Bable: Estébano, Teno. Inglés: Stephen, Steve. Francés: Etienne, Stéphane. Alemán: Stephan, Stefan. Italiano: Stefan, Stèfano.

Etelvino
Etimología: Es una variante de *Adelardo* y significa «amigo fiel».
Personalidad: Emotivo, altruista e idealista. Fiel a sus amistades y amores, tiene gran necesidad de ayudar y compartir, tanto en lo material como en lo espiritual. Es influenciable, le

cuesta ser realista y es algo desordenado. Su mayor problema son los cambios bruscos de humor.
Onomástica: 8 de septiembre.
Otros idiomas: Bable: Telvín.

ETU
Etimología: Nombre de los indios norteamericanos que significa «soleado».
Personalidad: Orgulloso e independiente, astuto y decidido, implacable con sus enemigos y capaz de casi cualquier cosa para conseguir sus objetivos. Su modo de afrontar los problemas es quizá un poco retorcido. Defiende su territorio y a su familia con uñas y dientes.
Onomástica: No tiene.

EUDALDO
Etimología: Es un nombre de origen germánico, *Hrodald,* «gobernante famoso».
Personalidad: Posen una personalidad marcada por el impulso de creación. Es algo autoritario, individualista e independiente. Valora la estabilidad en su vida y para conseguirla a veces se muestra autoritario y egoísta.
Onomástica: 11 de mayo.
Otros idiomas: Catalán: Eudald. Gallego: Eudald, Hou, Ou.

EUDOXIO
Etimología: Nombre griego *Eudoxios,* de *eu,* «bueno», y *doxa,* «fama»: «de buena fama», «de opinión recta».
Personalidad: Su problema principal es la pasividad y la indecisión, le parece que todo posee valores negativos y positivos. Es receptivo, sentimental y posee un gran espíritu de equipo. Cuando se siente rechazado, desarrolla una enorme capacidad de destrucción.
Onomástica: 1 de marzo.
Otros idiomas: Catalán: Eudòxi. Gallego: Eudoxio. Bable: Udosiu. Francés: Eudoce, Eudoxe. Italiano: Eudixio, Eudosio.

EUFEMIO
Etimología: Nombre griego proviene de *Eu-phemi,* «de buena palabra, elocuente».
Personalidad: Dulce y agradables. Es un hombre emotivo y sacrificado, intuitivo e imaginativo. Se interesa por las cuestionies humanitarias y su mayor problema consiste en no saber hasta dónde puede llegar en su entrega, pues es muy vulnerable.
Onomástica: 16 de septiembre.

EUFRASIO
Etimología: Nombre romano que indica la procedencia de la comarca del río *Eúfrates.* También significa «gozo» en su variante griega.
Personalidad: Encantador. Siempre tiene la palabra exacta, la sonrisa adecuada, el chiste justo o la anécdota perfecta. Además de sensible y un gran estudioso del arte. Sus momentos de soledad son escasos, pero los necesita para poner en orden sus ideas.
Onomástica: 13 y 20 de marzo.
Otros idiomas: Bable: Eufrasio (Frasio).

EUGENIO
Etimología: Es un nombre de origen griego, que deriva de *eu-genos,* «bien nacido, de buen origen».
Personalidad: Destaca por su equilibrio y su sencillez. Nada ni nadie parece capaz de perturbarlo; es ciertamente poco sociable, y tiende a encerrarse en sí mismo y en sus preocupaciones.
Onomástica: 2 de junio y 6 de septiembre.
Otros idiomas: Catalán: Eugeni. Euskera: Euken, Eukeni. Gallego: Euxeo, Uxío. Bable: Euxenio. Inglés: Eugene. Francés: Eugène. Alemán: Eugen. Italiano: Eugenio.

EULALIO
Etimología: Procede del griego *eu-lalos,* «elocuente, bien hablada».

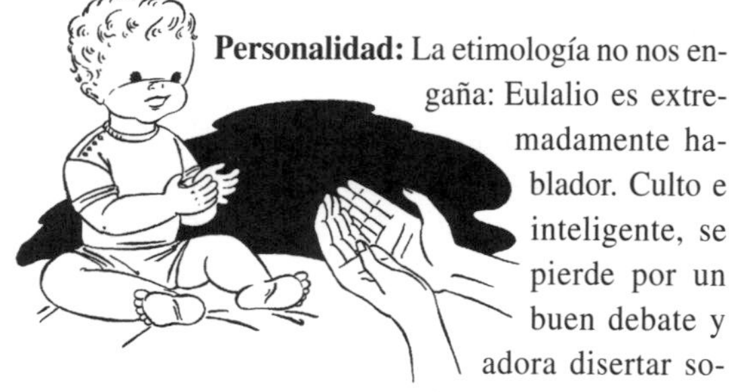

Personalidad: La etimología no nos engaña: Eulalio es extremadamente hablador. Culto e inteligente, se pierde por un buen debate y adora disertar sobre temas que conoce en profundidad. Es seguro y decidido. Claro, que a veces descuida un poco su aspecto.
Onomástica: 12 de febrero.

EULOGIO

Etimología: Nombre griego que procede de *Eu-logos,* «buen discurso», «buen orador».
Personalidad: Eulogio es encantador y seductor, cuidadoso de su aspecto, es capaz de mostrarse ingenioso, inteligente y comunicativo, y si a esto unimos su espíritu conciliador y su habilidad manual no es extraño que Eulogio sea muy apreciado por quienes le tratan. Su mayor defecto es la dispersión: le pierde su curiosidad y ganas de cambios.
Onomástica: 11 de marzo
Otros idiomas: Catalán: Eulogi. Euskera: Eulogi, Hitzeder. Gallego: Euloxio. Bable: Euloxu, Oloxu. Francés: Euloge. Inglés y alemán: Eulogius. Italiano: Eulogio.

EUSEBIO

Etimología: Del griego *eu-sebeia,* «de buenos sentimientos».
Personalidad: Apegado a las cosas sencillas, a Eusebio le gusta trabajar con sus manos. Creativo y melancólico. Es un gran amigo, ingenuo, y desconoce el significado de las palabras rencor o venganza. Siente un gran apego por las tradiciones y es profundamente conservador.
Onomástica: 8 de septiembre.
Otros idiomas: Catalán y euskera: Eusebi. Gallego: Eusebio. Bable: Osebio. Inglés y alemán: Eusebius. Francés: Eusèbe. Italiano: Eusebio.

EUSTAQUIO

Etimología: Del griego *eu-stachys,* «espiga buena», por extensión, «fecundo».
Personalidad: Gran amante de la belleza, aunque no siempre la encuentra en los lugares tradicionales. Puede que sea un artista o un enamorado de la moda, pero también puede tratarse de un científico. También demuestra un interés infinito por los seres humanos y por las relaciones entre ellos.
Onomástica: 20 de septiembre y 31 de octubre.
Otros idiomas: Catalán: Eustaqui. Euskera: Eustaki. Gallego: Eustaquio. Bable: Ustaquiu. Inglés: Eustace. Francés: Eustache. Alemán: Eustachius. Italiano: Eustachio.

EUSTASIO

Etimología: Nombre de origen griego que signfica «sano y fuerte».
Personalidad: Es equilibrado y posee gran encanto, por lo que está dotado para la diplomacia. También valora enormemente la belleza, la armonía y la capacidad de sacrificio. Por contra, es algo indeciso y dado al fatalismo y al exceso de perfeccionismo.
Onomástica: 13 de diciembre.

EVAN

Etimología: Nombre irlandés, del origen celta, que significa «joven guerrero». En inglés es una variante de *John* y de *Owen.*
Personalidad: Es un hombre hogareño que desea pasar su vida del modo más apacible y tranquilo. El trabajo es para él una maldición, y mucho más la vida en la ciudad. Su ideal es retirarse al campo y cultivar con sus manos, sin más compañía que su familia y amigos más íntimos.
Onomástica: No tiene.

Evaristo

Etimología: Nombre de origen griego que signfica «el mejor».
Personalidad: Su principal característica es el exceso, en cualquier sentido. Lo mismo se trata de una personalidad excesivamente soñadora como de un materialismo consumado, de hedonistas y narcisistas como de estoicos que rozan el ascetismo. Hay que vigilar la tendencia a la indiscreción, así como al inconformismo.
Onomástica: 26 de octubre.
Otros idiomas: Gallego: Evaristo. Bable: Varisto.

Evelio

Etimología: Del nombre griego *Eu-élios,* de *eu,* «bueno», y *élios,* «el Sol»: «luminoso, alegre».
Personalidad: Espirituales y místico. Se trata de personas elevadas que intentan cultivar la sabiduría y que valoran la inteligencia. Receptivos y estudiosos, son capaces de disfrutar de la vida. Quizá a veces son demasiado abnegados y se olvidan de sus propios intereses.
Onomástica: 11 de mayo.
Otros idiomas: Catalán: Eveli. Italiano: Evelio.

Evencio

Etimología: Nombre latino que proviene de *Eventus,* «suceso, evento, acontecimiento». Se puede traducir como «que tiene éxito».
Personalidad: Sereno, con las ideas muy claras, seguro de sí mismo y con facilidad para las relaciones sociales. Valora el refinamiento, pero sobre todo el buen carácter, la lealtad y la integridad de sus amigos. En el amor es muy exigente. Si cree plenamente en una causa o idea, pone todo su empeño en ella.
Onomástica: 3 de mayo.

Ewan

Etimología: Nombre de origen escocés, que es una variante de *Juan,* y éste del hebreo *Yehohanan,* «Dios es misericordioso».
Personalidad: No le gustan las convenciones sociales, porque busca puntos de vista propios. Ama su profesión y se dedica a ella con auténtico fervor, aunque no por ello descuida a su familia ni a sus amigos. Como padre, es muy cariñoso. Sentimental hasta la médula, tiene debilidad por las historias de amor y es un poco conquistador.
Onomástica: 24 de junio.
Otros idiomas: Catalán: Joan. Euskera: Ganix, Jon, Marez, Yon. Gallego: Xan, Xoan. Inglés: John, Jack. Francés: Jean. Alemán: Hans, Hohannes, Johann. Italiano: Gianni, Giovanni.

Eyota

Etimología: Nombre de los indios norteamericanos que significa «grandioso, magnífico».
Personalidad: Es afectuoso y profundamente protector. No es demasiado imaginativo ni original, pero lo compensa con una impresionante capacidad de trabajo y una lealtad incorruptible. En el amor es algo ingenuo, pero prefiere eso a volverse cruel o insensible. Es feliz si tiene una causa en la que ocuparse.
Onomástica: No tiene.

Ezequías

Etimología: Del hebreo *ezek-El,* «fuerza de Dios». Variante de *Ezequiel.*
Personalidad: La estabilidad, la paciencia, la organización, el realismo, el sentido del deber y el orden son sus principales virtudes. En lo sentimental y con sus amistades son de una fidelidad absoluta. Por contra, caen con facilidad en la rutina y la avaricia.
Onomástica: 10 de abril.

Ezequiel

Etimología: Del hebreo *ezek-El,* «fuerza de Dios».
Personalidad: Fuerza, lucidez y amor por la justicia. Ezequiel es un hombre profundo que sabe lo que quiere y cómo conseguirlo. Su ma-

yor pecado es la independencia: tiende a subestimar a los demás, a creer que sus ideas son las únicas válidas. Claro, que normalmente tiene razón. Más le vale a la mujer que se enamore de él tener un carácter al menos tan fuerte como el suyo, o se verá irremediablemente sometida.

Onomástica: 10 de abril.

Otros idiomas: Catalán y gallego: Ezequiel. Euskera: Ezekel. Bable: Zaquiel. Francés: Ezéchiel. Italiano: Exechiel.

EZRA

Etimología: Nombre de origen hebreo que podría traducirse como «el que ayuda».

Personalidad: Espirituales y místicos, de sentimientos altruistas. Se trata de personas elevadas que intentan cultivar la sabiduría y que valoran la inteligencia y la habilidad. Receptivos y estudiosos, son capaces de disfrutar de la vida. Quizá a veces son demasiado abnegados y se olvidan de sus propios intereses.

Onomástica: No tiene.

FABIÁN

Etimología: Del gentilicio latino *Fabianus,* «de la familia de Fabio».

Personalidad: Autoritario, franco, directo y elegante. Fabián es ambicioso y algo desconfiado, necesita sopesar mucho las cosas antes de decidirse y no otorga su confianza con facilidad. Se mueve entre dos tendencias: la conservadora, estable y ordenada, y la expansiva, ambiciosa y adaptable, tendencias que se alternarán según las circunstancias.

Onomástica: 20 de enero.

Otros idiomas: Catalán: Fabià, Fabi. Euskera: Paben. Gallego: Fabián. Bable: Fabio. Inglés: Fabian. Francés: Fabien. Italiano: Fabiano, Fabio. Variantes: Fabiano, Fabio.

FABIO

Etimología: Nombre de la gens romana *Fabia,* que a su vez procede de *faba,* «haba».

Personalidad: Es algo contradictorio, pero obtiene la fuerza precisamente de su indecisión. Por medio de la duda consigue retrasar sus decisiones y ganar tiempo para tomar la más adecuada. Por lo demás, es sencillo y hasta algo ingenuo, y está muy apegado a las pequeñas tradiciones.

Onomástica: 11 de mayo.

Otros idiomas: Catalán: Fabià, Fabi. Euskera: Paben. Gallego: Fabian. Bable: Fabio. Inglés: Fabian. Francés: Fabien. Italiano: Fabiano, Fabio. Variantes: Fabiano, Fabián.

FABRICIANO

Etimología: Nombre de la gens romana *Fabricia,* que a su vez deriva de *faber,* «artesano».

Personalidad: Adora el arte, la literatura, la música, el teatro... Todo eso le interesa mucho más que el mundo real. Se desenvuelve perfectamente en cualquier actividad artística. Es un gran amigo y como pareja es muy entregado, pero necesita sentir que recibe una devoción igual que la suya.

Onomástica: 22 de agosto.

Otros idiomas: Catalán: Fabrici, Fabricià. Bable: Fabrición, Fabricianu. Francés: Fabrice, Fabricius. Alemán: Fabrizius. Italiano: Fabrizio.

FABRICIO

Etimología: Nombre de la gens romana *Fabricia,* que a su vez deriva de *faber,* «artesano».

Personalidad: Es todo un artesano de las relaciones humanas. Teje a su alrededor y entre la gente que le importa una red de cariño y protección. No concede excesiva importancia a lo material, y considera el trabajo como un elemento necesario más para mantener viva su red familiar.

Onomástica: 22 de agosto.

Otros idiomas: Catalán: Fabrici, Fabricià. Bable: Fabricio. Francés: Fabrice, Fabricius. Alemán: Fabrizius. Italiano: Fabrizio.

FACUNDO

Etimología: Del latín *Facundos,* «elocuente».

Personalidad: Es un idealista capaz de dar lo mejor de sí mismo cuando se siente querido y respaldado, por lo que necesita hallar un alma gemela que le cuide y le mime. Profesionalmente es metódico, y bien organizado, deseando ser independiente; pero lo que más le atrae es la vida interior, la reflexión e incluso, a veces, la religión.

Onomástica: 27 de noviembre.

Otros idiomas: Catalán: Facund. Euskera: Pakunda. Gallego: Facundo. Bable: Fagondo. Italiano: Facundo.

FADI

Etimología: Nombre árabe que significa «salvador, el que redime».

Personalidad: Su impresión es que ha nacido en un tiempo que no le corresponde. Él necesita vivir fuera de la realidad, en un refugio de fantasía propio. Su carácter le da ventaja en profesiones relacionadas con la interpretación o la escritura. Por lo demás, tiene un corazón de oro y es capaz de desvivirse por ayudar a su prójimo.
Onomástica: No tiene.

Fadil
Etimología: Nombre árabe que significa «generoso».
Personalidad: Es un hombre de carácter. Muy dado a las discusiones espectaculares y melodramáticas, aunque al final siempre acaba cediendo. Es extremadamente ambicioso en su vida personal y profesional. Aunque le encanta la intriga, es un buen amigo, pero un poco superficial.
Onomástica: No tiene.

Fadrique
Etimología: Procede del germánico *fridureiks,* «rey de la paz». Es la forma antigua de Federico.
Personalidad: Polifacético: suele alcanzar el éxito laboral, la felicidad en el amor y amigos excelentes. ¿El secreto? El equilibrio y la reflexión. A veces puede parecer frío y analítico y también es propenso a padecer la ira.
Onomástica: 18 de julio.
Otros idiomas: Catalán: Frederic. Euskera: Perderica. Gallego: Frederico. Inglés: Frederic, Frederick. Francés: Frédéric. Alemán: Friedrich. Italiano: Federico, Federigo.

Fahd
Etimología: Nombre árabe cuyo significado es «lince».
Personalidad: Es tozudo y obstinado, aunque no actúa con mala intención. Puede ser orgulloso, pero también sincero y justo. Siente pasión por todo tipo de actividades intelectuales y es dado a la polémica. En el amor y la amistad se muestra muy sólido. No soporta a las personas que actúan sólo por conveniencia.
Onomástica: No tiene.

Faisal
Etimología: Nombre árabe que significa «decidido».
Personalidad: Desde niño tiene que luchar con su inseguridad. Tiende a compararse con los demás y en su fuero interno siempre sale malparado. Hay algo en su interior que le obliga a fijarse en los demás y esa falta de criterio puede convertirlo en un tipo excéntrico. Su verdadera meta en la vida es hallar a alguien que le proporcione la seguridad que tanto necesita.
Onomástica: No tiene.

Fakhir
Etimología: Nombre árabe que significa «excelente».
Personalidad: Tiene un aire de niño demasiado mimado. No soporta bien que le contradigan. Su principal preocupación es siempre la estética, por encima de la ética: que las cosas tengan un aspecto impecable, que su físico se mantenga... Aunque no es muy constante, sí es bastante ingenioso y divertido.
Onomástica: No tiene.

Falco
Etimología: Nombre de origen latino, de *falco,* «halcón»: «el que ve lejos».
Personalidad: Su problema principal es la pasividad y la indecisión, le parece que todo posee valores negativos y positivos. Es receptivo, sentimental y posee un gran espíritu de equipo. Cuando se siente rechazado, desarrolla una enorme capacidad de destrucción.
Onomástica: 20 de febrero.

Faraji

Etimología: Nombre swahili que significa «consuelo».

Personalidad: Poco a poco, porque es muy trabajador, va construyendo a su alrededor un mundo a su medida. Cuando lo consigue, es del todo irrompible. No es que sea materialista, sino que necesita la seguridad de las cosas y las personas que le son familiares. Por lo demás, es muy cariñoso y solidario.

Onomástica: No tiene.

Farid

Etimología: Nombre árabe que significa «el único».

Personalidad: A veces puede encontrarse en situaciones comprometidas por su sentido de la justicia: no soporta que se abuse de los débiles. Debe aprender a valorar las posibilidades ajenas, a no subestimar a los demás, aunque sea con ánimo protector. Por su carácter, tiende a relacionarse con personas que buscan protección.

Onomástica: No tiene.

Faris

Etimología: Nombre árabe que significa «caballero».

Personalidad: Le gusta estar en constante movimiento, buscar nuevos intereses, conocer nuevos lugares: su curiosidad se mantiene siempre viva. Necesita desempeñar profesiones que requieran poner en juego estas características, no soportaría una vida monótona o un trabajo mecánico. Es un amigo muy leal.

Onomástica: No tiene.

Fath

Etimología: Nombre árabe que significa «victorioso».

Personalidad: Busca fundamentalmente la paz interior, estar satisfecho consigo mismo. La vida superficial y las diversiones de ese estilo no le interesan ni lo más mínimo. Para sentirse a gusto necesita desempeñar una profesión que lo mantenga ocupado y le exija un cierto esfuerzo. En el amor necesita seguridad y solidez.

Onomástica: No tiene.

Faustino

Etimología: Gentilicio de *Faustinus,* «de la familia de Fausto.

Personalidad: Polifacético: suele alcanzar el éxito laboral, la felicidad en el amor y amigos excelentes. ¿El secreto? El equilibrio y la reflexión. A veces puede parecer frío y analítico y también es propenso a padecer la ira.

Onomástica: 15 de febrero.

Otros idiomas: Catalán: Faustí. Euskera: Fostin. Gallego: Faustino. Euskera: Paustín. Gallego: Faustino, Faustiño. Alemán: Faustinos. Italiano: Faustino.

Fausto

Etimología: Del latín *faustus,* «feliz, próspero».

Personalidad: Es inteligente, trabajador, creativo, optimista y completamente inmune a los golpes de la suerte o del destino. Pero muchas veces tiende a perderse en su mundo de ideas abstractas, y difícilmente aceptará que un sencillo problema humano puede ser tan importante como una duda metafísica.

Onomástica: 4 de octubre.

Otros idiomas: Catalán: Faust. Euskera: Fauste. Gallego y bable: Fausto. Inglés y alemán: Faustus. Francés: Faust. Italiano: Fausto. Variante: Faustino.

Febo

Etimología: Del latín *Phoebe,* que deriva del griego *phoibos,* «resplandeciente».

Personalidad: Suelen poseer gran belleza, relacionados con la cultura, el conocimiento, la armonía y la verdad. Disfrutan al máximo de la

vida, valorando lo detalles y placeres más insignificantes. Son cooperadores, entusiastas y afectuosos, por lo que valoran el amor y la amistad. El mayor riesgo se encuentra en la hipersensibilidad y la indecisión.
Onomástica: No tiene.
Otros idiomas: Catalán: Febo. Italiano: Febo.

FEDERICO

Etimología: Procede del germánico *fridureiks,* «rey de la paz».
Personalidad: Polifacético: suele alcanzar el éxito laboral, la felicidad en el amor y amigos excelentes. ¿El secreto? El equilibrio y la reflexión. A veces puede parecer frío y analítico y también es propenso a padecer la ira.
Onomástica: 18 de julio.
Otros idiomas: Catalán: Frederic. Euskera: Frederik, Perderica. Gallego: Frederico. Bable: Federico, Federo. Inglés: Frederic, Frederick. Francés: Frédéric. Alemán: Friedrich. Italiano: Federico, Federigo.

FEDRO

Etimología: Del griego *Phaidimos,* «brillante, ilustre».
Personalidad: Enérgico y obstinado, confiado en sí mismo y deseoso de hacerlo todo y mejor que los demás. Necesita gastar la enorme energía que es capaz de desarrollar e ir siempre hacia delante gracias a su imaginación y capacidad de reacción. Es amante del hogar y la familia, pero es muy celoso de sus prerrogativas.
Onomástica: No tiene.
Otros idiomas: Catalán: Fedre. Italiano: Fedro.

FEIVEL

Etimología: Nombre de origen yiddish que significa «Dios ayuda».
Personalidad: Es un conversador por el gusto de intercambiar impresiones: lo que más le interesa en este mundo son las personas y su comportamiento. Su virtud principal es el interés por el conocimiento y la literatura, aunque sólo sea por el placer que le producen las personas relacionadas con las humanidades.
Onomástica: No tiene.

FELICIANO

Etimología: Del nombre latino *Felicianus,* gentilicio de Félix, «feliz o fértil».
Personalidad: Oscila entre dos tendencias: la de activo, que le confiere rápida comprensión, don de gentes y adaptabilidad, y la de realización, estable, paciente y estabilizador. Pero lo más probable es que domine la espiritualidad, la sociabilidad y el optimismo. Puede, sin embargo, llegar a ser egocéntrico y autoritario.
Onomástica: 9 de junio.
Otros idiomas: Catalán: Felicià. Euskera: Peliken. Gallego: Feliciano. Bable: Felicián. Francés: Félicien. Alemán: Felizianus. Italiano: Feliciano.

FELIPE

Etimología: Procede del griego *philos-hippos,* «amigo de los caballos».
Personalidad: Tiene verdaderos problemas para aparentar seriedad e interés por los asuntos «importantes». Juguetón, sólo quiere explorar los distintos senderos de la vida, desconociendo por completo el significado de la ambición. Cuando el destino quiere situarle en puestos de responsabilidad sabe estar a la altura, aunque torturándose continuamente con la tentación de arrojarlo todo por la borda.
Onomástica: 26 de mayo.
Otros idiomas: Catalán: Felip. Euskera: Pilipa. Gallego: Felipe, Filipe. Bable: Felipo, Felipe, Filipo. Inglés: Philip. Francés: Philippe. Italiano: Filippo. Alemán: Philipp.

FELISARDO

Etimología: Nombre de origen latino que podría traducirse como «valiente, hábil».

Personalidad: Posee una personalidad carismática, seductora y fuerte. Es también idealista y perfeccionista, lo cual normalmente le lleva a tener elevadas ambiciones. En lo negativo, suele ser nervioso y autoritario.
Onomástica: No tiene.

Félix

Etimología: Deriva del latín *felix,* «fértil, feliz».
Personalidad: Son personas tranquilas y sencillas que con sus actos cotidianos hacen un poco más felices a los demás. Y es que es ése precisamente su don: olvidarse de sí mismo para mejorar la vida de los que le rodean. ¿Acaso se puede pedir más?
Onomástica: Es uno de los nombres más frecuentes en el santoral. Entre otras fechas, 14 de enero y 2 de agosto.
Otros idiomas: Catalán: Fèlix, Feliu. Euskera: Peli, Zorion. Gallego: Fiz, Fins, Fis. Bable: Feliz. Inglés y alemán: Felix. Francés: Félix. Italiano: Felice.

Fenton

Etimología: Nombre de origen anglosajón que significa «granjero de las tierras pantanosas».
Personalidad: Su carácter puede llegar a esclavizarlo de alguna manera: es demasiado orgulloso y un poco rígido de carácter, le cuesta ver los matices de las cosas. Si consigue atemperar ese problema, puede llegar a ser incluso divertido. En el amor y la amistad prefiere lo poco, pero bueno.
Onomástica: No tiene.

Feódor

Etimología: Es una forma rusa de *Teodoro,* del griego *theo-doros,* «don de dios».
Personalidad: Busca soluciones y respuestas en lo que le va enseñando la vida: tiene la virtud de la observación, combina inteligencia e intuición. Es un conquistador y su mayor defecto es que se pierde por llamar la atención del sexo opuesto. En el trabajo necesita trabajos que le obliguen a estar en constante movimiento.

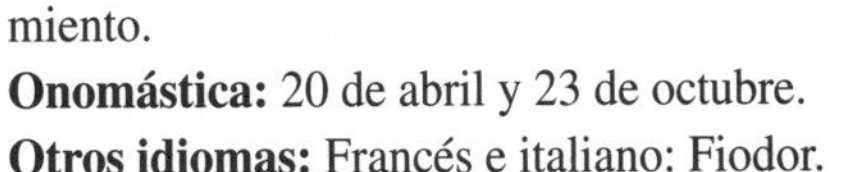

Onomástica: 20 de abril y 23 de octubre.
Otros idiomas: Francés e italiano: Fiodor.

Fermín

Etimología: Del latín *firmus,* «firme, sólido».
Personalidad: Perseverante, fija sus objetivos y los va alcanzando poco a poco. Receptivo al máximo, se esfuerza por comprender a los demás y mostrarse solidario: es un gran amigo y compañero, especialmente sensible a las causas humanitarias. Su mayor defecto es que siente una gran debilidad por las alabanzas y el reconocimiento de los demás.
Onomástica: 7 de julio.
Otros idiomas: Catalán: Fermí. Euskera: Fermin, Premiñe. Gallego: Fermín, Firmino. Inglés y francés: Firmin. Italiano: Fermo, Firmino.

Fernán

Etimología: Deriva del germánico *frad-nand,* «de atrevida inteligencia». Es, en castellano, la forma antigua de *Fernando.*
Personalidad: Posee una gran capacidad de adaptación, por lo cual le entusiasman los viajes y todo lo que requiera audacia e innovación. En lo negativo, su personalidad le acarrea ciertos inconvenientes como accidentes, inestabilidad y superficialidad.
Onomástica: 30 de mayo.
Otros idiomas: Bable: Fernán.

Fernando

Etimología: Deriva del germánico *frad-nand,* «de atrevida inteligencia».
Personalidad: Necesita sentirse diferente y original. Le gusta considerarse excéntrico,

pero en realidad es un hombre normal que se esfuerza cada día por no caer en lo convencional. Es muy inteligente, pero a veces superficial. En el amor suele sufrir un gran desengaño y, a partir de entonces, se muestra frívolo y hasta ligeramente egoísta.
Onomástica: 30 de mayo.
Otros idiomas: Catalán: Ferran. Euskera: Erlantz, Ellande, Enaut, Errando, Ferran, Perrando. Gallego: Fernán. Bable: Fernán, Fernando (Nando). Inglés, francés y alemán: Ferdinand. Italiano: Ferdinando.

FERRÁN

Etimología: Nombre catalán, que deriva del germánico *frad-nand,* «de atrevida inteligencia». Es el equivalente de *Fernando.*
Personalidad: No soporta hacer daño a los demás. Tal vez por eso prefiere sufrir una frustración a imponer su criterio, aunque sepa que es el correcto. A pesar de ese carácter bondadoso, no carece de ambiciones, pero suele marcarse un camino que sea muy respetuoso con todos. Es un compañero de trabajo y amigo muy agradable.
Onomástica: 30 de mayo.
Otros idiomas: Euskera: Erlantz, Ellande, Enaut, Errando, Ferran, Perrando. Gallego: Fernán. Bable: Fernán, Fernando (Nando). Inglés, francés y alemán: Ferdinand. Italiano: Ferdinando.

FERRER

Etimología: Del catalán *ferrer,* «herrero».
Personalidad: Posee una personalidad marcada por el impulso de creación. Es algo autoritario, individualista e independiente. Valora la estabilidad en su vida y para conseguirla a veces se muestra autoritario y egoísta.
Onomástica: 22 de enero.

FERRIOL

Etimología: Nombre catalán que deriva del latín *ferrus,* «hierro».
Personalidad: No tolera con facilidad las críticas o las opiniones adversas. Tiene una imagen muy clara de cómo deben ser las cosas a su alrededor, incluso las personas. La familia para él es lo más importante y está dispuesto a cualquier sacrificio para sacarla adelante, aunque exige en los demás una actitud semejante.
Onomástica: 18 de septiembre.

FERRUCIO

Etimología: Del latín *ferus,* «fiera, arisco».
Personalidad: El rasgo dominante de su personalidad es el alto dominio sobre sí mismo. Sabe medir sus capacidades, que suelen armonizar con todo lo que le rodea. Refinado, amable, simpático y de buen talante, suele hacer amigos con gran facilidad y le gusta ayudar a los demás. Quizá demasiado soñador.
Onomástica: 16 de junio.
Otros idiomas: Catalán: Ferruci.

FIDEL

Etimología: Del latín *fides,* «fe, confianza, leatad».
Personalidad: Orgulloso y conservador. Bajo su aparente sumisión a las convenciones, es capaz de salirse siempre con la suya, pues conoce todos los resquicios y trampas de la tradición. Además, suele crear sus propias tradiciones y consigue imponérselas a los demás.
Onomástica: 24 de abril.
Otros idiomas: Catalán, gallego y bable: Fidel. Euskera: Pidel. Francés: Fidéle. Italiano: Fedele.

FIDELIO

Etimología: Gentilicio de *Fidelius,* que proviene de *fides,* «fe, confianza, lealtad».
Personalidad: Concede más importancia a lo espiritual que a lo material. Es paciente, con

gran capacidad de estudio, lógica y análisis. Muy exigente consigo mismo y con los demás. Algo solitario e introspectivo, por lo que cae con facilidad en el pesimismo.
Onomástica: No tiene.

Filemón

Etimología: Procede del griego *philémon,* «amigo».
Personalidad: En la lista de prioridades vitales de Filemón aparece, en primer lugar, y a mucha distancia del resto, la amistad, entendida como lealtad extrema y entrega hasta el final. De inteligencia ágil y divertida, elige la risa y el absurdo como forma ideal de luchar contra los problemas.
Onomástica: 8 de marzo.
Otros idiomas: Catalán: Filemon. Euskera: Pillemon. Gallego: Filemón. Inglés: Philemon.

Filadelfo

Etimología: Nombre de origen griego, que significa «el que ama a su hermano».
Personalidad: Le lleva tiempo encontrarse a gusto consigo mismo, por lo que tiene dificultades para llegar a descubrir su verdadero camino. Aunque vacila y no es muy enérgico, posee un cierto espíritu aventurero, incluso algo temerario, que le sirve de contrapeso. Es de una lealtad inquebrantable con sus amigos y en el amor.
Onomástica: 10 de mayo y 2 de septiembre.

Filiberto

Etimología: Del germánico *fili-berth,* «muy famoso».
Personalidad: Aventurero. Odia el sedentarismo y la comodidad, y por encima de todo, detesta un mundo donde parece que ya todo está hecho. Inconformista y contestatario. Le cuesta horrores reconocer o aceptar sus sentimientos, quizá por miedo a que llegue alguna mujer y consiga cortarle las alas.
Onomástica: 22 de agosto.
Otros idiomas: Catalán: Filibert. Euskera: Piliberta. Bable: Feliberto. Inglés: Fulbert. Francés: Philibert. Alemán: Philibert. Italiano: Filiberto.

Filomeno

Etimología: Proviene del griego *philos-melos,* «amante de la música».
Personalidad: De carácter tranquilo y refinado, es un apasionada del arte en su faceta más erudita e intelectual. Suele ser incapaz de producir obras propias. En el amor combina una cierta dependencia del cariño y la protección de su compañera con algo de desprecio por su falta de interés por la cultura.
Onomástica: 14 de noviembre.
Otros idiomas: Catalán: Filomè. Euskera: Pillomen.

Fineas

Etimología: Nombre irlandés, de origen celta, que significa «oráculo».
Personalidad: Él es el único que considera que sus ideas son sólidas, porque los demás creen que las cambia con demasiada frecuencia. Como en todo, se deja llevar por las modas. Es muy afectuoso y en el campo profesional se marca metas que le permitan alcanzar un buen nivel de vida. Como padre se muestra muy responsable.
Onomástica: No tiene.

Fiodor

Etimología: Es una forma rusa de *Teodoro,* del griego *theo-doros,* «don de dios».
Personalidad: Espirituales y místicos, de sentimientos altruistas. Se trata de personas elevadas que intentan cultivar la sabiduría y que valoran la inteligencia y la habilidad. Receptivos y estudiosos, son capaces de disfrutar de la vida. Quizá a veces son demasiado abnegados y se olvidan de sus propios intereses.

Onomástica: 20 de abril y 23 de octubre.
Otros idiomas: Francés e italiano: Fiodor.

Firas

Etimología: Nombre árabe que significa «persistente».
Personalidad: Vive en su propio mundo, en sus pensamientos y fantasías. Reflexivo y poco convencional, por tanto, no es fácil que se atenga a los patrones sociales imperantes. Como pareja y como amigo también es un poco despistado, pero de sentimientos nobles y muy profundos. Suele conseguir lo que se proponga.
Onomástica: No tiene.

Flaminio

Etimología: Nombre de la gens romana *Flaminia,* que proviene de *flamen,* «sacerdote».
Personalidad: Posee fuerza y determinación, así como una personalidad difícilmente manejable. Obstinado e independiente, ejerce un gran magnetismo, aunque puede caer fácilmente en la intransigencia. Rara vez se siente contento durante mucho tiempo, así que busca cambios de ambiente o de escenario.
Onomástica: 2 de mayo.
Otros idiomas: Catalán: Flamini. Francés y alemán: Flaminius. Italiano: Flaminio.

Flavio

Etimología: Nombre de la gens romana *Flavia,* que proviene de *flavus,* «amarillo, dorado, rojizo».
Personalidad: Odian la vulgaridad, y en torno a este hecho hacen girar toda su existencia. A veces superficiales, a veces engreídos, sin embargo saben entregarse cuando encuentran a la persona digna de merecerlo. La defienden y la protegen hasta que consiguen conducirla a lo más alto.
Onomástica: 7 de mayo.
Otros idiomas: Catalán: Flàvio.

Floreal

Etimología: Nombre de origen latino. Como se llamó así al octavo mes del calendario de la Revolución Francesa, fue un nombre que adoptaron luego muchos anarquistas.
Personalidad: Posee fuerza y determinación, así como una personalidad difícilmente manejable. Obstinado e independiente, ejerce un gran magnetismo, aunque puede caer fácilmente en la intransigencia. Rara vez se siente contento durante mucho tiempo, así que busca cambios de ambiente o de escenario.
Onomástica: No tiene.

Florencio

Etimología: Del latín *florens,* «floreciente».
Personalidad: Es hablador y amante de la buena vida, una persona alegre que encuentra el medio ambiente perfecto en la vida social. A pesar de su gusto por lo frívolo, no es tan superficial y le gusta tomar decisiones meditadas. Tiene un sentido del humor irónico, mordaz y difícil de comprender.
Onomástica: 7 de noviembre.
Otros idiomas: Catalán: Florenci. Euskera: Lore, Polentzi. Gallego y bable: Florencio, Frolencio. Francés: Florent. Italiano: Fiorenzo. Alemán: Florens.

Florentino

Etimología: Del latín *florens,* «floreciente».
Personalidad: Su principal característica es el exceso, en cualquier sentido. Lo mismo se trata de una personalidad excesivamente soñadora como de un materialismo consumado, de hedonistas y narcisistas como de estoicos que rozan el ascetismo. Hay que vigilar su tendencia a la indiscreción, así como al inconformismo, que le hacen perder amistades y posibilidades laborales.
Onomástica: 7 de noviembre.
Otros idiomas: Catalán: Florentí. Euskera: Polendin. Gallego: Florentino.

FLORIÁN

Etimología: Del latín *Flora,* diosa de la primavera y de las flores.

Personalidad: Emotivo e idealista. Fiel a sus amistades y amores, tiene gran necesidad de ayudar y compartir, tanto en lo material como en lo espiritual. Es influenciable, le cuesta ser realista y es algo desordenado. En lo espiritual, tiende también a padecer desórdenes ciclotímicos.

Onomástica: 24 de noviembre.

Otros idiomas: Catalán: Florià. Euskera: Polen. Gallego: Florián. Bable: Florín. Italiano: Floriano.

FLORO

Etimología: Del latín *Flora,* diosa de la primavera y de las flores.

Personalidad: Es un hombre que no se conforma, sino que desea cambiarlo todo. No acepta consejos ni órdenes de los demás: quierer probarlo todo por sí mismo. Suele tener algunos problemas por su su carácter independiente y su falta de respeto a los convencionalismos.

Onomástica: 1 de junio y 18 de agosto.

Otros idiomas: Euskera: Lore. Bable: Floro.

FOLUKE

Etimología: Nombre yoruba que significa «dado a Dios».

Personalidad: No soporta el desorden o la incoherencia y está demasiado pendiente de lo que opinan de él. Si cree que algo merece la pena, no le importa arriesgar todo lo que haga falta. En el amor prefiere ser conquistado a conquistar, porque necesita sentir que le prestan atención.

Onomástica: No tiene.

FORTUNATO

Etimología: Proviene del latín *fortunatus,* «afortunado, rico».

Personalidad: Sabe sacar el mejor provecho de las adversidades, siempre logra sobreponerse y afrontar los problemas con la mejor disposición posible. Tiene un agudo sentido del humor, y a la par que se ríe de sus propias aventuras, consigue que los demás afronten los reveses del destino con semejante disposición de ánimo.

Onomástica: 11 de junio.

Otros idiomas: Catalán: Fortunat. Euskera: Fortun, Portunata. Gallego: Fortunato. Alemán: Fortunatus. Italiano: Fortunato.

FRANCISCO

Etimología: Del italiano *Francesco,* «francés». Surge como nombre propio por primera vez cuando san Francisco de Asís recibe ese apodo por su afición a la lengua francesa.

Personalidad: Su capacidad de observación y su agudo sentido práctico a menudo le conducen al éxito. Puede que sea un idealista utópico, pero también sabe ponderar la realidad y sólo lucha cuando tiene posibilidades de éxito. Es autoritario y celoso: con su pareja puede ser demasiado posesivo.

Onomástica: 4 de octubre.

Otros idiomas: Catalán: Francesc. Euskera: Fraisku, Frantzes, Frantzizko, Patxi. Gallego: Farruco, Francisco. Bable: Francés, Francisco, Xicu. Inglés: Francis. Francés: François. Alemán: Franz. Italiano: Francesco.

FRODO

Etimología: Nombre noruego que significa «sabio».

Personalidad: Es muy simpático, afable e inteligente. Su problema principal es precisamente conseguir fijar su atención en actividades serias, porque se empeña en no crecer. En el amor busca una pareja que centre todas sus energías en él, aunque en la amistad es mucho más entregado.

Onomástica: No tiene.

Froilán

Etimología: Del germánico *fraujis-land,* «señor de su tierra».

Personalidad: Detallista y ordenado, es un hombre práctico, metódico, apegado a las tradiciones e incluso a la rutina. Es un amigo excelente, muy generoso, siempre dispuesto a dar aquello que se necesita. Su gran problema es que le cuesta aceptar el amor de los demás: nunca pedirá un favor, aunque lo necesite.

Onomástica: 5 de octubre.

Otros idiomas: Catalán: Froilà. Euskera: Froila, Purlan. Gallego: Froila, Froilán. Inglés: Froyla. Italiano: Floriano.

Fructuoso

Etimología: Del latín *fructuosus,* «fértil».

Personalidad: Posee una personalidad carismática, seductora y fuerte. Es también idealista y perfeccionista, lo cual normalmente le lleva a tener elevadas ambiciones. En lo negativo, suele ser nervioso y autoritario.

Onomástica: 21 de enero.

Otros idiomas: Catalán: Fructuós, Fruitós. Euskera: Prutos. Gallego: Froilán, Froitoso. Bable: Frechoso, Froila, Froilán, Fruela. Francés: Fructueux. Italiano: Fruttuoso.

Frutos

Etimología: Del latín *fructuosus,* «fértil».

Personalidad: Posee una gran capacidad de adaptación, por lo cual le entusiasman los viajes y todo lo que requiera audacia e innovación. En lo negativo, su personalidad le acarrea ciertos inconvenientes como accidentes, inestabilidad y superficialidad.

Onomástica: 21 de enero.

Otros idiomas: Catalán: Fructuós, Fruitós. Euskera: Prutos. Gallego: Froitoso. Francés: Fructueux. Italiano: Fruttuoso.

Fulco

Etimología: Del germánico *folk,* «pueblo».

Personalidad: Su personalidad es conflictiva, por lo que suele encontrar dificultades para encontrarse a gusto consigo mismo. También es algo vacilante y no muy enérgico. Sin embargo, posee un cierto espíritu aventurero, incluso algo temerario, y es de una lealtad inquebrantable.

Onomástica: 21 de enero.

Otros idiomas: Catalán: Folc, Fulc. Inglés: Fulk, Fulke. Italiano: Folco.

Fulgencio

Etimología: Del latín *fulgens,* «brillante, refulgente».

Personalidad: Fulgencio es un hombre sabio con vocación de maestro. En cierta forma es dependiente de los demás, ya que para él es importante sentirse útil, necesitado. Un poco susceptible, no acepta con facilidad los consejos o las opiniones sobre su propia vida.

Onomástica: 16 de enero.

Otros idiomas: Catalán: Fulgenci. Euskera: Distiratsu, Pulgentzi. Gallego: Fulxencio, Xencio. Inglés: Fulgentius. Francés: Fulgence. Italiano: Fulgenzio.

Fulvio

Etimología: Nombre de la gens romana *Fulvia,* que proviene de *fulvus,* «brillante, color de fuego».

Personalidad: Concede más importancia a lo espiritual que a lo material. Es paciente, con gran capacidad de estudio, lógica y análisis. Muy exigente consigo mismo y con los demás. Algo solitario e introspectivo, por lo que cae con facilidad en el pesimismo.

Onomástica: No tiene.

Otros idiomas: Catalán: Fulvi. Francés: Fulvius. Italiano: Fulvio.

GABINO

Etimología: Gentilicio latino para la ciudad de Gabio, situada en el Lacio.

Personalidad: Es un artista y, aunque termine dedicándose a la profesión más mundana y material, siempre logrará sacarle una nota de originalidad y creación. Un poco caprichoso, no asume con facilidad el no ser capaz de salirse con la suya. Con los amigos puede llegar a ser un poco displicente, aunque tiene un agudo sentido protector.

Onomástica: 19 de febrero.

Otros idiomas: Catalán: Gabí. Euskera: Gabin. Gallego: Gabino. Italiano: Gabino.

GABRIEL

Etimología: Del hebreo *gbr-El,* «fuerza de Dios».

Personalidad: Combina inteligencia e intuición. En su cabeza están siempre bullendo diversos proyectos, porque es innovador y revolucionario en cualquier actividad que elija. También posee un profundo sentido del deber. De joven suele ser un tanto ingenuo, pero las frecuentes desilusiones le obligan a volverse más realista.

Onomástica: 29 de septiembre.

Otros idiomas: Catalán y gallego: Gabriel. Euskera: Gabirel. Bable: Grabiel. Inglés, francés y alemán: Gabriel. Italiano: Gabriele, Gabrielo, Gabrio. Variante: Gaby.

GAD

Etimología: Nombre de una de las tribus de Israel, cuyo significado era «fortuna».

Personalidad: Posee una personalidad equilibrada, serena y con las ideas muy claras, aunque también es intuitivo y magnético. Valora el refinamiento y la integridad, la simpatía y la benevolencia. Suele ser idealista sin remedio si cree en una idea determinada.

Onomástica: No tiene.

GADI

Etimología: Nombre árabe que significa «Dios es mi tesoro».

Personalidad: Actúa siempre con una contundencia y seguridad en sus opiniones que puede resultar chocante. En el amor, sin embargo, le falta seguridad, y le cuesta mantener sus conquistas. Quienes más le valoran son sus amigos y compañeros de trabajo.

Onomástica: No tiene.

GADIEL

Etimología: Nombre hebreo que deriva del nombre de una de las tribus de Israel, cuyo significado era «fortuna». Podría traducirse como «fortuna divina».

Personalidad: Es un genio de las relaciones sociales, seductor y carismático. Es también idealista y perfeccionista, lo cual normalmente le lleva a tener elevadas ambiciones. En lo negativo, suele ser nervioso y autoritario.

Onomástica: No tiene.

GAIL

Etimología: Nombre de origen latino: «oriundo de Galia»

Personalidad: Se siente a gusto con la cultura, el conocimiento, la armonía y la verdad. Disfrutan al máximo de la vida, valorando lo detalles y placeres más insignificantes. Son cooperadores, entusiastas y afectuosos, por lo que valoran el amor y la amistad. El mayor riesgo se encuentra en la hipersensibilidad y la indecisión.

Onomástica: No tiene.

GAMAL

Etimología: Nombre árabe que significa «camello».

Personalidad: Son personas sencillas y auténticas. Detestan a los que actúan de una determinada manera sólo por guardar las apariencias y, por eso, prefieren que les digan las cosas a la cara, sin rodeos ni ambages. Odian la mentira y la hipocresía. Su sistema moral es simple pero incorruptible.
Onomástica: No tiene.

Gamaliel
Etimología: Antiguo nombre hebreo, que podría significar «recompensa de Dios».
Personalidad: Es equilibrado y posee gran encanto, por lo que está dotado para la diplomacia. También valora enormemente la belleza, la armonía y la capacidad de sacrificio. Por contra, es algo indeciso y dado al fatalismo y al exceso de perfeccionismo.
Onomástica: 3 de agosto.

Gandolfo
Etimología: Nombre de origen germánico: «valiente guerro».
Personalidad: La estabilidad, la paciencia, la organización, el realismo, el sentido del deber y el orden son sus principales virtudes. En lo sentimental y con sus amistades son de una fidelidad absoluta. Por contra, caen con facilidad en la rutina y la avaricia.
Onomástica: No tiene.

Ganímedes
Etimología: Nombre de la mitología griega, hijo del rey de Troya.
Personalidad: Su principal característica es el exceso. Lo mismo se trata de una personalidad excesivamente soñadora como de un materialismo consumado, de hedonistas y narcisistas como de estoicos que rozan el ascetismo. Un poco indiscretos e inconformistas.
Onomástica: No tiene.

Ganya
Etimología: Nombre zulú que significa «inteligente».
Personalidad: Es un hombre inquieto, siempre en busca de nuevas aventuras y experiencias en todos los ámbitos de su vida. Se niega a ser conformista, ama la libertad y sólo aceptará un compromiso cuando esté profundamente seguro de que es eso lo que quiere. Aunque parezca alocado, sus actos siempre tienen un sentido.
Onomástica: No tiene.

García
Etimología: Antiguo nombre castellano derivado del vasco *artz,* «oso».
Personalidad: La estabilidad, la paciencia, la organización, el realismo, el sentido del deber y el orden son sus principales virtudes. En lo sentimental y con sus amistades son de una fidelidad absoluta. Por contra, caen con facilidad en la rutina y la avaricia.
Onomástica: 25 de noviembre.
Otros idiomas: Catalán: Garci, Garcia.

Garcilaso
Etimología: Antiguo nombre castellano derivado del vasco *artz,* «oso». Derivado de *García.*
Personalidad: Espirituales y místicos, de sentimientos altruistas. Se trata de personas elevadas que intentan cultivar la sabiduría y que valoran la inteligencia y la habilidad. Receptivos y estudiosos, son capaces de disfrutar de la vida. Quizá a veces son demasiado abnegados y se olvidan de sus propios intereses.
Onomástica: 25 de noviembre.

Garvin
Etimología: Nombre de origen anglosajón que significa «camarada en la batalla».
Personalidad: Es como una niño: crédulo, ingenuo y alegre. Concede una gran importancia al amor y a la amistad durante toda su vida. En

su profesión demuestra que es brillante, creativo y muy trabajador; tiene ambición, pero es comedido y valora tanto la lealtad que no se deja dominar por ella.
Onomástica: No tiene.

Gary

Etimología: Nombre germánico derivado de la palabra *gair,* y significa «poderoso lancero». Por analogía se puede traducir también como protector.
Personalidad: Su gran pasión radica en la belleza. Es un gran amante del arte en todas sus manifestaciones, y en su propia vida. En el amor y con sus amigos se muestra impulsivo y apasionado. No le gusta trabajar en exceso y no es ambicioso, por lo que procura buscarse una profesión tranquila que le permita llevar una vida desahogada.
Onomástica: 2 de noctubre.

Gaspar

Etimología: Nombre de dudosa etimología. Es posible que provenga del griego *ges-para,* «que viene de la tierra», aunque parece más probable que derive del persa *Kansbar,* «administrador del tesoro».
Personalidad: Gaspar suele tener problemas para adaptar sus ideas a un universo cambiante. De mentalidad algo rígida, raramente estará a gusto con lo que le rodea, y se mostrará insatisfecho y propenso a la melancolía. En la vida familiar encuentra su felicidad: es un marido atento y un padre afectuoso.
Onomástica: 6 de enero.
Otros idiomas: Catalán, gallego y bable: Gaspar. Euskera: Gaxpar. Inglés: Jasper, Caspar. Francés: Gaspard. Alemán: Kaspar, Kasper. Italiano: Gaspare.

Gastón

Etimología: Deriva del francés *gascon,* gentilicio de la Gascuña.
Personalidad: Para él, felicidad es sinónimo de alegría y diversión. Desprecia las cosas serias y profundas, y aunque puede ser muy trabajador, para él el campo profesional no es más que un medio para alcanzar una buena calidad de vida. Suele ser hombre de muchos amores. Le aparece por primera vez la vena responsable cuando tiene hijos.

Onomástica: 6 de febrero.
Otros idiomas: Catalán: Gastó. Inglés, francés y alemán: Gaston. Italiano: Gastone.

Gaudencio

Etimología: Nombre latino que deriva de *gaudeo,* «alegrarse».
Personalidad: Emotivo, altruista e idealista. Fiel a sus amistades y amores, tiene gran necesidad de ayudar y compartir, tanto en lo material como en lo espiritual. Es influenciable, le cuesta ser realista y es algo desordenado. Tiende también a padecer desórdenes ciclotímicos.
Onomástica: 14 de octubre.
Otros idiomas: Catalán: Gaudenci. Euskera: Gaudentzi, Poz. Gallego: Gaudencio. Italiano: Gaudenzio.

Gaynor

Etimología: Nombre irlandés, de origen celta, que significa «hijo del curtidor».
Personalidad: Tiene un temperamento demasiado variable, nunca se puede estar seguro de cómo va a reaccionar. En el amor, raras veces será correspondido por la persona a quien realmente ama, aunque probablemente termine asentándose en una afable y placentera relación sustentada más por la amistad que por el amor pasional.
Onomástica: No tiene.

Gedeón

Etimología: Antiguo nombre hebreo, uno de los jueces del Antiguo Testamento: «el que destruye a sus enemigos».

Personalidad: Es equilibrado y posee gran encanto, por lo que está dotado para la diplomacia. También valora enormemente la belleza, la armonía y la capacidad de sacrificio. Por contra, es algo indeciso y dado al fatalismo y al exceso de perfeccionismo.
Onomástica: 1 de septiembre.
Otros idiomas: Catalán: Gedeó. Francés: Gédéon. Italiano: Gedeone.

GELASIO

Etimología: Procede del griego *gelasimós,* «alegre, risueño».
Personalidad: Le cuesta encontrarle sentido a su propia vida. Sin embargo, en vez de caer en la amargura, él busca su realización entregándose a los demás. Puede ser alguna causa social, pero también puede dedicarse a hacer felices a sus amigos y familiares. Es muy diplomático y no tolera llevarse mal con nadie.
Onomástica: 4 de febrero.
Otros idiomas: Catalán: Gelasi, Gellàs. Euskera: Gelasi. Gallego: Xelasio. Francés: Gélase. Italiano: Gelasio.

GENARO

Etimología: Deriva del latín *ianuarius,* «de enero».
Personalidad: Le cuesta horrores ponerse en marcha, siempre siente la inercia de la pereza y de quedarse donde está. Pero cuando logra ponerse a la tarea, es un trabajador dotado de un gran sentido de la responsabilidad. En las relaciones personales es impulsivo y temperamental.
Onomástica: 19 de septiembre.
Otros idiomas: Catalán: Generi, Gener. Gallego: Xenaro. Bable: Xinaro. Francés: Janvier. Italiano: Gennaro.

GENER

Etimología: Nombre en catalán del primer mes del año, aplicado muchas veces al bebé nacido en este mes y que equivale a *Jenaro.*
Personalidad: Es fuerte y determinado, y tiene una personalidad en absoluto manejable. Aunque corre el peligro de caer en la intransigencia, por su carácter obstinado e independiente, ejerce un gran magnetismo sobre sus amigos y compañeros. Tiene dificultades para sentirse satisfecho durante mucho tiempo seguido, lo cual le lleva a buscar continuos cambios.
Onomástica: 19 de septiembre.

GENEROSO

Etimología: Del latín *generosum,* «generoso, magnánimo». También puede significar «de buena casta».
Personalidad: No es fácil llegar a su corazón: corazas y más corazas protegen lo más recóndito de su ser. Aunque cuando se alcanza su amistad y su confianza, nada ni nadie puede interponerse... Más vale no defraudarle, porque es una persona profundamente susceptible.
Onomástica: 17 de julio.
Otros idiomas: Gallego y bable: Xeneroso.

GERALDO

Etimología: Deriva del germánico *gair-hard,* «noble por la lanza», por extensión, «guardián valiente». Es una variante de *Geraldo.*
Personalidad: Posee una personalidad marcada por el impulso de creación. Es algo autoritario, individualista e independiente. Valora la estabilidad en su vida y para conseguirla a veces se muestra autoritario y egoísta.
Onomástica: 24 de septiembre.
Otros idiomas: Catalán: Gerald. Euskera: Geraldo. Gallego y bable: Xeraldo. Inglés: Gary, Gerald. Italiano: Geraldo.

GERARDO

Etimología: Deriva del germánico *gair-hard,* «noble por la lanza», por extensión, «guardián valiente».
Personalidad: Es impaciente e inconstante: espera resultados casi al instante y, si no los

obtiene, pierde la paciencia y cambia de objetivo. Destaca por su gran valor. En el amor, sin embargo, es tímido y suele esperar a que sean las mujeres las que den el primer paso.
Onomástica: 24 de septiembre.
Otros idiomas: Catalán: Gerard, Guerau, Grau. Euskera: Kerarta. Gallego: Xeraldo, Xerardo. Bable: Xeraldo. Inglés: Gary, Gerald. Francés: Gerard, Giraud. Alemán: Gerhard. Italiano: Geraldo, Gherardo, Grao, Guerao.

GEREK

Etimología: Nombre polaco que es el equivalente de *Gerardo:* del germánico *gair-hard,* «noble por la lanza», por extensión, «guardián valiente».
Personalidad: Valiente, sale adelante pase lo que pase. A la hora de trabajar, es serio y responsable, prudente cuando las circunstancias lo requieren, aunque también es capaz de arriesgar. En el amor suele ser desgraciado, quizá porque le resulta difícil encontrar una compañera tan fuerte y segura como él misma.
Onomástica: No tiene.

GERINO

Etimología: Nombre germánico derivado de la palabra *gair,* «lanza». Por analogía se puede traducir también como protector.
Personalidad: Tiene un gran dominio de sí mismo y sabe medir sus capacidades, de modo que suele acertar en sus decisiones más importantes. Tiene buen carácter, es amable y valora las cosas hermosas que le ofrece la vida. Suele hacer amigos con bastante facilidad y le gusta ayudar a los demás. Tal vez un poco soñador.
Onomástica: 2 de octubre.

GERMÁN

Etimología: Para los germanos, *wehr-mann* significaba «guerrero». El término fue adoptado por el latín bajo la forma de *germanus,* designando a los habitantes de Germania. Lo curioso de todo esto es que la palabra *germanus* también significaba «hermano»... cuando los romanos consideraban a los «bárbaros» germanos cualquier cosa menos hermanos.
Personalidad: Germán es valiente y decidido, está lleno de seguridad en sí mismo. Su juventud suele estar repleta de aventuras amorosas, aunque, por su afición a las cosas sencillas, termina estando muy apegado a su familia.
Onomástica: 28 de mayo.
Otros idiomas: Catalán: Germà. Euskera: Kerman. Gallego: Xermán, Xermao. Bable: Xermán. Inglés: German. Francés: Germain. Alemán: Hermann. Italiano: Germano.

GERMINAL

Etimología: Nombre de origen latino: «que germina».
Personalidad: Concede más importancia a lo espiritual que a lo material. Es paciente, con gran capacidad de estudio, lógica y análisis. Muy exigente consigo mismo y con los demás. Algo solitario e introspectivo, por lo que cae con facilidad en el pesimismo.
Onomástica: 28 de mayo.

GERÓNIMO

Etimología: Nombre latino que proviene de la voz griega *Hieronimus,* de *Hiere-nimos,* «nombre santo».
Personalidad: De buen corazón, prefiere mil veces ser así que frío e inhumano. Es un gran amante de la vida en familia y un trabajador incansable, en gran medida porque considera que es una de sus obligaciones con respecto a los que dependen de él.
Onomástica: 30 de septiembre.
Otros idiomas: Catalán: Jeroni. Euskera: Jerolin. Gallego: Xerónimo. Bable: Xeromo, Xomo. Inglés: Jerome. Francés: Jerôme. Alemán: Hieronymus. Italiano: Girolamo.

Gerson

Etimología: Antiguo nombre hebreo que podría traducirse por «peregrino» o «exiliado». Nombre del hijo mayor de Leví, que da nombre a un grupo de levitas.

Personalidad: Es un hombre introvertido, muy encerrado en sí mismo y hasta podría decirse que algo huraño. Algunos dicen que peca un poco de misantropía, pero la realidad es que no logra comprender al resto de las personas, le parecen demasiado complicadas. Aun así, suele encontrar energías para intentar cambiar su mundo.

Onomástica: No tiene.

Gervasio

Etimología: Del germánico *gair-bald,* «audaz con la lanza».

Personalidad: Gervasio lo tiene todo, pero en exceso. El problema surge porque Gervasio también es excesivo en sus defectos. Su salvación suele encontrarse en el amor: centra todas las energías y atenciones en su compañera, atemperando otros aspectos de su vida.

Onomástica: 19 de junio.

Otros idiomas: Catalán: Gervàs, Gervasi. Euskera: Kerbasi. Gallego y bable: Xervasio. Inglés: Gervas. Francés: Gervais. Alemán: Gervasius. Italiano: Gervasio.

Gesualdo

Etimología: Nombre de origen germánico: «prisionero del rey».

Personalidad: Es equilibrado y posee gran encanto, por lo que está dotado para la diplomacia. También valora enormemente la belleza, la armonía y la capacidad de sacrificio. Por contra, es algo indeciso y dado al fatalismo y al exceso de perfeccionismo.

Onomástica: 1 de enero.

Getulio

Etimología: Del latín *Gaetulus,* perteneciente a la tribu norteafricana de los gétulos, o vencedor de los gétulos.

Personalidad: Posee una personalidad carismática, seductora y fuerte. Es también idealista y perfeccionista, lo cual normalmente le lleva a tener elevadas ambiciones. En lo negativo, suele ser nervioso y autoritario.

Onomástica: 10 de junio.

Ghazi

Etimología: Nombre árabe que significa «conquistador».

Personalidad: Alegre y feliz, rebosa simpatía e imaginación, y rechaza por principio cualquier prejuicio o convención social. Sin embargo, es muy terco y no soporta que le lleven la contraria. Además, puede llegar a ser un poco excéntrico y egoísta, lo cual le hace pensar que no es comprendido.

Onomástica: No tiene.

Gibor

Etimología: Nombre hebreo que significa «poderoso».

Personalidad: Vive mucho más de cara al exterior que para sí mismo. En realidad es tierno y afectuoso, y está muy necesitado de cariño, pero considera que estas características son signos de debilidad, y prefiere ocultarlas. Enseguida se encariña con la gente, pero también puede ser cruel.

Onomástica: No tiene.

Gil

Etimología: Deriva del griego *Helas,* «Grecia», y significa literalmente «griego». Es una variante de *Egidio.*

Personalidad: Su personalidad es conflictiva, por lo que suele encontrar dificultades para encontrarse a gusto consigo mismo. También es algo vacilante y no muy enérgico. Sin embargo, posee un cierto espíritu aventurero, incluso algo temerario, y para sus amigos y familiares es de una lealtad inquebrantable.

Onomástica: 1 de septiembre.

Otros idiomas: Catalán: Egidi. Euskera: Gilen. Gallego: Xil. Bable: Xil, Xilo. Inglés: Giles. Francés: Gilles. Italiano: Egidio.

Gilad

Etimología: Nombre árabe que significa «camellero».

Personalidad: Hiperactivo y ligeramente inestable, tiene una tendencia no muy sana a tomárselo todo demasiado en serio, casi como un reto personal. Tiene la necesidad de estar siempre haciendo algo productivo, hasta tal punto que llega a agotar a todos los que le rodean. Pierde los nervios con facilidad y se enfada a menudo.

Onomástica: No tiene.

Gilberto

Etimología: Procede del germánico *gisilberth,* «famoso arquero».

Personalidad: Solícito, atento, fiel, es un amigo y un compañero inmejorable. No entiende con facilidad la independencia de la gente, y sufre si sus amigos o familiares se sumergen en sus propias vidas y se olvidan un poco de él. En su profesión suele ser muy brillante, pero difícilmente llegará a alcanzar el éxito.

Onomástica: 4 de febrero.

Otros idiomas: Catalán: Gelabert, Gilbert. Euskera: Xilberte. Gallego: Xilberto, Xilberte. Bable: Xilberto. Inglés, francés y alemán: Gilbert. Italiano: Gilberto.

Gilon

Etimología: Nombre hebreo que significa «círculo».

Personalidad: Es una persona muy sensible, por más que intente disimularlo. Bajo su apariencia fría, segura y un poco despreocupada, hay un hombre que está siempre pendiente de lo que los demás dicen o hacen y de la actitud que tienen hacia él. Su gran placer consiste en ayudar a los que le rodean a ser felices.

Onomástica: No tiene.

Ginés

Etimología: Procede del griego *genesis*, «origen, nacimiento».

Personalidad: Es el paladín incansable de una sola causa, aunque con la mala suerte de que esa causa no suele ser la suya. Lealtad, compromisos, sentido del deber... una combinación de factores suele llevarle a consagrar su vida a una lucha en la que, en el fondo, no cree. Si encuentra el amor, se sentirá un hombre afortunado.

Onomástica: 25 de agosto.

Otros idiomas: Catalán: Genís. Euskera: Giñes, Giñex. Gallego: Xenxo. Bable: Xinés. Francés: Genest, Genès. Italiano: Genesio, Ginesio.

Gipsy

Etimología: Nombre de origen anglosajón, que significa «errante».

Personalidad: Humanista y entregado por naturaleza: para ser feliz necesita sentir que es útil a los demás. No entiende el egoísmo ni la falta de compromiso:él, realmente, no puede descansar sabiendo que hay alguien que necesita su ayuda. El problema consiste en que es demasiado crítico consigo mismo.

Onomástica: No tiene.

Givon

Etimología: Nombre hebreo que significa «colina».

Personalidad: De carácter sereno, tranquilo y hasta un poco parsimonioso. De inteligencia profunda y muy dotado para la meditación. Sin embargo, parece que le cuesta mucho conciliar sus planteamientos intelectuales con un plan

concreto de actuación. Su ideal es ser el cerebro de alguna clase de sociedad, de modo que sean los demás los que llevan a la práctica sus numerosas ideas.
Onomástica: No tiene.

Glauco

Etimología: Procede del nombre griego *Glaukós*, «color de mar».
Personalidad: De sentimientos altruistas. Se trata de personas elevadas que intentan cultivar la sabiduría y que valoran la inteligencia. Receptivos y estudiosos, son capaces de disfrutar de la vida. Quizá a veces son demasiado abnegados y se olvidan de sus propios intereses.
Onomástica: No tiene.
Otros idiomas: Catalán: Glauc. Francés: Glaucos. Alemán: Glaucus. Italiano: Glauco.

Glenn

Etimología: Nombre escocés, variante de *Glendon,* que significa «fortaleza en el valle».
Personalidad: Es un hombre dinámico y activo. La alegría parece empapar cada uno de sus actos, y a la gente le gusta estar cerca de él por su optimismo contagioso. Le gusta que los demás dependan de él en cierta medida, aunque su sentido de la independencia le impide ser él mismo el que necesite a otra persona.
Onomástica: No tiene.

Godofredo

Etimología: Del germánico *Gott-fried,* «protección divina».
Personalidad: Duro, profundo y con un aspecto de sabiduría misteriosa. Es extremadamente introvertido. A pesar de todo, cuando se lo propone sabe mostrarse profundamente humano, y es en estas raras ocasiones cuando más admiración despierta.
Onomástica: 8 de noviembre.
Otros idiomas: Catalán: Godofred. Euskera: Godepirda. Inglés: Geoffrey, Godffret, Godfrey. Francés: Geoffroy, Godefroi. Alemán: Gottfried, Jaufred. Italiano: Goffredo.

Goel

Etimología: Nombre hebreo que significa «el que redime, salvador».
Personalidad: Sensible y fuerte al mismo tiempo. Necesita ser original, aunque muchas veces no sabe muy bien cómo hacerlo. Le gusta sentir que es él quien domina la situación, y no soporta que los demás no le hagan caso o que no hagan lo que él quiere. De joven es un idealista soñador.
Onomástica: No tiene.

Goliardo

Etimología: En la Edad Media, nombre que se daba a los clérigos que hacían vida libre.
Personalidad: Posee una gran capacidad de adaptación, por lo cual le entusiasman los viajes y todo lo que requiera audacia e innovación. En lo negativo, su personalidad le acarrea ciertos inconvenientes como accidentes, inestabilidad y superficialidad.
Onomástica: No tiene.

Gomer

Etimología: Nombre que en hebreo significa «acabado, terminado», y en inglés «famosa batalla.
Personalidad: Recto, tranquilo, equilibrado, es una de esas personas que procura no decir nunca una palabra más alta que otra. Extremadamente comprensivo, para sus amigos se convierte en un inmejorable apoyo en cualquier situación. En su profesión es ambicioso y puede llegar a mostrarse intransigente con las debilidades ajenas.
Onomástica: No tiene.

Gonzalo

Etimología: Procede del nombre medieval Gundisalvo. Éste, a su vez, deriva del germá-

nico *gund-all-vus,* «totalmente preparado para el combate».
Personalidad: Tiene una personalidad muy combativas. No se siente satisfecho con el mundo que le rodea, especialmente con la actitud de sus amigos y parientes, y se desvive por hacer entender a los demás sus puntos de vista. Sobre todo en el amor, tiene una aguda tendencia a no valorar lo que tiene hasta que lo ha perdido.
Onomástica: 10 y 26 de enero.
Otros idiomas: Catalán: Gonçal. Euskera: Gontzal. Gallego y bable: Gonzalo. Inglés: Gonzales. Francés: Gonsalve, Gonzalve. Italiano: Gonsalvo.

GORDON

Etimología: Nombre celta que podría traducirse como «de la colina».
Personalidad: Es lento pero seguro. Sus decisiones siempre se hacen esperar y están profundamente meditadas, pero una vez que han sido tomadas, nada en el universo es capaz de hacer que no se cumplan. Y es que es implacable. Puede ser el mejor de los amigos, y sin duda un apoyo inmejorable en situaciones difíciles.
Onomástica: No tiene.

GORKA

Etimología: Nombre vasco que es el equivalente de *Jorge:* del griego *georgos,* «agricultor».
Personalidad: Es una de esas personas que no pasan desapercibidas. La gente lo adora o lo odia, pero nunca se queda indiferente. Y es que tiene una forma de ser profundamente original, que no atiende a razones ni a convenciones sociales: a veces descuidado, a veces caprichoso.
Onomástica: 23 de abril.
Otros idiomas: Catalán: Jordi. Euskera: Gorka, Jurgi. Gallego: Xurxo. Inglés: George. Francés: Georges. Alemán: Georg, Jürgen. Italiano: Giorgio.

GORO

Etimología: Nombre japonés que significa «el quinto».
Personalidad: Juguetón y caprichoso, puede parecer que no le da importancia a casi nada, pero realmente le toma mucho cariño a la gente y sufre agudas decepciones cuando alguien le falla. Aunque sin mala intención, es demasiado impulsivo y poco reflexivo, así que raramente piensa antes de actuar.
Onomástica: No tiene.

GOSHEVEN

Etimología: Nombre de los indios norteamericanos que significa «gran saltador».
Personalidad: Orgulloso e independiente, astuto y decidido, implacable con sus enemigos y capaz de casi cualquier cosa para conseguir sus objetivos. Su modo de afrontar los problemas es quizá un poco retorcido. Defiende su territorio y a su familia con uñas y dientes.
Onomástica: No tiene.

GOTARDO

Etimología: Nombre germánico que deriva de *god,* «Dios», y *hard,* «atrevido»; o sea, «atrevido por Dios».
Personalidad: Su problema principal es la pasividad y la indecisión, le parece que todo posee valores negativos y positivos. Es receptivo, sentimental y posee un gran espíritu de equipo. Cuando se siente rechazado, desarrolla una enorme capacidad de destrucción.
Onomástica: 4 de mayo.
Otros idiomas: Catalán: Gotard. Inglés: Goddard. Alemán: Gotthard. Italiano: Gotardo.

GRACIÁN

Etimología: Deriva del latín *Gratianus,* gentilicio de *Gracia.*

Personalidad: Ama la cultura y el arte hasta el punto de rozar la pedantería. Tiene grandes aptitudes para la enseñanza. Es sincero y fiel en el amor, y no perdona fácilmente una traición o una mentira. Es capaz de desvivirse por sus hijos, aunque como padre quizá se muestre demasiado autoritario.
Onomástica: 18 de diciembre.
Otros idiomas: Catalán: Gracià. Euskera: Gartzen, Gartzi, Gaxan, Geraxan. Inglés: Gratian. Francés: Gratien. Alemán: Grazian. Italiano: Graziano.

GRAHAM

Etimología: Nombre inglés que significa «casa grande».
Personalidad: Es un hombre hogareño que desea pasar su vida del modo más apacible y tranquilo. El trabajo es para él una maldición, y mucho más la vida en la ciudad. Su ideal es retirarse al campo y cultivar con sus manos, sin más compañía que su familia y amigos más íntimos.
Onomástica: No tiene.

GRAU

Etimología: Nombre utilizado en Catalunya equivalente a *Gerardo,* que proviene del francés *Géraud.*
Personalidad: La pasividad y la indecisión son su principal problema: piensa y piensa y todo le parece con valores negativos y positivos. Es receptivo, sentimental y en el terreno laboral se vale muy bien de su espíritu de equipo. En lo sentimental, si se siente rechazado, es muy rencoroso.
Onomástica: 11 de agosto y 13 de octubre.

GREGORIO

Etimología: Deriva del griego *gregorium,* «vigilante».
Personalidad: Con más memoria que inteligencia, Gregorio es sin duda un trabajador incansable al cual no le asustan los retos. Escéptico y metódico, le gusta la vida tranquila y sencilla. Es muy modesto, pero su visión de las cosas es un tanto fatalista. Con su familia se muestra muy posesivo.
Onomástica: 25 de mayo.
Otros idiomas: Catalán: Gregori. Euskera: Gergori, Gergorio, Goio, Gongotzon, Gorgoio, Gregori. Gallego: Gregorio, Gorecho, Goros, Xilgorio. Bable: Gregorio (Goyo). Inglés: Greg, Gregory. Francés: Grégoire. Alemán: Gregor.

GRIGORI

Etimología: Nombre árabe, que deriva del griego *gregorium,* «vigilante».
Personalidad: No le gustan las convenciones sociales, porque busca puntos de vista propios. Ama su profesión y se dedica a ella con auténtico fervor, aunque no por ello descuida a su familia ni a sus amigos. Como padre, es muy cariñoso. Sentimental hasta la médula, tiene debilidad por las historias de amor y es un poco conquistador.
Onomástica: 25 de mayo.
Otros idiomas: Catalán: Gregori. Euskera: Gergori, Gergorio, Goio, Gongotzon, Gorgoio, Gregori. Gallego: Gregorio, Gorecho, Goros, Xilgorio. Bable: Gregorio (Goyo). Inglés: Greg, Gregory. Francés: Grégoire. Alemán: Gregor.

GUALBERTO

Etimología: Nombre de origen germánico que podría traducirse por «el que tiene el poder».
Personalidad: Su principal problema es su personalidad extremada, en cualquier sentido. Lo mismo se trata de una personalidad excesivamente soñadora como de un materialismo consumado, de hedonistas y narcisistas como de estoicos que rozan el ascetismo. Hay que

vigilar la tendencia a la indiscreción, así como al inconformismo.
Onomástica: No tiene.

GUALTERIO

Etimología: Del nombre germánico *Waldhari,* de *wald,* «que manda», y *hari,* «ejército»: «que manda el ejército».
Personalidad: La estabilidad, la paciencia, la organización, el realismo, el sentido del deber y el orden son sus principales virtudes. En lo sentimental y con sus amistades son de una fidelidad absoluta. Por contra, caen con facilidad en la rutina y la avaricia.
Onomástica: 8 de abril.
Otros idiomas: Catalán: Gualter, Gualteri. Inglés: Walt, Walter. Francés: Gauthier. Alemán: Walter, Walther. Italiano: Walterio.

GUARNERIO

Etimología: Del germánico *waren,* «preservar, mandar», y *harja,* «ejército»: «jefe del ejército».
Personalidad: Es autoritario, mandón y algo vanidoso; pero deseoso de ser útil a los demás, ya sea en la mística, la política o en temas humanitarios. Sensible y emotivo, lo mismo reacciona con violencia como con generosidad. Le estimulan las dificultades y necesita de los demás para realizarse y sentirse superior, ser el jefe indiscutible.
Onomástica: No tiene.
Otros idiomas: Francés y alemán: Wernher.

GUERAU

Etimología: Nombre utilizado en Catalunya equivalente a *Gerardo,* que proviene del francés *Géraud.*
Personalidad: La pasividad y la indecisión son su principal problema: piensa y piensa y todo le parece con valores negativos y positivos. Es receptivo, sentimental y en el terreno laboral se vale muy bien de su espíritu de equipo. En lo sentimental, si se siente rechazado, es muy rencoroso.
Onomástica: 11 de agosto y 13 de octubre.

GUIDO

Etimología: Del germánico *widu,* «extenso, amplio».
Personalidad: Es un hombre ingenuo y solitario. Tiene un instinto especial para el arte y para todo lo que tenga que ver con la estética. Es un viajero incansable que nunca deja de buscar la verdad y el amor imposible en las culturas más dispares.
Onomástica: 12 de septiembre.
Otros idiomas: Catalán: Guido, Guiui. Inglés y francés: Guy. Alemán: Guido. Italiano: Guido.

GUIFRÉ

Etimología: Nombre catalán, de origen germánico y de la familia de Wilfrido, cuyo significado es «victorioso y pacífico, paz victoriosa».
Personalidad: Es muy creativo, entusiasta, sociable y optimista. Aunque le gusta presumir de espiritual, lo cierto es que el sentido práctico es su principal virtud y es muy hábil en las actividades manuales. Debe vigilar cierta tendencia a la intolerancia y a las rabietas, y a veces se dispersa en demasiadas actividades.
Onomástica: 12 de octubre.

GUILLÉN

Etimología: Del germánico *will-helm,* «yelmo voluntarioso»; por extensión, «protector decidido». Es la forma de Guillermo en el castellano antiguo.
Personalidad: Es un artista que vive mucho más en sus sueños que en la realidad. Aunque al final suele conseguir el triunfo, ha de enfrentarse a graves dificultades para encontrar un estilo propio. Su vida suele ser apasionante y llena de aventuras. Sus amores son profundos e irreales, y tiende a sentirse incomprendido.

Onomástica: 10 de enero y 6 de abril.
Otros idiomas: Catalán: Guillem. Euskera: Gilamu, Gilen, Gillen. Gallego: Guillelme. Inglés: William. Francés: Guillaume. Alemán: Wilhelm. Italiano: Guglielmo.

Guillermo

Etimología: Del germánico *will-helm,* «yelmo voluntarioso»; por extensión, «protector decidido».
Personalidad: Guillermo es un artista que vive mucho más en sus sueños que en la realidad. Aunque al final suele conseguir el triunfo, ha de enfrentarse a graves dificultades para encontrar un estilo propio. Su vida suele ser apasionante y llena de aventuras. Sus amores son profundos e irreales, y tiende a sentirse incomprendido.
Onomástica: 10 de enero y 6 de abril.
Otros idiomas: Catalán: Guillem. Euskera: Gilamu, Gilen, Gillen. Gallego: Guillelme, Guillerme. Bable: Guillermo, Guillelmo. Inglés: William. Francés: Guillaume. Alemán: Wilhelm. Italiano: Guglielmo.

Gumersindo

Etimología: Procede del germánico *gumaswind,* «hombre fuerte».
Personalidad: Sujeto a enormes altibajos emocionales, no suele ser feliz durante mucho tiempo. Y no es que las cosas le vayan mal, al contrario, ya que tiene una cierta facilidad para conseguir todo lo que desea realmente. Su problema radica en que no suele saber con claridad qué es lo que desea. Es una persona muy adaptable, por lo que siempre destaca en su trabajo.
Onomástica: 19 de enero.
Otros idiomas: Gallego y bable: Gumersindo, Sindo.

Gundisalvo

Etimología: Nombre germánico que podría traducirse como «alegría fuerte».
Personalidad: Es paciente, realista, y el sentido del deber y el orden son sus principales virtudes. Valora mucho la estabilidad en su vida, por lo que en el amor y la amistad es de una fidelidad absoluta. En lo negativo, cae con facilidad en la rutina y la avaricia.
Onomástica: 14 de octubre.

Gunther

Etimología: Del nombre germánico *Gunditheud,* «pueblo famoso».
Personalidad: Con una fuerte personalidad y don de mando y dirección. Es imaginativo y de rápidas decisiones, asume voluntarioso cuantas responsabilidades se le presenten; sin embargo, en el fondo es muy sensible y emotivo. Pero cuando tiene posibilidades de poder y dominio posee una gran ambición que le impulsa a lanzarse a fondo sin reflexionar.
Onomástica: 9 de octubre.
Otros idiomas: Catalán: Gunter. Alemán: Günter.

Gurión

Etimología: Nombre hebreo que significa «joven león».
Personalidad: Su impresión es que ha nacido en un tiempo que no le corresponde. Él necesita vivir fuera de la realidad, en un refugio de fantasía propio. Su carácter le da ventaja en profesiones relacionadas con la interpretación o la escritura. Por lo demás, tiene un corazón de oro y es capaz de desvivirse por ayudar a su prójimo.
Onomástica: No tiene.

Gurpreet

Etimología: Nombre punjabi que significa «devoto del guru, devoto del Profeta».
Personalidad: Es un hombre de carácter. Muy dado a las discusiones espectaculares y melodramáticas, aunque al final siempre acaba cediendo. Es extremadamente ambicioso en su

vida personal y profesional. Aunque le encanta la intriga, es un buen amigo, pero un poco superficial.
Onomástica: No tiene.

GUSTAVO

Etimología: Nombre germánico que procede de *gund-staff,* «cetro real», aunque algunos expertos piensan que se trata de una derivación de Augusto.
Personalidad: Es una persona influenciable, que termina haciendo lo que los demás desean. Sin embargo, cuando se trata de su profesión sabe exactamente cómo tiene que actuar. Suele ser solidario. Su personalidad cambia de forma espectacular cuando se siente herido en el orgullo: en tales situaciones, se vuelve irascible y autocrático.
Onomástica: 3 de agosto.
Otros idiomas: Catalán: Gustau. Gallego y bable: Gustavo. Inglés: Gustavus. Francés: Gustave. Alemán: Gustav. Italiano: Gustavo.

GUYAPI

Etimología: Nombre de los indios norteamericanos que significa «cándido».
Personalidad: Es tozudo y obstinado, aunque no actúa con mala intención. Puede ser orgulloso, pero también sincero y justo. Siente pasión por todo tipo de actividades intelectuales y es dado a la polémica. En el amor y la amistad se muestra muy sólido. No soporta a las personas que actúan sólo por conveniencia.
Onomástica: No tiene.

GUZMÁN

Etimología: Nombre de origen teutón que significa «Dios», «dos».
Personalidad: Su personalidad es muy creativa, entusiasta, sociable, optimista y muy espiritual. Tiene gran sentido práctico y es muy hábil en las actividades manuales. En contrapartida, puede ser algo intolerante y colérico, y a veces le cuesta concentrarse en una sola cosa.
Onomástica: No tiene.

GWIDON

Etimología: Nombre polaco que significa «vida».
Personalidad: Desde niño tiene que luchar con su inseguridad. Tiende a compararse con los demás y en su fuero interno siempre sale malparado. Hay algo en su interior que le obliga a fijarse en los demás y esa falta de criterio puede convertirlo en un tipo excéntrico. Su verdadera meta en la vida es hallar a alguien que le proporcione la seguridad que tanto necesita.
Onomástica: No tiene.

HAARÚN

Etimología: Nombre árabe que significa «orgulloso, elevado».

Personalidad: Hiperactivo y ligeramente inestable, tiene una tendencia no muy sana a tomárselo todo demasiado en serio, casi como un reto personal. Tiene la necesidad de estar siempre haciendo algo productivo, hasta tal punto que llega a agotar a todos los que le rodean. Pierde los nervios con facilidad y se enfada a menudo.

Onomástica: No tiene.

HABIB

Etimología: Nombre de origen árabe que significa «querido, apreciado».

Personalidad: Tiene un aire de niño demasiado mimado. Su principal preocupación es siempre la estética, por encima de la ética: que las cosas tengan un aspecto impecable, que su físico se mantenga... Aunque no es muy constante, sí es bastante ingenioso y divertido.

Onomástica: No tiene.

HADAR

Etimología: Nombre hebreo que significa «glorioso».

Personalidad: Poco a poco, porque es muy trabajador, va construyendo a su alrededor un mundo a su medida. Cuando lo consigue, es del todo irrompible. No es que sea materialista, sino que necesita la seguridad de las cosas y las personas que le son familiares. Por lo demás, es muy cariñoso y solidario.

Onomástica: No tiene.

HADDAD

Etimología: Nombre árabe que significa «herrero».

Personalidad: A veces puede encontrarse en situaciones comprometidas por su sentido de la justicia: no soporta que se abuse de los débiles. Debe aprender a valorar las posibilidades ajenas, a no subestimar a los demás, aunque sea con ánimo protector. Por su carácter, tiende a relacionarse con personas que buscan protección.

Onomástica: No tiene.

HADI

Etimología: Nombre árabe que significa «guía virtuoso».

Personalidad: Le gusta estar en constante movimiento, buscar nuevos intereses, conocer nuevos lugares: su curiosidad se mantiene siempre viva. Necesita desempeñar profesiones que requieran poner en juego estas características, no soportaría una vida monótona o un trabajo mecánico. Es un amigo muy leal.

Onomástica: No tiene.

HAGOS

Etimología: Nombre de origen etíope que significa «feliz».

Personalidad: Busca fundamentalmente la paz interior, estar satisfecho consigo mismo. La vida superficial y las diversiones de ese estilo no le interesan ni lo más mínimo. Para sentirse a gusto necesita desempeñar una profesión que lo mantenga ocupado y le exija un cierto esfuerzo. En el amor necesita seguridad y solidez.

Onomástica: No tiene.

HAHNEE

Etimología: Nombre de los indios norteamericanos que significa «mendigo».

Personalidad: Es un conversador por el gusto de intercambiar impresiones: lo que más le interesa en este mundo son las personas y su comportamiento. Su virtud principal es el interés por el conocimiento y la literatura, aunque

sólo sea por el placer que le producen las personas relacionadas con las humanidades.
Onomástica: No tiene.

Haidar

Etimología: Nombre árabe cuyo significado es «león».
Personalidad: Su carácter puede llegar a esclavizarlo de alguna manera: es demasiado orgulloso y un poco rígido de carácter, le cuesta ver los matices de las cosas. Si consigue atemperar ese problema, puede llegar a ser incluso divertido. En el amor y la amistad prefiere lo poco, pero bueno.
Onomástica: No tiene.

Haji

Etimología: Nombre swahili que significa «nacido durante el peregrinaje a La Meca».
Personalidad: No soporta hacer daño a los demás. Tal vez por eso prefiere sufrir una frustración a imponer su criterio, aunque sepa que es el correcto. A pesar de ese carácter bondadoso, no carece de ambiciones, pero suele marcarse un camino que sea muy respetuoso con todos. Es un compañero de trabajo y amigo muy agradable.
Onomástica: No tiene.

Hakan

Etimología: Nombre de los indios norteamericanos que significa «fiero».
Personalidad: Busca soluciones y respuestas en lo que le va enseñando la vida: tiene la virtud de la observación, combina inteligencia e intuición. Es un conquistador y su mayor defecto es que se pierde por llamar la atención del sexo opuesto. En el trabajo necesita trabajos que le obliguen a estar en constante movimiento.
Onomástica: No tiene.

Hakim

Etimología: Nombre que entre los árabes significa «sabio» y entre los etíopes «doctor».
Personalidad: Él es el único que considera que sus ideas son sólidas, porque los demás creen que las cambia con demasiada frecuencia. Como en todo, se deja llevar por las modas. Es muy afectuoso y en el campo profesional se marca metas que le permitan alcanzar un buen nivel de vida. Como padre se muestra muy responsable.
Onomástica: No tiene.

Hakon

Etimología: Nombre de origen escandinavo que significa «de ancestros del Norte». Es el equivalente de nuestro *Enrique.*
Personalidad: Vive en su propio mundo, en sus pensamientos y fantasías. Reflexivo y poco convencional, por tanto, no es fácil que se atenga a los patrones sociales imperantes. Como pareja y como amigo también es un poco despistado, pero de sentimientos nobles y muy profundos. Suele conseguir lo que se proponga.
Onomástica: 13 de julio.

Halil

Etimología: Nombre turco que significa «querido amigo».
Personalidad: Necesita tener siempre una apariencia impecable, no soporta el desorden o la incoherencia y está demasiado pendiente de lo que opinan de él. Si cree que algo merece la pena, no le importa arriesgar todo lo que haga falta. En el amor prefiere ser conquistado a conquistar, porque necesita sentir que le prestan atención.
Onomástica: No tiene.

Halim

Etimología: Nombre árabe cuyo significado es «gentil».
Personalidad: Es una persona muy simpática, afable e inteligente. Su problema principal es precisamente conseguir fijar su atención en ac-

tividades serias, porque se empeña en no crecer. En el amor busca una pareja que centre todas sus energías en él, aunque en la amistad es mucho más entregado.
Onomástica: No tiene.

Hamal

Etimología: Nombre árabe, que designa a la más brillante de las estrellas que forman la constelación de Aries.
Personalidad: Tiene una personalidad muy fuerte, actúa siempre con una contundencia y seguridad en sus opiniones que puede resultar chocante. En el amor, sin embargo, le falta seguridad, y le cuesta mantener sus conquistas. Quienes más le valoran son sus amigos y compañeros de trabajo.
Onomástica: No tiene.

Hamish

Etimología: Nombre árabe que procede del hebreo *Yea-gob,* «Yahvé recompensará», que se latinizó como *Jacobo.* Equivale también a *Jaime.*
Personalidad: Tranquilo, romántico y sentimental. Bajo su apariencia descuidada y profundamente desordenada, oculta una preocupación que va más allá de las cuestiones materiales. Encuentra la felicidad en la sencillez. Es exageradamente desprendido y generoso, y tiene una habilidad algo irritante para rodearse de las amistades más extrañas.
Onomástica: No tiene.
Otros idiomas: Catalán: Jaume, Santiago. Gallego: Xaime, Yago. Inglés: James. Francés: Jacques. Alemán: Jakob. Italiano: Giacomo.

Hamlet

Etimología: Del irlandés *Amlót-hi,* «aldea». Es el protagonista de una de las obras más famosas de Shakespeare.
Personalidad: Es un hombre inquieto, siempre en busca de nuevas aventuras y experiencias en todos los ámbitos de su vida. Se niega a ser conformista, ama la libertad y sólo aceptará un compromiso cuando esté profundamente seguro de que es eso lo que quiere. Aunque parezca alocado, sus actos siempre tienen un sentido.
Onomástica: No tiene.

Hamza

Etimología: Nombre árabe que significa «poderoso».
Personalidad: Es como una niño: crédulo, ingenuo y alegre. Concede una gran importancia al amor y a la amistad durante toda su vida. En su profesión demuestra que es brillante, creativo y muy trabajador; tiene ambición, pero es comedido y valora tanto la lealtad que no se deja dominar por ella.
Onomástica: No tiene.

Hansel

Etimología: Nombre de origen escandinavo, que significa «Dios es misericordioso». Es el equivalente de *Juan.*
Personalidad: Fuerte, simpático y perseverante, Hansel tiene el valor de ser sensible en un mundo frío y cada vez más deshumanizado. Tiene convicciones profundas y un intenso deseo de aprender que le durará toda la vida. Muy seguro de sí mismo en todo menos en el amor.
Onomástica: 24 de junio.
Otros idiomas: Catalán: Joan. Euskera: Ganix, Iban, Joanes, Jon, Manex, Yon. Gallego: Xan, Xoan. Bable: Xuan. Inglés: John, Jack. Francés: Jean. Alemán: Hans, Hohannes, Johann. Italiano: Gianni, Giovanni.

Haoa

Etimología: Nombre hawaiano, que es una variante de Howard, y significa «guardián».
Personalidad: Su gran pasión radica en la belleza. Es un gran amante del arte en todas sus

manifestaciones, y en su propia vida. En el amor y con sus amigos se muestra impulsivo y apasionado. No le gusta trabajar en exceso y no es ambicioso, por lo que procura buscarse una profesión tranquila que le permita llevar una vida desahogada.
Onomástica: No tiene.

HARA

Etimología: Nombre hindú. Uno de los muchos nombres de *Shiva.*
Personalidad: Tiene un temperamento demasiado variable, nunca se puede estar seguro de cómo va a reaccionar. En el amor, raras veces será correspondido por la persona a quien realmente ama, aunque probablemente termine asentándose en una afable y placentera relación sustentada más por la amistad que por el amor pasional.
Onomástica: No tiene.

HARALD

Etimología: Nombre de origen escandinavo que significa «jefe del ejército».
Personalidad: Sale adelante pase lo que pase, con absoluta decisión. A la hora de trabajar, es serio y responsable, prudente cuando las circunstancias lo requieren, aunque también es capaz de arriesgar. En el amor suele ser desgraciado, quizá porque le resulta difícil encontrar una compañera tan fuerte y segura como él misma.
Onomástica: No tiene.

HARB

Etimología: Nombre árabe que significa «guerrero».
Personalidad: Es un hombre introvertido, muy encerrado en sí mismo y hasta podría decirse que algo huraño. Algunos dicen que peca un poco de misantropía, que desprecia al género humano; pero la realidad es que no logra comprender al resto de las personas, le parecen demasiado complicadas. Aun así, suele encontrar energías para intentar cambiar su mundo.
Onomástica: No tiene.

HARI

Etimología: Nombre hindú que significa «guerrero». Uno de los muchos nombres del dios *Vishnu.*
Personalidad: Alegre y feliz, rebosa simpatía e imaginación, y rechaza por principio cualquier prejuicio o convención social. Sin embargo, es muy terco y no soporta que le lleven la contraria. Además, puede llegar a ser un poco excéntrico y egoísta, lo cual le hace pensar que no es comprendido.
Onomástica: No tiene.

HARITH

Etimología: Nombre árabe que significa «cultivador, agricultor».
Personalidad: Vive mucho más de cara al exterior que para sí mismo. En realidad es tierno y afectuoso, y está muy necesitado de cariño, pero considera que estas características son signos de debilidad, y prefiere ocultarlas. Enseguida se encariña con la gente, pero también puede ser cruel.
Onomástica: No tiene.

HAROLD

Etimología: Tiene su origen en el antiguo nombre del rey de los bátavos, ya citado por Cicerón. De *Hariald,* «pueblo antiguo, ilustre».
Personalidad: Desprende una sensación de encanto y armonía, estando siempre dispuesto a desplegar seducción y don de gentes; también es inteligente, hábil, muy curioso y buen comunicador. Pero en su trabajo es ordenado, metódico y responsable, lo cual crea una con-

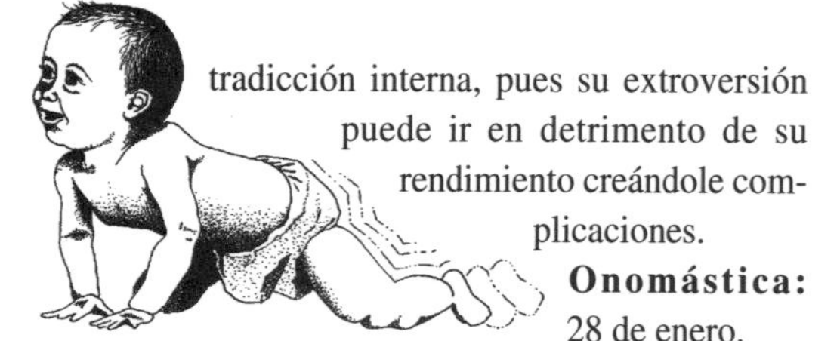

tradicción interna, pues su extroversión puede ir en detrimento de su rendimiento creándole complicaciones.

Onomástica: 28 de enero.

Otros idiomas: Catalán: Harold. Inglés y francés: Harold. Alemán: Harald. Italiano: Aroldo.

HARMAN

Etimología: Deriva del germánico *hard-mann,* «hombre fuerte». Es equivalente a Armando.

Personalidad: Apasionado, impulsivo, Armando es un hombre de excesos. Detesta las medias tintas. En su madurez sienta la cabeza, normalmente junto a alguien tranquilo y sosegado que sepa domesticarlo a fuerza de cariño y de paciencia.

Onomástica: 8 de junio y 2 de septiembre.

Otros idiomas: Catalán y francés: Armand. Alemán: Hermann.

HASAD

Etimología: Nombre turco que significa «segador».

Personalidad: Es una persona muy sensible, por más que intente disimularlo. Bajo su apariencia fría, segura y un poco despreocupada, hay un hombre que está siempre pendiente de lo que los demás dicen o hacen y de la actitud que tienen hacia él. Su gran placer consiste en ayudar a los que le rodean a ser felices.

Onomástica: No tiene.

HASÁN

Etimología: Nombre hebreo que designa un cargo religioso. Entre los árabes es uno de los nombres más corrientes y significa «bello».

Personalidad: Humanista y entregado por naturaleza: para ser feliz necesita sentir que es útil a los demás. No entiende el egoísmo ni la falta de compromiso:él, realmente, no puede descansar sabiendo que hay alguien que necesita su ayuda. El problema consiste en que es demasiado crítico consigo mismo.

Otros idiomas: Catalán: Hassan.

HASANI

Etimología: Nombre swahili que significa «dócil, manejable».

Personalidad: De carácter sereno, tranquilo y hasta un poco parsimonioso. De inteligencia profunda y muy dotado para la meditación. Sin embargo, parece que le cuesta mucho conciliar sus planteamientos intelectuales con un plan concreto de actuación. Su ideal es ser el cerebro de alguna clase de sociedad, de modo que sean los demás los que llevan a la práctica sus numerosas ideas.

Onomástica: No tiene.

HASHIM

Etimología: Nombre árabe que significa «destructor del mal».

Personalidad: La alegría parece empapar cada uno de sus actos, y a la gente le gusta estar cerca de él por su optimismo contagioso. Le gusta que los demás dependan de él en cierta medida, aunque su sentido de la independencia le impide ser él mismo el que necesite a otra persona.

Onomástica: No tiene.

HASTIN

Etimología: Nombre hindú que significa «elefante».

Personalidad: Necesita ser original, aunque muchas veces no sabe muy bien cómo hacerlo. Le gusta sentir que es él quien domina la situación, y no soporta que los demás no le hagan caso o que no hagan lo que él quiere. De joven es un idealista soñador.

Onomástica: No tiene.

HATIM

Etimología: Nombre árabe cuyo significado es «juez».

Personalidad: Recto, tranquilo, equilibrado, es una de esas personas que procura no decir nunca una palabra más alta que otra. Extremadamente comprensivo, para sus amigos se convierte en un inmejorable apoyo. En su profesión es ambicioso y puede llegar a mostrarse intransigente con las debilidades ajenas.
Onomástica: No tiene.

Haziel
Etimología: Nombre de origen hebreo que signfica «visión de Dios».
Personalidad: Es muy equilibrado y posee un sentido innato de la justicia y el equilibrio, pero también cae con facilidad en ataques de ira y valora en exceso el poder y el triunfo. Es impaciente e impetuoso. Esta personalidad le hace, casi con seguridad, muy celoso.
Onomástica: No tiene.

Heathcliff
Etimología: Nombre inglés que significa «acantilado en los brezales».
Personalidad: Es lento pero seguro. Sus decisiones siempre se hacen esperar y están profundamente meditadas, pero una vez que han sido tomadas, nada en el universo es capaz de hacer que no se cumplan. Y es que es implacable. Puede ser el mejor de los amigos, y sin duda un apoyo inmejorable en situaciones difíciles.
Onomástica: No tiene.

Heber
Etimología: Nombre de origen hebreo que signfica «el que hace alianzas».
Personalidad: Posee fuerza y determinación, así como una personalidad difícilmente manejable. Obstinado e independiente, ejerce un gran magnetismo, aunque puede caer fácilmente en la intransigencia. Rara vez se siente contento durante mucho tiempo, así que busca cambios de ambiente o de escenario.
Onomástica: No tiene.

Heberto
Etimología: Del germánico *hari-berth,* «ejército famoso».
Personalidad: Le entusiasman los viajes y todo lo que tiene que ver con la aventura y la innovación. Es capaz de adaptarse a cualquier situación y ambiente. En su contra tiene ciertos inconvenientes, como la inestabilidad, la superficialidad y la falta de previsión, lo cual no le facilita una vida sentimental.
Onomástica: 16 de marzo.

Héctor
Etimología: Del griego *hektoreon,* «esculpir, educar, formar».
Personalidad: Suele ser valiente y decidido, un tanto autoritario y muy caprichoso. Ingenuo y divertido, para él la vida no es más que un sencillo juego. Prefiere tomar el camino más fácil y es burlón con los esfuerzos ajenos. En el amor y la amistad se muestra afectuoso y muy protector.
Onomástica: 20 de junio y 23 de diciembre.
Otros idiomas: Catalán: Hèctor. Euskera: Etor. Gallego: Héctor. Inglés: Hector. Francés: Hèctor. Alemán: Kektor. Italiano: Ettore.

Helaku
Etimología: Nombre de los indios norteamericanos que significa «día soleado».
Personalidad: Juguetón y caprichoso, puede parecer que no le da importancia a casi nada, pero realmente le toma mucho cariño a la gente y sufre agudas decepciones cuando alguien le falla. Aunque sin mala intención, es demasiado impulsivo y poco reflexivo, así que raramente piensa antes de actuar.
Onomástica: No tiene.

Helio
Etimología: Del griego *hélios,* «sol».
Personalidad: Su personalidad es conflictiva, por lo que suele encontrar dificultades para en-

contrarse a gusto consigo mismo. También es algo vacilante y no muy enérgico. Sin embargo, posee un cierto espíritu aventurero, incluso algo temerario, y es de una lealtad inquebrantable.
Onomástica: 18 de julio.
Otros idiomas: Catalán: Heli. Francés: Hélios. Alemán: Helios. Italiano: Helio.

Heliodoro

Etimología: Deriva del griego *helios-doron,* «regalo del sol».
Personalidad: Tiene la habilidad de modificar cualquier circunstancia para que redunde en su beneficio. Versátil hasta el extremo, es capaz de desenvolverse por cualquier medio y de llevarse bien con quien sea: es de los que piensan que hay que tener amigos hasta en el infierno. Está muy dotado para el arte, prefiere una vida tranquila y hogareña y es un soñador irreductible.
Onomástica: 6 de mayo y 3 julio.
Otros idiomas: Catalán: Heliodor. Euskera: Eludor. Francés: Héliodore. Italiano: Eliodoro.

Heliogábalo

Etimología: Deriva del nombre griego de un Dios de Heliópolis, *Elagábalo.*
Personalidad: Es muy equilibrado y posee un sentido innato de la justicia y el equilibrio, pero también cae con facilidad en ataques de ira y valora en exceso el poder y el triunfo. Es impaciente e impetuoso. Esta personalidad le hace, casi con seguridad, muy celoso.
Onomástica: No tiene.
Otros idiomas: Catalán: Heliogàbal. Italiano: Eliogabalo.

Helmer

Etimología: Nombre de origen germánico que significa «la ira del guerrero».
Personalidad: Orgulloso e independiente, astuto y decidido, implacable con sus enemigos y capaz de casi cualquier cosa para conseguir sus objetivos. Su modo de afrontar los problemas es quizá un poco retorcido. Defiende su territorio y a su familia con uñas y dientes.
Onomástica: No tiene.

Henoch

Etimología: Nombre de origen yiddish, que significa «el que comienza».
Personalidad: Es un hombre hogareño que desea pasar su vida del modo más apacible y tranquilo. El trabajo es para él una maldición, y mucho más la vida en la ciudad. Su ideal es retirarse al campo y cultivar con sus manos, sin más compañía que su familia y amigos más íntimos.
Onomástica: No tiene.

Heraclio

Etimología: Deriva del griego *Heraklida,* «descendientes de Heraclio» Heraclio es el equivalente griego de Hércules.
Personalidad: De gran energía, no suelen pasar desapercibidos, y tienen habilidades para el liderazgo y la innovación. No les gusta seguir las corrientes establecidas y se empeñan en la originalidad. En el lado negativo tienen cierta tendencia al egoísmo, la vanidad y el orgullo. También pueden ser excéntricos y demasiado dominantes.
Onomástica: 1 de septiembre.
Otros idiomas: Catalán: Heracli. Euskera: Erakil. Francés: Héraclius. Italiano: Eraclio.

Heraldo

Etimología: Nombre de origen germánico: «rey de armas».
Personalidad: Posee una personalidad carismática, seductora y fuerte. Es también idealista y perfeccionista, lo cual normalmente le lleva a tener elevadas ambiciones. En lo negativo, suele ser nervioso y autoritario.
Onomástica: No tiene.

HÉRCULANO

Etimología: Deriva del latín *Herculaneus,* «perteneciente a Hércules».

Personalidad: Su personalidad está favorecida por el sentido artístico y el impulso de la creación. Es algo autoritario, individualista e independiente. Valora la estabilidad en su vida y para conseguirla a veces se muestra autoritario y egoísta.

Onomástica: 7 de noviembre.

Otros idiomas: Catalán: Herculà. Euskera: Erkulan. Italiano: Ercolano.

HÉRCULES

Etimología: Hércules es la derivación romana del griego *Heracles: Hera-Kleos,* «gloria de Hera». Curiosa etimología, ya que Hera es la esposa divina de Zeus, y nunca cejó en sus esfuerzos por acabar con Hércules, hijo adulterino del padre de los dioses.

Personalidad: De gran energía, no suelen pasar desapercibidos, y tienen habilidades para el liderazgo y la innovación. No les gusta seguir las corrientes establecidas y se empeñan en la originalidad. En el lado negativo tienen cierta tendencia al egoísmo, la vanidad y el orgullo. También pueden ser excéntricos y demasiado dominantes.

Onomástica: 14 de julio.

Otros idiomas: Catalán: Hèrcules. Inglés: Hercules. Francés: Hercule. Italiano: Ercole.

HERIBERTO

Etimología: Del germánico *hari-berth,* «ejército famoso».

Personalidad: Erudito con vocación de aventurero. Es un hombre independiente y decidido que trata de vivir su propia vida sin prestar demasiada atención a lo que los demás puedan esperar de él. Adora el misterio y siente una cierta atracción por el ocultismo: romántico y excéntrico.

Onomástica: 16 de marzo.

Otros idiomas: Catalán: Heribert. Euskera: Heriberta. Gallego y bable: Heriberto. Inglés y francés: Heribert, Herbert. Alemán: Herbert. Italiano: Eriberto.

HERMAN

Etimología: Del germánico *hari-man,* «hombre libre».

Personalidad: No le gustan las convenciones sociales, porque busca puntos de vista propios. Ama su profesión y se dedica a ella con auténtico fervor, aunque no por ello descuida a su familia ni a sus amigos. Como padre, es muy cariñoso. Sentimental hasta la médula, tiene debilidad por las historias de amor y es un poco conquistador.

Onomástica: 16 de marzo.

Otros idiomas: Catalán: Hermà. Euskera: Kerman. Francés e inglés: Herman. Alemán: Hermann. Italiano: Ermanno.

HERMENEGILDO

Etimología: Deriva del germánico *Ermin-hild,* «soldado de Ermin». Ermin era un héroe mitológico que dio nombre a la tribu de los ermiones.

Personalidad: Tienden a ser personas fuera de lo corriente. Hermenegildo es severo y justo, algo altivo pero frecuentemente admirado por los demás. En el amor suele ser extremadamente afortunado y encontrar su alma gemela.

Onomástica: 13 de abril.

Otros idiomas: Catalán: Hermenegild. Gallego: Hermenexildo, Hermexildo. Bable: Hermenexildo, Hermexildo, Merexildo. Francés: Hermenègilde. Italiano: Gildo.

HERMENGOL

Etimología: Derivado del nombre de un semidiós de la mitología escandinava, *Ermin.*

Personalidad: Poseen una personalidad marcada por el impulso de creación. Es algo autoritario, individualista e independiente. Valora

la estabilidad en su vida y para conseguirla a veces se muestra autoritario y egoísta.

Onomástica: 3 de noviembre.

Otros idiomas: Catalán: Ermengol.

HERMES

Etimología: Deriva del griego *hermeneus,* «mensajero».

Personalidad: Hermes ha nacido para el trato con los demás; si alguna vez se viera solo, probablemente moriría de desesperación. Extraordinariamente hablador y hasta chismoso, es aficionado a entrometerse en la vida de los demás. Siente debilidad por los dramas y por las situaciones extrañas. Aunque no lo reconozca, tiene una profunda necesidad de ser amado.

Onomástica: 22 de octubre.

Otros idiomas: Catalán: Hermes. Euskera: Erma, Herma. Inglés y alemán: Hermes. Francés: Hermès. Italiano: Ermes, Hermes, Hermete.

HERMINIO

Etimología: Nombre germánico. Procede de *Ermin,* nombre de un semidiós de las mitologías nórdicas, que designó una tribu, los ermiones o hermiones.

Personalidad: Es fuerte, viril, enérgico, obstinado, ambicioso y reservado, con un fuerte magnetismo. Metódico, ordenado y estricto, para él todo es blanco o negro, sin medias tintas. Al ser perfeccionista y susceptible, toda su capacidad la emplea en realizaciones concretas, pero no desdeña trabajar en equipo.

Onomástica: 28 de febrero.

Otros idiomas: Catalán: Hermini. Euskera: Ermiñi. Gallego y bable: Herminio. Francés: Herminio. Italiano: Erminio. Variante: Erminio.

HERMIÓN

Etimología: Deriva del griego *hermeneus,* «mensajero».

Personalidad: Posee una personalidad equilibrada, serena y con las ideas muy claras, aunque también es intuitivo y magnético. Valora el refinamiento y la integridad, la simpatía y la benevolencia. Suele ser idealista sin remedio si cree en una idea determinada.

Onomástica: No tiene.

Otros idiomas: Catalán: Hermió.

HERMÓGENES

Etimología: Deriva del nombre griego *Hermosgenos,* «engendrado por Hermes».

Personalidad: Posee una gran capacidad de adaptación, por lo cual le entusiasman los viajes y todo lo que requiera audacia e innovación. En lo negativo, su personalidad le acarrea ciertos inconvenientes como accidentes, inestabilidad y superficialidad.

Onomástica: 12 de diciembre.

Otros idiomas: Catalán: Hermògenes. Euskera: Ermogen. Gallego: Hermóxenes.

HERNÁN

Etimología: Deriva del germánico *frad-nand,* «de atrevida inteligencia». Es, en castellano, una forma antigua de *Fernando.*

Personalidad: Posee una gran capacidad de adaptación, por lo cual le entusiasman los viajes y todo lo que requiera audacia e innovación. En lo negativo, su personalidad le acarrea ciertos inconvenientes como accidentes, inestabilidad y superficialidad.

Onomástica: 30 de mayo.

HERNANDO

Etimología: Deriva del germánico *frad-nand,* «de atrevida inteligencia». Es, en castellano, una forma antigua de *Fernando.*

Personalidad: Emotivo, altruista e idealista. Fiel a sus amistades y amores, tiene gran nece-

sidad de ayudar y compartir, tanto en lo material como en lo espiritual. Es influenciable, le cuesta ser realista y es algo desordenado. En lo espiritual, tiende también a padecer desórdenes ciclotímicos.
Onomástica: 30 de mayo.

HERNANI

Etimología: Deriva del nombre de una ciudad del Guipúzcoa.
Personalidad: Espirituales y místicos, de sentimientos altruistas. Se trata de personas elevadas que intentan cultivar la sabiduría y que valoran la inteligencia y la habilidad. Receptivos y estudiosos, son capaces de disfrutar de la vida. Quizá a veces son demasiado abnegados y se olvidan de sus propios intereses.
Onomástica: No tiene.
Otros idiomas: Italiano: Ernani.

HERODÍAS

Etimología: Nombre griego que deriva de *heros,* «caudillo».
Personalidad: Posee una personalidad marcada por el impulso de creación. Es algo autoritario, individualista e independiente. Valora la estabilidad en su vida y para conseguirla a veces se muestra autoritario y egoísta.
Onomástica: No tiene.
Otros idiomas: Catalán: Herodías. Francés: Hérodiade. Italiano: Erodiade.

HERTZ

Etimología: Nombre judío, del antiguo yiddish, que significa «mi lucha».
Personalidad: Es afectuoso y profundamente protector. No es demasiado imaginativo ni original, pero lo compensa con una impresionante capacidad de trabajo y una lealtad incorruptible. En el amor es algo ingenuo, pero prefiere eso a volverse cruel o insensible. Es feliz si tiene una causa en la que ocuparse.
Onomástica: No tiene.

HERVÉ

Etimología: Del nombre bretón *Haerveu,* «combativo».
Personalidad: El rasgo dominante de su personalidad es el alto dominio sobre sí mismo. Sabe medir sus capacidades, que suelen armonizar con todo lo que le rodea. Refinado, amable, simpático y de buen talante, suele hacer amigos con gran facilidad y le gusta ayudar a los demás. Quizá demasiado soñador.
Onomástica: 17 de junio.

HIAMOVI

Etimología: Nombre cheyenne que significa «gran jefe».
Personalidad: Su impresión es que ha nacido en un tiempo que no le corresponde. Él necesita vivir fuera de la realidad, en un refugio de fantasía propio. Su carácter le da ventaja en profesiones relacionadas con la interpretación o la escritura. Por lo demás, tiene un corazón de oro y es capaz de desvivirse por ayudar a su prójimo.
Onomástica: No tiene.

HIBAH

Etimología: Nombre árabe que significa «don, regalo».
Personalidad: Es un hombre de carácter. Muy dado a las discusiones espectaculares y melodramáticas, aunque al final siempre acaba cediendo. Es extremadamente ambicioso en su vida personal y profesional. Aunque le encanta la intriga, es un buen amigo, pero un poco superficial.
Onomástica: No tiene.

HIDEAKI

Etimología: Nombre japonés que significa «inteligente».
Personalidad: Es tozudo y obstinado, aunque no actúa con mala intención. Puede ser orgulloso, pero también sincero y justo. Siente pa-

sión por todo tipo de actividades intelectuales y es dado a la polémica. En el amor y la amistad se muestra muy sólido. No soporta a las personas que actúan sólo por conveniencia.
Onomástica: No tiene.

HIGINIO

Etimología: Nombre griego, de *Hygies,* «sano», que forma *Higinios,* «vigoroso».
Personalidad: Sensible y muy dependiente de su entorno, conciliador, hábil, inteligente, imaginativo y amante de hacer amistades. Posee el sentido de los negocios, en los que no duda en asociarse cuando es necesario. Su mayor inconveniente es que sueña con grandes proyectos y es un idealista, lo que incrementa su emotividad, puede desestabilizarse y conducirle a cambios inesperados.
Onomástica: 11 de enero.
Otros idiomas: Catalán: Higini. Euskera: Ikini. Gallego: Hixinio. Bable: Hixinio (Xinio). Francés: Hygin. Italiano: Iginio.

HILARIO

Etimología: Procede del griego *hilaria,* «alegría».
Personalidad: Simpático y comunicativo, podría ser un excelente relaciones públicas. No es en absoluto ambicioso, y le gusta vivir al día, disfrutando de las pequeñas cosas; a pesar de ello, suele cosechar una larga lista de éxitos sin proponérselo. Con los amigos es atento, siempre afable y en absoluto rencoroso.
Onomástica: 31 de enero y 12 de julio.
Otros idiomas: Catalán: Hilari. Euskera: Ilari. Gallego y bable: Hilario. Inglés: Hilary. Francés: Hilaire. Italiano: Ilario. Variante: Hilarión.

HILARIÓN

Etimología: Procede del griego *hilaria,* «alegría». Deriva de Hilario.
Personalidad: Concede más importancia a lo espiritual que a lo material. Es paciente, con gran capacidad de estudio, lógica y análisis. Muy exigente consigo mismo y con los demás. Algo solitario e introspectivo, por lo que cae con facilidad en el pesimismo.
Onomástica: 12 de julio.
Otros idiomas: Catalán: Hilarió. Francés: Hilarion. Italiano: Ilarione.

HILDEMARO

Etimología: Procede del nombre germánico *Hildimar,* de *hild,* «combate», y *mers,* «famoso»; o sea, «famoso en el combate».
Personalidad: Espirituales y místicos, de sentimientos altruistas. Se trata de personas elevadas que intentan cultivar la sabiduría y que valoran la inteligencia y la habilidad. Receptivos y estudiosos, son capaces de disfrutar de la vida. Quizá a veces son demasiado abnegados y se olvidan de sus propios intereses.
Onomástica: 13 de enero.
Otros idiomas: Catalán: Hildemar.

HILEL

Etimología: Nombre árabe que significa «luna nueva».
Personalidad: Desde niño tiene que luchar con su inseguridad. Tiende a compararse con los demás y en su fuero interno siempre sale malparado. Hay algo en su interior que le obliga a fijarse en los demás y esa falta de criterio puede convertirlo en un tipo excéntrico. Su verdadera meta en la vida es hallar a alguien que le proporcione la seguridad que tanto necesita.
Onomástica: No tiene.

HINTO

Etimología: Nombre de los indios dakota, que significa «azul».
Personalidad: Tiene un aire de niño demasiado mimado. No soporta bien que le contradigan. Su principal preocupación es siempre la estética, por encima de la ética: que las cosas

tengan un aspecto impecable, que su físico se mantenga... Aunque no es muy constante, sí es bastante ingenioso y divertido.
Onomástica: No tiene.

Hinun

Etimología: Nombre que entre los indios norteamericanos significa «espíritu de la tormenta».
Personalidad: Poco a poco, porque es muy trabajador, va construyendo a su alrededor un mundo a su medida. Cuando lo consigue, es del todo irrompible. No es que sea materialista, sino que necesita la seguridad de las cosas y las personas que le son familiares. Por lo demás, es muy cariñoso y solidario.
Onomástica: No tiene.

Hipacio

Etimología: Del griego *hypatos,* «máximo».
Personalidad: Fiel a sus amistades y amores, tiene gran necesidad de ayudar y compartir, tanto en lo material como en lo espiritual. Es influenciable, le cuesta ser realista y es algo desordenado. En lo espiritual, tiende también a padecer desórdenes ciclotímicos.
Onomástica: 3 de junio.
Otros idiomas: Catalán: Hilpaci.

Hipócrates

Etimología: Nombre griego que deriva de *hippós-krateo,* «poderosa caballería».
Personalidad: Posee una personalidad carismática, seductora y fuerte. Es también idealista y perfeccionista, lo cual normalmente le lleva a tener elevadas ambiciones. En lo negativo, suele ser nervioso y autoritario.
Onomástica: No tiene.

Hipólito

Etimología: Deriva del griego *hippós-lytós,* «jinete veloz».
Personalidad: Impulsivo y pasional. Sin embargo, la suerte parece no abandonarlo, porque nunca se mete en problemas demasiado graves. Es extremadamente juerguista y ligeramente propenso a los excesos. Suele retrasar la hora de sentar la cabeza todo lo posible.
Onomástica: 30 de enero y 2 de diciembre.
Otros idiomas: Catalán: Hipòlit. Euskera: Ipolita. Gallego: Hipólito. Inglés: Hippolite, Hippolytus. Francés: Hippolyte. Alemán: Hypolith. Italiano: Ippolito.

Hisoka

Etimología: Nombre japonés que significa «discreto, reservado».
Personalidad: A veces puede encontrarse en situaciones comprometidas por su sentido de la justicia: no soporta que se abuse de los débiles. Debe aprender a valorar las posibilidades ajenas, a no subestimar a los demás, aunque sea con ánimo protector. Por su carácter, tiende a relacionarse con personas que buscan protección.
Onomástica: No tiene.

Hogan

Etimología: Nombre irlandés, de origen celta, que significa «joven».
Personalidad: Le gusta estar en constante movimiento, buscar nuevos intereses, conocer nuevos lugares: su curiosidad se mantiene siempre viva. Necesita desempeñar profesiones que requieran poner en juego estas características, no soportaría una vida monótona o un trabajo mecánico. Es un amigo muy leal.
Onomástica: No tiene.

Homero

Etimología: Nombre griego que deriva de *Home-ron,* «el que no ve», por la ceguera del famoso poeta.

Personalidad: Es un hombre con una fuerte personalidad, estricto, autoritario y dominador, pero en el fondo es emotivo, generoso, sensible y con un fondo de religiosidad innata que hace que se sienta realizado cuando puede ser útil social o humanitariamente. Sin embargo, es muy independiente y oportunista, por lo que no es extraño verle ocupando cargos directivos.
Onomástica: No tiene.
Otros idiomas: Catalán: Homer. Francés: Homère. Inglés: Homer. Italiano: Omero.

HONESTO

Etimología: Del nombre latino *Honestus,* «honorable».
Personalidad: De gran energía, tienen habilidades para el liderazgo y la innovación. No les gusta seguir las corrientes establecidas y se empeñan en la originalidad. En el lado negativo tienen cierta tendencia al egoísmo, la vanidad y el orgullo. También pueden ser excéntricos y demasiado dominantes.
Onomástica: 16 de febrero.
Otros idiomas: Catalán: Honest. Gallego: Honesto. Italiano: Onesto.

HONORATO

Etimología: Del latín *honoratus,* «honrado, apreciado».
Personalidad: Aunque es más bien espiritual y creativo, los derroteros del destino suelen llevarlo por el camino de los negocios y las finanzas. Amable, humano y comprensivo. Prefiere las diversiones apacibles, adora la vida familiar y hogareña y es un gran amigo de sus amigos.
Onomástica: 22 de diciembre.
Otros idiomas: Catalán: Honorat. Euskera: Onorata, Ospetsu. Gallego: Honorato. Inglés: Honorius. Francés: Honoré. Italiano: Onorato.

HONORIO

Etimología: Del latín *Honorius,* gentilicio de *honorus,* «honor».
Personalidad: Es muy equilibrado y posee un sentido innato de la justicia y el equilibrio, pero también cae con facilidad en ataques de ira y valora en exceso el poder y el triunfo. Es impaciente e impetuoso. Esta personalidad le hace, casi con seguridad, muy celoso.
Onomástica: 24 de abril.
Otros idiomas: Catalán: Honori. Bable: Honorín, Honorio, Norino. Inglés: Honorius.

HONOVI

Etimología: Nombre que entre los indios norteamericanos significa «fuerte».
Personalidad: Necesita estar satisfecho consigo mismo. La vida superficial no le interesa ni lo más mínimo. Para sentirse a gusto necesita desempeñar una profesión que lo mantenga ocupado y le exija un cierto esfuerzo. En el amor necesita seguridad y solidez.
Onomástica: No tiene.

HORACIO

Etimología: Nombre de la gens romana *Horatius,* que a su vez deriva de la raíz *Hora,* medida de tiempo y nombre de las diosas que presidían las estaciones.
Personalidad: Demasiado inteligente para ser feliz. Siempre insatisfecho, siempre dándole vueltas a la cabeza al porqué del universo. Sólo encontrará la serenidad a través del amor... cosa complicada, ya que es extremadamente tímido y bastante inseguro en este terreno.
Onomástica: 1 de noviembre.
Otros idiomas: Catalán: Horaci. Inglés y francés: Horace. Alemán: Horaz. Italiano: Orazio.

HORTENSIO

Etimología: Nombre de la gens romana *Hortensia,* que procede de *hortus,* «huerta». Significa «jardinero».

Personalidad: Trabajador y emprendedor, su auténtico ideal es vivir en el campo con una gran familia. Si tiene la desgracia de vivir en la ciudad, se adaptará, aunque siempre buscando sus reductos de paz, en compañía de sus seres queridos y alejado del mundanal ruido.
Onomástica: 11 de enero.
Otros idiomas: Catalán: Hortensi. Gallego y Bable: Hortensio.

Hosa

Etimología: Nombre de los indios arapohes, que significa «corona de la juventud».
Personalidad: Es un conversador por el gusto de intercambiar impresiones: lo que más le interesa en este mundo son las personas y su comportamiento. Su virtud principal es el interés por el conocimiento y la literatura, aunque sólo sea por el placer que le producen las personas relacionadas con las humanidades.
Onomástica: No tiene.

Hospici

Etimología: Nombre catalán que deriva del latín *hospitium,* «hospitalidad».
Personalidad: Espirituales y místicos, de sentimientos altruistas. Se trata de personas elevadas que intentan cultivar la sabiduría y que valoran la inteligencia y la habilidad. Receptivos y estudiosos, son capaces de disfrutar de la vida. Quizá a veces son demasiado abnegados y se olvidan de sus propios intereses.
Onomástica: 21 de mayo.
Otros idiomas: Catalán: Hospici. Euskera: Ospixi.

Hotah

Etimología: Nombre de los indios dakota, que significa «blanco».
Personalidad: Su carácter puede llegar a esclavizarlo de alguna manera: es demasiado orgulloso y un poco rígido de carácter, le cuesta ver los matices de las cosas. Si consigue atemperar ese problema, puede llegar a ser incluso divertido. En el amor y la amistad prefiere lo poco, pero bueno.
Onomástica: No tiene.

Huapi

Etimología: Nombre mapuche que significa «isla».
Personalidad: Posee una personalidad equilibrada, serena y con las ideas muy claras, aunque también es intuitivo y magnético. Valora el refinamiento y la integridad, la simpatía y la benevolencia. Suele ser idealista sin remedio si cree en una idea determinada.
Onomástica: No tiene.

Huberto

Etimología: Nombre germánico, *Hug-bert,* de *hug* «espíritu, inteligencia», y *berth,* «brillo": «el que brilla por su espíritu».
Personalidad: Es un idealista capaz de dar lo mejor de sí mismo cuando se siente querido y respaldado, por lo que necesita hallar un alma gemela que le cuide y le mime. Profesionalmente es metódico, y bien organizado, deseando ser independiente; pero lo que más le atrae es la vida interior, la reflexión e incluso, a veces, la religión.
Onomástica: 3 de noviembre.
Otros idiomas: Catalán: Hubert. Euskera: Uberta. Gallego: Uberto. Bable: Uberto. Francés y alemán: Hubert. Inglés: Hubert, Hobert. Italiano: Uberto, Oberto.

Hugo

Etimología: Deriva del celta *hug,* «inteligencia, espíritu».
Personalidad: Le gusta tanto crear que muchas veces pierde la perspectiva y se inventa su propia vida. Valora su libertad por encima de cualquier otra cosa y, por tanto, difícilmente aceptará compromisos ni en el trabajo, ni con los amigos, ni en el amor.

Onomástica: 1 de abril.
Otros idiomas: Catalán: Hug. Euskera: Uga. Gallego: Hugo. Inglés: Hugh. Francés: Hugues. Italiano: Hugo, Ugo.

HUGOLINO

Etimología: Deriva del celta *hug,* «inteligencia, espíritu».
Personalidad: Posee una gran capacidad de adaptación, por lo cual le entusiasman los viajes y todo lo que requiera audacia e innovación. En lo negativo, su personalidad le acarrea ciertos inconvenientes como accidentes, inestabilidad y superficialidad.
Onomástica: 13 de octubre.
Otros idiomas: Catalán: Hugolí. Italiano: Ugolino.

HUMBERTO

Etimología: Del germánico *hunn-berth,* «oso brillante»; por extensión, «famoso guerrero».
Personalidad: Presta una atención desmedida a su apariencia física, es una enamorado de la moda y poca gente le ha oído nunca hablar de un tema moderadamente profundo. Suele tratarse de una simple fachada: extremadamente ambicioso y en ocasiones egoísta, es inquieto e impaciente, y suele sufrir grandes decepciones en el terreno de la amistad.
Onomástica: 4 de marzo.
Otros idiomas: Catalán: Humbert. Euskera: Umberta. Gallego y bable: Humberto. Inglés, francés y alemán: Humbert. Italiano: Umberto.

HUNG

Etimología: Nombre vietnamita que significa «bravo».
Personalidad: No soporta hacer daño a los demás. Tal vez por eso prefiere sufrir una frustración a imponer su criterio, aunque sepa que es el correcto. A pesar de ese carácter bondadoso, no carece de ambiciones, pero suele marcarse un camino que sea muy respetuoso con todos. Es un compañero de trabajo y amigo muy agradable.
Onomástica: No tiene.

HUNTER

Etimología: Antiguo nombre inglés que significa «cazador».
Personalidad: Busca soluciones y respuestas en lo que le va enseñando la vida: tiene la virtud de la observación, combina inteligencia e intuición. Es un conquistador y su mayor defecto es que se pierde por llamar la atención del sexo opuesto. En el trabajo necesita trabajos que le obliguen a estar en constante movimiento.
Onomástica: No tiene.

HURLEY

Etimología: Nombre irlandés, de origen celta, que significa «marea».
Personalidad: Él es el único que considera que sus ideas son sólidas, porque los demás creen que las cambia con demasiada frecuencia. Como en todo, se deja llevar por las modas. Es muy afectuoso y en el campo profesional se marca metas que le permitan alcanzar un buen nivel de vida. Como padre se muestra muy responsable.
Onomástica: No tiene.

HUSAI

Etimología: Nombre de origen hebreo que significa «el apresurado».
Personalidad: Es equilibrado y posee gran encanto, por lo que está dotado para la diplomacia. También valora enormemente la belleza, la armonía y la capacidad de sacrificio. Por contra, es algo indeciso y dado al fatalismo y al exceso de perfeccionismo.
Onomástica: No tiene.

HUSAM

Etimología: Nombre árabe que significa «espada».

Personalidad: Vive en su propio mundo, en sus pensamientos y fantasías. Reflexivo y poco convencional, por tanto, no es fácil que se atenga a los patrones sociales imperantes. Como pareja y como amigo también es un poco despistado, pero de sentimientos nobles y muy profundos. Suele conseguir lo que se proponga.
Onomástica: No tiene.

HUSLU

Etimología: Nombre que entre los indios norteamericanos significa «oso peludo».
Personalidad: Necesita tener siempre una apariencia impecable, no soporta el desorden o la incoherencia y está demasiado pendiente de lo que opinan de él. Si cree que algo merece la pena, no le importa arriesgar todo lo que haga falta. En el amor prefiere ser conquistado a conquistar, porque necesita sentir que le prestan atención.
Onomástica: No tiene.

HUSSEIN

Etimología: Nombre árabe que significa «pequeño, manejable».
Personalidad: Es una persona muy simpática, afable e inteligente. Su problema principal es precisamente conseguir fijar su atención en actividades serias, porque se empeña en no crecer. En el amor busca una pareja que centre todas sus energías en él, aunque en la amistad es mucho más entregado y menos egoísta.
Onomástica: No tiene.

HUTE

Etimología: Nombre que entre los indios norteamericanos significa «estrella».
Personalidad: Tiene una personalidad muy fuerte, actúa siempre con una contundencia y seguridad en sus opiniones que puede resultar chocante y hasta desagradable. En el amor, sin embargo, le falta seguridad, es muy celoso y le cuesta mantener sus conquistas. Quienes de verdad se sienten a gusto con él son sus amigos y compañeros de trabajo.
Onomástica: No tiene.

I

ÍAGO

Etimología: Nombre hebreo que significa «el que suplantó al hermano».

Personalidad: Es un rebelde, un hombre que no se conforma con pensar que el mundo es como es, sino que desea cambiarlo. No acepta consejos ni órdenes de los demás: quierer probarlo todo por sí mismo. Suele tener algunos problemas por su su carácter independiente y su falta de respeto a los convencionalismos.

Onomástica: No tiene.

IBRAHIM

Etimología: Nombre árabe, que es una variante de *Abraham:* del hebreo *ab-rab-hamon,* «padre de multitudes».

Personalidad: Son personas sencillas y auténticas. Detestan a los que actúan sólo por guardar las apariencias y, por eso, prefieren que les digan las cosas a la cara, sin rodeos ni ambages. Odian la mentira y la hipocresía. Su sistema moral es simple pero incorruptible.

Onomástica: 16 de marzo y 15 de junio.

Otros idiomas: Euskera: Abarran. Gallego: Abraam. Bable: Abrán. Italiano: Abramo.

ÍCARO

Etimología: Nombre de origen desconocido, probablemente del griego *eikon,* «imagen». En la mitología griega, hijo de Dédalo que intentó volar con alas de cera.

Personalidad: Posee una personalidad equilibrada, serena y con las ideas muy claras, aunque también es intuitivo y magnético. Valora el refinamiento y la integridad, la simpatía y la benevolencia. Suele ser idealista sin remedio si cree en una idea determinada.

Onomástica: No tiene.

IDUMEO

Etimología: Nombre de origen latino cuyo significado es «rojo».

Personalidad: Inteligente y creativo, es, sin embargo, demasiado perezoso. Devoto de las comodidades, aunque no le gusta el lujo excesivo. Busca una vida relativamente tranquila, sin grandes sobresaltos. En el amor le falta un poco de confianza en sus posibilidades, por lo cual suele refugiarse en una actitud distante.

Onomástica: No tiene.

IGASHU

Etimología: Nombre que entre los indios norteamericanos significa «errante».

Personalidad: Es un hombre inquieto, siempre en busca de nuevas aventuras y experiencias en todos los ámbitos de su vida. Se niega a ser conformista, ama la libertad y sólo aceptará un compromiso cuando esté profundamente seguro de que es eso lo que quiere. Aunque parezca alocado, sus actos siempre tienen un sentido.

Onomástica: No tiene.

IGNACIO

Etimología: De la voz celtibérica *egnatius,* «ardiente, encendido», que fue adoptada por el latín con el mismo significado bajo la forma de *ignitus.*

Personalidad: Ignacio actúa casi siempre movido por su enorme ambición, por su deseo de reconocimiento y por una aguda competitividad que le lleva a intentar mejorarse continuamente a sí mismo. Su gran miedo es la soledad y siempre tratará de estar rodeado de muchos amigos.

Onomástica: 1 de febrero y 31 de julio.

Otros idiomas: Catalán: Ignasi. Euskera: Eneko, Inazio, Inaxio, Iñaki, Iñigo. Gallego: Iñazio. Bable: Inacio (Nacho, Nacio). Inglés y alemán: Ignatus. Francés: Ignace. Italiano: Ignazio.

ÍGOR

Etimología: Nombre de origen escandinavo/ruso, de etimología discutida. Algunos creen que deriva del germánico *Aig-ort,* «hoja de espada», y otros del escandinavo *Ingwarr,* «nombre del dios Ingvi».

Personalidad: Meticuloso, racional, ordenado, Ígor consigue prácticamente todos sus éxitos gracias al esfuerzo y a la buena planificación. Posee un sentido del humor apacible y a menudo difícil de comprender, es afectuoso y siente un profundo instinto de protección hacia los más débiles.

Onomástica: 5 de junio.

Otros idiomas: Catalán y euskera: Igor. Francés, alemán e italiano: Igor.

IHSAN

Etimología: Nombre turco que significa «compasivo».

Personalidad: Es como una niño: crédulo, ingenuo y alegre. Concede una gran importancia al amor y a la amistad durante toda su vida. En su profesión demuestra que es brillante, creativo y muy trabajador; tiene ambición, pero es comedido y valora tanto la lealtad que no se deja dominar por ella.

Onomástica: No tiene.

ÍKER

Etimología: Nombre vasco que significa «visitación», nombre cristiano en honor de la Visitación de la Virgen María a su prima Santa Isabel.

Personalidad: Su gran pasión radica en la belleza. Es un gran amante del arte en todas sus manifestaciones, y en su propia vida. En el amor y con sus amigos se muestra impulsivo y apasionado. No le gusta trabajar en exceso y no es ambicioso, por lo que procura buscarse una profesión tranquila que le permita llevar una vida desahogada.

Onomástica: 31 de mayo.

ILDEFONSO

Etimología: Procede del germánico *Hild-funs,* «preparado para el combate».

Personalidad: Romántico e idealista, Ildefonso trata de mejorar el mundo por medio del trabajo intelectual. Detesta los excesos, es apacible y ordenado y muy amigo de sus amigos. En el amor se muestra muy reservado, aunque una vez que consigue confiar en la otra persona, se convierte en un compañero inmejorable.

Onomástica: 23 de enero.

Otros idiomas: Catalán: Ildefons. Euskera: Albontsa. Gallego: Ildefonso. Francés: Ildefonse. Italiano: Ildefonso.

ILUMINADO

Etimología: Del nombre latino *Illuminatus,* de *illumino,* «iluminar»: «ser luminoso».

Personalidad: Su personalidad es muy creativa, entusiasta, sociable, optimista y muy espiritual. Tiene gran sentido práctico y es muy hábil en las actividades manuales. En contrapartida, puede ser algo intolerante y colérico, y a veces le cuesta concentrarse en una sola cosa.

Onomástica: 11 de mayo.

Otros idiomas: Catalán: Il.luminat. Euskera: Argitsun. Italiano: Illuminato.

IMÁN

Etimología: Nombre hebreo que procede de *emmanu-El,* «Dios con nosotros».

Personalidad: Tiene un temperamento demasiado variable, nunca se puede estar seguro de cómo va a reaccionar. En el amor, raras veces será correspondido por la persona a quien realmente ama, aunque probablemente termine asentándose en una afable y placentera relación sustentada más por la amistad que por el amor pasional.

Onomástica: 1 de enero.

Otros idiomas: Catalán: Manel. Euskera: Imanol, Manu. Gallego: Manoel. Inglés y francés: Emmanuel. Italiano: Emmanuele.

IMANOL

Etimología: Forma vasca de *Manuel,* que procede del hebreo *emmanu-El,* «Dios con nosotros».

Personalidad: Suelen ser personas sencillas, sin pretensiones, que se dejan llevar fácilmente si creen que así pueden hacer felices a los demás. Tienden a ser un poco perezosos. En el amor lo dan todo y son capaces de construir a su alrededor la más bella historia.

Onomástica: 1 y 22 de enero.

Otros idiomas: Catalán: Manel. Euskera: Imanol, Manu. Gallego: Manoel, Manecho. Bable: Manel, Mel. Francés: Emmanuel. Inglés: Emmanuel. Alemán: Immanuel. Italiano: Emanuele.

IMRAN

Etimología: Nombre árabe que significa «anfitrión».

Personalidad: Sale adelante pase lo que pase, con absoluta decisión. A la hora de trabajar, es serio y responsable, prudente cuando las circunstancias lo requieren, aunque también es capaz de arriesgar. En el amor suele ser desgraciado, quizá porque le resulta difícil encontrar una compañera tan fuerte y segura como él misma.

Onomástica: No tiene.

INCA

Etimología: Nombre de origen quechua que podría significar «rey, príncipe o varón de estirpe real».

Personalidad: Tiene un gran dominio de sí mismo y en cualquier situación sabe medir sus posibilidades, de modo que suele acertar en sus decisiones más importantes. Tiene buen carácter, es amable y valora las cosas hermosas que le ofrece la vida. Suele hacer amigos con bastante facilidad y le gusta ayudar a los demás. Tal vez un poco soñador.

Onomástica: No tiene.

INDALECIO

Etimología: Proviene de la raíz euskera *inda,* «fuerza».

Personalidad: Es un luchador, un hombre fuerte por naturaleza. Pero nunca se embarcará en una empresa por motivos personales o egoístas; es un idealista. Ligeramente orgulloso, no acepta con facilidad las críticas ni las discrepancias. Quizá demasiado serio, le cuesta disfrutar de los placeres de la vida.

Onomástica: 15 de mayo.

Otros idiomas: Catalán: Indaleci. Euskera: Indaleki. Gallego: Indalecio. Bable: Indalecio (Lecio).

INDIANA

Etimología: Gentilicio de las Indias occidentales, o sea, América. Procede del persa *Ind,* nombre del río *Indo.*

Personalidad: Espirituales y místicos, de sentimientos altruistas. Se trata de personas elevadas que intentan cultivar la sabiduría y que valoran la inteligencia y la habilidad. Receptivos y estudiosos, son capaces de disfrutar de la vida. Quizá a veces son demasiado abnegados y se olvidan de sus propios intereses.

Onomástica: No tiene.

INDRO

Etimología: Nombre malgache de origen dudoso. Puede derivar de *indri,* «hombre del bosque».

Personalidad: Es muy equilibrado y posee un sentido innato de la justicia y el equilibrio, pero también cae con facilidad en ataques de ira y valora en exceso el poder y el triunfo. Es impaciente e impetuoso. Esta personalidad le hace, casi con seguridad, muy celoso.

Onomástica: No tiene.

INGMAR

Etimología: Nombre germánico que deriva de *Ing,* nombre de un dios, y *maru,* «insigne».

Personalidad: El rasgo dominante de su personalidad es el alto dominio sobre sí mismo. Sabe medir sus capacidades, que suelen armonizar con todo lo que le rodea. Refinado, amable, simpático y de buen talante, suele hacer amigos con gran facilidad y le gusta ayudar a los demás. Quizá demasiado soñador.
Onomástica: No tiene.

INOCENCIO

Etimología: Deriva del latín *innocens,* «inocente».
Personalidad: Inocencio es cualquier cosa menos inocente. Siempre sabe exactamente qué es lo que está haciendo y por qué, y bajo ningún concepto permite que le tomen el pelo. En el terreno afectivo es muy inseguro, por lo cual le cuesta mantener sus amistades así como las relaciones amorosas.
Onomástica: 12 de marzo y 17 de junio.
Otros idiomas: Catalán: Innocenci. Euskera: Iñoskentzi, Sein. Gallego: Inocencio, Nocencio. Francés: Innocent. Alemán: Innocent. Italiano: Innocenzo.

INTEUS

Etimología: Nombre que entre los indios norteamericanos significa «orgulloso».
Personalidad: Es un hombre introvertido, muy encerrado en sí mismo y hasta podría decirse que algo huraño. Algunos dicen que peca un poco de misantropía, que desprecia al género humano; pero la realidad es que no logra comprender al resto de las personas, le parecen demasiado complicadas. Aun así, suele encontrar energías para intentar cambiar su mundo.
Onomástica: No tiene.

INTI

Etimología: Nombre que le daban los incas al sol, al que consideraban el dios supremo. Este nombre debe ir acompañado de otro que indique sexo.
Personalidad: Su verdadera preocupación es la justicia y el equilibrio, tanto en su vida personal como en la sociedad. Pero le cuesta conseguirlo, porque valora en exceso el triunfo y el poder, y es propenso a sufrir ataques de ira. En su vida sentimental puede ser algo posesivo y celoso
Onomástica: No tiene.

ÍÑIGO

Etimología: De la voz celtibérica *egnatius,* «ardiente», que fue adoptada por el latín con el mismo significado bajo la forma de *ignitus.*
Personalidad: Casi siempre actúa movido por su enorme ambición, por su deseo de reconocimiento y por una aguda competitividad que le lleva a intentar mejorarse continuamente a sí mismo. Su gran miedo es la soledad y siempre tratará de estar rodeado de muchos amigos.
Onomástica: 1 de febrero y 31 de julio.
Otros idiomas: Catalán: Ínyigo. Euskera: Eneko, Yeneko. Gallego: Iñazio. Bable: Íñigo. Italiano: Ígnigo, Ínnico.

IONATAN

Etimología: Del nombre hebreo *Yeho-nat-han,* «don de Yahvé».
Personalidad: Comunicativo y encantador, adaptable y simpático, elegante, hábil y con la facilidad de asimilar ideas y experiencias, es capaz de destacar en cualquier actividad que se proponga, especialmente si se relaciona con la creatividad o la comunicación. También posee un sentido innato de la justicia y el deseo de progresar. Su único defecto es la inestabilidad.
Onomástica: 11 de febrero.
Otros idiomas: Catalán: Jonatan. Euskera: Ionatan. Gallego y bable: Jonatán. Francés, inglés y alemán: Jonathan. Italiano: Jonathan, Gionata.

IRA

Etimología: Nombre hebreo que significa «digno de admiración».

Personalidad: Rebosa simpatía e imaginación, es un hombre bienintencionado y alegre, que rechaza por principio cualquier prejuicio o convención social. Sin embargo, es muy terco y no soporta que le lleven la contraria. Además, puede llegar a ser un poco excéntrico y egoísta, lo cual le hace pensar que no es comprendido.

Onomástica: No tiene.

IRENEO

Etimología: Deriva del griego *eirene,* «paz».

Personalidad: Posee una gran capacidad de adaptación, por lo cual le entusiasman los viajes y todo lo que requiera audacia e innovación. En lo negativo, su personalidad le acarrea ciertos inconvenientes como accidentes, inestabilidad y superficialidad.

Onomástica: 28 de junio.

Otros idiomas: Catalán: Ireneneu. Euskera: Iren. Inglés: Ireneus. Francés: Irénee. Italiano: Ireneo.

IRINEO

Etimología: Deriva del griego *eirene,* «paz».

Personalidad: Intenta, muchas veces sin conseguirlo, ser igual que el resto de la gente, no sentirse distinto. Le gusta ser el protagonista de aventuras que a veces sólo existen en su imaginación. Decidido y a veces un tanto autoritario, es, en cualquier caso, una buena persona.

Onomástica: 25 de marzo y 28 de junio.

Otros idiomas: Catalán: Ireneneu. Euskera: Iren. Inglés: Ireneus. Francés: Irénee. Italiano: Ireneo.

IRVING

Etimología: Nombre irlandés, de origen celta, que significa «manejable».

Personalidad: Vive mucho más de cara al exterior que para sí mismo. En realidad es tierno y afectuoso, y está muy necesitado de cariño, pero considera que estas características son signos de debilidad, y prefiere ocultarlas. Enseguida se encariña con la gente, pero también puede ser cruel.

Onomástica: No tiene.

ISA

Etimología: Nombre árabe, que es una forma de *Jesús.*

Personalidad: Hiperactivo y ligeramente inestable, tiene una tendencia no muy sana a tomárselo todo demasiado en serio, casi como un reto personal. Tiene la necesidad de estar siempre haciendo algo productivo, hasta tal punto que llega a agotar a todos los que le rodean. Pierde los nervios con facilidad y se enfada a menudo.

Onomástica: 1 de enero.

ISAAC

Etimología: Procede del hebreo *Yishaq-El,* «risa de Yahvé».

Personalidad: Bajo su apariencia seria y ligeramente adusta, Isaac es una persona llena de ironía. Aunque es un buen amigo y un consejero excelente, es difícil que piense que algo es realmente importante. ¿Por qué, entonces, parece tan responsable y trabajador? Probablemente a causa de su orgullo.

Onomástica: 3 de junio y 12 de noviembre.

Otros idiomas: Catalán, gallego y bable: Isaac. Euskera: Isaka. Inglés y francés: Isaac. Alemán: Isaak. Italiano: Isacco.

ISACIO

Etimología: Del nombre griego *Isaios,* «igualdad».

Personalidad: La estabilidad, la seguridad y la protección son sus ejes fundamentales. Se trata de personas con los pies en el suelo, aunque

también ambiciosas, lo cual equilibra su carácter y les permite vivir una existencia activa y variada, repleta de situaciones que les permite crecer y aprender.
Onomástica: 21 de septiembre.
Otros idiomas: Catalán: Isaci.

ISAÍAS

Etimología: Del hebreo *Yeshah-yahu,* «Yahvé salva».
Personalidad: Práctico y materialista, tiene dotes para ser un gran hombre de negocios. Siente una lealtad extrema por su familia, y nunca perdonará una ofensa realizada contra un ser querido. Tiene pocos amigos, seleccionados cuidadosamente. Está realmente obsesionado por estar a la altura de las circunstancias.
Onomástica: 16 de febrero.
Otros idiomas: Gallego: Isaías. Bable: Isaíes.

ISAM

Etimología: Nombre árabe que significa «salvaguarda, guardián».
Personalidad: Es una persona muy sensible, por más que intente disimularlo. Bajo su apariencia fría, segura y un poco despreocupada, hay un hombre que está siempre pendiente de lo que los demás dicen o hacen y de la actitud que tienen hacia él. Su gran placer consiste en ayudar a los que le rodean a ser felices.
Onomástica: No tiene.

ISEKEMU

Etimología: Nombre que entre los indios norteamericanos significa «de movimientos lentos».
Personalidad: Humanista y entregado por naturaleza: para ser feliz necesita sentir que es útil a los demás. No entiende el egoísmo ni la falta de compromiso:él, realmente, no puede descansar sabiendo que hay alguien que necesita su ayuda. El problema consiste en que es demasiado crítico consigo mismo.
Onomástica: No tiene.

ISIDORO

Etimología: Nombre de etimología mixta greco-egipcia. Procede de *Isis-doron,* «regalo de la diosa Isis».
Personalidad: Su personalidad es muy creativa, entusiasta, sociable, optimista y muy espiritual. Tiene gran sentido práctico y es muy hábil en las actividades manuales. En contrapartida, puede ser algo intolerante y colérico, y a veces le cuesta concentrarse en una sola cosa.
Onomástica: 4 de abril.
Otros idiomas: Catalán y euskera: Isidor, Ixidor. Gallego: Isidoro. Inglés: Isidor, Isidore. Francés: Isidore. Italiano: Isidoro.

ISIDRO

Etimología: Nombre de etimología mixta greco-egipcia. Procede de *Isis-doron,* «regalo de la diosa Isis».
Personalidad: Es más justo que generoso. Siente un gran amor por el conocimiento, aunque muchas veces se vea obligado a abandonar la erudición para dedicarse a terrenos más lucrativos. Con su familia y sus amigos se muestra afable y protector, y en su actitud siempre hay una nota humorística. Suele ser una persona apegada al trabajo manual y a los placeres tranquilos.
Onomástica: 15 de mayo.
Otros idiomas: Catalán: Isidre. Euskera: Isidor, Isidro. Gallego: Cidre, Isidro. Bable: Isidro, Sidro. Inglés y francés: Isidore. Alemán: Isidorus. Italiano: Isidoro.

ISMAEL

Etimología: Deriva del hebreo *shamah-El,* «Dios escucha».
Personalidad: Una personalidad excesivamente variable y nunca se cansa de explorar caminos nuevos, ni teme desdecirse de sus antiguas opiniones. Huye del compromiso y no concede una importancia excesiva ni al dinero ni al amor. Su única y verdadera pasión es la aventura, el riesgo, la originalidad.

Onomástica: 17 de junio.
Otros idiomas: Catalán y gallego: Ismael. Bable: Ismael (Mael). Inglés: Ishmael. Francés: Ismaël. Alemán: Isidorus. Italiano: Ismaele.

ISMAÍL

Etimología: Nombre árabe que deriva del hebreo *shamah-El,* «Dios escucha». Podría traducirse por *Ismael.*
Personalidad: Es equilibrado y posee gran encanto, por lo que está dotado para la diplomacia. También valora enormemente la belleza, la armonía y la capacidad de sacrificio. Por contra, es algo indeciso y dado al fatalismo y al exceso de perfeccionismo.
Onomástica: 17 de junio.
Otros idiomas: Catalán: Ismael. Inglés: Ishmael. Francés: Ismaël. Alemán: Isidorus. Italiano: Ismaele.

ISRAEL

Etimología: Nombre de origen hebreo que significa «el que lucha contra el ángel».
Personalidad: Sereno, seguro de sí mismo y con facilidad para las relaciones sociales. Valora el refinamiento, pero sobre todo la lealtad y la integridad de sus amigos. En el amor es muy exigente. Si cree plenamente en una causa o idea, pone todo su empeño en ella.
Onomástica: 6 de noviembre.

ISSA

Etimología: Nombre swahili que significa «Dios es nuestra salvación».
Personalidad: Tranquilo y hasta un poco parsimonioso. De inteligencia profunda y muy dotado para la meditación. Sin embargo, parece que le cuesta mucho conciliar sus planteamientos intelectuales con un plan concreto de actuación. Su ideal es ser el cerebro de alguna clase de sociedad, de modo que sean los demás los que llevan a la práctica sus numerosas ideas.
Onomástica: No tiene.

ITALO

Etimología: Del latín *italus,* «de Italia».
Personalidad: Posee una gran capacidad de adaptación, por lo cual le entusiasman los viajes y todo lo que requiera audacia e innovación. En lo negativo, su personalidad le acarrea ciertos inconvenientes como accidentes, inestabilidad y superficialidad.
Onomástica: 6 de junio.
Otros idiomas: Catalán: Ítal. Italiano: Italo.

ITAMAR

Etimología: Nombre de origen hebreo que significa «el que viene de la isla que tiene palmares».
Personalidad: La pasividad y la indecisión son su principal problema: piensa y piensa y todo le parece con valores negativos y positivos. Es receptivo, sentimental y en el terreno laboral se vale muy bien de su espíritu de equipo. En lo sentimental, si se siente rechazado, es muy rencoroso.
Onomástica: No tiene.

IVÁN

Etimología: Del hebreo *Yehohanan,* «Dios es misericordioso». Variante rusa de *Juan.*
Personalidad: Enérgico y obstinado, confiado en sí mismo y deseoso de hacerlo todo y mejor que los demás. Necesita gastar la enorme energía que es capaz de desarrollar e ir siempre hacia delante gracias a su imaginación y capacidad de reacción. Es amante del hogar y la familia, pero es muy celoso de sus prerrogativas.
Onomástica: 11 de octubre.
Otros idiomas: Catalán: Ivan. Euskera: Iban. Gallego y Bable: Iván. Inglés: Ivanhoe. Alemán: Ivan. Italiano: Ivano.

IVES

Etimología: Nombre de origen germánico que significa «glorioso». Aunque se ha extendido entre nosotros, es la forma francesa de *Ivo.*

Personalidad: Es quizá demasiado idealista, por lo que concede más importancia a lo espiritual que a lo material. Es paciente, con gran capacidad de estudio, lógica y análisis. Sin embargo, es muy exigente consigo mismo. Cae con facilidad en el pesimismo y se aísla de los demás.
Onomástica: 19 de mayo.

Ivo

Etimología: Nombre de origen germánico que significa «glorioso».
Personalidad: Inteligente y creativo, es, sin embargo, demasiado perezoso. Devoto de las comodidades, aunque no le gusta el lujo excesivo. Busca una vida relativamente tranquila, sin grandes sobresaltos. En el amor le falta un poco de confianza en sus posibilidades, por lo cual suele refugiarse en una actitud distante.
Onomástica: 19 de mayo.
Otros idiomas: Catalán: Iu. Francés: Ives.

Iye

Etimología: Nombre que entre los indios norteamericanos significa «fumador».
Personalidad: Es un hombre dinámico y activo. La alegría parece empapar cada uno de sus actos, y a la gente le gusta estar cerca de él por su optimismo contagioso. Le gusta que los demás dependan de él en cierta medida, aunque su sentido de la independencia le impide ser él mismo el que necesite a otra persona.
Onomástica: No tiene.

JAALI

Etimología: Nombre swahili que significa «poderoso».

Personalidad: Sensible y fuerte al mismo tiempo. Necesita ser original, aunque muchas veces no sabe muy bien cómo hacerlo. Le gusta sentir que es él quien domina la situación, y no soporta que los demás no le hagan caso o que no hagan lo que él quiere. De joven es un idealista soñador.

Onomástica: No tiene.

JABIR

Etimología: Nombre árabe que significa «el que conforta».

Personalidad: Es lento pero seguro. Sus decisiones siempre se hacen esperar y están profundamente meditadas, pero una vez que han sido tomadas, nada en el universo es capaz de hacer que no se cumplan. Y es que es implacable. Puede ser el mejor de los amigos, y sin duda un apoyo inmejorable en situaciones difíciles.

Onomástica: No tiene.

JACINTO

Etimología: Procede del griego *ai-anthos,* «flor del ay».

Personalidad: Existencialista, melancólico y demasiado creativo, encuentra muchos problemas para someterse a la realidad y a las convenciones sociales. Le gusta vivir conforme a sus ideales y es capaz de renunciar a cualquier cosa por no traicionarse a sí mismo. Posee una humildad fuera de lo común, por lo cual odia conseguir el éxito.

Onomástica: 17 de agosto.

Otros idiomas: Catalán: Jacint. Euskera: Gaxinta, Ihazintu. Gallego: Chinto, Xacinto. Bable: Xacinto, Xinto. Inglés y francés: Hyacinthe. Alemán: Hyacint. Italiano: Giacinto.

JACOB

Etimología: Forma grecolatina del nombre hebreo *Yea-gob,* «Yahvé recompensará».

Personalidad: Es un hombre repleto de vida que siempre rebosa optimismo y felicidad. Nunca se le ha visto deprimido. Siempre está entregado a alguna actividad, ya que le gusta disfrutar de la vida al máximo. En lo que se refiere al terreno sentimental, no le gustan demasiado los compromisos.

Onomástica: 23 de junio.

Otros idiomas: Catalán: Jacob. Euskera:Jacobe, Jakue, Jagoba. Gallego: Xacob, Xacobo. Inglés y francés: Jacob. Alemán: Jakob. Italiano: Giacobe.

JACOBO

Etimología: Procede del hebreo *Yea-gob,* «Yahvé recompensará», que se latinizó como *Jacobo.* Éste, en la Edad Media, se transformó en *Yago,* y de *Sant-Yago* surge el nombre *Santiago.* Jacobo es, pues, una variante de Santiago.

Personalidad: Tranquilo, romántico y sentimental. Bajo su apariencia descuidada y profundamente desordenada, oculta una preocupación que va más allá de las cuestiones materiales. Encuentra la felicidad en la sencillez. Es exageradamente desprendido y generoso, y tiene una habilidad algo irritante para rodearse de las amistades más extrañas.

Onomástica: 8 de febrero y 25 de julio.

Otros idiomas: Catalán: Jaume, Santiago. Euskera: Jakes, Jakue. Gallego: Xaime, Yago, Xacobo. Bable: Xacobo. Inglés: James. Francés: Jacques. Alemán: Jakob. Italiano: Giacomo.

JAEL

Etimología: Nombre hebreo que significa «montaña de las cabras».

Personalidad: Puede parecer que no le da importancia a casi nada, pero realmente le toma mucho cariño a la gente y sufre agudas decepciones cuando alguien le falla. Aunque sin mala intención, es poco reflexivo, así que raramente piensa antes de actuar.
Onomástica: No tiene.

JAIME

Etimología: Procede del hebreo *Yea-gob,* «Yahvé recompensará», que se latinizó como *Jacobo.* Éste, en la Edad Media, se transformó en *Yago,* y de *Sant-Yago* surge el nombre *Santiago.* Jaime es una variante moderna de Jacobo.
Personalidad: Tranquilo, romántico y sentimental. Bajo su apariencia descuidada y profundamente desordenada, oculta una preocupación que va más allá de las cuestiones materiales. Encuentra la felicidad en la sencillez. Es exageradamente desprendido y generoso, y tiene una habilidad algo irritante para rodearse de las amistades más extrañas.
Onomástica: 25 de julio.
Otros idiomas: Catalán: Jaume, Santiago. Gallego: Xaime, Yago. Bable: Xaime. Inglés: James. Francés: Jacques. Alemán: Jakob. Italiano: Giacomo.

JAIRO

Etimología: Del nombre hebreo Y*a'ir,* Dios nos ilumine».
Personalidad: Oscila entre dos tendencias: la de activo, que le confiere rápida comprensión, don de gentes y adaptabilidad, y la de realización, estable, paciente y estabilizadora. Pero lo más probable es que domine la espiritualidad, la sociabilidad y el optimismo. Puede, sin embargo, llegar a ser egocéntrico y autoritario.
Onomástica: No tiene.

JALIL

Etimología: Nombre árabe que significa «amigo».
Personalidad: Posee fuerza y determinación, así como una personalidad difícilmente manejable. Obstinado e independiente, ejerce un gran magnetismo, aunque puede caer fácilmente en la intransigencia. Rara vez se siente contento durante mucho tiempo, así que busca cambios de ambiente o de escenario.
Onomástica: No tiene.

JAKIM

Etimología: Nombre árabe que significa «elevado».
Personalidad: Orgulloso e independiente, astuto y decidido, implacable con sus enemigos y capaz de casi cualquier cosa para conseguir sus objetivos. Su modo de afrontar los problemas es quizá un poco retorcido. Defiende su territorio y a su familia con uñas y dientes.
Onomástica: No tiene.

JALIL

Etimología: Nombre hindú que significa «parecido a Dios». Es uno de los muchos nombres de Shiva.
Personalidad: Es un hombre hogareño que desea pasar su vida del modo más apacible y tranquilo. El trabajo es para él una maldición, y mucho más la vida en la ciudad. Su ideal es retirarse al campo y cultivar con sus manos, sin más compañía que su familia y amigos más íntimos.
Onomástica: No tiene.

JAMES

Etimología: Es la versión moderna de *Jacob.* El *Yea-gob* bíblico («Yahvé recompensará») se convierte en *lákobos* en griego y luego *Jacobus* en latín. Posteriormente es modificado a *Jacomus,* de donde se extrae *James.* En equivalente español es *Jaime.*
Personalidad: Se trata de una persona extraordinariamente compleja y de reacciones inesperadas. Le gusta vivir plenamente, con ma-

yúsculas: cuando se consagra a su trabajo, también lo hace de lleno, absolutamente, sin reservas. Podría decirse que en todos los campos de su vida siempre pone toda la carne en el asador.

Onomástica: 25 de julio.

JANO

Etimología: En la mitología latina, *Jano* era el dios de las puertas del cielo, una especie de dios de la paz.

Personalidad: Posee una gran capacidad de adaptación, por lo cual le entusiasman los viajes y todo lo que requiera audacia e innovación. En lo negativo, su personalidad le acarrea ciertos inconvenientes como accidentes, inestabilidad y superficialidad.

Onomástica: No tiene.

JARABI

Etimología: Nombre swahili que significa «valiente, sin miedo».

Personalidad: Recto, tranquilo, equilibrado, es una de esas personas que procura no decir nunca una palabra más alta que otra. Extremadamente comprensivo, para sus amigos se convierte en un inmejorable apoyo. En su profesión es ambicioso y puede llegar a mostrarse intransigente con las debilidades ajenas.

Onomástica: No tiene.

JAREB

Etimología: Nombre hebreo que significa «contendiente».

Personalidad: No le gustan las convenciones sociales, porque busca puntos de vista propios. Ama su profesión y se dedica a ella con auténtico fervor, aunque no por ello descuida a su familia ni a sus amigos. Como padre, es muy cariñoso. Sentimental hasta la médula, tiene debilidad por las historias de amor y es un poco conquistador.

Onomástica: No tiene.

JASÓN

Etimología: Del griego *iáson,* «sanador».

Personalidad: Carácter vacilante y ligeramente superficial. Necesita el reconocimiento de los demás, aunque rara vez está satisfecho con sus propios éxitos. Durante toda su vida buscará a la persona perfecta, pero nunca la encuentra. No cree demasiado en la amistad.

Onomástica: 12 de julio.

Otros idiomas: Catalán: Jàson. Inglés y francés: Jason. Italiano: Giasone.

JASPAL

Etimología: Nombre originario del Punjab, que significa «el que vive virtuosamente».

Personalidad: Es afectuoso y profundamente protector. No es demasiado imaginativo ni original, pero lo compensa con una impresionante capacidad de trabajo y una lealtad incorruptible. En el amor es algo ingenuo, pero prefiere eso a volverse cruel o insensible. Es feliz si tiene una causa en la que ocuparse.

Onomástica: No tiene.

JATINRA

Etimología: Nombre hindú que significa «gran sabio, brahmán».

Personalidad: Su impresión es que ha nacido en un tiempo que no le corresponde. Él necesita vivir fuera de la realidad, en un refugio de fantasía propio. Su carácter le da ventaja en profesiones relacionadas con la interpretación o la escritura. Por lo demás, tiene un corazón de oro y es capaz de desvivirse por ayudar a su prójimo.

Onomástica: No tiene.

JAVIER

Etimología: Del euskera *etche-berri,* «casa nueva».

Personalidad: Afable, dulce y divertidos. Odia hacer daño a los demás, por lo cual intentará siempre estar a la altura de lo que se espe-

ra de él. Aunque pueda parecer flexible y negociador, se muestra tenaz y perseverante hasta el punto de parecer cabezota. Suele ser muy afortunado en el terreno profesional y financiero.
Onomástica: 3 de diciembre.
Otros idiomas: Catalán: Xavier. Euskera y gallego: Xabier. Inglés y francés: Xavier. Alemán: Xaver. Italiano: Saverio.

JAWHAR

Etimología: Nombre árabe cuyo significado es «joya, esencia».
Personalidad: Es un hombre de carácter. Muy dado a las discusiones espectaculares y melodramáticas, aunque al final siempre acaba cediendo. Es extremadamente ambicioso en su vida personal y profesional. Aunque le encanta la intriga, es un buen amigo, pero un poco superficial.
Onomástica: No tiene.

JELANI

Etimología: Nombre swahili que significa «poderoso».
Personalidad: Es tozudo y obstinado, aunque no actúa con mala intención. Puede ser orgulloso, pero también sincero y justo. Siente pasión por todo tipo de actividades intelectuales y es dado a la polémica. En el amor y la amistad se muestra muy sólido. No soporta a las personas que actúan sólo por conveniencia.
Onomástica: No tiene.

JENARO

Etimología: Deriva del latín *ianuarius,* «de enero».
Personalidad: A Jenaro le cuesta horrores ponerse en marcha, siempre siente la inercia de la pereza y de quedarse donde está. Sin embargo, una vez que logra ponerse a la tarea, es un gran trabajador dotado de un enorme sentido de la responsabilidad. En las relaciones personales es impulsivo y temperamental.
Onomástica: 19 de septiembre.
Otros idiomas: Catalán: Generi. Bable: Xenaro. Francés: Janvier. Italiano: Gennaro.

JENOFONTE

Etimología: Nombre de origen griego que significa «el que viene de otro país y es elocuente».
Personalidad: Sereno, con las ideas muy claras, seguro de sí mismo y con facilidad para las relaciones sociales. Valora el refinamiento, pero sobre todo el buen carácter, la lealtad y la integridad de sus amigos. En el amor es muy exigente. Si cree plenamente en una causa o idea, pone todo su empeño en ella.
Onomástica: No tiene.

JEREMÍAS

Etimología: Del hebreo *Jerem-iah,* «Yahvé te levantará».
Personalidad: Jeremías bien podría ser en realidad dos personas distintas. Cuando las circunstancias lo requieren, es serio, justo e inflexible. Pero cuando debe relajarse, lo hace mejor que nadie. Se transforma en el rey de la diversión y de las juergas, un amante de las bromas que no teme cometer algunos excesos.
Onomástica: 1 de mayo y 7 de junio.
Otros idiomas: Catalán: Jeremies. Euskera: Jeremi. Gallego: Xeremías. Bable: Xeremíes. Inglés: Jeremiah, Jeremy. Francés: Jérémie. Alemán: Jeremias. Italiano: Geremia.

JERJES

Etimología: Nombre persa, de *Xsayarsa,* «dominar», y *arsa,* «justo»; o sea, «jefe justo».
Personalidad: Su principal característica es el exceso, en cualquier sentido. Lo mismo se trata de una personalidad excesivamente soñadora como de un materialismo consumado, de he-

donistas y narcisistas como de estoicos que rozan el ascetismo. Hay que vigilar la tendencia a la indiscreción, así como al inconformismo.

Onomástica: No tiene.

Otros idiomas: Catalán: Xerxs. Francés: Xerxès.

JEREMY

Etimología: Nombre latino que proviene de la voz griega *Hieronimus,* de *Hiere-nimos,* «nombre santo». Es una variante de *Jerónimo.*

Personalidad: Es un poco arrogante y no tolera con facilidad las críticas o las opiniones adversas. Tiene una imagen muy clara de cómo deben ser las cosas a su alrededor, incluso las personas. La familia para él es lo más importante y está dispuesto a cualquier sacrificio para sacarla adelante, aunque exige en los demás una actitud semejante.

Onomástica: 30 de septiembre.

JERÓNIMO

Etimología: Nombre latino que proviene de la voz griega *Hieronimus,* de *Hiere-nimos,* «nombre santo».

Personalidad: A Jerónimo no le gusta el mundo que le rodea, tan frío e inhumano. Es un gran amante de la vida en familia y un trabajador incansable, en gran medida porque considera que es una de sus obligaciones con respecto a los que dependen de él. Aunque sueña con grandes ideales, termina acomodándose.

Onomástica: 30 de septiembre.

Otros idiomas: Catalán: Jeroni. Euskera: Jerolin. Gallego: Xerome. Bable: Xeromo, Xomo. Inglés: Jerome. Francés: Jerôme. Alemán: Hieronymus. Italiano: Girolamo.

JESHUA

Etimología: Deriva del hebreo *Yehosúa,* «Yahvé es el salvador».

Personalidad: Su verdadera preocupación es la justicia y el equilibrio, tanto en su vida personal como en la sociedad. Pero le cuesta conseguirlo, porque valora en exceso el triunfo y el poder, y es propenso a sufrir ataques de ira. En su vida sentimental puede ser algo posesivo y celoso.

Onomástica: 1 de enero.

JESHUA

Etimología: Nombre de origen germánico que significa «el que lleva la lanza de mando».

Personalidad: Le lleva tiempo encontrarse a gusto consigo mismo, por lo que tiene dificultades para llegar a descubrir su verdadero camino. Aunque vacila y no es muy enérgico, posee un cierto espíritu aventurero, incluso algo temerario, que le sirve de contrapeso. Es de una lealtad inquebrantable con sus amigos y en el amor.

Onomástica: 1 de enero.

JESÚS

Etimología: Deriva del hebreo *Yehosúa,* «Yahvé es el salvador».

Personalidad: Tendrá una característica esencial: está dotado de una honda sensibilidad. Percibe los sentimientos más íntimos de los demás, y se ve obligado a actuar de forma que contribuya a hacerlos felices. Suele tener el valor de escoger la profesión que le gusta, y es realmente muy bueno en ella.

Onomástica: 1 de enero.

Otros idiomas: Catalán: Jesús. Euskera: Josu, Yosu. Gallego: Xesús. Bable: Xesús (Chus, Suso). Inglés y alemán: Jesus. Francés: Jésus. Italiano: Gesú.

JIBRIL

Etimología: Nombre árabe, de origen religioso, que significa «arcángel de Allah». Del antiguo hebreo *gbr-El,* «fuerza de Dios». Es el equivalente de *Gabriel.*

Personalidad: Desde niño tiene que luchar con su inseguridad. Tiende a compararse con los demás y en su fuero interno siempre sale malparado. Hay algo en su interior que le obliga a fijarse en los demás y esa falta de criterio puede convertirlo en un tipo excéntrico. Su verdadera meta en la vida es hallar a alguien que le proporcione la seguridad que tanto necesita.
Onomástica: 29 de septiembre.
Otros idiomas: Catalán y gallego: Gabriel. Euskera: Gabirel. Bable: Grabiel. Inglés, francés y alemán: Gabriel. Italiano: Gabriele, Gabrielo, Gabrio. Variante: Gaby.

Jimeno

Etimología: Procede del euskera *eiz-mendi*, «fiera de montaña».
Personalidad: Jimeno no sabe lo que quiere. Como es una persona más impulsiva que propensa a la meditación, de joven suele actuar sencillamente sin pensar, pero según va madurando, se va dando cuenta de cuáles de todas sus experiencias son las más gratificantes y procura orientar su vida en ese sentido.
Onomástica: 5 de enero.
Otros idiomas: Catalán: Eiximenis, Ximeno.

Jimoh

Etimología: Nombre swahili que significa «nacido en viernes».
Personalidad: Tiene un aire de niño demasiado mimado. No soporta bien que le contradigan. Su principal preocupación es siempre la estética, por encima de la ética: que las cosas tengan un aspecto impecable, que su físico se mantenga... Aunque no es muy constante, sí es bastante ingenioso y divertido.
Onomástica: No tiene.

Jirair

Etimología: Nombre de origen armenio, que significa «puente».
Personalidad: Poco a poco, porque es muy trabajador, va construyendo a su alrededor un mundo a su medida. Cuando lo consigue, es del todo irrompible. No es que sea materialista, sino que necesita la seguridad de las cosas y las personas que le son familiares. Por lo demás, es muy cariñoso y solidario.
Onomástica: No tiene.

Joab

Etimología: Nombre hebreo que significa «Dios es Padre».
Personalidad: A veces puede encontrarse en situaciones comprometidas por su sentido de la justicia: no soporta que se abuse de los débiles. Debe aprender a valorar las posibilidades ajenas, a no subestimar a los demás, aunque sea con ánimo protector. Por su carácter, tiende a relacionarse con personas que buscan protección.
Onomástica: No tiene.

Joaquín

Etimología: Del hebreo *Yehoyaquim,* «Dios establecerá».
Personalidad: No tiene un carácter excesivamente dominante, no tiene ningún problema en dejar que sean los demás los que tomen las decisiones. Le gustan las diversiones tranquilas más que los grandes excesos, es muy paciente con las cosas que cree que algún día deben llegar y no se desespera fácilmente.
Onomástica: 26 de julio.
Otros idiomas: Catalán: Joaquim. Euskera: Jokin, Yokin. Gallego: Xaquin, Xoaquin. Inglés, francés y alemán: Joachim. Italiano: Giovacchino.

Job

Etimología: Nombre hebreo que deriva de *iiob,* «afligido, perseguido».
Personalidad: Posee una personalidad marcada por el impulso de creación. Es algo autori-

tario, individualista e independiente. Valora la estabilidad en su vida y para conseguirla a veces se muestra autoritario y egoísta.
Onomástica: 30 de marzo.
Otros idiomas: Catalán: Job. Euskera: Yoba. Gallego: Xob. Francés: Job. Italiano: Giobbe.

JOEL

Etimología: Nombre hebreo que significa «Dios es Dios».
Personalidad: Profundamente pasional e impulsivo, también se impone un férreo autocontrol. El resultado, obviamente, es contradictorio. En su relación con los demás, valora la fidelidad por encima de todo, y difícilmente perdonará algo que considere una traición.
Onomástica: 13 de julio.
Otros idiomas: Catalán: Joel. Euskera: Yoel. Gallego: Xoel. Francés: Jöel. Italiano: Gioele.

JOFRE

Etimología: Nombre catalán, de origen germánico y de la familia de Wilfrido, cuyo significado es «victorioso y pacífico, paz victoriosa».
Personalidad: Es muy creativo, entusiasta, sociable y optimista. Aunque le gusta presumir de espiritual, lo cierto es que el sentido práctico es su principal virtud y es muy hábil en las actividades manuales. Debe vigilar cierta tendencia a la intolerancia y a las rabietas, y a veces se dispersa en demasiadas actividades.
Onomástica: 12 de octubre.
Otros idiomas: Euskera: Xofre.

JOMEI

Etimología: Nombre japonés que significa «luz propagada».
Personalidad: Le gusta estar en constante movimiento, buscar nuevos intereses, conocer nuevos lugares: su curiosidad se mantiene siempre viva. Necesita desempeñar profesiones que requieran poner en juego estas características, no soportaría una vida monótona o un trabajo mecánico. Es un amigo muy leal.
Onomástica: No tiene.

JONÁS

Etimología: Del hebreo *yonah,* «paloma».
Personalidad: A Jonás siempre le ha faltado un poco de equilibrio: o es profundamente feliz, o muy desgraciado. Por eso precisamente suele necesitar grandes apoyos, primero su familia, después sus amigos y al fin su pareja. Ahora bien, como alguno de ellos le falle, Jonás es capaz de volverse loco.
Onomástica: 29 de marzo y 22 de septiembre.
Otros idiomas: Catalán: Jonàs. Gallego y bable: Xonás. Inglés: Jonah, Jonas. Francés: Jona. Alemán: Jonas. Italiano: Giona.

JONATÁN

Etimología: Del nombre hebreo *Yeho-nat-han,* «don de Yahvé».
Personalidad: Comunicativo y encantador, adaptable y simpático, elegante, hábil y con la facilidad de asimilar ideas y experiencias, es capaz de destacar en cualquier actividad que se proponga, especialmente si se relaciona con la creatividad o la comunicación. También posee un sentido innato de la justicia y el deseo de progresar. Su único defecto es la inestabilidad.
Onomástica: 11 de febrero.
Otros idiomas: Catalán: Jonatan. Euskera: Ionatan. Gallego y bable: Jonatán. Francés, inglés y alemán: Jonathan. Italiano: Jonathan, Gionata.

JORDAN

Etimología: Nombre hebreo, del verbo *jared,* «bajar», por el río Jordán.
Personalidad: De gran energía, no suelen pasar desapercibidos, y tienen habilidades para el liderazgo y la innovación. No les gusta seguir las corrientes establecidas y se empeñan en la originalidad. En el lado negativo tienen cierta

tendencia al egoísmo, la vanidad y el orgullo. También pueden ser excéntricos y demasiado dominantes.
Onomástica: 13 de febrero.
Otros idiomas: Catalán: Jordà. Euskera: Yornada. Inglés: Jordan. Francés: Jordan, Jordain, Jourdain. Alemán: Jordan. Italiano: Giordano.

JORGE

Etimología: Del griego *georgos,* «agricultor».
Personalidad: Es una de esas personas que no pasan desapercibidas. La gente lo adora o lo odia, pero nunca se queda indiferente. Y es que tiene una forma de ser profundamente original, que no atiende a razones ni a convenciones sociales: a veces descuidado, a veces caprichoso.
Onomástica: 23 de abril.
Otros idiomas: Catalán: Jordi. Euskera: Gorka, Jurgi. Gallego: Xurxo, Xorxe. Inglés: George. Francés: Georges. Alemán: Georg, Jürgen. Italiano: Giorgio.

JOSAFAT

Etimología: Nombre hebreo, de *Yahveh* y *safat,* «Dios juzga».
Personalidad: Su personalidad es muy creativa, entusiasta, sociable, optimista y muy espiritual. Tiene gran sentido práctico y es muy hábil en las actividades manuales. En contrapartida, puede ser algo intolerante y colérico, y a veces le cuesta concentrarse en una sola cosa.
Onomástica: 12 de noviembre.
Otros idiomas: Catalán: Josafat. Gallego: Xosafá. Inglés: Jahoshaphat. Francés: Josaphat. Italiano: Giosafatte.

JOSÉ

Etimología: Deriva del hebreo *Yosef,* que significa «que Yahvé multiplique».
Personalidad: José vive mucho más para sí mismo que para los demás. O bien se convierte en un hombre introvertido, melancólico, o bien se desarrolla como una persona independiente y despreocupada de la opinión de los demás, que vive su vida sin atender a convenciones sociales. En el amor es profundamente devoto.
Onomástica: 19 de marzo.
Otros idiomas: Catalán: Josep. Euskera: Joseba, Josepe. Gallego: Xosé. Bable: Xosé, Xosepe (Xosepín, Pepe). Inglés: Joseph, Jim, Joe. Francés y alemán: Joseph. Italiano: Giusseppe.

JOSHUA

Etimología: Del nombre hebreo *Yehosua,* «Yahvé es salvación».
Personalidad: Fiel a sus amistades y en el amor, le produce gran satisfacción ayudar y compartir, tanto material como espiritualmente. Es Emotivo, altruista e idealista, pero muy influenciable, le cuesta ser realista y es algo desordenado. Su principal peligro está en los frecuentes altibajos anímicos.
Onomástica: 1 de septiembre.
Otros idiomas: Inglés: Joshua. Alemán: Josua.

JOSUÉ

Etimología: Del nombre hebreo *Yehosua,* «Yahvé es salvación».
Personalidad: Posee una personalidad marcada por el impulso de creación. Es algo autoritario, individualista e independiente. Valora la estabilidad en su vida y para conseguirla a veces se muestra autoritario y egoísta.
Onomástica: 1 de septiembre.
Otros idiomas: Catalán: Josuè. Gallego: Xosué. Inglés: Joshua. Francés: Josué. Alemán: Josua. Italiano: Giosuè.

JUAN

Etimología: Deriva del hebreo *Yehohanan,* «Dios es misericordioso».

Personalidad: Fuerte, simpático y perseverante, Juan tiene el valor de ser sensible en un mundo frío y cada vez más deshumanizado. Tiene convicciones profundas y un intenso deseo de aprender que le durará toda la vida. Muy seguro de sí mismo en todo menos en el amor.
Onomástica: 24 de junio.
Otros idiomas: Catalán: Joan. Euskera: Ganix, Iban, Joanes, Jon, Manex, Yon. Gallego: Xan, Xoan. Bable: Xuan. Inglés: John, Jack. Francés: Jean. Alemán: Hans, Hohannes, Johann. Italiano: Gianni, Giovanni.

JUDAS

Etimología: Del hebreo *Iehuda,* «alabanza a Dios».
Personalidad: Son personas independientes que valoran la libertad por encima de cualquier cosa. Detestan las ataduras y tienen un miedo casi patológico a los compromisos. Saben exactamente lo que quieren y cómo conseguirlo. Son egoístas y entrometidos.
Onomástica: 28 de octubre.
Otros idiomas: Catalán: Judas, Judes. Gallego: Xudas. Inglés: Jude. Francés: Judas. Italiano: Giuda.

JULIÁN

Etimología: Del latín *Iulianus,* «perteneciente a la gens Julia».
Personalidad: Es un trabajador incansable, un hombre mucho más constante que original. Es influenciable en sus opiniones, optimista y muy necesitado de la aprobación de los demás. Intenta ser fiel a sus amigos, y respeta hasta el final la palabra dada. En el amor no es muy exigente.
Onomástica: 28 de enero.
Otros idiomas: Catalán: Julià. Euskera: Julen, Illan, Yulan. Gallego: Xian, Xiao. Bable: Iyán, Xulián. Inglés y alemán: Julian. Francés: Julien. Italiano: Giuliano.

JULIANO

Etimología: Del latín *Iulianus,* «perteneciente a la gens Julia».
Personalidad: Su personalidad es muy creativa, entusiasta, sociable, optimista y muy espiritual. Tiene gran sentido práctico y es muy hábil en las actividades manuales. En contrapartida, puede ser algo intolerante y colérico, y a veces le cuesta concentrarse en una sola cosa.
Onomástica: 28 de enero.
Otros idiomas: Catalán: Julià. Euskera: Julen, Illan, Yulan. Gallego: Xian, Xiao. Inglés y alemán: Julian. Francés: Julien. Italiano: Giuliano.

JULIO

Etimología: El nombre de la gens romana *Julia* deriva de *Iulo,* el hijo del héroe troyano *Eneas,* uno de los primeros fundadores de Roma.
Personalidad: Julio es serio, pero cordial; vividor, pero muy sujeto a las convenciones. Tiene un carácter fuerte y discutidor, y con su pareja y sus amigos se muestra excesivamente celoso. Brillante cuando se lo propone, es capaz de arrastrar a los demás con la fuerza de su ilusión.
Onomástica: 12 de abril.
Otros idiomas: Catalán: Juli. Euskera: Yuli. Gallego y bable: Xulio. Inglés y alemán: Julius. Francés: Jules. Italiano: Giulio.

JUMAANE

Etimología: Nombre swahili que significa «nacido en jueves».
Personalidad: Busca fundamentalmente la paz interior, estar satisfecho consigo mismo. La vida superficial y las diversiones de ese estilo no le interesan ni lo más mínimo. Para sentirse a gusto necesita desempeñar una profesión que lo mantenga ocupado y le exija un cierto esfuerzo. En el amor necesita seguridad y solidez.
Onomástica: No tiene.

Jumah

Etimología: Nombre swahili y árabe, que significa «nacido en viernes», día sagrado en la religión islámica.

Personalidad: Es un conversador por el gusto de intercambiar impresiones: lo que más le interesa en este mundo son las personas y su comportamiento. Su virtud principal es el interés por el conocimiento y la literatura, aunque sólo sea por el placer que le producen las personas relacionadas con las humanidades.

Onomástica: No tiene.

Júpiter

Etimología: En la mitología romana, el rey de los dioses, adaptación del Zeus griego.

Personalidad: De gran energía, no suelen pasar desapercibidos, y tienen habilidades para el liderazgo y la innovación. No les gusta seguir las corrientes establecidas y se empeñan en la originalidad. Tienen cierta tendencia al egoísmo, la vanidad y el orgullo. También pueden ser excéntricos y demasiado dominantes.

Onomástica: No tiene.

Otros idiomas: Catalán: Júpiter.

Justiniano

Etimología: Del nombre latino *Justinianus,* gentilicio de *Justino.*

Personalidad: Franco, directo, honesto y reservado, posee un alto concepto de la amistad y la lealtad, por lo cual es algo desconfiado y le cuesta mucho otorgar su confianza y amistad. Muy trabajador y obstinado se realiza en el trabajo, y sus fines primordiales son el poder y los bienes materiales.

Onomástica: 17 de diciembre.

Otros idiomas: Catalán: Justinià. Francés: Justinien. Italiano: Giustiniano.

Justino

Etimología: Del nombre latino *Justinianus,* gentilicio de *Justino.*

Personalidad: Franco, directo, honesto y reservado, posee un alto concepto de la amistad y la lealtad, por lo cual es algo desconfiado y le cuesta mucho otorgar su confianza y amistad. Muy trabajador y obstinado se realiza en el trabajo, y sus fines primordiales son el poder y los bienes materiales.

Onomástica: 17 de diciembre.

Otros idiomas: Catalán: Justí. Euskera: Justin, Zuzen. Gallego: Xustino. Bable: Xustin. Francés e Inglés: Justin. Italiano: Giustino.

Justo

Etimología: Del latín *iustus,* «justo, legal».

Personalidad: Son personas sencillas y auténticas. Detestan a los que actúan en sociedad sólo por guardar las apariencias y, por eso, prefieren que les digan las cosas a la cara, sin rodeos ni ambages. Odian la mentira y la hipocresía. Su sistema moral es simple pero incorruptible.

Onomástica: 6 de agosto y 29 de mayo.

Otros idiomas: Catalán: Just. Euskera: Justi, Zuzen. Gallego y bable: Xusto. Francés: Just. Italiano: Giusto.

Juvenal

Etimología: Nombre latino, de *iuvenalis,* «juvenil».

Personalidad: Es equilibrado y posee gran encanto, por lo que está dotado para la diplomacia y los negocios. También valora enormemente la belleza, la armonía y la capacidad de sacrificio. Por contra, es algo indeciso y dado al fatalismo y al exceso de perfeccionismo. Necesita la estabilidad familiar.

Onomástica: 7 de mayo.

Otros idiomas: Catalán: Juvenal. Francés: Juvénal.

Juvencio

Etimología: Nombre latino, de *iuventus,* «juventud».

Personalidad: Posee fuerza y determinación, así como una personalidad difícilmente manejable. Obstinado e independiente, ejerce un gran magnetismo, aunque puede caer fácilmente en la intransigencia. Rara vez se siente contento durante mucho tiempo, así que busca cambios de ambiente o de escenario.

Onomástica: 8 de febrero.

Otros idiomas: Catalán: Juvenci. Euskera: Yubentzi.

KABIL

Etimología: Nombre turco, que es una forma de *Caín.*

Personalidad: Su carácter puede llegar a esclavizarlo de alguna manera: es demasiado orgulloso y un poco rígido de carácter, le cuesta ver los matices de las cosas, mientras la vida cambia demasiado deprisa para él. Si consigue atemperar ese problema, puede llegar a ser incluso divertido. En el amor y la amistad prefiere lo poco, pero bueno.

Onomástica: No tiene.

KABIR

Etimología: Nombre de un famoso místico hindú.

Personalidad: No soporta hacer daño a los demás. Tal vez por eso prefiere sufrir una frustración a imponer su criterio, aunque sepa que es el correcto. A pesar de ese carácter bondadoso, no carece de ambiciones, pero suele marcarse un camino que sea muy respetuoso con todos. Es un compañero de trabajo y amigo muy agradable.

Onomástica: No tiene.

KADER

Etimología: Nombre árabe que significa «poderoso».

Personalidad: Busca soluciones y respuestas en lo que le va enseñando la vida: tiene la virtud de la observación, combina inteligencia e intuición. Es un conquistador y su mayor defecto es que se pierde por llamar la atención del sexo opuesto. En el trabajo necesita trabajos que le obliguen a estar en constante movimiento.

Onomástica: No tiene.

KADIR

Etimología: Nombre árabe que significa «verdor primaveral».

Personalidad: Él es el único que considera que sus ideas son sólidas, porque los demás creen que las cambia con demasiada frecuencia. Como en todo, se deja llevar por las modas. Es muy afectuoso y en el campo profesional se marca metas que le permitan alcanzar un buen nivel de vida. Como padre se muestra muy responsable.

Onomástica: No tiene.

KAIPO

Etimología: Nombre hawaiano que significa «de corazón dulce».

Personalidad: Necesita tener siempre una apariencia impecable, no soporta el desorden o la incoherencia y está demasiado pendiente de lo que opinan de él. Si cree que algo merece la pena, no le importa arriesgar todo lo que haga falta. En el amor prefiere ser conquistado a conquistar, porque necesita sentir que le prestan atención.

Onomástica: No tiene.

KAIRO

Etimología: Nombre árabe, gentilicio de la capital egipcia.

Personalidad: Es una persona muy simpática, afable e inteligente. Su problema principal es precisamente conseguir fijar su atención en actividades serias, porque se empeña en no crecer. En el amor busca una pareja que centre todas sus energías en él, aunque en la amistad es mucho más entregado.

Onomástica: No tiene.

KALAM

Etimología: Nombre hawaiano que significa «antorcha».

Personalidad: Tiene una personalidad muy fuerte, actúa siempre con una contundencia y

seguridad en sus opiniones que puede resultar chocante. En el amor, sin embargo, le falta seguridad, y le cuesta mantener sus conquistas. Quienes más le valoran son sus amigos y compañeros de trabajo.

Onomástica: No tiene.

Kaleb

Etimología: Nombre que en hebreo significa «lleno de fe» y en árabe «valiente». En la historia bíblica, compañero de Moisés.

Personalidad: Vive en su propio mundo, en sus pensamientos y fantasías. Reflexivo y poco convencional, por tanto, no es fácil que se atenga a los patrones sociales imperantes. Como pareja y como amigo también es un poco despistado, pero de sentimientos nobles y muy profundos. Suele conseguir lo que se proponga.

Onomástica: No tiene.

Kalil

Etimología: Nombre árabe que puede interpretarse como «amigo».

Personalidad: Posee fuerza y determinación, así como una personalidad difícilmente manejable. Obstinado e independiente, ejerce un gran magnetismo, aunque puede caer fácilmente en la intransigencia. Rara vez se siente contento durante mucho tiempo, así que busca cambios de ambiente o de escenario.

Onomástica: No tiene.

Kalile

Etimología: Nombre etíope que significa «protegido».

Personalidad: Es tozudo y obstinado, aunque no actúa con mala intención. Puede ser orgulloso, pero también sincero y justo. Siente pasión por todo tipo de actividades intelectuales y es dado a la polémica por el puro placer de intercambiar opiniones. En el amor y la amistad se muestra muy sólido. No soporta a las personas que actúan sólo por conveniencia.

Onomástica: No tiene.

Kalvin

Etimología: Nombre de origen latino que significa «valiente».

Personalidad: Son personas sencillas y auténticas. Detestan a los que actúan de una determinada manera sólo por guardar las apariencias y, por eso, prefieren que les digan las cosas a la cara, sin rodeos ni ambages. Odian la mentira y la hipocresía. Su sistema moral es simple pero incorruptible.

Onomástica: No tiene.

Kamal

Etimología: Nombre que en hindú significa «loto» y en árabe «perfecto, perfección».

Personalidad: Es un hombre inquieto, siempre en busca de nuevas aventuras y experiencias en todos los ámbitos de su vida. Se niega a ser conformista, ama la libertad y sólo aceptará un compromiso cuando esté profundamente seguro de que es eso lo que quiere. Aunque parezca alocado, sus actos siempre tienen un sentido.

Onomástica: No tiene.

Kamau

Etimología: Nombre kikuyu que significa «guerrero silencioso».

Personalidad: Es como una niño: crédulo, ingenuo y alegre. Concede una gran importancia al amor y a la amistad durante toda su vida. En su profesión demuestra que es brillante, creativo y muy trabajador; tiene ambición, pero es comedido y valora tanto la lealtad que no se deja dominar por ella.

Onomástica: No tiene.

KANNAN

Etimología: Nombre hindú. Otro de los muchos nombres del dios *Krishna.*

Personalidad: Su gran pasión radica en la belleza. Es un gran amante del arte en todas sus manifestaciones, y en su propia vida. En el amor y con sus amigos se muestra impulsivo y apasionado. No le gusta trabajar en exceso y no es ambicioso, por lo que procura buscarse una profesión tranquila que le permita llevar una vida desahogada.

Onomástica: No tiene.

KANTU

Etimología: Nombre hindú que puede interpretarse como «feliz».

Personalidad: Tiene un temperamento demasiado variable, nunca se puede estar seguro de cómo va a reaccionar. En el amor, raras veces será correspondido por la persona a quien realmente ama, aunque probablemente termine asentándose en una afable y placentera relación sustentada más por la amistad que por el amor pasional.

Onomástica: No tiene.

KANU

Etimología: Nombre árabe que significa «gato salvaje».

Personalidad: Sale adelante pase lo que pase, con absoluta decisión. A la hora de trabajar, es serio y responsable, prudente cuando las circunstancias lo requieren, aunque también es capaz de arriesgar. En el amor suele ser desgraciado, quizá porque le resulta difícil encontrar una compañera tan fuerte y segura como él misma.

Onomástica: No tiene.

KAORI

Etimología: Nombre japonés que significa «fuerte».

Personalidad: Es un hombre introvertido, muy encerrado en sí mismo y hasta podría decirse que algo huraño. Algunos dicen que peca un poco de misantropía, que desprecia al género humano; pero la realidad es que no logra comprender al resto de las personas, le parecen demasiado complicadas. Aun así, suele encontrar energías para intentar cambiar su mundo y transformarlo a su medida.

Onomástica: No tiene.

KARDAL

Etimología: Nombre árabe que significa «semilla de mostaza».

Personalidad: Rebosa simpatía e imaginación, es un hombre bienintencionado y alegre, que rechaza por principio cualquier prejuicio o convención social. Sin embargo, es muy terco y no soporta que le lleven la contraria. Además, puede llegar a ser un poco excéntrico y egoísta, lo cual le hace pensar que no es comprendido.

Onomástica: No tiene.

KARIM

Etimología: Nombre árabe que significa «noble, distinguido».

Personalidad: Vive mucho más de cara al exterior que para sí mismo. En realidad es tierno y afectuoso, y está muy necesitado de cariño, pero considera que estas características son signos de debilidad, y prefiere ocultarlas. Enseguida se encariña con la gente, pero también puede ser cruel.

Onomástica: No tiene.

KARIF

Etimología: Nombre árabe que significa «nacido en otoño».

Personalidad: Hiperactivo y ligeramente inestable, tiene una tendencia no muy sana a tomárselo todo demasiado en serio, casi como un reto personal. Tiene la necesidad de estar siempre haciendo algo productivo, hasta tal punto que llega a agotar a todos los que le rodean.

Pierde los nervios con facilidad y se enfada a menudo.

Onomástica: No tiene.

KARUN

Etimología: Nombre hindú que significa «primo». En la *Biblia,* primo de Moisés.

Personalidad: Es una persona muy sensible, por más que intente disimularlo. Bajo su apariencia fría, segura y un poco despreocupada, hay un hombre que está siempre pendiente de lo que los demás dicen o hacen y de la actitud que tienen hacia él. Su gran placer consiste en ayudar a los que le rodean a ser felices.

Onomástica: No tiene.

KASIB

Etimología: Nombre árabe cuyo significado es «fértil».

Personalidad: Humanista y entregado por naturaleza: para ser feliz necesita sentir que es útil a los demás. No entiende el egoísmo ni la falta de compromiso:él, realmente, no puede descansar sabiendo que hay alguien que necesita su ayuda. El problema consiste en que es demasiado crítico consigo mismo.

Onomástica: No tiene.

KASIM

Etimología: Nombre árabe que significa «el que divide».

Personalidad: De inteligencia profunda y muy dotado para la meditación. Sin embargo, parece que le cuesta mucho conciliar sus planteamientos intelectuales con un plan concreto de actuación. Su ideal es ser el cerebro de alguna clase de sociedad, de modo que sean los demás los que llevan a la práctica sus numerosas ideas.

Onomástica: No tiene.

KÁSPER

Etimología: Nombre persa que significa «tesoro».

Personalidad: Es un hombre dinámico y activo. La alegría parece empapar cada uno de sus actos, y a la gente le gusta estar cerca de él por su optimismo contagioso. Le gusta que los demás dependan de él en cierta medida, aunque su sentido de la independencia le impide ser él mismo el que necesite a otra persona.

Onomástica: No tiene.

KATEB

Etimología: Nombre árabe que significa «escritor».

Personalidad: Necesita ser original, aunque muchas veces no sabe muy bien cómo hacerlo. Le gusta sentir que es él quien domina la situación, y no soporta que los demás no le hagan caso o que no hagan lo que él quiere. De joven es un idealista soñador.

Onomástica: No tiene.

KAVEH

Etimología: Nombre persa que significa «antiguo héroe».

Personalidad: Recto, tranquilo, equilibrado, es una de esas personas que procura no decir nunca una palabra más alta que otra. Extremadamente comprensivo, para sus amigos se convierte en un inmejorable apoyo. En su profesión es ambicioso y puede llegar a mostrarse intransigente con las debilidades ajenas.

Onomástica: No tiene.

KAVI

Etimología: Nombre hindú que puede interpretarse como «poeta».

Personalidad: Sus decisiones siempre se hacen esperar y están profundamente meditadas, pero una vez que han sido tomadas, nada en el universo es capaz de hacer que no se cumplan. Y es que es implacable. Puede ser el mejor de los amigos, y sin duda un apoyo inmejorable en situaciones difíciles.

Onomástica: No tiene.

KAY

Etimología: Este nombre debe su difusión en el mundo anglosajón al personaje de un cuento de Andersen titulado *La reina de las nieves.* También es el nombre de uno de los caballeros de la tabla redonda del rey Arturo: *Sir Kay.*

Personalidad: Es un rebelde, un hombre que no se conforma con pensar que el mundo es como es, sino que desea cambiarlo. No acepta consejos ni órdenes de los demás: quierer probarlo todo por sí mismo. Suele tener algunos problemas por su su carácter independiente y su falta de respeto a los convencionalismos.

Onomástica: No tiene.

KAZUO

Etimología: Nombre japonés que significa «hombre de paz».

Personalidad: Juguetón y caprichoso, puede parecer que no le da importancia a casi nada, pero realmente le toma mucho cariño a la gente y sufre agudas decepciones cuando alguien le falla. Aunque sin mala intención, es demasiado impulsivo y poco reflexivo, así que raramente piensa antes de actuar.

Onomástica: No tiene.

KEALOHA

Etimología: Nombre hawaiano que significa «fragante».

Personalidad: Orgulloso e independiente, astuto y decidido, implacable con sus enemigos y capaz de casi cualquier cosa para conseguir sus objetivos. Su modo de afrontar los problemas es quizá un poco retorcido. Defiende su territorio y a su familia con uñas y dientes.

Onomástica: No tiene.

KEANU

Etimología: Nombre irlandés, hipocorístico de *Keenan,* que significa «pequeña Kenia».

Personalidad: Es un hombre hogareño que desea pasar su vida del modo más apacible y tranquilo. El trabajo es para él una maldición, y mucho más la vida en la ciudad. Su ideal es retirarse al campo y cultivar con sus manos, sin más compañía que su familia y amigos más íntimos.

Onomástica: No tiene.

KEB

Etimología: Nombre egipcio que significa «tierra». En la antigua mitología egipcia, dios llamado también *Geb.*

Personalidad: No le gustan las convenciones sociales, porque busca puntos de vista propios. Ama su profesión y se dedica a ella con auténtico fervor, aunque no por ello descuida a su familia ni a sus amigos. Como padre, es muy cariñoso. Sentimental hasta la médula, tiene debilidad por las historias de amor y es un poco conquistador.

Onomástica: No tiene.

KEHIND

Etimología: Nombre yoruba que significa «el gemelo que nació primero».

Personalidad: Es afectuoso y profundamente protector. No es demasiado imaginativo ni original, pero lo compensa con una impresionante capacidad de trabajo y una lealtad incorruptible. En el amor es algo ingenuo, pero prefiere eso a volverse cruel o insensible. Es feliz si tiene una causa en la que ocuparse.

Onomástica: No tiene.

KEIJI

Etimología: Nombre japonés que significa «jefe cauteloso».

Personalidad: Su impresión es que ha nacido en un tiempo que no le corresponde. Él necesita vivir fuera de la realidad, en un refugio de fantasía propio. Su carácter le da ventaja en

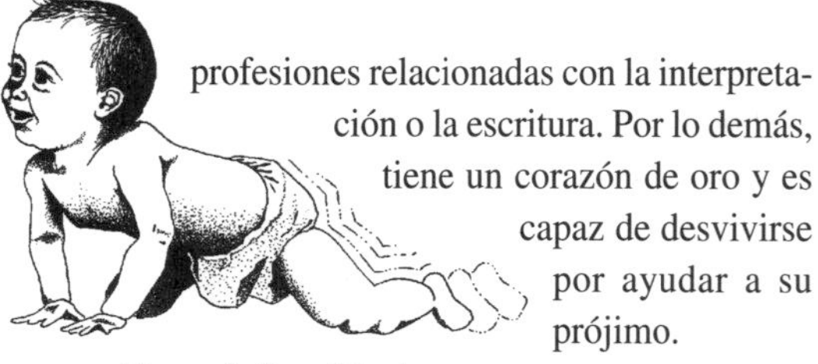

profesiones relacionadas con la interpretación o la escritura. Por lo demás, tiene un corazón de oro y es capaz de desvivirse por ayudar a su prójimo.
Onomástica: No tiene.

KEITARO

Etimología: Nombre japonés que significa «herido».
Personalidad: Es un hombre de carácter. Muy dado a las discusiones espectaculares y melodramáticas, aunque al final siempre acaba cediendo. Es extremadamente ambicioso en su vida personal y profesional. Aunque le encanta la intriga, es un buen amigo, pero un poco superficial.
Onomástica: No tiene.

KEITH

Etimología: Nombre escocés que significa «campo de batalla».
Personalidad: Su principal característica es el exceso, en cualquier sentido. Lo mismo se trata de una personalidad excesivamente soñadora como de un materialismo consumado, de hedonistas y narcisistas como de estoicos que rozan el ascetismo. Hay que vigilar la tendencia a la indiscreción, así como al inconformismo.
Onomástica: No tiene.

KELVIN

Etimología: De origen celta, deriva del nombre de un río escocés.
Personalidad: Desde niño tiene que luchar con su inseguridad. Tiende a compararse con los demás y en su fuero interno siempre sale malparado. Hay algo en su interior que le obliga a fijarse en los demás y esa falta de criterio puede convertirlo en un tipo excéntrico. Su verdadera meta en la vida es hallar a alguien que le proporcione la seguridad que tanto necesita.
Onomástica: No tiene.

KEMAL

Etimología: Nombre turco que significa «el más alto honor».
Personalidad: Tiene un aire de niño demasiado mimado. No soporta bien que le contradigan. Su principal preocupación es siempre la estética, por encima de la ética: que las cosas tengan un aspecto impecable, que su físico se mantenga... Aunque no es muy constante, sí es bastante ingenioso y divertido.
Onomástica: No tiene.

KEN

Etimología: Se forma como hipocorístico del nombre escocés Kenneth, originario del gaélico *Coinneach,* «bien plantado, de pie firme».
Personalidad: Desarrolla una intensa vida social y siente un gran amor por el lujo y la comodidad, y tiene un carácter un tanto exigente, incluso con las personas queridas. Asu favor tiene la virtud de la simpatía y de inspirar grandes pasiones a su alrededor. Suele tener éxito en el mundo laboral.
Onomástica: No tiene.

KENDALL

Etimología: Nombre inglés, toponímico del río *Kent.*
Personalidad: Poco a poco, porque es muy trabajador, va construyendo a su alrededor un mundo a su medida. Cuando lo consigue, es del todo irrompible. No es que sea materialista, sino que necesita la seguridad de las cosas y las personas que le son familiares. Por lo demás, es muy cariñoso y solidario.
Onomástica: No tiene.

KENNETH

Etimología: originario del gaélico *Coinneach,* «bien plantado, de pie firme».
Personalidad: A veces puede encontrarse en situaciones comprometidas por su sentido de la justicia: no soporta que se abuse de los débiles.

Debe aprender a valorar las posibilidades ajenas, a no subestimar a los demás, aunque sea con ánimo protector. Por su carácter, tiende a relacionarse con personas que buscan protección.
Onomástica: No tiene.

KENTARO

Etimología: Nombre japonés que significa «gran chico».
Personalidad: Le gusta estar en constante movimiento, buscar nuevos intereses, conocer nuevos lugares: su curiosidad se mantiene siempre viva. Necesita desempeñar profesiones que requieran poner en juego estas características, no soportaría una vida monótona o un trabajo mecánico. Es un amigo muy leal.
Onomástica: No tiene.

KEREL

Etimología: Nombre africaaner que significa «joven».
Personalidad: Busca fundamentalmente la paz interior, estar satisfecho consigo mismo. La vida superficial y las diversiones de ese estilo no le interesan ni lo más mínimo. Para sentirse a gusto necesita desempeñar una profesión que lo mantenga ocupado y le exija un cierto esfuerzo. En el amor necesita seguridad y solidez.
Onomástica: No tiene.

KEREM

Etimología: Nombre turco que significa «noble, rey».
Personalidad: Es un conversador por el gusto de intercambiar impresiones: lo que más le interesa en este mundo son las personas y su comportamiento. Su virtud principal es el interés por el conocimiento y la literatura, aunque sólo sea por el placer que le producen las personas relacionadas con las humanidades.
Onomástica: No tiene.

KERRICK

Etimología: Antiguo nombre inglés que significa «ley real».
Personalidad: Su carácter puede llegar a esclavizarlo de alguna manera: es demasiado orgulloso y un poco rígido de carácter, le cuesta ver los matices de las cosas. Si consigue atemperar ese problema, puede llegar a ser incluso divertido. En el amor y la amistad prefiere lo poco, pero bueno.
Onomástica: No tiene.

KEVIN

Etimología: Nombre irlandés que significa «hermoso de nacimiento, bello».
Personalidad: Transmite gran confianza entre sus amigos y compañeros de trabajo, por su espíritu seductor y fuerte. Es también idealista y perfeccionista en todo lo que emprende, lo cual le permite conseguir grandes logros. La parte negativa de su carácter es que puede llegar a volverse autoritario e impaciente.
Onomástica: 3 de junio.

KHALDUN

Etimología: Nombre árabe que significa «para siempre».
Personalidad: Busca soluciones y respuestas en lo que le va enseñando la vida: tiene la virtud de la observación, combina inteligencia e intuición. Es un conquistador y su mayor defecto es que se pierde por llamar la atención del sexo opuesto. En el trabajo necesita trabajos que le obliguen a estar en constante movimiento.
Onomástica: No tiene.

KHALFANI

Etimología: Nombre swahili que significa «nacido para liderar».
Personalidad: Él es el único que considera que sus ideas son sólidas, porque los demás creen que las cambia con demasiada frecuen-

cia. Como en todo, se deja llevar por las modas. Es muy afectuoso y en el campo profesional se marca metas que le permitan alcanzar un buen nivel de vida. Como padre se muestra muy responsable.
Onomástica: No tiene.

Khalil
Etimología: Nombre árabe que significa «amigo».
Personalidad: Vive en su propio mundo, en sus pensamientos y fantasías. Reflexivo y poco convencional, por tanto, no es fácil que se atenga a los patrones sociales imperantes. Como pareja y como amigo también es un poco despistado, pero de sentimientos nobles y muy profundos. Suele conseguir lo que se proponga.
Onomástica: No tiene.

Khan
Etimología: Nombre turco que significa «príncipe».
Personalidad: Necesita tener siempre una apariencia impecable, no soporta el desorden o la incoherencia y está demasiado pendiente de lo que opinan de él. Si cree que algo merece la pena, no le importa arriesgar todo lo que haga falta. En el amor prefiere ser conquistado a conquistar, porque necesita sentir que le prestan atención.
Onomástica: No tiene.

Kijika
Etimología: Nombre hawaiano que significa «gardenia».
Personalidad: Es una persona muy simpática, afable e inteligente. Su problema principal es precisamente conseguir fijar su atención en actividades serias, porque se empeña en no crecer. En el amor busca una pareja que centre todas sus energías en él, aunque en la amistad es mucho más entregado.
Onomástica: No tiene.

Kilian
Etimología: Del nombre gaélico *Kilian,* que es el equivalente de *Cecilio.*
Personalidad: Inconformista donde las haya, está siempre dispuesta a cambiar el mundo. Presenta una personalidad cambiante. Le cuesta mucho fijarse un camino. Puede parecer muy extrovertida, pero en realidad es cuidadosa y selectiva.
Onomástica: 8 de junio.
Otros idiomas: Catalán: Kilian. Italiano: Kilian.

Kinsey
Etimología: Nombre de origen anglosajón, que significa «victoria real».
Personalidad: Tiene una personalidad muy fuerte, actúa siempre con una contundencia y seguridad en sus opiniones que puede resultar chocante. En el amor, sin embargo, le falta seguridad, y le cuesta mantener sus conquistas. Quienes más le valoran son sus amigos y compañeros de trabajo.
Onomástica: No tiene.

Kiral
Etimología: Nombre turco que significa «rey, líder supremo».
Personalidad: Son personas sencillas y auténticas. Detestan a los que actúan de una determinada manera sólo por guardar las apariencias y, por eso, prefieren que les digan las cosas a la cara, sin rodeos ni ambages. Odian la mentira y la hipocresía. Su sistema moral es simple pero incorruptible.
Onomástica: No tiene.

Kiril
Etimología: Nombre eslavo, que deriva del griego *kirios,* «señor». Es el equivalente a nuestro *Cirilo.*
Personalidad: Peca de un exceso de imaginación. Su problema radica en que es muy suges-

tionable. Capaz de sentir el más agudo de los terrores, Es, sin embargo, valiente porque lucha por controlar su miedo. En el amor es muy protector, probablemente porque teme mucho la soledad.

Onomástica: 20 de marzo.

Otros idiomas: Catalán: Ciril. Euskera: Kuiril. Gallego: Cirilo. Bable: Cirilo. Inglés: Cyril. Francés: Cyrille. Alemán: Kyrill. Italiano: Cirillo.

KIRIOS

Etimología: Nombre de origen griego que significa «el soberano, el señor».

Personalidad: Es fuerte y determinado, y tiene una personalidad en absoluto manejable. Aunque corre el peligro de caer en la intransigencia, por su carácter obstinado e independiente, ejerce un gran magnetismo sobre sus amigos y compañeros. Tiene dificultades para sentirse satisfecho durante mucho tiempo seguido, lo cual le lleva a buscar continuos cambios.

Onomástica: No tiene.

KIRK

Etimología: Nombre antiguo sajón que podría traducirse por «iglesia».

Personalidad: Posee una gran capacidad de adaptación, por lo cual le entusiasman los viajes y todo lo que requiera audacia e innovación. En lo negativo, su personalidad le acarrea ciertos inconvenientes, como accidentes, inestabilidad y superficialidad.

Onomástica: No tiene.

KISTNA

Etimología: Nombre hindú que significa «sagrado». Es el nombre de un río sagrado de la India.

Personalidad: Es un hombre inquieto, siempre en busca de nuevas aventuras y experiencias en todos los ámbitos de su vida. Se niega a ser conformista, ama la libertad y sólo aceptará un compromiso cuando esté profundamente seguro de que es eso lo que quiere. Aunque parezca alocado, sus actos siempre tienen un sentido.

Onomástica: No tiene.

KITO

Etimología: Nombre swahili que significa «joya, niño precioso».

Personalidad: Es como una niño: crédulo, ingenuo y alegre. Concede una gran importancia al amor y a la amistad durante toda su vida. En su profesión demuestra que es brillante, creativo y muy trabajador; tiene ambición, pero es comedido y valora tanto la lealtad que no se deja dominar por ella.

Onomástica: No tiene.

KITWANA

Etimología: Nombre swahili que significa «agradecido».

Personalidad: Su gran pasión radica en la belleza. Es un gran amante del arte en todas sus manifestaciones, y en su propia vida. En el amor y con sus amigos se muestra impulsivo y apasionado. No le gusta trabajar en exceso y no es ambicioso, por lo que procura buscarse una profesión tranquila que le permita llevar una vida desahogada.

Onomástica: No tiene.

KLAUS

Etimología: Nombre que en los países nórdicos equivale a *Nicolás*: del griego *niké-laos,* «vencedor del pueblo».

Personalidad: Klaus tiene las ideas muy claras, pero encuentra grandes dificultades para imponer su criteri. Le gustan las diversiones tranquilas y un tanto aburguesadas. Lujos y comodidades sí, pero en la justa medida.

Onomástica: 10 de septiembre y 6 de diciembre.

Otros idiomas: Catalán y gallego: Nicolau. Euskera: Nikola. Bable: Colás, Nicolás. Inglés: Nicholas, Nick. Francés: Nicolas. Alemán: Klaus, Nikolas, Nikolaus, Niklas. Italiano: Nicola.

KOHANA

Etimología: Nombre de los indios dakota que significa «vencejo».

Personalidad: Tiene un temperamento demasiado variable. En el amor, raras veces será correspondido por la persona a quien realmente ama, aunque probablemente termine asentándose en una afable y placentera relación sustentada más por la amistad que por el amor pasional.

Onomástica: No tiene.

KRISHNA

Etimología: Nombre indio correspondiente a la octava encarnación de *Vusnú,* que podría traducirse como «el negro».

Personalidad: Sale adelante pase lo que pase, con absoluta decisión. A la hora de trabajar, es serio y responsable, prudente cuando las circunstancias lo requieren, aunque también es capaz de arriesgar. En el amor suele ser desgraciado, quizá porque le resulta difícil encontrar una compañera tan fuerte y segura como él misma.

Onomástica: No tiene.

KRISTOPHER

Etimología: Deriva del griego *Christós-phéro,* «el que lleva a Cristo». Es una variante inglesa de *Cristóbal.*

Personalidad: Es un hombre introvertido, muy encerrado en sí mismo y hasta podría decirse que algo huraño. Algunos dicen que peca un poco de misantropía, que desprecia al género humano; pero la realidad es que no logra comprender al resto de las personas, le parecen demasiado complicadas. Aun así, suele encontrar energías para intentar cambiar su mundo.

Onomástica: 10 de julio.

Otros idiomas: Catalán: Cristèfor, Cristèfol. Euskera: Kistobal, Kristuel. Gallego: Cristovo. Bable: Cristóbalo. Inglés: Cristopher. Francés: Chirstophe. Alemán: Cristoph. Italiano: Cristòforo, Cristòfono.

KUMAR

Etimología: Nombre de origen sánscrito, que significa «príncipe».

Personalidad: Rebosa simpatía e imaginación, es un hombre bienintencionado y alegre, que rechaza por principio cualquier prejuicio o convención social. Sin embargo, es muy terco y no soporta que le lleven la contraria. Además, puede llegar a ser un poco excéntrico y egoísta, lo cual le hace pensar que no es comprendido.

Onomástica: No tiene.

KUPER

Etimología: Nombre hebreo, deriva del yiddish, y significa «policía».

Personalidad: Vive mucho más de cara al exterior que para sí mismo. En realidad es tierno y afectuoso, y está muy necesitado de cariño, pero considera que estas características son signos de debilidad, y prefiere ocultarlas. Enseguida se encariña con la gente, pero también puede ser cruel.

Onomástica: No tiene.

LABAAN

Etimología: Nombre hawaiano que significa «blanco».

Personalidad: Hiperactivo y ligeramente inestable, tiene una tendencia no muy sana a tomárselo todo demasiado en serio, casi como un reto personal. Tiene la necesidad de estar siempre haciendo algo productivo, hasta tal punto que llega a agotar a todos los que le rodean. Pierde los nervios con facilidad y se enfada a menudo.

Onomástica: No tiene.

LABIB

Etimología: Nombre árabe que significa «inteligente».

Personalidad: Es una persona muy sensible, por más que intente disimularlo. Bajo su apariencia fría, segura y un poco despreocupada, hay un hombre que está siempre pendiente de lo que los demás dicen o hacen y de la actitud que tienen hacia él. Su gran placer consiste en ayudar a los que le rodean a ser felices.

Onomástica: No tiene.

LADISLAO

Etimología: Nombre eslavo que deriva de *vladi,* «señor», y *slava,* «gloria»; o sea, «señor glorioso».

Personalidad: Posee una gran capacidad de adaptación, por lo cual le entusiasman los viajes y todo lo que requiera audacia e innovación. En lo negativo, su personalidad le acarrea ciertos inconvenientes como accidentes, inestabilidad y superficialidad.

Onomástica: 27 de junio.

Otros idiomas: Catalán y gallego: Ladislau. Euskera: Ladisla. Bable: Ladislao (Lalo). Inglés y franncés: Ladislas. Alemán: Ladislaus. Italiano: Ladislao.

LAERTES

Etimología: Nombre griego que deriva de *laas,* «piedra», y *airo,* «levantar»; o sea, «levantador de piedras». Laertes era el nombre del padre de Ulises.

Personalidad: Suelen poseer gran belleza. Relacionados con la cultura, el conocimiento, la armonía y la verdad. Disfrutan al máximo de la vida, valorando lo detalles y placeres más insignificantes. Son cooperadores, entusiastas y afectuosos, por lo que valoran el amor y la amistad. El mayor riesgo se encuentra en la hipersensibilidad y la indecisión.

Onomástica: 27 de junio.

Otros idiomas: Catalán: Laertes. Italiano: Laerte.

LAHUAL

Etimología: Nombre araucano que significa «alerce».

Personalidad: Tiene un gran dominio de sí mismo y sabe medir sus capacidades, de modo que suele acertar en sus decisiones más importantes. Tiene buen carácter, es amable y valora las cosas hermosas que le ofrece la vida. Suele hacer amigos con bastante facilidad y le gusta ayudar a los demás. Tiene muchas cualidades para conseguir los objetivos que se proponga.

Onomástica: 27 de junio.

LAKOTA

Etimología: Gentilicio de la tribu dakota.

Personalidad: Humanista y entregado por naturaleza: para ser feliz necesita sentir que es útil a los demás. No entiende el egoísmo ni la falta de compromiso:él, realmente, no puede descansar sabiendo que hay alguien que necesita su ayuda. El problema consiste en que es demasiado crítico consigo mismo.

Onomástica: No tiene.

LAMBERTO

Etimología: Del nombre germánico *Land-berth,* que deriva de *land,* «pais, tierra», y *berth,* «brillo, resplandor»: «ilustre en el país».

Personalidad: Con una fuerte personalidad y don de mando y dirección. Es imaginativo y de rápidas decisiones, asume voluntarioso cuantas responsabilidades se le presenten; sin embargo, en el fondo es muy sensible y emotivo. Pero cuando tiene posibilidades de poder y dominio posee una gran ambición que le impulsa a lanzarse a fondo sin reflexionar.

Onomástica: 17 de septiembre.

Otros idiomas: Catalán: Lambert, Llambert. Euskera: Lamberta. Gallego y bable: Lamberto. Francés, inglés y alemán: Lambert. Italiano: Lamberto, Lamberti.

LANCELOT

Etimología: Nombre eslavo que deriva de *vladi,* «señor», y *slava,* «gloria»; o sea, «señor glorioso». Lancelot era el amante de la reina Ginebra. Es una variante de *Ladislao.*

Personalidad: Posee fuerza y determinación, así como una personalidad difícilmente manejable. Obstinado e independiente, ejerce un gran magnetismo, aunque puede caer fácilmente en la intransigencia. Rara vez se siente contento durante mucho tiempo, así que busca cambios de ambiente o de escenario.

Onomástica: 27 de junio.

Otros idiomas: Catalán: Lancelot. Italiano: Lancillotto.

LANDELINO

Etimología: Nombre germánico que deriva de *land,* «tierra, país», latinizado con el sufijo gentilicio *-inus.*

Personalidad: Desprende una sensación de encanto y armonía, estando siempre dispuesto a desplegar seducción y don de gentes; también es inteligente, hábil, muy curioso y buen comunicador. Pero en su trabajo es ordenado, metódico y responsable, lo cual crea una contradicción interna, pues su extroversión puede ir en detrimento de su rendimiento creándole complicaciones.

Onomástica: 15 de junio.

Otros idiomas: Catalán: Landeli. Gallego y bable: Landelín. Francés: Landelín. Italiano: Landelino.

LÁNDER

Etimología: Nombre vasco, variante de *Leandro:* del griego *leo-andros,* «hombre-león».

Personalidad: Su gran pasión es todo lo relacionado con la belleza. Es un amante del arte en todas sus manifestaciones, y en su propia vida. En el amor y con sus amigos se muestra impulsivo y apasionado. No le gusta trabajar en exceso y no es ambicioso, por lo que procura buscarse una profesión tranquila que le permita llevar una vida y desahogada.

Onomástica: 13 de noviembre.

Otros idiomas: Catalán: Leandre. Euskera: Lander. Leander. Gallego: Leandro. Bable: Lleandro. Inglés y alemán: Leander. Francés: Léandre. Italiano: Leandro.

LANDOLFO

Etimología: Del nombre germánico *Landulf,* de *land,* «tierra, país», y *ulf,* «lobo»; o sea, «defensor del país».

Personalidad: Procura mantenerse siempre ecuánime y posee un sentido innato de la justicia y el equilibrio, pero también cae con facilidad en ataques de ira y valora en exceso el poder y el triunfo. Es impaciente e impetuoso. Esta personalidad le hace, casi con seguridad, muy celoso.

Onomástica: 18 de octubre.

Otros idiomas: Catalán: Landolf. Italiano: Landolfo.

LÁSZLO

Etimología: Nombre húngaro que significa «jefe famoso».

Personalidad: De carácter sereno, tranquilo y hasta un poco parsimonioso. De inteligencia profunda y muy dotado para la meditación. Sin embargo, parece que le cuesta mucho conciliar sus planteamientos intelectuales con un plan concreto de actuación. Su ideal es ser el cerebro de alguna clase de sociedad, de modo que sean los demás los que llevan a la práctica sus numerosas ideas.

Onomástica: No tiene.

LATIF

Etimología: Nombre árabe cuyo significado es «gentil».

Personalidad: Es un hombre dinámico y activo. La alegría parece empapar cada uno de sus actos, y a la gente le gusta estar cerca de él por su optimismo contagioso. Le gusta que los demás dependan de él en cierta medida, aunque su sentido de la independencia le impide ser él mismo el que necesite a otra persona.

Onomástica: No tiene.

LATIMER

Etimología: Nombre de origen anglosajón, que significa «intérprete».

Personalidad: Sensible y fuerte al mismo tiempo. Necesita ser original, aunque muchas veces no sabe muy bien cómo hacerlo. Le gusta sentir que es él quien domina la situación, y no soporta que los demás no le hagan caso o que no hagan lo que él quiere. De joven es un idealista y soñador.

Onomástica: No tiene.

LATINO

Etimología: Gentilicio que significa «habitante del Lacio».

Personalidad: Posee el impulso de la creación que produce la inspiración. Necesita perseguir ideales y emociones utópicos, por su carácter idealista y perfeccionista. Goza también de ambiciones muy positivas. La parte negativa es la facilidad con que cae en la extravagancia y su tendencia al desánimo. Es difícil que pueda consolidar sus objetivos si no se supera.

Onomástica: 24 de marzo.

LAUREANO

Etimología: Del nombre latino *Laureanus*, «laureado». Significa «coronado de laurel, victorioso».

Personalidad: Es un seductor enamorado de la libertad, el cambio y la aventura. Por ello, apenas consigue lo que desea, pierda interés y lo abandona en busca de un nuevo objetivo y sigue su eterna búsqueda. Idealista y soñador no soporta la rutina ni la soledad, pero cómo es emotivo y abnegado, siempre está dispuesto a echar una mano a quien la necesite.

Onomástica: 4 de julio.

Otros idiomas: Catalán: Laureà, Llorà. Euskera: Ereinotz, Lauran. Gallego: Laureano. Bable: Llauro, Llorián. Francés: Laurien. Inglés: Laurien. Italiano: Laurano.

LAUREN

Etimología: Del latín *Laurentum,* un lugar plantado de laureles cerca del monte Ventino. Es una variante de Lorenzo.

Personalidad: Sus verdaderos defectos son la timidez y la inseguridad, que le llevan a comportarse de forma altiva y un poco superior. Sin embargo, cuando logra abrir su corazón a alguien, se transforma en la persona más amable, sensible y afectuosa que se pueda imaginar. Tratará de encontrar a una persona especial, su alma gemela.

Onomástica: 10 de agosto y 5 de septiembre.

Otros idiomas: Catalán: Llorenç. Euskera: Laurentzi. Gallego: Lourenzo. Inglés: Laurence, Lawrence. Francés: Laurent. Alemán: Lorenz. Italiano: Lorenzo.

Laurencio

Etimología: Del nombre latino *Laurentius,* gentilicio de *Laurentum*, ciudad del Lacio: «nacido en Laurentius».

Personalidad: Posee una personalidad carismática, seductora y fuerte. Es también idealista y perfeccionista, lo cual normalmente le lleva a tener elevadas ambiciones. En lo negativo, suele ser nervioso y autoritario.

Onomástica: 2 de octubre.

Otros idiomas: Catalán: Laurenci. Francés: Laurence. Italiano: Laurenzio, Laurenzo.

Laurentino

Etimología: Del latín *Laurentum,* un lugar plantado de laureles cerca del monte Ventino.

Personalidad: Sus verdaderos defectos son la timidez y la inseguridad, que le llevan a comportarse de forma altiva y un poco superior. Sin embargo, cuando logra abrir su corazón a alguien, se transforma en la persona más amable, sensible y afectuosa que se pueda imaginar.

Onomástica: 3 de junio.

Otros idiomas: Catalán: Laurentí. Inglés: Laurentin. Italiano: Laurentino.

Lauro

Etimología: Del latín *laurea,* «laurel». Con esta planta se coronaba a los militares más destacados; de modo que, por extensión, Laura también significa «gloria militar».

Personalidad: Es como una niño: crédulo, ingenuo y risueño. Concede una gran importancia al amor durante toda su vida. En su profesión demuestra que es brillante, creativo y muy trabajador; tiene ambición, pero no se deja dominar por ella.

Onomástica: 18 de agosto.

Lautaro

Etimología: Nombre araucano que deriva de *lev,* «veloz», y *tharu,* «traro» (ave de Chile); o sea: «traro veloz».

Personalidad: Suelen poseer gran belleza. Relacionados con la cultura, el conocimiento, la armonía y la verdad. Disfrutan al máximo de la vida, valorando lo detalles y placeres más insignificantes. Son cooperadores, entusiastas y afectuosos, por lo que valoran el amor y la amistad. El mayor riesgo se encuentra en la hipersensibilidad y la indecisión.

Onomástica: No tiene.

Lázaro

Etimología: Del hebreo *Eleazar,* que significa «Dios ayuda».

Personalidad: Curioso por naturaleza, dinámico e inasequible al desaliento. Tiene un tipo de inteligencia muy especial; por eso mismo muestra una irritante tendencia a burlarse de los demás. No es especialmente leal, pero es muy amigo de sus amigos. Su ideal romántico es tener ese tipo de relación que te lleva a hacer locuras por amor.

Onomástica: 17 de diciembre.

Otros idiomas: Catalán: Llàtzer. Euskera: Elazar. Inglés y alemán: Lazarus. Francés: Lazare. Italiano: Lazzaro.

Leandro

Etimología: Del griego *leo-andros,* «hombre-león».

Personalidad: La gran pasión de Leandro radica en la belleza. Es un amante del arte en todas sus manifestaciones, y en su propia vida intenta que cada uno de sus actos tenga un toque de estética. En el amor y con sus amigos se muestra impulsivo y apasionado. No le gusta trabajar en exceso y no es ambicioso, por lo que procura buscarse una profesión tranquila que le permita llevar una vida y desahogada.

Onomástica: 13 de noviembre.

Otros idiomas: Catalán: Leandre. Euskera: Lander. Leander. Gallego: Leandro. Bable: Lleandro. Inglés y alemán: Leander. Francés: Léandre. Italiano: Leandro.

Learco

Etimología: Del griego *laós-archós,* «que gobierna el pueblo».

Personalidad: Su problema principal es la pasividad y la indecisión, le parece que todo posee valores negativos y positivos. Es receptivo, sentimental y posee un gran espíritu de equipo. Cuando se siente rechazado, desarrolla una enorme capacidad de destrucción.

Onomástica: No tiene.

Otros idiomas: Catalán: Learc. Italiano: Learco.

Leben

Etimología: Nombre de origen yiddish, que significa «vida».

Personalidad: Recto, tranquilo, equilibrado, es una de esas personas que procura no decir nunca una palabra más alta que otra. Extremadamente comprensivo, para sus amigos se convierte en un inmejorable apoyo. En su profesión es ambicioso y puede llegar a mostrarse intransigente con las debilidades ajenas.

Onomástica: No tiene.

Ledo

Etimología: Nombre gallego que deriva del latín *laetus,* «alegre».

Personalidad: Posee una personalidad marcada por el impulso de creación. Es algo autoritario, individualista e independiente. Valora la estabilidad en su vida y para conseguirla a veces se muestra autoritario y egoísta.

Onomástica: 1 de septiembre.

Otros idiomas: Catalán: Let.

Leibel

Etimología: Nombre de origen yiddish, que significa «león rugiente».

Personalidad: Es lento pero seguro. Sus decisiones siempre se hacen esperar y están profundamente meditadas, pero una vez que han sido tomadas, nada en el universo es capaz de hacer que no se cumplan. Y es que es implacable. Puede ser el mejor de los amigos, y sin duda un apoyo inmejorable en situaciones difíciles.

Onomástica: No tiene.

Lelio

Etimología: Del latín *Laelius,* nombre de una gen romana. Podría significar «locuaz».

Personalidad: El rasgo dominante de su personalidad es el alto dominio sobre sí mismo. Sabe medir sus capacidades, que suelen armonizar con todo lo que le rodea. Refinado, amable, simpático y de buen talante, suele hacer amigos con gran facilidad y le gusta ayudar a los demás. Quizá demasiado soñador.

Onomástica: No tiene.

Otros idiomas: Catalán: Lèlius. Italiano: Lelio.

Lemuel

Etimología: Nombre de origen hebreo que significa «consagrado a Dios, seguidor de Dios».

Personalidad: Puede parecer que no le da importancia a casi nada, porque su carácter alegre le hace parecer superficial, pero realmente le toma mucho cariño a la gente y sufre agudas decepciones cuando alguien le falla. Aunque sin mala intención, es demasiado impulsivo y poco reflexivo, así que raramente piensa antes de actuar.

Onomástica: No tiene.

Lenno

Etimología: Nombre que entre los indios americanos significa «hombre».

Personalidad: Orgulloso e independiente, astuto y decidido, implacable con sus enemigos y capaz de casi cualquier cosa para conseguir sus objetivos. Su modo de afrontar los problemas es quizá un poco retorcido. Defiende su territorio y a su familia con uñas y dientes.

Onomástica: No tiene.

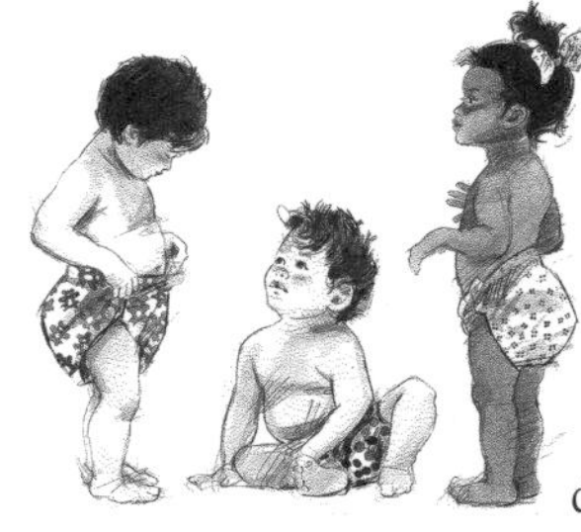

Leo

Etimología: Del latín *Leo,* «león», y por extensión «audaz, bravo, valiente».

Personalidad: Concede más importancia a lo espiritual que a lo material. Es paciente, con gran capacidad de estudio, lógica y análisis. Muy exigente consigo mismo y con los demás. Algo solitario e introspectivo, por lo que cae con facilidad en el pesimismo.

Onomástica: 10 de noviembre.

Otros idiomas: Catalán: Leo. Inglés, alemán e italiano: Leo. Francés: Léo.

Leocadio

Etimología: Del griego *leukádios,* gentilicio para la isla Laucade (*Laucade* significa, a su vez, «piedras blancas»).

Personalidad: Tiene un temperamento demasiado variable, nunca se puede estar seguro de cómo va a reaccionar. En el amor, raras veces será correspondido por la persona a quien realmente ama, aunque probablemente termine asentándose en una afable y placentera relación sustentada más por la amistad que por el amor.

Onomástica: 9 de diciembre.

Otros idiomas: Catalán: Laocadi. Euskera: Lakade. Gallego: Locaio.

Leodegario

Etimología: Del nombre germanico *Liutgari,* de *liut,* «pueblo», y *gari,* «lanza»: «lanza del pueblo».

Personalidad: La estabilidad, la seguridad y la protección son sus ejes fundamentales. Se trata de personas con los pies en el suelo, aunque también ambiciosas, lo cual equilibra su carácter y les permite vivir una existencia activa y variada, repleta de situaciones que les permite crecer y aprender.

Onomástica: 21 de febrero.

Otros idiomas: Catalán: Leodegari, Llogari.

León

Etimología: Del latín *Leo,* «león», y por extensión «audaz, bravo, valiente».

Personalidad: Es un hombre excesivo y temperamental, con una gran capacidad de trabajo, que suele triunfar en la vida aunque le cueste esfuerzo y paciencia, y como sabe que el tiempo trabaja a su favor, nunca se apresura. Es enérgico, viril, valiente y combativo.

Onomástica: 10 de noviembre.

Otros idiomas: Catalán: Lleó. Euskera: Lehoi, Lon. Gallego: León. Bable: Lleón. Inglés: Leo. Francés: Léon. Italiano: Leone.

Leonardo

Etimología: Nombre de etimología greco-germánica: está formado por el sustantivo griego *leo,* «león», y el adjetivo germánico *hard,* «fuerte». Significa «fuerte como un león».

Personalidad: Le gusta el arte, la ciencia, el deporte... todo lo que tenga algo que ver con el ser humano. Es original y creativo, y destacar en su profesión. El amor lo vive de una forma demasiado literaria y por impulso.

Onomástica: 6 de noviembre.

Otros idiomas: Catalán: Lleonard. Euskera: Leonarta. Gallego: Leonardo. Bable: Llonardo (Nardo). Inglés: Leonard. Francés: Léonard. Alemán: Leonhard.

Leonel

Etimología: Del latín *Leo,* «león», y por extensión «audaz, bravo, valiente». Es una variante de *León.*

Personalidad: Posee una personalidad marcada por el impulso de creación. Es algo autoritario, individualista e independiente. Valora la estabilidad en su vida y para conseguirla a veces se muestra autoritario y egoísta.

Onomástica: 10 de noviembre.

Otros idiomas: Inglés y francés: Lionel. Italiano: Leonello.

Leónidas

Etimología: Del griego *leon-cides,* «valiente como un león».

Personalidad: Es una persona algo rígida. Es tímido e inseguro, y por lo tanto le cuesta ser simpático con los desconocidos. Esa misma inseguridad le lleva a buscar el éxito a toda costa, como medio de reafirmarse ante los demás. Sin embargo, sus convicciones son más fuertes que su ambición.

Onomástica: 28 de enero.

Otros idiomas: Catalán: Leònidas. Inglés: Leonidas. Alemán: Leonida. Italiano: Leonida, Leonide.

Leontino

Etimología: Nombre de origen germánico, que significa «fuerte como un león».

Personalidad: La pasividad y la indecisión son su principal problema: piensa y piensa y todo le parece con valores negativos y positivos. Es receptivo, sentimental y en el terreno laboral se vale muy bien de su espíritu de equipo. Si se siente rechazado, es muy rencoroso.

Onomástica: No tiene.

Leopoldo

Etimología: Del germánico *luit-pold,* «pueblo audaz».

Personalidad: Tiene el defecto de que no consigue tomarse las cosas realmente en serio. Para los demás resulta ciertamente muy irritante. Ahora bien, valora mucho la palabra dada, intenta cumplir sus compromisos y detesta engañar a alguien.

Onomástica: 15 de noviembre.

Otros idiomas: Catalán: Leopold. Euskera: Leopolda. Gallego: Leopoldo. Bable: Leopoldo, Poldo. Inglés y alemán: Leopold. Francés: Léopold. Italiano: Leopoldo.

Leovigildo

Etimología: Nombre germánico que deriva de *leuba-hild,* «guerrero armado».

Personalidad: Posee una personalidad carismática, seductora y fuerte. Es también idealista y perfeccionista, lo cual normalmente le lleva a tener elevadas ambiciones. En lo negativo, suele ser nervioso y autoritario.

Onomástica: 20 de agosto.

Otros idiomas: Catalán: Leovigild. Euskera: Lobigilda. Gallego: Leovixildo. Francés: Léovigild. Italiano: Leovigildo.

Lesmes

Etimología: Proviene del germánico *Adalhelm,* que a su vez deriva de *athal,* «estirpe noble», y *helm,* «yelmo», o sea, «el que se protege con su nobleza». Es una variante de *Adelelmo.*

Personalidad: Su personalidad es conflictiva, por lo que suele encontrar dificultades para encontrarse a gusto consigo mismo. También es algo vacilante y no muy enérgico. Sin embargo, posee un cierto espíritu aventurero, incluso algo temerario, y es de una lealtad inquebrantable.

Onomástica: 30 de enero.

Otros idiomas: Catalán: Lesmes. Euskera: Lesma.

Leto

Etimología: Nombre de origen latino que significa «el que siempre está alegre».

Personalidad: Es muy creativo, entusiasta, sociable y optimista. Aunque le gusta presumir de espiritual, lo cierto es que el sentido práctico es su principal virtud y es muy hábil en las actividades manuales. Debe vigilar cierta tendencia a la intolerancia y a las rabietas, y a veces se dispersa en demasiadas actividades.

Onomástica: No tiene.

Leucipo

Etimología: Del griego *leukos,* «blanco», e *hippos,* «caballo»; o sea, «caballo blanco».

Personalidad: Su personalidad es muy creativa, entusiasta, sociable, optimista y muy espiritual. Tiene gran sentido práctico y es muy hábil en las actividades manuales. En contrapartida, puede ser algo intolerante y colérico, y a veces le cuesta concentrarse en una sola cosa.
Onomástica: No tiene.

Leví

Etimología: Nombre hebreo, de *lavah,* «unir». Leví es el antepasado de la tribu sacerdotal de los levitas.
Personalidad: Su carácter es muy creativo y posee el impulso que produce la inspiración. Le gustan las emociones y es muy dado a perseguir ideales utópicos. Es también idealista y perfeccionista, lo cual normalmente le lleva a tener elevadas ambiciones. La parte negativa es la facilidad con que cae en la extravagancia y su tendencia a la inestabilidad.
Onomástica: No tiene.
Otros idiomas: Catalán: Leví. Francés: Lévi.

Liberal

Etimología: Nombre de origen latino que significa «el amante de la libertad».
Personalidad: Es paciente, realista, y el sentido del deber y el orden son sus principales virtudes. Valora mucho la estabilidad en su vida, por lo que en el amor y la amistad es de una fidelidad absoluta. En lo negativo, cae con facilidad en la rutina y la avaricia.
Onomástica: No tiene.

Liberto

Etimología: Del nombre romano *Libertus,* «liberado». Solía darse a los esclavos que recibían la libertad.
Personalidad: Es un hombre repleto de vida que siempre rebosa optimismo y felicidad. Nunca se le ha visto deprimido. Siempre está entregado a alguna actividad, ya que le gusta disfrutar de la vida al máximo. En lo que se refiere al terreno sentimental, no le gustan demasiado los compromisos.
Onomástica: 23 de julio.
Otros idiomas: Catalán: Llibert.

Liborio

Etimología: Nombre romano, de *libo,* «ofrendar». Podría traducirse como «consagrado a los dioses».
Personalidad: Posee una personalidad carismática, seductora y fuerte. Es también idealista y perfeccionista, lo cual normalmente le lleva a tener elevadas ambiciones. En lo negativo, suele ser nervioso y autoritario.
Onomástica: 23 de julio.
Otros idiomas: Catalán: Libori, Llibori. Alemán: Liborius. Italiano: Liborio.

Licario

Etimología: Del griego *lykos,* «lobo».
Personalidad: Su principal característica es el exceso, en cualquier sentido. Lo mismo se trata de una personalidad excesivamente soñadora como de un materialismo consumado, de hedonistas y narcisistas como de estoicos que rozan el ascetismo. Hay que vigilar la tendencia a la indiscreción, así como al inconformismo.
Onomástica: 13 de septiembre.
Otros idiomas: Catalán: Licari.

Licinio

Etimología: Del nombre latino *Licinius,* gentilicio de *Licia,* y ésta del griego *lyke,* «luz».
Personalidad: Emotivo, altruista e idealista. Fiel a sus amistades y amores, tiene gran necesidad de ayudar y compartir, tanto en lo material como en lo espiritual. Es influenciable, le cuesta ser realista y es algo desordenado. En lo espiritual, tiende también a padecer desórdenes ciclotímicos.
Onomástica: 7 de agosto.
Otros idiomas: Catalán: Licini. Italiano: Licinio.

LICOMEDES

Etimología: Nombre de la mitología griega que deriva de *lyké,* «estratagema», y *madomai,* «preparar»; o sea, «preparar una estratagema», y por extensión «astuto».

Personalidad: Es equilibrado y posee gran encanto, por lo que está dotado para la diplomacia. También valora enormemente la belleza, la armonía y la capacidad de sacrificio. Por contra, es algo indeciso y dado al fatalismo y al exceso de perfeccionismo.

Onomástica: No tiene.

LICURGO

Etimología: Nombre de origen griego que significa «el que ahuyenta los lobos».

Personalidad: Le entusiasman los viajes y todo lo que tiene que ver con la aventura y la innovación. Es capaz de adaptarse a cualquier situación y ambiente. En su contra tiene ciertos inconvenientes, como la inestabilidad, la superficialidad y la falta de previsión, lo cual no le facilita una vida sentimental.

Onomástica: No tiene.

LIHUEL

Etimología: Nombre araucano que significa «vida, existencia». Debe ir acompañado de otro que indique sexo.

Personalidad: Inteligente y creativo, es, sin embargo, demasiado perezoso. Devoto de las comodidades, aunque no le gusta el lujo excesivo. Busca una vida relativamente tranquila, sin grandes sobresaltos. En el amor le falta un poco de confianza en sus posibilidades, por lo cual suele refugiarse en una actitud distante.

Onomástica: No tiene.

LINDOR

Etimología: Nombre de origen latino que significa «el que seduce».

Personalidad: Es quizá demasiado idealista, por lo que concede más importancia a lo espiritual que a lo material. Es paciente, con gran capacidad de estudio, lógica y análisis. Sin embargo, es muy exigente consigo mismo. Cae con facilidad en el pesimismo y se aísla de los demás.

Onomástica: No tiene.

LINLEY

Etimología: Nombre de origen anglosajón que significa «prado».

Personalidad: Es un hombre hogareño que desea pasar su vida del modo más apacible y tranquilo. El trabajo es para él una maldición, y mucho más la vida en la ciudad. Su ideal es retirarse al campo y cultivar con sus manos, sin más compañía que su familia y amigos más íntimos.

Onomástica: No tiene.

LINO

Etimología: Nombre gallego que procede del latín *linus,* «lino», el hilo de la vida. En la mitología romana, hijo de Apolo.

Personalidad: Concede más importancia a lo espiritual que a lo material. Es paciente, con gran capacidad de estudio, lógica y análisis. Muy exigente consigo mismo y con los demás. Algo solitario e introspectivo, por lo que cae con facilidad en el pesimismo.

Onomástica: 23 de septiembre.

Otros idiomas: Catalán: Linus, Lli. Euskera: Lin. Gallego: Lino, Liño. Bable: Llin, Llinu. Francés: Lin. Italiano: Lino.

LIONEL

Etimología: Del latín *Leo,* «león», y por extensión «audaz, bravo, valiente». Es una variante de *León.*

Personalidad: Le lleva tiempo encontrarse a gusto consigo mismo, por lo que tiene dificul-

tades para llegar a descubrir su verdadero camino. Aunque vacila y no es muy enérgico, posee un cierto espíritu aventurero, incluso algo temerario, que le sirve de contrapeso. Es de una lealtad inquebrantable con sus amigos y en el amor.
Onomástica: 10 de noviembre.
Otros idiomas: Inglés y francés: Lionel. Italiano: Leonello.

LISANDRO
Etimología: Del nombre griego *Lysandros,* «liberador».
Personalidad: Su personalidad es conflictiva, por lo que suele encontrar dificultades para encontrarse a gusto consigo mismo. También es algo vacilante y no muy enérgico. Sin embargo, posee un cierto espíritu aventurero, incluso algo temerario, y es de una lealtad inquebrantable.
Onomástica: 1 de noviembre.
Otros idiomas: Bable: Lixandro..

LISARDO
Etimología: Nombre de origen hebreo que significa «defensor de la fe».
Personalidad: Su verdadera preocupación es la justicia y el equilibrio, tanto en su vida personal como en la sociedad. Pero le cuesta conseguirlo, porque valora en exceso el triunfo y el poder, y es propenso a sufrir ataques de ira. En su vida sentimental puede ser algo posesivo y celoso.
Onomástica: 1 de noviembre.
Otros idiomas: Bable: Lisardo.

LIVIO
Etimología: Deriva del latín *Livius,* nombre de una importante gen romana que podría derivar de *livero,* «lívido».
Personalidad: Es equilibrado y posee gran encanto, por lo que está dotado para la diplomacia. También valora enormemente la belleza, la armonía y la capacidad de sacrificio. Por contra, es algo indeciso y dado al fatalismo y al exceso de perfeccionismo.
Onomástica: No tiene.
Otros idiomas: Catalán: Livi, Llivi. Francés y alemán: Livius. Italiano: Livio.

LLEÏR
Etimología: Nombre catalán y que deriva del griego. Significa «el que viene de la luz».
Personalidad: Se trata de una persona extraordinariamente compleja y de reacciones inesperadas. Le gusta vivir plenamente, con mayúsculas: cuando se consagra a su trabajo, también lo hace de lleno, absolutamente, sin reservas. Podría decirse que en todos los campos de su vida siempre pone toda la carne en el asador.
Onomástica: 1 de septiembre.

LONGINOS
Etimología: Nombre latino que deriva de *longus,* «largo», y por extensión «lancero».
Personalidad: El rasgo dominante de su personalidad es el alto dominio sobre sí mismo. Sabe medir sus capacidades, que suelen armonizar con todo lo que le rodea. Refinado, amable, simpático y de buen talante, suele hacer amigos con gran facilidad y le gusta ayudar a los demás. Quizá demasiado soñador.
Onomástica: 15 de marzo.
Otros idiomas: Catalán: Longí, Llongí. Euskera: Longín. Francés: Longin. Italiano: Longino.

LOPE
Etimología: Nombre de origen vasco que signficaba originariamente «lobo».
Personalidad: Fiel a sus amistades y en el amor, le produce gran satisfacción ayudar y compartir, tanto material como espiritualmen-

te. Es Emotivo, altruista e idealista, pero muy influenciable, le cuesta ser realista y es algo desordenado. Su principal peligro está en los frecuentes altibajos anímicos.
Onomástica: No tiene.
Otros idiomas: Euskera: Lope. Gallego: Lope, Lobo. Bable: Llope.

LORENZO

Etimología: Del latín *Laurentum,* un lugar plantado de laureles cerca del monte Ventino.
Personalidad: Sus verdaderos defectos son la timidez y la inseguridad, que le llevan a comportarse de forma altiva y un poco superior. Sin embargo, cuando logra abrir su corazón a alguien, se transforma en la persona más amable, sensible y afectuosa que se pueda imaginar.
Onomástica: 10 de agosto y 5 de septiembre.
Otros idiomas: Catalán: Llorenç. Euskera: Laurendi, Laurentz, Laurentzi, Laurentzu, Lontxo, Lorenz. Gallego: Lourenzo. Bable: Llorienzo. Inglés: Laurence, Lawrence. Francés: Laurent. Alemán: Lorenz. Italiano: Lorenzo.

LOTARIO

Etimología: Del nombre germánico *Hlodari,* de *hlut,* «fama», y *hari,* «ejército»; o sea, «guerrero famoso».
Personalidad: La estabilidad, la paciencia, la organización, el realismo, el sentido del deber y el orden son sus principales virtudes. En lo sentimental y con sus amistades son de una fidelidad absoluta. Por contra, caen con facilidad en la rutina y la avaricia.
Onomástica: 7 de abril.
Otros idiomas: Catalán: Lotari. Inglés: Lothair, Lowther. Francés: Lothaire. Alemán: Lothar. Italiano: Lotario.

LOYS

Etimología: Deriva del germánico *hlod-wig,* «glorioso en la batalla». Es una variante de Luis.
Personalidad: Su problema principal es la pasividad y la indecisión, le parece que todo posee valores negativos y positivos. Es receptivo, sentimental y posee un gran espíritu de equipo. Cuando se siente rechazado, desarrolla una enorme capacidad de destrucción.
Onomástica: 21 de junio, 25 de agosto y 10 de octubre.

LUANO

Etimología: De origen latino, significa «manantial».
Personalidad: Transmite gran confianza entre sus amigos y compañeros de trabajo, por su espíritu seductor y fuerte. Es también idealista y perfeccionista en todo lo que emprende, lo cual le permite conseguir grandes logros. La parte negativa de su carácter es que puede llegar a volverse autoritario e impaciente.
Onomástica: No tiene.
Otros idiomas: Italiano: Luano.

LUCANO

Etimología: Deriva del nombre latino *Lucanus,* «matutino».
Personalidad: Su personalidad es conflictiva, por lo que suele encontrar dificultades para encontrarse a gusto consigo mismo. También es algo vacilante y no muy enérgico. Sin embargo, posee un cierto espíritu aventurero, incluso algo temerario, y es de una lealtad inquebrantable.
Onomástica: 30 de octubre.
Otros idiomas: Catalán: Lucà. Francés: Lucain. Italiano: Lucano.

LUCAS

Etimología: Deriva del latín *lucis,* genitivo de *lux,* «luz».
Personalidad: Suele ser una persona bastante contradictoria. Es irreflexivo y pasional, pero también valiente. Aunque procure aparentar independencia, en la práctica depende de las opiniones de sus amigos y de los más allegados,

ya que necesita sentirse querido e incluso un poco admirado.
Onomástica: 18 de octubre.
Otros idiomas: Catalán: Lluç. Euskera: Luken. Gallego: Lucas. Inglés: Luke, Lucy. Francés: Luc. Alemán: Lukas. Italiano: Luca.

LUCIANO

Etimología: Deriva del latín *Lucianus,* gentilicio de *Lucas,* y éste de *lucis,* genitivo de *lux,* «luz».
Personalidad: Posee una gran capacidad de adaptación, por lo cual le entusiasman los viajes y todo lo que requiera audacia e innovación. En lo negativo, su personalidad le acarrea ciertos inconvenientes como accidentes, inestabilidad y superficialidad.
Onomástica: 8 de febrero.
Otros idiomas: Catalán: Llucà, Llucià. Euskera: Luken. Gallego: Luciano, Xano. Bable: Llucián, Lluciano (Chano, Ciano), Xano. Inglés: Lucian. Francés: Lucien. Alemán: Lucian. Italiano: Luciano.

LUCIO

Etimología: Deriva del latín *lucis,* genitivo de lux, «luz».
Personalidad: Es muy equilibrado y posee un sentido innato de la justicia y el equilibrio, pero también cae con facilidad en ataques de ira y valora en exceso el poder y el triunfo. Es impaciente e impetuoso. Esta personalidad le hace, casi con seguridad, muy celoso.
Onomástica: 20 de agosto y 3 de diciembre.
Otros idiomas: Catalán: Lluç. Euskera: Luka, Luk. Gallego: Lucio. Bable: Llucio. Inglés y francés: Lucius. Alemán: Lutz. Italiano: Lucio.

LUCRECIO

Etimología: Del latín *lucros,* «ganar, obtener beneficios».
Personalidad: Sueña con un mundo ideal, pero como es un hombre práctico y seguro, intenta cambiar el mundo de acuerdo a su particular visión de las cosas. Muy activo y con fama de incansable. Cree ciegamente en la familia, aunque el papel de esposo y padre entregado nunca ha sido para él.
Onomástica: 9 de enero.
Otros idiomas: Catalán: Lucreci. Euskera: Lukertza. Francés: Lucrèce. Italiano: Lucrezio.

LUDOVICO

Etimología: Deriva del germánico *hlod-wig,* «glorioso en la batalla». Es una variante de *Luis.*
Personalidad: El rasgo dominante de su personalidad es el alto dominio sobre sí mismo. Sabe medir sus capacidades, que suelen armonizar con todo lo que le rodea. Refinado, amable, simpático y de buen talante, suele hacer amigos con gran facilidad y le gusta ayudar a los demás. Quizá demasiado soñador.
Onomástica: 21 de junio, 25 de agosto y 10 de octubre.

LUIS

Etimología: Deriva del germánico *hlod-wig,* «glorioso en la batalla».
Personalidad: Orgulloso hasta el fin, Luis siempre tiene que estar a la altura de las circunstancias. Tiene una imagen muy clara de lo que quiere conseguir en el mundo y de lo que quiere llegar a ser. Puede parecer ingenuo y extrovertido, pero en realidad siempre se guarda algo para sí mismo.
Onomástica: 21 de junio, 25 de agosto y 10 de octubre.
Otros idiomas: Catalán: Lluís. Euskera: Aloxi, Koldo, Koldobika, Luix. Gallego: Lois, Luis. Bable: Lluis. Inglés: Lewis, Louis. Francés: Louis. Alemán: Ludwig. Italiano: Luigi.

LULANI

Etimología: Nombre hawaianobe que significa «el punto más alto del cielo».

Personalidad: No le gustan las convenciones sociales, porque busca puntos de vista propios. Ama su profesión y se dedica a ella con auténtico fervor, aunque no por ello descuida a su familia ni a sus amigos. Como padre, es muy cariñoso. Sentimental hasta la médula, tiene debilidad por las historias de amor y es un poco conquistador.
Onomástica: No tiene.

LUTHER

Etimología: Nombre de origen germánico, que significa «guerrero famoso». 
Personalidad: Es afectuoso y profundamente protector. No es demasiado imaginativo ni original, pero lo compensa con una impresionante capacidad de trabajo y una lealtad incorruptible. En el amor es algo ingenuo, pero prefiere eso a volverse cruel o insensible. Es feliz si tiene una causa en la que ocuparse.
Onomástica: No tiene.

Macario

Etimología: Del griego *makarios,* «que ha encontrado la felicidad».

Personalidad: Es un hombre introvertido, muy encerrado en sí mismo y hasta podría decirse que algo huraño. Algunos dicen que es un poco misántropo, que desprecia al género humano; pero la realidad es que no logra comprender al resto de las personas, le parecen demasiado complicadas.

Onomástica: 2 de enero.

Otros idiomas: Catalán: Macari. Euskera: Makari. Gallego y bable: Macario. Francés: Macaire. Italiano: Macario.

Macaulay

Etimología: Nombre escocés, de origen celta, que significa «hijo del hombre recto».

Personalidad: Su impresión es que ha nacido en un tiempo que no le corresponde. Él necesita vivir fuera de la realidad, en un refugio de fantasía propio. Su carácter le da ventaja en profesiones relacionadas con la interpretación o la escritura. Por lo demás, tiene un corazón de oro y es capaz de desvivirse por ayudar a su prójimo.

Onomástica: No tiene.

Macià

Etimología: Nombre catalán, variante de *Matías,* que deriva del hebreo *math-Yah,* «fiel a Dios».

Personalidad: Sereno, con las ideas muy claras, seguro de sí mismo y con facilidad para las relaciones sociales. Valora el refinamiento, pero sobre todo el buen carácter, la lealtad y la integridad de sus amigos. En el amor es muy exigente. Si cree plenamente en una causa o idea, pone todo su empeño en ella.

Onomástica: 14 de mayo.

Otros idiomas: Gallego y bable: Macías.

Maciel

Etimología: Nombre de origen latino que significa «muy delgado».

Personalidad: De gran energía, no suelen pasar desapercibidos, y tienen habilidades para el liderazgo y la innovación. No les gusta seguir las corrientes establecidas y se empeñan en la originalidad. En el lado negativo tienen cierta tendencia al egoísmo, la vanidad y el orgullo. También pueden ser excéntricos y demasiado dominantes.

Onomástica: No tiene.

Magín

Etimología: Del latín *Maginus,* que podría significar «mago» haciendo alusión al nombre de un antiguo y célebre adivino persa.

Personalidad: Posee fuerza y determinación, así como una personalidad difícilmente manejable. Obstinado e independiente, ejerce un gran magnetismo, aunque puede caer fácilmente en la intransigencia. Rara vez se siente contento durante mucho tiempo, así que busca cambios de ambiente o de escenario.

Onomástica: 19 de agosto.

Otros idiomas: Catalán: Magí. Gallego: Maxín.

Magno

Etimología: Del latín *Magnus,* que significa «grande».

Personalidad: Es equilibrado y posee gran encanto, por lo que está dotado para la diplomacia y las relaciones sociales. También valora enormemente la belleza, la armonía y la capacidad de sacrificio. Por contra, es algo indeciso y dado al fatalismo y al exceso de perfeccionismo.

Onomástica: 6 de septiembre.

Otros idiomas: Catalán: Magne, Magnus. Alemán e inglés: Magnus. Italiano: Magno.

Mahdi

Etimología: Nombre árabe que significa «guiado hacia el camino recto».

Personalidad: Es un hombre de carácter. Muy dado a las discusiones espectaculares y melodramáticas, aunque al final siempre acaba cediendo. Es extremadamente ambicioso en su vida personal y profesional. Aunque le encanta la intriga, es un buen amigo, pero un poco superficial.

Onomástica: No tiene.

Mahesa

Etimología: Nombre hindú que significa «gran señor». Uno de los muchos nombres de *Shiva.*

Personalidad: Es tozudo y obstinado, aunque no actúa con mala intención. Puede ser orgulloso, pero también sincero y justo. Siente pasión por todo tipo de actividades intelectuales y es dado a la polémica. En el amor y la amistad se muestra muy sólido. No soporta a las personas que actúan sólo por conveniencia.

Onomástica: No tiene.

Mahir

Etimología: Nombre tanto árabe como hebreo, que significa «excelente, trabajador».

Personalidad: Desde niño tiene que luchar con su inseguridad. Tiende a compararse con los demás y en su fuero interno siempre sale malparado. Hay algo en su interior que le obliga a fijarse en los demás y esa falta de criterio puede convertirlo en un tipo excéntrico. Su verdadera meta en la vida es hallar a alguien que le proporcione la seguridad que tanto necesita.

Onomástica: No tiene.

Mahimun

Etimología: Nombre árabe que significa «afortunado».

Personalidad: Tiene un aire de niño demasiado mimado. No soporta bien que le contradigan. Su principal preocupación es siempre la estética, por encima de la ética: que las cosas tengan un aspecto impecable, que su físico se mantenga... Aunque no es muy constante, sí es bastante ingenioso y divertido.

Onomástica: No tiene.

Maiol

Etimología: Nombre catalán, diminutivo de *mayo,* «fiel a Dios».

Personalidad: Es un poco arrogante y no tolera con facilidad las críticas o las opiniones adversas. Tiene una imagen muy clara de cómo deben ser las cosas a su alrededor, incluso las personas. La familia para él es lo más importante y está dispuesto a cualquier sacrificio para sacarla adelante, aunque exige en los demás una actitud semejante.

Onomástica: 11 de mayo.

Malaquías

Etimología: Del hebreo *Malak-El,* «Ángel de Dios».

Personalidad: Es sensato y metódico, de una inquebrantable honestidad. Tiene un respeto por las reglas y normas de todo tipo rayano en lo patológico. Sus relaciones con los demás están siempre marcadas por las convenciones sociales y por la diplomacia, aunque es un hombre muy afectuoso. Tiene un excelente olfato para los negocios.

Onomástica: 14 de enero y 9 de noviembre.

Otros idiomas: Catalán: Malaquies. Euskera: Melgeda. Inglés: Malachi, Malachy. Francés: Malachie. Alemán: Malachias. Italiano: Malachia.

Malco

Etimología: Del griego *malakós,* «suave, blando».

Personalidad: Emotivo, altruista e idealista. Fiel a sus amistades y amores, tiene gran necesidad de ayudar y compartir, tanto en lo mate-

rial como en lo espiritual. Es influenciable, le cuesta ser realista y es algo desordenado. En lo espiritual, tiende también a padecer desórdenes ciclotímicos.
Onomástica: 21 de octubre.

Malcolm

Etimología: Nombre de origen latino que significa «el siervo de Columbiano». Este nombre lo llevaron varios reyes de Escocia.
Personalidad: Posee el impulso de la creación que produce la inspiración. Necesita perseguir ideales y emociones utópicos, por su carácter idealista y perfeccionista. Goza también de ambiciones muy positivas. La parte negativa es la facilidad con que cae en la extravagancia y su tendencia al desánimo.
Onomástica: No tiene.

Málik

Etimología: Nombre árabe, que deriva del hebreo *Malak-El,* «Ángel de Dios». Es el equivalente de *Malaquías.*
Personalidad: Poco a poco, porque es muy trabajador, va construyendo a su alrededor un mundo a su medida. Cuando lo consigue, es del todo irrompible. No es que sea materialista, sino que necesita la seguridad de las cosas y las personas que le son familiares. Por lo demás, es muy cariñoso y solidario.
Onomástica: 14 de enero y 9 de noviembre.
Otros idiomas: Catalán: Malaquies. Euskera: Melgeda. Inglés: Malachi, Malachy. Francés: Malachie. Alemán: Malachias. Italiano: Malachia.

Mamerto

Etimología: Del nombre latino *Mamertus,* en honor del dios griego *Ares.*
Personalidad: Espirituales y místicos, de sentimientos altruistas. Se trata de personas elevadas que intentan cultivar la sabiduría y que valoran la inteligencia y la habilidad. Receptivos y estudiosos, son capaces de disfrutar de la vida. Quizá a veces son demasiado abnegados y se olvidan de sus propios intereses.
Onomástica: 30 de marzo.
Otros idiomas: Catalán: Mamert, Mamet. Euskera: Maberta, Mamiñe. Francés: Mamert.

Mamés

Etimología: Nombre procedente del griego *Mamas,* que significa «madre».
Personalidad: Le lleva tiempo encontrarse a gusto consigo mismo, por lo que tiene dificultades para llegar a descubrir su verdadero camino. Aunque vacila y no es muy enérgico, posee un cierto espíritu aventurero, incluso algo temerario, que le sirve de contrapeso. Es de una lealtad inquebrantable con sus amigos y en el amor.
Onomástica: 17 de agosto.
Otros idiomas: Bable: Mamés.

Manasés

Etimología: Del nombre hebreo *Manasseh,* de *nashah,* «olvido»; podría significar, por extensión, «el que hace olvidar».
Personalidad: Su problema principal es la pasividad y la indecisión, le parece que todo posee valores negativos y positivos. Es receptivo, sentimental y posee un gran espíritu de equipo. Cuando se siente rechazado, desarrolla una enorme capacidad de destrucción.
Onomástica: 11 de junio.
Otros idiomas: Catalán: Manassès. Inglés: Manasseh. Italiano: Manasse.

Mandonio

Etimología: Del vasco *mando,* «grande».
Personalidad: Su principal característica es el exceso, en cualquier sentido. Lo mismo se trata de una personalidad excesivamente soñadora como de un materialismo consumado, de hedonistas y narcisistas como de estoicos que rozan el ascetismo. Hay que vigilar la tenden-

cia a la indiscreción, así como al inconformismo, que le hacen perder amigos.
Onomástica: No tiene.

Manfredo

Etimología: Del nombre germánico *Manfred,* de *manna,* «varón», y *frid,* «protección»: «varón protector».
Personalidad: Es equilibrado y posee gran encanto, por lo que está dotado para la diplomacia. También valora enormemente la belleza, la armonía y la capacidad de sacrificio. Por contra, es algo indeciso y dado al fatalismo y al exceso de perfeccionismo.
Onomástica: 28 de enero.
Otros idiomas: Catalán: Manfrè, Manfred. Alemán y francés: Manfred. Italiano: Manfredo.

Manlio

Etimología: Nombre de origen latino que significa «el que nació por la mañana».
Personalidad: Suelen poseer gran belleza. Relacionados con la cultura, el conocimiento, la armonía y la verdad. Disfrutan al máximo de la vida, valorando lo detalles y placeres más insignificantes. Son cooperadores, entusiastas y afectuosos, por lo que valoran el amor y la amistad. El mayor riesgo se encuentra en la hipersensibilidad y la indecisión.
Onomástica: No tiene.

Manque

Etimología: Nombre de origen mapuche que significa «cóndor».
Personalidad: Es un hombre que tiene la suerte de ser muy equilibrado, tranquilo y con las ideas muy claras, y ejerce también su liderazgo con absoluta naturalidad. Valora el refinamiento y la integridad, la simpatía y la benevolencia. Es un idealista sin remedio si cree en una causa determinada.
Onomástica: No tiene.

Manrique

Etimología: Del nombre germánico *Manrich,* de *manna,* «varón», y *rich,* «poderoso»: «varón poderoso».
Personalidad: Posee una personalidad carismática, seductora y fuerte. Es también idealista y perfeccionista, lo cual normalmente la lleva a tener elevadas ambiciones.
En lo negativo, suele ser nerviosa y autoritaria.
Onomástica: 20 de junio.
Otros idiomas: Catalán: Manric. Italiano: Manrico.

Mansur

Etimología: Nombre árabe que significa «ayudado por Dios».
Personalidad: A veces puede encontrarse en situaciones comprometidas por su sentido de la justicia: no soporta que se abuse de los débiles. Debe aprender a valorar las posibilidades ajenas, a no subestimar a los demás, aunque sea con ánimo protector. Por su carácter, tiende a relacionarse con personas que buscan protección.
Onomástica: No tiene.

Manu

Etimología: Nombre hindú que significa «legislador». Nombre del personaje que escribió el código de conducta hindú.
Personalidad: Le gusta estar en constante movimiento, buscar nuevos intereses, conocer nuevos lugares: su curiosidad se mantiene siempre viva. Necesita desempeñar profesiones que requieran poner en juego estas características, no soportaría una vida monótona o un trabajo mecánico. Es un amigo muy leal.
Onomástica: No tiene.

Manuel

Etimología: Procede del hebreo *emmanu-El,* «Dios con nosotros».

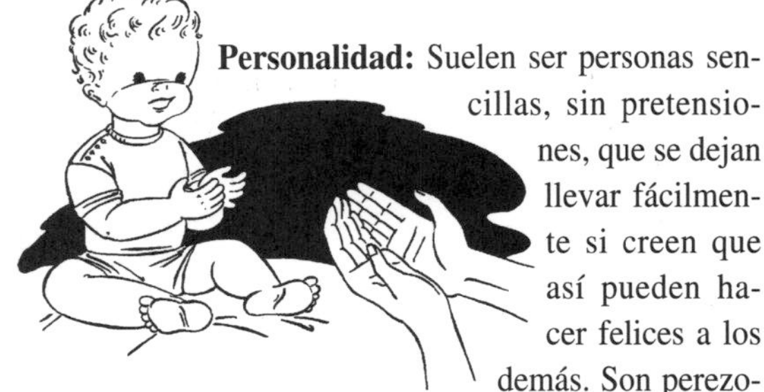

Personalidad: Suelen ser personas sencillas, sin pretensiones, que se dejan llevar fácilmente si creen que así pueden hacer felices a los demás. Son perezosos. En el amor lo dan todo y son capaces de construir a su alrededor la más bella historia.
Onomástica: 1 y 22 de enero.
Otros idiomas: Catalán: Manel. Euskera: Imanol, Manu, Mañel. Gallego: Manoel, Manecho. Bable: Manel, Mel, Maniel, Nel. Francés: Emmanuel. Inglés: Emmanuel. Alemán: Immanuel. Italiano: Emanuele.

MANZUR
Etimología: Nombre de origen árabe, que significa «el vencedor».
Personalidad: La estabilidad, la seguridad y la protección son sus ejes fundamentales. Se trata de personas con los pies en el suelo, aunque también ambiciosas, lo cual equilibra su carácter y les permite vivir una existencia activa y variada, repleta de situaciones que les permite crecer y aprender.
Onomástica: No tiene.

MARCÀ
Etimología: Del nombre latino *Martianus,* y éste de *Marte,* el dios de la guerra en Roma.
Personalidad: No se conforma con pensar que el mundo es como es, sino que desea cambiarlo y quierer probarlo todo por sí mismo.Su carácter independiente y su falta de respeto a los convencionalismos son una fuente de problemas.
Onomástica: 6 de enero y 26 de marzo.

MARCELINO
Etimología: Del latín *Marcellinus,* patronímico de *Marcelo,* y éste de *marcesco,* «marchitarse, languidecer».
Personalidad: Es fuerte, viril, enérgico, obstinado, ambicioso y reservado, con un fuerte magnetismo. Metódico, ordenado y estricto, para él todo es blanco o negro, sin medias tintas. Al ser perfeccionista y susceptible, toda su capacidad la emplea en realizaciones concretas, pero no desdeña trabajar en equipo.
Onomástica: 5 de diciembre.
Otros idiomas: Catalán: Marcel.lí. Euskera: Martxelin. Gallego: Marcelino. Bable: Marcelín. Francés: Marcellin. Italiano: Marcelino.

MARCELO
Etimología: Procede del latín *Marcellus,* diminutivo de *Marcus,* «martillo».
Personalidad: Sereno, tranquilo y hasta un poco parsimonioso. De inteligencia profunda y muy dotada para la meditación. Sin embargo, parece que le cuesta mucho conciliar sus planteamientos intelectuales con un plan concreto de actuación. Su ideal es ser el cerebro de alguna clase de sociedad, de modo que sean los demás los que llevan a la práctica sus numerosas ideas.
Onomástica: 16 de enero.
Otros idiomas: Catalán: Marcel. Euskera: Markel, Martxel. Gallego: Marcelo. Bable: Marcelo, Marcelín. Inglés: Marcel, Marcellus. Francés: Marcel. Italiano: Marcello.

MARCIAL
Etimología: Del latín *martialis,* «marcial, de Marte».
Personalidad: Ingenuo y original, Marcial es como un niño en casi todos los aspectos. Considera que la vida es un juego, pero un juego en el que hay que ganar y respetar las reglas: de ahí su competitividad y su recto sentido del honor. Es frecuente que experimente bruscos cambios de humor.
Onomástica: 7 de julio.
Otros idiomas: Catalán: Marçal. Euskera: Gudasko, Markel. Gallego y bable: Marcial. In-

glés: Martial. Francés: Martial, Martius. Italiano: Marziale.

Marcio

Etimología: Del latín *Martius,* «consagrado al dios Marte» o «nacido en marzo».

Personalidad: Le cuesta tiempo encontrar su verdadera personalidad, por lo que tiene dificultades para llegar a descubrir su verdadero camino. Aunque es algo vacilante y no muy enérgico, sin embargo posee un cierto espíritu aventurero, incluso algo temerario, que le ayuda. En el amor y la amistad es de una lealtad inquebrantable.

Onomástica: No tiene.

Marcos

Etimología: Nombre de origen latino de etimología discutida. Podría derivar de *maris,* «varonil, masculino», aunque también de *marcor* «putrefacción», o incluso de *martius,* «consagrado a Marte».

Personalidad: No le gustan las complicaciones: no es ambicioso ni necesita destacar en ningún aspecto; sólo quiere una vida tranquila y más bien sedentaria. No es una persona excesivamente sensible, así que no suele prestar mucha atención a las necesidades de los demás. Posee un sentido del humor difícil de comprender.

Onomástica: 31 de enero y 25 de abril.

Otros idiomas: Catalán: Marc. Euskera: Marka, Marko, Marz. Gallego: Marcos. Bable: Marco, Marcos. Inglés: Mark. Francés: Marc. Alemán: Mark, Markus. Italiano: Marco.

Mardoqueo

Etimología: Nombre de un personaje bíblico. Parece que deriva de *Marduk,* el dios más importante de Babilonia.

Personalidad: Su principal característica es el exceso, en cualquier sentido. Lo mismo se trata de una personalidad excesivamente soñadora como de un materialismo consumado, de hedonistas y narcisistas como de estoicos que rozan el ascetismo. Hay que vigilar la tendencia a la indiscreción, así como al inconformismo.

Onomástica: 24 de mayo.

Otros idiomas: Catalán: Mardoqueu.

Mariano

Etimología: Del latín *marianus,* «relativo a María».

Personalidad: Recto, tranquilo, equilibrado, Mariano es una de esas personas que procura no decir nunca una palabra más alta que otra. Es extremadamente comprensivo, y para sus amigos se convierte en un inmejorable apoyo y consejero. En su profesión es ambicioso, pero no competitivo.

Onomástica: 30 de abril y 1 de diciembre.

Otros idiomas: Catalán: Marià, Marian. Euskera: Maren. Gallego: Mariano. Italiano: Mariano.

Marid

Etimología: Nombre árabe que significa «rebelde».

Personalidad: Busca fundamentalmente la paz interior, estar satisfecho consigo mismo. La vida superficial y las diversiones de ese estilo no le interesan ni lo más mínimo. Para sentirse a gusto necesita desempeñar una profesión que lo mantenga ocupado y le exija un cierto esfuerzo. En el amor necesita seguridad y solidez.

Onomástica: No tiene.

Marino

Etimología: Del latín *marinus,* «del mar».

Personalidad: Trabajador incansable, Marino sabe exactamente lo que vale y exige que el mundo lo reconozca. Le gusta llenar su tiempo con muy diversas actividades y estar siempre más que ocupado. Sin embargo, el amor y sus hijos, cuando los tiene, son su prioridad absoluta.

Onomástica: 4 de septiembre.
Otros idiomas: Catalán: Marí. Gallego: Mariño. Francés: Marin. Italiano: Marino.

Mario

Etimología: Nombre de la gens romana de los *Marios.* Aunque pueda parecer lo contrario, su etimología no tiene nada que ver con la de *María.*
Personalidad: Posee innumerables cualidades: es inteligente, trabajador, carismático y original. También es ambicioso, y procura utilizar todas estas ventajas para alcanzar el éxito social. Afortunado en el amor. Con sus amigos es fiel y generoso, aunque no es capaz de perdonar una traición.
Onomástica: 19 de enero.
Otros idiomas: Catalán: Màrius. Gallego: Mario. Inglés y francés: Marius. Italiano: Mario.

Marlon

Etimología: Nombre celta que podría traducirse como «halcón».
Personalidad: Su personalidad es muy creativa, entusiasta, sociable, optimista y muy espiritual. Tiene gran sentido práctico y es muy hábil en las actividades manuales. En contrapartida, puede ser algo intolerante y colérico, y a veces le cuesta concentrarse en una sola cosa.
Onomástica: No tiene.

Marnin

Etimología: Nombre hebreo que significa «cantante, el que trae la felicidad».
Personalidad: Es un conversador por el gusto de intercambiar impresiones: lo que más le interesa en este mundo son las personas y su comportamiento. Su virtud principal es el interés por el conocimiento y la literatura, aunque sólo sea por el placer que le producen las personas relacionadas con las humanidades.
Onomástica: No tiene.

Marón

Etimología: Nombre de origen árabe que significa «santo varón».
Personalidad: Espirituales y místicos, de sentimientos altruistas. Se trata de personas elevadas que intentan cultivar la sabiduría y que valoran la inteligencia y la habilidad. Receptivos y estudiosos, son capaces de disfrutar de la vida. Quizá a veces son demasiado abnegados y se olvidan de sus propios intereses.
Onomástica: No tiene.

Martín

Etimología: Procede del latín *martius,* «de Marte».
Personalidad: Es una persona contenida y prudente que intenta mantener siempre una distancia entre él y los demás. No tiene ningún enemigo, pero no cuenta con verdaderos amigos. En su trabajo es creativo y original, pero se niega a aceptar riesgos.
Onomástica: 21 de junio.
Otros idiomas: Catalán: Martí. Euskera: Martie, Martixa, Mattin, Matxin. Gallego: Martiño. Bable: Martín, Martino. Inglés, francés y alemán: Martin. Italiano: Martino.

Marvinn

Etimología: Nombre celta que podría traducirse como «amigo del mar».
Personalidad: Su carácter puede llegar a esclavizarlo de alguna manera: es demasiado orgulloso y le cuesta ver los matices de las cosas. Si consigue atemperar ese problema, puede llegar a ser incluso divertido. En el amor y la amistad prefiere lo poco, pero bueno.
Onomástica: No tiene.

Masahiro

Etimología: Nombre japonés que significa «de mente poderosa».
Personalidad: No soporta hacer daño a los demás. Tal vez por eso prefiere sufrir una frustra-

ción a imponer su criterio, aunque sepa que es el correcto. A pesar de ese carácter bondadoso, no carece de ambiciones, pero suele marcarse un camino que sea muy respetuoso con todos. Es un compañero de trabajo y amigo muy agradable.
Onomástica: No tiene.

MASUD

Etimología: Nombre árabe y swahili, que significa «afortunado».
Personalidad: Busca soluciones y respuestas en lo que le va enseñando la vida: tiene la virtud de la observación, combina inteligencia e intuición. Es un conquistador y su mayor defecto es que se pierde por llamar la atención del sexo opuesto. En el trabajo necesita trabajos que le obliguen a estar en constante movimiento.
Onomástica: No tiene.

MATEO

Etimología: Procede del hebreo *mattith-Yah,* «don de Yahvé», que se latinizó bajo la forma de *Matthaeus.*
Personalidad: La mayor virtud de Mateo es también su principal defecto: piensa siempre antes en los demás que en sí mismo. Esto le hace caer en la melancolía y en la decepción cuando descubre que los demás no actúan del mismo modo. En el ámbito profesional le sucede lo mismo.
Onomástica: 21 de septiembre.
Otros idiomas: Catalán: Mateu. Euskera: Matai. Gallego: Matéu, Mateus. Bable: Mateo. Inglés: Matthew. Francés: Mathieu. Alemán: Matthäus, Mattheus. Italiano: Matteo.

MATÍAS

Etimología: Deriva del hebreo *math-Yah,* «fiel a Dios».
Personalidad: Es generoso, bueno y desprendido, pero también tremendamente justo. No consiente que nadie abuse de él, y sólo da cuando cree que el destinatario lo merece. En determinadas situaciones especialmente injustas, puede perder los nervios e incluso volverse algo agresivo.

Onomástica: 24 de febrero.
Otros idiomas: Catalán: Matias, Maties, Macià. Euskera: Mati, Matia, Maties, Mattie. Gallego: Matías. Bable: Matíes. Inglés y alemán: Matthias. Francés: Mathias, Matthias. Italiano: Mattia.

MAURICIO

Etimología: Del latín *maurus,* gentilicio de *Mauritania* o, por extensión, «moro, africano».
Personalidad: Enérgico y obstinado, confiado en sí mismo y deseoso de hacerlo todo y mejor que los demás. Necesita gastar la enorme energía que es capaz de desarrollar e ir siempre hacia delante gracias a su imaginación y capacidad de reacción. Es amante del hogar y la familia, pero es muy celoso de sus prerrogativas.
Onomástica: 22 de septiembre.
Otros idiomas: Catalán: Maurici. Euskera: Maurin, Maurixi. Gallego: Mauricio. Bable: Mouricio. Inglés: Maurice, Morris. Francés: Maurice. Alemán: Moritz. Italiano: Maurizio.

MAURILIO

Etimología: Del latín *maurus,* gentilicio de *Mauritania* o, por extensión, «moro, africano».
Personalidad: Desarrolla una intensa vida social y siente un gran amor por el lujo y la comodidad, y tiene un carácter un tanto exigente, incluso con las personas queridas. Asu favor tiene la virtud de la simpatía y de inspirar grandes pasiones a su alrededor. Suele tener éxito en el mundo laboral.
Onomástica: 9 de agosto.

MAURO

Etimología: Del latín *maurus,* gentilicio de *Mauritania* o, por extensión, «moro, africano».

Personalidad: Juguetón e insistente, puede parecer que no le da importancia a casi nada, pero realmente le toma mucho cariño a la gente y sufre agudas decepciones cuando alguien le falla. Es poco reflexivo y raramente piensa antes de actuar.
Onomástica: 15 y 20 de enero.
Otros idiomas: Catalán: Maur, Maure. Euskera: Maura. Gallego: Amaro, Mauro. Inglés: Maurice. Francés: Maur. Alemán: Moritz. Italiano: Maurilio, Mauro.

Maverick

Etimología: Nombre norteamericano que significa «independiente».
Personalidad: Él es el único que considera que sus ideas son sólidas, porque los demás creen que las cambia con demasiada frecuencia. Como en todo, se deja llevar por las modas. Es muy afectuoso y en el campo profesional se marca metas que le permitan alcanzar un buen nivel de vida. Como padre se muestra muy responsable.
Onomástica: No tiene.

Maximiliano

Etimología: Del latín *Maximilianus,* «el Emiliano más grande».
Personalidad: Algo egoísta con sus cosas y con su dinero, posesivo con sus amigos y celoso con su pareja. Sorprendentemente, suele mostrarse muy generoso con su tiempo y no le importa invertir las horas que haga falta en ayudar a quien lo necesite. Su carrera profesional suele ser exitosa.
Onomástica: 12 de octubre.
Otros idiomas: Catalán: Maximilià. Inglés y alemán: Maximilian. Francés: Maximilien. Italiano: Massimiliano.

Maximino

Etimología: Del latín *Maximus,* «perteneciente a la familia de Máximo».
Personalidad: Es fuerte y determinado, y tiene una personalidad en absoluto manejable. Aunque corre el peligro de caer en la intransigencia, por su carácter obstinado e independiente, ejerce un gran magnetismo sobre sus amigos y compañeros. Tiene dificultades para sentirse satisfecho durante mucho tiempo seguido, lo cual le lleva a buscar continuos cambios.
Onomástica: 29 de mayo.
Otros idiomas: Gallego: Maximino. Bable: Masimín.

Máximo

Etimología: Procede del latín *maximus,* «magno, grande».
Personalidad: Desprendido, fiel y luchador, suele decirse que no conoce la ambición, pero que está dispuesto a darlo todo por una buena causa. Por muy elevados que sean los honores que alcance, para él lo más importante siempre será la sencillez de su hogar y de su familia.
Onomástica: 5 de mayo y 19 de noviembre.
Otros idiomas: Catalán: Màxim. Euskera: Masima. Gallego: Máximo. Bable: Másimo, Maxín. Francés: Maxime. Alemán: Maximus. Italiano: Massimo.

Mayo

Etimología: Nombre irlandés, de origen celta, que significa «llanura del tejo». Es gentilicio de un condado de Irlanda.
Personalidad: Vive en su propio mundo, en sus pensamientos y fantasías. Reflexivo y poco convencional, por tanto, no es fácil que se atenga a los patrones sociales imperantes. Como pareja y como amigo también es un poco despistado, pero de sentimientos nobles y muy profundos. Suele conseguir lo que se proponga.
Onomástica: No tiene.

Medardo

Etimología: Del nombre germánico *Math-ard,* de *math,* «poder», y *hard,* «valiente»; o sea, «valiente y poderoso».

Personalidad: Posee fuerza y determinación, así como una personalidad difícilmente manejable. Obstinado e independiente, ejerce un gran magnetismo, aunque puede caer fácilmente en la intransigencia. Rara vez se siente contento durante mucho tiempo, así que busca cambios de ambiente o de escenario.

Onomástica: 8 de junio.

Otros idiomas: Catalán: Medard. Euskera: Meder, Francés: Médard. Italiano: Medardo.

Medoro

Etimología: Nombre de un personaje de *Orlando furioso.*

Personalidad: Posee una personalidad marcada por el impulso de creación. Es algo autoritario, individualista e independiente. Valora la estabilidad en su vida y para conseguirla a veces se muestra autoritario y egoísta.

Onomástica: 1 de noviembre.

Meinardo

Etimología: Del nombre germánico *Meginhard,* de *magan,* «poder», y *hard,* «fuerza»; o sea, «fuerte y poderoso».

Personalidad: El rasgo dominante de su personalidad es el alto dominio sobre sí mismo. Sabe medir sus capacidades, que suelen armonizar con todo lo que le rodea. Refinado, amable, simpático y de buen talante, suele hacer amigos con gran facilidad y le gusta ayudar a los demás. Quizá demasiado soñador.

Onomástica: 21 de enero.

Otros idiomas: Catalán: Meinard. Italiano: Meinardo.

Meir

Etimología: Nombre hebreo que significa «instructor, maestro».

Personalidad: Necesita tener siempre una apariencia impecable, no soporta el desorden o la incoherencia y está demasiado pendiente de lo que opinan de él. Si cree que algo merece la pena, no le importa arriesgar todo lo que haga falta. En el amor prefiere ser conquistado a conquistar, porque necesita sentir que le prestan atención.

Onomástica: No tiene.

Mel

Etimología: Nombre catalán que se ha ido formando como hipocorístico de *Carmel,* y éste del hebreo *karm-El,* «jardín de Dios».

Personalidad: Es una místico, persigue la justicia universal, pero con toques de frivolidad que le impide a la gente tomarlo verdaderamente en serio. Independiente, es incapaz de mentir en el amor o en la amistad.

Onomástica: 16 de julio.

Melanio

Etimología: Del griego *melanios,* un derivado de *melas,* «negro, oscuro».

Personalidad: Orgulloso e independiente, listo y decidido, implacable con sus enemigos y capaz de casi cualquier cosa para conseguir sus objetivos. Su modo de afrontar los problemas es quizá un poco retorcido. Defiende su territorio y a su familia con uñas y dientes.

Onomástica: 22 de octubre.

Melchor

Etimología: Del hebreo *malki-or,* «rey de la luz».

Personalidad: Sencillo e inteligente, no emplea sus habilidades en perseguir ambiciones mundanas sino en alcanzar la felicidad. Ama a su esposa y a sus hijos, y es por ellos por los que se sacrifica en el trabajo. Admira sobre todo la bondad en los demás, es un amigo fiel y un consejero muy valioso.

Onomástica: 6 de enero.

Otros idiomas: Catalán: Melcior. Euskera: Meltxor. Gallego: Melchor. Inglés, francés y alemán: Melchior. Italiano: Melchiorre.

Melecio

Etimología: Nombre de origen griego que significa «pulcro».

Personalidad: La necesidad de crear es lo más importante de su personalidad, que suele ser muy artística. En lo sentimental valora mucho la estabilidad y, para conseguirla, se muestra a veces un poco egoísta. Es muy individualista e independiente, lo cual le hace algo autoritario.

Onomástica: 24 de mayo.

Melitón

Etimología: No se sabe si procede del latín *melitus,* «miel», o es gentilicio de *Malta,* o sea, «nacido en Malta».

Personalidad: Es una hombre hogareño que desea pasar su vida del modo más apacible y tranquilo. El trabajo es para él una maldición, y mucho más la vida en la ciudad. Su ideal es retirarse al campo y cultivar con sus manos, sin más compañía que su familia y amigos más íntimos.

Onomástica: 10 de marzo.

Melquíades

Etimología: Deriva del hebreo *melqui-Yahu,* «Yahvé es mi rey».

Personalidad: Tiene algo de de inventor genial. Pero carece de paciencia, por lo cual terminará dedicándose a una profesión más convencional. Maravillosamente despistado, es sin embargo una persona entrañable y muy querida.

Onomástica: 10 de diciembre.

Otros idiomas: Catalán: Melquiades. Euskera: Melkeda. Alemán: Melchiades. Francés e italiano: Melchiade.

Melquisedec

Etimología: Nombre hebreo que podría traducirse como «rey justo».

Personalidad: Procura mantenerse siempre ecuánime y posee un sentido innato de la justicia y el equilibrio, pero también cae con facilidad en ataques de ira y valora en exceso el poder y el triunfo. Es impaciente e impetuoso. Esta personalidad le hace, casi con seguridad, muy celoso.

Onomástica: 22 de mayo.

Otros idiomas: Catalán: Melquisedec. Francés: Melchisédech.

Melvin

Etimología: Nombre irlandés, de origen celta, que significa «comandante, jefe».

Personalidad: Es una persona muy simpática, afable e inteligente. Su problema principal es precisamente conseguir fijar su atención en actividades serias, porque se empeña en no crecer. En el amor busca una pareja que centre todas sus energías en él, aunque en la amistad es mucho más entregado.

Onomástica: No tiene.

Menahem

Etimología: Nombre árabe que significa «el que conforta».

Personalidad: Actúa siempre con una contundencia y seguridad en sus opiniones que puede resultar chocante. En el amor, sin embargo, le falta seguridad, y le cuesta mantener sus conquistas. Quienes más le valoran son sus amigos y compañeros de trabajo.

Onomástica: No tiene.

Menandro

Etimología: Nombre griego de origen incierto, relacionado con la comedia griega.

Personalidad: Posee una gran capacidad de adaptación, por lo cual le entusiasman los viajes y todo lo que requiera audacia e innovación. En lo negativo, su personalidad le acarrea ciertos inconvenientes como accidentes, inestabilidad y superficialidad.

Onomástica: No tiene.
Otros idiomas: Catalán: Menandre. Francés: Ménandre. Italiano: Menandro.

Menas

Etimología: Nombre griego que significa «relativo al mes».
Personalidad: El rasgo dominante de su personalidad es el alto dominio sobre sí mismo. Sabe medir sus capacidades, que suelen armonizar con todo lo que le rodea. Refinado, amable, simpático y de buen talante, suele hacer amigos con gran facilidad y le gusta ayudar a los demás. Quizá demasiado soñador.
Onomástica: No tiene.

Mendo

Etimología: Nombre gallego que deriva de Hermenegildo: del germánico *Ermin-hild,* «soldado de Ermin». *Ermin* era un héroe mitológico que dio nombre a la tribu de los ermiones.
Personalidad: Tienden a ser personas fuera de lo corriente. Es severo y justo, algo altivo pero frecuentemente admirado por los demás. En el amor suele ser extremadamente afortunado y encontrar su alma gemela.
Onomástica: 13 de abril.

Menelao

Etimología: En la mitología griega, marido de Helena. Puede derivar de *menos,* «ímpetu», y *laos,* «pueblo»; o sea, «ímpetu del pueblo».
Personalidad: Suelen poseer gran belleza. Relacionados con la cultura, el conocimiento, la armonía y la verdad. Disfrutan al máximo de la vida, valorando lo detalles y placeres más insignificantes. Son cooperadores, entusiastas y afectuosos, por lo que valoran el amor y la amistad. El mayor riesgo se encuentra en la hipersensibilidad y la indecisión.
Onomástica: 3 de julio.
Otros idiomas: Catalán: Menelau. Francés: Ménélas.

Mercurio

Etimología: De *Mercurio,* nombre mitológico que equivale en Roma al dios griego *Hermes.* Era el protector del comercio, tal y como indica su nombre en latín.
Personalidad: Es el hombre tranquilo y pacífica por excelencia, cree que los demás tienen sus razones para ser como son y no se mete en las vidas ajenas. En el ámbito profesional suele destacar, aunque no es ambicioso, por su facilidad para trabajar en equipo y la generosidad con que valora las virtudes de sus colaboradores.
Onomástica: 25 de noviembre y 10 de diciembre.

Merlín

Etimología: Personaje de la leyenda de Arturo, que probablemente deriva de *Myrddhin,* famoso brujo galo.
Personalidad: El rasgo dominante de su personalidad es el alto dominio sobre sí mismo. Sabe medir sus capacidades, que suelen armonizar con todo lo que le rodea. Refinado, amable, simpático y de buen talante, suele hacer amigos con gran facilidad y le gusta ayudar a los demás. Quizá demasiado soñador.
Onomástica: No tiene.

Metodio

Etimología: Del griego *methodos,* «estudio»; podría traducirse como «estudioso».
Personalidad: Su personalidad es muy creativa, entusiasta, sociable, optimista y muy espiritual. Tiene gran sentido práctico y es muy hábil en las actividades manuales. En contrapartida, puede ser algo intolerante y colérico, y a veces le cuesta concentrarse en una sola cosa.
Onomástica: 7 de julio.
Otros idiomas: Catalán y euskera: Metodi. Alemán: Method. Italiano: Metodio.

Meyer

Etimología: Del hebreo *Meir,* «el que ilumina».

Personalidad: Posee fuerza y determinación, así como una personalidad difícilmente manejable. Obstinado e independiente, ejerce un gran magnetismo, aunque puede caer fácilmente en la intransigencia. Rara vez se siente contento durante mucho tiempo, así que busca cambios de ambiente o de escenario.

Onomástica: No tiene.

Miguel

Etimología: Del hebreo *mi-ka-El,* «¿Quién como Dios?».

Personalidad: Es un amante de la comodidad y de los lujos, un fiel seguidor de la ley del mínimo esfuerzo que siempre intentará rentabilizar al máximo su trabajo. Con sus amigos y en el amor se muestra orgulloso y demasiado independiente: necesita sentir que tiene siempre el control absoluto sobre su propia existencia.

Onomástica: 29 de septiembre.

Otros idiomas: Catalán: Miquel. Euskera: Mikel, Mitxel. Gallego: Miguel, Micael. Bable: Micael, Miguel. Inglés y alemán: Michael. Francés: Michel. Italiano: Michele.

Mijaíl

Etimología: Del hebreo *mi-ka-El,* «¿Quién como Dios?». Es el equivalente ruso de *Miguel.*

Personalidad: El rasgo dominante de su personalidad es el alto dominio sobre sí mismo. Sabe medir sus capacidades, que suelen armonizar con todo lo que le rodea. Refinado, amable, simpático y de buen talante, suele hacer amigos con gran facilidad y le gusta ayudar a los demás. Quizá demasiado soñador.

Onomástica: 29 de septiembre.

Millán

Etimología: Nombre de origen latino de etimología discutida. Podría derivar de *Aemilianus,* «de la familia de Emilio», o bien de *millia,* «miles, millares».

Personalidad: Posee un sentido del humor exquisito, y una habilidad innata para no tomarse absolutamente nada en serio, ¡ni tan siquiera a sí mismo! Es un compañero agradable y divertido, aunque con unos cambios de humor que pueden resultar exasperantes. Ambicioso, pero no muy constante.

Onomástica: 12 de noviembre.

Otros idiomas: Catalán: Millá. Euskera: Emillen, Miliaga, Milian. Gallego: Millán. Bable: Miyán, Miyano.

Milos

Etimología: Nombre eslavo, de origen griego, que significa «agradable».

Personalidad: Son personas sencillas y auténticas. Detestan a los que actúan sólo por guardar las apariencias y, por eso, prefieren que les digan las cosas a la cara, sin rodeos ni ambages. Odian la mentira y la hipocresía. Su sistema moral es simple pero incorruptible.

Onomástica: No tiene.

Milton

Etimología: Nombre de origen irlandés que significa «el que viene del pueblo del molino».

Personalidad: Es un hombre inquieto, siempre en busca de nuevas aventuras y experiencias en todos los ámbitos de su vida. Se niega a ser conformista, ama la libertad y sólo aceptará un compromiso cuando esté profundamente seguro de que es eso lo que quiere. Aunque parezca alocado, sus actos siempre tienen un sentido.

Onomástica: No tiene.

Miroslav

Etimología: Nombre checo que significa «paz, gloria».

Personalidad: Es como una niño: crédulo, ingenuo y alegre. Concede una gran importancia al amor y a la amistad durante toda su vida. En su profesión demuestra que es brillante, creativo y muy trabajador; tiene ambición, pero es comedido y valora tanto la lealtad que no se deja dominar por ella.
Onomástica: No tiene.

MOCTEZUMA

Etimología: Nombre del náhuatl, *Motecuhzoma,* de *mo,* «tú»; *tecuh,* «señor», y *zoma,* «ceñudo». Podría traducirse como «señor enojado. Es el nombre del último emperador azteca.
Personalidad: De gran energía, no suelen pasar desapercibidos, y tienen habilidades para el liderazgo y la innovación. No les gusta seguir las corrientes establecidas y se empeñan en la originalidad. En el lado negativo tienen cierta tendencia al egoísmo, la vanidad y el orgullo. También pueden ser excéntricos y demasiado dominantes.
Onomástica: No tiene.

MODESTO

Etimología: Del latín *modestus,* «modesto, moderado, afable».
Personalidad: Parece que está condenado a vivir a la sombra de alguien. Es un hombre inteligente, creativo y trabajador... pero siempre aparece algún compañero más ambicioso que se adjudica los éxitos que él ha cosechado. Extremadamente familiar, se revela como un marido atento y cariñoso y un padre espléndido.
Onomástica: 12 de febrero.
Otros idiomas: Catalán: Modest. Euskera: Apal, Eratsi. Gallego: Modesto. Bable: Modestio. Inglés: Modest. Francés: Modeste.

MOHAMED

Etimología: Nombre árabe, variante de *Muhammad,* que significa «fiel». Nombre del profeta fundador del islamismo.
Personalidad: Su gran pasión radica en la belleza. Es un gran amante del arte en todas sus manifestaciones, y en su propia vida. En el amor y con sus amigos se muestra impulsivo y apasionado. No le gusta trabajar en exceso y no es ambicioso, por lo que procura buscarse una profesión tranquila que le permita llevar una vida desahogada.
Onomástica: No tiene.

MOISÉS

Etimología: Moisés parece provenir del verbo hebreo *moseh,* «sacar», aunque hay quien asegura que puede tratarse de una derivación del egipcio *mesu,* «niño, hijo».
Personalidad: Su lealtad y entrega hacia su familia son realmente admirables y, aunque es excesivamente paternalista, es cierto que es capaz de cualquier cosa por defender a los suyos. Posee un instinto nato para los negocios, lo cual, unido a su incorruptible honradez, le convierte en un socio ideal.
Onomástica: 14 de febrero y 25 de noviembre.
Otros idiomas: Catalán: Moisès. Euskera: Mois. Gallego: Moisés. Inglés y alemán: Moses. Francés: Moïse. Italiano: Mosè.

MOJAG

Etimología: Nombre que entre los indios norteamericanos significa «bebé llorón».
Personalidad: Tiene un temperamento demasiado variable, nunca se puede estar seguro de cómo va a reaccionar. En el amor, raras veces será correspondido por la persona a quien realmente ama, aunque probablemente termine asentándose en una afable y placentera relación sustentada por la amistad.
Onomástica: No tiene.

MORFEO

Etimología: Nombre de la mitología griega, genio del sueño y de la noche. Probablemente deriva de *morfeuein,* «soñar».

Personalidad: Su personalidad es muy creativa, entusiasta, sociable, optimista y muy espiritual. Tiene gran sentido práctico y es muy hábil en las actividades manuales. En contrapartida, puede ser algo intolerante y colérico, y a veces le cuesta concentrarse en una sola cosa.
Onomástica: No tiene.
Otros idiomas: Catalán: Morfeu. Francés: Morphée. Italiano: Morfeo.

Morgan

Etimología: Nombre escocés, de origen celta, que significa «guerrero del mar».
Personalidad: Sale adelante pase lo que pase, con absoluta decisión. A la hora de trabajar, es serio y responsable, prudente cuando las circunstancias lo requieren, aunque también es capaz de arriesgar. En el amor suele ser desgraciado, quizá porque le resulta difícil encontrar una compañera tan fuerte y segura como él misma.
Onomástica: No tiene.

Moshe

Etimología: Forma hebrea de *Moisés,* que proviene del verbo *moseh,* «sacar», aunque hay quien asegura que puede tratarse de una derivación del egipcio *mesu,* «niño, hijo».
Personalidad: Su personalidad es muy creativa, entusiasta, sociable, optimista y muy espiritual. Tiene gran sentido práctico y es muy hábil en las actividades manuales. En contrapartida, puede ser algo intolerante y colérico, y a veces le cuesta concentrarse en una sola cosa.
Onomástica: 14 de febrero y 25 de noviembre.
Otros idiomas: Catalán: Moisès. Euskera: Mois. Inglés y alemán: Moses. Francés: Moïse. Italiano: Mosè.

Mousa

Etimología: Nombre árabe que, que es una variante de *Moisés,* que parece provenir del verbo hebreo *moseh,* «sacar». Aunque hay quien opina que puede tratarse de una derivación del egipcio *mesu,* «niño, hijo».
Personalidad: Es un hombre introvertido, muy encerrado en sí mismo y hasta podría decirse que algo huraño. Algunos dicen que peca un poco de misantropía, que desprecia al género humano; pero la realidad es que no logra comprender al resto de las personas, le parecen demasiado complicadas. Aun así, suele encontrar energías para intentar cambiar su mundo.
Onomástica: 14 de febrero y 25 de noviembre.
Otros idiomas: Catalán: Moisès. Euskera: Mois. Gallego: Moisés. Inglés y alemán: Moses. Francés: Moïse. Italiano: Mosè.

Muhammad

Etimología: Nombre árabe que significa «fiel». Nombre del profeta fundador del islamismo.
Personalidad: Rebosa simpatía e imaginación, es un hombre bienintencionado y alegre, que rechaza por principio cualquier prejuicio o convención social. Sin embargo, es muy terco y no soporta que le lleven la contraria. Además, puede llegar a ser un poco excéntrico y egoísta, lo cual le hace pensar que no es comprendido.
Onomástica: No tiene.

Munir

Etimología: Nombre de origen árabe que significa «es como una fuente de luz».
Personalidad: La estabilidad, la paciencia, la organización, el realismo, el sentido del deber y el orden son sus principales virtudes. En lo sentimental y con sus amistades son de una fidelidad absoluta. Por el contrario, su carácter metódico le hacen propenso a caer con facilidad en la rutina y la avaricia. No son precisamente el alma de las fiestas.
Onomástica: No tiene.

MUSTAFÁ

Etimología: Nombre árabe que significa «regalo, elegido».

Personalidad: Vive mucho más de cara al exterior que para sí mismo. En realidad es tierno y afectuoso, y está muy necesitado de cariño, pero considera que estas características son signos de debilidad, y prefiere ocultarlas. Todo es fruto de su inseguridad y, aunque enseguida se encariña con la gente, también puede ser cruel.

Onomástica: No tiene.

NABIL

Etimología: Nombre árabe que significa «de origen noble».

Personalidad: Hiperactivo y ligeramente inestable, tiene una tendencia no muy sana a tomárselo todo demasiado en serio, casi como un reto personal. Tiene la necesidad de estar siempre haciendo algo productivo, hasta tal punto que llega a agotar a todos los que le rodean. Pierde los nervios con facilidad y se enfada a menudo.

Onomástica: No tiene.

NABOR

Etimología: Nombre de origen hebreo que significa «la luz del profeta».

Personalidad: Su principal virtud es la capacidad de adaptación, por lo cual le entusiasman los viajes y todo lo que requiera audacia e innovación. En lo negativo, su personalidad le acarrea ciertos inconvenientes como accidentes, inestabilidad y superficialidad.

Onomástica: No tiene.

NABUCODONOSOR

Etimología: Del nombre asirio *Nabukudurruzur,* derivado del dios *Nebo*.

Personalidad: Espirituales y místicos, de sentimientos altruistas. Se trata de personas elevadas que intentan cultivar la sabiduría y que valoran la inteligencia y la habilidad. Receptivos y estudiosos, son capaces de disfrutar de la vida. Quizá a veces son demasiado abnegados y se olvidan de sus propios intereses. La familia no es su principal preocupación.

Onomástica: No tiene.

Otros idiomas: Catalán: Nabucodonosor. Francés: Nabuchodonosor.

NADIM

Etimología: Nombre árabe que puede interpretarse como «amigo».

Personalidad: Es una persona muy sensible, por más que intente disimularlo. Bajo su apariencia fría, segura y un poco despreocupada, hay un hombre que está siempre pendiente de lo que los demás dicen o hacen y de la actitud que tienen hacia él. Su gran placer consiste en ayudar a los que le rodean a ser felices.

Onomástica: No tiene.

NADER

Etimología: Nombre árabe que significa «querido, único».

Personalidad: Humanista y entregado por naturaleza: para ser feliz necesita sentir que es útil a los demás. No entiende el egoísmo ni la falta de compromiso:él, realmente, no puede descansar sabiendo que hay alguien que necesita su ayuda. El problema consiste en que es demasiado crítico consigo mismo.

Onomástica: No tiene.

NADIR

Etimología: Nombre de origen árabe que significa «el opuesto».

Personalidad: Es equilibrado y posee gran encanto, por lo que está dotado para la diplomacia. También valora enormemente la belleza, la armonía y la capacidad de sacrificio. Por contra, es algo indeciso y dado al fatalismo y al exceso de perfeccionismo.

Onomástica: No tiene.

NAGID

Etimología: Nombre hebreo que significa «príncipe, regente».

Personalidad: De carácter sereno, tranquilo y hasta un poco parsimonioso. De inteligencia profunda y muy dotado para la meditación. Sin embargo, parece que le cuesta mucho conciliar sus planteamientos intelectuales con un plan

concreto de actuación. Su ideal es ser el cerebro de alguna clase de sociedad, de modo que sean los demás los que llevan a la práctica sus numerosas ideas.
Onomástica: No tiene.

NAHUEL

Etimología: Nombre araucano que significa «el tigre».
Personalidad: Concede más importancia a lo espiritual que a lo material. Es paciente, con gran capacidad de estudio, lógica y análisis. Muy exigente consigo mismo y con los demás. Algo solitario e introspectivo, por lo que cae con facilidad en el pesimismo.
Onomástica: No tiene.

NAHUM

Etimología: Nombre de origen hebreo que significa «consolado».
Personalidad: La pasividad y la indecisión son su principal problema: piensa y piensa y todo le parece con valores negativos y positivos. Es receptivo, sentimental y en el terreno laboral se vale muy bien de su espíritu de equipo. Si se siente rechazado, es muy rencoroso.
Onomástica: 1 de diciembre.

NAJIB

Etimología: Nombre árabe que significa «nacido noble».
Personalidad: Es un hombre dinámico y activo. La alegría parece empapar cada uno de sus actos, y a la gente le gusta estar cerca de él por su optimismo contagioso. Le gusta que los demás dependan de él en cierta medida, aunque su sentido de la independencia le impide ser él mismo el que necesite a otra persona.
Onomástica: No tiene.

NANTAI

Etimología: Nombre de los indios navajo que significa «jefe».
Personalidad: Sensible y fuerte al mismo tiempo. Necesita ser original, aunque muchas veces no sabe muy bien cómo hacerlo. Le gusta sentir que es él quien domina la situación, y no soporta que los demás no le hagan caso o que no hagan lo que él quiere. De joven es un idealista soñador.
Onomástica: No tiene.

NANTAN

Etimología: Nombre de los indios apache que significa «portavoz».
Personalidad: Recto, tranquilo, equilibrado, es una de esas personas que procura no decir nunca una palabra más alta que otra. Extremadamente comprensivo, para sus amigos se convierte en un inmejorable apoyo. En su profesión es ambicioso y puede llegar a mostrarse intransigente con las debilidades ajenas.
Onomástica: No tiene.

NAPAYSHNI

Etimología: Nombre de los indios dakota que significa «él no se rinde».
Personalidad: Es lento pero seguro. Sus decisiones siempre se hacen esperar y están profundamente meditadas, pero una vez que han sido tomadas nada en el universo es capaz de hacer que no se cumplan. Y es que es implacable, muy determinado. Puede ser el mejor de los amigos y sin duda un apoyo inmejorable en situaciones difíciles.
Onomástica: No tiene.

NAPOLEÓN

Etimología: Nombre italiano compuesto por *Napoli,* «Nápoles», y *leone,* «león»: significa «el león de Nápoles».
Personalidad: Napoleón es un nombre que le quedaría grande prácticamente a cualquiera... se esperan demasiadas cosas de su poseedor. Sin embargo, a menudo sabe estar a la altura. Es, sin duda, un hombre fuerte y luchador.

También es afable y comprensivo, aficionado a las bromas y buen amigo. Propenso a la melancolía, no suele ser afortunado en el amor.
Onomástica: 15 de agosto.
Otros idiomas: Catalán: Napoleó. Francés: Napoléon. Alemán: Napoleon. Italiano: Napoleone.

NARCISO

Etimología: Procede del griego *Narkissos,* un derivado del verbo *narkao,* «producir sopor».
Personalidad: Intransigente por naturaleza, sólo va adquiriendo flexibilidad y comprensión hacia los demás con el paso de los años. Es muy temperamental, propenso a las decisiones repentinas, inesperadas y poco o nada meditadas. Esto se compensa con su aguda inteligencia e intuición.
Onomástica: 29 de octubre.
Otros idiomas: Catalán: Narcís, Ciset. Euskera: Narkis. Gallego y bable: Narciso. Inglés: Narcissus. Francés: Narcisse. Alemán: Narzis. Italiano: Narcisso.

NARD

Etimología: Nombre persa que significa «jugador de ajedrez».
Personalidad: Juguetón y caprichoso, puede parecer que no le da importancia a casi nada, pero realmente le toma mucho cariño a la gente y sufre agudas decepciones cuando alguien le falla. Aunque sin mala intención, es demasiado impulsivo y poco reflexivo, así que raramente piensa antes de actuar.
Onomástica: No tiene.

NASIM

Etimología: Nombre persa que significa «brisa, aire fresco».
Personalidad: Orgulloso e independiente, astuto y decidido, implacable con sus enemigos y capaz de casi cualquier cosa para conseguir sus objetivos. Su modo de afrontar los problemas es quizá un poco retorcido. Defiende su territorio y a su familia con uñas y dientes.
Onomástica: No tiene.

NASSER

Etimología: Nombre árabe que significa «victorioso».
Personalidad: Es un hombre hogareño que desea pasar su vida del modo más apacible y tranquilo. El trabajo es para él una maldición, y mucho más la vida en la ciudad. Su ideal es retirarse al campo y cultivar con sus manos, sin más compañía que su familia y amigos más íntimos.
Onomástica: No tiene.

NATALIO

Etimología: Proviene del latín *natalis-dies,* «día del nacimiento», en alusión al día de Navidad.
Personalidad: Es un hombre ambicioso y adaptable que nunca se marca un límite sobre lo que puede conseguir. Le gusta experimentar en campos distintos, de modo que en su vejez puede presumir de haber llevado una vida lo más variada posible. Aunque no confía plenamente en el amor ni en la amistad, se irá rodeando de personas muy especiales que nunca se separarán de ella.
Onomástica: 27 de julio y 1 de diciembre.
Otros idiomas: Catalán: Natali. Euskera: Natal.

NATANIEL

Etimología: Nombre de origen hebreo que significa «don de Dios».
Personalidad: Procura mantenerse siempre ecuánime y posee un sentido innato de la justicia y el equilibrio, pero también cae con facilidad en ataques de ira y valora en exceso el poder y el triunfo. Es impaciente e impetuoso. Esta personalidad le hace, casi con seguridad, muy celoso.
Onomástica: No tiene.

NAUZET

Etimología: Nombre guanche originario de Gran Canaria.

Personalidad: Tiene un gran dominio de sí mismo y sabe medir sus capacidades, de modo que suele acertar en sus decisiones más importantes. Tiene buen carácter, es amable y valora las cosas hermosas que le ofrece la vida. Suele hacer amigos con bastante facilidad y le gusta ayudar a los demás. Tal vez un poco soñador.

Onomástica: No tiene.

NAWAT

Etimología: Nombre que entre los indios norteamericanos significa «zurdo».

Personalidad: No le gustan las convenciones sociales, porque busca puntos de vista propios. Ama su profesión y se dedica a ella con auténtico fervor, aunque no por ello descuida a su familia ni a sus amigos. Como padre, es muy cariñoso. Sentimental hasta la médula, tiene debilidad por las historias de amor y es un poco conquistador.

Onomástica: No tiene.

NAYATI

Etimología: Nombre que entre los indios norteamericanos significa «luchador».

Personalidad: Es afectuoso y profundamente protector. No es demasiado imaginativo ni original, pero lo compensa con una impresionante capacidad de trabajo y una lealtad incorruptible. En el amor es algo ingenuo, pero prefiere eso a volverse cruel o insensible. Es feliz si tiene una causa en la que ocuparse.

Onomástica: No tiene.

NAZARIO

Etimología: Del nombre hebreo *Nacer,* «flor, botón, corona».

Personalidad: Franco, directo, honesto y reservado, posee un alto concepto de la amistad y la lealtad, por lo cual es algo desconfiado y le cuesta mucho otorgar su confianza y amistad. Muy trabajador y obstinado se realiza en el trabajo, y sus fines primordiales son el poder y los bienes materiales.

Onomástica: 28 de julio.

Otros idiomas: Catalán: Natzari. Euskera: Nazari. Francés: Nazaire. Italiano: Nazario.

NAZIH

Etimología: Nombre árabe que significa «puro, casto».

Personalidad: Su impresión es que ha nacido en un tiempo que no le corresponde. Él necesita vivir fuera de la realidad, en un refugio de fantasía propio. Su carácter le da ventaja en profesiones relacionadas con la interpretación o la escritura. Por lo demás, tiene un corazón de oro y es capaz de desvivirse por ayudar a su prójimo.

Onomástica: No tiene.

NEFTALÍ

Etimología: Nombre hebrero *Naftali,* «lucha».

Personalidad: Es un idealista capaz de dar lo mejor de sí mismo cuando se siente querido y respaldado, por lo que necesita hallar un alma gemela que le cuide y le mime. Profesionalmente es metódico y bien organizado, deseando ser independiente, pero lo que más le atrae es la vida interior, la reflexión e incluso, a veces, la religión.

Onomástica: No tiene.

NELSON

Etimología: Nombre irlandés que significa «hijo de Neil».

Personalidad: Enérgico y obstinado, confiado en sí mismo y deseoso de hacerlo todo y mejor que los demás. Necesita gastar la enorme energía que es capaz de desarrollar e ir siempre hacia delante gracias a su imaginación y capaci-

dad de reacción. Es amante del hogar y la familia, pero es muy celoso de sus prerrogativas.
Onomástica: No tiene.

NEMESIO

Etimología: Deriva del nombre de la diosa romana *Némesis,* protectora de la justicia y vengadora de los crímenes.
Personalidad: Piensa casi siempre en él mismo antes que en los demás. No es en absoluto detallista. En el trabajo es serio y luchador, pero en sus momentos de ocio se convierte en un compañero agradable y divertido. En ocasiones especialmente injustas aflora su fibra sensible y humanitaria.
Onomástica: 19 de julio.
Otros idiomas: Catalán y euskera: Nemesi. Gallego y bable: Nemesio. Italiano: Nemesio.

NEREO

Etimología: Nombre de la mitología griega. Parece derivar de *náo,* «nadar», y podría significar «nadador».
Personalidad: Emotivo, altruista e idealista. Fiel a sus amistades y amores, tiene gran necesidad de ayudar y compartir, tanto en lo material como en lo espiritual. Es influenciable, le cuesta ser realista y es algo desordenado. En lo espiritual, tiende también a padecer desórdenes ciclotímicos.
Onomástica: 12 de mayo y 16 de octubre.
Otros idiomas: Catalán: Nereu. Euskera: Nera. Francés: Nérée. Italiano: Nereo.

NÉSTOR

Etimología: Probablemente derive del nombre del río *Nestos,* situado en Tracia.
Personalidad: Es un hombre inteligente y original que, sin embargo, odia estar en primera fila, detesta figurar. No necesita para nada el reconocimiento ni el aplauso de los demás. Capaz de llevar las promesas hasta sus últimas consecuencias y con una fidelidad que roza lo obsesivo, puede ser el mejor de los amigos y un marido perfecto.
Onomástica: 26 de febrero.
Otros idiomas: Catalán: Nèstor. Euskera: Nextor. Gallego y bable: Néstor. Inglés y francés: Nestor. Italiano: Nestore.

NIBAW

Etimología: Nombre que entre los indios norteamericanos significa «manteniéndose erguido».
Personalidad: Es un hombre de carácter. Muy dado a las discusiones espectaculares y melodramáticas, aunque al final siempre acaba cediendo. Es extremadamente ambicioso en su vida personal y profesional. Aunque le encanta la intriga, es un buen amigo, pero un poco superficial.
Onomástica: No tiene.

NICANOR

Etimología: Del griego *niké-andros,* «hombre victorioso».
Personalidad: Amable, sencillo y extremadamente afortunado. No es excesivamente ambicioso, y se conforma con una vida moderadamente cómoda en compañía de sus seres queridos. Su mayor defecto es que no sabe cómo enfrentarse a las situaciones difíciles.
Onomástica: 10 de enero y 5 de junio.
Otros idiomas: Catalán y gallego: Nicanor. Euskera: Nikanor. Bable: Canor. Francés: Nicanor. Italiano: Nicanore.

NICASIO

Etimología: Del nombre griego *Nicasius,* que deriva de *Niké,* «victoria».
Personalidad: Oscila entre dos tendencias: la de activo, que le confiere rápida comprensión, don de gentes y adaptabilidad, y la de realiza-

ción, estable, paciente y estabilizador. Pero lo más probable es que domine la espiritualidad, la sociabilidad y el optimismo. Puede, sin embargo, llegar a ser egocéntrico y autoritario.
Onomástica: 11 de octubre.
Otros idiomas: Catalán: Nicasi. Euskera: Nikasi. Gallego y bable: Nicasio (Casio). Francés: Nicaise. Italiano: Nicasio.

NICÉFORO

Etimología: Nombre griego que significa «el que lleva la victoria».
Personalidad: Emotivo, altruista e idealista. Fiel a sus amistades y amores, tiene gran necesidad de ayudar y compartir, tanto en lo material como en lo espiritual. Es influenciable, le cuesta ser realista y es algo desordenado. En lo espiritual, tiende también a padecer desórdenes ciclotímicos.
Onomástica: No tiene.

NICETO

Etimología: Del nombre griego *Niketos,* que deriva de *niké,* «victoria»; podríamos interpretarlo como «victorioso».
Personalidad: Su personalidad es conflictiva, por lo que suele encontrar dificultades para encontrarse a gusto consigo mismo. También es algo vacilante y no muy enérgico. Sin embargo, posee un cierto espíritu aventurero, incluso algo temerario, y es de una lealtad inquebrantable.
Onomástica: 5 de abril.
Otros idiomas: Catalán: Nicet. Alemán: Nicetas. Italiano: Niceta.

NICODEMO

Etimología: Del griego *niké-demos,* «pueblo vencedor».
Personalidad: Nicodemo va a lo suyo: liberal en el más estricto, piensa que cada uno debe perseguir su propio interés. No le gusta que los demás le pidan ayuda, pero tampoco él recurre a nadie por mucho que lo necesite. Curiosamente, sí tiene algo de vocación de maestro, y siente un gran placer enseñando a los demás.
Onomástica: 3 de agosto.
Otros idiomas: Catalán: Nicodem, Nicodemus. Inglés: Nicodemus.

NICOLÁS

Etimología: Del griego *niké-laos,* «vencedor del pueblo».
Personalidad: Nicolás tiene las ideas muy claras, pero encuentra grandes dificultades para imponer su criterio. Le gustan las diversiones tranquilas y un tanto aburguesadas. Lujos y comodidades sí, pero en la justa medida.
Onomástica: 10 de septiembre y 6 de diciembre.
Otros idiomas: Catalán y gallego: Nicolau. Euskera: Nikola. Bable: Nicolás (Colás). Inglés: Nicholas, Nick. Francés: Nicolas. Alemán: Klaus, Nicolaus, Nikolas, Niklas. Italiano: Nicola.

NICOMEDES

Etimología: Del griego *niké-medomai,* «el que planea vencer».
Personalidad: Es leal por naturaleza, un fiel seguidor nato. Tiene una habilidad inigualable para ver el lado bueno de cada individuo. El concepto traición no cabe en su mente, ya que valora el amor y la amistad por encima de cualquier cosa. Le cuesta, sin embargo, hacer grandes cosas por sí mismo.
Onomástica: 15 de septiembre.
Otros idiomas: Catalán: Nicomedes. Francés: Nicomède. Italiano: Nicomede.

NÍGEL

Etimología: Nombre de origen latino que significa «noche oscura».
Personalidad: Es tozudo y obstinado, aunque no actúa con mala intención. Puede ser orgulloso, pero también sincero y justo. Siente pa-

sión por todo tipo de actividades intelectuales y es dado a la polémica. En el amor y la amistad se muestra muy sólido. No soporta a las personas que actúan sólo por conveniencia.
Onomástica: No tiene.

Nikita

Etimología: Nombre ruso, que es el equivalente de *Nicolás:* del griego *niké-laos,* «vencedor del pueblo».
Personalidad: Desde niño tiene que luchar con su inseguridad. Tiende a compararse con los demás y en su fuero interno siempre sale malparado. Hay algo en su interior que le obliga a fijarse en los demás y esa falta de criterio puede convertirlo en un tipo excéntrico. Su verdadera meta en la vida es hallar a alguien que le proporcione la seguridad que tanto necesita.
Onomástica: 6 de diciembre.
Otros idiomas: Catalán y gallego: Nicolau. Euskera: Nikola. Bable: Nicolás (Colás). Inglés: Nicholas, Nick. Francés: Nicolas. Alemán: Klaus, Nicolaus, Nikolas, Niklas. Italiano: Nicola.

Nilo

Etimología: Del nombre latino *Nilus,* tomado del nombre del río Nilo.
Personalidad: Es equilibrado y posee gran encanto, por lo que está dotado para la diplomacia. También valora enormemente la belleza, la armonía y la capacidad de sacrificio. Por contra, es algo indeciso y dado al fatalismo y al exceso de perfeccionismo.
Onomástica: 25 de septiembre y 12 de noviembre.
Otros idiomas: Catalán: Nil. Inglés: Nile. Alemán: Nil.

Nivardo

Etimología: Del latín *nivardus,* «níveo». También podría ser un gentilicio de *Nivaria,* nombre latín de una de las islas Canarias.
Personalidad: Posee una gran capacidad de adaptación, por lo cual le entusiasman los viajes y todo lo que requiera audacia e innovación. En lo negativo, su personalidad le acarrea ciertos inconvenientes como accidentes, inestabilidad y superficialidad.
Onomástica: 1 de septiembre.

Nizam

Etimología: Nombre árabe que puede interpretarse como «líder».
Personalidad: Tiene un aire de niño demasiado mimado. No soporta bien que le contradigan. Su principal preocupación es siempre la estética, por encima de la ética: que las cosas tengan un aspecto impecable, que su físico se mantenga... Aunque no es muy constante, sí es bastante ingenioso y divertido.
Onomástica: No tiene.

Noé

Etimología: Del hebreo *noah,* «apacible, longevo».
Personalidad: Tiene vocación de erudito. Inteligente, solitario y estudioso, prefiere el placer tranquilo de un buen libro que las agitadas diversiones mundanas. Es un hombre familiar y entrañable, que se preocupa sinceramente por sus amigos. Quizá le falte algo de olfato para los negocios y la economía en general.
Onomástica: 10 de noviembre.
Otros idiomas: Catalán: Noè. Bable: Noé. Inglés y alemán: Noah. Francés: Noé. Italiano: Noè.

Noel

Etimología: Proviene del latín *natalis-dies,* «día del nacimiento», en alusión al día de Navidad.
Personalidad: Es un hombre ambicioso y adaptable que nunca se marca un límite sobre lo que puede conseguir. Le gusta experimentar en campos distintos, de modo que pueda llevar una vida lo más variada posible. Aunque no

confía plenamente en el amor ni en la amistad, se irá rodeando de personas muy especiales.
Onomástica: 21 de febrero y 25 de diciembre.
Otros idiomas: Catalán: Natali. Euskera: Olentzero. Bable: Nadal, Naelio.

NOLAN

Etimología: Nombre gaélico cuyo significado es «noble, famoso».
Personalidad: Posee una personalidad equilibrada, serena y con las ideas muy claras, aunque también es intuitivo y magnético. Valora el refinamiento y la integridad, la simpatía y la benevolencia. Suele ser idealista sin remedio si cree en una idea determinada.
Onomástica: No tiene.

NORBERTO

Etimología: Nombre de origen germánico, de *nord,* «norte, venido del norte», y *berth,* «famoso»; o sea, «hombre famoso venido del norte».
Personalidad: La estabilidad, la paciencia, la organización, el realismo, el sentido del deber y el orden son sus principales virtudes. En lo sentimental y con sus amistades son de una fidelidad absoluta. Por contra, caen con facilidad en la rutina y la avaricia.
Onomástica: 6 de junio.
Otros idiomas: Catalán: Norbert. Euskera: Norberta. Gallego y bable: Norberto. Inglés, francés y alemán: Norbert. Italiano: Norberto.

NORMAN

Etimología: Procede del latín *norma,* «norma, precepto»; podría tratarse de una adaptación del germánico *north-mann,* «hombre del norte».
Personalidad: Tiene una auténtica obsesión por su aspecto: siempre perfecto. Le gusta ser original y hasta un poco extravagante, y obtiene un gran placer escandalizando a los demás. Independiente y luchador, persigue con vehemencia sus objetivos profesionales.
Onomástica: 1 de noviembre.

NUMA

Etimología: Nombre árabe que puede interpretarse como «amable».
Personalidad: Poco a poco, porque es muy trabajador, va construyendo a su alrededor un mundo a su medida. Cuando lo consigue, es del todo irrompible. No es que sea materialista, sino que necesita la seguridad de las cosas y las personas que le son familiares. Por lo demás, es muy cariñoso y solidario.
Onomástica: No tiene.

NUÑO

Etimología: Nombre de origen poco claro. Podría derivar de *Nonnius,* «monje», o *nonius,* «noveno».
Personalidad: Su carácter es muy creativo y posee el impulso que produce la inspiración. Le gustan las emociones y es muy dado a perseguir ideales utópicos. Es también idealista y perfeccionista, lo cual normalmente le lleva a tener elevadas ambiciones. La parte negativa es la facilidad con que cae en la extravagancia y su tendencia a la inestabilidad.
Onomástica: 1 de abril.
Otros idiomas: Catalán: Nunyo. Euskera: Nuño. Gallego: Nuno.

NUSAIR

Etimología: Nombre árabe que significa «ave de presa».
Personalidad: A veces puede encontrarse en situaciones comprometidas por su sentido de la justicia: no soporta que se abuse de los débiles. Debe aprender a valorar las posibilidades ajenas, a no subestimar a los demás, aunque sea con ánimo protector. Por su carácter, tiende a relacionarse con personas que buscan protección.
Onomástica: No tiene.

Oakley

Etimología: Nombre de origen anglosajón, que significa «robledal».

Personalidad: Le gusta estar en constante movimiento, buscar nuevos intereses, conocer nuevos lugares: su curiosidad se mantiene siempre viva. Necesita desempeñar profesiones que requieran poner en juego estas características, no soportaría una vida monótona o un trabajo mecánico. Es un amigo muy leal.

Onomástica: No tiene.

Obdulio

Etimología: Forma latinizada del árabe *Abdullah,* «siervo de Dios».

Personalidad: Tiene condiciones para ser la padre perfecto. Cariñoso, entregado, es capaz de sacrificarlo todo por el bien de sus seres queridos, sobre todo si son sus propios hijos. Sin embargo, cuando no se siente seguro, es irreflexivo y pesimista, propenso a tomar decisiones erróneas. Generoso y desprendido.

Onomástica: 5 de septiembre.

Oberón

Etimología: Deformación del nombre anglosajón *Oberic*. Nombre del rey de las hadas y los genios en las leyendas de la Francia medieval.

Personalidad: Busca fundamentalmente la paz interior, estar satisfecho consigo mismo. La vida superficial y las diversiones de ese estilo no le interesan ni lo más mínimo. Para sentirse a gusto necesita desempeñar una profesión que lo mantenga ocupado y le exija un cierto esfuerzo. En el amor necesita seguridad y solidez.

Onomástica: No tiene.

Oberto

Etimología: Del germánico *od,* «riqueza», y *berth,* «brillo»; o sea, «brillo de la riqueza».

Personalidad: Concede más importancia a lo espiritual que a lo material. Es paciente, con gran capacidad de estudio, lógica y análisis. Muy exigente consigo mismo y con los demás. Algo solitario e introspectivo, por lo que cae con facilidad en el pesimismo. La vida familiar y las amistades no ocupan precisamente el primer lugar en sus preocupaciones.

Onomástica: No tiene.

Octaviano

Etimología: Nombre de una gens romana que deriva de *octavus,* «octavo».

Personalidad: Tiene una gran capacidad de adaptación, por lo cual le entusiasman los viajes y todo lo que requiera audacia e innovación. En lo negativo, su personalidad le acarrea ciertos inconvenientes como accidentes, inestabilidad y superficialidad.

Onomástica: 22 de marzo.

Otros idiomas: Catalán: Octavià. Inglés y francés: Octavian. Alemán: Oktavian. Italiano: Ottaviano.

Octavio

Etimología: Nombre de una gens romana que deriva de *octavus,* «octavo».

Personalidad: Persona tranquila y reflexiva, un auténtico maestro del autocontrol. Posee un innato sentido de la justicia y es capaz de luchar por aquello en lo que cree. Disfruta mucho en compañía de sus amigos y seres queridos, adora una buena tertulia y procura encontrar un trabajo que le obligue a estar continuamente en contacto con la gente.

Onomástica: 20 de noviembre.

Otros idiomas: Catalán: Octavi. Euskera: Otabi. Gallego: Octavio. Inglés: Octavius. Francés: Octave. Alemán: Octavius, Oktavius. Italiano: Ottavio.

Odín

Etimología: De Odhin o *Wottan,* derivado del verbo *Vadha,* «marchar con violencia». Uno de los principales dioses de la mitología escandinava.

Personalidad: Fuerte y seguro, con un intenso magnetismo personal, en el fondo es tierno y sensible. Es autoritario y algo vanidoso; pero deseoso de ser útil a los demás, ya sea en al mística, la política o en temas humanitarios. Sensible y emotivo, tanto reacciona con violencia como con generosidad. Le estimulan las dificultades y necesita de los demás para realizarse y sentirse superior, ser el jefe indiscutible.

Onomástica: 19 de octubre.

Otros idiomas: Catalán: Odí, Odín.

Odón

Etimología: Latinización del nombre germánico *Otón* y éste de *od, audo,* «joya, riqueza».

Personalidad: Inteligente pero rígido, trabajador pero poco creativo, es una persona extremadamente tímida que a veces opta por ocultarlo bajo una máscara autoritaria. Es inquieto y tiene verdaderas ansias de saber. Es muy generoso y perdona con facilidad. Es inconstante y se deja llevar mucho más por los sentimientos que por la razón o la lógica.

Onomástica: 19 de octubre.

Otros idiomas: Euskera: Odon. Gallego y bable: Odón.

Ohanzee

Etimología: Nombre de los indios dakota, que significa «sombra reconfortante».

Personalidad: Es un conversador por el gusto de intercambiar impresiones: lo que más le interesa en este mundo son las personas y su comportamiento. Su virtud principal es el interés por el conocimiento y la literatura, aunque sólo sea por el placer que le producen las personas relacionadas con las humanidades.

Onomástica: No tiene.

Olaf

Etimología: Del germánico *ano,* «antepasado», y *leidr,* «legado, herencia»; podría interpretarse como «legado de los antepasados».

Personalidad: Posee fuerza y determinación, así como una personalidad difícilmente manejable. Obstinado e independiente, ejerce un gran magnetismo, aunque puede caer fácilmente en la intransigencia. Rara vez se siente contento durante mucho tiempo, así que busca cambios de ambiente o de escenario.

Onomástica: 29 de julio.

Olegario

Etimología: Procede del germánico *helig-gair,* «lanza saludable».

Personalidad: Decidido, perseverante y trabajador, Olegario es un hombre que se compromete ilimitadamente con todo lo que hace. Desprecia la debilidad en los demás, y es tan orgulloso que por nada del mundo consentiría una humillación o un desaire. Con su familia y sus amigos es extraordinariamente fiel, y no soporta a los murmuradores, sobre todo si hablan mal de los suyos.

Onomástica: 6 de marzo.

Otros idiomas: Catalán: Olegar, Oleguer. Euskera: Olgar. Gallego: Olegario.

Olimpio

Etimología: Del griego *Olimpyos,* «perteneciente al Olimpo», la morada de los dioses.

Personalidad: Voluntarioso, dinámico, emprendedor, discreto y con un profundo sentido de la justicia, posee una fuerte personalidad que le impulsa a mandar y dirigir, no sabiendo perder, pero afortunadamente sabe elegir bien las oportunidades y sabe llevarlas a la práctica. Se inclina más por la vida profesional que por la familiar.

Onomástica: 26 de julio.

Otros idiomas: Catalán: Olimpi. Euskera: Olinbi.

Oliver

Etimología: Forma inglesa de *Oliverio:* del latín *olivo,* «olivo (árbol)». Se ha popularizado mucho últimamente entre nosotros.

Personalidad: Posee una personalidad carismática, seductora y fuerte. Es también idealista y perfeccionista, lo cual normalmente le lleva a tener elevadas ambiciones. En lo negativo, suele ser nervioso y autoritario.

Onomástica: 10 de enero.

Otros idiomas: Catalán: Oliver. Inglés y francés: Olivier. Italiano: Oliviero.

Oliverio

Etimología: Del latín *olivo,* «olivo (árbol)».

Personalidad: Es afortunado en todo lo que intenta, sobre todo en lo relacionado con las actividades artísticas. Es algo autoritario, individualista e independiente. Valora la estabilidad en su vida y para conseguirla a veces se muestra autoritario y egoísta.

Onomástica: 10 de enero.

Otros idiomas: Catalán: Oliveri. Inglés y francés: Olivier. Italiano: Oliviero.

Omar

Etimología: Nombre árabe que significa «el constructor»; de *amara,* «construir, edificar, habitar, poblar».

Personalidad: Franco, directo, honesto y reservado, posee un alto concepto de la amistad y la lealtad, por lo cual es algo desconfiado y le cuesta mucho otorgar su confianza y amistad. Muy trabajador y obstinado se realiza en el trabajo, y sus fines primordiales son el poder y los bienes materiales.

Onomástica: No tiene.

Otros idiomas: Catalán y gallego: Omar. Francés e italiano: Omar. Alemán: Omer.

Onésimo

Etimología: Del griego *onesimós,* «útil, servicial, favorable».

Personalidad: Entusiasta e impetuoso, Onésimo es completamente ajeno al concepto de diplomacia. Suele llevar una vida difícil y plagada de obstáculos, pero es precisamente en ellos donde encuentra la felicidad: necesita tener algo por lo que luchar para darle sentido a su vida.

Onomástica: 16 de febrero.

Otros idiomas: Catalán: Onésim. Euskera: Onexin. Gallego: Onésimo. Francés: Onésime.

Onofre

Etimología: Deriva del egipcio *Unnofre,* «el que abre lo bueno».

Personalidad: Metódico, tranquilo y ordenado, es un auténtico enemigo del caos en todas sus manifestaciones y las rutinas de cada día le encantan y le dan seguridad. Suele ser una persona muy inteligente que sabe aprovechar las oportunidades que se le presentan. En el amor es sobre todo paciente.

Onomástica: 12 de junio.

Otros idiomas: Catalán: Nofre, Onofre. Euskera: Onoper. Gallego: Onofre. Bable: Onofre (Nofre). Francés: Onfroy. Alemán: Onophrius. Italiano: Onofrio.

Orangel

Etimología: Nombre de origen griego que significa «el mensajero de las alturas».

Personalidad: Su carácter es muy creativo y posee el impulso que produce la inspiración. Le gustan las emociones y es muy dado a perseguir ideales utópicos. Es también idealista y perfeccionista, lo cual normalmente le lleva a tener elevadas ambiciones. La parte negativa es la facilidad con que cae en la extravagancia y su tendencia a la inestabilidad.

Onomástica: No tiene.

Ordoño

Etimología: Nombre germánico que deriva de *ort-hundi,* «espada de gigante».

Personalidad: Su personalidad es conflictiva, por lo que suele encontrar dificultades para encontrarse a gusto consigo mismo. También es algo vacilante y no muy enérgico. Sin embargo, posee un cierto espíritu aventurero, incluso algo temerario, y es de una lealtad inquebrantable.
Onomástica: 23 de febrero.
Otros idiomas: Catalán: Ordonyo, Fortuny. Gallego y bable: Ordoño. Italiano: Ordogno, Ortunio.

ORENCIO

Etimología: Del latín *Oriens,* «que procede de Oriente».
Personalidad: De gran energía, no suelen pasar desapercibidos, y tienen habilidades para el liderazgo y la innovación. No les gusta seguir las corrientes establecidas y se empeñan en la originalidad. En el lado negativo tienen cierta tendencia al egoísmo, la vanidad y el orgullo. También pueden ser excéntricos y demasiado dominantes.
Onomástica: 10 de agosto.
Otros idiomas: Catalán: Orenç, Orenci. Euskera: Orentzi. Gallego: Ourente. Bable: Rencio.

ORESTES

Etimología: Del griego *Orestés,* «montañoso».
Personalidad: Concede más importancia a lo espiritual que a lo material. Es paciente, con gran capacidad de estudio, lógica y análisis. Muy exigente consigo mismo y con los demás. Algo solitario e introspectivo, por lo que cae con facilidad en el pesimismo.
Onomástica: 9 de noviembre.
Otros idiomas: Catalán: Orestes. Inglés: Orest. Francés: Oreste. Alemán: Orest. Italiano: Oreste.

ORFEO

Etimología: Tal vez derive del griego *orphanós,* «huérfano». Héroe de la mitología griega que participó en la expedición de los Argonautas, gran poeta y músico.
Personalidad: Posee fuerza y determinación, así como una personalidad difícilmente manejable. Obstinado e independiente, ejerce un gran magnetismo, aunque puede caer fácilmente en la intransigencia. Rara vez se siente contento durante mucho tiempo, así que busca cambios de ambiente o de escenario. Muy inclinado a las profesiones liberales.
Onomástica: No tiene.
Otros idiomas: Catalán: Orfeu. Francés: Orphée. Italiano: Orfeo.

ORÍGENES

Etimología: Del nombre griego *Horusgenos,* «nacido de Horus». Horus era un dios egipcio.
Personalidad: Posee una gran capacidad de adaptación, por lo cual le entusiasman los viajes y todo lo que requiera audacia e innovación. En lo negativo, su personalidad le acarrea ciertos inconvenientes como accidentes, inestabilidad y superficialidad.
Onomástica: No tiene.
Otros idiomas: Catalán: Orígens. Italiano: Origene.

ORIOL

Etimología: Nombre catalán derivado del latín *aureolus,* «de color de oro».
Personalidad: Con una fuerte personalidad, don de mando y dirección. Es imaginativo, de rápidas decisiones y asume voluntarioso cuantas responsabilidades se le presenten. Muy inclinado al mundo de los negocios. En el fondo es muy sensible y emotivo, pero cuando tiene posibilidades de poder y dominio posee una gran ambición que le impulsa a lanzarse a fondo sin reflexionar.
Onomástica: 23 de marzo.

ORIÓN

Etimología: Nombre de origen griego que significa «portador de las aguas».

Personalidad: Es un hombre repleto de vida que siempre rebosa optimismo y felicidad. Nunca se le ha visto deprimido. Siempre está entregado a alguna actividad, ya que le gusta disfrutar de la vida al máximo. En lo que se refiere al terreno sentimental, no le gustan demasiado los compromisos y los retrasa cuanto puede.

Onomástica: No tiene.

ORLANDO

Etimología: Del germánico *ort-land,* «espada del país».

Personalidad: Muy hablador. Simpático, agudo y hasta gracioso, aunque de vez en cuando puede resultar algo hiriente. Es un rebelde por naturaleza: le encanta llevar la contraria, aunque le salva su inteligencia. En el amor, tiende a comprometerse demasiado pronto, para tener que arrepentirse más tarde.

Onomástica: 20 de mayo.

Otros idiomas: Catalán: Orland. Euskera: Orlan. Gallego y gallego: Orlando. Inglés y francés: Roland. Alemán: Orlando. Italiano: Orlando.

OROSCO

Etimología: Nombre de origen griego que significa «el que vive en los montes».

Personalidad: Se trata de una persona extraordinariamente compleja y de reacciones inesperadas. Le gusta vivir plenamente, con mayúsculas: cuando se consagra a su trabajo, también lo hace de lleno, absolutamente, sin reservas. Podría decirse que en todos los campos de su vida siempre pone toda la carne en el asador.

Onomástica: No tiene.

ÓSCAR

Etimología: Procede del danés *Os-gar,* «lanza del dios Os».

Personalidad: Óscar es una muy combativo, casi agresivo, algo autoritario. Es muy soñador y a menudo sufre agudas decepciones cuando se da cuenta de que la realidad no es como él esperaba. Es maniático con cualquier cosa que considere su obligación, ya sean responsabilidades personales o profesionales.

Onomástica: 3 de febrero.

Otros idiomas: Catalán: Òscar. Euskera: Anskar. Gallego y bable: Oscar. Inglés, francés e italiano: Oscar. Alemán: Oskar.

OSEAS

Etimología: Procede del nombre hebreo *Hoshea,* «salvación». En el Antiguo Testamento, el primero de los profetas menores.

Personalidad: Procura mantenerse siempre ecuánime y posee un sentido innato de la justicia y el equilibrio, pero también cae con facilidad en ataques de ira y valora en exceso el poder y el triunfo. Es impaciente e impetuoso. Esta personalidad le hace, casi con seguridad, muy celoso.

Onomástica: 4 de julio.

Otros idiomas: Catalán: Òseas. Inglés: Hosea. Francés: Osée. Italiano: Osea.

OSIRIS

Etimología: La raíz de este nombre está en el antiguo Egipto. Osiris era el dios de la vista poderosa, esposo de la diosa Isis, y su culto se extendió por Occidente.

Personalidad: Es un rebelde, un hombre que no se conforma con pensar que el mundo es como es, sino que desea cambiarlo. No acepta consejos ni órdenes de los demás: quierer probarlo todo por sí mismo. Suele tener algunos problemas por su su carácter independiente y su falta de respeto a los convencionalismos.

Onomástica: No tiene.

Osmar

Etimología: Nombre de origen germánico, que significa «el que brilla como la gloria de Dios».
Personalidad: Sereno, con las ideas muy claras, seguro de sí mismo y con facilidad para las relaciones sociales. Valora el refinamiento, pero sobre todo el buen carácter, la lealtad y la integridad de sus amigos. En el amor es muy exigente. Si cree plenamente en una causa o idea, pone todo su empeño en ella.
Onomástica: No tiene.

Osmundo

Etimología: Nombre de origen germánico, que significa «el protector divino».
Personalidad: Es un poco arrogante y no tolera con facilidad las críticas o las opiniones adversas. Tiene una imagen muy clara de cómo deben ser las cosas a su alrededor, incluso las personas. La familia para él es lo más importante y está dispuesto a cualquier sacrificio para sacarla adelante, aunque exige en los demás una actitud semejante.
Onomástica: No tiene.

Osvaldo

Etimología: Del germánico *ost-wald,* «pueblo de oriente».
Personalidad: Idealista y muy imaginativo, Osvaldo es, en definitiva, un hombre poco práctico. Le cuesta conciliar sus creencias con la realidad, y al final termina modificando su percepción de la realidad para que pueda encajar con sus esquemas. Su gran defecto es la inconstancia y cierta falta de afectividad.
Onomástica: 5 de agosto.
Otros idiomas: Catalán: Osvald. Gallego: Oswaldo. Inglés, francés y alemán: Oswald. Italiano: Osvaldo.

Otaktay

Etimología: Nombre de los indios dakota que significa «mató a muchos, hirió a muchos».
Personalidad: Busca soluciones y respuestas en lo que le va enseñando la vida: tiene la virtud de la observación, combina inteligencia e intuición. Es un conquistador y su mayor defecto es que se pierde por llamar la atención del sexo opuesto. En el trabajo necesita trabajos que le obliguen a estar en constante movimiento.
Onomástica: No tiene.

Otelo

Etimología: Probable latinización del germánico *Ots, audos,* «riqueza».
Personalidad: Concede más importancia a lo espiritual que a lo material. Es paciente, con gran capacidad de estudio, lógica y análisis. Muy exigente consigo mismo y con los demás. Algo solitario e introspectivo, por lo que cae con facilidad en el pesimismo.
Onomástica: No tiene.
Otros idiomas: Catalán: Otel.lo. Inglés: Othello. Italiano: Otello.

Otón

Etimología: Deriva del nombre germánico *Otón* y éste de *od, audo,* «joya, riqueza».
Personalidad: Su carácter es muy creativo y posee el impulso que produce la inspiración. Le gustan las emociones y es muy dado a perseguir ideales utópicos. Es también idealista y perfeccionista, lo cual normalmente le lleva a tener elevadas ambiciones. La parte negativa es la facilidad con que cae en la extravagancia y su tendencia a la inestabilidad.
Onomástica: 2 de julio.
Otros idiomas: Catalán: Oto. Gallego: Otón. Francés: Otto, Otho, Othon, Otton. Alemán: Otto. Italiano: Otto, Ottone.

Otoniel

Etimología: Nombre hebreo, uno de los jueces de Judá, que significa «león de Dios».
Personalidad: Posen una personalidad marcada por el impulso de creación. Es algo autori-

tario, individualista e independiente. Valora la estabilidad en su vida y para conseguirla a veces se muestra autoritario y egoísta.
Onomástica: No tiene.
Otros idiomas: Catalán: Otoniel.

Ovidio

Etimología: Del nombre latino *Ovidius,* «relativo a la oveja».
Personalidad: Posee una gran capacidad de adaptación, por lo cual le entusiasman los viajes y todo lo que requiera audacia e innovación. En lo negativo, su personalidad le acarrea ciertos inconvenientes como accidentes, inestabilidad y superficialidad.
Onomástica: 3 de junio.
Otros idiomas: Catalán: Ovidi. Gallego y bable: Ovidio. Inglés: Ovid. Francés: Ovide. Italiano: Ovidio.

Owen

Etimología: Deriva del hebreo *Yehohanan,* «Dios es misericordioso». Es una variante de *Juan.* También es un nombre galés que significa «nacido noble, joven guerrero».
Personalidad: Fuerte, simpático y perseverante, Owen tiene el valor de ser sensible en un mundo frío y cada vez más deshumanizado. Tiene convicciones profundas y un intenso deseo de aprender que le durará toda la vida. Muy seguro de sí mismo en todo menos en el amor.
Onomástica: 24 de junio.

Oziel

Etimología: Nombre hebreo que significa «el que tiene la fuerza de Dios».
Personalidad: Le lleva tiempo encontrarse a gusto consigo mismo, por lo que tiene dificultades para llegar a descubrir su verdadero camino. Aunque vacila y no es muy enérgico, posee un cierto espíritu aventurero, incluso algo temerario, que le sirve de contrapeso. Es de una lealtad inquebrantable con sus amigos y en el amor.
Onomástica: No tiene.

Pablo

Etimología: Deriva del latín *paulus,* «pequeño, poco, débil».

Personalidad: Inteligente pero rígido, trabajador pero poco creativo, Pablo es una persona extremadamente tímida que a veces opta por ocultarlo bajo una máscara autoritaria. Es inquieto y tiene verdaderas ansias de saber. Es muy generoso y perdona con facilidad, aunque puede montar en cólera si cree que le toman el pelo.

Onomástica: 24 de enero y 29 de junio.

Otros idiomas: Catalán: Pau. Euskera: Paul, Paulin, Paulo. Gallego: Paulo. Bable: Pablo, Paulo. Inglés, francés y alemán: Paul. Italiano: Paolo.

Paciano

Etimología: Del latín *pacis,* genitivo de *pax,* «paz».

Personalidad: Débil de carácter. Quizá sea demasiado flexible, y es cierto que por evitar una discusión es capaz de ceder en cualquier tema. También es un hombre sensible. Lleva una existencia tranquila y sin grandes sobresaltos, a ser posible en compañía de una mujer serena y protectora.

Onomástica: 9 de marzo.

Otros idiomas: Catalán: Pacià. Euskera: Paken. Francés: Pacien.

Pacomio

Etimología: Del griego *Pakómios,* «de espadas robustas».

Personalidad: Posee una personalidad equilibrada, serena y con las ideas muy claras, aunque también es intuitivo y magnético. Valora el refinamiento y la integridad, la simpatía y la benevolencia. Suele ser idealista sin remedio si cree en una idea determinada.

Onomástica: 9 de mayo.

Otros idiomas: Catalán: Pacomi. Euskera: Pakomi. Francés: Pacôme.

Paio

Etimología: Nombre gallego de origen latino, que significa «marino, perteneciente al mar».

Personalidad: No soporta a las personas belicosas. Es sensible y amable, le gusta cultivar la inteligencia y la fuerza de voluntad. Escoge con mucho cuidado a sus amigos y cuando se enamora busca a alguien que tenga sus mismas cualidades y aficiones. Tiene muchas posibilidades de tener una vida feliz.

Onomástica: 18 de junio.

Pampín

Etimología: Nombre de origen latino, que significa «vigoroso como el brote de una planta».

Personalidad: Desarrolla una intensa vida social y siente un gran amor por el lujo y la comodidad, y tiene un carácter un tanto exigente, incluso con las personas queridas. Asu favor tiene la virtud de la simpatía y de inspirar grandes pasiones a su alrededor. Suele tener éxito en el mundo laboral.

Onomástica: No tiene.

Pancracio

Etimología: Del griego *pan-kration,* «totalmente fuerte».

Personalidad: Es un hombre sólido. Por su aplomo y su decisión. No le gustan las medias tintas, y es partidario de las soluciones rápidas y contundentes. En el amor suele ser tímido y reservado, algo inseguro, aunque profundamente fiel y protector.

Onomástica: 3 de abril y 12 de mayo.

Otros idiomas: Catalán: Pancraç. Euskera: Pangartzi. Gallego: Pancracio. Inglés: Pancras. Alemán: Pankratius. Italiano: Pancrazio.

Pánfilo

Etimología: Del griego *pan-philos,* «amigo del todo, amigo hasta el final».

Personalidad: Introvertido, reservado, es una persona discreta y comedida. Tiene muy claras las ideas sobre cómo deben hacerse las cosas, pero no le gusta imponerse por la fuerza, sino por la persuasión. Prefiere rodearse de poca gente, pero de confianza.

Onomástica: 1 de junio.

Otros idiomas: Catalán: Pàmfil. Euskera: Panbil. Gallego: Pànfilo. Francés: Ramphile. Italiano: Panfilo.

Pantaleón

Etimología: Del griego *Pantaleon,* «como un león».

Personalidad: Concede más importancia a lo espiritual que a lo material. Es paciente, con gran capacidad de estudio, lógica y análisis. Muy exigente consigo mismo y con los demás. Algo solitario e introspectivo, por lo que cae con facilidad en el pesimismo.

Onomástica: 27 de julio.

Otros idiomas: Catalán: Pantaleó. Euskera: Pandaleone. Gallego: Pantaleón. Alemán: Pantaleon. Italiano: Pantaleone.

Paolo

Etimología: Deriva del latín *paulus,* «pequeño, poco, débil». Es el equivalente de *Pablo* en italiano.

Personalidad: Inteligente pero rígido, trabajador pero poco creativo, es una persona extremadamente tímida que a veces opta por ocultarlo bajo una máscara autoritaria. Es inquieto y tiene verdaderas ansias de saber. Es muy generoso y perdona con facilidad. Es inconstante y se deja llevar mucho más por los sentimientos que por la razón o la lógica.

Onomástica: 24 de enero y 29 de junio.

Paris

Etimología: Del griego *paris,* «igual, equivalente».

Personalidad: Su personalidad es muy creativa, entusiasta, sociable, optimista y muy espiritual. Tiene gran sentido práctico y es muy hábil en las actividades manuales. En contrapartida, puede ser algo intolerante y colérico, y a veces le cuesta concentrarse en una sola cosa.

Onomástica: 5 de agosto.

Otros idiomas: Catalán: Paris. Inglés y alemán: Paris. Francés: Pâris. Italiano: Pàride, Paris.

Parménides

Etimología: Del griego *para-meno,* «constante, fiel».

Personalidad: Es fuerte y determinado, y tiene una personalidad en absoluto manejable. Aunque corre el peligro de caer en la intransigencia, por su carácter obstinado e independiente, ejerce un gran magnetismo sobre sus amigos y compañeros. Tiene dificultades para sentirse satisfecho durante mucho tiempo seguido, lo cual le lleva a buscar continuos cambios.

Onomástica: 22 de abril.

Parmenio

Etimología: Del griego *para-meno,* «constante, fiel».

Personalidad: La estabilidad, la seguridad y la protección son sus ejes fundamentales. Se trata de personas con los pies en el suelo, aunque también ambiciosas, lo cual equilibra su carácter y les permite vivir una existencia activa y variada, repleta de situaciones que les permite crecer y aprender.

Onomástica: 22 de abril.

Otros idiomas: Catalán: Parmeni. Italiano: Parmenio.

Parrish

Etimología: Nombre de origen anglosajón que significa «distrito de la iglesia».

Personalidad: Es un hombre inquieto, siempre en busca de nuevas aventuras y experiencias en todos los ámbitos de su vida. Se niega a ser conformista, ama la libertad y sólo aceptará un compromiso cuando esté profundamente seguro de que es eso lo que quiere. Aunque parezca alocado, sus actos siempre tienen un sentido.
Onomástica: No tiene.

Parsifal

Etimología: Del gaélico *Peredur,* «loco puro».
Personalidad: La estabilidad, la paciencia, la organización, el realismo, el sentido del deber y el orden son sus principales virtudes. En lo sentimental y con sus amistades son de una fidelidad absoluta. Por contra, caen con facilidad en la rutina y la avaricia.
Onomástica: No tiene.
Otros idiomas: Catalán: Perceval. Francés: Perceval, Percival. Alemán: Parzival. Italiano: Parsifal.

Pascasio

Etimología: Del nombre cristiano romano *Paschasius,* en honor de la fiesta de Pascua.
Personalidad: Espirituales y místicos, de sentimientos altruistas. Se trata de personas elevadas que intentan cultivar la sabiduría y que valoran la inteligencia y la habilidad. Receptivos y estudiosos, son capaces de disfrutar de la vida. Quizá a veces son demasiado abnegados y se olvidan de sus propios intereses.
Onomástica: 22 de febrero.
Otros idiomas: Catalán: Pascasi. Euskera: Paskasi. Alemán: Paschasius.

Pascua

Etimología: Nombre de origen hebreo, referido a la *Pascua,* al sacrificio del pueblo.
Personalidad: Tiene un gran dominio de sí mismo y sabe medir sus capacidades, de modo que suele acertar en sus decisiones más importantes. Tiene buen carácter, es amable y valora las cosas hermosas que le ofrece la vida. Suele hacer amigos con bastante facilidad y le gusta ayudar a los demás. Tal vez un poco soñador.
Onomástica: 17 de mayo.

Pascual

Etimología: Nombre cristiano que evoca la festividad de la Pascua.
Personalidad: Es tan sencillo que roza la ingenuidad. Es capaz de ser feliz con los detalles más nimios, y está siempre dispuesto a pensar lo mejor de los demás. Odia los esquemas y las obligaciones, así como las convenciones sociales. Concibe el amor más bien como una buena amistad.
Onomástica: 17 de mayo.
Otros idiomas: Catalán: Pasqual. Euskera: Bazkoare, Paskal, Paxkal. Gallego: Pascoal, Pascual. Bable: Pascual. Inglés y francés: Pascal. Alemán: Paschal, Paskal. Italiano: Pasquale, Pasqualino.

Pastor

Etimología: Se trata de un nombre cristiano que, en su forma masculina, hace alusión a Jesucristo, mientras que en la femenina se refiere a la Virgen María en tanto que Divina Pastora.
Personalidad: Son personas independientes, ágiles y luchadoras. No suelen avenirse a los deseos y caprichos de nadie. Son más originales que trabajadores o perseverantes, y su carrera profesional suele estar repleta de pequeños éxitos que luego no son capaces de mantener.
Onomástica: 7 de agosto.
Otros idiomas: Catalán: Pastor, Pàstor. Euskera: Artzai, Unai. Gallego: Pastor.

Pátamon

Etimología: Nombre que entre los indios norteamericanos significa «rabioso».

Personalidad: Necesita tener siempre una apariencia impecable, no soporta el desorden o la incoherencia y está demasiado pendiente de lo que opinan de él. Si cree que algo merece la pena, no le importa arriesgar todo lo que haga falta. En el amor prefiere ser conquistado a conquistar, porque necesita sentir que le prestan atención.
Onomástica: No tiene.

PATRICIO

Etimología: Del latín *patricius,* «patricio», clase social privilegiada en la antigua Roma, equivalente a la más alta nobleza.
Personalidad: La sinceridad y el orgullo de Patricio muchas veces se confunden con frialdad y altivez, pero él no va a molestarse en subsanar el error. No le importa lo que puedan pensar los demás, y si alguien le pregunta, expresa su opinión lisa y claramente.
Onomástica: 17 de marzo.
Otros idiomas: Catalán: Patrici. Euskera: Patirki. Bable: Paricio. Inglés: Patrick. Francés: Patrice, Patrick. Alemán: Patricius, Patrick. Italiano: Patrizio.

PATROCLO

Etimología: Del nombre griego *Patroklos,* de *patros,* «del padre», y *kelos,* «gloria»; o sea, «gloria del padre».
Personalidad: Es equilibrado y posee gran encanto, por lo que está dotado para la diplomacia. También valora enormemente la belleza, la armonía y la capacidad de sacrificio. Por contra, es algo indeciso y dado al fatalismo y al exceso de perfeccionismo.
Onomástica: 21 de enero.
Otros idiomas: Catalán: Patrocle. Inglés: Patroclus. Francés: Patrocle.

PAÚL

Etimología: Variante de *Pablo,* derivado de la forma francesa *Paul.*
Personalidad: Concede más importancia a lo espiritual que a lo material. Es paciente, con gran capacidad de estudio, lógica y análisis. Muy exigente consigo mismo y con los demás. Algo solitario e introspectivo, por lo que cae con facilidad en el pesimismo.
Onomástica: 29 de junio.
Otros idiomas: Catalán: Pol.

PAULINO

Etimología: Del latín *Paulinus,* gentilicio de *Paulo,* que podría significar «pequeño, poco, débil».
Personalidad: La estabilidad, la paciencia, la organización, el realismo, el sentido del deber y el orden son sus principales virtudes. En lo sentimental y con sus amistades son de una fidelidad absoluta. Por contra, caen con facilidad en la rutina y la avaricia.
Onomástica: 22 de junio.
Otros idiomas: Catalán: Paulí. Gallego: Pauliño. Francés: Paulin.

PAULO

Etimología: Del latín *Paulo,* que podría significar «pequeño, poco, débil».
Personalidad: La necesidad de crear es lo más importante de su personalidad, que suele ser muy artística. En lo sentimental valora mucho la estabilidad y, para conseguirla, se muestra a veces un poco egoísta. Es muy individualista e independiente, lo cual le hace algo autoritario.
Onomástica: 11 de enero.

PAVEL

Etimología: Es una variante de *Pablo.* Deriva del latín *paulus,* «pequeño, poco, débil».
Personalidad: Inteligente pero rígido, trabajador pero poco creativo, Pavel es una persona extremadamente tímida que a veces opta por ocultarlo bajo una máscara autoritaria. Es inquieto y tiene verdaderas ansias de saber. Es muy generoso y perdona con facilidad, aunque

puede montar en cólera si cree que le toman el pelo.
Onomástica: 24 de enero y 29 de junio.

PAYAT

Etimología: Nombre que entre los indios norteamericanos significa «él va por su camino».
Personalidad: Es una persona muy simpática, afable e inteligente. Su problema principal es precisamente conseguir fijar su atención en actividades serias, porque se empeña en no crecer. En el amor busca una pareja que centre todas sus energías en él, aunque en la amistad es mucho más entregado.
Onomástica: No tiene.

PEDRO

Etimología: Del latín *petrus,* «firme como la piedra». Empezó a utilizarse como nombre en la era cristiana, como calco del arameo *Kefa,* «piedra».
Personalidad: La constancia y el trabajo duro son los secretos de Pedro. Es un firme defensor de que la amistad y el amor se construyen poco a poco. En lo profesional, es de los que piensan que la valía se demuestra minuto a minuto, y no con un destello de genialidad completamente aislado. Es muy reflexivo.
Onomástica: 29 de junio.
Otros idiomas: Catalán: Pere. Euskera: Beti, Betiri, Haitz, Kepa, Peio, Peru, Perutxo, Petri, Piarres. Gallego: Pedro. Bable: Pedro (Peruxu, Perico), Pero, Peroño. Inglés: Perry, Peter, Pierce. Francés: Pierre, Pierrot. Alemán: Peter, Petrus. Italiano: Piero, Pietro.

PEHUÉN

Etimología: Su origen es araucano y deriva del nombre de una planta: *araucaria.*
Personalidad: La pasividad y la indecisión son su principal problema: piensa y piensa y todo le parece con valores negativos y positivos. Es receptivo, sentimental y en el terreno laboral se vale muy bien de su espíritu de equipo. En lo sentimental, si se siente rechazado, es muy rencoroso.
Onomástica: No tiene.

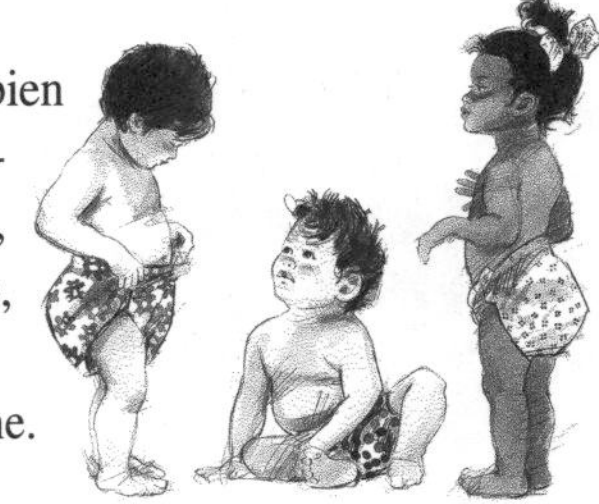

PELAGIO

Etimología: Procede del griego *pelagios,* «marino, hombre de mar». Es una variante de *Pedro.*
Personalidad: Posee una personalidad marcada por el impulso de creación. Es algo autoritario, individualista e independiente. Valora la estabilidad en su vida y para conseguirla a veces se muestra autoritario y egoísta.
Onomástica: 25 de marzo y 26 de junio.
Otros idiomas: Catalán y euskera: Pelagi. Gallego: Payo, Pelaxio. Inglés: Pelagius. Alemán: Pelagius. Italiano: Pelagio.

PELAYO

Etimología: Procede del griego *pelagios,* «marino, hombre de mar».
Personalidad: Sincero y afectuoso, detesta la hipocresía. Le gusta sentir que está en contacto con la gente y que tiene muchos amigos. Tiene un carácter amable y bondadoso, y aunque no es propenso a perder los estribos, puede ser un enemigo implacable.
Onomástica: 26 de junio.
Otros idiomas: Catalán: Pelai, Pellai. Gallego: Paio, Pelaxio. Bable: Pelayo.

PELEAS

Etimología: Procede del griego *peleus,* «que vive en el barro».
Personalidad: Su principal característica es el exceso, en cualquier sentido. Lo mismo se trata de una personalidad excesivamente soñadora como de un materialismo consumado, de hedonistas y narcisistas como de estoicos que rozan el ascetismo. Hay que vigilar la tenden-

cia a la indiscreción, así como al inconformismo.
Onomástica: 19 de septiembre.
Otros idiomas: Catalán: Peleas. Francés: Péleas.

Peleo
Etimología: Procede del griego *peleus,* «que vive en el barro».
Personalidad: Posee una personalidad marcada por el impulso de creación. Es algo autoritario, individualista e independiente. Valora la estabilidad en su vida y para conseguirla a veces se muestra autoritario y egoísta.
Onomástica: 19 de septiembre.
Otros idiomas: Catalán: Peleu. Francés: Pélée.

Peregrín
Etimología: Del latín *Peregrinus,* de *per ager,* «por el campo».
Personalidad: Posee una personalidad equilibrada, serena y con las ideas muy claras, aunque también es intuitivo y magnético. Valora el refinamiento y la integridad, la simpatía y la benevolencia. Suele ser idealista sin remedio si cree en una idea determinada.
Onomástica: 3 de octubre.
Otros idiomas: Catalán: Pelegrí. Euskera: Pelegín. Gallego: Peleriño. Bable: Pelegrín. Italiano: Pellegrino.

Perfecto
Etimología: De origen latino: «el que permanece fiel a su fe».
Personalidad: Es muy creativo, sociable y optimista. Aunque le gusta presumir de espiritual, lo cierto es que el sentido práctico es su principal virtud. Debe vigilar cierta tendencia a la intolerancia y a las rabietas, y a veces se dispersa en demasiadas actividades.
Onomástica: 1 de noviembre.
Otros idiomas: Bable: Perfeuto.

Pericles
Etimología: De origen griego: «el que tiene amplia gloria».
Personalidad: Es paciente, realista, y el sentido del deber y el orden son sus principales virtudes. Valora mucho la estabilidad en su vida, por lo que en el amor y la amistad es de una fidelidad absoluta. En lo negativo, cae con facilidad en la rutina y la avaricia.
Onomástica: No tiene.

Perpetuo
Etimología: Nombre cristiano que deriva del latín *perpetuus,* «permanente» (en la fe).
Personalidad: Tiene fuerza y determinación, así como una personalidad difícilmente manejable. Obstinado e independiente, ejerce un gran magnetismo, aunque puede caer fácilmente en la intransigencia. Rara vez se siente contento durante mucho tiempo, así que busca cambios de ambiente o de escenario.
Onomástica: 7 de marzo.

Perseo
Etimología: De origen desconocido. En la mitología griega, hijo de Zeus y Dánae, que da nombre a una constelación.
Personalidad: De gran energía, no suelen pasar desapercibidos, y tienen habilidades para el liderazgo y la innovación. No les gusta seguir las corrientes establecidas y se empeñan en la originalidad. En el lado negativo tienen cierta tendencia al egoísmo, la vanidad y el orgullo. También pueden ser excéntricos y demasiado dominantes.
Onomástica: No tiene.
Otros idiomas: Catalán: Perseu. Francés: Persée.

Perth
Etimología: Nombre escocés, de origen celta, que significa «arbusto espinoso». Es un condado de Escocia y una ciudad de Australia.

Personalidad: Tiene una personalidad muy fuerte, actúa siempre con una contundencia y seguridad en sus opiniones que puede resultar chocante. En el amor, sin embargo, le falta seguridad, y le cuesta mantener sus conquistas. Quienes más le valoran son sus amigos y compañeros de trabajo.
Onomástica: No tiene.

PETRONIO

Etimología: Del nombre latino *Petronius,* «pétreo».
Personalidad: Emotivo, altruista e idealista. Fiel a sus amistades y amores, tiene gran necesidad de ayudar y compartir, tanto en lo material como en lo espiritual. Es influenciable, le cuesta ser realista y es algo desordenado. En lo espiritual, tiende también a padecer desórdenes ciclotímicos.
Onomástica: 6 de septiembre.
Otros idiomas: Catalán: Petroni. Euskera: Petorni. Francés: Pétrone. Italiano: Petronio.

PÍO

Etimología: Del latín *piusm* «devoto, piadoso».
Personalidad: Bueno, sencillo de carácter y poco aficionado a las disputas. Huye de los problemas como los gatos del agua, y tampoco le gusta sentir que está demasiado comprometido. Le cuesta tomar decisiones radicales y en los asuntos de verdad importantes, suele dejarse llevar por la opinión de los demás.
Onomástica: 30 de abril y 11 de julio.
Otros idiomas: Catalán: Pius. Euskera: Erruki, Pi. Gallego y bable: Pío. Inglés y alemán: Pius. Francés: Pie. Italiano: Pio.

PLÁCIDO

Etimología: Del latín *placidus,* «tranquilo, apacible».
Personalidad: Precisamente es paz y tranquilidad lo que más echa de menos Plácido. Parece que su vida siempre fuera demasiado complicada. Por lo demás, suele ser un hombre feliz, moderadamente afortunado y que da mucha importancia a la gente de la que se rodea.
Onomástica: 11 de octubre.
Otros idiomas: Catalán: Plàcid. Euskera: Palgida. Gallego: Prácido. Bable: Plácido. Francés: Placide. Italiano: Placido.

PLATÓN

Etimología: Nombre griego que significa «ancho de espaldas».
Personalidad: El rasgo dominante de su personalidad es el alto dominio sobre sí mismo. Sabe medir sus capacidades, que suelen armonizar con todo lo que le rodea. Refinado, amable, simpático y de buen talante, suele hacer amigos con gran facilidad y le gusta ayudar a los demás. Quizá demasiado soñador.
Onomástica: 4 de abril.
Otros idiomas: Catalán: Plató. Inglés: Plato. Francés y alemán: Platon.

PLINIO

Etimología: Del nombre de la gen romana *Plinius.*
Personalidad: La estabilidad, la paciencia, la organización, el realismo, el sentido del deber y el orden son sus principales virtudes. En lo sentimental y con sus amistades son de una fidelidad absoluta. Por contra, caen con facilidad en la rutina y la avaricia.
Onomástica: No tiene.
Otros idiomas: Catalán: Plini. Gallego: Plinio. Francés: Pline. Italiano: Plinio.

PLUBIO

Etimología: Nombre de origen griego, cuyo significado es «hombre de mar».
Personalidad: Inteligente y creativo, es, sin embargo, demasiado perezoso. Devoto de las comodidades, aunque no le gusta el lujo excesivo. Busca una vida relativamente tran-

quila, sin grandes sobresaltos. En el amor le falta un poco de confianza en sus posibilidades, por lo cual suele refugiarse en una actitud distante.
Onomástica: No tiene.

PLUTARCO

Etimología: Del nombre griego *Plutos-arkos,* «gobernante rico».
Personalidad: Posee una personalidad equilibrada, serena y con las ideas muy claras, aunque también es intuitivo y magnético. Valora el refinamiento y la integridad, la simpatía y la benevolencia. Suele ser idealista sin remedio y, si cree en una idea, no le importa hacer cualquier esfuerzo para llevarla a la práctica.
Onomástica: 28 de junio.
Otros idiomas: Catalán: Plutarc. Francés: Plutarque. Inglés: Plutarch. Italiano: Plutarco.

POL

Etimología: Nombre muy popular en Catalunya. Derivación de *Pau.* Es probable que esta derivación venga de la aproximación que tiene Catalunya con Francia, ya que allí el nombre de *Pablo* es *Paul* y se pronuncia *Pol.*
Personalidad: Es paciente, realista, y el sentido del deber y el orden son sus principales virtudes. Valora mucho la estabilidad en su vida, por lo que en el amor y la amistad es de una fidelidad absoluta. En lo negativo, cae con facilidad en la rutina y la avaricia.
Onomástica: 25 de enero (por la ermita de Sant Pol).
Otros idiomas: Catalán: Pol. Bable: Polo.

POLICARPO

Etimología: De origen desconocido.
Personalidad: Posee una personalidad carismática, seductora y fuerte. Es también idealista y perfeccionista, lo cual normalmente le lleva a tener elevadas ambiciones. En lo negativo, suele ser nervioso y autoritario.
Onomástica: 23 de febrero.
Otros idiomas: Catalán: Policarp, Policarpi. Euskera: Pollikarpa. Gallego y bable: Policarpo. Inglés: Polycarp. Francés: Policarpe. Alemán: Polykarpa. Italiano: Policarpo.

POLIDORO

Etimología: Nombre griego que significa «de virtudes».
Personalidad: Es quizá demasiado idealista, por lo que concede más importancia a lo espiritual que a lo material. Es paciente, con gran capacidad de estudio, lógica y análisis. Sin embargo, es muy exigente consigo mismo. Cae con facilidad en el pesimismo y se aísla de los demás.
Onomástica: No tiene.

POLINICE

Etimología: Nombre griego que deriva de *polinikés,* «gran victoria».
Personalidad: La estabilidad, la paciencia, la organización, el realismo, el sentido del deber y el orden son sus principales virtudes. En lo sentimental y con sus amistades son de una fidelidad absoluta. Por contra, caen con facilidad en la rutina y la avaricia.
Onomástica: No tiene.

POMPEYO

Etimología: Del latín *Pompeius,* «solemne, fastuoso».
Personalidad: Posee una personalidad carismática, seductora y fuerte. Es también idealista y perfeccionista, lo cual normalmente le lleva a tener elevadas ambiciones. En lo negativo, suele ser nervioso y autoritario.
Onomástica: 14 de diciembre.
Otros idiomas: Catalán: Pompei, Pompeu. Euskera: Ponbei. Gallego: Pompeyo. Inglés: Ponpey. Francés: Pompée. Italiano: Pompeo.

Pompilio

Etimología: Del latín *pompé,* significa «solemnidad».

Personalidad: Emotivo, altruista e idealista. Fiel a sus amistades y amores, tiene gran necesidad de ayudar y compartir, tanto en lo material como en lo espiritual. Es influenciable, le cuesta ser realista y es algo desordenado. En lo espiritual, tiende también a padecer desórdenes ciclotímicos.

Onomástica: 15 de julio.

Otros idiomas: Catalán: Pompili. Italiano: Pompilio.

Poncio

Etimología: No está claro si deriva del latín *pontis,* «cinco», o de *pontus,* «mar, ola».

Personalidad: Posee una personalidad equilibrada, serena y con las ideas muy claras, aunque también es intuitivo y magnético. Valora el refinamiento y la integridad, la simpatía y la benevolencia. Suele ser idealista sin remedio si cree en una idea determinada.

Onomástica: 8 de marzo.

Otros idiomas: Catalán: Ponç, Ponci. Euskera: Pontzen. Gallego: Poncio. Inglés Pontius. Francés: Ponce. Italiano: Ponzio.

Porfirio

Etimología: Del griego *porphyrion*, significa «purpúreo». Puede hacer alusión al privilegio que tenían los poderosos de vestir de púrpura.

Personalidad: Es equilibrado y posee gran encanto, por lo que está dotado para la diplomacia. También valora enormemente la belleza, la armonía y la capacidad de sacrificio. Por contra, es algo indeciso y dado al fatalismo y al exceso de perfeccionismo.

Onomástica: 15 de septiembre.

Otros idiomas: Catalán: Porfiri. Euskera: Porbiri. Gallego: Porfirio. Francés: Porphyre. Italiano: Porfirio.

Práxedes

Etimología: Del griego *prassein,* «practicar»; o sea, «emprendedor, laborioso, activo».

Personalidad: Es un seductor enamorado de la libertad, el cambio y la aventura. Por ello, apenas consigue lo que desea, pierda interés y lo abandona en busca de un nuevo objetivo y sigue su eterna búsqueda. Idealista y soñador no soporta la rutina ni la soledad, pero siempre está dispuesto a echar una mano a quien la necesite.

Onomástica: 21 de julio.

Otros idiomas: Catalán: Práxedes, Praxedis. Euskera: Partsede. Gallego y bable: Práxedes. Alemán: Praxedis. Italiano: Prassede.

Prescott

Etimología: Nombre de origen anglosajón, que significa «la casita del sacerdote».

Personalidad: Son personas sencillas y auténticas. Detestan a los que actúan de una determinada manera sólo por guardar las apariencias y, por eso, prefieren que les digan las cosas a la cara, sin rodeos ni ambages. Odian la mentira y la hipocresía. Su sistema moral es simple pero incorruptible.

Onomástica: No tiene.

Príamo

Etimología: Del griego *priamai,* «comprar». Puede hacer alusión a la condición de esclavo. En la mitología griega, último rey de Troya.

Personalidad: Posee fuerza y determinación, así como una personalidad difícilmente manejable. Obstinado e independiente, ejerce un gran magnetismo, aunque puede caer fácilmente en la intransigencia. Rara vez se siente contento durante mucho tiempo, así que busca cambios de ambiente o de escenario.

Onomástica: 28 de mayo.

Otros idiomas: Catalán: Príam. Francés: Priam. Italiano: Priamo.

PRIMITIVO
Etimología: Nombre del latín *primitus,* «originariamente».
Personalidad: Optimista y tremendamente positivo: cree que todo tiene solución. Tiene una gran fuerza de voluntad. Es profundamente hogareño, al tiempo que conservador; por tanto, intenta reproducir del modo más fiel posible los roles familiares tradicionales.
Onomástica: 16 de abril, 10 de junio, 18 de julio y 27 de noviembre.
Otros idiomas: Catalán: Primitiu. Euskera: Lehen, Pirmitiba. Gallego y bable: Primitivo. Inglés y francés: Primitive.

PRISCO
Etimología: Del nombre latino *Priscus,* «anciano, venerable».
Personalidad: Es un hombre entusiasta, siempre dispuesto a liderar cualquier proyecto, con una personalidad carismática y fuerte. Es también idealista y perfeccionista, lo cual normalmente le lleva a tener elevadas ambiciones. En lo negativo, suele ser nervioso y autoritario.
Onomástica: 1 de septiembre.
Otros idiomas: Catalán: Prisc. Italiano: Prisco.

PROCOPIO
Etimología: Del griego *prokopé,* «el que marcha hacia adelante».
Personalidad: Posee una personalidad marcada por el impulso de creación. Es algo autoritario, individualista e independiente. Valora la estabilidad en su vida y para conseguirla a veces se muestra autoritario y egoísta.
Onomástica: 8 de julio.
Otros idiomas: Catalán: Procopi. Euskera: Porkopi. Alemán: Prokopius. Italiano: Procopio.

PROMETEO
Etimología: Del griego *Prometis,* «prudente». En la mitología griega, titán que robó a los dioses el fuego sagrado del Olimpo para entregárselo a los humanos.
Personalidad: El rasgo dominante de su personalidad es el alto dominio sobre sí mismo. Sabe medir sus capacidades, que suelen armonizar con todo lo que le rodea. Refinado, amable, simpático y de buen talante, suele hacer amigos con gran facilidad y le gusta ayudar a los demás. Quizá demasiado soñador.
Onomástica: 25 de junio.
Otros idiomas: Catalán: Prometeu. Francés: Prométhée.

PRÓSPERO
Etimología: Del latín *Prosperus,* «feliz, próspero, afortunado».
Personalidad: Sensible y muy dependiente de su entorno, conciliador, inteligente, imaginativo y amante de hacer amistades. Posee el sentido de los negocios, en los que no duda en asociarse cuando es necesario. Su mayor inconveniente es que sueña con grandes proyectos y es un idealista, lo cual puede conducirle a cambios inesperados.
Onomástica: 25 de junio.
Otros idiomas: Catalán: Pròsper. Euskera: Posper. Gallego y bable: Próspero. Francés: Prosper. Italiano: Prospero.

PRUDENCIO
Etimología: Del latín *prudens,* «que prevé por anticipado».
Personalidad: Dotado de poca imaginación. Le aterra lo desconocido, y prefiere sin lugar a dudas la seguridad que le da la rutina, lo convencional. No tiene grandes aspiraciones

y acepta sin preguntas lo que la vida quiera ofrecerle. Suele ser, casi siempre, un hombre feliz.
Onomástica: 28 de abril.
Otros idiomas: Catalán: Pruden, Prudenci, Prudent. Euskera: Purdentzi, Prudentzio. Gallego: Prudencio. Bable: Prudencio, Prudente. Inglés y francés: Prudence. Alemán: Prudenz. Italiano: Prudenzio.

Publio

Etimología: Nombre latino derivado de *publicus,* «perteneciente o relativo al pueblo».
Personalidad: Es siempre conciliador. También valora la belleza, la armonía y la capacidad de sacrificio. Es indeciso, fatalista y perfeccionista.
Onomástica: 21 de enero.
Otros idiomas: Catalán: Publi. Euskera: Purdentzi. Francés: Publius. Italiano: Publio.

Onomástica: 9 de septiembre y 31 de octubre.
Otros idiomas: Catalán: Quintilià. Inglés y francés: Quintilian. Alemán: Quintilianus. Italiano: Quintiliano, Quinzio.

Quentin

Etimología: Nombre inglés, que deriva de *queen's town,* «ciudad de la reina».
Personalidad: Es como una niño: crédulo, ingenuo y alegre. Concede una gran importancia al amor y a la amistad durante toda su vida. En su profesión demuestra que es brillante, creativo y muy trabajador; tiene ambición, pero es comedido y valora tanto la lealtad que no se deja dominar por ella.
Onomástica: No tiene.

Quico

Etimología: Se forma como hipocorístico de *Francisco,* del italiano *Francesco,* «francés». Surge como nombre propio por primera vez cuando san Francisco de Asís recibe ese apodo por su afición a la lengua francesa.
Personalidad: Su capacidad de observación y su agudo sentido práctico a menudo le conducen al éxito. Puede que sea un idealista utópico, pero sabe ponderar la realidad. Es autoritario y celoso: con su pareja puede ser demasiado posesivo.
Onomástica: 4 de octubre.
Otros idiomas: Gallego: Farruco.

Quintiliano

Etimología: Del latín *Quintinus,* patronímico de *Quintus,* o sea, «Quinto».
Personalidad: De gran energía, no suelen pasar desapercibidos, y tienen habilidades para el liderazgo y la innovación. No les gusta seguir las corrientes establecidas y se empeñan en la originalidad. En el lado negativo tienen cierta tendencia al egoísmo, la vanidad y el orgullo. También pueden ser excéntricos y demasiado dominantes.

Quintín

Etimología: Del latín *Quintinus,* patronímico de *Quintus,* o sea, «Quinto».
Personalidad: Es un hombre con una fuerte personalidad, estricto, autoritario y dominador, pero en el fondo es emotivo, generoso, sensible y con un fondo de religiosidad innata que hace que se sienta realizado cuando puede ser útil social o humanitariamente. Sin embargo, es muy independiente y oportunista, por lo que no es extraño verle ocupando cargos directivos.
Onomástica: 31 de octubre.
Otros idiomas: Catalán: Quintí. Euskera: Kindin. Gallego: Quintín. Bable: Quintu. Francés: Quentin. Inglés y alemán: Quintin. Italiano: Quintino.

Quinto

Etimología: Del latín *quintus,* «quinto». Nombre que se daba al quinto de los hijos.
Personalidad: De gran energía, no suelen pasar desapercibidos, y tienen habilidades para el liderazgo y la innovación. No les gusta seguir las corrientes establecidas y se empeñan en la originalidad. En el lado negativo tienen cierta tendencia al egoísmo, la vanidad y el orgullo. También pueden ser excéntricos y demasiado dominantes.
Onomástica: 29 de octubre.
Otros idiomas: Gallego: Quint, Quinto. Bable: Quintu. Inglés: Quintus. Francés: Quint. Italiano: Quinto.

Quirino

Etimología: Nombre catalán que proviene del griego *kyrios,* «señor». Nombre mitológico griego dado a *Rómulo,* uno de los fundadores de Roma.

Personalidad: Le entusiasman los viajes y todo lo que tiene que ver con la aventura y la innovación. Es capaz de adaptarse a cualquier situación y ambiente. En su contra tiene ciertos inconvenientes, como la inestabilidad, la superficialidad y la falta de previsión, lo cual no le facilita una vida sentimental.
Onomástica: 25 de marzo.
Otros idiomas: Catalán: Quirí. Italiano: Quirino.

Quirze

Etimología: Nombre catalán que proviene del griego *kyrios,* «señor».
Personalidad: Es un hombre serio, servicial, concienzudo y disciplina. Muy activo y obstinado, sabe organizarse muy bien en la vida.
Onomástica: 16 de junio y 8 de agosto.
Otros idiomas: Catalán: Quirc, Quirce. Euskera: Kirika, Kiureka. Gallego: Ciriaco. Bable: Ciriaco. Francés: Cyriaque. Italiano: Quirico.

Rabi

Etimología: Nombre árabe que puede interpretarse como «brisa».

Personalidad: Su gran pasión radica en la belleza. Es un gran amante del arte en todas sus manifestaciones, y en su propia vida. En el amor y con sus amigos se muestra impulsivo y apasionado. No le gusta trabajar en exceso y no es ambicioso, por lo que procura buscarse una profesión tranquila que le permita llevar una vida desahogada.

Onomástica: No tiene.

Radley

Etimología: Nombre de origen anglosajón, que significa «pradera roja».

Personalidad: Tiene un temperamento demasiado variable, nunca se puede estar seguro de cómo va a reaccionar. En el amor, raras veces será correspondido por la persona a quien realmente ama, aunque probablemente termine asentándose en una afable y placentera relación sustentada más por la amistad que por el amor pasional.

Onomástica: No tiene.

Radomil

Etimología: Nombre de origen eslavo que significa «paz feliz».

Personalidad: Sale adelante pase lo que pase, con absoluta decisión. A la hora de trabajar, es serio y responsable, prudente cuando las circunstancias lo requieren, aunque también es capaz de arriesgar. En el amor suele ser desgraciado, quizá porque le resulta difícil encontrar una compañera tan fuerte y segura como él misma.

Onomástica: No tiene.

Rafael

Etimología: Del hebreo *rapha-El,* «Dios sana».

Personalidad: Eternamente distraído, siempre está perdido en su propio mundo. Tiene un carácter tímido y bondadoso: siempre echa una mano a quien lo necesite, pero raramente pide ayuda. Le cuesta decidir cuál ha de ser su camino, pero una vez que lo ha encontrado, se mantiene firme en él.

Onomástica: 29 de septiembre.

Otros idiomas: Catalán: Rafel. Euskera: Errapel. Gallego: Rafael. Bable: Rafael, Rafel, Refael. Inglés y alemán: Raphael. Francés: Raphaël. Italiano: Raffaele, Raffaelo.

Rafferty

Etimología: Nombre irlandés, de origen celta, que significa «rico, próspero».

Personalidad: Es un hombre introvertido, muy encerrado en sí mismo y hasta podría decirse que algo huraño. Algunos dicen que peca un poco de misantropía, que desprecia al género humano; pero la realidad es que no logra comprender al resto de las personas, le parecen demasiado complicadas. Aun así, suele encontrar energías para intentar cambiar su mundo y hacerlo a su medida.

Onomástica: No tiene.

Raghib

Etimología: Nombre árabe que significa «deseoso».

Personalidad: Rebosa simpatía e imaginación, es un hombre bienintencionado y alegre, que rechaza por principio cualquier prejuicio o convención social. Sin embargo, es muy terco y no soporta que le lleven la contraria. Además, puede llegar a ser un poco excéntrico y egoísta, lo cual le hace pensar que no es comprendido. Su principal problema es que es muy quisquilloso en la vida familiar.

Onomástica: No tiene.

Ragnar

Etimología: Nombre de origen nórdico, que significa «ejército poderoso».

Personalidad: Vive mucho más de cara al exterior que para sí mismo. En realidad es tierno y afectuoso, y está muy necesitado de cariño, pero considera que estas características son signos de debilidad, y prefiere ocultarlas. Enseguida se encariña con la gente, pero también puede ser cruel.

Onomástica: No tiene.

Rahim

Etimología: Nombre árabe que significa «piadoso».

Personalidad: Hiperactivo y ligeramente inestable, tiene una tendencia no muy sana a tomárselo todo demasiado en serio, casi como un reto personal. Tiene la necesidad de estar siempre haciendo algo productivo, hasta tal punto que llega a agotar a todos los que le rodean. Pierde los nervios con facilidad y se enfada a menudo.

Onomástica: No tiene.

Rahmán

Etimología: Nombre árabe que significa «compasivo».

Personalidad: Es una persona muy sensible, por más que intente disimularlo. Bajo su apariencia fría, segura y un poco despreocupada, hay un hombre que está siempre pendiente de lo que los demás dicen o hacen y de la actitud que tienen hacia él. Su gran placer consiste en ayudar a los que le rodean a ser felices.

Onomástica: No tiene.

Raíd

Etimología: Nombre árabe que puede interpretarse como «líder».

Personalidad: Humanista y entregado por naturaleza: para ser feliz necesita sentir que es útil a los demás. No entiende el egoísmo ni la falta de compromiso:él, realmente, no puede descansar sabiendo que hay alguien que necesita su ayuda. El problema consiste en que es demasiado crítico consigo mismo.

Onomástica: No tiene.

Raimundo

Etimología: Deriva del germánico *regin-mund,* «consejo protector». Es una variante de Ramón.

Personalidad: Fuerte, reservado, independiente, activo, trabajador y con os pies en la tierra. Su interés primordial se centra en él mismo y en su bienestar material. Pero también es compasivo y abnegado, con gran personalidad y espíritu práctico.

Onomástica: 15 de mayo.

Otros idiomas: Catalán: Raimund, Raimon. Euskera: Erraimunda. Gallego: Raimundo, Reimunde. Bable: Reimundo. Francés: Raymon. Inglés: Raymond, Ray. Italiano: Raimondo.

Rainiero

Etimología: Procede del germánico *ragin-her,* «consejero del ejército».

Personalidad: Rainiero tiene muy pocas necesidades. Para él, lo único que merece la pena en la vida es lo que uno sea capaz de conseguir en relación con los demás: amistad, amor y familia. El resto, como son los éxitos laborales o la fama mundana, sencillamente no es importante.

Onomástica: 30 de diciembre.

Otros idiomas: Catalán: Rainer. Euskera: Errañeri. Inglés: Rayner. Francés: Rainier, Régnier. Alemán: Rainer. Italiano: Rainiero, Ranieri, Raineri.

Ramiro

Etimología: Del germánico *radamir,* «consejo ilustre».

Personalidad: Hombre de gran coraje que defiende a ultranza sus ideales y opiniones. Va

siempre a las claras, con la verdad por delante. Es bastante orgulloso, y le cuesta mucho asumir que se ha equivocado. Siente debilidad por la cultura y por el arte en particular, y no le gustan las profesiones demasiado metódicas o rutinarias.
Onomástica: 17 de junio.
Otros idiomas: Catalán: Ramir. Euskera: Remir. Gallego y bable: Ramiro. Erramir. Inglés: Rayner. Francés: Ramire. Italiano: Ramiro.

RAMÓN

Etimología: Deriva del germánico *reginmund,* «consejo protector».
Personalidad: Ramón da muchas veces la sensación de ser un hombre débil de carácter, que sorprende cuando se revelan su gran fuerza interior y su voluntad. No concede ninguna importancia a las convenciones sociales y a los tabúes, de modo que actúa sin pensar en las consecuencias. Suele tener muy buena opinión de sí mismo.
Onomástica: 31 de agosto.
Otros idiomas: Catalán: Ramon, Raimon. Euskera: Erraimun, Erramun. Gallego: Ramón. Bable: Ramón (Mon). Inglés y francés: Raymond. Alemán: Raimund. Italiano: Raimondo.

RAMOS

Etimología: Nombre cristiano en honor del Domingo de Ramos.
Personalidad: Su principal característica es el exceso, en cualquier sentido. Lo mismo se trata de una personalidad excesivamente soñadora como de un materialismo consumado, de hedonistas y narcisistas como de estoicos que rozan el ascetismo. Hay que vigilar la tendencia a la indiscreción, así como al inconformismo.
Onomástica: Domingo de Ramos.
Otros idiomas: Catalán: Ram. Euskera: Abar, Erramu.

RAMSÉS

Etimología: Deriva del antiguo Egipto y fue el nombre de varios faraones conocidos. Se cree que hacía honor al dios *Ra.*
Personalidad: Su verdadera preocupación es la justicia y el equilibrio, tanto en su vida personal como en la sociedad. Pero le cuesta conseguirlo, porque valora en exceso el triunfo y el poder, y es propenso a sufrir ataques de ira. En su vida sentimental puede ser algo posesivo y celoso.
Onomástica: No tiene.

RASHAD

Etimología: Nombre árabe que significa «consejero sabio».
Personalidad: De carácter sereno, tranquilo y hasta un poco parsimonioso. De inteligencia profunda y muy dotado para la meditación. Sin embargo, parece que le cuesta mucho conciliar sus planteamientos intelectuales con un plan concreto de actuación. Su ideal es ser el cerebro de alguna clase de sociedad, de modo que sean los demás los que llevan a la práctica sus numerosas ideas. Tiene cualidades para las profesiones relacionadas con la enseñanza.
Onomástica: No tiene.

RAÚL

Etimología: Deriva del germánico *rat-wulf,* «consejo del lobo», por extensión, «consejo del guerrero».
Personalidad: Es sencillo, simpático y nada ambicioso, de modo que no suele buscarse demasiados enemigos. Procura ser práctico en todos los ámbitos de su vida, aunque muchas veces no hace lo que sabe que debe hacer por pura pereza. Tiene un sentido del humor algo retorcido.
Onomástica: 30 de diciembre.
Otros idiomas: Catalán: Raül. Gallego: Raúl. Inglés: Ralf, Ralph. Francés: Raoul. Italiano: Raul.

Raviv

Etimología: Nombre hebreo que significa «lluvia, rocío».

Personalidad: Es un hombre dinámico y activo. La alegría parece empapar cada uno de sus actos, y a la gente le gusta estar cerca de él por su optimismo contagioso. Le gusta que los demás dependan de él en cierta medida, aunque su sentido de la independencia le impide ser él mismo el que necesite a otra persona.

Onomástica: No tiene.

Rayhan

Etimología: Nombre árabe que significa «favorecido por Dios».

Personalidad: Sensible y fuerte al mismo tiempo. Necesita ser original, aunque muchas veces no sabe muy bien cómo hacerlo. Le gusta sentir que es él quien domina la situación, y no soporta que los demás no le hagan caso o que no hagan lo que él quiere. De joven es un idealista soñador.

Onomástica: No tiene.

Redempt

Etimología: Nombre catalán que deriva del latín *redempto,* «redimir, rescatar».

Personalidad: Inteligente y creativo, es, sin embargo, demasiado perezoso. Devoto de las comodidades, aunque no le gusta el lujo excesivo. Busca una vida relativamente tranquila, sin grandes sobresaltos. En el amor le falta un poco de confianza en sus posibilidades, por lo cual suele refugiarse en una actitud distante.

Onomástica: 29 de noviembre.

Reginaldo

Etimología: Nombre germánico que deriva de *regin-ald,* «protección del poderoso».

Personalidad: Posee una personalidad equilibrada, serena y con las ideas muy claras, aunque también es intuitivo y magnético. Valora el refinamiento y la integridad, la simpatía y la benevolencia. Suele ser idealista sin remedio si cree en una idea determinada.

Onomástica: 12 de febrero.

Otros idiomas: Catalán: Reinald, Renau. Bable: Reinaldo. Inglés: Reginald. Francés: Réginald. Alemán: Reinald, Reinhold. Italiano: Reginaldo.

Regino

Etimología: Del latín *rex, regis,* «rey».

Personalidad: Regino está entregado a su vida social. Preocupado siempre por las apariencias y el protocolo, es un anfitrión excelente con un sentido de la hospitalidad extremo. Combina su dulzura con su voluntad de hierro para conseguir prácticamente todo lo que desea.

Onomástica: 7 de septiembre.

Otros idiomas: Catalán: Regino. Euskera: Erregiñe. Gallego: Rexino. Bable: Rexino (Xino). Italiano: Regino. Francés: Régis.

Reinaldo

Etimología: Nombre germánico que podría traducirse como «el que gobierna con inteligencia».

Personalidad: Es quizá demasiado idealista, por lo que concede más importancia a lo espiritual que a lo material. Es paciente, con gran capacidad de estudio, lógica y análisis. Sin embargo, es muy exigente consigo mismo. Cae con facilidad en el pesimismo y se aísla de los demás.

Onomástica: 9 de febrero.

Otros idiomas: Catalán: Reinald, Renau. Inglés: Reynold. Francés: Réginald. Alemán: Reinald, Reinhold. Italiano: Reginaldo.

Remigio

Etimología: Procede del latín *remigium,* «remero, tripulación de un barco».

Personalidad: Bajo su apariencia casi insensible, es una persona de buen corazón, tierno y

hasta susceptible, pero los sucesivos golpes de la vida le obligan a protegerse del daño que puedan hacerle los demás e impide que sus sentimientos se manifiesten. Su anhelo más íntimo es encontrar a una persona en quien poder confiar.
Onomástica: 1 de octubre.
Otros idiomas: Catalán: Remigi. Euskera: Erremigi, Remir. Gallego: Remixio. Bable: Remiciu. Francés: Rémi, Rémy. Alemán: Remigius.

REMO

Etimología: Nombre de uno de los fundadores de Roma, de origen incierto.
Personalidad: Procura mantenerse siempre ecuánime y posee un sentido innato de la justicia y el equilibrio, pero también cae con facilidad en ataques de ira y valora en exceso el poder y el triunfo. Es impaciente e impetuoso. Esta personalidad le hace, casi con seguridad, muy celoso.
Onomástica: No tiene.
Otros idiomas: Catalán: Rem, Remus. Bable: Remis. Inglés, francés y alemán: Remus. Italiano: Remo.

RENÁN

Etimología: De un antiguo nombre céltico, que podría derivar del gaélico *ron,* «foca».
Personalidad: Posee fuerza y determinación, así como una personalidad difícilmente manejable. Obstinado e independiente, ejerce un gran magnetismo, aunque puede caer fácilmente en la intransigencia. Rara vez se siente contento durante mucho tiempo, así que busca cambios de ambiente o de escenario.
Onomástica: 1 de junio.

RENATO

Etimología: Del latín *renatus,* «renacido». En los primeros años del Cristianismo, se usaba con el significado de «renacido por el bautismo».
Personalidad: Renato es una persona retraída y tímida que disfruta de la soledad. Tanto en los estudios como en el trabajo es metódico, trabajador y ambicioso. Está acostumbrado a conseguir lo que se propone.
Onomástica: 4 de enero.

RENJIRO

Etimología: Nombre japonés que significa «virtuso».
Personalidad: Recto, tranquilo, equilibrado, es una de esas personas que procura no decir nunca una palabra más alta que otra. Extremadamente comprensivo, para sus amigos se convierte en un inmejorable apoyo. En su profesión es ambicioso y puede llegar a mostrarse intransigente con las debilidades ajenas.
Onomástica: No tiene.

RESTITUTO

Etimología: Del latín *restituto,* «volver a su estado primitivo». Nombre de origen cristiano que alude a la gracia de los sacramentos.
Personalidad: Posee una personalidad marcada por el impulso de creación. Es algo autoritario, individualista e independiente. Valora la estabilidad en su vida y para conseguirla a veces se muestra autoritario y egoísta.
Onomástica: 9 de diciembre.
Otros idiomas: Catalán: Restitut. Euskera: Errestituta. Italiano: Restituto.

REYES

Etimología: Nombre alusivo a la fiesta de la Epifanía. Es también nombre de advocación mariana: Nuestra Señora de los Reyes, muy apreciada en Sevilla.
Personalidad: Su verdadera preocupación es la justicia y el equilibrio, tanto en su vida personal como en la sociedad. Pero le cuesta conseguirlo, porque valora en exceso el triunfo y

el poder, y es propenso a sufrir ataques de ira. En su vida sentimental puede ser algo posesivo y celoso.
Onomástica: 6 de enero y 15 de agosto.

Ricardo

Etimología: Procede del germánico *rich-hari,* «caudillo del ejército».
Personalidad: Si hay algo que le falte a Ricardo es seguridad en sí mismo, aunque procura ocultarlo. Rehuye, en general, la compañía de los demás, y es muy sensible a las críticas o a las opiniones adversas. En su profesión se muestra intransigente y perfeccionista.
Onomástica: 3 y 26 de abril.
Otros idiomas: Catalán: Ricard. Euskera: Errikarta. Gallego y bable: Ricardo. Inglés, francés y alemán: Richard. Italiano: Riccardo.

Rigoberto

Etimología: Nombre germánico que procede de *ric-berht,* «famoso por su riqueza».
Personalidad: Su principal característica es el exceso, en cualquier sentido. Lo mismo se trata de una personalidad excesivamente soñadora como de un materialismo consumado, de hedonistas y narcisistas como de estoicos que rozan el ascetismo. Hay que vigilar la tendencia a la indiscreción, así como al inconformismo.
Onomástica: 3 y 26 de abril.
Otros idiomas: Catalán: Rigobert. Euskera: Birjaio. Gallego: Rigoberto. Francés: Rigobert.

Ringo

Etimología: Nombre que en japonés significa «manzana» y en inglés es hipocorístico de *Ring.*
Personalidad: Es lento pero seguro. Sus decisiones siempre se hacen esperar y están profundamente meditadas, pero una vez que han sido tomadas, nada en el universo es capaz de hacer que no se cumplan. Y es que es implacable. Puede ser el mejor de los amigos, y sin duda un apoyo inmejorable en situaciones difíciles.
Onomástica: No tiene.

Riordan

Etimología: Nombre irlandés, de origen celta, que significa «bardo, poeta del rey».
Personalidad: Juguetón y caprichoso, puede parecer que no le da importancia a casi nada, pero realmente le toma mucho cariño a la gente y sufre agudas decepciones cuando alguien le falla. Aunque sin mala intención, es demasiado impulsivo y poco reflexivo, así que raramente piensa antes de actuar.
Onomástica: No tiene.

Ripley

Etimología: Nombre de origen anglosajón, que significa «pradera junto al río».
Personalidad: Orgulloso e independiente, astuto y decidido, implacable con sus enemigos y capaz de casi cualquier cosa para conseguir sus objetivos. Su modo de afrontar los problemas es quizá un poco retorcido. Defiende su territorio y a su familia con uñas y dientes.
Onomástica: No tiene.

Riyad

Etimología: Nombre árabe que significa «jardines».
Personalidad: Es un hombre hogareño que desea pasar su vida del modo más apacible y tranquilo. El trabajo es para él una maldición, y mucho más la vida en la ciudad. Su ideal es retirarse al campo y cultivar con sus manos, sin más compañía que su familia y amigos más íntimos.
Onomástica: No tiene.

Roberto

Etimología: Deriva el germánico *hruot-berth,* «el brillo de la fama».

Personalidad: Orgulloso y susceptible, tiene muy buen concepto de sí mismo. Su principal habilidad es la elocuencia, ya sea de palabra o por escrito, es capaz de convencer a quien sea de cualquier cosa que se proponga. En el amor es poco pasional, incluso podría decirse que algo frío.
Onomástica: 17 de abril.
Otros idiomas: Catalán: Robert. Euskera: Erroberta. Gallego: Roberto. Bable: Reberto, Roberto. Inglés, francés y alemán: Robert. Italiano: Roberto.

ROBINSON

Etimología: Nombre inglés que significa «hijo de Robin».
Personalidad: Fiel a sus amistades y en el amor, le produce gran satisfacción ayudar y compartir, tanto material como espiritualmente. Es Emotivo, altruista e idealista, pero muy influenciable, le cuesta ser realista y es algo desordenado. Su principal peligro está en los frecuentes altibajos anímicos.
Onomástica: No tiene.

ROBUSTIANO

Etimología: Deriva del latín *robustianus,* de *robustus,* «robusto, duro, fuerte».
Personalidad: Posee una gran capacidad de adaptación, por lo cual le entusiasman los viajes y todo lo que requiera audacia e innovación. En lo negativo, su personalidad le acarrea ciertos inconvenientes como accidentes, inestabilidad y superficialidad.
Onomástica: 24 de mayo.
Otros idiomas: Catalán: Robustià. Euskera: Indartsu. Gallego: Robustiano. Bable: Rebustianu.

RODERICK

Etimología: Nombre de origen germánico que significa «jefe famoso».
Personalidad: No le gustan las convenciones sociales, porque busca puntos de vista propios. Ama su profesión y se dedica a ella con auténtico fervor, aunque no por ello descuida a su familia ni a sus amigos. Como padre, es muy cariñoso. Sentimental hasta la médula, tiene debilidad por las historias de amor y es un poco conquistador.
Onomástica: No tiene.

RODOLFO

Etimología: Procede del germánico *hrod-wulf,* «lobo glorioso»; por extensión, «glorioso guerrero».
Personalidad: Demasiado sensible y quizá dotado de un corazón ecesivamente bondadoso, por lo cual evita problemas y enemistades. Suele tener mucho éxito con las mujeres, precisamente por ese carácter bueno y afectuoso, aunque al final puede revelarse como un auténtico rompecorazones.
Onomástica: 21 de junio.
Otros idiomas: Catalán: Rodolf. Euskera: Errodulba. Bable: Redolfu. Inglés: Rodolphus, Ralph. Francés: Rodolphe. Alemán: Rudolf, Ralph, Rudi. Italiano: Rodolfo.

RODRIGO

Etimología: Del germánico *hrod-rich,* «rico en fama».
Personalidad: Es un aventurero, un loco al que le gusta resolver problemas. Tiene unos ideales muy claros y procura actuar siempre de acuerdo con ellos. El amor le da miedo por lo que implica de compromiso y pérdida de libertad, aunque puede terminar siendo el eje de su vida.
Onomástica: 13 de marzo.
Otros idiomas: Catalán: Roderic. Euskera: Edrigu, Errodeika, Ruisko. Gallego: Rui. Bable: Rodrigo. Inglés: Roderick. Francés: Rodrigue. Alemán: Roy. Italiano: Roderico.

ROGELIO

Etimología: Deriva del germánico *hrod-gair,* «famoso por su lanza».

Personalidad: Idealista pero práctico, soñador pero consciente de la realidad. Posee una idea clarísima de cómo debería ser el mundo, pero sabe demasiado bien que cambiar las cosas es imposible. De modo que, en vez de luchar por aquello en lo que cree, termina sumergiéndose en la melancolía.
Onomástica: 16 de septiembre.
Otros idiomas: Catalán: Roger. Euskera: Erroxeli. Gallego: Roger, Roxelio. Bable: Roxelio, Rexerio, Ruxero. Inglés y francés: Roger. Alemán: Roger, Rüdiger. Italiano: Ruggero.

ROI

Etimología: Nombre gallego de origen germánico: «rico en gloria».
Personalidad: Es el hombre tranquilo y pacífico por excelencia, cree que los demás tienen sus razones para ser como son y no se mete en las vidas ajenas. En el ámbito profesional suele destacar, aunque no sea ambicioso, por su facilidad para trabajar en equipo y la generosidad con que valora las virtudes de sus colaboradores.
Onomástica: 1 de noviembre.
Otros idiomas: Bable: Roi.

ROLANDO

Etimología: Del germánico *hrod-land,* «gloria del país».
Personalidad: Tiene algo de genio despistado que inspira ternura. Su inteligencia es brillante, y la combina con una gran capacidad de trabajo y de sacrificio, pero corre el peligro de perderse en sus divagaciones. Extremadamente curioso, su ambición consiste en saberlo todo, lo humano y lo divino. Es hombre de un solo gran amor.
Onomástica: 15 de septiembre.
Otros idiomas: Catalán: Roland. Euskera: Orlan. Gallego: Rolando. Inglés y francés: Roland, Ronald.

ROLDÁN

Etimología: Del germánico *hrod-land,* «gloria del país». Es una variante de *Rolando.*
Personalidad: Serio, metódico, ordenado, responsable y con gran capacidad de trabajo, suele triunfar en la vida a base de duro esfuerzo. Es como una hormiguita que va llenando su granero lentamente. Sus mayores necesidades se centran en la paz y la tranquilidad.
Onomástica: 15 de septiembre.
Otros idiomas: Catalán: Roland, Rotllant. Euskera: Errolan, Erroldan. Gallego: Rolando. Bable: Roldán. Francés: Roland. Inglés: Rowland. Alemán: Roldan. Italiano: Rolando.

ROMÁN

Etimología: Del gentilicio latino *romanus*, «de Roma».
Personalidad: Es fuerte, viril, enérgico y obstinado. Puede llegar a ser reservado y ambicioso, con un fuerte magnetismo. Metódico, ordenado y estricto, para él todo es blanco o negro, sin medias tintas. Al ser perfeccionista y susceptible, toda su capacidad la emplea en realizaciones concretas, pero no desdeña trabajar en equipo.
Onomástica: 28 de febrero.
Otros idiomas: Catalán: Romà. Euskera: Erroman. Gallego: Román. Bable: Román. Francés: Romain. Inglés: Roman. Italiano: Romano.

ROMEN

Etimología: Nombre guanche originario de Tenerife. El mencey de Daute en el momento de la conquista se llamaba así.
Personalidad: Posee el impulso de la creación que produce la inspiración. Necesita perseguir ideales y emociones utópicos, por su carácter

idealista y perfeccionista. Goza también de ambiciones muy positivas. La parte negativa es la facilidad con que cae en la extravagancia y su tendencia al desánimo.

Onomástica: No tiene.

Romeo

Etimología: Del latín *Romaeus,* «romero», y, metafóricamente, «peregrino».

Personalidad: Es equilibrado y posee gran encanto, por lo que está dotado para la diplomacia. También valora enormemente la belleza, la armonía y la capacidad de sacrificio. Por contra, es algo indeciso y dado al fatalismo y al exceso de perfeccionismo.

Onomástica: 25 de febrero.

Otros idiomas: Catalán: Romeu. Gallego: Romeo. Inglés, alemán e italiano: Romeo. Francés: Roméo.

Romualdo

Etimología: Del latín *Romaeus,* «romero», y, metafóricamente, «peregrino».

Personalidad: La estabilidad, la paciencia, la organización, el realismo, el sentido del deber y el orden son sus principales virtudes. En lo sentimental y con sus amistades son de una fidelidad absoluta. Por contra, caen con facilidad en la rutina y la avaricia.

Onomástica: 19 de junio.

Otros idiomas: Catalán: Romuald. Euskera: Erromolda. Gallego: Romualdo. Bable: Romaldo. Francés y alemán: Romuald. Italiano: Romualdo.

Rómulo

Etimología: No se conoce la etimología. En la mitología latina, uno de los fundadores de la ciudad de Roma.

Personalidad: Posee fuerza y determinación, así como una personalidad difícilmente manejable. Obstinado e independiente, ejerce un gran magnetismo, aunque puede caer fácilmente en la intransigencia. Rara vez se siente contento durante mucho tiempo, así que busca cambios de ambiente o de escenario.

Onomástica: 6 de julio.

Otros idiomas: Catalán: Ròmuld. Euskera: Erromul. Gallego: Rómulo. Inglés, francés y alemán: Romulus. Italiano: Romolo.

Ronaldo

Etimología: Del germánico *hrod-land,* «gloria del país». Es una variante de *Rolando.*

Personalidad: De gran energía, no suelen pasar desapercibidos, y tienen habilidades para el liderazgo. No les gusta seguir las corrientes establecidas y se empeñan en la originalidad. En el lado negativo tienen cierta tendencia al egoísmo, la vanidad y el orgullo. También pueden ser excéntricos y demasiado dominantes.

Onomástica: 15 de septiembre.

Roque

Etimología: Nombre de etimología muy discutida. Podría derivar del escandinavo *hrokr,* «hombre alto»; del germánico *hruk,* «corneja», o incluso del provenzal *roc,* «rojo».

Personalidad: Aunque parece frío, oculta un gran temperamento interior que deja aflorar en muy contadas ocasiones. Está dotado de un irresistible encanto: sus amigos lo consideran alegre y divertido, aunque no niegan que en algunas circunstancias puede ser un poco egoísta.

Onomástica: 16 de agosto.

Otros idiomas: Catalán: Roc. Euskera: Erroka. Gallego y bable: Roque. Francés: Roch. Alemán: Rochus. Italiano: Rocco.

Rosendo

Etimología: Del germánico *hrod-sinths,* «el que se dirige a la fama».

Personalidad: No es un luchador. Prefiere limitarse a exponer sus ideas con claridad, pero sin comprometerse a llevar a cabo él mismo sus propios objetivos, sino solamente dando el primer impulso. Con sus amigos es afectuoso y leal, lo mismo que en el amor. No perdona fácilmente las traiciones.
Onomástica: 1 de marzo.
Otros idiomas: Catalán: Rossend, Rossell. Euskera: Errusenda. Gallego: Rosendo.

RUBÉN

Etimología: Nombre hebreo de etimología discutida. Podría derivar de *ribal,* «león», aunque también de *roah-ben,* «veo un hijo».
Personalidad: Travieso, nervioso y ligeramente perverso, es un diablillo. Está dotado de una gran inteligencia –astucia, quizá– y tiene facilidad para hacer prácticamente cualquier cosa, aunque es perezoso a la hora de trabajar. No se sabe de ningún Rubén que le haya fallado a un amigo.
Onomástica: 4 de agosto.
Otros idiomas: Catalán: Rubèn. Gallego y bable: Rubén. Inglés: Reuben. Italiano y alemán: Ruben.

RUFINO

Etimología: Del latín *rufus,* «pelirrojo».
Personalidad: Su problema principal es la pasividad y la indecisión, le parece que todo posee valores negativos y positivos. Es receptivo, sentimental y posee un gran espíritu de equipo. Cuando se siente rechazado, desarrolla una enorme capacidad de destrucción. Es celoso y posesivo.
Onomástica: 11 de agosto y 4 de septiembre.
Otros idiomas: Catalán: Rufí. Euskera: Errupin. Gallego: Rufiño. Francés: Rufin. Italiano: Ruffino.

RUFO

Etimología: Del latín *rufus,* «pelirrojo».
Personalidad: Rufo no suele tomarse las cosas demasiado en serio. Odia trabajar, así como cualquier cosa que implique sacrificios u obligaciones... pero lo hace, para costearse una buena vida. Su vida social suele ser amplísima y muy complicada: combina grupos de amigos y relaciones sentimentales varias.
Onomástica: 27 de agosto.
Otros idiomas: Catalán: Ruf. Bable: Rufo.

RUPERTO

Etimología: Deriva el germánico *hruot-berth,* «el brillo de la fama». Forma antigua de *Roberto.*
Personalidad: Orgulloso y susceptible, tiene muy buen concepto de sí mismo. Su principal habilidad es la elocuencia, ya sea de palabra o por escrito: es capaz de convencer a quien sea de cualquier cosa que se proponga. En el amor es poco pasional, incluso podría decirse que algo frío.
Onomástica: 27 de marzo.
Otros idiomas: Catalán: Rupert. Gallego: Ruperto. Inglés y francés: Rupert. Alemán: Ruprecht.

RÚSTICO

Etimología: Del latín *rusticus,* «rústico, perteneciente al campo».
Personalidad: Posee una personalidad carismática, seductora y fuerte. Es también idealista y perfeccionista, lo cual normalmente le lleva a tener elevadas ambiciones pero también a ser muy controlador. En lo negativo, suele ser nervioso y autoritario. Tiene excelentes cualidades para dedicarse a los negocios.
Onomástica: 17 de agosto.
Otros idiomas: Catalán: Rústic. Euskera: Errustika.

RUTILIO

Etimología: Del latín *rutilius,* «brillante, resplandeciente».

Personalidad: De gran energía, no suelen pasar desapercibidos, y tienen habilidades para el liderazgo y la innovación. No les gusta seguir las corrientes establecidas y se empeñan en la originalidad. Tienen cierta tendencia al egoísmo, la vanidad y el orgullo. También pueden ser excéntricos y demasiado dominantes.
Onomástica: 2 de agosto.
Otros idiomas: Catalán: Rútil, Rutili. Italiano: Rutilio.

Ryan

Etimología: Nombre gaélico: «pequeño rey».
Personalidad: Independiente, seguro de sí mismo y original, la mezcla de sus cualidades lo impulsa a buscar la felicidad y el placer, pero sin olvidar el trabajo bien hecho. Por ello necesita hallar una profesión que le llene, que más que un trabajo sea un placer. Desea realizar cosas sólidas y con futuro.
Onomástica: No tiene.

S

SABAS

Etimología: Nombre de origen hebreo que significa «conversión». También era el nombre que se le daba a *Arabia.*

Personalidad: Posee fuerza y determinación, así como una personalidad difícilmente manejable. Obstinado e independiente, ejerce un gran magnetismo, aunque puede caer fácilmente en la intransigencia. Rara vez se siente contento durante mucho tiempo, así que busca cambios de ambiente o de escenario.

Onomástica: 5 de diciembre.

Otros idiomas: Catalán: Sabas. Euskera: Saba. Italiano: Saba. Sabba.

SABELIO

Etimología: Nombre latino, derivado de *Sabino:* designa al pueblo de los sabinos, los cuales, al unirse a los latinos, dieron lugar a la ciudad de Roma.

Personalidad: Transmite gran confianza entre sus amigos y compañeros de trabajo, por su espíritu seductor y fuerte. Es también idealista y perfeccionista en todo lo que emprende, lo cual le permite conseguir grandes logros. La parte negativa de su carácter es que puede llegar a volverse autoritario e impaciente.

Onomástica: 25 de enero.

SABINO

Etimología: Nombre latino que designa al pueblo de los sabinos, los cuales, al unirse a los latinos, dieron lugar a la ciudad de Roma.

Personalidad: No es un hombre muy seguro de sí mismo y le cuesta tomar decisiones. Procura superar esa debilidad de carácter, pero a menudo se comporta de un modo autoritario y casi despótico. Con sus amigos y familiares es una persona siempre pendiente de los detalles, porque necesita que tengan un buen concepto de él.

Onomástica: 25 de enero.

Otros idiomas: Catalán: Sabí. Euskera: Sabin. Gallego: Sabino. Bable: Sabín. Inglés y alemán: Sabin. Francés: Sabin, Savin. Italiano: Sabino, Savino.

SABURO

Etimología: Nombre japonés que significa «tercer hijo».

Personalidad: Su impresión es que ha nacido en un tiempo que no le corresponde. Él necesita vivir fuera de la realidad, en un refugio de fantasía propio. Su carácter le da ventaja en profesiones relacionadas con la interpretación o la escritura. Por lo demás, tiene un corazón de oro y es capaz de desvivirse por ayudar a su prójimo.

Onomástica: No tiene.

SACHA

Etimología: Variante eslava de *Alejandro*: del griego *Aléxandros,* quiere decir «protector de hombres».

Personalidad: Valiente, listo, generoso y fiel. Tiende a centrarse en un gran objetivo y a olvidarse de todo lo demás. De adulto puede ser orgulloso y caprichoso.

Onomástica: 24 de abril y 21 de septiembre.

SADDAM

Etimología: Nombre árabe que significa «jefe poderoso».

Personalidad: Es un hombre de carácter. Muy dado a las discusiones espectaculares y melodramáticas, aunque al final siempre acaba cediendo. Es extremadamente ambicioso en su vida personal y profesional. Aunque le encanta la intriga, es un buen amigo, pero un poco superficial.

Onomástica: No tiene.

Sa'id

Etimología: Nombre árabe que puede interpretarse como «feliz».

Personalidad: Es tozudo y obstinado, aunque no actúa con mala intención. Puede ser orgulloso, pero también sincero y justo. Siente pasión por todo tipo de actividades intelectuales y es dado a la polémica. En el amor y la amistad se muestra muy sólido. No soporta a las personas que actúan sólo por conveniencia.

Onomástica: No tiene.

Salman

Etimología: Nombre checo, que deriva del árabe *Salim*, y significa «pacífico, seguro».

Personalidad: Desde niño tiene que luchar con su inseguridad. Tiende a compararse con los demás y en su fuero interno siempre sale malparado. Hay algo en su interior que le obliga a fijarse en los demás y esa falta de criterio puede convertirlo en un tipo excéntrico. Su verdadera meta en la vida es hallar a alguien que le proporcione la seguridad que tanto necesita.

Onomástica: No tiene.

Salomón

Etimología: Nombre hebreo que significa «hombre que ama la paz».

Personalidad: Es un gran estudioso de las relaciones humanas y, según van pasando los años, se va convirtiendo en todo un cúmulo de sabiduría. Su peor defecto es su debilidad por la venganza, ya que difícilmente puede perdonar una ofensa realmente grave.

Onomástica: 13 de marzo y 28 de septiembre.

Otros idiomas: Catalán: Salomó. Gallego: Salomón. Bable: Salamón. Inglés: Solomon. Francés: Salomon. Alemán: Salomo. Italiano: Salomone.

Salustiano

Etimología: Del latín *salus,* «salud».

Personalidad: Es un hombre serio y responsable con vocación de erudito. Trabaja duramente por conseguir un conocimiento lo más amplio posible sobre los temas que le interesan, que suelen ser muchos y variados. No es muy dado a las diversiones, aunque le encanta relajarse y desconectar de las preocupaciones junto a sus seres más queridos.

Onomástica: 8 de junio.

Otros idiomas: Catalán: Sal.lustià. Euskera: Osasun, Salusten. Gallego: Salustiano.

Salustio

Etimología: Del latín *salus,* «salud».

Personalidad: Es muy equilibrado y posee un sentido innato de la justicia y el equilibrio, pero también cae con facilidad en ataques de ira y valora en exceso el poder y el triunfo. Es impaciente e impetuoso. Esta personalidad le hace, casi con seguridad, muy celoso.

Onomástica: 14 de septiembre.

Salvador

Etimología: Nombre cristiano que hace referencia a Jesús como Salvador de los hombres.

Personalidad: Es una persona muy despierta, capaz de sacar el mejor partido de las situaciones más inverosímiles. Es extremadamente adaptable, por lo cual, puede desenvolverse con soltura en casi cualquier entorno, ya sea profesional o personal. Es enamoradizo, pero también inconstante.

Onomástica: 18 de marzo.

Otros idiomas: Catalán, gallego y bable: Salvador. Euskera: Gaizka, Salbatore, Xabat, Xalbador, Xalbat. Inglés: Saviour. Francés: Sauveur. Alemán: Salvator. Italiano: Salvatore.

Salviano

Etimología: Del nombre latino *Salvius,* que deriva de *salvus,* «salvador».

Personalidad: Posee el impulso de la creación que produce la inspiración. Necesita perseguir ideales y emociones utópicos, por su carácter idealista y perfeccionista. Goza también de ambiciones muy positivas. La parte negativa es la facilidad con que cae en la extravagancia y su tendencia al desánimo.
Onomástica: 11 de enero.
Otros idiomas: Bable: Salvín.

Salvino

Etimología: Del nombre latino *Salvius,* que deriva de *salvus,* «salvador».
Personalidad: De gran energía, no suelen pasar desapercibidos, y tienen habilidades para el liderazgo y la innovación. No les gusta seguir las corrientes establecidas y se empeñan en la originalidad. En el lado negativo tienen cierta tendencia al egoísmo, la vanidad y el orgullo. También pueden ser excéntricos y demasiado dominantes.
Onomástica: 11 de enero.
Otros idiomas: Bable: Salvín.

Salvio

Etimología: Del nombre latino *Salvius,* que deriva de *salvus,* «salvador».
Personalidad: Emotivo, altruista e idealista. Fiel a sus amistades y amores, tiene gran necesidad de ayudar y compartir, tanto en lo material como en lo espiritual. Es influenciable, le cuesta ser realista y es algo desordenado. En lo espiritual, tiende también a padecer desórdenes ciclotímicos.
Onomástica: 11 de enero.
Otros idiomas: Catalán: Salvi.

Samir

Etimología: Nombre árabe que significa «entretenimiento».
Personalidad: Tiene un aire de niño demasiado mimado. No soporta bien que le contradigan. Su principal preocupación es siempre la estética, por encima de la ética: que las cosas tengan un aspecto impecable, que su físico se mantenga... Aunque no es muy constante, sí es bastante ingenioso y divertido.
Onomástica: No tiene.

Samuel

Etimología: Del hebreo *sem-El,* «el nombre de Dios».
Personalidad: Lo más preciado para él es su intimidad. Esto le convierte en un hombre tímido, cerrado, que tiene que hacer un enorme esfuerzo para compartir sus sentimientos con los demás. Dotado de una gran inteligencia y de una nada despreciable capacidad de trabajo. En el amor es demasiado confiado.
Onomástica: 16 de febrero y 13 de octubre.
Otros idiomas: Catalán y bable: Samuel. Euskera: Samel. Francés y alemán: Samuel. Italiano: Samuele.

Sancho

Etimología: Deriva del latín *sanctus,* «sangrado, inviolable, venerado».
Personalidad: Sancho tiene buenas ideas, pero le falta paciencia y perseverancia, espera obtener resultados de forma inmediata. Es muy sensible a las adulaciones, y necesita que los demás le estén constantemente recordando lo mucho que vale y lo que podría conseguir si se lo propusiera.
Onomástica: 5 de junio.
Otros idiomas: Catalán: Sanç. Euskera: Santxo. Italiano: Sancio, Santo, Santino.

Sàndal

Etimología: Nombre catalán de origen cristiano, que evoca la planta del *sándalo.*
Personalidad: Fiel a sus amistades y en el amor, le produce gran satisfacción ayudar y compartir, tanto material como espiritualmente. Es Emotivo, altruista e idealista, pero muy influenciable, le cuesta ser realista y es algo

desordenado. Su principal peligro está en los frecuentes altibajos anímicos.
Onomástica: 3 de septiembre.

Sándor

Etimología: Del griego *Aléxandros,* quiere decir «protector de hombres». Es el equivalente de *Alejandro* en húngaro.
Personalidad: Valiente, listo, generoso y fiel. Tiende a centrarse en un gran objetivo y a olvidarse de todo lo demás. De adulto puede ser orgulloso y caprichoso.
Onomástica: 24 de abril y 21 de septiembre.

Sandro

Etimología: Se forma como hipocorístico del italiano *Alessandro,* que deriva del griego *Aléxandros,* «protector de hombres».
Personalidad: Valiente, listo, generoso y fiel. Tiende a centrarse en un gran objetivo y a olvidarse de todo lo demás. De adulto puede ser orgulloso y caprichoso.
Onomástica: 24 de abril y 21 de septiembre.

Sansón

Etimología: Nombre de origen hebreo, cuyo significado es «pequeño sol».
Personalidad: Le cuesta tiempo encontrar su verdadera personalidad, por lo que tiene dificultades para llegar a descubrir su verdadero camino. Aunque es algo vacilante y no muy enérgico, sin embargo posee un cierto espíritu aventurero, incluso algo temerario, que le ayuda. En el amor y la amistad es de una lealtad inquebrantable.
Onomástica: 24 de abril y 21 de septiembre.

Santiago

Etimología: Procede del hebreo *Yea-gob,* «Yahvé recompensará», que se latinizó como *Jacobo.* Éste, en la Edad Media, se transformó en *Yago,* y de *Sant-Yago* surge el nombre *Santiago.*
Personalidad: Tranquilo, romántico y sentimental. Bajo su apariencia descuidada y profundamente desordenada, oculta una preocupación que va más allá de las cuestiones materiales. Encuentra la felicidad en la sencillez. Es exageradamente desprendido y generoso, y tiene una habilidad algo irritante para rodearse de las amistades más extrañas.
Onomástica: 8 de febrero y 25 de julio.
Otros idiomas: Catalán: Santiago. Euskera: Jakes, Jakobe, Jakue, Santi, Santio, Santutxo, Xanti, Yakue. Gallego: Santiago, Iago. Bable: Santio. Francés: Jacques. Inglés: Jacob. Alemán: Jakob. Italiano: Giacobbe.

Santino

Etimología: Nombre cristiano, variante de *Santos,* que conmemora el día de Todos los Santos.
Personalidad: La estabilidad, la seguridad y la protección son sus ejes fundamentales. Se trata de personas con los pies en el suelo, aunque también ambiciosas, lo cual equilibra su carácter y les permite vivir una existencia activa y variada, repleta de situaciones que les permite crecer y aprender.
Onomástica: 1 de noviembre.

Santos

Etimología: Nombre cristiano que conmemora el día de Todos los Santos.
Personalidad: Santos es el prototipo de hombre sencillo y feliz, que intenta mantener equilibrados todos los aspectos de su vida: el trabajo, la familia, el amor, los amigos... Afronta los problemas de un modo práctico y metódico, buscando soluciones. No puede decirse que sea pesimista, pero quizá sí demasiado objetivo, demasiado poco dado a soñar.
Onomástica: 1 de noviembre.
Otros idiomas: Catalán: Sants. Euskera: Deunoro, Sandor, Sanduru, Santuru. Gallego: Santos. Francés: Toussaint. Italiano: Ognissanti.

Saturio

Etimología: Nombre cristiano que podría estar relacionado con *Saturno,* que en la mitología romana se relacionaba con la siembra y la creación.

Personalidad: El rasgo dominante de su personalidad es el alto dominio sobre sí mismo. Sabe medir sus capacidades, que suelen armonizar con todo lo que le rodea. Refinado, amable, simpático y de buen talante, suele hacer amigos con gran facilidad y le gusta ayudar a los demás. Quizá demasiado soñador.

Onomástica: 2 de octubre.

Otros idiomas: Catalán: Saturi. Euskera: Satur. Gallego: Saturo.

Saturnino

Etimología: Deriva del latín *saturninus,* «relativo a Saturno». A su vez, el nombre de este dios proviene de *satur,* «saciado, harto, saturado».

Personalidad: De inteligencia singular y con gran capacidad de liderazgo, aunque sus enemigos le consideren un engreído. No suele ser consciente de sus propias limitaciones, y puede mostrarse despectivo o desdeñoso con los problemas de los demás. En el amor sueña buscar a alguien más fuerte que él.

Onomástica: 11 de febrero.

Otros idiomas: Catalán: Sadurní. Euskera: Satordi, Zadornin, Zernin. Gallego: Sadurniño. Bable: Saturnín, Zabornín. Inglés: Saturnine. Francés: Saturnin.

Saturno

Etimología: Nombre que podría estar relacionado con *Saturno,* que en la mitología romana se relacionaba con la siembra y la creación.

Personalidad: Posee una gran capacidad de adaptación, por lo cual le entusiasman los viajes y todo lo que requiera audacia e innovación. En lo negativo, su personalidad le acarrea ciertos inconvenientes como accidentes, inestabilidad y superficialidad.

Onomástica: No tiene.

Otros idiomas: Catalán: Saturn. Francés: Saturne.

Saúl

Etimología: Del nombre hebrero *Shaul,* «deseado, elegido».

Personalidad: Enérgico y obstinado, confiado en sí mismo y deseoso de hacerlo todo y mejor que los demás. Necesita gastar la enorme energía que es capaz de desarrollar e ir siempre hacia delante gracias a su imaginación y capacidad de reacción. Es amante del hogar y la familia, pero es muy celoso de sus prerrogativas.

Onomástica: No tiene.

Otros idiomas: Catalán: Saül. Francés: Saül. Inglés: Saul. Alemán: Saul. Italiano: Sàul.

Saulo

Etimología: Nombre de origen griego, que podría interpretarse como «el que es tierno y delicado».

Personalidad: De personalidad equilibrada, serena y con las ideas muy claras, aunque también es intuitivo y magnético. Valora el refinamiento y la integridad, la simpatía y la benevolencia. Suele ser idealista sin remedio si cree en una idea determinada.

Onomástica: 20 de octubre.

Saverio

Etimología: Del euskera *etche-berri,* «casa nueva». Es una variante de *Javier.*

Personalidad: Afable, dulce y divertidos. Odia hacer daño a los demás, por lo cual intentará siempre estar a la altura de lo que se espera de él. Aunque pueda parecer flexible y negociador, se muestra tenaz y perseverante hasta el punto de parecer cabezota. Suele ser muy afortunado en el terreno profesional y financiero.

Onomástica: 3 de diciembre.
Otros idiomas: Catalán: Xavier. Euskera y gallego: Xabier. Inglés y francés: Xavier. Alemán: Xaver. Italiano: Saverio.

Scanlon
Etimología: Nombre irlandés, de origen celta, que significa «trampero».
Personalidad: Poco a poco, porque es muy trabajador, va construyendo a su alrededor un mundo a su medida. Cuando lo consigue, es del todo irrompible. No es que sea materialista, sino que necesita la seguridad de las cosas y las personas que le son familiares. Por lo demás, es muy cariñoso y solidario.
Onomástica: No tiene.

Sean
Etimología: Nombre que en hebreo significa «Dios es misericordioso» y en irlandés y escocés es una variante de *John.*
Personalidad: A veces puede encontrarse en situaciones comprometidas por su sentido de la justicia: no soporta que se abuse de los débiles. Debe aprender a valorar las posibilidades ajenas, a no subestimar a los demás, aunque sea con ánimo protector. Por su carácter, tiende a relacionarse con personas que buscan protección.
Onomástica: No tiene.

Sebastián
Etimología: Procede del griego *sebastós,* «venerado, augusto».
Personalidad: El secreto de su éxito es la serenidad y la capacidad de reflexión: no pierde los nervios ante ninguna circunstancia. Posee un rígido autocontrol, y gracias a esto, consigue aparentar una inteligencia aún mayor de la que posee. Es un gran amante de la vida familiar.
Onomástica: 20 de enero.
Otros idiomas: Catalán: Sebastià. Euskera: Sastin, Saustin, Sebasten. Gallego y bable: Bastián, Sebastián. Inglés: Sebastian, Bastian. Francés: Sébastien. Alemán: Sebastian, Bastien. Italiano: Sebastiano, Bastiano.

Secundino
Etimología: Del latín *secundus,* «después del primero».
Personalidad: Su principal característica es el exceso, en cualquier sentido. Lo mismo se trata de una personalidad excesivamente soñadora como de un materialismo consumado, de hedonistas y narcisistas como de estoicos que rozan el ascetismo. Hay que vigilar la tendencia a la indiscreción, así como al inconformismo.
Onomástica: 29 de marzo.
Otros idiomas: Gallego: Secundino. Bable: Secundín.

Segismundo
Etimología: Del germánico *seig-mund,* «que protege mediante la victoria».
Personalidad: Ama la tranquilidad y es capaz de ser feliz con cualquier cosa. Posee un rico mundo de fantasía. No es un luchador en ningún caso y, con tal de no discutir, es capaz de sacrificarse en casi cualquier cosa. Segismundo es un hombre que suele enamorarse una sola vez, pero para toda la vida.
Onomástica: 1 de mayo.
Otros idiomas: Catalán: Segimon. Euskera: Sekismunda. Gallego: Sexismondo, Sismundo. Inglés: Segismund. Francés: Segismond. Alemán: Sigmund. Italiano: Segismondo.

Segundo
Etimología: Del latín *secundus,* «después del primero»
Personalidad: Transmite gran confianza entre sus amigos y compañeros de trabajo, por su es-

píritu seductor y fuerte. Es también idealista y perfeccionista en todo lo que emprende, lo cual le permite conseguir grandes logros. La parte negativa de su carácter es que puede llegar a volverse autoritario e impaciente.
Onomástica: 29 de marzo.
Otros idiomas: Gallego: Segundo.

Seldon
Etimología: Nombre de origen anglosajón que significa «valle de los sauces».
Personalidad: Le gusta estar en constante movimiento, buscar nuevos intereses, conocer nuevos lugares: su curiosidad se mantiene siempre viva. Necesita desempeñar profesiones que requieran poner en juego estas características, no soportaría una vida monótona o un trabajo mecánico. Es un amigo muy leal.
Onomástica: No tiene.

Selesio
Etimología: Del latín *selectus,* «selecto».
Personalidad: Posee el impulso de la creación que produce la inspiración. Necesita perseguir ideales y emociones utópicos, por su carácter idealista y perfeccionista. Goza también de ambiciones muy positivas. La parte negativa es la facilidad con que cae en la extravagancia y su tendencia al desánimo.
Onomástica: 12 de noviembre.

Selim
Etimología: Nombre de origen árabe, que se puede interpretar como «el pacificador» o «de buena salud».
Personalidad: Espirituales y místicos, de sentimientos altruistas. Se trata de personas elevadas que intentan cultivar la sabiduría y que valoran la inteligencia y la habilidad. Receptivos y estudiosos, son capaces de disfrutar de la vida. Quizá a veces son demasiado abnegados y se olvidan de sus propios intereses.
Onomástica: No tiene.

Sempala
Etimología: Nombre originario de Uganda, que significa «nacido en tiempos prósperos».
Personalidad: Busca fundamentalmente la paz interior, estar satisfecho consigo mismo. La vida superficial y las diversiones de ese estilo no le interesan ni lo más mínimo. Para sentirse a gusto necesita desempeñar una profesión que lo mantenga ocupado y le exija un cierto esfuerzo. En el amor necesita seguridad y solidez.
Onomástica: No tiene.

Sempronio
Etimología: De la gens romana *Sempronius:* «de la familia de Sempronio».
Personalidad: Posee fuerza y determinación, así como una personalidad difícilmente manejable. Obstinado e independiente, ejerce un gran magnetismo, aunque puede caer fácilmente en la intransigencia. Rara vez se siente contento durante mucho tiempo, así que busca cambios de ambiente o de escenario.
Onomástica: No tiene.

Séneca
Etimología: Nombre de origen latino, cuyo significado es «venerable anciano».
Personalidad: El rasgo dominante de su personalidad es el alto dominio sobre sí mismo. Sabe medir sus capacidades, que suelen armonizar con todo lo que le rodea. Refinado, amable, simpático y de buen talante, suele hacer amigos con gran facilidad y le gusta ayudar a los demás. Quizá demasiado soñador.
Onomástica: No tiene.

Senén
Etimología: La etimología es un poco confusa, pero algunos creen que puede venir de la palabra *Zen,* que es el sobrenombre de Júpiter en griego.
Personalidad: Es un hombre repleto de vida que siempre rebosa optimismo y felicidad.

Nunca se le ha visto deprimido. Siempre está entregado a alguna actividad, ya que le gusta disfrutar de la vida al máximo. En lo que se refiere al terreno sentimental, no le gustan demasiado los compromisos.
Onomástica: 30 de julio.
Otros idiomas: Bable: Senén.

Senwe

Etimología: Nombre africano que significa «seco como un almacén de grano».
Personalidad: Es un conversador por el gusto de intercambiar impresiones: lo que más le interesa en este mundo son las personas y su comportamiento. Su virtud principal es el interés por el conocimiento y la literatura, aunque sólo sea por el placer que le producen las personas relacionadas con las humanidades.
Onomástica: No tiene.

Serafín

Etimología: Procede del hebreo *seraphim,* «serpientes».
Personalidad: A Serafín le gusta sentir que los demás le admiran. El lado bueno es que trabaja realmente duro para ser admirable. Vigila de forma rígida su moral, es muy severo e intransigente con sus propios errores y defectos (menos el orgullo), y procura siempre mostrarse amable y comprensivo.
Onomástica: 12 de octubre.
Otros idiomas: Catalán: Serafí. Euskera: Serapin. Bable: Serafo. Inglés: Seraph. Francés: Séraphin. Alemán: Seraphim. Italiano: Seraphino.

Serapio

Etimología: Procede del latín *Serapion,* en honor del dios egipcio *Serapis,* que fue adoptado también en el mundo romano y luego en el cristiano».
Personalidad: Su principal característica es el exceso, en cualquier sentido. Lo mismo se trata de una personalidad excesivamente soñadora como de un materialismo consumado, de hedonistas y narcisistas como de estoicos que rozan el ascetismo. Hay que vigilar la tendencia a la indiscreción, así como al inconformismo.
Onomástica: 23 de marzo.
Otros idiomas: Catalán y euskera: Serapi. Gallego y bable: Serapio.

Sergei

Etimología: Nombre ruso, que es el equivalente de *Sergio,* y éste del etrusco, de significado desconocido, aunque dio lugar a la gens romana *Sergia.*
Personalidad: Su carácter puede llegar a esclavizarlo: es demasiado orgulloso y un poco rígido de carácter, le cuesta ver los matices de las cosas. Si consigue atemperar ese problema, puede llegar a ser incluso divertido. En el amor y la amistad prefiere lo poco, pero bueno.
Onomástica: 24 de febrero.
Otros idiomas: Catalán y euskera: Sergi. Gallego: Serxio. Inglés: Serge, Sergius. Francés: Serge. Alemán: Xerxes. Italiano: Sergio.

Sergio

Etimología: Nombre etrusco de significado desconocido, que dio lugar a la gens romana *Sergia.*
Personalidad: Su problema es la falta de seguridad, que lo hace influenciable y tímido. También hay que destacar su gran capacidad de adaptación y su lógica implacable. En el amor es demasiado brusco, y como en todo, le cuesta revelar y expresar sus verdaderos sentimientos.
Onomástica: 24 de febrero.
Otros idiomas: Catalán y euskera: Sergi. Gallego: Serxio. Inglés: Serge, Sergius. Francés: Serge. Alemán: Xerxes. Italiano: Sergio.

Serni

Etimología: Variante catalana de *Sadurní* (*Saturnino*). También se acepta la forma *Cerni.* Muy utilizado en los Pirineos catalanes.

Personalidad: Se trata de una persona extraordinariamente compleja y de reacciones inesperadas. Le gusta vivir plenamente, con mayúsculas: cuando se consagra a su trabajo, también lo hace de lleno, absolutamente, sin reservas. Podría decirse que en todos los campos de su vida siempre pone toda la carne en el asador.
Onomástica: 29 de noviembre.

SERVANDO

Etimología: Del nombre latino *Servandus,* de origen cristiano, que podría traducirse como «el que observa la ley».
Personalidad: Su personalidad es muy creativa, entusiasta, sociable, optimista y muy espiritual. Tiene gran sentido práctico y es muy hábil en las actividades manuales. En contrapartida, puede ser algo intolerante y colérico, y a veces le cuesta concentrarse en una sola cosa.
Onomástica: 23 de octubre.
Otros idiomas: Catalán: Servand. Gallego: Servando.

SEVERINO

Etimología: Del latín *severus,* «severo, grave, austero».
Personalidad: Es muy equilibrado y posee un sentido innato de la justicia y el equilibrio, pero también cae con facilidad en ataques de ira y valora en exceso el poder y el triunfo. Es impaciente e impetuoso. Esta personalidad le hace, casi con seguridad, muy celoso.
Onomástica: 8 de enero.
Otros idiomas: Catalán: Severí. Euskera: Seberiñe. Gallego: Severino. Francés: Séverin. Alemán: Severinus. Italiano: Severino.

SEVERO

Etimología: Del latín *severus,* «severo, grave, austero».
Personalidad: Valiente y no muy dado a la reflexión, es pasional y actúa guiado por impulsos. Por ello suele dedicarse a profesiones creativas, donde se busquen ideas geniales o periodos intermitentes de mucha actividad. En el amor también es un aventurero que en gran medida disfruta enamorando y desenamorando a las mujeres.
Onomástica: 8 de agosto.
Otros idiomas: Catalán: Sever. Euskera: Seber. Bable: Severo. Francés: Sévère. Italiano: Severo.

SHAKIR

Etimología: Nombre árabe que puede interpretarse como «agradecido».
Personalidad: No soporta hacer daño a los demás. Tal vez por eso prefiere sufrir una frustración a imponer su criterio, aunque sepa que es el correcto. A pesar de ese carácter bondadoso, no carece de ambiciones, pero suele marcarse un camino que sea muy respetuoso con todos. Es un compañero de trabajo y amigo muy agradable.
Onomástica: No tiene.

SHAMÁN

Etimología: Nombre de origen sánscrito que significa «místico, curandero».
Personalidad: Busca soluciones y respuestas en lo que le va enseñando la vida: tiene la virtud de la observación, combina inteligencia e intuición. Es un conquistador y su mayor defecto es que se pierde por llamar la atención del sexo opuesto. En el trabajo necesita trabajos que le obliguen a estar en constante movimiento.
Onomástica: No tiene.

SHAMIR

Etimología: Nombre hebreo que significa «piedra preciosa».

Personalidad: Él es el único que considera que sus ideas son sólidas, porque los demás creen que las cambia con demasiada frecuencia. Como en todo, se deja llevar por las modas. Es muy afectuoso y en el campo profesional se marca metas que le permitan alcanzar un buen nivel de vida. Como padre se muestra muy responsable.
Onomástica: No tiene.

SHANNON

Etimología: Nombre irlandés, de origen celta, que significa «pequeño sabio».
Personalidad: Vive en su propio mundo, en sus pensamientos y fantasías. Reflexivo y poco convencional, por tanto, no es fácil que se atenga a los patrones sociales imperantes. Como pareja y como amigo también es un poco despistado, pero de sentimientos nobles y muy profundos. Suele conseguir lo que se proponga.
Onomástica: No tiene.

SHAQUIL

Etimología: Nombre árabe que significa «manejable».
Personalidad: Necesita tener siempre una apariencia impecable, no soporta el desorden o la incoherencia y está demasiado pendiente de lo que opinan de él. Si cree que algo merece la pena, no le importa arriesgar todo lo que haga falta. En el amor prefiere ser conquistado a conquistar, porque necesita sentir que le prestan atención.
s comprendida por los que la rodean.
Onomástica: No tiene.

SHARIF

Etimología: Nombre árabe que significa «honesto, noble».
Personalidad: Es una persona muy simpática, afable e inteligente. Su problema principal es precisamente conseguir fijar su atención en actividades serias, porque se empeña en no crecer. En el amor busca una pareja que centre todas sus energías en él, aunque en la amistad es mucho más entregado.
Onomástica: No tiene.

SHAYÁN

Etimología: Nombre cheyenne, gentilicio de la tribu.
Personalidad: Actúa siempre con una contundencia y seguridad en sus opiniones que puede resultar chocante. En el amor, sin embargo, le falta seguridad, y le cuesta mantener sus conquistas. Quienes más le valoran son sus amigos y compañeros de trabajo.
Onomástica: No tiene.

SHEFFIEL

Etimología: Nombre de origen anglosajón que significa «campo tortuoso».
Personalidad: Son personas sencillas y auténticas. Detestan a los que actúan de una determinada manera sólo por guardar las apariencias y, por eso, prefieren que les digan las cosas a la cara, sin rodeos ni ambages. Odian la mentira y la hipocresía. Su sistema moral es simple pero incorruptible.
Onomástica: No tiene.

SHELDON

Etimología: Nombre de origen anglosajón que significa «granja de la llanura».
Personalidad: Es un hombre inquieto, siempre en busca de nuevas aventuras y experiencias. Se niega a ser conformista, ama la libertad y sólo aceptará un compromiso cuando esté profundamente seguro de que es eso lo que quiere. Aunque parezca alocado, sus actos siempre tienen un sentido.
Onomástica: No tiene.

SHELTON

Etimología: Nombre de origen anglosajón que significa «ciudad de la meseta».

Personalidad: Es como una niño: crédulo, ingenuo y alegre. Concede una gran importancia al amor y a la amistad durante toda su vida. En su profesión demuestra que es brillante, creativo y muy trabajador; tiene ambición, pero es comedido y valora tanto la lealtad que no se deja dominar por ella.

Onomástica: No tiene.

SHERLOCK

Etimología: Nombre de origen anglosajón que significa «de pelo fino».

Personalidad: Su gran pasión radica en la belleza. Es un gran amante del arte en todas sus manifestaciones, y en su propia vida. En el amor y con sus amigos se muestra impulsivo y apasionado. No le gusta trabajar en exceso y no es ambicioso, por lo que procura buscarse una profesión tranquila que le permita llevar una vida desahogada.

Onomástica: No tiene.

SHERWIN

Etimología: Nombre de origen anglosajón que significa «corredor, el que corta el viento».

Personalidad: Tiene un temperamento demasiado variable, nunca se puede estar seguro de cómo va a reaccionar. En el amor, raras veces será correspondido por la persona a quien realmente ama, aunque probablemente termine asentándose en una afable y placentera relación sustentada más por la amistad que por el amor pasional.

Onomástica: No tiene.

SHERWOOD

Etimología: Nombre de origen anglosajón que significa «boscoso».

Personalidad: Sale adelante pase lo que pase, con absoluta decisión. A la hora de trabajar, es serio y responsable, prudente cuando las circunstancias lo requieren, aunque también es capaz de arriesgar. En el amor suele ser desgraciado, quizá porque le resulta difícil encontrar una compañera tan fuerte y segura como él misma.

Onomástica: No tiene.

SIDDHARTA

Etimología: Es el nombre original de Buda, el fundador de la religión budista.

Personalidad: Es un hombre introvertido, muy encerrado en sí mismo y hasta podría decirse que algo huraño. Algunos dicen que peca un poco de misantropía, que desprecia al género humano; pero la realidad es que no logra comprender al resto de las personas, le parecen demasiado complicadas. Aun así, suele encontrar energías para intentar cambiar su mundo.

Onomástica: No tiene.

SIGFRIDO

Etimología: Nombre germánico que significa «pacificador victorioso».

Personalidad: Es irreflexivo, orgulloso, no muy trabajador y realmente espera conseguir sus objetivos sin tener que realizar ningún esfuerzo, como si el éxito y las comodidades le correspondieran por derecho de nacimiento. En cambio, es extremadamente sensible, y no soporta ver a otro ser humano pasar necesidad.

Onomástica: 22 de agosto.

Otros idiomas: Catalán: Sigfrid. Inglés, francés y alemán: Siegfrid. Italiano: Sigfrido.

SILVANO

Etimología: Del latín *Silvanos,* «de la selva, silvestre».

Personalidad: De acusada personalidad, activo, dinámico y emprendedor, desea estar en el escenario de la vida para representar su papel y ser admirada. Pero también es capaz de organizar y administrar. Pero sensible y emotivo, es

capaz de entregarse abnegadamente a cualquier causa humanitaria si puede ocupar un lugar destacado.
Onomástica: 4 de mayo.
Otros idiomas: Catalán: Silvà. Euskera: Menkiko, Silban. Gallego: Silvano. Bable: Silvanu. Francés: Sylvain. Italiano: Silvano.

Silverio
Etimología: Del latín *silva,* «selva».
Personalidad: Su personalidad es conflictiva, por lo que suele encontrar dificultades para encontrarse a gusto consigo mismo. También es algo vacilante y no muy enérgico. Sin embargo, posee un cierto espíritu aventurero, incluso algo temerario, y es de una lealtad inquebrantable.
Onomástica: 20 de junio.
Otros idiomas: Catalán: Silveri. Francés: Silvère. Italiano: Silverio.

Silvester
Etimología: Es la variante inglesa de *Silvestre:* del latín *silvester,* «silvestre, selvático, boscoso».
Personalidad: Sensible y fuerte al mismo tiempo. Necesita ser original, aunque muchas veces no sabe muy bien cómo hacerlo. Le gusta sentir que es él quien domina la situación, y no soporta que los demás no le hagan caso o que no hagan lo que él quiere. De joven es un idealista soñador.
Onomástica: 31 de diciembre.
Otros idiomas: Catalán: Silvestre. Euskera: Silbester, Silibister. Gallego: Silvestre. Bable: Silverio. Inglés: Silvester, Sylvester. Francés: Sylvestre. Alemán: Sylvester. Italiano: Silvestro.

Silvestre
Etimología: Del latín *silvester,* «silvestre, selvático, boscoso».
Personalidad: Es un excéntrico. Tiene curiosidad por todo lo oculto y lo misterioso, pero se enfrenta a ello con el más riguroso método científico. En las relaciones personales también gusta de ser original, y por ello, evita a toda costa las convenciones sociales al tiempo que ignora sistemáticamente los tabúes.
Onomástica: 31 de diciembre.
Otros idiomas: Catalán: Silvestre. Euskera: Silbester, Silibister. Gallego: Silvestre. Bable: Silverio. Inglés: Silvester, Sylvester. Francés: Sylvestre. Alemán: Sylvester. Italiano: Silvestro.

Silvino
Etimología: Del latín *silvinus,* «relativo a Silvia o al bosque».
Personalidad: Ciertamente es un poco perezoso, y aunque sepa lo que quiere y qué ha de hacer para conseguirlo, le cuesta ponerse manos a la obra. Es romántico y soñador, muy dado a perderse en el mundo de sus fantasías. Cariñoso y entregado, pero también muy exigente. Cuando hay problemas sabe ser fuerte, entero y tranquilo.
Onomástica: 18 de febrero y 3 de noviembre.
Otros idiomas: Bable: Selvinu.

Silvio
Etimología: Del latín *silva,* «selva, bosque».
Personalidad: Es un gran amante de la naturaleza, que sufre por el medio ambiente y adora a los animales. Curiosamente, en el amor, puede llegar a tener fama de poco considerado, al menos hasta que encuentra a la mujer de su vida. En su trabajo es serio y muy responsable, aunque no por ambición, sino por simple deseo de hacer las cosas bien.
Onomástica: 20 de mayo.
Otros idiomas: Catalán: Silvi. Euskera: Silbi. Gallego: Silvio. Inglés y francés: Sylvius. Italiano: Silvio.

Simeón
Etimología: Nombre hebreo que significa «Yahvé ha escuchado».

Personalidad: Se trata de un hombre inteligente, tranquilo y muy predispuesto para las profesiones que requieren estudio y erudición. Conforme avanzan los años, si puede, se refugia en el círculo de sus íntimos y procura desentenderse de todo lo demás. Por todo esto, suele tener una cierta fama de raro y hasta de un poco misántropo.
Onomástica: 5 de enero y 18 de febrero.
Otros idiomas: Catalán: Simeó. Euskera: Simone. Gallego: Simeón. Inglés y alemán: Simeon. Francés: Siméon. Italiano: Simeone.

SIMÓN

Etimología: Del griego *simós,* «que tiene la nariz chata».
Personalidad: Es la paz personificada: irradia tranquilidad y serenidad. Parece como si ya lo hubiera vivido todo y se muestra siempre imperturbable y sensato. Tiene fama de culto y hasta de sabio, aunque lo fundamental es que aprende sobre todo de sus propias experiencias.
Onomástica: 28 de octubre.
Otros idiomas: Catalán: Simó. Euskera: Ximun, Simone. Gallego y bable: Simón. Inglés, francés y alemán: Simon. Italiano: Simone.

SINESIO

Etimología: Del griego *synésios,* «sagaz, prudente».
Personalidad: Posee una personalidad equilibrada, serena y con las ideas muy claras, aunque también es intuitivo y magnético. Valora el refinamiento y la integridad, la simpatía y la benevolencia. Suele ser idealista sin remedio si cree en una idea determinada.
Onomástica: 12 de octubre.
Otros idiomas: Catalán: Sinesi.

SINFORIANO

Etimología: Del griego *symphorá,* «acompañante».
Personalidad: Su personalidad es muy creativa, entusiasta, sociable, optimista y muy espiritual. Tiene gran sentido práctico y es muy hábil en las actividades manuales. En contrapartida, puede ser algo intolerante y colérico, y a veces le cuesta concentrarse en una sola cosa.
Onomástica: 22 de agosto.
Otros idiomas: Catalán: Simforià. Bable: Sinfurianu. Italiano: Sinforiano.

SINFOROSO

Etimología: Del griego *symphorá,* «acompañante».
Personalidad: Posee una personalidad marcada por el impulso de creación. Es algo autoritario, individualista e independiente. Valora la estabilidad en su vida y para conseguirla a veces se muestra autoritario y egoísta.
Onomástica: 22 de agosto.
Otros idiomas: Catalán: Simforià. Bable: Senforoso. Italiano: Sinforiano.

SIRO

Etimología: Del latín *syrus,* o sea, «habitante de Siria».
Personalidad: De gran energía, no suelen pasar desapercibidos, y tienen habilidades para el liderazgo. No les gusta seguir las corrientes establecidas y se empeñan en la originalidad. En el lado negativo tienen cierta tendencia al egoísmo, la vanidad y el orgullo. También pueden ser excéntricos y demasiado dominantes.
Onomástica: 9 de diciembre.
Otros idiomas: Catalán y euskera: Sir. Alemán e italiano: Siro.

SISEBUTO

Etimología: Nombre de origen germánico formado por *Sisi,* «encantamiento», y *Bodo,* «valiente, audaz».

Personalidad: Sereno, con las ideas muy claras, seguro de sí mismo y con facilidad para las relaciones sociales. Valora el refinamiento, pero sobre todo el buen carácter, la lealtad y la integridad de sus amigos. En el amor es muy exigente. Si cree plenamente en una causa o idea, pone todo su empeño en ella.
Onomástica: 9 de febrero.

SIXTO

Etimología: Nombre de origen griego, *Systos,* «listo, pulido».
Personalidad: Independiente, seguro de sí mismo y original, la mezcla de sus cualidades lo impulsa a buscar la felicidad y el placer, pero sin olvidar el trabajo bien hecho. Por ello necesita hallar una profesión que le llene, que más que un trabajo sea un placer. Desea realizar cosas sólidas y con futuro.
Onomástica: 5 de agosto.
Otros idiomas: Catalán: Sixt, Sixte. Euskera: Sista. Gallego: Sixto. Bable: Sisto. Francés: Sixte. Alemán: Sixtus. Italiano: Sisto.

SÓCRATES

Etimología: Nombre de origen griego derivado de *soos,* «sano», y *kratos,* «fuerza». Podría interpretarse como «sano y fuerte».
Personalidad: Emotivo, altruista e idealista. Fiel a sus amistades y amores, tiene gran necesidad de ayudar y compartir, tanto en lo material como en lo espiritual. Es influenciable, le cuesta ser realista y es algo desordenado. En lo espiritual, tiende también a padecer desórdenes ciclotímicos. Tiene cualidades para las profesiones intelectuales.
Onomástica: 19 de abril.
Otros idiomas: Catalán: Sòcrates. Francés: Socrate. Alemán: Sokrates.

SÓFOCLES

Etimología: Nombre de origen griego. Podría interpretarse como «famoso por su sabiduría».
Personalidad: Su principal virtud es la capacidad de adaptación, por lo cual le entusiasman los viajes y todo lo que requiera audacia e innovación. En lo negativo, su personalidad le acarrea ciertos inconvenientes como accidentes, inestabilidad y superficialidad.
Onomástica: No tiene.

SOFRONIO

Etimología: Nombre de origen griego, que significa «prudente, sano de espíritu».
Personalidad: Es un poco arrogante y no tolera con facilidad las críticas o las opiniones adversas. Tiene una imagen muy clara de cómo deben ser las cosas a su alrededor, incluso las personas. La familia para él es lo más importante y está dispuesto a cualquier sacrificio para sacarla adelante, aunque exige en los demás una actitud semejante.
Onomástica: 11 de marzo.

SOMERSET

Etimología: Nombre de origen anglosajón que significa «campamento de verano».
Personalidad: Rebosa simpatía e imaginación, es un hombre bienintencionado y alegre, que rechaza por principio cualquier prejuicio o convención social. Sin embargo, es muy terco y no soporta que le lleven la contraria. Además, puede llegar a ser un poco excéntrico y egoísta, lo cual le hace pensar que no es comprendido.
Onomástica: No tiene.

SOTERO

Etimología: Nombre de origen griego. Podría interpretarse como «el salvador».
Personalidad: Concede más importancia a lo espiritual que a lo material. Es paciente, con gran capacidad de estudio, lógica y análisis.

Muy exigente consigo mismo y con los demás. Algo solitario e introspectivo, por lo que cae con facilidad en el pesimismo.
Onomástica: No tiene.
Otros idiomas: Euskera: Soter, Xotil. Gallego: Sotero.

SPENCER

Etimología: Nombre de origen anglosajón que significa «despensero, dispensador de provisiones».
Personalidad: Vive mucho más de cara al exterior que para sí mismo. En realidad es tierno y afectuoso, y está muy necesitado de cariño, pero considera que estas características son signos de debilidad, y prefiere ocultarlas. Enseguida se encariña con la gente, pero también puede ser cruel.
Onomástica: No tiene.

SPIKE

Etimología: Nombre de origen anglosajón que significa «espiga de cereal».
Personalidad: Hiperactivo y ligeramente inestable, tiene una tendencia no muy sana a tomárselo todo demasiado en serio, casi como un reto personal. Tiene la necesidad de estar siempre haciendo algo productivo, hasta tal punto que llega a agotar a todos los que le rodean. Pierde los nervios con facilidad y se enfada a menudo.
Onomástica: No tiene.

STERLING

Etimología: Nombre de origen anglosajón que significa «valioso, moneda de plata».
Personalidad: Es una persona muy sensible, por más que intente disimularlo. Bajo su apariencia fría, segura y un poco despreocupada, hay un hombre que está siempre pendiente de lo que los demás dicen o hacen y de la actitud que tienen hacia él. Su gran placer consiste en ayudar a los que le rodean a ser felices.
Onomástica: No tiene.

STING

Etimología: Nombre de origen anglosajón que significa «espiga de cereal».
Personalidad: Humanista y entregado por naturaleza: para ser feliz necesita sentir que es útil a los demás. No entiende el egoísmo ni la falta de compromiso:él, realmente, no puede descansar sabiendo que hay alguien que necesita su ayuda. El problema consiste en que es demasiado crítico consigo mismo.
Onomástica: No tiene.

SULEIMÁN

Etimología: Nombre árabe que es una variante de *Salomón.* En hebreo significa «hombre que ama la paz».
Personalidad: Es un gran estudioso de las relaciones humanas y, según van pasando los años, se va convirtiendo en todo un cúmulo de sabiduría. Su peor defecto es su debilidad por la venganza, ya que difícilmente puede perdonar una ofensa realmente grave.
Onomástica: 13 de marzo y 28 de septiembre.
Otros idiomas: Catalán: Salomó. Gallego: Salomón. Inglés: Solomon. Francés: Salomon. Alemán: Salomo. Italiano: Salomone.

SULPICIO

Etimología: Nombre de la gen romana *Sulpicius,* que podría derivar de *sulphur,* azufre».
Personalidad: El rasgo dominante de su personalidad es el alto dominio sobre sí mismo, incluso el ser tal vez demasiado frío. Sabe medir sus capacidades, que suelen armonizar con todo lo que le rodea. Refinado, amable de buen talante, suele hacer amigos con gran facilidad y le gusta ayudar a los demás. Aunque él opina que es idealista e incluso demasiado soñador, nada hay más lejos de la realidad.
Onomástica: 17 de enero.
Otros idiomas: Catalán: Sulpici. Euskera: Sulbici. Gallego: Salomón. Francés: Sulpica. Alemán: Sulpitius.

SWEENEY

Etimología: Nombre irlandés, de origen celta, que significa «pequeño héroe».

Personalidad: Es un hombre dinámico y activo. La alegría parece empapar cada uno de sus actos, y a la gente le gusta estar cerca de él por su optimismo contagioso. Le gusta que los demás dependan de él en cierta medida, aunque su sentido de la independencia le impide ser él mismo el que necesite a otra persona o pedir el más mínimo favor.

Onomástica: No tiene.

Tabaré

Etimología: Nombre de origen tupí, de *taba,* pueblo», y *re,* «después»; o sea, «el que vive solo».

Personalidad: La estabilidad, la seguridad y la protección son sus ejes fundamentales. Se trata de personas con los pies en el suelo, aunque también ambiciosas, lo cual equilibra su carácter y les permite vivir una existencia activa y variada, repleta de situaciones que les permite crecer y aprender.

Onomástica: No tiene.

Taciano

Etimología: Nombre latino que deriva de la voz infantil *tata,* el equivalente actual de «papá».

Personalidad: Posee una personalidad carismática, seductora y fuerte. Es también idealista y perfeccionista, lo cual normalmente le lleva a tener elevadas ambiciones pero a ser un poco intransigente. En lo negativo, suele ser nervioso y autoritario.

Onomástica: 16 de marzo.

Otros idiomas: Catalán: Tacià.

Tadeo

Etimología: Nombre de origen hebreo que probablemente signifique «el que alaba a Dios».

Personalidad: Es abierto y simpático. Siente una gran debilidad por el arte y por la belleza en general, y por ello procura que todos sus actos estén teñidos de un cierto toque estético. Se desvive por hacer felices a las personas a las que quiere, y realmente no se permitiría fallarle a un amigo.

Onomástica: 28 de octubre.

Otros idiomas: Catalán: Tadeu. Euskera: Tada. Gallego: Tadeo. Bable: Tadéu. Inglés y alemán: Thaddaeus. Francés: Tadée, Thaddée. Italiano: Tadeo.

Tamar

Etimología: Nombre de origen hebreo que significa «palmera».

Personalidad: Recto, tranquilo, equilibrado, es una de esas personas que procura no decir nunca una palabra más alta que otra. Extremadamente comprensivo, para sus amigos se convierte en un inmejorable apoyo. En su profesión es ambicioso y puede llegar a mostrarse intransigente con las debilidades ajenas.

Onomástica: No tiene.

Tancredo

Etimología: Del nombre germánico *Thancharat,* de *thanc,* «pensamiento», y *rato,* «consejero». Podría interpretarse como «preceptor»

Personalidad: Su carácter es muy creativo y posee el impulso que produce la inspiración. Le gustan las emociones y es muy dado a perseguir ideales utópicos. Es también idealista y perfeccionista, lo cual normalmente le lleva a tener elevadas ambiciones. La parte negativa es la facilidad con que cae en la extravagancia y su tendencia a la inestabilidad.

Onomástica: 9 de abril.

Otros idiomas: Catalán: Tancred. Inglés y alemán: Tancred. Francés: Tancrède. Italiano: Tancredi.

Tarif

Etimología: Nombre árabe que significa «único, poco común».

Personalidad: Es lento pero seguro. Sus decisiones siempre se hacen esperar y están profundamente meditadas, pero una vez que han sido tomadas, nada en el universo es capaz de hacer que no se cumplan. Y es que es implacable. Puede ser el mejor de los amigos, y sin

duda un apoyo inmejorable en situaciones difíciles.
Onomástica: No tiene.

TARIQ

Etimología: Nombre árabe que significa «conquistador».
Personalidad: Puede parecer que no le da importancia a casi nada, pero le toma mucho cariño a la gente y sufre agudas decepciones cuando alguien le falla. Aunque sin mala intención, es demasiado impulsivo y poco reflexivo, así que raramente piensa antes de actuar.
Onomástica: No tiene.

TARQUINO

Etimología: Gentilicio latino de *Tarquinia,* antigua ciudad de Italia: «nacido en Tarquinia».
Personalidad: Procura mantenerse siempre ecuánime y posee un sentido innato de la justicia, pero también cae con facilidad en ataques de ira y valora en exceso el poder y el triunfo. Es impaciente e impetuoso. Esta personalidad le hace, casi con seguridad, muy celoso.
Onomástica: No tiene.

TARSICIO

Etimología: Del griego *tharsos,* «valor, atrevimiento».
Personalidad: Su personalidad está marcada por el impulso de creación. Es algo autoritario, individualista e independiente. Valora la estabilidad en su vida y para conseguirla a veces se muestra autoritario y egoísta.
Onomástica: 14 de agosto.
Otros idiomas: Catalán: Tarsici. Euskera: Tastsixi. Italiano: Tarcisio.

TÁRSILO

Etimología: Del griego *tharsos,* «valor, atrevimiento». Es una variante de *Tarsicio.*
Personalidad: Posee fuerza y determinación, así como una personalidad difícilmente manejable. Obstinado e independiente, ejerce un gran magnetismo, aunque puede caer fácilmente en la intransigencia. Rara vez se siente contento durante mucho tiempo, así que busca cambios de ambiente o de escenario.
Onomástica: 24 de diciembre.

TAYIB

Etimología: Nombre hindú que significa «delicado, bueno».
Personalidad: Orgulloso e independiente, astuto y decidido, implacable con sus enemigos y capaz de casi cualquier cosa para conseguir sus objetivos. Su modo de afrontar los problemas es quizá un poco retorcido. Defiende su territorio y a su familia con uñas y dientes.
Onomástica: No tiene.

TAZARTE

Etimología: Nombre guanche originario de Gran Canaria. Hay un lugar con este nombre en la aldea de San Nicolás.
Personalidad: Le entusiasman los viajes y la aventura y la innovación. Es capaz de adaptarse a cualquier situación y ambiente. En su contra tiene ciertos inconvenientes, como la inestabilidad, la superficialidad y la falta de previsión, lo cual no le facilita una vida sentimental.
Onomástica: No tiene.

TELÉMACO

Etimología: En la mitología griega, hijo de Ulises y Penélope. Deriva de *tele,* «lejos», y *machos,* «combatiente»: «el que combate lejos».
Personalidad: La estabilidad, la paciencia, la organización, el realismo, el sentido del deber y el orden son sus principales virtudes. En lo sentimental y con sus amistades son de una fidelidad absoluta. Por contra, caen con facilidad en la rutina y la avaricia.
Onomástica: 16 de febrero.

Telesforo

Etimología: Nombre de origen griego, que significa «mensajero».

Personalidad: Le lleva tiempo encontrarse a gusto consigo mismo, por lo que tiene dificultades para llegar a descubrir su verdadero camino. Aunque vacila y no es muy enérgico, posee un cierto espíritu aventurero, incluso algo temerario, que le sirve de contrapeso. Es de una lealtad inquebrantable con sus amigos y en el amor.

Onomástica: 5 de enero.

Otros idiomas: Gallego: Telesforo.

Telmo

Etimología: Es el sobrenombre de San Pedro González Telmo, nacido en Frómista. Junto a la Virgen del Carmen, es el patrón de los marineros porque predicó entre los de Galicia y Asturias.

Personalidad: Su carácter es muy creativo y posee el impulso que produce la inspiración. Le gustan las emociones y es muy dado a perseguir ideales utópicos. Es también idealista y perfeccionista, lo cual normalmente le lleva a tener elevadas ambiciones. La parte negativa es la facilidad con que cae en la extravagancia y su tendencia a la inestabilidad.

Onomástica: 4 de abril.

Otros idiomas: Catalán: Telm. Gallego y bable: Telmo. Alemán: Telmus. Italiano: Telmo.

Tennessee

Etimología: Nombre cherokee que significa «guerrero poderoso».

Personalidad: Es un hombre hogareño que desea pasar su vida del modo más apacible y tranquilo. El trabajo es para él una maldición, y mucho más la vida en la ciudad. Su ideal es retirarse al campo y cultivar con sus manos, sin más compañía que su familia y amigos más íntimos.

Onomástica: No tiene.

Teobaldo

Etimología: Nombre germánico que deriva de *theud-bald,* «pueblo audaz».

Personalidad: Su personalidad es conflictiva, por lo que suele encontrar dificultades para encontrarse a gusto consigo mismo. También es algo vacilante y no muy enérgico. Sin embargo, posee un cierto espíritu aventurero, incluso algo temerario, y es de una lealtad inquebrantable.

Onomástica: 1 de julio.

Otros idiomas: Catalán: Teobald, Tubau. Euskera: Tobaldo, Tibalt. Gallego: Teobaldo. Inglés y alemán: Theobald. Francés: Thibaut. Italiano: Tebaldo, Tibaldo.

Teodomiro

Etimología: Nombre germánico que deriva de *theus-miru,* «pueblo insigne».

Personalidad: Posee una gran capacidad de adaptación, por lo cual le entusiasman los viajes y todo lo que requiera audacia e innovación. En lo negativo, su personalidad le acarrea ciertos inconvenientes como accidentes, inestabilidad y superficialidad.

Onomástica: 25 de julio.

Otros idiomas: Catalán: Teodomir. Euskera: Todomir. Gallego: Teodomiro. Bable: Teodomiro (Miro).

Teodorico

Etimología: Del germánico *theus-ric,* «pueblo rico».

Personalidad: Tiene una personalidad equilibrada, serena y con las ideas muy claras, aunque también es intuitivo y magnético. Valora el refinamiento y la integridad, la simpatía y la benevolencia. Suele ser idealista sin remedio si cree en una idea determinada.

Onomástica: 1 de julio.

Otros idiomas: Catalán: Teodoric, Todolí. Inglés: Terry, Theodoric. Francés: Thierry. Alemán: Dietrich, Theoderich. Italiano: Teodorico.

Teodoro

Etimología: Del griego *théos-doron,* «don de Dios».

Personalidad: Es un hombre ambicioso e implacable, ejemplo máximo de esas personas que creen que han de labrarse su propia suerte, que debe luchar para conseguir cada detalle. Es constante y valora todo lo que tiene. Concede gran importancia al amor y a la amistad, y es innegablemente una gran compañero.

Onomástica: 23 de octubre.

Otros idiomas: Catalán: Teodor. Euskera: Teodor, Todor. Gallego: Teodoro. Bable: Teo, Tiadoro (Doro). Inglés: Theodore. Francés: Théodore. Alemán: Theodor. Italiano: Teodoro.

Teodosio

Etimología: Del griego *théos-doron,* «don de Dios».

Personalidad: Emotivo, altruista e idealista. Fiel a sus amistades y amores, tiene gran necesidad de ayudar y compartir, tanto en lo material como en lo espiritual. Es influenciable, le cuesta ser realista y es algo desordenado. En lo espiritual, tiende también a padecer desórdenes ciclotímicos.

Onomástica: 23 de octubre.

Otros idiomas: Bable: Todosu.

Teófilo

Etimología: Del griego *Teóphilos,* «amigo de Dios».

Personalidad: La estabilidad, la paciencia, la organización, el realismo, el sentido del deber y el orden son sus principales virtudes. En lo sentimental y con sus amistades son de una fidelidad absoluta. Por contra, caen con facilidad en la rutina y la avaricia.

Onomástica: 13 de octubre.

Otros idiomas: Catalán: Teòfil. Euskera: Topil. Gallego: Teófilo. Inglés y alemán: Theophilus. Francés: Théophile. Italiano: Teofilo.

Terencio

Etimología: Del nombre romano *Terentium,* gentilicio de *Terentum,* lugar del campo de Marte donde se celebraban juegos.

Personalidad: Serio, metódico, ordenado, responsable y con gran capacidad de trabajo, suele triunfar en la vida a base de duro esfuerzo. Es como una hormiguita que va llenando su granero lentamente. Sus mayores necesidades se centran en la paz y la tranquilidad.

Onomástica: 10 de abril.

Otros idiomas: Catalán: Terenci. Euskera: Terentzi. Gallego: Terencio. Bable: Terenci. Francés: Térence, Terry. Inglés: Terence, Terry. Alemán: Terenz. Italiano: Terenzio.

Teseo

Etimología: Del griego *theos,* «dios». En la mitología griega, héroe ateniense vencedor del minotauro.

Personalidad: Su carácter es muy creativo y posee el impulso que produce la inspiración. Le gustan las emociones y es muy dada a perseguir ideales utópicos. Es también idealista y perfeccionista, lo cual normalmente la lleva a tener elevadas ambiciones. La parte negativa es la facilidad con que cae en la extravagancia y su tendencia a la inestabilidad.

Onomástica: No tiene.

Otros idiomas: Catalán: Teseu.

Texenire

Etimología: Nombre guanche originario de Tenerife. Un niño con este nombre fue vendido en Valencia en 1497.

Personalidad: Es un poco arrogante y no tolera con facilidad las críticas o las opiniones adversas. Tiene una imagen muy clara de cómo deben ser las cosas a su alrededor, incluso las personas. La familia para él es lo más importante y está dispuesto a cualquier sacrificio para sacarla adelante.

Onomástica: No tiene.

Thabit

Etimología: Nombre árabe que significa «fuerte, firme».

Personalidad: No le gustan las convenciones sociales, porque busca puntos de vista propios. Ama su profesión y se dedica a ella con auténtico fervor, aunque no por ello descuida a su familia ni a sus amigos. Como padre, es muy cariñoso. Sentimental hasta la médula, tiene debilidad por las historias de amor y es un poco conquistador.

Onomástica: No tiene.

Tiburcio

Etimología: Gentilicio latino de *Tibur,* la actual Tívoli, que podría traducirse como «natural de *Tibur*».

Personalidad: Posee una personalidad carismática, seductora y fuerte. Es también idealista y perfeccionista, lo cual normalmente le lleva a tener elevadas ambiciones. En lo negativo, suele ser nervioso y autoritario.

Onomástica: 14 de abril.

Otros idiomas: Catalán: Tiburci. Euskera: Tiburtzi. Francés: Tiburce. Alemán: Tiburtius. Italiano: Tiburzio.

Tierney

Etimología: Nombre irlandés, de origen celta, que significa «persona distinguida».

Personalidad: Es afectuoso y profundamente protector. No es demasiado imaginativo ni original, pero tiene una gran capacidad de trabajo. En el amor es algo ingenuo, pero prefiere eso a volverse cruel o insensible. Es feliz si tiene una causa en la que ocuparse.

Onomástica: No tiene.

Timoteo

Etimología: Procede del griego *timáo-théos,* «amor a Dios».

Personalidad: Timoteo es una de esas personas inteligentes pero prácticas, que emplea sus habilidades a fondo para conseguir la felicidad. Controla perfectamente sus sentimientos y, por tanto, nunca será corroído por la envidia, ni la ambición, ni la sed de venganza. Sí sabe, sin embargo, liberarse para sentir plenamente el amor o la amistad.

Onomástica: 3 de mayo y 19 de agosto.

Otros idiomas: Catalán y gallego: Timoteu. Euskera: Timota. Bable: Timoteo. Inglés: Timothy. Francés: Timothée. Alemán: Timotheus.

Tinerfe

Etimología: Nombre guanche con el que se conocía al rey de la isla de Tenerife a mediados del siglo XV.

Personalidad: Es quizá demasiado idealista, por lo que concede más importancia a lo espiritual que a lo material. Es paciente, con gran capacidad de estudio, lógica y análisis. Sin embargo, es muy exigente consigo mismo. Cae con facilidad en el pesimismo y se aísla de los demás.

Onomástica: No tiene.

Tirso

Etimología: Del griego *thyrsos,* un bastón cubierto de hojas de hiedra y parra que portaba el dios *Dionisio.*

Personalidad: Bajo una apariencia tranquila y a veces hasta apática, esconde una mente inquieta y bulliciosa. Siempre está entretenido con alguna nueva fantasía, algún nuevo proyecto. Pero le cuesta reflejar los productos de su intelecto en la vida real. Para ello necesita la ayuda de una compañera incondicional, que le aporte seguridad en sí mismo.

Onomástica: 24 de enero.

Otros idiomas: Catalán: Tirs. Gallego: Tirso. Bable: Tiso.

TITO

Etimología: Del nombre latino *Titus,* «el defensor».

Personalidad: Su carácter es muy creativo y posee el impulso que produce la inspiración. Le gustan las emociones y es muy dado a perseguir ideales utópicos. Es también idealista y perfeccionista, lo cual normalmente le lleva a tener elevadas ambiciones. La parte negativa es la facilidad con que cae en la extravagancia y su tendencia a la inestabilidad.

Onomástica: 6 de febrero.

Otros idiomas: Catalán: Titus. Euskera: Tita. Gallego: Tito. Inglés y alemán: Titus. Francés: Titus, Tite. Italiano: Tito.

TOBÍAS

Etimología: Del hebreo *Tobiyyahu,* «Dios es bueno».

Personalidad: El problema de Tobías suele ser que habla demasiado. Habla, y siempre cuenta demasiado. Quizá porque sea excesivamente sincero, piensa que, si no le cuenta a un amigo absolutamente todo lo que piensa, no está demostrando confianza en él. Tiene facilidad para conmoverse, y suele sufrir por las desgracias ajenas.

Onomástica: 2 de noviembre.

Otros idiomas: Catalán: Tobias. Euskera: Tobi. Gallego y bable: Tobías. Inglés: Tobiah, Toby. Francés: Tobie. Alemán: Tobias. Italiano: Tobia.

TOMÁS

Etimología: Deriva del arameo *thoma,* «gemelo, mellizo».

Personalidad: Tomás vive con los pies asentados en la tierra,donde vive, y no tiene reparo para desenvolverse del mejor modo posible. Procura disfrutar de cada uno de los placeres que la existencia pueda proporcionarle, tratando de no traicionar por ello sus creencias más profundas.

Onomástica: 7 de marzo y 3 de julio.

Otros idiomas: Catalán: Tomàs. Euskera: Toma. Gallego: Tomé. Bable: Tomás. Inglés, francés y alemán: Thomas. Italiano: Tommaso.

TOMÉ

Etimología: Nombre germánico que deriva de *theus-miru,* «pueblo insigne».

Personalidad: Posee una gran capacidad de adaptación, por lo cual le entusiasman los viajes y todo lo que requiera audacia e innovación. En lo negativo, su personalidad le acarrea ciertos inconvenientes como accidentes, inestabilidad y superficialidad.

Onomástica: 25 de julio.

Otros idiomas: Gallego: Tomé.

TORCUATO

Etimología: Del latin *Torquatus;* de *torques,* «collar, brazalete»; o sea, puede interpretarse como «el que lleva un collar».

Personalidad: Bajo su aspecto brusco y autoritario se esconde una gran sensibilidad. Necesita acción, movimiento y cambio, pero también es reflexivo, moderado, organizado y con ganas de triunfar, para lo que cuenta con su inteligencia y facilidad de asimilación. Con tan opuestas tendencias, puede estallar en el momento más inesperado o tras mucho economizar pacientemente gasta de golpe todo lo ganado.

Onomástica: 15 de mayo.

Otros idiomas: Catalán: Torquat. Euskera: Torkora. Gallego: Torcado. Bable: Torcuato. Torquato.

TORIBIO

Etimología: Del nombre griego *Thoribios,* que podría traducirse como «ruidoso».

Personalidad: Tiene una personalidad carismática, seductora y fuerte. Es también idealis-

ta y perfeccionista, lo cual normalmente le lleva a tener elevadas ambiciones. En lo negativo, suele ser nervioso y autoritario.
Onomástica: 23 de marzo.
Otros idiomas: Catalán y euskera: Toribi. Bable: Toribu. Alemán: Toribius. Italiano: Toribio.

TRAFUL
Etimología: Nombre araucano que signfica «unión».
Personalidad: Es muy imaginativo y está dotado del impulso de la inspiración. Le gustan las emociones y es muy dado a perseguir ideales utópicos. Es también idealista y perfeccionista, lo cual normalmente le lleva a tener elevadas ambiciones. La parte negativa es la facilidad con que cae en la extravagancia y su tendencia a la inestabilidad.
Onomástica: No tiene.

TRANQUILINO
Etimología: Perteneciente a la familia romana de los *Tranquilinus,* que originariamente significaba «tranquilo, sereno».
Personalidad: Es un rebelde, un hombre que no se conforma con pensar que el mundo es como es, sino que desea cambiarlo. No acepta consejos ni órdenes de los demás: quierer probarlo todo por sí mismo. Suele tener algunos problemas por su su carácter independiente y su falta de respeto a los convencionalismos.
Onomástica: 6 de julio.

TREVOR
Etimología: Nombre irlandés, de origen celta, que significa «prudente».
Personalidad: Su impresión es que ha nacido en un tiempo que no le corresponde. Él necesita vivir fuera de la realidad, en un refugio de fantasía propio. Su carácter le da ventaja en profesiones relacionadas con la interpretación o la escritura. Por lo demás, tiene un corazón de oro y es capaz de desvivirse por ayudar a su prójimo.
Onomástica: No tiene.

TRIFÓN
Etimología: Nombre griego que deriva de *trifé,* «delicado, suntuoso».
Personalidad: La estabilidad y la protección son sus ejes fundamentales. Se trata de personas con los pies en el suelo, aunque también ambiciosas, lo cual equilibra su carácter y les permite vivir una existencia activa y variada, repleta de situaciones que les permite crecer y aprender.
Onomástica: 3 de julio.
Otros idiomas: Catalán: Trifó. Euskera: Tirpon. Inglés: Tryphon.

TRISTÁN
Etimología: Del nombre céltico *Trwst*, «mensajero, heraldo». Nombre del héroe de una leyenda bretona.
Personalidad: Fuerte, reservado, independiente, activo, trabajador y crealista. Es un hombre valiente y abnegado aunque su interés primordial se centra en él mismo y en su bienestar material. Pero también es compasivo y abnegado, con gran personalidad y espíritu práctico.
Onomástica: No tiene.
Otros idiomas: Catalán: Tristany. Gallego y bable: Tristán. Francés y alemán: Tristan. Inglés: Tristam. Italiano: Tristano.

TROILO
Etimología: De origen desconocido. Personaje de la mitología griega, muerto a manos de Aquiles.
Personalidad: Su personalidad es muy creativa, entusiasta, sociable, optimista y muy espiritual. Tiene gran sentido práctico y es muy hábil en las actividades manuales. En contrapartida, puede ser algo intolerante y colérico, y a veces le cuesta concentrarse en una sola cosa.
Onomástica: No tiene.

TUPAC

Etimología: Nombre quechua que signfica «el señor».

Personalidad: Se distinguen entre los demás por una personalidad carismática, seductora y fuerte. Es también idealista y perfeccionista, lo cual normalmente le lleva a tener elevadas ambiciones. En lo negativo, suele ser nervioso, autoritario y con posibilidades de desarrollar una cierta intolerancia.

Onomástica: No tiene.

TYLER

Etimología: Nombre inglés que significa «fabricante de tejas».

Personalidad: Relacionados con la cultura, el conocimiento, la armonía y la verdad. Disfrutan al máximo de la vida, valorando lo detalles y placeres más insignificantes. Son cooperadores, entusiastas y afectuosos, por lo que valoran el amor y la amistad. El mayor riesgo se encuentra en la hipersensibilidad y la indecisión.

Onomástica: No tiene.

UBALDO

Etimología: Del germánico *hug-bald,* «de espíritu audaz».

Personalidad: Su desgracia es ser demasiado inteligente. Le da demasiadas vueltas a todo, piensa más de lo conveniente. Aunque esto no le ayude precisamente a ser feliz, es indudable que termina dando sus frutos, convirtiéndole en un auténtico filósofo que se complace en ayudar a los que le rodean a encontrar su camino en la vida.

Onomástica: 11 y 16 de mayo.

Otros idiomas: Catalán: Ubald. Euskera: Ubalda. Gallego: Ubaldo. Inglés y francés: Ubald. Alemán: Ubaldus. Italiano: Ubaldo.

UBAY

Etimología: Nombre guanche originario de Tenerife. Un indígena vendido en Valencia se llamaba «Ubay Chimayo».

Personalidad: Inteligente y creativo, es, sin embargo, demasiado perezoso. Es un devoto de las comodiades, aunque no le gusta el lujo excesivo. Busca una vida relativamente tranquila, sin grandes sobresaltos. En el amor le falta un poco de confianza en sus posibilidades, por lo cual suele refugiarse en una actitud distante.

Onomástica: No tiene.

UDOLFO

Etimología: Nombre de origen teutón, que podría interpretarse como «afortunado».

Personalidad: Está repleto de vida, siempre rebosa optimismo y felicidad. Nunca se le ha visto deprimido. Siempre está entregado a alguna actividad, ya que le gusta disfrutar de la vida al máximo. En lo que se refiere al terreno sentimental, no le gustan demasiado los compromisos.

Onomástica: No tiene.

ULISES

Etimología: Del latín *Ulises,* y éste del griego *Odysseus,* «el que odia», «el que tiene rencor». Es el héroe de la *Odisea.*

Personalidad: Es un hombre con una fuerte personalidad, estricto, autoritario y dominador, pero en el fondo es emotivo, generoso, sensible. Es valiente y arriesgado, aunque también rencoroso y vengativo, lo que le hace perder fuerza en sus ambiciones. Sin embargo, es muy independiente y oportunista, por lo que no es extraño verle ocupando cargos directivos.

Onomástica: No tiene.

Otros idiomas: Catalán: Ulisses. Gallego: Ulises. Inglés: Ulysses. Francés: Ulysse. Italiano: Ulisse.

ULPIANO

Etimología: Del latín *vulpiano,* «zorro». En Cuba hay una zona geográfica conocida como el Monte de San Ulpiano.

Personalidad: Desarrolla una intensa vida social y siente un gran amor por el lujo y la comodidad, y tiene un carácter un tanto exigente, incluso con las personas queridas. Asu favor tiene la virtud de la simpatía y de inspirar grandes pasiones a su alrededor. Suele tener éxito en el mundo laboral.

Onomástica: 23 de septiembre.

Otros idiomas: Bable: Urpiano.

ULRICO

Etimología: Del nombre anglosajón *Ulfric,* de *ulf,* «lobo», y *ric,* «jefe, guerrero»; metafóricamente podría interpretarse como «guerrero o jefe poderoso».

Personalidad: Emotivo, altruista e idealista. Fiel a sus amistades y amores, tiene gran necesidad de ayudar y compartir, tanto en lo mate-

rial como en lo espiritual. Es influenciable, le cuesta ser realista y es algo desordenado. En lo espiritual, tiende también a padecer desórdenes ciclotímicos.
Onomástica: 4 de julio.
Otros idiomas: Catalán: Ulric. Inglés: Ulric, Ulrick. Francés: Ulric. Alemán: Ulrich, Ulrik. Italiano: Ulrico.

Umberto

Etimología: Del germánico *hunn-berth,* «oso brillante»; por extensión, «famoso guerrero».
Personalidad: Presta una atención desmedida a su apariencia física, es una enamorado de la moda y poca gente le ha oído nunca hablar de un tema moderadamente profundo. Suele tratarse de una simple fachada: extremadamente ambicioso y en ocasiones egoísta, es inquieto e impaciente, y suele sufrir grandes decepciones en el terreno de la amistad.
Onomástica: 4 de marzo.
Otros idiomas: Catalán: Humbert. Euskera: Umberta. Inglés, francés y alemán: Humbert. Italiano: Umberto.

Unai

Etimología: Nombre vasco que es el equivalente de *Pastor:* nombre cristiano que, en su forma masculina, hace alusión a Jesucristo, mientras que en la femenina se refiere a la Virgen María en tanto que Divina Pastora.
Personalidad: Son personas independientes, ágiles y luchadoras. No suelen avenirse a los deseos y caprichos de nadie. Son más originales que trabajadores o perseverantes, y su carrera profesional suele estar repleta de pequeños éxitos que luego no son capaces de mantener.
Onomástica: 7 de agosto.
Otros idiomas: Catalán: Pastor, Pàstor. Euskera: Artzai, Unai. Gallego: Pastor.

Urano

Etimología: Del griego *Ourannós,* «cielo». En la mitología griega, Urano encarnaba el cielo.
Personalidad: El rasgo dominante de su personalidad es el alto dominio sobre sí mismo. Sabe medir sus capacidades, que suelen armonizar con todo lo que le rodea. Refinado, amable, simpático y de buen talante, suele hacer amigos con gran facilidad y le gusta ayudar a los demás. Quizá demasiado soñador.
Onomástica: No tiene.
Otros idiomas: Catalán: Urà.

Urbano

Etimología: Nombre cristiano-romano. Del latín *urbanus,* «de la ciudad, ciudadano, educado».
Personalidad: Inteligente, sensible y muy dependiente de su entorno, conciliador, hábil, imaginativo y amante de hacer amistades. Posee el sentido de los negocios, en los que no duda en asociarse cuando es necesario. Su mayor inconveniente es que sueña con grandes proyectos y es un idealista, lo que incrementa su emotividad, puede desestabilizarse y conducirle a cambios inesperados.
Onomástica: 29 de julio.
Otros idiomas: Catalán: Urbà. Euskera: Urban. Gallego: Urbano. Bable: Urbán, Urbanu. Inglés: Urban. Francés: Urbain. Alemán: Urbanus. Italiano: Urbano.

Uriel

Etimología: Del hebreo *ur-eil,* «mi luz es Dios». Nombre de un ángel del Antiguo Testamento.
Personalidad: Es fuerte, viril, enérgico, obstinado, ambicioso y reservado, con un fuerte magnetismo. Metódico, ordenado y estricto, para él todo es blanco o negro, sin medias tintas. Al ser perfeccionista y susceptible, toda su capacidad la emplea en realizaciones concretas, pero no desdeña trabajar en equipo.

Onomástica: 2 de octubre (fiesta de los Ángeles Custodios).
Otros idiomas: Italiano: Uriele.

ÚRSULO

Etimología: Nombre latino, formado como diminutivo de «oso».
Personalidad: Es equilibrado y posee gran encanto, por lo que está dotado para la diplomacia y las relaciones públicas. También valora enormemente la belleza, la armonía y la capacidad de sacrificio. Por contra, es algo indeciso y dado al fatalismo y en exceso perfeccionista.
Onomástica: 21 de octubre.
Otros idiomas: Catalán: Úrsulo. Italiano: Orsolo.

USAMAH

Etimología: Nombre árabe que significa «como un león».
Personalidad: Es un hombre de carácter. Muy dado a las discusiones espectaculares y melodramáticas, aunque al final siempre acaba cediendo. Es extremadamente ambicioso en su vida personal y profesional. Aunque le encanta la intriga, es un buen amigo, pero un poco superficial.
Onomástica: No tiene.

UZIEL

Etimología: De origen hebreo: «Dios es mi fuerza».
Personalidad: Se trata de una persona extraordinariamente compleja y de reacciones inesperadas. Le gusta vivir plenamente, con mayúsculas: cuando se consagra a su trabajo, también lo hace de lleno, absolutamente, sin reservas. Podría decirse que en todos los campos de su vida siempre pone toda la carne en el asador.
Onomástica: No tiene.

Vaclav

Etimología: Nombre checo que significa «corona de gloria».

Personalidad: Es tozudo y obstinado, aunque no actúa con mala intención. Puede ser orgulloso, pero también sincero y justo. Siente pasión por todo tipo de actividades intelectuales y es dado a la polémica por el puro placer de intercambiar puntos de vista. En el amor y la amistad se muestra muy sólido. No soporta a las personas que actúan sólo por conveniencia.

Onomástica: No tiene.

Vadin

Etimología: Nombre hindú que significa «portavoz».

Personalidad: Desde niño tiene que luchar con su inseguridad. Tiende a compararse con los demás y en su fuero interno siempre sale malparado. Hay algo en su interior que le obliga a fijarse en los demás y esa falta de criterio puede convertirlo en un tipo excéntrico. Su verdadera meta en la vida es hallar a alguien que le proporcione la seguridad que tanto necesita.

Onomástica: No tiene.

Valdemar

Etimología: Nombre de origen germánico, cuyo significado es «famoso por su poder».

Personalidad: Con las ideas muy claras, seguro de sí mismo y con facilidad para las relaciones sociales. Valora el refinamiento, pero sobre todo el buen carácter, la lealtad y la integridad de sus amigos. En el amor es muy exigente. Si cree plenamente en una causa o idea, pone todo su empeño en ella.

Onomástica: No tiene.

Valdo

Etimología: Del germánico *waltan,* «ilustre gobernante».

Personalidad: De personalidad muy marca, con don de mando. Es imaginativo y de rápidas decisiones, asume voluntarioso cuantas responsabilidades se le presenten; sin embargo, en el fondo es muy sensible y emotivo. Pero cuando tiene posibilidades de poder y dominio posee una gran ambición que le impulsa a lanzarse a fondo sin reflexionar.

Onomástica: 31 de enero.

Otros idiomas: Italiano: Valdo.

Valentín

Etimología: Procede del latín *valens,* «valiente, fuerte, robusto».

Personalidad: Valentín es una persona entrañable y afectuosa. Tiene auténticas preocupaciones sociales y humanitarias, y aunque rebosa inteligencia, no tiene ambiciones excesivas. Aunque tenga disgustos con su familia o sus amigos, su gran corazón le impide guardar rencor.

Onomástica: 14 de febrero.

Otros idiomas: Catalán: Valentí. Euskera: Belendin. Gallego: Valente. Inglés: Valentine. Francés y alemán: Valentin. Italiano: Valentino.

Valeriano

Etimología: Del nombre latino *Valerianus,* «fuerte y sano».

Personalidad: Con una fuerte personalidad y don de mando y dirección. Es imaginativo y de rápidas decisiones, asume voluntarioso cuantas responsabilidades se le presenten; sin embargo, en el fondo es muy sensible y emotivo. Pero cuando tiene posibilidades de poder y dominio posee una gran ambición que le impulsa a lanzarse a fondo sin reflexionar.

Onomástica: 15 de septiembre.

Otros idiomas: Catalán: Valerià. Euskera: Baleren. Gallego: Valeriano. Bable: Valeriano. Inglés: Valerian. Francés: Valérien. Alemán: Valerian. Italiano: Valeriano.

VALERIO

Etimología: Deriva del verbo latino *valeo,* «valer, ser eficaz».

Personalidad: Valora mucho su independencia y no permite que nadie intente siquiera decirle lo que tiene que hacer. Sobre todo quiere que parecer un hombre serio y formal. También es extremadamente activo, prefiere cultivar la constancia y centra sus esfuerzos en una sola meta.

Onomástica: 28 de enero.

Otros idiomas: Catalán: Valeri. Euskera: Balereren. Gallego y bable: Valerio. Inglés: Valerius, Valerie. Francés: Valère. Alemán: Valerius. Italiano: Valerio.

VANIA

Etimología: Forma rusa de nuestro *Juan,* queriva del hebreo *Yehohanan,* «Dios es misericordioso».

Personalidad: Fuerte, simpático y perseverante, Juan tiene el valor de ser sensible en un mundo frío y cada vez más deshumanizado. Tiene convicciones profundas y un intenso deseo de aprender que le durará toda la vida. Muy seguro de sí mismo en todo menos en el amor.

Onomástica: 24 de junio.

VARUN

Etimología: Nombre hindú que significa «dios de la lluvia».

Personalidad: Tiene un aire de niño demasiado mimado. No soporta bien que le contradigan. Su principal preocupación es siempre la estética, por encima de la ética: que las cosas tengan un aspecto impecable, que su físico se mantenga... Aunque no es muy constante, sí es bastante ingenioso y divertido.

Onomástica: No tiene.

VELASCO

Etimología: Del vasco *Belasco,* «cuervo pequeño».

Personalidad: Procura mantenerse siempre ecuánime y posee un sentido innato de la justicia y el equilibrio, pero también cae con facilidad en ataques de ira y valora en exceso el poder y el triunfo. Es impaciente e impetuoso. Esta personalidad le hace, casi con seguridad, muy celoso.

Onomástica: No tiene.

Otros idiomas: Catalán: Velasc. Gallego: Vasco. Bable: Velasco, Vilasio.

VENANCIO

Etimología: Del latín *Venantium,* y éste de *venator,* «cazador»

Personalidad: Es un seductor, enamorado de la libertad y la aventura. En cuanto consigue algo, pierda interés y busca de un nuevo objetivo, siguiendo su eterna búsqueda. Idealista y soñador no soporta la rutina ni la soledad, pero como es emotivo y abnegado, siempre está dispuesto a echar una mano a quien la necesite.

Onomástica: 18 de mayo.

Otros idiomas: Gallego y bable: Venancia.

VENCESLAO

Etimología: Del nombre checo *Veceslav,* «muy glorioso».

Personalidad: El rasgo dominante de su personalidad es el alto dominio sobre sí mismo. Sabe medir sus capacidades, que suelen armonizar con todo lo que le rodea. Refinado, amable, simpático y de buen talante, suele hacer amigos con gran facilidad y le gusta ayudar a los demás. Quizá demasiado soñador.

Onomástica: 28 de septiembre.

Variantes: Catalán: Venceslau. Euskera: Bencelas, Bentzesla. Gallego: Venceslao, Venceslau. Bable: Venceslao. Inglés: Wenceslas. Francés: Venceslas. Alemán: Wenzel, Wenzeslaus. Italiano: Venceslao.

VENTURA

Etimología: Del latín *venturum,* «lo que está por venir». También es hipocorístico de *Buenaventura.*
Personalidad: Es imprevisible y animoso. Busca la estabilidad y el matrimonio; sin embargo, es excesivo su deseo de cambiarlo todo y su curiosidad y necesidad de libertad.
Onomástica: 15 de julio.
Variantes: Catalán: Bonaventura. Euskera: Doatasun, Bonabendur. Gallego: Boaventura. Bable: Boaventura. Francés: Bonaventure.

VERÓNICO

Etimología: Del griego *vera-eikon,* «verdadera imagen».
Personalidad: Verónico siempre gana. Su truco es la tenacidad y, en ocasiones, su falta de escrúpulos para conseguir lo que busca: es un gran manipulador. Eso sí, es muy solidario y emplea todas sus artes en ayudar.
Onomástica: 9 de julio.
Otros idiomas: Bable: Vero.

VICENTE

Etimología: Del latín *vicens,* «vencedor».
Personalidad: Dulce y amable, aunque no por ello carente de energía y de auténtico vigor. Puede que sea bondadoso, pero también luchador. Su peculiar sentido de la justicia le lleva a ser implacable cuando considera que alguien le está tratando de un modo que no se merece. Es muy conciliador.
Onomástica: 27 de octubre.
Otros idiomas: Catalán: Vicenç, Vicent. Euskera: Bikendi, Bingent, Bixintxo. Gallego: Vicenzo, Vicenzio. Bable: Vicente. Inglés y francés: Vincent. Alemán: Vincenz. Italiano: Vicenzo.

VÍCTOR

Etimología: Deriva del latín *victor,* «vencedor».
Personalidad: Muy simpático, Víctor tiene la virtud y el defecto de inspirar grandes pasiones en la gente, que tiende a esperar mucho de él y a sentirse más tarde decepcionada con la realidad. En el mundo laboral es calculador, y sólo se esforzará en la medida necesaria para alcanzar el nivel de vida que desea.
Onomástica: 28 de julio.
Otros idiomas: Catalán: Víctor. Euskera: Bittor, Garaile. Gallego y bable: Vítor. Inglés y francés: Victor. Alemán: Viktor. Italiano: Vittore, Vittorio.

VICTORIANO

Etimología: Del latín *vincere,* «vencer».
Personalidad: Su principal virtud es la capacidad de adaptación, por lo cual le entusiasman los viajes y todo lo que requiera audacia e innovación. En lo negativo, su personalidad le acarrea ciertos inconvenientes como accidentes, inestabilidad y superficialidad.
Onomástica: 23 de marzo.
Otros idiomas: Catalán: Victorià. Euskera: Bittoren. Gallego: Victoriano. Bable: Vitorio. Inglés: Victorian. Francés: Victorien. Alemán: Viktorien.

VIDAL

Etimología: Del latín *vitalis,* «vital, que tiene salud». Patrón de Tielmes.
Personalidad: Su personalidad es muy creativa, entusiasta, sociable, optimista y muy espiritual. Tiene gran sentido práctico y es muy hábil en las actividades manuales. En contrapartida, puede ser algo intolerante y colérico, y a veces le cuesta concentrarse en una sola cosa.
Onomástica: 2 de julio.
Otros idiomas: Catalán, gallego y bable: Vidal. Euskera: Bizi. Francés: Vital. Italiano: Vitale.

VINTILA

Etimología: Parece proceder del nombre germánico *Wintilus,* «amigo».

Personalidad: Posee fuerza y determinación, así como una personalidad difícilmente manejable. Obstinado e independiente, ejerce un gran magnetismo, aunque puede caer fácilmente en la intransigencia. Rara vez se siente contento durante mucho tiempo, así que busca cambios de ambiente o de escenario.

Onomástica: 23 de diciembre.

Otros idiomas: Catalán: Vintila. Gallego: Vintín, Vintís.

VIRGILIO

Etimología: Del latín *Vergilius,* nombre de una gens romana. Probablemente de *vergo,* «inclinarse, doblarse, declinar (un astro)», de donde deriva *Vergiliae* (las Pléyades), que aparecen al final de la primavera.

Personalidad: Tiene una gran capacidad de adaptación, de progreso, es curioso y de mente flexible. Como le gusta viajar y es comunicativo y audaz, suele inclinarse por profesiones que requieren dinamismo y movilidad. Como contrapartida, tiene cierta tendencia a sufrir accidentes, es inestable y superficial.

Onomástica: 27 de noviembre.

Otros idiomas: Catalán: Virgili. Euskera: Birxili. Gallego: Vrixilio. Bable: Virxilio. Francés: Virgile. Inglés: Virgil. Alemán: Vergil. Italiano: Virgilio.

VIRILA

Etimología: Del latín *virilis,* «viril». San Virila de Leyre es muy apreciado en Pamplona.

Personalidad: Es fuerte y determinado, y tiene una personalidad en absoluto manejable. Aunque corre el peligro de caer en la intransigencia, por su carácter obstinado e independiente, ejerce un gran magnetismo sobre sus amigos y compañeros. Tiene dificultades para sentirse satisfecho durante mucho tiempo seguido, lo cual le lleva a buscar continuos cambios.

Onomástica: 3 de octubre.

Otros idiomas: Euskera: Birila.

VISHNU

Etimología: Nombre hindú que significa «protector».

Personalidad: Poco a poco, porque es muy trabajador, va construyendo a su alrededor un mundo a su medida. Cuando lo consigue, es del todo irrompible. No es que sea materialista, sino que necesita la seguridad de las cosas y las personas que le son familiares. Por lo demás, es muy cariñoso y solidario.

Onomástica: No tiene.

VLADIMIRO

Etimología: Del eslavo *vladi,* «señor», y *mir,* «mundo»: «señor del mundo», «gobierno del mundo».

Personalidad: Desprende una sensación de encanto y armonía, estando siempre dispuesto a desplegar seducción y don de gentes; también es inteligente, hábil, muy curioso y buen comunicador. Pero en su trabajo es ordenado, metódico y responsable, lo cual crea una contradicción interna, pues su extroversión puede ir en detrimento de su rendimiento creándole complicaciones.

Onomástica: 15 de julio.

Otros idiomas: Catalán: Vladimir. Francés: Vladimir. Inglés: Vladimir. Alemán: Wladimir. Italiano: Vladimiro.

VULPIANO

Etimología: Del latín *vulpes,* «zorro». Podría interpretarse como «astuto».

Personalidad: Tiene un gran dominio de sí mismo y sabe medir sus capacidades, de modo que suele acertar en sus decisiones más importantes. Tiene buen carácter, es amable y valora las cosas hermosas que le ofrece la vida. Suele hacer amigos con bastante facilidad y le gusta ayudar a los demás. Tal vez un poco soñador.

Onomástica: 3 de abril.

WAGNER

Etimología: Nombre de origen teutón, que significa «conductor del carro».

Personalidad: Es un tanto arrogante y no tolera con facilidad las críticas o las opiniones adversas. Tiene una imagen muy clara de cómo deben ser las cosas a su alrededor, incluso las personas. La familia para él es lo más importante y está dispuesto a cualquier sacrificio para sacarla adelante, aunque exige en los demás una actitud semejante.

Onomástica: No tiene.

WALBERTO

Etimología: Nombre de origen germánico, cuyo significado es «el que permanece en el poder».

Personalidad: Tarda bastante en encontrarse a gusto consigo mismo, por lo que tiene dificultades para llegar a descubrir su verdadero camino. Aunque vacila y no es muy enérgico, posee un cierto espíritu aventurero, incluso algo temerario, que le sirve de contrapeso. Es de una lealtad inquebrantable con sus amigos y en el amor.

Onomástica: No tiene.

WALDEMAR

Etimología: Nombre de origen germánico, cuyo significado es «famoso por su poder».

Personalidad: Con las ideas muy claras, seguro de sí mismo y con facilidad para las relaciones sociales. Valora el refinamiento, pero sobre todo el buen carácter, la lealtad y la integridad de sus amigos. En el amor es muy exigente. Si cree plenamente en una causa o idea, pone todo su empeño en ella.

Onomástica: No tiene.

WALDO

Etimología: Del germánico *waltan,* «ilustre gobernante».

Personalidad: Con una fuerte personalidad y don de mando y dirección. Es imaginativo y de rápidas decisiones, asume voluntarioso cuantas responsabilidades se le presenten; sin embargo, en el fondo es muy sensible y emotivo. Pero cuando tiene posibilidades de poder y dominio posee una gran ambición que le impulsa a lanzarse a fondo sin reflexionar.

Onomástica: 31 de enero.

Otros idiomas: Catalán: Wald. Gallego: Waldo. Alemán: Waldo. Italiano: Valdo.

WALI

Etimología: Nombre árabe que significa «gobernador».

Personalidad: A veces puede encontrarse en situaciones comprometidas por su sentido de la justicia: no soporta que se abuse de los débiles. Debe aprender a valorar las posibilidades ajenas, a no subestimar a los demás, aunque sea con ánimo protector. Por su carácter, tiende a relacionarse con personas que buscan protección.

Onomástica: No tiene.

WALTER

Etimología: Nombre germánico, de *waldhari,* «caudillo del ejército».

Personalidad: Franco, directo, honesto y reservado, posee un alto concepto de la amistad y la lealtad, por lo cual le cuesta mucho otorgar su confianza y amistad. Muy trabajador y obstinado, se realiza en el trabajo, y sus fines primordiales son el poder y los bienes materiales.

Onomástica: 1 de julio.

Otros idiomas: Catalán: Walter. Inglés, francés e italiano: Walter.

WAMBLEE

Etimología: Nombre de los indios dakota, que significa «águila».

Personalidad: Le gusta estar en constante movimiento, buscar nuevos intereses, conocer nuevos lugares: su curiosidad se mantiene siempre viva y no tiene límites. Necesita desempeñar profesiones que requieran poner en juego estas características, no soportaría una vida monótona o un trabajo mecánico. Es un amigo muy leal.
Onomástica: No tiene.

WASIM

Etimología: Nombre árabe que significa «bien parecido».
Personalidad: Busca fundamentalmente la paz interior, estar satisfecho consigo mismo. La vida superficial y las diversiones de ese estilo no le interesan ni lo más mínimo. Para sentirse a gusto necesita desempeñar una profesión que lo mantenga ocupado y le exija un cierto esfuerzo. En el amor necesita seguridad y solidez.
Onomástica: No tiene.

WENCESLAO

Etimología: Del nombre checo *Veceslav,* «muy glorioso».
Personalidad: El rasgo dominante de su personalidad es el alto dominio sobre sí mismo. Sabe medir sus capacidades, que suelen armonizar con todo lo que le rodea. Refinado, amable, simpático y de buen talante, suele hacer amigos con gran facilidad y le gusta ayudar a los demás. Quizá demasiado soñador.
Onomástica: 28 de septiembre.
Variantes: Catalán: Venceslau. Euskera: Bencelas, Bentzesla. Gallego: Venceslao. Inglés: Wenceslas. Francés: Venceslas. Alemán: Wenzel, Wenzeslaus. Italiano: Venceslao.

WERNER

Etimología: Del germánico *waren,* «preservar, mandar», y *harja,* «ejército»: «jefe del ejército».
Personalidad: Es autoritario, mandón y algo vanidoso; pero deseoso de ser útil a los demás, ya sea en la mística, la política o en temas humanitarios. Sensible y emotivo, lo mismo reacciona con violencia como con generosidad. Le estimulan las dificultades y necesita de los demás para realizarse y sentirse superior, ser el jefe indiscutible.
Onomástica: No tiene.
Otros idiomas: Francés y alemán: Wernher.

WERTHER

Etimología: Del antiguo alemán *wetri,* que significa «protector del ejército».
Personalidad: Posee una personalidad carismática, seductora y fuerte. Es también idealista y perfeccionista, lo cual normalmente le lleva a tener elevadas ambiciones. En lo negativo, suele ser nervioso y autoritario.
Onomástica: No tiene.

WIFREDO

Etimología: Nombre de origen germánico, que significa «victorioso y pacífico».
Personalidad: Posee una personalidad carismática, seductora y fuerte. Es también idealista y perfeccionista, lo cual normalmente le lleva a tener elevadas ambiciones. En lo negativo, suele ser nervioso y autoritario.
Onomástica: 12 de octubre.
Otros idiomas: Catalán: Guifré, Jofre.

WILMER

Etimología: Nombre de origen germánico que significa «determinado y famoso».
Personalidad: Es un conversador por el gusto de intercambiar impresiones: lo que más le interesa en este mundo son las personas y su comportamiento. Su virtud principal es el interés por el conocimiento y la literatura, aunque sólo sea por el placer que le producen las personas relacionadas con las humanidades.
Onomástica: No tiene.

Wilson

Etimología: Nombre de origen germánico, que significa «hijo de William».

Personalidad: Es un rebelde, un hombre que no se conforma con pensar que el mundo es como es, sino que desea cambiarlo. No acepta consejos ni órdenes de los demás: quierer probarlo todo por sí mismo. Suele tener algunos problemas por su su carácter independiente y su falta de respeto a los convencionalismos.

Onomástica: 28 de mayo.

Wolfgang

Etimología: Nombre germánico que proviene podría interpretarse como «paso del lobo».

Personalidad: Su carácter es muy creativo y posee el impulso que produce la inspiración. Le gustan las emociones y es muy dado a perseguir ideales utópicos. Es también idealista y perfeccionista, lo cual normalmente le lleva a tener elevadas ambiciones. La parte negativa es la facilidad con que cae en la extravagancia y su tendencia a la inestabilidad.

Onomástica: 31 de octubre.

Otros idiomas: Catalán: Wolfang. Alemán: Wolfgang.

Woody

Etimología: Nombre que se forma como hipocorístico de *Elwood, Garwood* y *Woodrow*.

Personalidad: No soporta hacer daño a los demás. Tal vez por eso prefiere sufrir una frustración a imponer su criterio, aunque sepa que es el correcto. A pesar de ese carácter bondadoso, no carece de ambiciones, pero suele marcarse un camino que sea muy respetuoso con todos. Es un compañero de trabajo y amigo muy agradable.

Onomástica: No tiene.

Xenxo

Etimología: Nombre gallego de origen griego, que significa «protector de la familia».

Personalidad: La vida sencilla, su familia, su pueblo o su ciudad, sus amigos de siempre, su trabajo... no puede vivir sin ellos. Es feliz haciendo felices a los demás y disfruta de las pequeñas cosas que la vida le ofrece. Por tanto, le produce verdadero terror cualquier cambio, por pequeño que sea.

Onomástica: 1 de noviembre.

Xesco

Etimología: Variante catalana de *Francisco,* del italiano *Francesco,* «francés».

Personalidad: Su capacidad de observación y su agudo sentido práctico a menudo le conducen al éxito. Puede que sea un idealista utópico, pero sabe ponderar la realidad. Es autoritario y celoso: con su pareja puede ser demasiado posesivo.

Onomástica: 4 de octubre.

Xisco

Etimología: Variante catalana de *Francisco,* del italiano *Francesco:* «francés».

Personalidad: La necesidad de crear es lo más importante de su personalidad, que suele ser muy artística. En lo sentimental valora mucho la estabilidad y, para conseguirla, se muestra a veces un poco egoísta. Es muy individualista y valora poco las necesidades de los demás, lo cual le hace algo autoritario.

Onomástica: 4 de octubre.

Ximo

Etimología: Variante catalana de *Joaquín,* del hebreo *Yehoyaquim:* «Dios establecerá».

Personalidad: No tiene un carácter excesivamente dominante, no tiene ningún problema en dejar que sean los demás los que tomen las decisiones. Le gustan las diversiones tranquilas más que los grandes excesos, es muy paciente con las cosas que cree que algún día deben llegar y no se desespera fácilmente.

Onomástica: 26 de julio.

Xochtiel

Etimología: Nombre de origen azteca que significa «flor».

Personalidad: Se distinguen muy especialmente, por su personalidad carismática, seductora y fuerte. Es también idealista y perfeccionista, lo cual normalmente le lleva a tener elevadas ambiciones. En lo negativo, suele ser nervioso y autoritario.

Onomástica: 26 de julio.

YADID

Etimología: Nombre de origen hebreo que significa «amigo, querido».

Personalidad: Busca soluciones y respuestas en lo que le va enseñando la vida: tiene la virtud de la observación, combina inteligencia e intuición. Es un conquistador y su mayor defecto es que se pierde por llamar la atención del sexo opuesto. En el trabajo necesita trabajos que le obliguen a estar en constante movimiento.

Onomástica: No tiene.

YAGO

Etimología: Nombre gallego que procede del hebreo *Yea-gob,* «Yahvé recompensará», que se latinizó como *Jacobo.* Éste, en la Edad Media, se transformó en *Yago,* y de *Sant-Yago* surge el nombre *Santiago.*

Personalidad: Tranquilo, romántico y sentimental. Bajo su apariencia descuidada y profundamente desordenada, oculta una preocupación que va más allá de las cuestiones materiales. Encuentra la felicidad en la sencillez. Es exageradamente desprendido y generoso, y tiene una habilidad algo irritante para rodearse de las amistades más extrañas.

Onomástica: 25 de julio.

Otros idiomas: Catalán: Jaume, Santiago. Gallego: Xaime, Yago. Inglés: James. Francés: Jacques. Alemán: Jakob. Italiano: Giacomo.

YASÍN

Etimología: En árabe, «profeta». Otro nombre del profeta Mahoma.

Personalidad: Él es el único que considera que sus ideas son sólidas, porque los demás creen que las cambia con demasiada frecuencia. Como en todo, se deja llevar por las modas. Es muy afectuoso y en el campo profesional se marca metas que le permitan alcanzar un buen nivel de vida. Como padre se muestra muy responsable.

Onomástica: No tiene.

YASIR

Etimología: Nombre que en afgano significa «humilde» y en árabe «rico, adinerado».

Personalidad: Vive en su propio mundo, en sus pensamientos y fantasías. Reflexivo y poco convencional, por tanto, no es fácil que se atenga a los patrones sociales imperantes. Como pareja y como amigo también es un poco despistado, pero de sentimientos nobles y muy profundos. Suele conseguir lo que se proponga.

Onomástica: No tiene.

YERAY

Etimología: Nombre de desconocido, cuyo significado es «grande».

Personalidad: Es un gran idealista, siempre actúa movido por la generosidad. Muy amigo de sus amigos, necesita vivir motivado por ellos o por el amor. Tal vez por ello es demasiado influenciable y le cuesta mantener sus puntos de vista. En el terreno espiritual es también demasiado cambiante.

Onomástica: No tiene.

YÓNATAN

Etimología: Del nombre hebreo *Yeho-nat-han,* «don de Yahvé».

Personalidad: Comunicativo y encantador, adaptable y simpático, elegante, hábil y con la facilidad de asimilar ideas y experiencias, es capaz de destacar en cualquier actividad que se proponga, especialmente si se relaciona con la creatividad o la comunicación. También posee un sentido innato de la justicia y el deseo de progresar. Su único defecto es la inestabilidad.

Onomástica: 11 de febrero.
Otros idiomas: Catalán: Jonatan. Euskera: Ionatan. Gallego y bable: Jonatán. Francés, inglés y alemán: Jonathan. Italiano: Jonathan, Gionata.

Yoseba

Etimología: Nombre euskera que podría traducirse por *José*. Deriva del hebreo *Yosef,* que significa «que Yahvé multiplique».
Personalidad: Emotivo, altruista e idealista. Fiel a sus amistades y amores, tiene gran necesidad de ayudar y compartir, tanto en lo material como en lo espiritual. Es influenciable, le cuesta ser realista y es algo desordenado. En lo espiritual, tiende también a padecer desórdenes ciclotímicos.
Onomástica: 19 de marzo.

Yul

Etimología: Nombre mongol que significa «más allá del horizonte».
Personalidad: Necesita tener siempre una apariencia impecable, no soporta el desorden o la incoherencia y está demasiado pendiente de lo que opinan de él. Si cree que algo merece la pena, no le importa arriesgar todo lo que haga falta. En el amor prefiere ser conquistado a conquistar, porque necesita sentir que le prestan atención.
Onomástica: No tiene.

Yuma

Etimología: Nombre que para los indios norteamericanos significa «hijo del jefe».
Personalidad: Es una persona muy simpática, afable e inteligente. Su problema principal es precisamente conseguir fijar su atención en actividades serias, porque se empeña en no crecer. En el amor busca una pareja que centre todas sus energías en él, aunque en la amistad es mucho más entregado.
Onomástica: No tiene.

Yurcel

Etimología: Nombre turco que significa «sublime».
Personalidad: Tiene una personalidad muy fuerte, actúa siempre con una contundencia y seguridad en sus opiniones que puede resultar chocante. En el amor, sin embargo, le falta seguridad, y le cuesta mantener sus conquistas. Quienes más le valoran son sus amigos y compañeros de trabajo.
Onomástica: No tiene.

Yuri

Etimología: Del griego *georgos,* «agricultor». Nombre ruso que podría traducirse por *Jorge.*
Personalidad: Son personas sencillas y auténticas. Detestan a los que actúan de una determinada manera sólo por guardar las apariencias y, por eso, prefieren que les digan las cosas a la cara, sin rodeos ni ambages. Odian la mentira y la hipocresía. Su sistema moral es simple pero incorruptible.
Otros idiomas: Catalán: Jordi. Euskera: Gorka, Jurgi. Gallego: Xurxo. Inglés: George. Francés: Georges. Alemán: Georg, Jürgen. Italiano: Giorgio.

Yusuf

Etimología: Deriva del hebreo *Yosef,* que significa «que Yahvé multiplique». Es el equivalente árabe de *José.*
Personalidad: Vive mucho más para sí mismo que para los demás. O bien se convierte en un hombre introvertido, melancólico, o bien se desarrolla como una persona independiente y despreocupada de la opinión de los demás, que vive su vida sin atender a convenciones sociales. En el amor es profundamente devoto.
Onomástica: 19 de marzo.
Otros idiomas: Catalán: Josep. Euskera: Joseba, Josepe. Gallego: Xosé. Bable: Xosé, Xosepe (Xosepín, Pepe). Inglés: Joseph, Jim, Joe. Francés y alemán: Joseph. Italiano: Giusseppe.

YVES

Etimología: Nombre de origen germánico que significa «glorioso». Aunque se ha extendido entre nosotros, es la forma francesa de *Ivo.*

Personalidad: Es quizá demasiado idealista, por lo que concede más importancia a lo espiritual que a lo material. Es paciente, con gran capacidad de estudio, lógica y análisis. Sin embargo, es muy exigente consigo mismo. Cae con facilidad en el pesimismo y se aísla de los demás.

Onomástica: 19 de mayo.

ZACARÍAS

Etimología: Procede del hebreo *zakhar-Iah,* «Dios se acuerda».

Personalidad: Zacarías es un rebelde, un hombre que no se conforma con pensar que el mundo es como es, sino que desea cambiarlo. No acepta consejos órdenes de los demás: quiere probarlo todo por sí mismo para así ser capaz de tener un juicio propio. En su juventud suele tener muchos problemas por su falta de respeto a los convencionalismos.

Onomástica: 26 de mayo y 5 de noviembre.

Otros idiomas: Catalán: Zacarias. Euskera: Zakari. Gallego: Zacarías. Bable: Zacaríes. Inglés: Zachariah. Francés: Zacharie. Alemán: Zacharias. Italiano: Zaccaria.

ZEFERINO

Etimología: Deriva del latín *Zephyrus,* «viento suave del oeste».

Personalidad: Inteligente y creativo, no sabe lo que es estar sin hacer nada. Es extremadamente tímido y, para tratar con los demás, se refugia bajo una máscara de desdén que no le ayuda nada a conseguir amistades.

Onomástica: 26 de mayo o el 4 de mayo.

Otros idiomas: Catalán: Ceferí. Euskera: Tzepirin, Tzeferin, Keperin, Xefe. Gallego: Ceferí, Zeferí. Francés: Zéphyrin. Alemán: Zephirin. Italiano: Zeffirino.

ZAFIR

Etimología: Nombre hebreo que significa «victorioso».

Personalidad: Es un hombre inquieto, siempre en busca de nuevas aventuras y experiencias en todos los ámbitos de su vida. Se niega a ser conformista, ama la libertad y sólo aceptará un compromiso cuando esté profundamente seguro de que es eso lo que quiere. Aunque parezca alocado, sus actos siempre tienen un sentido.

Onomástica: No tiene.

ZAHID

Etimología: Nombre árabe que significa «abnegado, ascético».

Personalidad: Es como una niño: crédulo, ingenuo y alegre. Concede una gran importancia al amor y a la amistad durante toda su vida. En su profesión demuestra que es brillante, creativo y muy trabajador; tiene ambición, pero es comedido y valora tanto la lealtad que no se deja dominar por ella.

Onomástica: No tiene.

ZAHIR

Etimología: Nombre árabe que significa «brillante».

Personalidad: Su gran pasión radica en la belleza. Es un gran amante del arte en todas sus manifestaciones, y en su propia vida. En el amor y con sus amigos se muestra impulsivo y apasionado. No le gusta trabajar en exceso y no es ambicioso, por lo que procura buscarse una profesión tranquila que le permita llevar una vida desahogada.

Onomástica: No tiene.

ZAIDE

Etimología: Nombre hebreo que significa «más viejo».

Personalidad: Tiene un temperamento demasiado variable, nunca se puede estar seguro de cómo va a reaccionar. En el amor, raras veces será correspondido por la persona a quien realmente ama, aunque probablemente termine asentándose en una afable y placentera relación sustentada más por la amistad que por el amor pasional.

Onomástica: No tiene.

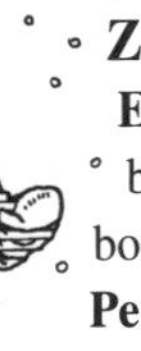

ZARED

Etimología: Nombre hebreo que significa «emboscada».

Personalidad: Sale adelante pase lo que pase, con absoluta decisión. A la hora de trabajar, es serio y responsable, prudente cuando las circunstancias lo requieren, aunque también es capaz de arriesgar. En el amor suele ser desgraciado, quizá porque le resulta difícil encontrar una compañera tan fuerte y segura como él misma.

Onomástica: No tiene.

ZEBULÓN

Etimología: Nombre hebreo que significa «casta orgullosa».

Personalidad: Es un hombre introvertido, muy encerrado en sí mismo y hasta podría decirse que algo huraño. Algunos dicen que peca un poco de misantropía, que desprecia al género humano; pero la realidad es que no logra comprender al resto de las personas, le parecen demasiado complicadas. Aun así, suele encontrar energías para intentar cambiar su mundo.

Onomástica: No tiene.

ZENÓN

Etimología: Del griego *Zénon,* que deriva de *Zeus,* el dios supremo entre los griegos.

Personalidad: Comunicativo y encantador, adaptable y simpático, elegante, hábil y con la facilidad de asimilar ideas y experiencias, es capaz de destacar en cualquier actividad que se proponga, especialmente si se relaciona con la creatividad o la comunicación. También posee un sentido innato de la justicia y el deseo de progresar. Su único defecto es la inestabilidad.

Onomástica: 12 de abril.

Otros idiomas: Catalán: Zenó. Francés: Zénon. Italiano: Zeno.

ZOILO

Etimología: Nombre de origen griego y que significa «vivo».

Personalidad: La pasividad y la indecisión son su principal problema: piensa y piensa y todo le parece con valores negativos y positivos. Es receptivo, sentimental y en el terreno laboral se vale muy bien de su espíritu de equipo. En lo sentimental, si se siente rechazado, es muy rencoroso.

Onomástica: 27 de junio.

Otros idiomas: Catalán: Zoile. Euskera: Zoil.

ZOLTAN

Etimología: Nombre húngaro que significa «vida».

Personalidad: Rebosa simpatía e imaginación, es un hombre bienintencionado y alegre, que rechaza por principio cualquier prejuicio o convención social. Sin embargo, es muy terco y no soporta que le lleven la contraria. Además, puede llegar a ser un poco excéntrico y egoísta, lo cual le hace pensar que no es comprendido.

Onomástica: No tiene.

ZORBA

Etimología: Nombre griego que significa «vive cada día».

Personalidad: Vive mucho más de cara al exterior que para sí mismo. En realidad es tierno y afectuoso, y está muy necesitado de cariño, pero considera que estas características son signos de debilidad, y prefiere ocultarlas. Enseguida se encariña con la gente, pero también puede ser cruel.

Onomástica: No tiene.

ZÓSIMO

Etimología: Nombre de origen griego que significa «vital, vigoroso».

Personalidad: Tal vez es demasiado soñador: el sentido práctico no es su mejor virtud. Como

es muy sensible y compasivo, necesita sentirse muy arropado para estar seguro. Sus amigos, su familia y su pareja son lo más importante para él. Es un padre muy protector.
Onomástica: 15 de julio.

ZURIEL

Etimología: Nombre hebreo que significa «Dios es mi roca».
Personalidad: De inteligencia profunda y muy dotado para la meditación. Sin embargo, parece que le cuesta mucho conciliar sus planteamientos intelectuales con un plan concreto de actuación. Su ideal es ser el cerebro de alguna clase de sociedad, de modo que sean los demás los que llevan a la práctica sus numerosas ideas.
Onomástica: No tiene.

NOMBRES EN OTROS IDIOMAS

NOMBRES CATALANES

Chicas

Abigaïl (Abigail)
Ada (Ada)
Adela (Adela, Adelia)
Adelarda (Adelarda)
Adelina (Adelina)
Adoració (Adoración)
Adriá (Adriana)
Afra (Afra)
Àfrica (África)
Afrodita (Afrodita)
Agate (Ágata)
Agnès (Inés)
Agripina (Agripina)
Agustina (Agustina)
Aida (Aida)
Alba (Alba)
Alberta (Alberta)
Albina (Albina)
Alda (Alda)
Alegria (Alegra)
Alexandra (Alejandra)
Alfonsa (Alfonsa, Alfonsina)
Alfreda (Alfreda)
Alicia (Alicia)
Alida (Alida)
Alina (Alina)
Alma (Alma)
Almodis (Almodis)
Altagràcia (Altagracia)
Altair (Altair)
Amàlia (Amalia)
Amanda (Amanda)
Amèlia (Amelia)
Anna (Ana)
Annabel (Anabel)
Anaïs (Anaís)
Anastasi (Anastasia)
Andrea (Andrea)
Andròmaca (Andrómaca)
Andròmeda (Andrómeda)
Àngela (Ángela)
Àngels (Ángeles)
Angèlica (Angélica)
Ànnia (Ania)
Antígona (Antígona)
Antònia (Antonia)
Anunciació (Anunciación)
Apol.lònia (Apolonia)
Aquil.lina (Aquilina)
Arabel.la (Arabella)
Araceli (Araceli)
Aràntzazu (Arancha, Aránzazu)
Ariadna (Ariadna)
Arlet (Arlette)
Armida (Armida)
Aroa (Aroa)
Artemis (Artemisa)
Ascensió (Ascensión)
Aspàsia (Aspasia)
Astrid (Ástrid)
Assumpció (Asunción, Asunta)
Assumpta (Asunción, Asunta)
Assutzena (Azucena)
Atalanta (Atalanta)
Atanàsia (Atanasia)
Augusta (Augusta)
Àurea (Áurea)
Àuria (Áurea)
Aurèlia (Aurelia)
Aurora (Aurora)
Auxiliadora (Auxiliadora)
Balbina (Balbina)
Bàrbara (Bárbara)
Beatriu (Beatriz)
Begònia (Begonia, Begoña)
Beneta (Benita)
Betlem (Belén)
Benigna (Benigna)
Berenguela (Berenguela)
Berenguera (Berenguela)
Bereniç (Berenice)
Bernarda (Bernarda)
Berta (Berta)
Blanca (Blanca)
Brenda (Brenda)
Brígida (Brígida, Brigitte)
Briseida (Briseida)
Brunilda (Brunilda)
Calipso (Calipso)
Calixte (Calixta
Cal.líop (Calíope)
Cal.líope (Calíope)
Camèlia (Camelia)
Camí (Camino)
Camil.la (Camila)
Candela (Candela)
Candelera (Candelaria)
Càndida (Cándida)
Canòlic
Caritat (Caridad)
Carina (Carina, Karina)
Carla (Carla)
Carlota (Carlota)
Carmela (Carmela)
Carme (Carmen)
Carolina (Carolina)
Cassandra (Casandra)
Casilda (Casilda)
Castàlia (Castalia)
Caterina (Catalina)
Cacília (Cecilia)
Ceferina (Ceferina)
Celest (Celeste)
Celestina (Celestina)
Celia (Celia)
Cinta (Cinta)
Cintia (Cincy, Cintia)
Circe (Circe)
Cirila (Cirila)
Clara (Clara)
Clàudia (Claudia, Claudina)
Claustre (Claustro)
Clelia (Clelia)
Clementina (Clementina)
Cleòpatra (Cleopatra)
Climene (Climene)
Clio (Clío)
Clotilde (Clotilde)
Còia
Coloma (Columba, Paloma)
Concepció (Concepción)
Consol (Consolación, Consuelo)
Consolació (Consolación, Consuelo)
Constància (Constancia)
Constança (Constanza)
Copèl.lia (Copelia)
Coral (Coral)
Cordèlia (Cordelia)
Corina (Corina)

Cornèlia (Cornelia)
Creusa (Creusa)
Cristiana (Cristiana)
Cristina (Cristina)
Dafne (Dafna, Dafne)
Dàlia (Dalia)
Dalila (Dalila)
Dàmaris (Dámaris)
Daniel.la (Daniela)
Daria (Daría)
Dèbora (Débora)
Dejanira (Dejanira)
Delfina (Delfina)
Dèlia (Delia)
Deméter (Deméter)
Demetria (Demetria)
Diana (Diana)
Digna (Digna)
Dina (Dina)
Dinorah (Dinorah)
Dionisia (Denise, Dionisia)
Dolça (Dulce)
Dolors (Dolores)
Domínica (Dominica)
Dominga (Dominga)
Domitil.la (Domitila)
Donata (Donata)
Donatil.la (Donatila)
Dora (Dora)
Dorotea (Dorotea)
Dúnia (Dunia)
Edda (Edna)
Edita (Edita)
Eduvigis (Eduvigis)
Egèria (Egeria)
Eglé (Aglaya, Eglé)
Eiximinena (Jimena)
Elda (Hilda)
Electra (Electra)
Elen (Elena, Ellen, Helena)
Elena (Elena, Ellen, Helena)
Elionor (Eleonor)
Elisa (Elisa)
Elisabet (Bela, Elísabet, Isabel, Isolina, Jezabel, Sabela)
Elisenda (Elisenda)
Eloísa (Eloísa)
Elsa (Elsa)
Elvira (Elvira)
Emilia (Emilia)
Emiliana (Emiliana)
Emma (Emma)
Empar (Amparo)
Encarnació (Encarnación)
Engràcia (Engracia, Graciela)
Enriqueta (Enriqueta)
Epifania (Epifanía)
Erica (Erica)
Erminia (Erminia, Herminia)
Escolàstica (Escolástica)
Esperança (Esperanza)
Estefania (Estefanía, Fany)
Estrella (Estela)
Ester (Ester)
Estíbaliz (Estíbaliz)
Estrella (Estrella)
Estel (Estrella)
Eudòxia (Eudoxia)
Eufèmia (Eufemia)
Eugènia (Eugenia)
Eulàlia (Eulalia)
Eva (Eva)
Evangelina (Evangelina)
Evelina (Evelina)
Exaltació (Exaltación)
Fabi (Fabiana)
Fabià (Fabiana)
Fabiola (Fabiola)
Fàtima (Fátima)
Febe (Febe)
Fedra (Fedra)
Felicitat (Felicidad)
Felipa (Felipa)
Feliça (Felisa)
Felissa (Felisa)
Filomena (Filomena)
Flamínia (Flaminia)
Flàvia (Flavia)
Flor (Flor)
Flora (Flora)
Florència (Florencia)
Florentina (Florentina)
Florida (Florida)
Fortuna (Fortuna)
Fortunata (Fortunata)
Francesca (Francisca)
Francina (Francisca)
Gabriela (Gabriela)
Gaia (Gaia)
Gal.la (Gala, Galia)
Gemma (Gema)
Genciana (Genciana)
Genoveva (Genoveva, Ginebra, Jennifer)
Geòrgia (Georgia)
Georgina (Georgina)
Germana (Germana)
Gertrudis (Gertrudis)
Gessamí (Jazmín)
Gilda (Gilda)
Gisela (Gisela)
Glòria (Gloria)
Godoleva (Godoleva)
Gràcia (Gracia, Graciela)
Graciosa (Graziela)
Gregòria (Gregoria)
Greta (Greta)
Griselda (Griselda)
Guadalupe (Guadalupe)
Guia (Guía)
Guillerma (Guillermina, Vilma)
Guilleuma (Guillermina, Vilma)
Helena (Ellen, Elena, Helena)
Helga (Helga)
Herminia (Erminia)
Hixinia (Higinia)
Hilària (Hilaria)
Hilda (Hilda)
Hildegarda (Hildegard)
Hildegonda (Hildegunda)
Hildegunda (Hildegunda)
Hipodamia (Hipodamia)
Hipòlita (Hipólita)
Honorata (Honorata, Honoria)
Honorina (Honorina)
Hortènsia (Hortensia)
Hosanna (Hosana)
Itziar (Icíar)
Ida (Ida)
Ifigènia (Ifigenia)
Ignasia (Ignacia)
Imelda (Imelda)
Íngrid (Ingrid)
Inmaculada (Inmaculada)

Iocasta (Yocasta)
Iolanda (Yolanda)
Iole (Iole)
Irene (Erea, Irene, Irina)
Iris (Iris)
Irma (Irma)
Irmina (Irmina)
Isabel (Bela, Isabel, Isolina, Jezabel, Sabela)
Isolda (Iselda, Isolda)
Itziar (Itzíar)
Iva (Iva)
Ivet (Iveta)
Jasmina (Yasmina)
Joana (Juana)
Joaquina (Joaquina)
Jocasta (Yocasta)
Josepa (Josefa)
Jovita (Jovita)
Judit (Judit)
Júlia (Julia)
Juliana (Juliana)
Jonquera (Junquera)
Justa (Justa)
Justine (Justina)
Kinisburga (Kinisburga)
Laia (Eulalia, Laia)
Laia (Laia)
Lara (Lara)
Laura (Laura)
Lavínia (Lavinia)
Leandra (Leandra)
Leda (Leda)
Leila (Keila, Leila)
Leocàdia (Leocadia)
Leocricia (Leocricia)
Leòncia (Leoncia)
Leonor (Leonor)
Leticia (Leticia)
Lia (Lea, Lía, Lya)
Lígia (Licia)
Lídia (Lidia)
Liduvine (Liduvina)
Liliana (Liliana)
Llibertat (Libertad)
Llogaia
Llorença (Laurie, Lorenza)
Lloret (Loredana, Loreto)
Llúcia (Luana, Lucía)
Lluciana (Luciana)
L.lucina (Lucina)
Lluïsa (Koldobika, Luisa)
Llum (Luz)
Lluminosa (Luminosa)
Lorda (Lourdes, Lurdes)
Loreto (Loredana, Loreto)
Lourdes (Lourdes, Lurdes)
Lúa (Luna)
Lucil.la (Lucila)
Lucrècia (Lucrecia)
Ludmila (Ludmila)
Mafalda (Mafalda)
Magdalena (Magdalena)
Magnòlia (Magnòlia)
Manela (Manuela)
Mar (Mar)
Maragda (Esmeralda)
Maravella (Maravillas)
Marcel.la (Marcela)
Marcel.lina (Marcelina)
Màrcia (Marcia)
Margalida (Margarita)
Margarida (Margarita)
Maria (María)
Mariana (Marián, Mariana)
Marianna (Marián, Mariana)
Marta (Marta)
Martina (Martina)
Matilde (Matilde)
Medea (Medea)
Melània (Melania)
Melisenda (Melisenda)
Melissa (Melisa, Melita)
Mercè (Mercedes)
Meritxell
Messalina (Mesalina)
Micaelina (Micaela)
Minerva (Minerva)
Miracle (Milagros)
Miraculosa (Milagrosa)
Miranda (Miranda)
Mireia (Mireya)
Miriam (Miriam)
Mirta (Mirta)
Misericòrdia (Misericordia)
Mònica (Mónica)
Montserrat
Morgana (Morgana)
Nadal (Natividad)
Nádia (Nadia)
Natàlia (Natalia)
Nativitat (Natividad)
Neera (Neera)
Nemesi (Nemesia)
Nerea (Nerea)
Nicolaua (Nicolasa)
Neus (Nieves)
Nina (Nina)
Nimfa (Ninfa)
Noemí (Noemí)
Nonna (Nona)
Norberta (Norberta)
Norma (Norma)
Núria (Nuria)
Obdúlia (Obdulia)
Oblit (Olvido)
Octàvia (Octavia)
Ofèlia (Ofelia)
Oleguer (Olalla)
Olga (Heila, Olga)
Olimpia (Olimpia)
Oliva (Oliva, Olivia)
Ondina (Ondina)
Onfàlia (Onfalia)
Oració (Oración)
Òria (Oria)
Oriana (Oriana)
Oròsia (Orosia)
Otília (Otilia)
Palmira (Palmira)
Pamela (Pamela)
Pandora (Pandora)
Pasquala (Pascuala)
Pastora (Pastora)
Patricia (Patricia)
Patrocini (Patrocinio)
Pau (Paz)
Paula (Paula)
Paulina (Paulina)
Pelàgia (Pelagia)
Penèlope (Penélope)
Perla (Perla)
Peronella (Petronila)
Perpètua (Perpetua)
Persèfone (Perséfone)
Petra (Petra)
Petronil.la (Petronila)
Petúnia (Petunia)
Pia (Pía)
Pietat (Piedad)
Piença (Piencia)

Pilar (Pilar)
Piula (Paula)
Porfíria (Porfiria)
Práxedes (Práxedes)
Praxedis (Práxedes)
Preciosa (Preciosa)
Presentació (Presentación)
Prisca (Prisca)
Prudència (Prudencia)
Purificació (Purificación)
Pussina (Pusina)
Queta (Queta, Quiteria)
Quina (Joaquina)
Rafaela (Rafaela)
Rafela (Rafaela)
Raquel (Raquel)
Rea (Rea)
Rebeca (Rebeca)
Refugi (Refugio)
Regina (Regina)
Remei (Remedios)
Renata (Renata)
Restituta (Restituta)
Resurrecció (Resurrección)
Reis (Reyes)
Rita (Rita)
Roberta (Roberta)
Romilda (Romilda)
Rosa (Rosa)
Rosalia (Rosalía)
Rosalinda (Rosalinda)
Rosamunda (Rosamunda)
Rosaura (Rosaura)
Roseliana (Roselina)
Roser (Rosario)
Rosó
Roxana (Rosana, Roxana)
Rufina (Rufina)
Rut (Ruth)
Sabina (Sabina)
Sagrament (Sacramento)
Salomé (Salomé)
Salut (Salud)
Samanta (Samanta)
Sara (Sara)
Selene (Selena)
Serena (Serena)
Sibil.la (Sibila)
Silvana (Silvana)
Sílvia (Silvia)
Simona (Simoneta)
Sió (Sión)
Socors (Socorro)
Sofia (Sofía)
Soledat (Soledad)
Sònia (Sonia)
Susanna (Susana)
Tabita (Tabita)
Tàmar (Tamara)
Tamara (Tamara)
Tània (Tania)
Tàrsila (Társila)
Tatiana (Tatiana)
Tecla (Tecla)
Telma (Telma)
Teresa (Teresa)
Terpsícore (Terpsícore)
Thaís (Thais)
Úrsula (Úrsula)
Usebi (Eusebia)
Vanessa (Vanesa)
Venus (Venus)
Verònica (Verónica)
Vicenta (Vicenta)
Victòria (Victoria)
Vilanna (Vilana)
Viola (Viola)
Violant (Violante)
Violeta (Violeta)
Virgínia (Virginia)
Viridiana (Viridiana)
Visia (Visia)
Viviana (Viviana, Bibiana)
Xaviera (Javiera)
Xenerosa (Generosa)
Xènia (Xenia)
Ximena (Jimena, Ximena)
Zaïra (Zaíra)
Zenòbia (Zenobia)
Zita (Zita)
Zoè (Zoé)
Zoila (Zoila)

Chicos

Abelard (Abelardo)
Abundi (Abundio)
Iscle (Acisclo)
Adalbert (Adalberto)
Adam (Adán)
Adelar (Adelardo)
Adelelm (Adelelmo)
Adolf (Adolfo)
Adonis (Adonis)
Adriá (Adrián)
Agamèmnon (Agamenón)
Agapit (Agapito)
Agesilau (Agesilao)
Agripa (Agripa)
Agustí (Agustín)
Joaquim (Joaquín)
Alaric (Alarico)
Albà (Albano)
Albert (Albert)
Albí (Albino)
Alcibíades (Alcibíades)
Ald (Aldo)
Alexandre (Alejandro)
Aleix (Alejo, Alexis)
Alfons (Alfonso)
Alfred (Alfredo)
Alí (Alí)
Amadeu (Amadeo)
Amàlio (Amalio)
Amanç (Amancio)
Amanci (Amancio)
Amand (Amando)
Amat (Amado)
Ambròs (Ambrosio)
Ambròs (Ambrosio, Emrys)
Ambrosi (Ambrosio, Emrys)
Amílcar (Amílcar)
Anastasi (Anastasio)
Andreu (Ander, Andrés)
Androcles (Androcles)
Anicet (Anicet)
Anselm (Anselmo)
Antoll (Antolín)
Antoni (Antonio)
Apel.les (Apeles)
Apol.linar (Apolinar)
Apol.lo (Apolo)
Apol.loni (Apolonio)
Aquilles (Aquiles)
Aquil.lí (Aquilino)
Arcadi (Arcadio)
Arcàngel (Arcángel)
Ares (Ares)
Ariel (Ariel)
Arístides (Arístides)
Aristófanes (Aristófanes)

Armand (Armando, Harman)
Ermengol (Armengol)
Arnau (Arnaldo)
Arseni (Arsenio)
Artemi (Artemio)
Artur (Arturo)
Atanasi (Atanasio)
Ataülf (Ataúlfo)
Atilio (Atilio)
August (Augusto)
Aurèlia (Aureliano)
Aureli (Aurelio)
Ausias
Baldiri (Baudelio, Baudilio)
Baldomer (Baldomero)
Balduí (Balduino)
Baltasar (Baltasar)
Baptista (Bautista)
Bartomeu (Bartolomé)
Baruc (Baruch, Baruj)
Basili (Basilio)
Baudili (Baudelio, Baudilio)
Belisari (Belisario)
Beltran (Beltrán)
Benet (Benito)
Benigne (Benigno)
Benjamí (Benjamín)
Berenguer (Berenguer)
Bernabé (Bernabé)
Bernabeu (Bernabé)
Bernard (Bernardo)
Bernardí (Bernardino)
Bernat (Bernardo)
Bertan (Beltrán)
Benvingut (Bienvenido)
Bertan (Bertrán)
Blai (Blas)
Blasi (Blas)
Boi (Baudelio, Baudilio)
Bonifaç (Bonifacio)
Bonifaci (Bonifacio)
Boris (Boris)
Borja (Borja)
Brauli (Braulio)
Breogan (Breogán)
Bru (Bruno)
Bonaventura (Buenaventura, Ventura)
Caleb (Caleb)
Calixt (Calixto)
Calixte (Calixto)
Cal.listo (Calixto)
Camil (Camilo)
Candi (Cándido)
Càndid (Cándido)
Carles (Carlos)
Carmel (Carmelo)
Cassà (Casiano)
Cassi (Casio)
Cassià (Casiano)
Càssius (Casio)
Cast (Casto)
Càstor (Cástor)
Caetà (Cayetano)
Caietà (Cayetano)
Caius (Cayo)
Cecili (Cecilio)
Ceferí (Ceferino, Zeferino)
Celestí (Celestino)
Celi (Celio)
Cels (Celso)
Cèsar (César)
Cesáreo (Cesáreo)
Cidre (Isidre)
Cebrià (Cipriano)
Ciriac (Ciríaco)
Ciril (Cirilo)
Cirus (Ciro)
Ciset (Narciso)
Claudi (Claudio)
Climent (Clemente)
Cloris (Cloris)
Clodoveu (Clovis)
Clodoveu (Conrado)
Constanci (Constancio)
Constantí (Constantino)
Corneli (Cornelio)
Cosme (Cosme)
Crespí (Crispín)
Crisp (Crispo)
Crispí (Crispín)
Crispul (Críspulo)
Crist (Cristo)
Cristèfor (Cristóbal)
Cristèfol (Cristóbal)
Cristià (Cristian)
Cugat
Dalmaci (Dalmacio
Damas (Dámaso)
Damià (Damián)
Daniel (Daniel, Danilo)
Darius (Darío)
David (David)
Dèdal (Dédalo)
Delfí (Delfín)
Dídad (Diego)
Dimas (Dimas)
Diodor (Diodoro)
Diègenes (Diógenes)
Dionís (Dionisio)
Dionisi (Dionisio)
Domici (Domiciano)
Domènec (Domingo)
Donald (Donald)
Donat (Donato)
Doroteu (Doroteo)
Edgar (Edgar, Edgardo)
Edmon (Edmundo)
Edmund (Edmundo)
Eduard (Eduardo)
Edwim (Edwin)
Efraïm (Efraín, Efrén)
Efrem (Efraín, Efrén)
Egidi (Egidio, Gil)
Egist (Egisto)
Eiximenis (Jimeno)
Eladi (Eladio)
Eleuteri (Eleuterio)
El.ladi (Eladio)
Elies (Elías)
Eliseu (Eliseo)
Eloi (Eloy)
Emeteri (Emeterio)
Emili (Emilio)
Emilià (Emiliano)
Enees (Eneas)
Enric (Enrique)
Erasme (Erasmo)
Eric (Éric, Erico)
Ermenegild (Ermenegildo)
Ermengol (Hermengol)
Ernest (Ernesto)
Eros (Erwin)
Esteve (Esteban)
Eudald (Eudaldo)
Eudòxi (Eudoxio)
Eugeni (Eugenio)
Eulogi (Eulogio)
Eusebi (Eusebio)
Eustaqui (Eustaquio)
Eveli (Evelio)
Ezequiel (Ezequiel)
Fabi (Fabián, Fabio)
Fabià (Fabián, Fabio)

Fabrici (Fabriciano)
Fabricià (Fabriciano)
Facund (Facundo)
Faust (Fausto)
Faustí (Faustino)
Febo (Febo)
Fedre (Fedro)
Felicià (Feliciano)
Felip (Felipe)
Feliu (Félix)
Felix (Félix)
Fermí (Fermín)
Ferran (Fernando)
Ferriol
Ferruci (Ferrucio)
Fidel (Fidel)
Filemon (Filemón)
Filibert (Filiberto)
Filomè (Filomeno)
Flamini (Flaminio)
Flàvio (Flavio)
Florenci (Florencio)
Florentí (Florentino)
Florià (Florián)
Fortunat (Fortunato)
Fortuny (Ordoño)
Francesc (Francisco)
Frederic (Federico, Fadrique)
Froilà (Froilán)
Fructuós (Fructuoso, Frutos)
Fruitós (Fructuoso, Frutos)
Folc (Fulco)
Fulc (Fulco)
Fulgenci (Fulgencio)
Fulvi (Fulvio)
Gabí (Gabino)
Gabriel (Gabriel)
Gaietà (Cayetano)
Garci (García)
Garcia (García)
Gaspar (Gaspar)
Gastó (Gastón)
Gaudenci (Gaudencio)
Gedeó (Gedeón)
Gelabert (Gilberto)
Gilbert (Gilberto)
Gelasi (Gelasio)
Gellàs (Gelasio)
Gener (Genaro)
Generi (Genaro, Jenaro)
Genís (Ginés)
Gerald (Geraldo)
Gerard (Gerardo)
Germà (Germán)
Gervàs (Gervasio)
Gervasi (Gervasio)
Glauc (Glauco)
Godofred (Godofredo)
Gonçal (Gonzalo)
Gotard (Gotardo)
Gracià (Gracián)
Grau (Gerardo)
Gregori (Gregorio)
Gualter (Gualterio)
Gualteri (Gualterio)
Guerau (Gerardo)
Guido (Guido)
Guifré (Wifredo)
Guiui (Guido)
Guillem (Guillén, Guillermo)
Gunter (Gunter)
Gustau (Gustavo)
Harold (Harold)
Hassan (Hasán)
Hèctor (Héctor)
Heli (Helio)
Heliogàbal (Heliogábalo)
Heracli (Heraclio)
Herculà (Herculano)
Hèrcules (Hércules)
Heribert (Heriberto)
Hermà (Herman)
Hermenegild (Hermenegildo)
Hermes (Hermes)
Hermini (Herminio)
Hermió (Hermión)
Hermògenes (Hermógenes)
Herodías (Herodías)
Higini (Higinio)
Hilari (Hilario)
Hilarió (Hilarión)
Hildemar (Hildemaro)
Hipaci (Hipacio)
Homer (Homero)
Honest (Honesto)
Honorat (Honorato
Honori (Honorio)
Horaci (Horacio)
Hortensi (Hortensio)
Hospici
Hubert (Huberto)
Hug (Hugo)
Hugolí (Hugolino)
Humbert (Humberto, Umberto)
Ignasi (Ignacio)
Igor (Ígor)
Ildefons (Ildefonso)
Il.luminat (Iluminado)
Indaleci (Indalecio)
Innocenci (Inocencio)
Ínyigo (Íñigo)
Ireneneu (Ireneo, Irineo)
Isaac (Isaac)
Isaci (Isacio)
Isaías (Isaías)
Isidor (Isidoro)
Isidre (Isidro)
Ismael (Ismael, Ismaíl)
Ítal (Italo)
Iu (Ivo)
Ivan (Iván)
Ixidor (Isidoro)
Jacint (Jacinto)
Jacob (Jacob)
Jàson (Jasón)
Jaume (Hamish, Jacobo, Jaime, Yago)
Jeremies (Jeremías)
Jeroni (Gerónimo, Jerónimo)
Jesús (Jesús)
Joan (Ewan, Juan)
Joaquim (Joaquín)
Job (Job)
Joel (Joel)
Jofre (Wifredo)
Jonàs (Jonás)
Jonatan (Ionatan, Jonatán, Yonatán)
Jordà (Jordan)
Jordi (Gorka, Jorge, Yuri)
Josafat (Josafat)
Josep (José)
Josuè (Josué)
Joan (Juan)
Judas (Judas)
Judes (Judas)
Juli (Julio)
Julià (Julián, Juliano)
Júpiter (Júpiter)
Just (Justo)

Justí (Justino)
Justinià (Justiniano)
Juvenal (Juvenal)
Juvenci (Juvencio)
Kilian (Kilian)
Ladislau (Ladislao)
Laertes (Laertes)
Lambert (Lamberto)
Lancelot (Lancelot)
Landeli (Landelino)
Landolf (Landolfo)
Laocadi (Leocadio)
Laureà (Laureano)
Laurenci (Laurencio)
Laurentí (Laaurentino)
Leandre (Leandro)
Learc (Learco)
Let (Ledo)
Lèlius (Lelio)
Leo (Leo)
Leodegari (Leodegario)
Leònidas (Leónidas)
Leopoldo (Leopoldo)
Leovigild (Leovigildo)
Lesmes (Lesmes)
Leví (Leví)
Libori (Liborio)
Licario (Licario)
Licini (Licinio)
Linus (Lino)
Livi (Livio)
Llambert (Laberto)
Llorà (Laureano)
Llàtzer (Eleazar, Eliazar, Eliezer, Lázaro)
Lleïr
Lleó (León)
Lleonard (Leonardo)
Llibert (Liberto)
Llibori (Liborio)
Lli (Lino)
Llivi (Livio)
Llogari (Leodegario)
Llongí (Longinos)
Llorenç (Lorenzo)
Lluç (Lucas, Lucio)
Llucà (Luciano)
Llucià (Luciano)
Lluís (Luis)
Lluïsa
Longí (Longinos)
Lotari (Lotario)
Lucà (Lucano)
Lucreci (Lucrecio)
Macari (Macario)
Magí (Magín)
Magne (Magno)
Magnus (Magno)
Malaquies (Malaquías)
Mamert (Mamerto)
Mamet (Mamerto)
Manassès (Manasés)
Manel (Enmanuel, Imanol, Manuel)
Manfrè (Manfredo)
Manfred (Manfredo)
Manric (Manrique)
Marc (Marcos)
Marçal (Marcial)
Marcel.lí (Marcelino)
Marcel (Marcelo)
Mardoqueu (Mardoqueo)
Marí (Marino)
Marià (Mariano)
Marian (Mariano)
Màrius (Mario)
Martí (Martín)
Mateu (Mateo)
Matias (Matías)
Maties (Matías)
Macià (Matías)
Maur (Mauro)
Maurici (Mauricio)
Màxim (Máximo)
Maximilià (Maximiliano)
Medard (Medardo)
Medir (Emeterio)
Meinard (Meinardo)
Melcior (Melchor)
Melquiades (Melquíades)
Melquisedec (Melquisedec)
Menandre (Menandro)
Menelau (Menelao)
Metodi (Metodio)
Millá (Millán)
Miquel (Miguel)
Modest (Modesto)
Moisès (Moisés, Moshe)
Morfeu (Morfeo)
Nabucodonosor (Nabucodonosor)
Napoleó (Napoleón)
Narcís (Narciso)
Natali (Natalio, Noel)
Natzari (Nazario)
Nemesi (Nemesio)
Nereu (Nerea)
Nèstor (Néstor)
Nicanor (Nicanor)
Nicasi (Nicasio)
Nicet (Niceto)
Nicodem (Nicodemo)
Nicodemus (Nicodemo)
Nicolau (Klaus, Nicolás)
Nicomedes (Nicomedes)
Nil (Nilo)
Noè (Noé)
Nofre (Onofre)
Norbert (Norberto)
Nunyo (Nuño)
Octavi (Octavio)
Octavià (Octaviano)
Odí (Odín)
Odín (Odín)
Odon (Odón)
Olegar (Olegario)
Oleguer (Olegario)
Olimpi (Olimpio)
Oliver (Oliver)
Oliveri (Oliverio)
Omar (Omar)
Onésim (Onésimo)
Onofre (Onofre)
Ordonyo (Ordoño)
Orenç (Orencio)
Orestes (Orestes)
Orfeu (Orfeo)
Orígens (Orígenes)
Oriol (Oriol)
Orland (Orlando)
Òscar (Óscar)
Òseas (Oseas)
Osvald (Osvaldo)
Otel.lo (Otelo)
Oto (Otón)
Otoniel (Otoniel)
Ovidi (Ovidio)
Pau (Pablo)
Pacià (Paciano)
Pacomi (Pacomio)
Pancraç (Pancracio)
Pàmfil (Pánfilo)
Pantaleó (Pantaleón)
Paris (Paris)
Parmeni (Parmenio)

Perceval (Parsifal)
Pascasi (Pascasio)
Pasqual (Pascual)
Pastor (Pastor, Unai)
Pàstor (Pastor, Unai)
Patrici (Patricio)
Patrocle (Patroclo)
Pol (Paúl)
Paulí (Paulino)
Pere (Pedro)
Pelagi (Pelagio, Pelayo)
Pellai (Pelayo)
Peleas (Peleas)
Peleu (Peleo)
Pelegrí (Peregrín)
Perseu (Perseo)
Petroni (Petronio)
Pius (Pío)
Plàcid (Plácido)
Plató (Platón)
Plutarc (Plutarco)
Plini (Plinio)
Pol (Pol)
Policarp (Policarpo)
Policarpi (Policarpo)
Pompei (Pompeyo)
Pompeu (Pompeyo)
Pompili (Pompilio)
Ponç (Poncio)
Ponci (Poncio)
Porfiri (Porfirio)
Práxedes (Práxedes)
Praxedis (Práxedes)
Príam (Príamo)
Primitiu (Primitivo)
Prisc (Prisco)
Procopi (Procopio)
Prometeu (Prometeo)
Pròsper (Próspero)
Pruden (Prudencio)
Prudenci (Prudencio)
Prudent (Prudencio)
Publi (Publio)
Quint (Quinto)
Quintí (Quintín)
Quintilià (Quintiliano)
Quinto (Quinto)
Quirc (Quirce)
Quirce (Quirce)
Quirí (Quirino)
Rafel (Rafael)
Raimund (Raimundo)
Raimon (Raimundo, Ramón)
Rainer (Rainiero)
Ram (Ramos)
Ramir (Ramiro)
Ramon (Ramón)
Raül (Raúl)
Reinald (Reginaldo)
Renau (Reginaldo)
Regino (Regino)
Reinald (Reinaldo)
Rem (Remo)
Remigi (Remigio)
Remus (Remo)
Renau (Reinaldo)
Restitut (Restituto)
Ricard (Ricardo)
Rigobert (Rigoberto)
Robert (Roberto)
Robustià (Robustiano)
Roc (Roque)
Roderic (Rodrigo)
Rodolf (Rodolfo)
Roger (Rogelio)
Roland (Rolando, Roldán)
Rotllant (Roldán)
Romà (Román)
Romeu (Romeo)
Romuald (Romualdo)
Ròmuld (Rómulo)
Rossell (Rosendo)
Rossend (Rosendo)
Rubèn (Rubén)
Ruf (Rufo)
Rufí (Rufino)
Rupert (Ruperto)
Rústic (Rústico)
Rútil (Rutilio)
Rutili (Rutilio)
Sabas (Sabas)
Sabí (Sabino)
Salomó (Salomón, Suleimán)
Sal.lustià (Salustiano)
Salvador (Salvador)
Salvi (Salvio)
Samuel (Samuel)
Sanç (Sancho)
Santiago (Hamish, Jaime, Jaime, Yago)
Sants (Santos)
Saturi (Saturio)
Sadurní (Saturnino)
Saturn (Saturno)
Saül (Saúl)
Sebastià (Sebastián)
Segimon (Segismundo)
Senén (Senén)
Serafí (Serafín)
Serapi (Serapio)
Sergi (Sergio)
Servand (Servando)
Sever (Severo)
Severí (Severino)
Sigfrid (Sigfrido)
Silveri (Silverio)
Silvestre (Silvestre)
Silvi (Silvio)
Simeó (Simeón)
Simó (Simón)
Sinesi (Sinesio)
Simforià (Sinforiano, Sinforoso)
Sir (Siro)
Sixt (Sixto)
Sixte (Sixto)
Sòcrates (Sócrates)
Sulpici (Sulpicio)
Tacià (Taciano)
Tadeu (Tadeo)
Tancred (Tancredo)
Tarsici (Tarsicio)
Telm (Telmo)
Teobald (Teobaldo)
Teodomir (Teodomiro)
Teodor (Teodoro)
Teodoric (Teodorico)
Teòfil (Teófilo)
Terenci (Terencio)
Teseu (Teseo)
Tiburci (Tiburcio)
Timoteu (Timoteo)
Tirs (Tirso)
Titus (Tito)
Tobias (Tobías)
Todolí (Teodorico)
Tomàs (Tomás)
Toribi (Toribio)
Torquat (Torcuato)
Trifó (Trifón)
Tristany (Tristán)
Tubau (Teolbaldo)
Ubald (Ubaldo)
Ulisses (Ulises)
Ulric (Ulrico)
Urà (Urano)
Urbà (Urbano)

Úrsulo (Úrsulo)
Valent (Valentn)
Valeri (Valerio)
Valerià (Valeriano)
Velasc (Velasco)
Venceslau (Venceslao, Wenceslao
Vicenç (Vicente)
Vicent (Vicente)
Víctor (Víctor)
Victorià (Victoriano)
Vidal (Vidal)
Vintila (Vintila)
Virgili (Virgilio)
Vladimir (Vladimiro)
Wald (Waldo)
Walter (Walter)
Wolfang (Wolfang)
Xavier (Javier, Saverio)
Xerxs (Jerjes)
Ximeno (Jimeno)
Ximo (Joaquín)
Zacarias (Zacarías)
Zenó (Zenón)
Zoile (Zoilo)

Nombres vascos

Chicas

Abarne (Ramos)
Abauntza
Abeliñe (Avelina)
Abene (Pilar)
Adele (Adela)
Adoniñe (Antonia)
Aduna (Virgen)
Agara
Agate (Águeda)
Agerkunde
Agerne
Aginaga
Aginarte
Agirre
Agreda
Agurne (Rosario)
Agurtzane (Adoración, Rosario)
Ahuñe
Aiago (Virgen)
Aiala (Virgen)
Ainara
Ainhoa (Virgen)
Ainize
Ainitze
Aintza (Gloria)
Aintzane (Gloria)
Aintzile (Virgen)
Aintziñe (Virgen)
Ainuesa
Aiora
Aiskoa
Aiskolunbe
Aitana
Aitziber (Virgen)
Aizkorri
Aizpea (Virgen)
Aizeti
Akorda (Virgen)
Alaia (Leticia)
Alaine (Leticia)
Alaikari
Alaiñe
Alaitz
Alazne (Milagros)
Albane (Albina)
Albiñe (Albina)
Albizua (Virgen)
Aldontza (Aldonza)
Alduara
Alduenza (Aldonza)
Alize (Alicia)
Alkain
Almike
Almuza
Alodi
Alodia
Aloñe (Virgen)
Altzagarate (Virgen)
Amaduena
Amagoia
Amaia
Amaiur
Amalur
Amane (Maternidad)
Amarita
Amatza (Maternidad)
Amelina
Amets
Ametza (Virgen)
Amilamia
Amunia
Ana (Ana)
Anadela
Anaeaxi (Ana Engracia)
Anaiansi
Anani (Aniana)
Anaurra
Anatxo
Anboto
Anbroxe
Andaraza
Ande
Anderazu
Anderazu (Andrea)
Anderexo (Andrea)
Anderkina
Andia (Virgen)
Andikoa (Virgen)
Andion (Virgen)
Andoilu
Andoiza
Andoliñe (Antonia)
Andone (Antonia)
Andrainu
Andregoto
Andrekina
Andremisa
Andrezuria
Anduiza
Anne (Ana)
Angelu (Ángela)
Angosto
Ania (Ania)
Anixe (Anisia)
Aniz (Virgen)
Anoz (Virgen)
Ansa
Antxone (Antonia)
Antziñe (Virgen)
Anuntxi (Anunciación)
Anuska (Ana)
Apain (Virgen)
Apala
Aragundia
Araiko
Araitz
Arama (Virgen)
Arana (Virgen)
Arandon (Virgen)
Aranea
Arantza (Virgen)
Arantzazu (Virgen)
Araoz (Virgen)
Arratz
Araziel
Arbeiza (Virgen)
Arbekoa (Virgen)
Arburua (Virgen)
Areitio (Virgen)

Areria (Virgen)
Argi (Luz)
Argiloain (Virgen)
Argiñe (Luz, Lucía]
Ariane
Arima (Alma)
Ariñe
Ariturri (Virgen)
Aritzaga (Virgen)
Aritzeta (Virgen)
Ariznoa
Arkaia
Arkale
Arkija (Virgen)
Arlas (Virgen)
Arluzea (Virgen)
Armedañe (Virgen)
Armentia
Armola (Virgen)
Arnotegi (Virgen)
Aroia
Arraitz (Virgen)
Arrako (Virgen)
Arrate (Virgen)
Arrazubi (Virgen)
Arrene
Arreo (Virgen)
Arriaka (Virgen)
Arrieta (Virgen)
Arrigorria (Virgen) (Arraiza)
Arriluzea (Virgen)
Arritokieta (Virgen)
Arrixaka (Virgen)
Arrosa (Virgen (Rosa)
Arrosali (Rosalía)
Arrosane (Rosa, Rosana)
Arsene
Artaza
Artea (encina)
Artederreta (Virgen) (Unzue, Navarra)
Artiga
Artiza (Virgen)
Artizar (Lucero)
Artzanegi (Virgen)
Artzeina (Virgen)
Asa (Virgen)
Asentzia
Asiturri (Virgen)
Askoa (Virgen)
Astiza
Atallo (Virgen)
Atasi
Atauri
Aterbe (Patrocinio)
Atotz (Virgen)
Atsege (Angustias)
Atsegiñe (Consuelo, Gracia)
Atxarte (Virgen)
Aulli
Aurela
Auria (Áurea)
Auriola
Aurkene (Presentación)
Aurori (Aurora)
Aurramari (Mari Nieves)
Austiñe (Agustina)
Austiza (Agustina)
Axpe (Virgen)
Ayala (Virgen)
Azella (Virgen)
Azentzia
Azitain (Virgen)
Azkune
Babesne (Amparo)
Bakarne (Soledad)
Bakartxo (Soledad)
Bake (Paz, Irene)
Bakene (Paz, Irene)
Balen (Valentina, Valeria)
Balere (Valentina, Valeria)
Baraorda
Barazorda (Virgen)
Bardoiza
Barkane
Barria (Virgen)
Barrika (Virgen)
Basaba (Virgen)
Basagaitz (Virgen)
Basalgo (Virgen)
Basandre
Bata (Beatriz)
Batirtze (Beatriz)
Beatasis (Virgen)
Bedaio (Virgen)
Begoña (Virgen)
Belanda
Belaskita (Virgen)
Belate (Virgen)
Beloke (Virgen)
Beltraniza
Beltzane (Morena)
Benate (Bernarda)
Bengoa
Bengoara
Bengolarrea (Virgen)
Beniñe (Benigna)
Beolarra
Beraza (Virgen)
Berberana (Virgen)
Berbixe (Resurrección)
Berbizkunde
Berezi (Virgen)
Bernardiñe
Berzijana (Virgen)
Besagaitz
Betiko (Perpetua)
Betisa (Petra, Perpetua)
Betiza (Petra, Perpetua)
Betitxo
Betoñe
Bibiñe (Viviana)
Bidane (Camino)
Bidatz (Camino)
Bihotz
Bikarregi (Virgen)
Bikuñe
Bilebañe (Circuncisión)
Bingene (Vicenta)
Biolarra (Virgen)
Bioti (Virgen)
Birkide (Brígida)
Bittore (Victoria)
Bittori (Victoria)
Bitxi (Gema)
Bitxilore (Margarita)
Bixenta (Vicenta)
Bizkargi
Bureskunde (Coronación)
Burgondo (Virgen)
Burne (Bruna)
Burtzeñe (Virgen)
Deiñe (Anunciación)
Deio (Virgen)
Demiku
Diagur
Dioni (Dionisia)
Distira (Fulgencia)
Doatasun (Buenaventura)
Dolore (Dolores)
Doltza
Domeka

Domikuza
Dominixe (Dominga)
Donetsi (Benita)
Donetzine (Benita)
Doniantsu (Virgen)
Donianzu (Virgen)
Dordoniz
Dorleta (Virgen)
Dota
Dulanto
Dulantzi
Dunixe (Dionisia)
Ederne (Gala, Nieves)
Ederra (Hermosa)
Edurne (Nieves)
Edurtzeta (Virgen)
Egia (Verdad)
Egiarte (Virgen)
Egilior (Virgen)
Egokiñe
Eguene
Eguzkine (Sol)
Ehari
Eider
Eiharne
Eilba
Eilo
Eitzaga
Ekhiñe (Sol)
Elaia (golondrina)
Elduara
Elene (Elena, Helena)
Elisabete (Isabel)
Elisenda (Elisenda)
Elixabet (Isabel)
Elixabete (Isabel)
Elixane
Elixi
Elizamendi (Virgen)
Elizmendi (Virgen)
Elkano (Virgen)
Elorri
Elorriaga (Virgen)
Elurreta (Virgen)
Eluska
Enara (golondrina)
Endera
Enea
Eneka (Ignacia)
Enekoiza (Ignacia)
Eneritz (Virgen)
Engartze
Erdaiñe (Circuncisión)
Erdiñe (Parto)
Erdoitza (Virgen)
Erdotza (Virgen)
Erdoza (Virgen)
Erentxun
Erga
Erguiñe (Virgen)
Eriete (Virgen)
Erika (Erica)
Erisenda (Elisenda)
Erkuden (Virgen)
Erlea (Abeja)
Ermin (Virgen, Herminia)
Ermiñe (Herminia)
Ermisenda
Ermua (Virgen)
Ernio
Erniobe (Virgen)
Errafaila
Erramona (Ramona)
Erramune (Ramona)
Erramusa
Errasabia
Errasti (Virgen)
Erregina (Reina, Regina)
Erremulluri (Virgen)
Erresti (Restituta)
Errite (Rita)
Erromane (Romana)
Errosali (Rosario, Rosalía)
Erroxe (Rosalía)
Erroz (Virgen)
Errukine (Misericordia, Piedad)
Errupiñe
Erta
Eskarne (Mercedes)
Eskintza
Eskolunbe (Virgen)
Esozi (Virgen)
Espoz (Virgen)
Estebeni (Estefanía)
Estibalitz (Virgen, Estíbaliz)
Estibaliz (Virgen, Estíbaliz)
Estiñe (Estíbaliz)
Estitxu (Estíbaliz)
Etorne (Pentecostés)
Etxano (Virgen)
Etxaurren (Virgen)
Eulari (Eulalia)
Eukene (Eugenia)
Eunate (Virgen)
Eupeme (Eufemia)
Euria (lluvia)
Eusa (Virgen)
Eustasi (Eustasia)
Ezkurra (Virgen)
Ezkioga
Ezozia (Virgen) (
Eztegune (Desposorios de Nuestra Señora)
Fani
Fede (Fe)
Feleizia (Felicia, Felicidad)
Fermina (Fermina)
Finia
Florentxi (Florentina)
Frantsesa (Francisca)
Frantxa (Francisca)
Frantziska (Francisca)
Fruitutsu (Fructuosa)
Gabone (Natividad, Noelia)
Gadea (Gadea)
Gainko (Virgen)
Gaizkane (Salvadora)
Gamiza
Garaiñe (Victoria)
Garaitz (Victoria)
Garaiza
Garazi (Graciana)
Garbi (Pura, Clara)
Garbikunde (Inmaculada, Pura, Purificación)
Garbiñe (Inmaculada, Pura, Purificación)
Garden (Transparente)
Gardotza (Virgen)
Gares
Gariñe
Garoa
Garoñe (Virgen)
Garralda (Virgen)
Garrastazu (Virgen)
Gartze (Gracia)
Gartzene (Gracia)
Gasteiza
Gatzarieta (Virgen)
Gaxi
Gaxuxa (Gracia)

Gazelu (Virgen)
Gazeta (Virgen)
Gaztain
Gaztelu
Geaxane
Geaxi (Engracia)
Gentzane (Paz)
Geraxane (Graciana)
Gereña
Gergoana (Gregoria)
Gergore (Gregoria)
Gerizpe
Geroa
Getari
Gexina (Graciana)
Gisela (Gisela)
Gixane (Encarnación)
Gizakunde
Gizane (Encarnación)
Goiatz (Virgen)
Goikiria
Goikoana (Virgen)
Goikone
Goioiza
Goiuri
Goiuria (Virgen)
Goizaldi
Goizane (Aurora)
Goizargi (Aurora)
Goizeder
Gometiza
Gorane (Exaltación)
Goratze (Exaltación)
Goratzi (Exaltación
Gorbeia
Gorostitza (Virgen)
Gorria (colorado)
Gorritiz (Virgen)
Gorriza (Virgen)
Gotiza
Goto (sólida)
Gotzone (Ángela)
Gozo (Dulce)
Graxi (Graciana)
Gudane (Marcia)
Gupida (Compasión)
Gure (nuestra)
Gurenda
Gurene (Santos)
Gurtza
Gurutze (Cruz)
Gurutzeta (Virgen)
Gurutzi (Cruz)
Guruzne (Santa Cruz)
Gutune
Haize (viento)
Haizea (viento)
Harbil
Harbona
Harritxu
Haurramari
Haurtzane
Hegazti (Ave)
Hegieder
Hegoa
Heleni
Helintzia
Helis
Hiart (Virgen)
Hilargi (Luna)
Hirune (Trinidad)
Hodeiza
Hoki (Virgen)
Hoztaizka (Margarita)
Hoztaizkatza
(Margarita)
Hua (Virgen)
Hugone (Virgen)
Iasmina (Yasmina)
Ibabe (Virgen)
Ibane
Ibarne
Ibernalo (Virgen)
Ibone (Ivonne)
Idoia (Virgen)
Idoibaltzaga (Virgen)
Iduia (Idoya)
Idurre (Virgen)
Iekora
Iera (Virgen)
Igai
Igaratza (Virgen)
Igaro
Igoa
Igone (Ascensión)
Igorne
Igorre
Igotz
Iharra
Iharte
Ihintza (Rocío)
Iholdi
Ikerne (Visitación)
Ikomar (Virgen)
Ikuska
Ilargiñe
Iazkiñe
Ilia
Iligardia (Virgen)
Iloz (Virgen)
Ines (Inés)
Ingartze (Engracia)
Inguma
Intza (Rocío)
Ioar
Ipuza
Iradi
Iragarte (Anunciación)
Iragartze
Iraia
Iraide (Iraida)
Iraitz
Irakusne (Epifanía)
Irantzu (Virgen)
Irati
Iratxe (Virgen)
Iratze
Iraupen (Perseverancia)
Ireber
Iriberri (Virgen)
Iride (Iraida)
Iristain (Virgen)
Irkusne (Epifanía)
Irune (Trinidad)
Iruntze
Iruñe (Virgen)
Iruri (Virgen)
Irutxeta (Virgen)
Isana
Isasi (Virgen)
Ismene (Eladia)
Isurieta (Virgen)
Itoiz (Virgen)
Itsasne (Mar, Marina)
Itsaso (Mar)
Itxaro (Esperanza)
Iturbegi
Iturrieta (Virgen)
Iturrisantu (Virgen)
Iturriza
Itxaro (Esperanza)
Itzal (Amparo)
Itzea
Itziar (Virgen)
Iurre (Virgen)
Ixone (calma)
Izaga
Izar (Estrella)
Izarne (Estela)
Izaro (Virgen)

Izarraitz
Izaskun (Virgen)
Izorne (embarazada)
Izortz
Jabiera (Javiera)
Jaione (Natividad, Noelia)
Jakinde (Jacinta)
Jokiñe (Joaquina)
Jone (Juana)
Josune (Jesusa)
Joxepa
Jugatz
Julene (Juliana)
June
Jurdana
Justiñe
Kaia
Kaiene
Karia
Kariñe (Carina, Catalina)
Karmele (Carmen)
Kattalin (Catalina)
Katisa (Catalina)
Katrin (Catalina)
Kejana
Kelmene (Clemencia)
Keltse
Kemen (Virtudes)
Keperiñe (Severina)
Kiles
Kispiñe (Crispina)
Kistiñe
Kitz
Kizkitza
Klodin
Kodes
Koikille (Cecilia)
Koldobike (Luisa)
Koldobiñe (Louise)
Kontxesi (Concepción)
Kontxi (Concepción)
Kontzeziona (Concepción
Koro
Kristobala
Kupida
Kutsuge (Pureza)
Kuttune
Labraza
Lagran
Laguntzane (Socorro)
Laida
Laiene
Lamia (Lamia)
Lamiaran (Virgen)
Lamindao (Virgen)
Landa (Virgen)
Landerra
Larraintzar (Virgen)
Larraitz (Virgen)
Larrara (Virgen)
Larrauri (Virgen)
Larraza (Virgen)
Larrosa (Rosa)
Lasagain (Virgen)
Lasarte (Virgen)
Latsari
Latxe
Laurane
Laxuri
Legaire
Legarda (Virgen)
Legarra (Virgen)
Legendika (Virgen)
Legundia
Leioar
Leiore
Leire (Virgen)
Lekaretxe (Virgen)
Leorin (Virgen)
Lerate (Virgen)
Lerden (Esbelta)
Letasu (Virgen)
Lexuri
Leza
Lezaeta (Virgen)
Lezana (Ermita)
Lezeta (Virgen)
Libe (Libia)
Lide (Lidia)
Lierni (Virgen)
Liger
Lili (Lirio, flor)
Lilura (Encanto)
Lirain (Primorosa)
Lisabe
Lizagain (Virgen)
Lohitzune
Loinar (Virgen)
Loinaz (Virgen)
Lonore (Leonor)
Lontzi
Lopeiza
Lopene
Lopiza
Lorda (Lourdes)
Lore (Flor, Flora)
Lorea (Flor, Flora)
Loredi
Lorete (Loreto)
Loxa
Loza (Virgen)
Lugarda
Luixa (Luisa)
Lukene (Luciana)
Lukeiza
Lukeizaz
Lukesa
Lupe
Lur (Tierra)
Lustaria
Lutxi(Lucía)
Maala
Maddi (María)
Maddalen (Magdalena)
Mahats (uva)
Maia (María)
Maialen (Magdalena)
Maider
Maier
Maiora
Maitagarri (Amada)
Maitane (Amor)
Maite (Amada)
Maiteder (Amada)
Maitena (Amada)
Makatza (silvestre)
Maldea
Maldera (Amparo)
Malen (Magdalena)
Malentxo
Maneiza (Juana)
Manoli
Mantzia
Mañarrieta (Virgen)
Margain (Aizpun)
Mari (María)
Mariaka
Marider
Marieder
Marierramus
Marigabon (Natalia, Noelia)
Marimaite
Mariño
Marisanz
Maritxu (María)
Markele (Marcela)

Martiñe (Martina)
Martioda
Martixa (Martina)
Martxeliñe (Marcelina)
Martzia
Matauko
Matiena
Matxalen (Magdalena)
Maurga
Mauriñe
Melgar (Santzol)
Melitxu
Mendia (Virgen)
Mendiete (Virgen)
Mendigaña (Virgen)
Mendite
Mendoia
Menga
Menosa
Mentzia (Mencía)
Meñaca
Mertxe (Mercedes)
Mesede (Mercedes)
Mezkia
Mikele (Micaela)
Milari
Milia (Emilia)
Mina
Miniain (Virgen)
Mirandola
Mirari (Milagros)
Mireia (Mireya)
Miren (María)
Mirenkaia (María)
Mirentxu (María)
Mitxoleta (Amapola)
Molora (Virgen)
Monlora (Virgen)
Moronda (Virgen)
Munia
Muniain (Virgen)
Muno (Virgen)
Munondoa (Virgen)
Muntsaratz (Virgen, Monserrat)
Murgindueta (Virgen)
Muruzabal (Virgen)
Muskaria
Muskilda (brote, pimpollo)
Muskoa (Virgen)
Muxika (Virgen)
Nabarne
Nagore (Virgen)
Nahia
Nahikari
Naiara (Virgen)
Naroa
Nazubal (Virgen)
Negu (invierno)
Nekane (Dolores)
Nekoiza
Nekuesa (Nardoze)
Nere (Nerea)
Nerea (Nerea)
Neskor
Neskutz
Nikole (Nicolasa)
Nora (Virgen, Nora)
Nunile (Nunilo)
Obeka
Oianko (Virgen)
Oiartza (Virgen)
Oibar (Virgen)
Oihana (Silvia)
Oihane (Silvia)
Oilandoi (Virgen)
Oinaze (pena, sufrimiento)
Oitia (Virgen)
Oka (Virgen)
Okaritz
Okendo
Okon (Virgen)
Olaia (Olalla)
Olaiz (Virgen)
Olalla (Olalla)
Olar (Olalla)
Olaria (Olalla)
Olarizu
Olartia (Virgen)
Olatz (Virgen)
Olite (Virgen)
Ollano (Virgen)
Olleta
Oloriz (Virgen)
Ona
Onbera (Clementina)
Onditz (Virgen)
Oneka
Oneraspen (Fructuosa, Piedad)
Onintza (Fructuosa)
Oña
Opakua (Virgen)
Orbaiz (Virgen)
Ordizia (Virgen)
Oreitia
Orella
Oria
Oriz (Virgen)
Oro (Virgen)
Oroitze
Ororbia (Virgen)
Orose (Orosia)
Oroxi (Orosia)
Orrao (Virgen)
Orreaga (Virgen)
Orzuri
Osabide (Virgen)
Osakun (Virgen)
Osane (Remedios)
Osasune (Salustiana)
Osina
Osiñe
Oskia (Virgen)
Osteriz (Virgen)
Otadia
Otaza
Otsana
Otsanda
Ostaizka
Otzaurte (Virgen)
Oxeli
Ozana
Pakene (Paciana, Paz)
Pangua
Panpoxa (Gracia)
Pantxika (Francisca)
Pantxike (Francisca)
Parezi (Virgen)
Paskalin (Pascuala)
Paternain (Virgen)
Pauli (Paula)
Paxkalin (Pascuala)
Pelela
Periza
Pertxenta (esbelta)
Pilare (Pilar)
Pizkunde (Resurrección)
Poli
Poyo (Virgen)
Pozkari (Consuelo)
Pozne (Consuelo, Gaudencia)
Prantxiska (Francisca)
Premiñe
Primia (Eufemia, Primitiva)
Printza (Prudencia)

Prudentzi (Prudencia)
Pueyo (Virgen)
Puskene
Puy (Virgen)
Sabadin (Sabina)
Sabiñe (Sabina)
Sagarduia (Virgen)
Sagari (Sagrario)
Sargari (Sagrario)
Sahats (sauce)
Saies
Saioa
Saloa
Sallurtegi (Virgen)
Santakitz
Santllaurente (Virgen)
Santsa (Sancha)
Santurde
Santutxo (Virgen)
Sarri (Eltziego)
Saturene
Sastiana (Sebastiana)
Sastiza
Saustiza (Sebastiana)
Seiñe (Inocencia)
Semera
Silbane (Silvana)
Soiartze (Virgen)
Sokorri (Virgen)
Sorauren (Virgen)
Sorkunde (Concepción)
Sorne (Concepción)
Sorospen (Socorro)
Soskaño
Sosokaño (Virgen)
Sostiza (Sebastiana)
Soterraña (Virgen)
Talesia
Tene
Terese (Teresa)
Tetxa (Virgen)
Toda
Toloño (Virgen)
Tomasi (Tomasa)
Tome (Tomasa)
Tosea
Tosta
Tostako
Turisu
Txandra (Sandra)
Txarin (Bergara)
Txaro (Rosario)
Txartina
Txipiri
Txopeiza
Txori (pájaro)
Uba (Virgen)
Ubaga (Virgen)
Ubarriaran (Virgen)
Udaberri (primavera)
Udane
Udara (verano)
Udiarraga (Virgen)
Udazken (otoño)
Udoz (Virgen)
Uga (Virgen)
Ugarte (Virgen)
Uguzne (Bautista)
Ula (Virgen)
Uli (Virgen)
Unaisa (Pastora)
Untza (Virgen)
Untzizu (Virgen)
Uraburu (Virgen)
Uralde (Virgen)
Urbe (Virgen)
Urdaiaga (Virgen)
Urdina (Azul o Blanca)
Urdiñe
Uriarte (Virgen)
Uribarri (Virgen)
Uriz (Virgen)
Urkia (Ermita)
Uronea (Virgen)
Urraka (Urraca)
Urrategi (Virgen)
Urrea
Urretxa (Virgen)
Urreturre (Virgen)
Urrexola (Virgen)
Urrialdo (Virgen)
Urroz (Virgen)
Urruñe
Ursola (Úrsula)
Urtsiñe
Urtune
Urtza (Virgen)
Urtzumu (Virgen)
Usebi (Eusebia)
Usmene
Usoa (Paloma)
Usua (Virgen)
Usue
Utsune
Uxue
Uxune
Uzuri
Xabadin (Sabina)
Xantalen
Xantiana
Xaxi (Engracia)
Xemein (Virgen)
Ximena (Jimena)
Xixili (Cecilia)
Xoramen (encanto)
Xurdana
Xurdina
Zabal (Virgen)
Zabaleta (Virgen)
Zaballa (Virgen)
Zaiñe (Patrocinio)
Zaloa (Virgen)
Zamartze (Virgen)
Zandua (Virgen)
Zeberiogana (Virgen)
Zelai (Virgen)
Zerio
Zerran (Virgen)
Zeru
Zikuñaga (Virgen)
Zilia (Santa)
Ziortza (Virgen)
Zisa
Zita (Santa)
Zohargi
Zohartze (Virgen)
Zoila (Zoíla)
Zorion
Zorione (Felicidad)
Zuberoa (Virgen)
Zubia
Zufiaurre
Zuhaitz (árbol)
Zuhurne (Prudencia)
Zumadoia (Virgen)
Zumaia (Gaistiain)
Zumalburu (Virgen)
Zuria (Blanca)
Zuriñe (Blanca)
Zutoia (Pilar)
Zuza (Virgen)
Zuzene (Justa)

Chicos

Abaigar
Abar (Ramos)
Abarrotz
Abauntz
Abelin (Avelino)
Aberri

Abrein
Adame (Adán)
Adei
Adon (Abdón)
Adur
Ageio
Ager
Agiri
Agoitz
Agosti (Agustín)
Agoztar
Ahostar
Aide
Aiert
Aimar
Aingeru (Ángel)
Aintza (Gloria)
Aintzin (antiguo)
Aioro
Aire (aire)
Aita
Aitor
Aitzol
Aitzuri
Aizaroz
Aizkibel
Aketza
Akier
Akotain
Alakide
Alain
Alaon
Alar
Alarabi
Alatz (Milagros)
Albi
Aldasur
Alesander (Alejandro)
Alex (Alejo)
Alexander (Alejandro)
Allande (Arnaldo)
Alon
Alots
Aloxi (Luis)
Altzaga
Altzibar
Altzo
Amaiur
Amand (Amando)
Ambe
Ametz (sueño)
Amokain
Amuruza
Anaia
Anaitz
Anakoz
Anartz
Anaut (Arnaldo)
Anbortsi (Ambrosio)
Andeko
Ander (Andrés)
Andima (Antimo)
Andoitz
Andolin (Antolín)
Andoni (Antonio)
Andore
Andotz
Andu
Aner
Angelu (Ángel)
Angolaur
Anko
Anixi (Anisio)
Anter (Antero)
Antso
Anter
Anton (Antonio)
Antton (Antonio)
Antxiko
Antxoka
Antxon (Antonio)
Apal (Modesto)
Apat (Abad)
Arago
Aralar
Arano
Aratz
Arbane
Ardoi
Ardotxi
Arduzia
Argain
Argi (Lucio)
Argider
Argina
Argoitz
Aritz
Aritzeder
Arixo
Arkaitz
Arkox
Arman
Armintz
Arnaitz
Arnalt
Arnot (Arnaldo)
Arnas (respiro)
Arotza
Arrats (anochecer)
Arrosko
Arrontzio
Artitz
Artizar (Lucero del alba, Venus)
Artozki
Artzai (Pastor)
Artze
Artzeiz
Aruxo
Asel
Asentzio (Asensio)
Asier
Asteri (Asterio)
Astigar (arce)
Atarrabi
Atarratz
Atilio
Aton
Atxito
Atxuri
Augusta (Augusto)
Aurken (presentación)
Austin
Auxkin (Agustín)
Axo
Axular
Azeari
Azibar
Azkorte
Aznar
Aztiri
Aztore
Azubeli
Babil
Baiardo
Baiarte
Bakar (Soledad)
Baladi (Blas)
Balendin (Valentín)
Baleren (Valerio)
Balesio
Baraxil (Basilio)
Bardol (Bartolomé)
Barea
Batikon
Batista (Bautista)
Batzi (Basilio)
Bazil (Basilio)
Bazkoare (Pascual)
Beila

Bela
Belasko
Belatz
Belendin (Valentín)
Belere
Beleren
Beltxe
Benarte (Bernardo)
Bengoa
Benoat (Benito)
Beñat (Bernardo)
Berart
Berasko
Beraun
Berbiz (Resurrección)
Berdaitz
Beremundo (Veremundo)
Bernat (Bernardo)
Berriotxoa
Bertol (Bartolomé)
Betadur
Beti (Pedro)
Betiri (Pedro)
Bidari (Viator)
Bikendi (Vicente)
Bilari
Bingent (Vicente)
Birila (Virila)
Birjaio (Renato)
Bittor (Víctor)
Bixintxo (Vicente)
Bizkentzi (Vicente)
Bizi (Vidal)
Bladi (Blas)
Blasko
Bolibar
Bordat
Brizio
Burni
Danel (Daniel)
Dasio
Deihadar
Dei (Anunciación)
Denis (Dionisio, Dioni, Dunixi)
Deunoro (Santos)
Diagur
Diegotxe (Diego)
Distiratsu (Fulgencio)
Dogartzi (Deogracias)
Domeka (Domingo)
Domiku (Domingo)
Dominix (Domingo)
Domixenti
Donaisti
Dorkaitz
Dunixi (Dionisio)
Duruma
Eate
Eder (hermoso)
Edorta (Eduardo, Ferrán)
Edrigu (Rodrigo, Rodrigue)
Edur
Egoitz
Eguen
Eguntsenti (Aurora)
Eguzki
Eihar
Ekain (junio)
Ekaitz (tempestad)
Ekhi
Ekhiotz
Elazar (Eleazar, Lázaro)
Eleder
Elegi
Eli (Elías)
Elkano
Ellande (Arnaldo, Fernando)
Elo
Elorri (Espino)
Elordi
Emenon
Enaitz
Enaut (Fernando, Hernando)
Endika (Enrique)
Endira (Enrique)
Endura
Eneko (Eneko Aritza)
Enekoitz
Eneto
Enetz
Erauskin
Erdain
Ereinotz (Laureano)
Erge
Eriz
Erlaitz (Fernando)
Erlantz (Fernando)
Ernio
Erraimun (Raimundo)
Erramu (Ramos)
Erramun (Ramón)
Errando (Fernando)
Errapel (Rafael)
Errolan (Roldán)
Erroldan (Roldán)
Erroman (Román)
Erruki (Pío)
Errupin (Rufino)
Estebe (Esteban)
Etor (Pentecostés)
Etxahun
Etxatxu
Etxauz
Etxekopar
Etxepare
Eudon
Euken (Eugenio)
Eulatz
Eurri
Ezkati
Ezker
Eztebe (Esteban, Fermín)
Fantxiko
Fauste (Fausto)
Ferran (Fernando)
Firmo
Fermin
Formerio
Fortun (Fortunato)
Fostin (Faustino)
Fraisku (Francisco)
Frantzizko (Francisco)
Frantzes (Francisco)
Frederik (Federico)
Froila (Froilán)
Gabin (Gabino)
Gabirel (Gabriel)
Gabon
Gaizka (Salvador)
Gaizko
Galder
Galindo
Gamio
Ganix (Juan)
Gar
Garaile (Víctor)
Garaona
Garat
Garikoitz
Garin
Garoa (helecho)
Garriz
Gartzea

Gartzen (Gracián)
Gartzi (Gracián)
Gartzimiro
Gaskue
Gaskon
Gastea
Gaston (Gastón)
Gauargi
Gaueko
Gaxan (Gracián)
Gaztea
Gaztelu
Gentza (Paz)
Geraldo (Gerardo)
Geraxan (Gracián)
Gerazan (Gracián)
Gergori (Gregorio)
Gergorio (Gregorio)
Gilamu (Guillermo)
Gilen (Guillermo, Gil)
Gillen (Guillermo)
Gilesindo
Gixon
Goi (cielo)
Goio (Gregorio)
Goiz (mañana)
Goizeder
Gomazin
Gongotzon (Gregorio)
Gontzal (Gonzalo)
Goratz
Goren (Augusto)
Gorka (Jorge)
Gorosti (acebo)
Gorri
Gotzon (Ángel)
Gudasko (Marcial)
Gurbizar
Guren
Gurutz (Cruz)
Gutxi
Haitz (Pedro, roca)
Hanni (Aniano)
Haran
Harbeltz
Haritz (roble)
Haritzeder (roble esbelto)
Harkaitz (roca)
Harri
Harriet
Hartz (oso, Ursino)
Hasier
Hegoi
Heiko
Herauso
Heren
Hibai (río)
Hitzeder (Eulogio)
Hodei (nube)
Hurko
Ibai
Iban (Juan)
Ibinka
Ibon (Ivón)
Ienego
Igal
Igantzi
Igarki
Igon (Ascensión)
Igor (Ígor)
Igotz
Ihar
Ihazintu (Jacinto)
Ihintza (Rocío)
Ikatz (carbón)
Iker (Visitación)
Ikini (Higinio)
Ilari (Hilario)
Ilazki (Luna)
Ilixo
Illart
Ilunber
Iluro
Imanol (Manuel)
Inazio (Ignacio)
Inaxio (Ignacio)
Indartsu (Robustiano)
Inge
Inguma (mariposa)
Inhar
Inixio
Inko (Dios)
Intxixu
Iñaki (Ignacio)
Iñigo (Ignacio)
Ioritz
Iraitz
Iratxo (duende)
Iraunkor (Constancio)
Ireltxo
Iratzeder
Irkus (Epifanio, Epiphane)
Irrintzi (clamor)
Isatsi
Isidor (Isidoro)
Iskander
Istebe
Isusko
Itxeto
Itzaina
Itzal (sombra)
Itzaltzu
Ixaka (Isaac)
Ixidor (Isidor)
Ixona
Izotz (hielo)
Jabier
Jagoba (Jacob, Jacobo)
Jaiotz
Jaizki
Jaizkibel
Jakes (Jacobo, Santiago)
Jakobe (Jacobo, Santiago)
Jakue (Jacobo, Santiago)
Janpier (Juan Pedro)
Jarein
Jatsu
Jaunti
Jaunzuria
Joanes (Juan)
Jokin (Joaquín)
Jon (Juan)
Joritz
Joseba (José)
Josepe (José)
Josu (Jesús)
Joxin
Joaneizu
Juaneizu
Juango
Juantxiki
Juanxar
Julen (Julián)
Jurdan
Jurgi (Jorge)
Justi (Justo)
Kadet (Cayetano)
Kai (Cayo)
Kaiet (Cayetano)
Kaitan (Cayetano)
Kamil
Karmel (Carmelo)
Katalain
Kauldi (Claudio)
Kaxen

Kele
Kelemen (Clemente)
Kemen (vigor)
Kepa (Pedro)
Keperin (Ceferino)
Kerman (Germán)
Kiles
Kiliz
Kimetz (retoño)
Kirru
Kismi
Kixtin (Cristino, Cristian)
Koldo (Luis)
Koldobika (Luis)
Kristau
Kristin (Cristino)
Kristuel (Cristo, Cristopher)
Kurtzio
Kusko
Lain
Lander (Leandro)
Larra
Larrain
Lartaun
Lastur
Lauren
Laurendi (Lorenzo)
Laurentz (Lorenzo)
Laurentzi (Lorenzo)
Laurgain
Laurin
Leander (Leandro)
Legazpi
Lehen (Primitivo, primero)
Leheren (Primitivo)
Lehior
Lehoi (León)
Leoiar
Lekubegi
Ler (pino)
Lerruz
Leunda
Lexoti
Lezkarre
Lezo
Liher
Lirain
Lizar (fresno)
Lizardi
Loiola
Loizun
Lokitz
Lon (León)
Longar
Lontxo (Lorenzo)
Lope (Lope)
Lordo
Lore (Floro, Florencio)
Loren
Lorenz (Lorenzo)
Luar
Luix (Luis)
Luken (Luciano, Lucas)
Lur
Lurgor
Luzaide
Luzea
Madari
Maide
Maiorga
Mairu
Malder
Manez (Juan)
Manex (Juan)
Mantxot
Mantzio
Manu (Manuel)
Mañel (Manuel)
Maore
Maren (Mariano)
Marin
Marinyel (marinero)
Markel (Marcelo, Marcial)
Marko (Marcos)
Martalo
Martie (Martín)
Martiko
Martixal (Martín)
Martxel (Marcelo)
Martxelin (Marcelino)
Martxot
Maru
Marz (Marcos)
Matei (Mateo)
Mati (Matías)
Matia (Matías, Mateo)
Maties (Matías, Mateo)
Mattie (Matías, Mateo)
Mattin (Martín)
Matxin (Martín)
Matxinot (Martín)
Maule
Maurin (Mauricio)
Maurixi (Mauricio)
Mazio
Mazuste
Meder (Emeterio, Medardo)
Mederi (Emeterio)
Mehatz
Mendaur
Mendiko (Silvano)
Meteri (Emeterio)
Mikel (Miguel)
Mikelar
Mikelats
Mikeldi
Mikolas (Nicolás)
Miliaga (Millán)
Milian (Millán)
Miliko
Min
Mirena (Marío)
Mitxaut (Miguel)
Mitxel (Miguel)
Mogel
Montxo (Domingo)
Munio
Musko
Nabar
Nahia
Nikola (Nicolás)
Nuño (Nuño)
Nuxila
Obeko
Odix
Odon (Odón)
Oiartso
Oidor
Oier
Oihan
Oinatz
Oiña
Olentzero
Onbera (Benigno)
Ongai
Ongile (Bonifacio)
Opilano
Orats
Ordintxo
Ordoiz
Orhi
Orkatz (corzo, venado)
Oroitz (memoria, recuerdo)

Orti
Ortzadar
Ortze (firmamento)
Ortzi (cielo)
Ortzuri
Orzaize
Osaba
Osasun (Salustiano)
Oskarbi (cielo despejado)
Oskitz
Osoitz
Ospetsu (Honorato)
Ospin
Ostadar (arco iris)
Ostargi (Aurora)
Ostots (trueno)
Otxando
Otxoa (lobo)
Oxalde
Oxarra
Oxel
Paskal (Pascual)
Patxi (Francisco)
Paul (Pablo)
Paulo (Pascual)
Paulin (Pablo)
Paulo (Pablo)
Paxano (Paciano)
Peli (F?x)
Peiel
Peio (Pedro)
Peli
Perrando (Fernando)
Peru (Pedro)
Peruanton (Pedro Antonio)
Perutxo (Pedrito)
Pes
Petiri (Pedro)
Petri (Pedro)
Pettan
Piarres (Pedro)
Pierres (Pedro)
Polentzi (Florencio)
Poz (Gaudencio)
Praisko (Francisco)
Prontxo
Prudentzio (Prudencio)
Pudes
Pusken
Raitin
Remir (Ramiro)
Ruisko (Rodrigo)
Sabin (Sabino)
Salbatore (Salvador)
Salluente
Sandaili
Sandeli
Sandrati
Sandrili
Sanduru (Santos)
Santi (Santiago)
Santikurtz
Santio (Santiago)
Santuru (Santos)
Santutxo (Santiago)
Santxo (Sancho)
Sarbil
Satordi (Saturnino)
SastinSebasti?ebastien
Sastoi
Satordi (Saturnino)
Saustin (Sebastián)
Seber (Severo)
Sein (Inocente)
Semark
Seme
Semeno
Sendoa
Senen (Senén)
Sengrat
Sesuldo
Silban (Silvano)
Sostie
Soter (Sotero)
Sotil
Sugar
Sugoi
Suharri
Surio
Sustrai (raíz)
Tello (Tello)
Telmo (Telmo)
Teobaldo (Teobaldo)
Tibalt (Teobaldo)
Tiburtzio (Tiburcio)
Tipi (pequeño)
Todor (Teodoro)
Tristan (Tristán)
Tuste
Txaber
Txanton (José Antonio)
Txaran
Txartiko
Txerran
Txeru (cielo)
Txilar (brezo)
Tximitx
Txindoki
Txingor
Txomin (Domingo)
Txordon
Txurdin
Txurio (Albino)
Ubarna
Ubeltso
Ubendu
Udalaitz
Udalatx
Udiri
Ugaitz
Ugutz (Bautista)
Uhin (ola, onda)
Umea
Unai (Pastor)
Unax
Untzalu
Ur
Urbez
Urdaneta
Urdapal
Urdaspal
Urdin
Urki (abedul)
Urko
Urre (Áureo, oro)
Urritz (Avellano)
Urtats
Urti
Urtsin (Ursino)
Urtsua
Urtun
Urtzi (Dios)
Urtzitor
Usun
Uzuri
Xabat (Salvador)
Xalbat (Salvador)
Xabier (Javier)
Xalbador (Salvador)
Xantalen
Xanti (Santiago)
Xardin
Xarles (Carlos)
Xefe (Ceferino)
Xemen
Xiker
Ximun (Simón)
Xofre

Xotil (Sotero)
Xuban
Xurdin
Xurio
Zadornin (Saturnino)
Zalakain
Zaldubi
Zeledon (Celedonio)
Zernin (Saturnino)
Zeru (cielo)
Zeruko (Celestino)
Zigor (castigo)
Zilar (plata)
Zohiartze
Zoil (Zoilo)
Zorion (Félix)
Zuhaitz (árbol)
Zuhur
Zumar (olmo)
Zunbeltz
Zuri (Albino)
Zuriko (Albino)
Zuzen (Justo, Justino)

Nombres gallegos

Chicas

Adela (Adela)
Adelaida (Adelaida)
Afonsa (Alfonsa)
África (África)
Agarimo (Socorro)
Agostiña (Agustina)
Agripina (Agripina)
Águeda (Águeda)
Alba (Alba)
Alberta (Alberta)
Alborada (Alba)
Alegría (Alegra)
Alexandra (Alejandra)
Alfreda (Alfreda)
Alicia (Alicia)
Alís (Alicia)
Alla (Laia)
Aloia
Amalia (Amalia)
Amanda (Amanda)
Amelia (Amelia)
Amparo (Amparo)
Ana (Ana)
Anastasia (Anastasia)
Anatolia (Anatolia)
Andreia (Andrea)
Antía (Antía)
Antoniña (Antonia)
Anuncia (Anunciación)
Anunciación (Anunciación)
Ánxela (Ángela)
Anxos (Ángela)
Apolonia (Apolonia)
Araceli (Araceli)
Ariana (Ariadna)
Asunción (Asunción)
Asunta (Asunta)
Aurea (Áurea)
Aurelia (Aurelia)
Augusta (Augusta)
Auria (Áurea)
Aurora (Aurora)
Auxiliadora (Auxiliadora)
Azucena (Azucena)
Baia
Balbina (Balbina)
Bárbara (Bárbara)
Basilisa (Basilisa)
Beatriz (Beatriz)
Bela (Isabel)
Belén (Belén)
Bernalda (Bernarda)
Berta (Berta)
Beta (Beatriz)
Bieita (Benita)
Branca (Blanca)
Bríxida (Brígida)
Calista (Calixta)
Camila (Camila)
Camiño (Camino)
Candela (Candela)
Candelaria (Candelaria)
Candeloria (Candelaria)
Candida (Cándida)
Caridade (Caridad)
Carina (Carina)
Carme (Carmen)
Carmela (Carmela)
Carola (Carla)
Carolina (Carolina)
Casomira (Casimira)
Catarina (Catalina)
Catuxa (Catalina)
Cecía (Cecilia)
Cecilia (Cecilia)
Celestina (Celestina)
Celia (Celia)
Celsa (Celsa)
Ceu (Cielo)
Cintia (Cintia)
Cirila (Cirila)
Clara (Clara)
Claudia (Claudia)
Clodia (Claudia)
Clotilde (Clotilde)
Comba (Paloma)
Concepción (Concepción)
Consolación (Consolación)
Constanza (Constanza)
Crara (Clara)
Cristal (Cristal)
Cristina (Cristina)
Cristiña (Cristina)
Cruz (Cruz)
Daniela (Daniela)
Débora (Débora)
Delfina (Delfina)
Delia (Delia)
Demetria (Demetria)
Diana (Diana)
Digna (Digna)
Dionisia (Dionisia)
Doada (Donata)
Dominga (Dominga)
Domitila (Domitila)
Doración (Adoración)
Dóres (Dolores)
Dorotea (Dorotea)
Eduvixes (Eduvigis)
Eleonor (Eleonor)
Elisa (Elisa)
Elvira (Elvira)
Emilia (Emilia)
Encarnación (Encarnación)
Engracia (Engracia)
Enma (Enma)
Enriqueta (Enriqueta)
Epifanía (Epifania)
Erika (Erica)
Escolástica (Escolástica)
Escravitude (Esclavitud)
Esmeralda (Esmeralda)
Esperanza (Esperanza)
Estel (Ester)
Estela (Estela)
Estrela (Estrella)
Ester (Ester)

Eudoxia (Eudoxia)
Eufemia (Eufemia)
Eulalia (Eulalia)
Euloxia (Eulogia)
Eusebia (Eusebia)
Eustaquia (Eustaquia)
Euxea (Eugenia)
Euxenia (Eugenia)
Eva (Eva)
Evanxelina (Evangelina)
Fabian (Fabiana)
Fabiola (Fabiola)
Fátima (Fátima)
Fe (Fe)
Felicidade (Felicidad)
Felicitas (Felicidad)
Felisa (Felisa)
Filomena (Filomena)
Flavia (Flavia)
Flor (Flor)
Flora (Flora)
Florentina (Florentina)
Fortunata (Fortunata)
Francisca (Francisca)
Franqueira
Frederica (Federica)
Froila
Gabriela (Gabriela)
Gala (Gala)
Glauca
Gloria (Gloria)
Gracia (Gracia)
Graciela (Graciela)
Gregoria (Gregoria)
Guadalupe (Guadalupe)
Güendolina (Güendolín)
Guiomar (Guiomar)
Gumersinda
(Gumersinda)
Hadriana (Adriana)
Helena (Elena)
Hermelinda
(Hermelinda)
Hermenexilda
(Hermenegilda)
Herminia (Herminia)
Hilaria (Hilaria)
Hixinia (Higinia)
Honorata (Honoria)
Hortensia (Hortensia)
Icia (Cecilia)
Ifixenia (Ifigenia)
Ignacia (Ignacia)
Ilduara
Iluminada (Iluminada)
Inés (Inés)
Inmaculada
(Inmaculada)
Inocencia (Inocencia)
Iolanda (Yolanda)
Irene (Irene)
Iria (Iria)
Irimia
Iris (Iris)
Isabel (Isabel)
Laura (Laura)
Ledicia (Leticia)
Leonarda (Leonarda)
Leonor (Leonor)
Lía (Lea, Lía)
Liberada (Librada)
Liberdade (Libertad)
Lidia (Lydia/Lidia)
Locaia (Leocadia)
Loreto (Loreto)
Lourenza (Lorenza)
Lúa (Luna)
Lucía (Lucía)
Lucrecia (Lucrecia)
Ludia (Lidia)
Luísa (Luisa)
Lupa
Lurdes (Lourdes)
Macaria (Macaria)
Magdalena (Magdalena)
Manoela (Manuela)
Mara
Marcela (Marcela)
Marcelina (Marcelina)
Margarida (Margarita)
María (María)
Mariana (Mariana)
Mariña (Marina)
Marta (Marta)
Marta (Marta)
Martiña (Martina)
Matilde (Matilde)
Máxima (Máxima)
Maruxa (María)
Mauricia (Maura)
Mercedes (Mercedes)
Mercés (Mercedes)
Milagres (Milagros)
Minia
Miragres (Milagros)
Modesta (Modesta)
Mónica (Mónica)
Monserrat (Montserrat)
Natalia (Natalia)
Natividade (Natividad)
Nemesia (Nemesia)
Neves (Nieves)
Noela (Noelia)
Noemi (Noemí)
Noemia (Noemí)
Norberta (Norberta)
Nuria (Nuria)
Obdulia (Obdulia)
Odila (Obdulia)
Odilia (Obdulia)
Ofelia (Ofelia)
Ofemia (Eufemia)
Olalla (Olalla)
Olga (Olga)
Olimpia (Olimpia)
Oliva (Olivia)
Olivia (Olivia)
Otilia (Otilia)
Pamela (Pamela)
Pastora (Pastora)
Patricia (Patricia)
Paula (Paula)
Paz (Paz)
Peregrina (Peregrina)
Perpetua (Perpetua)
Petronela (Petronila)
Píao (Pía)
Piedade (Piedad)
Pilar (Pilar)
Pomba (Paloma)
Porfíria (Porfiria)
Práxedes (Práxedes)
Presentación
(Presentación)
Primitiva (Primitiva)
Prisca (Prisca)
Priscila (Priscila)
Prudencia (Prudencia)
Purificación
(Purificación)
Quinta (Quinta)
Queta (Queta, Quiteria)
Rafaela (Rafaela)
Raquel (Raquel)
Rebeca (Rebeca)
Reis (Reyes)
Remedios (Remedios)
Remei (Remedios)
Rexina (Regina)
Rita (Rita)

Roberta (Roberta)
Roca
Rosa (Rosa)
Rosalía (Rosalía)
Rosalinda (Rosalinda)
Rosamunda (Rosamunda)
Rosario (Rosario)
Rosaura (Rosaura)
Roxana (Roxana)
Roxelia (Rogelia)
Rufina (Rufina)
Rut (Ruth)
Sabel (Isabel)
Sabela ((Isabel)
Sabina (Sabina)
Sagrario (Sagrario)
Saleta
Salomé (Salomé)
Sara (Sara)
Saúde (Salud)
Segunda (Segunda)
Serena (Serena)
Silvana (Silvana)
Silvia (Silvia)
Sofía (Sofía)
Soidade (Soledad)
Susana (Susana)
Tamara (Tamara)
Tania (Tania)
Tareixa (Teresa)
Tatiana (Tatiana)
Tegra (Tecla)
Telma (Telma)
Teodosia (Teodosia)
Teresa (Teresa)
Trindade (Trinidad)
Urraca (Urraca)
Úrsula (Ursula)
Uxía (Eugenia)
Valentina (Valentina)
Valeriana (Valeriana)
Venancia (Venancia)
Verónica (Verónica)
Vicenta (Vicenta)
Virxinia (Virginia)
Vitoria (Victoria)
Viviana (Viviana)
Vrixilia (Virgilia)
Xaviera (Javiera)
Xacinta (Jacinta)
Xaquelina (Jacoba)
Xema (Gema)
Xenerosa (Generosa)
Xenoveva (Genoveva)
Xermana (Germana)
Xertrude (Gertrudis)
Xesusa (Jesusa)
Xiana (Juliana)
Xilda (Gilda)
Ximena (Jimena)
Xisela (Gisela)
Xoana (Juana)
Xoaquina (Joaquina)
Xosefa (Josefa)
Xosefina (Josefina)
Xudit (Judit)
Xulia (Julia)
Xusta (Justa)
Xustina (Justina)
Zaida (Zaida)

Chicos

Abel (Abel)
Abelardo (Abelardo)
Abraam (Abraham)
Adán (Adán)
Adolfo (Adolfo)
Afonso (Alfonso)
Agostiño (Agustín)
Alberte (Alberto)
Alberto (Alberto)
Aleixo (Alejo)
Alexandre (Alejandro)
Alexo (Alejo)
Alfredo (Alfredo)
Álvaro (Álvaro)
Amadeo (Amadeo)
Amalio (Amalio)
Amancio (Amancio)
Amaro (Amaro)
Ambrosio (Ambrosio)
Anastasio (Anastasio)
André (Ánder)
Andrés (Andrés)
Aniceto (Aniceto)
Anselmo (Anselmo)
Antón (Antonio)
Antonio (Antonio)
Anxo (Ángel)
Apolonio (Apolonio)
Aquilino (Aquilino)
Arcadio (Arcadio)
Arcanxo (Arcángel)
Artur (Arturo)
Atanasio (Atanasio)
Augusto (Augusto)
Aurelio (Aurelio)
Baldomero (Baldomero)
Baltasar (Baltasar)
Bartolomeu (Bartolomé)
Bartomeu (Bartolomé)
Basilio (Basilio)
Bastián (Bastián)
Bautista (Bautista)
Benigno (Benigno)
Bento (Benito)
Bieto (Benito)
Bieito (Benito)
Benedito (Benito)
Benvido (Bienvenido)
Benxamín (Benjamín)
Bernabé (Bernabé)
Bernabel (Bernabé)
Bernabeu (Bernabé)
Bernal (Bernardo)
Bernaldino (Bernardino)
Bernaldo(Bernardo)
Bértalo (Bartolomé)
Boaventura (Buenaventura)
Bonifacio (Bonifacio)
Brais (Blas)
Bras (Blas)
Brandán
Braulio (Braulio)
Breixo
Breogán
Bruno (Bruno)
Caetano (Cayetano)
Caio (Cayetano)
Caitán (Cayetano)
Calisto (Calixto)
Calros (Carlos)
Camilo (Camilo)
Cándido (Cándido)
Carlos (Carlos)
Casiano (Casiano)
Casto (Casto)
Castor (Castor)
Cecilio (Cecilio)
Ceferino (Ceferino)
Ceferí (Ceferino)
Celestino (Celestino)
Celso (Celso)
César (César)
Cesáreo (Cesáreo)
Chinto (Jacinto)
Cibrao (Cipriano)
Cibrán (Cipriano)

Cidre (Isidoro)
Cilistro (Celestino)
Ciriaco (Ciriaco)
Cirilo (Cirilo)
Claudio (Claudio)
Clodio (Claudio)
Cloio (Claudio)
Conrado (Conrado)
Costantino (Constantino)
Cosme (Cosme)
Crispín (Crispín)
Cristo (Cristo)
Cristovo (Cristóbal)
Dámaso (Dámaso)
Damián (Damián)
Daniel (Daniel)
Darío (Darío)
David (David)
Demetrio (Demetrio)
Diego (Diego)
Dinís (Dionisio)
Dionisio (Dionisio)
Domingos (Domingo)
Donato (Donato)
Doado (Donato)
Doroteo (Doroteo)
Duardos (Eduardo)
Duarte (Duarte)
Eduardo (Eduardo)
Efraín (Efraín)
Efrén (Efrén)
Eleuterio (Eleuterio)
Elías (Elías)
Eliseu (Eiseo)
Eloi (Eloi)
Elixio (Eligio)
Emiliano (Emiliano)
Emilio (Emilio)
Epifanio (Epifanio)
Ernesto (Ernesto)
Ero
Estanislau (Estanislao)
Estevo (Esteban)
Eudald (Eudaldo)
Eudoxio (Eudoxio)
Euloxio (Eulogio)
Eusebio (Eusebio)
Eustaquio (Eustaquio)
Euxenio (Eugenio)
Euxeo (Eugenio)
Evaristo (Evaristo)
Exidio (Egidio)
Ezequiel (Ezequiel)
Fabian (Fabio)
Fabián (Fabián)
Facundo (Facundo)
Farruco (Quico)
Faustino (Faustino)
Fausto (Fausto)
Feliciano (Feliciano)
Felipe (Felipe)
Fermín (Fermín)
Firmino (Fermín)
Fernán (Fernando)
Fidel (Fidel)
Filemón (Filemón)
Fins (Félix)
Fis (Félix)
Fiz (Félix)
Florencio (Florencio)
Florentino (Florentino)
Florián (Florián)
Fortunato (Fortunato)
Francisco (Francisco)
Frederico (Federico)
Froila (Froilán)
Froilán (Froilán, Fructuoso)
Froitoso (Frutos)
Fulxencio (Fulgencio)
Frorencio (Florencio)
Gabino (Gabino)
Gabriel (Gabriel)
Gaspar (Gaspar)
Gaudencio (Gaudencio)
Gonzalo (Gonzalo)
Gorechos (Gregorio)
Goros (Gregorio)
Gregorio (Gregorio)
Guillelme (Guillermo)
Guillerme (Guillermo)
Gumersindo (Gumersindo)
Gustavo (Gustavo)
Hadrián (Adrián)
Héctor (Héctor)
Heladio (Eladio)
Henrique (Enrique)
Heriberto (Heriberto)
Hermenexildo (Hermenegildo)
Hermexildo (Hermenegildo)
Herminio (Herminio)
Hermóxenes (Hermógenes)
Hilario (Hilario)
Hipólito (Hipólito)
Hixinio (Higinio)
Honesto (Honesto)
Honorato (Honorato)
Hortensio (Hortensio)
Hou (Eudaldo)
Hugo (Hugo)
Humberto (Humberto)
Iago (Santiago)
Ildefonso (Ildefonso)
Indalecio (Indalecio)
Inocencio (Inocencio)
Iñazio (Ignacio)
Isaac (Isaac)
Isaías (Isaías)
Isidoro (Isidoro)
Isidro (Isidro)
Ismael (Ismael)
Iván (Iván)
Jonatán (Jonatán)
Ladislau (Ladislao)
Lamberto (Lamberto)
Landelín (Landelino)
Laureano (Laureano)
Leandro (Leandro)
León (León)
Leonardo (Leonardo)
Leoncio (Leoncio)
Leopoldo (Leopoldo)
Leuter (Eleuterio)
Leovixildo (Leovigildo)
Lino (Lino)
Liño (Lino)
Locaio (Leocadio)
Lois (Luis)
Lope (Lope)
Lobo (Lope)
Lois (Luis)
Lourenzo (Lorenzo)
Lucas (Lucas)
Luciano (Luciano)
Lucio (Lucio)
Luis (Luis)
Macario (Macario)
Macías)
Manecho (Manuel)
Manoel (Manuel)
Manso
Manuel (Manuel)
Marcelino (Marcelino)
Marcelo (Marcelo)
Marcial (Marcial)

Marcos (Marcos)
Mariano (Mariano)
Mariño (Marino)
Mario (Mario)
Martiño (Martín)
Matéu (Mateo)
Mateus (Mateo)
Matías (Matías)
Mauricio (Mauricio)
Mauro (Mauro)
Maximino (Maximino)
Máximo (Máximo)
Maxín (Mágín)
Melchor (Melchor)
Mendo (Mendo)
Micael (Miguel)
Miguel (Miguel)
Millán (Millán)
Millao (Millán)
Modesto (Modesto)
Moisés (Moisés)
Narciso (Narciso)
Nemesio (Nemesio)
Néstor (Néstor)
Nicanor (Nicanor)
Nicasio (Nicasio)
Nicolau (Nicolás)
Norberto (Norberto)
Nuno (Nuño)
Octavio (Octavio)
Odón (Odón)
Olegario (Olegario)
Omar (Omar)
Onésimo (Onésimo)
Onofre (Onofre)
Ordoño (Ordoño)
Orlando (Orlando)
Oscar (Óscar)
Oswaldo (Osvaldo)
Otón (Otón)
Ou (Eudaldo)
Ourente (Orencio)
Outel (Eleuterio)
Outelo (Eleuterio)
Ovidio (Ovidio)
Paio
Pancracio (Pancracio)
Pànfilo (Pánfilo)
Pantaleón (Pantaleón)
Pascoal (Pascual)
Pascual (Pascual)
Pastor (Pastor)
Pauliño (Paulino)
Paulo (Pablo)
Payo (Pelagio)
Pedro (Pedro)
Pelaxio (Pelayo)
Peleriño (Pelegrín)
Pío (Pío)
Plinio (Plinio)
Policarpo (Policarpo)
Pompey (Porfirio)
Prácido (Plácido)
Práxedes (Práxedes)
Primitivo (Primitivo)
Próspero (Próspero)
Prudencio (Prudencio)
Quint (Quinto)
Quintín (Quintín)
Quinto (Quinto)
Quirce (Ciríaco)
Rafael (Rafael)
Raimundo (Raimundo)
Ramiro (Ramiro)
Ramón (Ramón)
Raúl (Raúl)
Reimunde (Raimundo)
Remixio (Remigio)
Ricardo (Ricardo)
Roberto (Roberto)
Robustiano
(Robustiano)
Rodrigo (Rodrigo)
Roger (Rogelio)
Roi
Rolando (Roldán)
Román (Román)
Romualdo (Romualdo)
Rómulo (Rómulo)
Roque (Roque)
Rosendo (Rosendo)
Roxelio (Rogelio)
Rubén (Rubén)
Rufiño (Rufino)
Rui (Rodrigo)
Ruperto (Ruperto)
Sabino (Sabino)
Sadurniño (Saturnino)
Salomón (Salomón)
Salustiano (Salustiano)
Salvador (Salvador)
Santiago (Santiago)
Santos (Santos)
Saturo (Saturio)
Sebastián (Sebastián)
Secundino (Secundino)
Segundo (Segundo)
Senén (Senén)
Serapio (Serapio)
Servando (Servando)
Serxio (Sergio)
Severino (Severino)
Silvano (Silvano)
Silvestre (Silvestre)
Silvio (Silvio)
Simeón (Simeóm)
Simón (Simón)
Sindo (Gumersindo)
Sixto (Sixto)
Sotero (Sotero)
Tadeo (Tadeo)
Telesforo (Telesforo)
Telmo (Telmo)
Teobaldo (Teobaldo)
Teodomiro (Teodomiro)
Teodoro (Teodoro)
Teófilo (Teófilo)
Terencio (Terencio)
Timoteu (Timoteo)
Tirso (Tirso)
Tito (Tito)
Tobías (Tobías)
Tomé (Tomás)
Torcado (Torcuato)
Tristán (Tristán)
Ubaldo (Ubaldo)
Uberto (Humberto)
Ulises (Ulises)
Urbano (Urbano)
Uxío (Eugenio)
Valente (Valentín)
Valeriano (Valeriano)
Valerio (Valerio)
Vasco (Velasco)
Venancio (Venancio)
Venceslao (Venceslao)
Venceslau (Venceslao)
Vicente (Vicente)
Vicenzio (Vicente)
Vicenzo (Vicente)
Vidal (Vidal)
Vintín (Víntila)
Vintís (Vintila)
Virxilio (Virgilio)
Vítor (Víctor)
Vitoriano (Victoriano)
Vrixilio (Virgilio)
Waldo (Waldo)
Xabier (Javier)
Xacinto (Jacinto)

Xacob (Jacob)
Xacobo (Jacobo)
Xaime (Jaime)
Xan (Juan)
Xano (Luciano)
Xaquin (Joaquín)
Xelasio (Gelasio)
Xenaro (Genaro)
Xeneroso (Generoso)
Xenxo (Ginés)
Xeraldo (Geraldo)
Xerardo (Gerardo)
Xeremías (Jeremías)
Xermá (Germán)
Xermán (Germán)
Xermao (Germán)
Xerome (Jerónimo)
Xerónimo (Gerórimo)
Xervasio (Gervasio)
Xes
Xesús (Jesús)
Xian (Julián)
Xiao (Julián)
Xil (Gil)
Xilberte (Gilberto)
Xilberto (Gilberto)
Xildas
Xilgorio (Gregorio)
Xoan (Juan)
Xoaquin (Joaquín)
Xob (Job)
Xoel (Joel)
Xonás (Jonás)
Xorxe (Jorge)
Xosafá (Josafat)
Xosé (José)
Xosué (Josué)
Xudas (Judas)
Xulio (Julio)
Xurxo (Jorge)
Xustino (Justino)
Xusto (Justo)
Yago (Jacobo, Jaime, Santiago)
Zacarías (Zacarías)
Zeferí (Ceferino)

Nombres Bables

Chicas

Adamina [Mina] (Mina)
Adauta
Adela [Dela] (Adela)
Adosinda (Adoración)
Adriana (Adriana)
África (África)
Agadía (Gadea)
Agustina (Agustina)
América [Mérica, Meri] (América)
Aida (Aida)
Aidanza (Aldonza)
Aita
Alandrina (Alejandra)
Alba (Alba)
Albada (Blanca)
Albana (Blanca)
Alborada (Aurora)
Alberta (Alberta)
Albina (Albina)
Alexandra [Xandra] (Alejandra)
Alicia [Licia] (Alicia)
Allegría (Alegría)
Alsina (Elsa)
Altina
Alvarina
Alvira (Elvira)
Amparo (Amparo)
Ana (Ana)
Anaonda
Anaya (Anaya)
Andrea (Andrea)
Andresa (Andrea)
Ania (Ania)
Antona (Antonia)
Anuncia [Nuncia] (Anunciación)
Anuxa
Ánxela (Ángela)
Anxela [Xela] (Ángela)
Ánxeles (Ángeles)
Anxelina [Xelina] (Angelina)
Aramar
Araceli (Araceli)
Armandina
Arxenta [Xenta]
Arxentina (Argentina)
Ascensión (Ascensión)
Asuncia (Asunción)
Asunta (Asunta)
Aurelia (Aurelia)
Aurora (Aurora)
Auseva
Ayalga
Balba
Balesquida
Bárbola
Bárbora
Bastiana (Sebastiana)
Beatriz (Beatriz)
Begoña (Begoña)
Belarma (Belarmina)
Belarmina (Belarmina)
Belén (Belén)
Bena
Benita (Benita)
Benxamina [Xamina] (Benjamina)
Bernalda [Nalda] (Bernarda)
Berta (Berta)
Blanca (Blanca)
Brasa (Blasa)
Bríxida (Brígida)
Camila (Camila)
Canciana (Cancianila)
Candela (Candela)
Cándida (Cándida)
Canora
Caridá (Caridad)
Carme (Carmen)
Carmela (Carmela)
Carola (Carla)
Carolina (Carolina)
Casia (Casia)
Casildra (Casilda)
Casomira (Casimira)
Catalina (Catalina)
Catana (Catalina)
Catarina [Catala] (Catalina)
Catuxa [Tuxa] (Catalina)
Cecía (Cecilia)
Cecilia (Cecilia)
Cefera (Ceferina)
Celesta (Celestina)
Celsa (Celsa)
Cesaria (Cesárea)
Cilia (Cecilia)
Cirila (Cirila)
Clara (Clara)
Clementina (Clementina)
Cloya
Colomba (Paloma)

Conceición (Concepción)
Concia (Concepción [Concha])
Consuelo (Consuelo)
Coral (Coral)
Cresanta (Crisanta)
Créspula (Críspula)
Criselda (Griselda)
Crisolina
Crista (Cristiana)
Cruz (Cruz)
Cuadonga (Covadonga)
Dalia (Dalia)
Daniela (Daniela)
Débora (Débora)
Dela (Delia)
Delaira (Adelaida)
Delmira (Edelmira)
Demesia (Nemesia)
Deva
Diamantina [Tina, Mantina] (Diamantina)
Diana (Diana)
Dionisia [Nisia, Nisa] (Dionisia)
Dobra (Débora)
Dolora (Dolores)
Donina (Donata)
Donisia (Dionisia)
Dora (Teodora)
Dosinda
Eita
Elsa (Elsa)
Encarna (Encarna)
Enderquina
Ercina
Erdiana
Ernestina (Ernestina)
Esmeralda (Esmeralda)
Esperanza (Esperanza)
Ester (Ester)
Estrella (Estrella)
Euloxa (Eulogia)
Eva (Eva)
Evanxelina (Evangelina)
Gada (Gadea)
Gadia (Gadea)
Gaitana (Cayetana)
Gala (Galia)
Galiana
Gloria (Gloria)
Gracia (Gracia)
Guillelma (Guillermina)
Guillerma (Guillermina)
Harminia (Herminia)
Herminia (Herminia)
Hilaria (Hilaria)
Hixinia [Xinia] (Higinia)
Honoria (Honoria)
Honorina [Norina] (Honorina)
Hortensia (Hortensia)
Inés (Inés)
Irene (Irene)
Ironda
Isolina (Isolina)
Isolda (Isolda)
Iyana (Juliana)
Ledicia (Leticia)
Lena (Elena)
Lía (Lea)
Lisa (Elisa)
Llara, Llarina (Lara)
Llaura (Laura)
Lleandra (Leandra)
Lleoncia (Leoncia)
Lleontina (Leoncia)
Llibertá (Libertad)
Llidia (Lidia)
Llina (Lina)
Llocaya (Leocadia)
Llorentina (Florentina)
Lloreta (Loreto)
Lloriana
Lloyes
Llucía (Lucía)
Lluciana (Luciana)
Llucila (Lucila)
Llucrecia (Lucrecia)
Lluisa (Luisa)
Lluvisa (Luisa)
Lluz (Luz)
Lluzdivina (Liduvina)
Lludivina (Liduvina)
Loya
Mada (Magdalena)
Madalena [Lena] (Magdalena)
Madea (Medea)
Malia (Amalia)
Malva (Malvina)
Malvina (Malvina)
Manela (Manuela)
Mar (Mar)
Marcela [Cela] (Marcela)
Margalita [Lita] (Margarita)
María [Maruxa] (María)
Mariana (Mariana)
Marina (Marina)
Marixana
Mariyina
Marta (Marta)
Martina (Martina)
Matilda (Matilde)
Medera (Medea)
Mela (Manuela)
Melania (Melania)
Melia (Amelia)
Mera
Mercé (Mercedes)
Mercedes [Cheres] (Mercedes)
Miasol (Marisol)
Miguela (Micaela)
Milia (Emilia)
Miyana
Miragres (Milagros)
Modesta (Modesta)
Mónica (Mónica)
Mouricia (Mauricia)
Nadalina (Noelia)
Nadaya
Narcisa (Narcisa)
Nastasia (Anastasia)
Neceta (Aniceta)
Nela (Manuela)
Nicolasa [Colasa] (Nicolasa)
Nieves (Nieves)
Noela (Noelia)
Noemia (Noemí)
Nora (Nora)
Norberta (Norberta)
Norma (Norma)
Nuncia (Anunciación)
Nuria (Nuria)
Ñeves (Nieves)
Obdulia [Dulia] (Obdulia)
Odilia (Odilia)
Ofelia (Ofelia)
Ofemia (Eufemia)
Olaya (Olalla)
Olga (Olga)
Oliva (Oliva)
Oloxa (Eulogia)

Olvidu (Olvido)
Oria (Oria)
Osebia (Eusebia)
Oveña
Palmira (Palmira)
Palomba (Paloma)
Paricia (Patricia)
Pascuala (Pascuala)
Patricia (Patricia)
Paula (Paula)
Paulina (Paulina)
Paz (Paz)
Pelaya
Pelegrina (Peregrina)
Perfeuta (Perfecta)
Petra (Petra)
Piedá (Piedad)
Piedade (Piedad)
Pilar (Pilar)
Pilara (Pilara)
Plácida (Plácida)
Poloña (Apolonia)
Praceres (Práxedes)
Prudencia (Prudencia)
Pura (Pura)
Quela
Quelina
Quinta (Quinta)
Quiteria (Quiteria)
Rafaela (Rafaela)
Ramona (Ramona)
Raquel (Raquel)
Rebeca (Rebeca)
Reberta (Roberta)
Refaela (Rafaela)
Regalina
Reimunda (Raimunda)
Reinalda (Reina, Regina)
Remedios (Remedios)
Remicia (Remigia)
Rexina [Xina] (Regina)
Rita (Rita)
Roberta (Roberta)
Rolindes
Rosa (Rosa)
Rosada
Rosalía (Rosalía)
Rosana (Rosana)
Rosaria (Rosario)
Rosario (Rosario)
Roxelia (Rogelia)
Rufa (Rufina)
Rufina (Rufina)
Rut (Ruth)
Sabel (Isabel)
Sabela (Isabel)
Sabina (Sabina)
Sagrario [Gayo] (Sagrario)
Salia
Salomé (Salomé)
Salvina
Santa
Sara (Sara)
Sebastiana (Sebastiana)
Secundina [Cunda] (Segunda)
Sedalina
Selina (Selena, Selene)
Selvina
Senforosa (Sinforosa)
Serafa (Serafina)
Serena (Serena)
Severa (Severa)
Sidora (Isidora)
Sidra (Isidra)
Silvana (Silvana)
Sinda (Gumersinda)
Sinfuriana (Sinforosa)
Sira (Sira)
Socorro (Socorro)
Sofía (Sofía)
Sol (Sol)
Soledá (Soledad)
Soledade (Soledad)
Solomé (Salomé)
Sonia (Sonia)
Susana (Susana)
Tamar (Tamara)
Tanasia (Atanasia)
Taresa (Teresa)
Tecla (Tecla)
Telma (Telma)
Telva [Telvina] (Etelvina)
Tiadora (Teodora)
Todosa (Teodosia)
Tomasa (Tomasa)
Tosinda
Toya (Vitoria)
Trinidá (Trinidad)
Udosia (Eudoxia)
Urraca (Urraca)
Ursula (Úrsula)
Ustaquia (Eustaquia)
Valdediós
Valentina [Tina] (Valentina)
Valeria (Valeria)
Velina
Venancia (Venancia)
Venceslava
Vera (Vera)
Verónica (Verónica)
Vicenta (Vicenta)
Vilasia
Virtú (Virtudes)
Virtúes (Virtudes)
Virxilia (Virgilia)
Virxinia (Virginia)
Visita (Visita)
Vitoria [Toya] (Vitoria)
Viviana (Viviana)
Xacenta (Jacinta)
Xinta (Jacinta)
Xacoba (Jacoba)
Xana (Juana)
Xandra (Alejandra)
Xanzana
Xaranzana
Xema (Gema)
Xenara (Genara)
Xenerosa [Xesa] (Generosa)
Xénova (Genoveva)
Xenoveva (Genoveva)
Xermanda (Germana)
Xermana (Germana)
Xeroma
Xertrudis (Gertrudis)
Xesusa [Susa] (Jesusa)
Xila
Xiberta
Xica (Francisca)
Xilda (Gilda)
Ximena (Jimena)
Xina (Regina)
Xinara (Genara)
Xinta, Xacinta
Xiroma
Xosefa (Josefa)
Xovila
Xovina
Xuaca
Xuana (Juana)
Xudit (Judith)
Xulia (Julia)
Xuliana (Juliana)
Xurdina

Xusta (Justa)
Zabornina
Zucena (Azucena)
Zulima (Zulema)

Chicos

Abel (Abel)
Abilio (Abilio)
Abrán (Abrahán)
Abundio (Abundio)
Adán (Adán)
Adauto
Adrián (Adrián)
Adelín (Adelino)
Adelu (Adelardo)
Agustín (Agustín)
Aique
Albanu (Albano)
Alberto (Alberto)
Alexandro (Alejandro)
Alfonso (Alfonso)
Alfredo (Alfredo)
Álvaro (Álvaro)
Alifonso (Alfonso)
Amadeo (Amadeo)
Amador (Amador)
Amancio (Amancio)
Anaya
Andrés (Andrés)
Andresu (Andrés)
Andrín
Anicetu (Aniceto)
Anrique (Enrique)
Anselmo (Anselmo)
Antolín [Tolino) (Antolín)
Antón [Toño) (Antonio)
Anxelu (Ángel)
Aquilín (Aquilino)
Arbás
Arcadio (Arcadio)
Arcayo (Arcadio)
Armando (Armando)
Arsenio [Senio) (Arsenio)
Arturo (Arturo)
Arxentín (Arsenio)
Arxento (Arsenio)
Arximiro [Miro) (Argimiro)
Ástor
Ástur
Asur
Atanasio (Atanasio)
Aurelio (Aurelio)
Avelín (Avelino)
Balbín (Balbino)
Balbo
Bartuelo
Basilio (Basilio)
Bastián (Sebastián)
Bautista [Tista) (Bautista)
Belardo (Abelardo)
Belarmo [Mino) (Belarmino)
Belmiro
Belo
Beltrán (Beltrán)
Benino (Benigno)
Benito (Benito)
Bernabel (Bernábé)
Bernaldo (Bernardo)
Benxamín (Benjamín)
Berto (Alberto)
Boni (Bonifacio)
Boniel
Bonifacio (Bonifacio)
Bras (Blas)
Caitano [Cai) (Cayetano)
Calisto (Calixto)
Camilo (Camilo)
Canciano (Canciano)
Candial
Cándido (Cándido)
Canor (Nicanor)
Calros (Carlos)
Carlos (Carlos)
Carolo
Casián (Casiano)
Casiano (Casiano)
Casomiro [Miro) (Casimiro)
Casio (Casio)
Cayo (Cayo)
Cefero [Fero) (Ceferino)
Celesto (Celestino)
Celín
Celso (Celso)
Cerilo (Cirilo)
César (César)
Cesario [Chayo) (Cesáreo)
Ciano
Cibrán
Cilio
Cirilo (Cirilo)
Ciro (Ciro)
Clemencín (Clemente)
Clemente (Clemente)
Clis
Clodio (Claudio)
Clodomiro (Clodomiro)
Cloyo (Claudio)
Colás (Nicolás)
Conrao (Conrado)
Constante [Tantín, Tante) (Constantino)
Corián
Cosme (Cosme)
Colás (Nicolás)
Cornelio (Cornelio)
Cresanto (Crisanto)
Créspulo (Críspulo)
Cristóbalo (Cristóbal)
Cucao
Dacio (Dacio)
Dámaso (Dámaso)
Damián (Damián)
Daniel (Daniel)
David (David)
Delfín (Delfín)
Delmiro (Edelmiro)
Delo
Demesio (Nemesio)
Demetrio (Demetrio)
Diego (Diego)
Dimas (Dimas)
Dimo (Dimas)
Dolfo (Adolfo)
Domingo (Domingo)
Donio
Donisio [Nisio) (Dionisio)
Dorio (Darío)
Dubardo
Eladio (Eladio)
Elíes (Elías)
Elói (Eloi)
Enol
Erdiano
Ernesto (Ernesto)
Estébano (Esteban)
Eufrasio [Frasio) (Eufrasio)
Euloxu (Eulogio)
Euxenio (Eugenio)
Gaitán (Cayetano)

Gaitano (Cayetano)
Galindo
Galo
Gaspar (Gaspar)
Grabiel (Gabriel)
Gregorio [Goyo) (Goyo)
Guillelmo (Guillermo)
Guillermo (Guillermo)
Gonzalo (Gonzalo)
Goyano (Goyo)
Gumersindo (Gumersindo)
Gustavo (Gustavo)
Heriberto (Heriberto)
Hermenexildo (Hermenegildo)
Herminio (Herminio)
Hilario (Hilario)
Hixinio [Xinio) (Higinio)
Honorín (Honorio)
Honorio (Honorio)
Humberto [Berto) (Humberto)
Inacio [Nacho, Nacio) (Ignacio)
Indalecio [Lecio) (Indalecio)
Iñigo (Íñigo)
Isaac (Isaac)
Isaíes (Isaías)
Isidro (Isidro)
Ismael [Mael) (Ismael)
Iván (Iván)
Iyán (Julián)
Ladio (Eladio)
Ladislao [Lalo) (Ladislao)
Landelín (Landelino)
Lano
Leopoldo (Leopoldo)
Lías (Elías)
Lisardo (Lisardo)
Lisio (Eliseo)
Lixandro (Lisandro)
Llauro (Laureano)
Lleandro (Leandro)
Lleón (León)
Lleoncio (Leoncio)
Llonardo [Nardo) (Leonardo)
Llin (Lino)
Llinu (Lino)
Llocayu (Leocadio)
Llope (Lope)
Llorente (Llorente)
Llorián (Laureano)
Llorienzo (Lorenzo)
Llucián (Luciano)
Lluciano [Chano, Ciano) (Luciano)
Llucio (Lucio)
Lluis (Luis)
Lluques (Lucas)
Loi (Eloy)
Mable (Amable)
Macario (Macario)
Macías (Macías)
Madeo (Amadeo)
Mador (Amador)
Malio (Amalio)
Malvín
Manel (Manuel)
Maniel (Manuel)
Mambrú
Mamés (Mamés)
Mancio (Amancio)
Marcelín (Marcelino)
Marcelo (Marcelo)
Marcial (Marcial)
Marco (Marcos)
Marcos (Marcos)
Martín (Martín)
Martino (Martín)
Masimín (Maximino)
Másimo (Máximo)
Mateo (Mateo)
Matíes (Matías)
Maxín (Magín)
Medé (Amadeo)
Medero
Mel (Manuel)
Merexildo (Ermenegildo)
Mero
Mesalín
Micael (Miguel)
Miguel (Miguel)
Milio (Emilio)
Mingo (Domingo)
Miyán (Millán)
Miyano (Millán)
Miro (Teodomiro)
Misael (Miguel)
Modestio (Modesto)
Mouricio (Mauricio)
Muniel
Nadal (Noel)
Naelio (Noel)
Naldo
Nalo
Nando (Fernando)
Narciso (Narciso)
Nastasio (Anastasio)
Nel (Manuel)
Nemesio (Nemesio)
Nerio
Néstor (Néstor)
Nicasio [Casio) (Nicasio)
Nicolás (Nicolás)
Noé (Noé)
Norberto (Norberto)
Norino (Honorio)
Obé
Odón (Odón)
Olái
Olayo
Oloxu (Eulogio)
Onofre (Onofre)
Ordoño (Ordoño)
Oreyano
Oreyo (Aurelio)
Orlando (Orlando)
Oscar (Óscar)
Osebio (Eusebio)
Oveño
Ovidio (Ovidio)
Pablo (Pablo)
Paricio (Aparicio)
Pascual (Pascual)
Paulo (Pablo)
Pedro [Peruxu, Perico) (Pedro)
Pelayo (Pelayo)
Pelegrín (Peregrín)
Perfeuto (Perfecto)
Pero (Pedro)
Peroño
Plácido (Plácido)
Poldo (Leopoldo)
Policarpo (Policarpo)
Polo (Polo)
Primo
Próspero (Próspero)
Prudencio (Prudencio)
Prudente (Prudente)
Quelo
Quelino (Aquilino)
Quexal

Quintu (Quinto)
Ramiro (Ramiro)
Ramón [Mon) (Ramón)
Reberto (Roberto)
Rebustianu (Robustiano)
Recaréu (Recaredo)
Redolfu (Rodolfo)
Refael (Rafael)
Rafel (Rafael)
Reimundo (Raimundo)
Reinaldo (Reinaldo)
Remiciu (Remigio)
Remis (Remo)
Rencio (Orencio)
Resto (Restituto)
Rexino [Xino) (Regino)
Ricardo (Ricardo)
Roberto (Roberto)
Rodrigo (Rodrigo)
Roi (Roi)
Roldán (Roldán)
Román (Román)
Romaldo (Romualdo)
Roque (Roque)
Roxelio (Rogelio)
Rexerio (Rogelio)
Rubén (Rubén)
Rutenio
Rufo (Rufo)
Ruxero (Rogelio)
Sabín (Sabino)
Saladín (Saladino)
Salamón (Salomón)
Salvador (Salvador)
Salvín (Salvino)
Samuel (Samuel)
Saturnín (Saturnino)
Secundín (Secundino)
Selmo (Anselmo)
Selvinu (Silvino)
Senén (Senén)
Senforoso (Sinforoso)
Senio (Arsenio)
Serafo (Serafín)
Serapio (Serapio)
Severo (Severo)
Sidoro [Doro, Dorio) (Isidoro)
Sidro (Isidro)
Silo (Silo)
Silvanu (Silvano)
Silverio (Silverio)
Simón (Simón)
Sindo (Gumersindo)
Sinfurianu (Sinforiano)
Sisto (Sixto)
Suero (Suero)
Tadéu (Tadeo)
Tanasio (Atanasio)
Tanio
Tanislao (Estanislao)
Tano (Cayetano)
Taxinu
Tello (Tello)
Telmo (Telmo)
Telvín (Etelvino)
Teno (Esteban)
Teo (Teodoro)
Teodomiro[Miro) (Teodomiro)
Tiadoro [Doro) (Teodoro)
Timoteo (Timoteo)
Tiso (Tirso)
Todosu (Teodosio)
Tomás (Tomás)
Toribu (Toribio)
Tosindo
Udosiu (Eudoxio)
Urbán (Urbano)
Urbanu (Urbano)
Urpiano (Ulpiano)
Ustaquiu (Eustaquio)
Valerio (Valerio)
Valiente
Varisto (Evaristo)
Velasco (Velasco)
Velino (Avelino)
Venancio (Venancio)
Venceslao (Venceslao, Wenceslao)
Venerando
Vero (Verónico)
Vicente (Vicente)
Vidal (Vidal)
Vilasio
Virxilio (Virgilio)
Vítor (Víctor)
Vitorio (Victoriano)
Xabel
Xacinto (Jacinto)
Xacobo (Jacobo)
Xaime (Jaime)
Xamín [Xamo) (Benjamín)
Xandro (Alexandro)
Xano (Luciano)
Xelmiro (Gelmiro)
Xelaz
Xenaro (Genaro)
Xeneroso (Generoso)
Xencio (Fulgencio)
Xepe
Xeraldo (Gerardo)
Xeremíes (Jeremías)
Xermán (Germán)
Xeromo (Geromo)
Xomo (Geromo)
Xervasio (Gervasio)
Xesús [Chus, Suso) (Jesús)
Xicu (Francisco)
Xil (Gil)
Xilberto (Gilberto)
Xilo (Gil)
Xinaro (Genaro)
Xinés (Ginés)
Xinto (Jacinto)
Xomo (Geromo)
Xonás (Jonás)
Xosé (José)
Xosepe [Xosepín, Pepe) (José)
Xove
Xovín
Xuacu
Xuan (Juan)
Xulián (Julián)
Xulio (Julio)
Xurde
Xusto (Justo)
Zabornín (Saturnino)
Zacaríes (Zacarías)
Zaquiel (Ezequiel)
Zarando
Zornín

Nombres Guanches

Chicas

Abenaura (GC)
Abenchara (GC)
Acerina (LP)
Actanistaya
Adasat. (T)
Adassa (T)
Adsaburxerban
Adsebuma

Adtesa (T)
Adteyeseys
Agora (T)
Aja (GC)
Ajar (GC)
Amoca (EH)
Anaqua (T)
Andamana (GC)
Aniagua (LZ)
Anixua
Añagua (T)
Arasaho
Arecida (LP)
Aremoga
Arminda (GC)
Asatiquinen (T)
Assa (T)
Atasara
Atengasi
Atenatua
Atenyama
Atidamana (GC)
Attamech (T)
Attamoseya (T)
Attasa (T)
Attasara (T)
Attassa (T)
Attasat (T)
Attaybenaso (T)
Attaybenes (T)
Attenagasi
Atteneri (T)
Attenya (T)
Attidamana
Attisa
Auihua
Ayaya (T)
Azemeyegurga (T)
Benafoho
Benchara (GC)
Cachaica
Cachina
Cachiney
Cagora
Carigaga (T)
Carumaje (T)
Cathaysa (T)
Cathayta
Cazalt (T)
Chabuta (T)
Chachina
Chachiney
Chamaida
Chamato
Chamoria (T)
Chamorta (T)
Chanona (T)
Chaoro (T)
Charora (T)
Chaxiraxi (T)
Checachira
Cherohisa (T)
Chimaye
Choya (T)
Cobura
Collarapa (T)
Dácil (T)
Dafra (LZ)
Daida
Daniasa (T)
Dariasa (T)
Daura
Dautinimaria (LP)
Daza (GC)
Faganana (T)
Faina (LZ)
Fayna (LZ)
Firjas
Gazmira (LP)
Guacimara (T)
Guajara (T)
Gualda (T)
Guaniegua
Guanina (GC)
Guanjegua (T)
Guaracosa (EH)
Guaxara (T)
Guayarmina (GC)
Guayanfanta (LP)
Guaynetona (T)
Guiayara
Hanamo
Hañagua (T)
Hara (T)
Haridian (LP)
Himar
Huauxa
Iballa (LG)
Ibaute
Ico (LZ)
Idaira
Inopona (T)
Iruene (LP)
Irbene (LP)
Itahisa
Jaabs (T)
Jagua (T)
Janequa
Malaseda (T)
Masequera (GC)
Massequera (GC)
Mati (T)
May (LG)
Meagens
Moneiba (EH)
Moneyba (EH)
Nisa (EH)
Nira (LP)
Nuga
Olora
Orchena (GC)
Ramagua (T)
Rinima (GC)
Rosalva (T)
Sañagua (T)
Sasa (T)
Sibbisse (T)
Sutsiaque (T)
Tagatach
Tagayacte
Tagucimota (T)
Tahona (T)
Tamonante (F)
Tarcirga (GC)
Tasirga (GC)
Tassa
Tassat
Tayegaza (LP)
Tazirga (GC)
Tegina (T)
Tegueyga (LG)
Teguise (LZ)
Tenercina (LP)
Tenesoya (GC)
Tenesso (GC)
Tenaguana (GC)
Tentagays
Teroura
Tetagursa
Thenezoya Vidiña (GC)
Tibabrin (F)
Tibiabin (F)
Timanfaya (LZ)
Tinabuna (LP)
Tindaya (F)
Tinyanio
Torahi (T)
Xerach (T)
Yaiza
Yballa (LG)

Yguanira (GC)
Ymobad (T)
Yraya

Chicos

Aberbequeie (LG)
Abguabuque (LG)
Abian (GC)
Abtejo (LG)
Acaime (T)
Acaimo (T)
Ache (LZ)
Achosman
Achucana
Achudinda (GC)
Achuteyga (GC)
Achutindac (GC)
Achxuraxan (T)
Acoraide
Acosayda (GC)
Acoidan (GC)
Acoraida (GC)
Acoroida (GC)
Adama (GC)
Adargoma (GC)
Aday (T)
Adeun (GC)
Adexe (T)
Adjoña (T)
Adouna (GC)
Aduanich (T)
Aduen (GC)
Adunttemer
Adxoña (T)
Adzerura
Adzistura
Adzubema
Adzubeman
Afur (T)
Agagencie (LP)
Aganeye (LP)
Agarfa (EH)
Agimedian (LP)
Aguabarahezan (LG)
Aguaberque (LG)
Aguaberqueo
Aguaberquo (LG)
Aguaboregue (LG)
Aguacencio (LP)
Aguacoromas
Aguacoromos (LG)
Aguahuco (T)
Agualech, Agualeche (LG)
Aguamuge (LG)
Aguamuje (LG)
Aguanahuche (LG)
Aguanchutche (LG)
Aguassona (T)
Aguaxona (T)
Aguayo
Ahuago (LZ)
Aitami (GC)
Aja (GC)
Ajar (T)
Ajutcho (GC)
Alby (LZ)
Algaratia
Alagayaguar
Alguabozegue (LG)
Alguacegua
Alhogal (LG)
Aljagul (LG)
Almabice (LG)
Alsagai (LG)
Altaha (LZ)
Altihay
Fuerteventura
Aly (LP)
Almalahuige (LG)
Amalhuyge (LG)
Amanhuy (LG)
Anaterbe (T)
Anaterve (T)
Ancor (T)
Angocor (T)
Añaterve (T)
Añofo (EH)
Aoutcho (GC)
Aquexata (GC)
Arafo (T)
Araso (T)
Aray (T)
Aremoga (LG)
Arhamis (GC)
Arico (T)
Aridami (GC)
Aridani (GC)
Aridañi (GC)
Arinegua (GC)
Armiche (EH)
Armide (GC)
Artemi (GC)
Artemis (GC)
Artemy, Artemys (GC)
Artenteyfac (GC)
Arthamis (GC)
Asano (T)
Asche (LZ)
Atabara (LP)
Atacaicate (GC)
Atanausu (LP)
Atasar
Atasarte (GC)
Atazaicate
Atbitocazpe (T)
Atche (LZ)
Atchen (LZ)
Atenisa
Atguaxoña (T)
Atogmatoma (LP)
Attaxa (T)
Attemisa
Augeron (EH)
Auhagal (LG)
Autejo (LG)
Autindana (GC)
Autindara (GC)
Autinmara (LP)
Autinbara (GC)
Avago (LZ)
Averequeve (T)
Aventaho (GC)
Avhal (LG)
Avtejo
Axer (LP)
Axixuna
Axona (T)
Aymedeya Coam (GC)
Aymedeyancoan (GC)
Aymeyoacan (GC)
Ayoze (F)
Aytamí (GC)
Aythamy (GC)
Azano
Azaten (T)
Azuquahe (LP)
Azuquahí (LP)
Badaico (T)
Badamohet (T)
Badel (T)
Badenol (T)
Badeñol (T)
Baeta (GC)
Bandala (T)
Bandalut (T)
Baraso (LP)
Bariono (LG)
Baute (T)
Bediesta (LP)

Bedo (T)
Belicar (T)
Bellicar (T)
Belmanua (GC)
Benamer (T)
Benartemi (GC)
Bencharo (T)
Benchomo (T)
Bencom (T)
Bencomo (T)
Bendidagua (GC)
Beneharo (T)
Beneygacim
Beneygoam
Benicod (T)
Benitomo (T)
Benonar
Benrimo (T)
Benrimon (T)
Bensa (T)
Bentacaire (LP)
Bentacayse (LP)
Bentacor (GC)
Bentagai (GC)
Bentagasi (GC)
Bentagay (GC)
Bentagayre (GC)
Bentago
Bentagoche (GC)
Bentagoihe (GC)
Bentagor
Bentagore (GC)
Bentagoje (GC)
Bentagoyhe (GC)
Bentaguaire (GC)
Bentaguaya (GC)
Bentaguayre
Bentajey (GC)
Bentaor (GC)
Bentchey (GC)
Bentejuí (GC)
Bentenhya (T)
Benthejuí (GC)
Bentidao (T)
Bentinerfe (T)
Bentohey (GC)
Bentor (T)
Benytomo (T)
Besay
Beselch
Bestindana (GC)
Betzenuria (T)
Betzenuriga (T)
Betzenuya (T)
Bruco (LG)
Buypano
Fuerteventura
Caconaymo (T)
Caitafa (GC)
Caitaja (GC)
Caleydo (T)
Caluca (T)
Caytafa (GC)
Cebensui (T)
Cerdeto (T)
Chamaida (GC)
Chambeneder (GC)
Chanveneguer (GC)
Chavender (GC)
Chede (LP)
Chedey (LP)
Chemira (LZ)
Chenauco (LP)
Chijoraji (T)
Chimbaye (LG)
Chimboyo (LG)
Chimenchia (T)
Chincanayro (T)
Chinguaro (T)
Choim
Cirma (T)
Codrahi (T)
Cuajunote (LG)
Cumahum (T)
Cunacen (T)
Dadamo (T)
Dadarmo (T)
Dafra (LZ)
Daifa
Dailos (LP)
Dahelire (LP)
Dahentire (LP)
Dana (GC)
Daniasa (T)
Dara (GC)
Dariasa (T)
Daute
Dautinimaria (LP)
Dayfa (GC)
Daza (GC)
Deriman (T)
Derque (T)
Duguen (LP)
Doramas (GC)
Echedey (LP)
Echentire (LP)
Echentive (LP)
Echenuco (LP)
Echeyde (T)
Egehenaca (GC)
Egonayguache (GC)
Ehenauca (LP)
Ehentire (LP)
Eiunche (LG)
Ejenenaca (GC)
Emeguer (T)
Enaorahan
Enaoranhan
Eraoranhan
Ergual (LP)
Everque (LG)
Facaracas (GC)
Faicán (GC)
Firjas (LP)
Gabiot (GC)
Gaineto (T)
Gaire
Gaifa (GC)
Gaitafa (GC)
Galgun (LG)
Ganache (GC)
Ganana (GC)
Ganarteme (GC)
Gando (GC)
Garafía (GC)
Garahagua (LP)
Garansa (GC)
Gararona (GC)
Garrarosa (GC)
Garehagua (LP)
Garfe
Gariragua (GC)
Gariruquian (GC)
Gaumet (LG)
Gayfa (GC)
Gaytafa (GC)
Geneto (T)
Gentilmanao (GC)
Gerad (GC)
Gitagama (GC)
Godereto (T)
Godeto (T)
Godoto (T)
Goumet (LG)
Gralhegueya (LG)
Guachioche (LG)
Guad (GC)
Guadafret (T)
Guadamoxete (T)
Guadaneth (T)

Guadarfía (LZ)
Guadarteme (GC)
Guadartheme (GC)
Guadedume (LG)
Guadenya (T)
Guadituco (T)
Guaduneth (T)
Guadutche (T)
Guagune (LG)
Guahedum (LG)
Guahuco (T)
Guahumo (T)
Guahunco (T)
Guaire
Guairin (LP)
Guajune (LG)
Gualda (T)
Gualdarosco (T)
Gualdaroto (T)
Gualhegueya (LG)
Guan (F)
Guanache (GC)
Guanameme
Guanameñe (T)
Guanarame (LZ)
Guanarco (GC)
Guanariga (GC)
Guanariragua (GC)
Guanarteme (GC)
Guanasa
Guanathe (GC)
Guanchaven (GC)
Guanchifira (T)
Guanchor (LG)
Guahaven (GC)
Guaheben (GC)
Guaniaca (T)
Guanyxemar (T)
Guantácara (T)
Guanimencey (T)
Guanimensi (T)
Guanimense (T)
Guantácara (T)
Guantegina (T)
Guañameñe (T)
Guañon (T)
Guaraifa (LP)
Guariguache
Guarinayga (GC)
Guarindo (T)
Guariragua (GC)
Guarnache (GC)
Guaryn (LP)
Guarizaygua
Guayedra (GC)
Guatutse
Guayadaque (GC)
Guayahun (GC)
Guayasén (GC)
Guayasent (GC)
Guayaxerax
Guayedra (GC)
Guayhaven (GC)
Guaynegoga
Guayonga (T)
Guayota (T)
Guayrifanta (LP)
Gueton (T)
Guillama
Guiniguado (GC)
Guise (F)
Guize (F)
Gumidafe (GC)
Guriruquian (GC)
Guyahun (GC)
Guyonja (T)
Guytafa (GC)
Hacomar (EH)
Hama (GC)
Hauche (LG)
Hautacuperche (LG)
Hayneto (T)
Himar
Himenechia (T)
Hisaco (GC)
Hucanon (T)
Huguiro (LP)
Hupalupu (LG)
Iballa (LG)
Idubaren
Igalgún (LG)
Igualguin (GC)
Inega (T)
Iruene (LP)
Irueñe
Isaco (GC)
Ixemad (T)
Jaco (GC)
Jacomar (EH)
Jaineto (T)
Jama (GC)
Jarehagua (GC)
Jariguo (LP)
Juguiro (LP)
Magec
Mahan (LZ/F)
Mahey (LZ)
Malagua (T)
Mananidra (GC)
Manao (GC)
Mancanafio (GC)
Manindra (GC)
Maninidra (GC)
Mantenor (T)
Manzanufio (GC)
Masegue (LG)
Mateguanchipe (LG)
Mateguanchyre (LG)
Mayantigo (LP)
Maxerco (LP)
Maxorco (LP)
Meteimba (GC)
Miguan (LG)
Mobad (T)
Mode
Molaa (LG)
Mulagua (LG)
Mulao (LG)
Naga (T)
Naira (T)
Nast
Nauzet (GC)
Nayra (GC)
Neda (T)
Nenedán (GC)
Nichel
Nuhazet (T)
Ossinissa (EH)
Oto
Patric
Pelicar (T)
Peligadene (T)
Peligodono (T)
Pelimor (T)
Pelinor (T)
Perinor
Pico (LP)
Piste (LG)
Raito (T)
Rayco (T)
Redo (T)
Redoto (T)
Rodoco
Rodoto (T)
Romén (T)
Rucadén (T)
Rumén (T)
Rutindana (GC)
Ruyman (T)
Saco (LZ)

Saguahe (LP)
Sanugo (T)
Serdeto (T)
Sigoñe (T)
Sirdo (T)
Sirma (T)
Siso
Soront (GC)
Sosala
Tabor (T)
Tacaycate (GC)
TaÇo (LP)
Taganage (T)
Taganaje (T)
Tagoten (GC)
Tahod (T)
Tajaste (GC)
Taman (LP)
Tamanca (LP)
Tamadava (GC)
Tanausa (LP)
Tanausú (LP)
Tanfia (GC)
Tara (GC)
Tariguo (LP)
Tarira (GC)
Tasarte (GC)
Tasso (LP)
Tauco (T)
Taufia (GC)
Tauce (T)
Taxarte (GC)
Tazarte (GC)
Tefetan (GC)
Tegayco (T)
Teguaco (T)
Tegueste (T)
Teguico (T)
Tejena (T)
Temiaba (LP)
Temisio (GC)
Tenaro
Tenesor (GC)
Teniguado (GC)
Tenagua (LP)
Tenaro
Teniquisguan (LP)
Tenisca (LP)
Teno (T)
Texena
Texenery (T)
Thagohorcer (GC)
Thagoter (GC)
Thenesort (GC)
Tibisenas
Tiferan (GC)
Tigaya (T)
Tigayga (T)
Tigorte (LP)
Tiguafaya (LZ)
Tiguerote (LP)
Tijama (GC)
Tijandarte (GC)
Timaba (LP)
Timava (LP)
Tinaguado (GC)
Tinamarcín (LP)
Tindana (GC)
Tinerfe (T)
Tineri
Tinguaro (T)
Tiniava (LP)
Tinisuaga (LP)
Tiquisini (T)
Tirandarte (GC)
Trandarte (GC)
Tueyaxoba
Tufia (GC)
Tuhoco (T)
Tupicen (T)
Tupicena (T)
Tyxandarte (GC)
Ubay (T)
Ugranfir (LP)
Undupe (LG)
Unihepe (LG)
Utindana (GC)
Utiridan (GC)
Vdihagua (LP)
Vildacane (GC)
Venitomo (T)
Ventacayce (LP)
Ventagahe (GC)
Ventaigire (GC)
Ventagay (GC)
Ventagorhe (GC)
Ventagoya (GC)
Ventaguade (GC)
Ventahorce (GC)
Ventaor
Ventohey (GC)
Ventomo (T)
Ventor (T)
Vildacane (GC)
Vildane (GC)
Xama (GC)
Xerach (T)
Xerdeto (T)
Xitama (GC)
Yayan
Ybaute (T)
Yeray
Ymobad (T)
Yone (EH)
Yose (F)
Ysaco (GC)
Yufiro (LP)
Zebensui (T)
Zebenzui (T)
Zonzamas (LZ)

Nombres afganos

Chicas
Seema
Shabla
Yashira

Chicos
Iskander
Matteen
Mirwais
Naidr
Ysir
Zalmai
Zemar

Nombres africanos

Chicas
Afi
Ama
Baba
Halla
Imena
Kia
Pita
Poni
Reta
Poni
Sharif
Siko
Tawia
Thema
Winna
Zina

Chicos
Afram
Bello
Kosey
Liu
Moswen
Ohin
Paki
Senwe
Ulan
Ulan
Zareb

Nombres alemanes

Chicas
Adda (Ada)
Adel (Adela, Adelia)
Adelheid (Adelaida)
Adrian (Adriana)
Agathe (Ágata, Águeda)
Agnes (Inés)
Albine (Albina)
Alda (Alda)
Alessandra (Alejandra)
Alexia (Alexia)
Alma (Alma)
Amalie (Amalia)
Amelia (Amelia)
Anastasius (Anastasia)
Angela (Ángela)
Angelika (Angélica)
Anna (Ana)
Antigoni (Antígona)
Antonie (Antonia)
Ariadne (Ariadna)
Astrid (Ástrid)
Augustine (Agustina)
Aurora (Aurora)
Barbara (Bárbara)
Bärbehen (Bárbara)
Beatrice (Beatriz)
Beatrix (Beatriz)
Begonia (Begonia, Begoña)
Berte (Berta)
Bertel (Berta)
Bertha (Berta)
Blanka (Blanca)
Brigitte (Brígida)
Brunhild (Brunilda)
Brunhilde (Brunilda)
Cäecilie (Cecilia)
Camilla (Camila)
Carmen (Carmen)
Claudia (Claudia)
Claudine (Claudina)
Clementine (Clementina)
Constanze (Constanza)
Corina (Corina)
Charlotte (Carlota)
Christa (Cristina)
Christiane (Cristiana)
Christine (Cristina)
Danielle (Daniela)
Daria (Daría)
Denise (Dionisia)
Diana (Diana)
Dina (Dina)
Dolores (Dolores)
Donata (Donata)
Dora (Dora)
Dorothee (Dorotea)
Edda (Edna)
Edith (Edita, Edith)
Elda (Hilda)
Elektra (Electra)
Eleonore (Leonor)
Elisabet (Elísabet)
Elisabeth (Isabel)
Elise (Alicia)
Elvira (Elvira)
Engratia (Engracia, Gracia, Graciela)
Erika (Erica)
Esther (Ester)
Eugenie (Eugenia)
Eulalie (Eulalia)
Euphemia (Eufemia)
Eva (Eva)
Evelyn (Evelina)
Evelyne (Evelina)
Fany
Flaminia (Flaminia)
Flora (Flora)
Franzisca (Francisca)
Freyja (Freya)
Gertrand (Gertrudis)
Gertrud (Gertrudis)
Gilda (Gilda)
Gisela (Gisela)
Gloria (Gloria)
Graziella (Graziela)
Gretchen (Greta)
Gretchen (Margarita)
Grete (Greta)
Hadwig (Eduvigis)
Henriette (Enriqueta)
Herminia (Erminia, Herminia)
Hilda (Hilda)
Hortensie (Hortensia)
Ilaria (Hilaria)
Ilde (Hilda)
Ilse (Elisa)
Irene (Irene)
Isabella (Isabel)
Isolde (Iselda, Isolda)
Jada (Jade)
Jasmina (Jazmín)
Joachim (Joaquina)

Johanna (Juana)
Jolanda (Yolanda)
Josephine (Josefa)
Judith (Judit)
Judy (Judit)
Julia (Julia)
Juliane (Juliana)
Kamilla (Camila)
Karoline (Carolina)
Kasilde (Casilda)
Katharine (Catalina)
Klara (Clara)
Klothilde (Clotilde
Konstanza (Constanza)
Kornelie (Cornelia)
Kuniburga (Kinisburga)
Laetitia (Leticia)
Lara (Lara)
Laura (Laura)
Leda (Leda)
Leonore (Eleonor)
Lilian (Liliana)
Liliana (Liliana)
Livia (Livia)
Lucie (Lucía)
Luise (Luisa)
Lukretia (Lucrecia)
Lydia (Lidia)
Mafalda (Mafalda)
Magdalena (Magdalena)
Magdalene (Magdalena)
Mara (Mara)
Margarethe (Margarita)
Margreth (Margarita)
Maria (María)
Marianne (Marián, Mariana)
Marie (María)
Marina (Marina)
Marlene
Martha (Marta)
Martina (Martina)
Mathilda (Matilde)
Mathilde (Matilde)
Melanie (Melania)
Melisa (Melisa, Melita)
Mercedes (Mercedes)
Miranda (Miranda)
Monika (Mónica)
Nathalie (Natalia)
Nicoletta (Nicolasa)
Norma (Norma)
Oktavia (Octavia)
Olga (Olga)
Ophelia (Ofelia)
Otila (Otilia)
Pamela (Pamela)
Patrizia (Patricia)
Paulina (Paulina)
Penelope (Penélope)
Philomena (Filomena)
Pia (Pía)
Piera (Petra)
Praxedis (Práxedes)
Priscilla (Priscila)
Priska (Prisca)
Rachel (Raquel)
Raffaela (Rafaela)
Rebekka (Rebeca)
Regina (Regina)
Regine (Regina)
Renate (Renata)
Rhea (Rea)
Rita (Rita)
Romilda (Romilda)
Rosa (Rosa)
Rosalie (Rosalía)
Rosalind (Rosalinda)
Roxana (Rosana, Roxana)
Rut (Ruth)
Sabine (Sabina)
Salome (Salomé)
Samantha (Samanta)
Sara (Sara)
Scholastika (Escolástica)
Selene (Selena, Selene)
Serena (Serena)
Simona (Simoneta)
Simone (Simoneta)
Sophia (Sofía)
Sophie (Sofía)
Stefan (Estefanía)
Stella (Estela, Estrella)
Stephan (Estefanía)
Susanna (Susana)
Suschen (Susana)
Suzette (Susana)
Sybille (Sibila)
Sylvia (Silvia)
Tabitha (Tabita)
Tamara (Tamara)
Tanja (Tania)
Thekla (Tecla)
Therese (Teresa)
Theresia (Teresa)
Ursel (Úrsula)
Ursula (Úrsula)
Vanessa (Vanesa)
Veantius (Venancia)
Veronika (Verónica)
Viktoria (Victoria)
Virginia (Virginia)
Wanda (Wanda)
Xaveria (Javiera)
Zölestin (Celeste)

Chicos

Achilles (Aquiles)
Adam (Adán)
Adelhard (Adelardo)
Adolf (Adolfo)
Adrian (Adrián)
Alban (Albano)
Albert (Alberto)
Albinus (Albino)
Albrecht (Adalberto)
Albretch (Alberto)
Aldo (Aldo)
Alessio (Alejo)
Alexander (Alejandro)
Alfons (Alfonso)
Alfred (Alfredo)
Amadeus (Amadeo)
Amandus (Amando)
Ambrosius (Ambrosio)
Anastasius (Anastasio)
Andreas (Andrés)
Aneas (Eneas)
Anselm (Anselmo)
Antolin (Antolín)
Anton (Antonio)
Aristides (Arístides)
Arnold (Arnaldo)
Arthur (Arturo)
Atanasius (Atanasio)
August (Augusto)
Augustin (Agustín)
Aurelius (Aurelio)
Balduin (Balduino)
Balthasar (Baltasar)
Barnabas (Bernabé)
Bartholomäus (Bartolomé)
Basilius (Basilio)
Bastien (Bastián, Sebastián)
Benedickt (Benito)
Benignus (Benigno)

Benjamin (Benjamín)
Bernhard (Bernardo)
Bertrand (Beltrán)
Bertrand (Bertrán)
Blasius (Blas)
Bonifatius (Bonifacio)
Bonifaz (Bonifacio)
Boris (Boris)
Bruno (Bruno)
Carl (Carlos)
Cäsar (César)
Castor (Castor)
Claudius (Claudio)
Claus (Claudio)
Crispin (Crispín)
Cristoph (Cristóbal)
Cyprian (Cipriano)
Cyrus (Ciro)
Christ (Cristo)
Christian (Cristian)
Damasus (Dámaso)
Damian (Damián)
Daniel (Daniel)
David (David)
Delphin (Delfín)
Delphinus (Delfín)
Desiderius (Desiderio)
Diego (Diego)
Dietrich (Teodorico)
Dino (Dino)
Diogenes (Diógenes)
Dionysos (Dionisio)
Domenicus (Domingo)
Dominik (Domingo)
Dyonis (Dionisio)
Edgar (Edgar, Edgardo)
Edmund (Edmundo)
Eduard (Eduardo)
Edwin
Elias (Elías)
Emil (Emilio)
Epiphanius (Epifanio)
Erasmus (Erasmo)
Erich (Éric, Erico)
Erns (Ernesto)
Eugen (Eugenio)
Eulogius (Eulogio)
Eusebius (Eusebio)
Eustachius (Eustaquio)
Fabrizius (Fabriciano, Fabricio)
Faustinos (Faustino)
Faustus (Fausto)
Felix (Félix)
Felizianus (Feliciano)
Ferdinand (Fernando)
Flaminius (Flaminio)
Florens (Florencio)
Fortunatus (Fortunato)
Franz (Francisco)
Friedrich (Fadrique, Federico)
Gabriel (Gabriel)
Gaston (Gastón)
Georg (Jorge)
Gerhard (Gerardo)
Gervasius (Gervasio)
Gilbert (Gilberto)
Glaucus (Glauco)
Gottfried (Godofredo)
Gotthard (Gotardo)
Grazian (Gracián)
Gregor (Gregorio)
Guido (Guido)
Günter
Gustav (Gustavo)
Hans (Juan)
Harald
Harman
Harold
Heinrich (Enrique)
Heinz (Enrique)
Helios (Helios)
Herbert (Herberto)
Hermann
Hermann (Armando)
Hermann (Germán)
Hermes (Hermes)
Hieronymus (Gerónimo)
Hieronymus (Jerónimo)
Hohannes (Juan)
Horaz (Horacio)
Hubert (Huberto)
Humbert (Humberto, Umberto)
Hyacint (Jacinto)
Hypolith (Hipólito)
Ignatus (Ignacio)
Igor (Ígor)
Immanuel (Enmanuel, Manuel)
Innocent (Inocente)
Isaak (Isaac)
Isidorus (Isidoro, Isidro)
Ivan (Iván)
Jakob (Jacob, Jacobo, Jaime, Santiago)
Jaufred (Godofredo)
Jeremias (Jeremías)
Jesus (Jesús)
Joachim (Joaquín)
Johann (Juan)
Jonas (Jonás)
Jonathan
Jonathan
Jordan
Joseph (José)
Josua (Josué)
Julian (Julián, Juliano)
Julius (Julio)
Jürgen (Jorge)
Kajetan (Cayetano)
Kalixt (Calixto)
Kamill (Camilo)
Karl (Carlos)
Kaspar (Casper, Gaspar)
Kasper (Casper, Gaspar)
Kektor (Héctor)
Klaus (Nicolás)
Klemens (Clemente)
Konrad (Conrado)
Konstandin (Constantino)
Kornelius (Cornelio)
Kyrill (Cirilo)
Kyros (Ciro)
Ladislaus (Ladislao)
Lambert (Lamberto)
Lazarus (Eleazar, Eliazar, Eliezer, Lázaro)
Leander (Leandro)
Leo (Leo)
Leonhard (Leonardo)
Leonida (Leónidas)
Leopold (Leopoldo)
Liborius (Liborio)
Livius (Livio)
Lorenz (Lorenzo)
Lothar (Lotario)
Lucian (Luciano)
Ludwig (Luis)
Lukas (Lucas)
Lutz (Lucio)
Magnus (Magno)
Malachias (Malaquías)
Manfred (Manfredo)
Mark (Marco)
Markus (Marco)
Martin (Martín)

Matthäus (Mateo)
Mattheus (Mateo)
Matthias (Matías)
Maximilian (Maximiliano)
Maximus (Máximo)
Melchiades (Melquíades)
Melchior (Melchor)
Method (Metodio)
Michael (Miguel)
Moritz (Mauricio)
Moritz (Mauro)
Moses (Moisés)
Napoleon (Napoleón)
Narzis (Narciso)
Nicetas (Niceto)
Niklas (Nicolás)
Nikolas (Nicolás)
Nikolaus (Nicolás)
Nil (Nilo)
Noah (Noé)
Norbert (Norberto)
Octavius (Octavio)
Oktavian (Octaviano)
Oktavius (Octavio)
Omer (Omar)
Onophrius (Onofre)
Orest (Orestes)
Orlando (Orlando)
Oskar (Óscar)
Oswald (Osvaldo)
Otto (Otón)
Pankratius (Pancracio)
Pantaleon (Pantaleón)
Paris (Paris)
Parzival (Parsifal)
Paschal (Pascual)
Paschasius (Pascasio)
Paskal (Pascual)
Patricius (Patricio)
Patrick (Patricio)
Paul (Pablo)
Pelagius (Pelagio)
Peter (Pedro)
Petrus (Pedro)
Philibert (Filiberto)
Philipp (Felipe)
Pius (Pío)
Platon (Platón)
Polykarpa (Policarpo)
Praxedis (Práxedes)
Prokopius (Procopio)
Prudenz (Prudencio)
Quintilianus (Quintiliano)
Quintin (Quintín)
Raimund (Raimundo)
Rainer (Rainiero)
Ralph (Rodolfo)
Raphael (Rafael)
Reinald (Reginaldo, Reinaldo)
Reinhold (Reginaldo, Reinaldo)
Remigius (Remigio)
Remus (Remo)
Richard (Ricardo)
Robert (Roberto)
Rochus (Roque)
Roger (Rogelio)
Roldan (Roldán)
Romeo (Romeo)
Romuald (Romualdo)
Romulus (Rómulo)
Roy (Rodrigo)
Ruben (Rubén)
Rudi (Rodolfo)
Rüdiger (Rogelio)
Rudolf (Rodolfo)
Ruprecht (Ruperto)
Sabin (Sabino)
Salomo (Salomón)
Salomo (Salomón)
Salvator (Salvador)
Samuel (Samuel)
Saul (Saúl)
Sebastian (Sebastián)
Seraphim (Serafín)
Severinus (Severino)
Siegfrid (Sigfrido)
Sigmund (Segismundo)
Simeon (Simeón)
Simon (Simón)
Siro (Siro)
Sixtus (Sixto)
Sokrates (Sócrates)
Spartakus (Espartaco)
Stefan (Esteban)
Stephan (Esteban)
Sulpitius (Sulpicio)
Sylvester (Silvestre)
Tancred (Tancredo)
Telmus (Telmo)
Terenz (Terencio)
Thaddaeus (Tadeo)
Theobald (Teobaldo)
Theoderic (Teodorico)
Theodor (Teodoro)
Theophilus (Teófilo)
Thomas (Tomás)
Tiburtius (Tiburcio)
Timotheus (Timoteo)
Titus (Tito)
Tobias (Tobías)
Toribius (Toribio)
Tristan (Tristán)
Ubaldus (Ubaldo)
Ulrich (Ulrico)
Ulrik (Ulrico)
Urbanus (Urbano)
Valentin (Valentín)
Valerian (Valeriano)
Valerius (Valerio)
Vergil (Virgilio)
Viktor (Víctor)
Viktor (Victoriano)
Vincenz (Vincente)
Waldo (Waldo)
Walter (Gualterio)
Walther (Gualterio)
Wenzel (Venceslao, Wenceslao)
Wenzeslaus (Venceslao, Wenceslao)
Wernher
Wernher (Guarnerio)
Wilhelm (Guillén, Guillermo)
Wladimir (Vladimiro)
Wolfgang
Xaver (Javier, Saverio)
Xerxes (Sergio)
Zacharias (Zacarías)
Zephirin (Ceferino, Zeferino)

NOMBRES AMERICANOS

Chicas

Abelina
Abianne
Abinaya
Adaya
Adriyanna
Ajanae
Akayla
Akeisha
Akeria

Akia
Akira
Alaysha
Albreanna
Alexanne
Alora
Amberly
Amberlyn
Ambria
Andee
Anetra
Annjanette
Areli
Arlynn
Babe
Babs
Baby
Barbie
Barbra
Becky
Betsy
Bettina
Beverlyann
Billi-Jean
Billi-Jo
Blinda
Blondie
Bobbette
Bobbi
Bobbi-Ann
Bobbi-J
Bobbi-Lee
Bonnie-Bell
Braelyn
Brandy-Lyn
Brenda-Lee
Briena
Brooklyn
Brylie
Buffy
Caeley
Caelin
Cailin
Caleigh
Camara
Candi
Chessa
Cheyla
Coralie
Crisbell
Crystalin
Daelyn
Daeshawna
Dafny
Daïsha
Dakayla
Dakira
Dalisha
Damonica
Danalyn
Danella
Danesha
Danessa
Danessia
Danette
Danice
Danille
Danyel
Darilynn
Darnesha
Dashawna
Dashonda
Davalinda
Davalynda
Davalyn
Davisha
Dawnisha
Daysha
Deandra
Debra
Dedra
Dedriana
Deena
Delacy
Denisha
Deshawna
Dolly
Dondi
Doneshia
Doniella
Doretta
Dori
Dyshawna
Eddy
Elnora
Elodie
Elora
Emilyann
Emmalee
Emmalynn
Emmylou
Fannie
Flo
Frankie
Geena
Genell
Genice
Genita
Gennifer
Geralyn
Geri
Glennesha
Glorianne
Ideashia
Iesha
Isha
Jacalyn
Jacelyn
Jackalyn
Jackeline
Jacki
Jacklyn
Jaclyn
Jacqulin
Jadelyn
Jaelyn
Jailyn
Jakelin
Jakki
Jaleesa
Jalena
Jalesa
Jalia
Jalisa
Jalyn
Jalysa
Jamani
Jamaria
Jamesha
Jammie
Jamonica
Jamylin
Janae
Janai
Janalynn
Janesha
Janessa
Janita
Jaquana
Jaquelen
Jarian
Jas
Jasmarie
Jatara
Jaicee
Jaydee
Jayla
Jalene
Jaylin
Jaylyn

Jazlyn
Jelisa
jenelle
Jenessa
Jenilee
Jenisa
Jennilee
Jennilyn
Jeri
Jerica
Jerilyn
Jerrica
Jessa
Jessalyn
Jesslyn
Jetta
Jevette
Jimi
Jimisha
Jin
Jinny
Jizelle
Jo
Jocacia
Jodi
Jodiann
Johnna
Johnnessa
Jolisa
Jolynn
Jonelle
Jonesha
Joni
Jonika
Jonni
Jontel
Joriann
Jorja
Josee
Josiane

Joyanne
Joycelyn
Joylyn
Judyann
Jumaris
Kacey
Kaci
Kadendra
Kadelyn
Kadesha
Kadisha
Kaelee
Kaelin
Kaelyn
Kailee
Kailyn
Kaishawn
Kalee
Kalisa
Kalisha
Kalyn
Kameron
Kamri
Kamryn
Kandace
Kandi
Kandra
Kaneisha
Kapri
Karelle
Kariane
Karilynn
Karlee
Karlene
Karley
Karli
Karlotte
Karolane
Karolyn
Karri

Karyn
Kasey
Kashawna
Kassi
Kassidy
Kaycee
Kaydee
Kaylee
Kayleigh
Kayley
Kaylin
Kylyn
Keandra
Keesha
Keisha
Keneisha
Kenisha
Kenyatta
Keosha
Kesha
Keshia
Keyana
Keyona
Keysha
Khrissa
Kiana
Kianna
Kineisha
Kinsley
Kiyana
Kizzi
Klaudia
Kloe
Kodi
Kolby
Koral
Kori
Kourtney
Kris
Krissy

Kristy
Krystal
Kristalee
Krystalyn
Krystle
Kyana
Lachandra
Ladasha
Ladeidra
Ladonna
Lajuana
Lakayla
Lakeisha
Laken
Lakendra
Lakenya
Lakesha
Laketa
Lakresha
Lamesha
Lamonica
Laneisha
Laporsha
Laqueena
Laquinta
Laquisha
Laquita
Lashae
Lashana
Lashanda
Lashawna
Lashonda
Latanya
Latara
Latasha
Latavia
Latesha
Latia
Latisha
Latonya

Latoria
Latosha
Latoya
Latrice
Latricia
Lavonna
Lawanda
Layce
Lekasha
Leneisha
Lindsi
Lissie
Liza
Lizzy
Loni
Lora
Lorelle
Loren
Lori
Lorin
Lou
Luann
Lynda
Lyndsay
Lyndsey
Lynsey
Lysanne
Mackenna
Mahalia
Maitlyn
Makaela
Makayla
Makell
Makenna
Malley
Mamie
Marciann
Marcilynn
Marieve
Marilee
Marilou
Markayla
Marquisha
Marybeth
Maryellen
Maryjane
Marykate
Marylou
Maylyn
Mckayla
Mckell
Mckenna
Mekayla
Melly
Melonie
Micki
Mikayla
Mikhaela
Minnie
Moesha
Monisha
Myesha
Mykaela
Myriam
Nakeisha
Nakeita
Nakita
Nashawna
Nekeisha
Nichelle
Niesha
Nikayla
Nikki
Nisha
Nitasha
Nyesha
Onesha
Quadeisha
Quaneisha
Quanesha
Quanika
Quanisha
Queisha
Quenisha
Quiana
Quinesha
Quinshawna
Quintrell
Raeann
Raelene
Raelyn
Rashawna
Rashel
Rayanne
Raylene
Reanna
Reanne
Reshawna
Rexanne
Rickelle
Ricki
Ricquel
Rohana
Roneisha
Ronisha
Ronni
Roshawna
Ruthann
Sadella
Saralyn
Satara
Shaday
Shadrika
Shajuana
Shakarah
Shakeena
Shakeita
Shakia
Shalana
Shaleah
Shaleisha
Shalena
Shalisa
Shalita
Shalona
Shalonda
Shalyn
Shameka
Shamika
Shamiya
Shanda
Shandra
Shaneisha
Shaneka
Shanel
Shaneta
Shania
Shanice
Shanida
Shanika
Shaniqua
Shanise
Shanita
Shantal
Shantana
Shantara
Shanteca
Shantel
Shanteria
Shantesa
Shantia
Shantille
Shantina
Shantora
Shantrice
Shaquanda
Shaqueita
Shaquila
Shaquira
Sharissa

Sharita
Sharlotte
Sharma
Sharmaine
Shatara
Shatoria
Shavon
Shavonne
Shawanna
Shelsea
Sherylyn
Shevonne
Shiquita
Shug
Sienna
Sindy
Sissy
Sueann
Sueanna
Sugar
Sumaya
Susie
Sylvianne
Taesha
Takayla
Takeisha
Takenya
Takeria
Takila
Takira
Taleah
Taleisha
Talena
Talesha
Tamesha
Tamila
Taneisha
Tangia
Taniel
Tanika
Tanisha
Tanissa
Tanita
Tarissa
Tashana
Tasnara
Tashawan
Tasheena
Tashelle
Tawanna
Tawnya
Teanna
Telisha
Tenesha
Tennille
Teralyn
Terriann
Terrianna
Terrica
Terry-Lynn
Tichin
Tina
Tinesha
Tinisha
Tiona
Tocarra
Tonesha
Tonisha
Tranesha
Trashawn
Trixie
Tyanna
Tyeisha
Tyesha
Tyfany
Tykeisha
Tykera
Tynesha
Tynisha
Tyshanna
Unica
Vantrice
Veanna
Vianey
Vianna
Voneisha
Vontricia
Wakeisha
Waynesha
Yaletha
Yamary
Yaueli
Yanet
Yareli
Yaritza
Yomara
Ysanne
Zabrina

Chicos

Adarius
Ajay
Akshay
Buddy
Bubba
Buddy
Buster
Butch
Caden
Cayden
Cazzie
Ceejay
Chuck
Daequan
Daeshawn
Daevon
Daiquan
Daivon
Dajuan
Damarcus
Damario
Dannon
Dantrell
Daquan
Dashawn
Davante
Davaris
Davioon
Davon
Davonte
Dawan
Daylon
Dayquan
Dayshawn
Dayvon
Dejuan
Delon
Deshawn
Demarcus
Demarius
Demarquis
Demichael
Demorris
Deontae
Deonte
Deontre
Dequan
Deron
Desean
Deshane
Deshaun
Deshawn
Deshea
Deshon
Destry
Devante
Devaughn
Devayne
Devonta
Devonte

Dewayne
Dionte
Diquan
Dontae
Dontrell
Draven
Dreshawn
Drevon
Dushawn
Dwaun
Gabby
Gabino
Hank
Jacari
Jace
Jack
Jackie
Jacorey
Jadrien
Jaelen
Jahmar
Jailen
Jajuan
Jakari
Jakeem
Jalan
Jalen
Jalin
Jalon
Jam
Jamar
Jamarcus
Jamari
Jamario
Jamarquis
Jamond
Jamor
Janeil
Jaquan
Jaquarius
Jaquavius
Jaquon
Jareth
Jashawn
Javante
Javonte
Jawaun
Jayce
Jayde
Jayden
Jaylee
Jaylin
Jaylon
Jayquan
Jayvon
Jazz
Jequan
Jerrick
Jevonte
Jimbo
Jock
Jomar
Jontay
Jorell
Juwan
Kacey
Kadarius
Kaiven
Kashawn
Keandre
Kendarius
Kenyatta
Keonte
Keshawn
Keyshawn
Kishan
Kyven
Labaron
Ladarian
Ladarius
Ladarrius
Laderrick
Lanny
Laquan
Laquintin
Larnell
Lashawn
Lashon
Lathan
Latravis
Latrell
Lavaughan
Lavon
Ledarius
Lequinton
Leron
Leshawn
Levon
Lucky
Marquan
Marquel
Marquice
Marquon
Marshawn
Maverich
Montel
Mychal
Mykal
Naquan
Okie
Philly
Pinky
Quadarius
Quamaine
Quandre
Quantavius
Quashawn
Quindarius
Quintavius
Raekwon
Raequan
Raeshawn
Raishawn
Rangle
Raquan
Rashaan
Rashard
Rashaun
Rashawn
Rashean
Rashon
Rayshawn
Rayshod
Rayvon
Rebel
Red
Reno
Reshad
Reshawn
Reshean
Rishad
Rishawn
Rocky
Ronel
Ronté
Roshad
Roshean
Ryker
Sambo
Sanjay
Saquan
Savon
Shaheem
Shaquan
Shaquell
Shaquon
Shavon
Shawnta
Shiquan
Shon

Tadarius
Taishawn
Tajuan
Taquan
Taren
Taron
Taryn
Tashawn
Tavon
Tayshawn
Tayvon
Tedrick
Telvin
Tequan
Terrick
Terron
Teshawn
Tevan
Tevin
Tevon
Tex
Tiger
Tiquan
Tishawn
Traquan
Trashawn
Traven
Travion
Travon
Trayvon
Treavon
Trequan
Treshawn
Trevaughn
Trevin
Trevion
Trevon
Treyvon
Tyquan
Tyran
Tyrees
Tyrel
Tyrick
Tyrin
Tyron
Tyshawn
Tyvon
Vashawn
Woody
Wrangle
Zeshawn
Ziggy

NOMBRES APACHES

Chicos

Cochise
Nantan

NOMBRES ÁRABES

Chicas

Abia
Abida
Adara
Adila
Adra
Afra
Aiesha
Akilah
Alea
Alima
Aliye
Alma
Almeda
Almira
Amal
Aman
Amina
Amira
Anisa
Ara
Arin
Asha
Ashia
Aza
Bibi
Cala
Callie
Cantara
Elvira
Emani
Faizah
Fatima
Ghada
Guadalupe
Habiba
Halimah
Hana
Haifa
Iman
Imani
Jalila
Jamila
Janan
Jarita
Jena
Jenna
Jesenia
Kadejah
Kadijah
Kaela
Kala
Kalila
Karida
Karimah
Kayla
Kaylah
Keila
Khadijah
Khalida
Laela
Laila
Lakia
Lamis
Lamya
Latifah
Layla
Leila
Lila
Lilith
Lily
Lina
Lisha
Lucine
Lydia
Mahala
Maja
Majidah
Manar
Maritza
Mariyan
Martiza
Marya
May
Maysa
Medina
Mina
Mocha
Mouna
Mumtaz
Muriel
Muslimah
Nabila
Nadda
Nadira
Naila
Najam

Najila
Nakia
Natara
Nekia
Nima
Nisa
Oma
Omaira
Qadira
Qamra
Qitarah
Qubilah
Rabi
Radeyah
Radwa
Rafa
Ráidah
Raja
Rana
Raniyah
Rasha
Rashieka
Rayya
Rida
Rihana
Rima
Rukan
Sarah
Saba
Sabi
Sabiya
Sadira
Sadiya
Safiya
Sahara
Saida
Salima
Sameh
Sami
Samira
Sana
Saree
Selma
Shahar
Shahina
Shakayla
Shakila
Shakira
Shakyra
Shamara
Shardae
Shatara
Sherika
Shula
Skye
Sommer
Syreeta
Tabina
Tahira
Takia
Talitha
Tara
Thana
Ulima
Vega
Wadd
Waheeda
Walad
Yamila
Yamina
Yashira
Yemena
Yesenia
Yessenia
Yiesha
Zada
Zafina
Zafirah
Zahra
Zakia
Zakiya
Zarifa
Zaynah
Zia
Zita
Zua
Zuleika
Zulima
Zurafa

Chicos

Aaron
Abbud
Abderramán
Abdul
Abdulaziz
Abdullah
Abdulrramán
Aden
Adham
Adil
Adnan
Ahmad
Ahsan
Akbar
Akil
Akmal
Aladdin
Alam
Alem
Ali
Alim
Altair
Amal
Amani
Amar
Amin
Amir
Amit
Antwan
Antwon
Anwar
Arif
Asád
Aswad
Atif
Azeem
Azim
Aziz
Bahir
Basam
Bilal
Boutros
Borak
Cairo
Caleb
Cemal
Coman
Dabir
Daound
Dekel
Fadi
Fadil
Fahd
Faisal
Fakhir
Fakih
Farid
Faris
Faruq
Fath
Fatin
Ferran
Firas
Gadi
Gamal
Ghazi
Gilad
Habib

Haddad
Hadi
Haidar
Hakeem
Hakim
Halim
Hamal
Hamid
Hamza
Hanbal
Hanif
Harb
Harith
Haroun
Hassán
Hatim
Hilel
Husam
Hussain
Hussein
Hussien
Ibrahim
Imad
Imran
Isa
Isam
Ishaq
Ismael
Ismail
Jabir
Jabril
Jamaal
Jamaine
Jamel
Jamil
Japheth
Jawhar
Jemal
Jemel
Jericho
Jermal
Jibril
Jimell
Jumah
Kadar
Kadeem
Kaden
Kadin
Kadir
Kaeden
Kahlil
Kairo
Kale
Kalen
Kali
Kalil
Kamal
Kamil
Kardal
Kareem
Karim
Kaseem
Kasib
Kasim
Kasimir
Kateb
Kayden
Kayle
Khaldun
Khalid
Khalil
Khaliq
Khayru
Khoury
Labib
Lais
Lateef
Lakman
Lufti
Mahammed
Mahdi
Mahir
Mahmoud
Mahoma
Maimun
Majid
Makin
Malcolm
Malek
Málik
Mansur
Marid
Marr
Marwan
Masud
Mazin
Mohamad
Mohamed
Mohamet
Mohammad
Mohammed
Mohamud
Mousa
Muhammad
Muhannad
Muhsin
Muhtadi
Muiijahid
Mukhtar
Munir
Musad
Mustafá
Muti
Nabiha
Nabil
Nadidah
Nadim
Nadir
Naeem
Nailah
Najee
Naji
Najib
Nakia
Nasser
Nazih
Nibal
Nizam
Numa
Numair
Nuri
Nuriel
Nusair
Omar
Omer
Qabil
Qadim
Qadir
Qamar
Qasim
Qudamah
Rabi
Rafiq
Raghib
Rahul
Raïd
Rakim
Rakin
Ramadan
Rasad
Rashaud
Rashid
Rashod
Rayhan
Reda
Reyhan
Rida
Rigel
Riyad
Saddam

Sa'id
Salam
Salim
Samir
Samman
Saqr
Sariyah
Sayyid
Seif
Shahid
Shakil
Shakir
Shakur
Sharif
Shihab
Shunnar
Siraj
Sofian
Subhi
Suhail
Sulaimán
Suleimán
Syed
Tabari
Tahír
Talib
Tamir
Tarek
Tarif
Tarik
Tárriq
Taz
Thabit
Timin
Tut
Ubadah
Umar
Usamah
Uthman
Wahid
Waleed
Wali
Wasim
Wazir
Witha
Yahya
Yardan
Yasin
Yasir
Yazid
Yusuf
Zafir
Zahid
Zahir
Zaid
Zaim
Zakariyya
Zaki
Zero
Zimraan
Ziyad
Zuhayr

NOMBRES ARAMEOS

Chicas

Beth
Bethani
Bethany
Mardi
Maren
Marit
Martha
Noor
Nura
Nuria
Samantha
Rhera
Tabatha
Tabetha
Tabitha
Tameka

Chicos

Barnabas
Og
Razi
Talman
Tavares
Tavaris
Tavi
Tavor
Thomas

NOMBRES ARMENIOS

Chicas

Nairi
Seda

Chicos

Dickran
Jirair
Kaloosh
Khachig
Krikor
Magar
Nishan
Shabouh
Vartan
Yervant
Zeroun

NOMBRES ARAPAHOES

Chicas

Natane

Chicos

Hosa
Kesse
Nakos

NOMBRES BABILONIOS

Chicas

Eden

Chicos

Shadrach
Shedrick

NOMBRES DE BENÍN

Chicas

Isoka
Oseye

Chicos

Ode
Odion
Omolara
Osahar
Osayaba
Osaze

NOMBRES BIRMANOS

Chicas

Chun
Meit
Mima
Mya
Nu
Yon

Chicos
Min
On
Saw
Tan
Than

Nombres búlgaros

Chicos
Andrei
Forma
Gedeon
Grigori
Ioan
Iustin
Kir
Matai
Mihail
Petr
Piotr
Veniamin

Nombres camboyanos

Chicas
Chan
Chantrea
Kannitha
Tevy
Vanna

Chicos
Arun
Bourey
Chankrisna
Kiri
Munny
Phirun
Rangsey
Rithisak
Sovann
Swis
Veasna
Win
Yo

Nombres checos

Chicas
Anezka
Anica
Anna
Bela
Fiala
Gizela
jenka
Jirina
Juliana
Katarina
Krista
Krystin

Magda
Markita
Milada
Milka
Ondrea
Otilie
Pavla
Reza
Rusalka
Ruza
Ryba
Teodora
Trava
Tyna
Vondra
Zusa

Chicos
Adamec
Arno
Bela
Bobek
Brandeis
Cestmir
Dano
Durko
Edo`
Eman
ERich
Ezven
Frantisek
Hanus
Holic
Honza
Ianos
Imrich
Izak
Janco
Jaroslav
Jindra
Jiri
Josef
Jur
Karel
Karol
Klement
Kuba
LadislavLukas
Matus
Maxi
Milko
Miloslav
Miroslav
Noe
Ondro
Ota
Pepa
Rostislav
Rubert
Ruda
Salman
Samo
Slane
Tonda
Tvnek
Vaclav
Viliam
Waltr
Zdenek
Zenda
Zlatan

Nombres cherokees

Chicas
Ayita
Salali
Sequoia

Chicos
Adahy
Cherokee
Tennessee
Tooanthu

Nombres cheyennes

Chicas
Cheyanne
Cheyenne
Chyanne
Shaianne

Sheyenne
Shianne
Shyann

Chicos
Cheyenne
Hiamovi
Shayán
Viho

Nombres chinos

Chicas
An
Bo
China
Chu Hua
Chyna
Ciana
Hua
Jun
Lee
Lian
Lien
Lin
Ling
Mani
Marrim
Mei
Meiying
Nuwa
Ping
Shina
Shu
Syà
Sying
Tao
Tu
Ushi
Xiang
Xiu Mei
Yáng
Yen
Yin
Zhen

Chicos
An
Chen
Cheung
Chi
Chun
Chung
De
Déli
Déshi
Dewei
Dingbang
Fai
Gan
Guotin
Ho
Hop
Howin
Hu
Jin
Jing-Quo
Joss
Jun
Kanoa
Keung
Kong
Kueng
Lei
Lí
Liang
Liko
Lok
Long
Luang
Manchu
On
Park
Po Sin
Quon
Shaiming
Shen
Shilín
Shing
Sying
Taiwán
Tywan
Wang
Wei-Quo
Wing
Yong
Yu
Zhuáng

Nombres chippewas

Chicos
Namid
Ogima
Waban

Nombres choctaw

Chicas
Nita
Opa
Poloma
Tallulah

Chicos
Koi
Nashoba

Nombres comanche

Chicas
Yoomee

Chicos
Quan
Quanah

Nombres dakotas

Chicas
Kenda
Lakota
Macawa
Nahimana
Nokomis
Wakanda
Weeko

Chicos
Ciqala
Dakoda
Dakota
Dakotah
Dekota
Hinto
Lakota
Tasunke
Tokala
Wicasa

Nombres daneses

Chicas
Caryn
Helsa
Kara

Karah
Kari
Ovia

Chicos

Anker
Aren
Argus
Espen
Gert
Ib
Jens
Jorgen
Kaj
Loritz
Lucas
Mette
Niels
Perben
Poul
Rasmus
Sakeri
Sören
Steen
Stetson
Tage
Torquil

Nombres egipcios

Chicas

Icess
Isis
Nenet

Chicos

Ammón
Keb
Moses
Nen
Pinchas
Sef
Shen

Nombres estonianos

Chicas

Kati
Leena
Reet

Chicos

Jaan
Juku
Leks
Nikolai
Peeter
Riki
Toomas

Nombres etíopes

Chicas

Desta
Louam
Maharene
Melesse
Seble
Selam
Zena

Chicos

Beniam
Dawit
Hagos
Hakim
Kelile
Lebna
Mengesha
Ogbay
Semer
Tefere
Tekle

Nombres filipinos

Chicas

Mahal
Malaya
Rosario

Chicos

Bienvenido
Honesto
Lauro
Matalino
Pacifico
Rosito

Nombres fineses

Chicas

Aili
Annalie
Kalle
Lusa
Maija
Marja
Meri
Mielikki
Valma

Chicos

Antti
Eikki
Hannes
Janne
Juhana
Kalevi
Kelevi
Kosti
Lasse
Mikko
Nilo
Paavo
Reku
Risto
Taaveti
Taneli
Tapani
Tauno
Timo
Viljo
Yrjo

Nombres flamencos

Chicos

DeWitt
Jenkin

Nombres franceses

Chicas

Ada (Ada)
Adélaide (Adelaida)
Adèle (Adela, Adelia)
Adrien (Adriana)
Agathe (Ágata, Águeda)
Agnès (Inés)
Agrippine (Agripina)
Albine (Albina)
Alessandra (Alejandra)

Alexia (Alexia)
Alice (Alicia)
Aline (Alina)
Alma (Alma)
Alphonsine (Alfonsina)
Amelia (Amalia, Amelia)
Amélie (Amalia, Amelia)
Anastase (Anastasia)
Andrée (Andrea)
Andromaque (Andrómaca)
Andromède (Andrómeda)
Angèle (Ángela)
Angélique (Angélica)
Anna (Ana)
Anne (Ana)
Antigone (Antígona)
Antoinette (Antonia)
Ariane (Ariadna)
Arianna (Ariadna)
Arianne (Ariadna)
Arlette
Assomption (Asunción, Asunta)
Athanasie (Atanasia)
Aude (Alda)
Augustine (Agustina)
Aurélie (Aurelia)
Aurore (Aurora)
Barbara (Bárbara)
Barbe (Bárbara)
Béatrice (Beatriz)
Benigne (Benigna)
Benoite (Benita)
Bérénice (Berenice)
Bertha (Berta)
Berthe (Berta)
Bianca (Bianca)
Bianca (Blanca)
Blanche (Blanca)
Brigitte (Brígida)
Brunehault (Brunilda)
Brunehilde (Brunilda)
Calixte (Calixta)
Camille (Camila)
Candida (Cándida)
Candide (Cándida)
Carla
Carmen (Carmen)
Caroline (Carolina)
Cassandre (Casandra)
Catherine (Catalina)
Cécile (Cecilia)
Cécilie (Cecilia)
Céleste (Celeste)
Celestine (Celestina)
Cindy
Claire (Clara)
Claude (Claudia)
Claudine (Claudina)
Clélia (Clelia)
Clélie (Clelia)
Clémentine (Clementina)
Cléopâtre (Cleopatra)
Clotilde (Clotilde)
Colette (Nicolasa)
Columba (Columba, Paloma)
Conception (Concepción)
Constance (Constancia, Constanza)
Corinne (Corina)
Cornélia (Cornelia)
Cornélie (Cornelia)
Cynthia
Cyrille (Cirila)
Charlenne
Charlotte (Carla)
Chimène (Jimena)
Christiane (Cristiana)
Christine (Cristina)
Dalila (Dalila)
Danielle (Daniela)
Daria (Daría)
Dauphine (Delfina)
Déborah (Débora)
Debra
Dèlia (Delia)
Démétrie (Demetria)
Denise (Denise, Dionisia)
Diana (Diana)
Dina (Dina)
Dine (Dina)
Dolorés (Dolores)
Dora (Dora)
Dorothée (Dorotea)
Edda (Edna)
Edith (Edita, Edith)
Edwige (Eduvigis)
Eglé (Aglaya)
Eglé (Eglé)
Electre (Electra)
Élianne (Eliana)
Élie (Elia)
Elisabeth (Isabel)
Elise (Elisa)
Elizabeth (Elísabet)
Else (Elsa)
Elvire (Elvira)
Emanuelle (Enmanuela, Manuela)
Eméraude (Esmeralda)
Emile (Emilia)
Emilienne (Emiliana)
Ericka (Erica)
Ernestine (Ernestina)
Espérance (Esperanza)
Ester (Ester)
Esther (Ester)
Etiennette
Etiennette (Estefanía)
Eudocie (Eudoxia)
Eudoxie (Eudoxia)
Eugènie (Eugenia)
Eulalie (Eulalia)
Euphémie (Eufemia)
Eve (Eva)
Eveline (Evelina)
Evelyne (Evelina)
Fabienne (Fabiana)
Fatima (Fátima)
Félicie (Felicia)
Flaminia (Flaminia)
Flavie (Flavia)
Flore (Flora)
Florence (Florencia)
Florentine (Florentina)
Françoise (Francisca)
Gabrielle (Gabriela)
Gaïa (Gaia)
Gemma (Gema)
Geneviève (Genoveva, Ginebra)
Georgette (Georgina)
Germaine (Germana)
Gertrude (Gertrudis)
Gilda (Gilda)
Giselle (Gisela)
Gloria (Gloria)
Glorie (Gloria)
Grâce (Engracia, Gracia, Graciela)
Guadeloupe (Guadalupe)

Gudula (Gúdula)
Gwendaline (Güendolín)
Gwendoline (Güendolín)
Hélène (Elena, Helena)
Héloïse (Eloísa)
Héllène (Elena)
Henriette (Enriqueta)
Hermine (Erminia)
Hermine (Herminia)
Hilarie (Hilaria)
Hilda (Hilda)
Hildegarde (Hildegard)
Hippolyte (Hipólita)
Hortense (Hortensia)
Iole (Iole)
Iphigénie (Ifigenia)
Irène (Irene)
Iride (Iris)
Iris (Iris)
Isabelle (Isabel)
Iseult (Iselda, Isolda)
Jackie
Jacqueline (Jacoba)
Jasmina (Yasmina)
Jasmine (Jazmín)
Jeanne (Juana)
Jennifer
Joachim (Joaquina)
Joséphine (Josefa)
Judith
Judy
Julia (Julia)
Julie (Julia)
Julienne (Juliana)
Justine (Justa, Justina)
Karine (Carina)
Laetitia (Leticia)
Laetizia (Leticia)
Lara (Lara)
Laura (Laura)
Laurence (Lorenza)
Laurie
Lavinie (Lavinia)
Léda (Leda)
Léocadie (Leocadia)
Lia (Leah)
Lia (Lía)
Lia (Lya)
Liberté (Libertad)
Liliane (Liliana)
Livie (Livia)
Lorena (Lorena)
Lorena (Lorena)
Lorette (Loredana, Loreto)
Louise (Luisa)
Lourdes (Lourdes)
Lourdes (Lurdes)
Luce (Lucía)
Lucie (Lucía)
Lucienne (Luciana)
Lucile (Lucila)
Lucille (Lucila)
Lucina (Lucina)
Lucrèce (Lucrecia)
Lydie (Lidia)
Madelaine (Magdalena)
Madeleine (Magdalena)
Mahault (Mafalda)
Mahaut (Mafalda)
Mara (Mara)
Marcella (Marcela)
Marcelline (Marcelina)
Margerie (Margarita)
Marguerite (Margarita)
Mariane (Marián, Mariana)
Marianne (Marián, Mariana)
Marie (María)
Marie-Neige (María de las Nieves)
Marine (Marina)
Marthe (Marta)
Martine (Martina)
Mathilde (Matilde)
Médée (Medea)
Mélanie (Melania)
Mélissa (Melisa, Melita)
Mercédès (Mercedes)
Messaline (Mesalina)
Michelle (Micaela)
Minerve (Minerva)
Miranda (Miranda)
Mireille (Mireya)
Monique (Mónica)
Myléne (Milena)
Myriam (Miriam)
Natalie (Natalia)
Nathalie (Natalia)
Neïs (Neera)
Nérée (Nerea)
Nicole (Nicolasa)
Noël (Natividad)
Noémie (Noemí)
Norma (Norma)
Nuria (Nuria)
Octavia (Octavia)
Odile (Obdulia)
Olga (Olga)
Olive (Oliva, Olivia)
Olympie (Olimpia)
Ondine (Ondina)
Onphalie (Onfalia)
Ophélie (Ofelia)
Oriana (Oriana)
Ornella (Ornelia, Ornella)
Paméla (Pamela)
Pandore (Pandora)
Pascale (Pascuala)
Patricia (Patricia)
Paule (Paula)
Paulette (Paula)
Pauline (Paulina)
Pélagie (Pelagia)
Pénélope (Penélope)
Perpétue (Perpetua)
Pétronie (Petronila)
Petronille (Petronila)
Phédre (Fedra)
Philoméne (Filomena)
Pia (Pía)
Pierrette (Petra)
Pilar (Pilar)
Prudence (Prudencia)
Rachel (Raquel)
Raphaëlle (Rafaela)
Rebecca (Rebeca)
Régine (Regina)
Régis (Regina)
Remède (Remedios)
Remède (Remedios)
Renée (Renata)
Rhea (Rea)
Rita (Rita)
Rite (Rita)
Rosalie (Rosalía)
Rosalinde (Rosalinda)
Rosanna (Rosana, Roxana)
Rose (Rosa)
Roseline (Roselina)
Rosemonde (Rosamunda)
Roxane (Rosana, Roxana)
Rut (Ruth)
Sabine (Sabina)

Salomé (Salomé)
Samantha (Samanta)
Sarah (Sara)
Savine (Sabina)
Sélene (Selena, Selene)
Séréna (Serena)
Sibilla (Sibila)
Solange
Sophie (Sofía)
Stella (Estela)
Stella (Estrella)
Stéphanie (Estefanía)
Suzanne (Susana)
Sylvaine (Silvana)
Sylvie (Silvia)
Tamar (Tamara)
Tamara (Tamara)
Tania (Tania)
Tatiana (Tatiana)
Thaïs (Tais)
Thècle (Tecla)
Thérèse (Teresa)
Ursule (Úrsula)
Valérie (Valeria)
Vanessa (Vanesa)
Venance (Venancia)
Vénus (Venus)
Véronique (Verónica)
Victoire (Victoria)
Violette (Violeta)
Virginie (Virginia)
Viridienne (Viridiana)
Vivienne (Bibiana, Viviana)
Wanda (Wanda)
Xavière (Javiera)
Yolanda (Yolanda)
Yolande (Yolanda)
Ysabel (Isabel)
Yseult (Iselda, Isolda)
Yve (Iva)
Yvette (Iveta)
Zaïre (Zaíra)
Zénobie (Zenobia)
Zita (Zita)
Zoé (Zoé)

Chicos

Abélard (Abelardo)
Achille (Aquiles)
Adalbert (Adalberto)
Adam (Adán)
Adolphe (Adolfo)
Adrien (Adrián)
Agapet (Agapito)
Agathon (Agatón)
Agrippa (Agripa)
Aimé (Amado)
Alain
Alaric (Alarico)
Alban (Albano)
Albert (Alberto)
Albin (Albino)
Alde (Aldo)
Alexandre (Alejandro)
Alexis (Alejo)
Alfred (Alfredo)
Alphonse (Alfonso)
Amand (Amando)
Amboise (Ambrosio)
Amédé (Amadeo)
Amilcar (Amílcar)
Anastase (Anastasio)
André (Andrés)
Androclès (Androcles)
Ange (Ángel)
Anicet (Aniceto)
Anselme (Anselmo)
Antoine (Antonio)
Apèlle (Apeles)
Apollinaire (Apolinar)
Apollon (Apolo)
Apollonius (Apolonio)
Arcade (Arcadio)
Arcadius (Arcadio)
Aristide (Arístides)
Aristophane (Aristófanes)
Armand (Armando)
Arnaud (Arnaldo)
Arthur (Arturo)
Athanase (Atanasio)
Auguste (Augusto)
Augustin (Augustín)
Aurèle (Aurelio)
Balthazar (Baltasar)
Baptiste (Batista)
Barthélemy (Bartolomé)
Basile (Basilio)
Baudel (Baudelio, Baudilio)
Baudouin (Balduino)
Bénigne (Benigno)
Benjamin (Benjamín)
Benoit (Benito)
Berdadin (Bernardino)
Bérenguer (Berenguer)
Bernard (Bernardo)
Bertrand (Beltrán)
Bertrand (Bertrán)
Bienvenu (Bienvenido)
Blaise (Blas)
Bonaventure (Buenaventura, Ventura)
Boniface (Bonifacio)
Boris (Boris)
Bruno (Bruno)
Calixte (Calixto)
Camille (Camilo)
Candide (Cándido)
Casar (César)
Casimir (Casimiro)
Celestin (Celestino)
Celse (Celso)
Claude (Claudio)
Clèment (Clemente)
Clovis (Clodoveo, Clovis)
Côme (Cosme)
Conrad (Conrado)
Constans (Constancio)
Constantin (Constantino)
Corneille (Cornelio)
Cosme (Cosme)
Crépin (Crispín)
Cyprien (Cipriano)
Cyriaque (Ciríaco)
Cyrille (Cirilo)
Cyrus (Ciro)
Charles (Carlos)
Chirstophe (Cristóbal)
Christ (Cristo)
Christian (Cristian)
Damase (Dámaso)
Damien (Damián)
Daniel (Daniel)
Darius (Darío)
Dauphine (Delfín)
David (David)
Delphine (Delfín)
Démètre (Demetrio)
Démétrios (Demetrio)
Denis (Dionisio)
Desiré (Desiderio)
Didier (Desiderio)
Diègue (Diego, Jacobo, Santiago)
Dieudonné (Donato)

Diodore (Diodoro)
Diogène (Diógenes)
Dominique (Domingo)
Edgar (Edgardo)
Edmon (Edmundo)
Edouard (Eduardo)
Egisthe (Egisto)
Eleutère (Eleuterio)
Élie (Elías)
Elisée (Eliseo)
Eloi (Eloy)
Émile (Emilio)
Emilien (Emiliano)
Emmanuel (Enmanuel, Manuel)
Enée (Eneas)
Epiphane (Epifanio)
Erasme (Erasmo)
Ernest (Ernesto)
Etienne (Esteban)
Eudoce (Eudoxio)
Eudoxe (Eudoxio)
Eugène (Eugenio)
Euloge (Eulogio)
Eusèbe (Eusebio)
Eustache (Eustaquio)
Ezéchiel (Ezequiel)
Fabien (Fabián, Fabio)
Fabrice (Fabricio)
Fabricius (Fabriciano, Fabricio)
Faust (Fausto)
Félicien (Feliciano)
Félix (Félix)
Ferdinand (Fernando)
Fidéle (Fidel)
Fiodor
Firmin (Fermín)
Flaminius (Flaminio)
Florent (Florencio)
François (Francisco)
Frédéric (Fadrique, Federico)
Fructueux (Fructuoso, Frutos)
Fulgence (Fulgencio)
Fulvius (Fulvio)
Gabriel (Gabriel)
Gaétan (Cayetano)
Gaspard (Gaspar)
Gaspard (Gaspar)
Gaston (Gastón)
Gauthier (Gualterio)
Gédéon (Gedeón)
Gélase (Gelasio)
Genès (Ginés)
Genest (Ginés)
Geoffroy (Godofredo)
Georges (Jorge)
Gerard (Gerardo)
Germain (Germán)
Gervais (Gervasio)
Gilbert (Gilberto)
Gilles (Egidio)
Gilles (Gil)
Giraud (Gerardo)
Glaucos (Glauco)
Godefroi (Godofredo)
Gonsalve (Gonzalo)
Gonzalve (Gonzalo)
Gratien (Gracián)
Grégoire (Gregorio)
Guillaume (Guillén, Guillermo)
Gustave (Gustavo)
Guy (Guido)
Harold (Haroldo)
Hèctor (Héctor)
Héliodore (Heliodoro)
Hélios (Helio)
Hemenègild (Ermenegildo)
Henri (Enrique)
Héraclius (Heraclio)
Herbert (Heriberto)
Hercule (Hércules)
Heribert (Heriberto)
Herman
Hermenègilde (Hermenegildo)
Hermès (Hermes)
Herminio (Herminio)
Hérodiade (Hérodiade)
Hilaire (Hilario)
Hilarion (Hilarión)
Hippolyte (Hipólito)
Homère (Homero)
Honoré (Honorato)
Horace (Horacio)
Hubert (Huberto)
Hugues (Hugo)
Humbert (Humberto, Umberto)
Hyacinthe (Jacinto)
Hygin (Higinio)
Ignace (Ignacio)
Igor (Ígor)
Ildefonse (Ildefonso)
Innocent (Inocente)
Irénee (Ireneo, Irineo)
Isaac (Isaac)
Isidore (Isidoro, Isidro)
Ismaël (Ismael)
Ives (Ivo)
Jacob (Jacob)
Jacques (Diego, Jacobo, Jaime, Santiago)
Janvier (Genaro)
Jason (Jasón)
Jean (Juan)
Jérémie (Jeremías)
Jerôme (Gerónimo)
Jésus (Jesús)
Joachim (Joaquín)
Joachim (Joaquín)
Job (Job)
Jöel (Joel)
Jona (Jonás)
Jonathan
Jonathan
Jordain (Jordán)
Jordan (Jordán)
Josaphat (Josafat)
Joseph (José)
Josué (Josué)
Jourdain (Jordán)
Judas (Judas)
Jules (Julio)
Julien (Julián, Juliano)
Just (Justo)
Justin (Justino)
Justinien (Justiniano)
Juvénal (Juvenal)
Lambert (Lamberto)
Landelín (Landelino)
Laurence (Laurencio)
Laurent (Lauren)
Laurent (Lorenzo)
Laurien (Laureano)
Lazare (Eleazar, Eliezer, Lázaro)
Léandre (Leandro)
Léo (Leo)
Léon (León)
Léonard (Leonardo)
Léopold (Leopoldo)
Léovigild (Leovigildo)
Lévi (Leví)
Lin (Lino)
Lionel (Leonel)

Lionel (Lionel)
Livius (Livio)
Longin (Longinos)
Lothaire (Lotario)
Louis (Luis)
Luc (Lucas)
Lucain (Lucano)
Lucien (Luciano)
Lucius (Lucio)
Lucrèce (Lucrecio)
Macaire (Macario)
Malachie (Malaquías)
Mamert (Mamerto)
Manfred (Manfredo)
Marc (Marcos)
Marcel (Marcelo)
Marcellin (Marcelino)
Marin (Marino)
Marius (Mario)
Martial (Marcial)
Martin (Martín)
Martius (Marcial)
Mathias (Matías)
Mathieu (Mateo)
Matthias (Matías)
Maur (Mauro)
Maurice (Mauricio)
Maxime (Máximo)
Maximilien (Maximiliano)
Médard (Medardo)
Melchiade (Melquíades)
Melchior (Melchor)
Melchisédech (Melquisedec)
Ménandre (Menandro)
Ménélas (Menelao)
Michel (Miguel)
Modeste (Modesto)
Moïse (Moisés)
Morphée (Morfeo)
Nabuchodonosor (Nabucodonosor)
Napoléon (Napoleón)
Narcisse (Narciso)
Nazaire (Nazario)
Nérée (Nereo)
Nestor (Néstor)
Nicaise (Nicasio)
Nicanor (Nicanor)
Nicolas (Nicolás)
Nicomède (Nicomedes)
Noé (Noé)
Norbert (Norberto)
Octave (Octavio)
Octavian (Octaviano)
Olivier (Oliverio)
Omar (Omar)
Onésime (Onésimo)
Onfroy (Onofre)
Oreste (Orestes)
Orphée (Orfeo)
Oscar (Óscar)
Osée (Oseas)
Oswald (Osvaldo)
Otho (Otón)
Othon (Otón)
Otto (Otón)
Otton (Otón)
Ovide (Ovidio)
Pacien (Paciano)
Pacôme (Pacomio)
Pâris (Paris)
Pascal (Pascal)
Patrice (Patricio)
Patrick (Patricio)
Patrocle (Patroclo)
Paul (Pablo)
Paulin (Paulino)
Péleas (Peleas)
Pélée (Peleo)
Perceval (Parsifal)
Percival (Parsifal)
Persée (Perseo)
Pétrone (Petronio)
Philibert (Filiberto)
Philippe (Felipe)
Pie (Pío)
Pierre (Pedro)
Pierrot (Pedro)
Placide (Plácido)
Platon (Platón)
Pline (Plinio)
Plutarque (Plutarco)
Policarpe (Policarpo)
Pompée (Pompeyo)
Ponce (Ponce)
Porphyre (Porfirio)
Priam (Príamo)
Primitive (Primitivo)
Prométhée (Prometeo)
Prosper (Próspero)
Prudence (Prudencio)
Publius (Publio)
Quentin (Quintín)
Quint (Quinto)
Quintilian (Quintiliano)
Rainier (Rainiero)
Ramire (Ramiro)
Ramphile (Pámfilo)
Raoul (Raúl)
Raphaël (Rafael)
Raymon (Raimundo)
Raymond (Raimundo)
Réginald (Reginaldo)
Réginald (Reinaldo)
Régis (Regino)
Régnier (Rainiero)
Rémi (Remigio)
Remus (Remo)
Rémy (Remigio)
Richard (Ricardo)
Rigobert (Rigoberto)
Robert (Roberto)
Roch (Roque)
Rodolphe (Rodolfo)
Rodrigue (Rodrigo)
Roger (Rogelio)
Roland (Orlando, Rolando, Roldán)
Romain (Román)
Roméo (Romeo)
Romuald (Romualdo)
Romulus (Rómulo)
Ronald (Rolando, Roldán)
Rufin (Rufino)
Rupert (Ruperto)
Sabin (Sabino)
Salomon (Salomón)
Samuel (Samuel)
Saturne (Saturno)
Saturnin (Saturnino)
Saül (Saúl)
Sauveur (Salvador)
Savin (Sabino)
Sébastien (Sebastián)
Segismond (Segismundo)
Séraphin (Serafín)
Serge (Sergio)
Sévère (Severo)
Séverin (Severino)
Siegfrid (Sigfrido)
Silvère (Silverio)
Siméon (Simeón)
Simon (Simón)
Sixte (Sixto)
Socrate (Sócrates)
Spartacus (Espartaco)

Stanislas (Estanislao)
Sulpica (Sulpicio)
Sylvain (Silvano)
Sylvestre (Silvestre)
Sylvius (Silvio)
Tadée (Tadeo)
Tancrède (Tancredo)
Térence (Terencio)
Terry (Terencio)
Théodore (Teodoro)
Théophile (Teófilo)
Thibaut (Teobaldo)
Thierry (Teodorico)
Thomas (Tomás)
Tiburce (Tiburcio)
Timothée (Timoteo
Tite (Tito)
Titus (Tito)
Tobie (Tobías)
Toussaint (Santos)
Tristan (Tristán)
Ubaldus (Ubaldo)
Ulric (Ulrico)
Ulysse (Ulises)
Urbain (Urbano)
Valentin (Valentín)
Valère (Valerio)
Valérien (Valeriano)
Venceslas (Venceslao, Wenceslao)
Venceslas (Wenceslao)
Victor (Víctor)
Victorien (Victoriano)
Vincent (Vincent)
Virgile (Virgilio)
Vital (Vidal)
Vladimir (Vladimiro, Wladimiro)
Walter
Wernher
Wernher (Guarnerio)
Xavier (Javier)
Xerxès (Jerjes)
Zacharie (Zacarías)
Zénon (Zenón)
Zéphyrin
Zéphyrin (Ceferino)

Nombres griegos

Chicas

Aalisha
Acacia
Adair
Adara
Addie
Adrienne
Afrodite
Agatha
Agathe
Aggie
Agnes
Alcina
Aleasha
Alecia
Aleisha
Aeksandra
Alesia
Alessa
Aleta
Alethea
Alex
Alexa
Alexandra
Alexandrea
Alexandria
Alexandrine
Alexas
Alexi
Alexia
Alexis
Alexius
Alexxandra
Alexzandra
Alexsis
Alexys
Ali
Alice
Alie
Aliesha
Alisa
Alise
Alisha
Alix
Alixandra
Alli
Allise
Allissa
Allysa
Alpha
Althea
Alysa
Alysha
Alyssa
Alysse
Alyx
Alyxandra
Amairani
Amara
Amari
Amaryllis
Anastacia
Anastasia
Anatola
Andrea
Andreana
Andreane
Andria
Andriana
Aneesa
Anessa
Angel
Angela
Angelia
Angelica
Angie
Anjelica
Anthea
Antonia
Aretha
Ariadne
Ariana
Arista
Asia
Astra
Atalanta
Athena
Aundrea
Aura
Ava
Belen
Berenice
Bernice
Beryl
Bunny
Calandra
Cali
Callie
Callista
Calypso
Candace
Candice
Carina
Carisa
Carissa
Casandra
Casey
Cass
Cassandra

Cassaundra
Cassia
Cassie
Cassiopeia
Cassondra
Catharine
Catherine
Cathi
Cathrine
Cathryn
Celena
Celene
Celina
Celine
Charis
Charissa
Cherese
Chloe
Chloris
Chris
Chrissa
Christain
Christen
Christena
Christin
Christi
Christian
Christin
Christina
Christophe
Christyn
Cindy
Cinthia
Clairissa
Clarisa
Clarissa
Clea
Cleo
Cleone
Cleopatra
Cleta
Clio
Cloe
Colette
Cora
Coretta
Corey
Corina
Corinne
Corissa
Corrina
Cristina
Crystina
Cybele
Cyndi
Cynthia
Cyrilla
Dacey
Damaris
Damiana
Danae
Daphne
Daphnee
Daria
Darian
Darien
Daryn
Deitra
Delfina
Delia
Delphine
Delta
Demetria
Demi
Dessa
Diantha
Dionna
Dionne
Dodie
Dora
Doreen
Doria
Dorian
Doris
Dorothea
Dorothy
Dorrit
Dottie
Drew
Ebone
Eboni
Ebony
Echo
Edrianna
Effie
Elana
Eleanor
Eleanora
Electra
Elena
Eleni
Elexis
Elexus
Elisha
Elissa
Ella
Esmeralda
Eudora
Eugenia
Eugenie
Eulalia
Eunice
Euphemia
Eurydice
Eustacia
Eva
Evangelina
Evania
Fantasia
Feodora
Gaea
Galen
Galena
Gemini
Georgia
Hadriana
Haidee
Hedy
Helen
Helena
Hera
Hermia
Hermione
Hilary
Hyacinth
Ianthe
Ilena
Iliana
Iola
Iona
Iphigenia
Irene
Iris
Jacey
Jaci
Jina
Jolanda
Kacia
Kaia
Kairos
Kalli
Kalliope
Kallista
Kalyca
Kandace
Kara
Karah
Karen
Kari
Karis

Karissa
Kassandra
Kate
Katharine
Katherine
Kathrine
Katlyn
Kay
Keasten
Kineta
Kirsten
Kirstyn
Kitty
Kora
Korina
Korine
Kosma
Kristan
Kristen
Kristian
Kristina
Kristyn
Krysten
Krystian
Krystina
Kynthia
Kyra
Lacey
Lalita
Lara
Larina
Larisa
Larissa
Leanore
Leda
Lelia
Lena
Leonore
Leora
Leta
Lexandra
Lexi
Lexia
Lexis
Lexus
Lia
Licia
Lida
Lidia
Lina
Lissa
Loris
Lotus
Lycoris
Lyda
Lydia
Lyra
Lysandra
Madalyn
Madeline
Madelyn
Madge
Madilyn
Madolyn
Magan
Magdalen
Magdalena
Maggie
Maia
Maida
Maiya
Mala
Malinda
Malissa
Mara
Margaret
Margarit
Maris
Marjorie
Marlene
Marmara
Maya
Mead
Medea
Medora
Megan
Megara
Melanie
Melantha
Melba
Melina
Melinda
Melisa
Melissa
Melita
Melody
Melyssa
Milena
Milissa
Millicent
Mindy
Mona
Monica
Mylene
Myrthle
Naida
Naiya
Nani
Nara
Narcissa
Nastasia
Nelle
Neola
Neona
Nereida
Nerine
Nerissa
Nessa
Nike
Nitsa
Nora
Nnysa
Obelia
Oceana
Odele
Odelia
Odessa
Ofelia
Ola
Olesia
Olinda
Olympia
Omega
Ophelia
Ora
Orea
Oretha
Orsa
Pallas
Pamela
Pandora
Pansy
Panthea
Parthenia
Pasha
Patra
Peggy
Pelagia
Penelope
Penny
Peony
Peri
Pernella
Perri
Persephone
Petra
Petronella
Phaedra
Phebe
Pheodora

Philana
Philantha
Philippa
Philomena
Phoebe
Phylicia
Phyllida
Phyllis
Psyche
Pyralis
Rasia
Rea
Reena
Rene
Reyna
Rhea
Rheanna
Rhoda
Rissa
Rita
Riza
Ronaele
Saba
Sandi
Sandra
Sandrea
Sandrica
Sandrine
Sandy
Sapphire
Sebastiane
Seema
Selena
Selene
Selina
Serilda
Sibley
Sirena
Sofia
Sondra
Sonya
Sophia
Sophie
Sophronia
Stacey
Staci
Stasya
Stefani
Stefanie
Stefany
Steffi
Sstephani
Stephanie
Stephany
Stephene
Stephenie
Stepheney
Stevie
Sula
Sybil
Symphnoy
Tabatha
Tabetha
Tabitha
Tabytha
Tahlia
Talia
Taliyah
Tanshy
Tasha
Tassos
Tecla
Teddi
Tedra
Teona
Teresa
Terese
Teri
Terrelle
Terri
Terry
Tess
Tessa
Tessie
Thaddea
Thalassa
Thalia
Thea
Thelma
Theodora
Theone
Theophania
Theophila
Theresa
Therese
Theta
Thetis
Tia
Tiana
Tiauna
Tiffany
Tita
Titania
Titiana
Tiyana
TToni
Tracey
Tracy
Tresha
Tressa
Triadna
Trice
Trina
Trini
Tryna
Tytiana
Urania
Ursa
Ursula
Vanesa
Vanessa
Vanna
Vannesa
Vorsila
Xandra
Xanthe
Xanthippe
Xena
Xenia
Xylia
Yalanda
Yalena
Yolanda
Yolie
Zandra
Zanthe
Zena
Zenaide
Zenobia
Zephania
Zephyr
Zina
Zoe
Zoey
Zondra

Chicos

Achilles
Adon
Adonis
Adrian
Aencas
Agamemnon
Alcandor
Alec
Aleksandar
Alekzander
Alex
Alexander
Alexandro

Alexi
Alexis
Alic
Alisander
Alixander
Altair
Ambrose
Anastaius
Anatole
Andonios
Andrea
Andreas
Andrew
Andy
Anfernee
Angel
Annas
Antares
Anthany
Anthonie
Anthony
Apollo
Aretino
Ari
Arian
Aries
Arion
Aristides
Arsenio
Artemus
Athan
Atlas
Aundre
Avel
Aymil
Baltazar
Balthasar
Basil
Belen
Binkentios
Bishop
Cadmus
Carey
Carsten
Castor
Cerek
Chris
Christain
Christian
Christien
Christofer
Christopher
Christophoros
Christos
Cleon
Cletus
Cole
Colin
Collins
Colson
Cornelius
Corydon
Cosmo
Costa
Cristian
Cristobal
Cristopher
Cyrano
Cyril
Daemon
Daimian
Daimon
Dametrius
Damian
Damien
Damion
Damon
Darius
Darrick
Darrius
Daymian
Deacon
Deion
Demetri
Demetris
Demetrius
Demos
Denis
Dennis
Denny
Deon
Deimitrios
Dimitrius
Dinos
Diogenes
Dion
Dionysus
Doran
Dorian
Elias
Elmo
Eneas
Ennis
Enrikos
Erasmus
Erastus
Euclid
Eugene
Eustace
Evangelos
Feoras
Filip
Gale
Galen
Gaylen
Gene
George
Georgios
Georgy
Geronimo
Gil
Gino
Giorgos
Hali
Hector
Hercules
Hermes
Hesperos
Hieremias
Hieronymos
Hippolyte
Homer
Iakobos
Ilias
Iorgos
Iosif
Isidore
Isidro
Jacen
Jaison
Jason
Jasson
Jayson
Jörg
Jörn
Josef
Julian
Julius
Karey
Karstein
Kay
Khristian
Kkristopher
Khristos
Kimball
Kit
Korudon
Kosmo
Kostas
Kris

Krstian
Kristo
Kristoff
Kristopher
Kyros
Lazarus
Leander
Leon
Leonidas
Leopold
Lexus
Lidio
Linus
Lukas
Lysander
Makarios
Makis
Maximos
Mette
Mihail
Mikhail
Mikolas
Miles
Milos
Mimis
Mitsos
Morey
Moris
Myron
Napoleon
Narcissus
Nectarios
Nemo
Nestor
Nicholas
Nicholaus
Nickalus
Nicklaus
Nickolas
Nicky
Nico
Nicodemus
Nike
Nikola
Nikolas
Nikolaus
Nikolos
Odell
Odysseus
Orestes
Orion
Otis
Panayotis
Panos
Paris
Parthenios
Pello
Perben
Pericles
Petar
Peter
Petros
Phil
Philander
Philemon
Philip
Phillip
Phillipos
Philo
Pirro
Plato
Pollux
Polo
Porfirio
Prokopios
Quant
Rasmus
Rhodes
Rodas
Romanos
Sabastian
Sandro
Sebastian
Sebastion
Semon
Socrates
Solon
Soterios
Spiro
Spyros
Stamos
Stavros
Steeve
Steeven
Stefanos
Stephan
Stephen
Stephon
Stevan
Steve
Steven
Stevens
Stevin
Strephon
Strom
Symon
Tad
Tadeus
Takis
Tanek
Telly
Thad
Thaddeus
Thanos
Theodore
Theophilus
Theron
Thomas
Tim
Timmothy
Timmy
Timon
Timothy
Tino
Titus
Toni
Tony
Topher
Tracy
Tyrone
Urian
Vasilis
Venedictos
Xan
Xander
Xenophon
Xenos
Xylon
Yanni
Yoni
Zale
Zander
Zeno
Zephyr
Zeus
Zorba
Zotikos

Nombres hebreos

Chicas

Aaleyah
Aaliah
Aaliyah
Abagail
Abbagail
Abbey
Abbygail
Abegail

Aigail
Abira
Abra
Abria
Aygail
Adah
Adama
Aena
Adina
Adleigh
Adrielle
Aerial
Afra
Aleeza
Ardith
Atara
Bathsheba
Beth
Cayla
Dalia
Deborah
Delila

Dinah
Elisha
Gurit
Hadassah
Hagar
Hania
Hanna
Ilana
Itamar
Jayna
Jem
Jemina
Jesica
Jezebel
Jonatha
Jordana
Judit
Lateefah
Layla
Leila
Mahira
Maika
Mariam
Marni
Marnina
Mattea
Mazel
Milena
Miriam
Naomi
Nina
Nissa
Noemi
Noemie
Ohanna
Ozara
Rabecca
Rachael
Raechel
Rafaela
Rama
Raya
Raychel
Reba
Rebeca
Ruth
Sabrina
Sade
Sadie
Saida
Saira
Salome
Samala
Samantha
Sara
Sarai
Selima
Sharai
Sheena
Susana
Talia
Tamar
Tamara
Tamira
Tamra
Temira
Thirza
Tirza
Tivona
Yadira
Yahaira
Yajaira
Zayit
Zipporah
Ziva
Zohar
Zohra

Chicos

Aaron
Abe
Abel
Abiah
Abie
Abiel
Abir
Abraham
Adam
Amiel
Amin
Ariel
Aryeb
Ashby
Asher
Asiel
Aviv
Avner
Avram
Avshalom
Azriel
Azuriah
Barak
Ben-ami
Benjamen
Benjamin
Beno
Benson
Benzi
Binah
Boaz
Cale
Caleb
Carmel
Dam
David
Deron
Eden
Efrain
Efrat
Efrem
Eliazar
Emanuel
Esequiel
Ethan
Gabrial
Gabriel
Gavriel
Geremia
Gershom
Gideon
Gidon
Gil
Gilon
Givon
Goliath
Gomer
Hanan

Hezeckiah
Isaac
Isaias
Israel
Jabin
Jacob
Jael
Jareb
Jaycob
Jbediah
Jerahmy
Jeremiah
Jeshua
Jethro
Joe
Johnathan
Jonah
Josh
Josue
Judah
Kayleb
Manuel
Mehetabel
Menassah
Micah
Moses
Naftali
Natanael
Nazareth
Nehemiah
Nethaniel
Nissan
Noah
Oded
Oved
Raviv
Ruben
Salomon
Samson
Samuel
Saul
Shalom
Shamir
Tamar
Uriel
Yadid
Yarom
Yosef
Zakaria
Zeb

NOMBRES HOLANDESES

Chicas

Aleena
Aleene
Brandee
Brandi
Hester
Lia
Loris
Mariel
Mariela
Marika
Mena
Sanne
Schyler
Skye
Skylar
Skyler
Trudel
Tryne

Chicos

Brandy
Deman
Dutch
Gerrit
Govert
Haven
Hendrick
Henrick
Jaap
Jan
Jilt
Joop
Joost
Joris
Jurrien
Kees
Kerstan
Kleef
Kort
Laurens
Loris
Lucas
Marten
Mogens
Narve
Pieter
Ramone
Rip
Roosevelt
Schuler
Schyler
Skelton
Skye
Skylar
Skyler
Skylor
Van
Vandyke
Zeeman

NOMBRES INGLESES

Chicas

Abigail (Abigail)
Ada (Ada)
Adelaide (Adelaida)
Adele (Adela)
Adrian (Adriana)
Agathe (Ágata)
Agnes (Inés)
Agrippina (Agripina)
Alexandra (Alejandra)
Alexia (Alexia)
Alice (Alicia)
Alinor (Leonor)
Amelia (Amalia, Amelia)
Amparo (Amparo)
Ana (Ana)
Angela (Ángela)
Angelica (Angélica)
Annabel (Anabel)
Anne (Ana)
Antonia (Antonia)
Aphra (Afra)
Ariadne (Ariadna)
Astrid (Ástrid)
Aurora (Aurora)
Barbara (Bárbara)
Beatrix (Beatriz)
Berenice (Berenice)
Bertha (Berta)
Betrice (Beatriz)
Blanche (Blanca)
Brenda (Brenda)
Bridget (Brígida)
Brigitte (Brígida)
Camilla (Camila)
Candice (Cándida)
Caroline (Carolina)
Casandra (Casandra)
Catharine (Catalina)
Cecily (Cecilia)
Celeste (Celeste)
Cindy

Clara (Clara)
Clare (Clara)
Clementina (Clementina)
Clementine (Clementina)
Colm (Columba, Paloma)
Colum (Columba, Paloma)
Conception (Concepción)
Constance (Constancia, Constanza)
Corinne (Corina)
Cynthia
Cyril (Cirila)
Charity (Caridad)
Charlotte (Carlota)
Christina (Cristina)
Christine (Cristina)
Daniel (Daniela)
Daphne (Dafne)
Deborah (Débora)
Debra
Diana (Diana)
Dinah (Dina)
Doris (Dora)
Dorothea (Dorotea)
Dorothy (Dorotea)
Dulcie (Dulce)
Edith (Edita, Edith)
Edna (Edna)
Edwig (Eduvigis)
Eleanor (Eleonor, Leonor)
Electra (Electra)
Elinor (Leonor)
Elisabeth (Isabel)
Eliza (Elisa)
Elizabeth (Elísabet, Isabel)
Elsa (Elsa)
Elsy (Elsa)
Ellen (Elena, Helena)
Emily (Emilia)
Erica (Erica)
Estella (Estela, Estrella)
Esther (Ester)
Eugenia (Eugenia)
Eulalie (Eulalia)
Ev (Eva)
Evangeline (Evangelina)
Eveline (Evelina)
Evelyn (Evelina)
Ewae (Eva)
Fabian (Fabiana)
Fanny (Francisca)
Fany
Felicia (Felicia)
Flavia (Flavia)
Flora (Flora)
Florence (Florencia)
Florentine (Florentina)
Frances (Francisca)
Gabriella (Gabriela)
Genca (Genoveva)
Genca (Genoveva)
Genca (Ginebra)
Gertrude (Gertrudis)
Gilda (Gilda)
Giselle (Gisela)
Gloria (Gloria)
Glory (Gloria)
Grace (Engracia, Gracia)
Grizel (Griselda)
Grizzie (Griselda)
Gudula (Gúdula)
Guenevere (Genoveva)
Guenevere (Genoveva)
Guenevere (Ginebra)
Gwendolen (Güendolín)
Gwendolyn (Güendolín)
Hannah (Ana)
Helen (Elena, Helena)
Helena (Elena, Helena)
Helewise (Eloísa)
Hellen (Elena, Helena)
Henrietta (Enriqueta)
Hilary (Hilaria)
Hortense (Hortensia)
Ignatia (Ignacia)
Irene (Irene)
Jackie (Jacoba)
Jacqueline (Jacoba)
Jane (Juana)
Janet (Juana)
Jasmina (Yasmina)
Jean (Juana)
Jenifer (Genoveva Ginebra)
Jennifer (Genoveva Ginebra)
Jessamyn (Jazmín)
Joachim (Joaquina)
Joan (Juana)
Jolanda (Yolanda)
Josephine (Josefa)
Judith (Judit)
Judy (Judit)
Julia (Julia)
Juliana (Juliana)
Julie (Julia)
Justine (Justina)
Kinborough (Kinisburga)
Laetitia (Leticia)
Laraine
Laura (Laura)
Laurence (Lorenza)
Laurence (Lorenza)
Laurie (Lorenza)
Lavinia (Lavinia)
Leda (Leda)
Lela
Lela (Leila)
Leocade (Leocadia)
Letitia (Leticia)
Lettice (Leticia)
Liela
Liela (Leila)
Lila
Lila (Leila)
Lilian (Liliana)
Lily (Liliana)
Lillian (Liliana)
Lorraine (Lorena)
Lorraine (Lorena)
Louise (Luisa)
Lucilla (Lucila)
Lucrece (Lucrecia)
Lucretia (Lucrecia)
Lucy (Lucía)
Lycia (Licia)
Lydia (Lidia)
Magdalen (Magdalena)
Marcella (Marcela)
Margaret (Margarita)
Margery (Margarita)
Margot ((Margarita)
Marian (Marián, Mariana)
Marianne (Marián, Mariana)
Marina (Marina)
Martha (Marta)
Marvel (Maravillas)
Marvela (Maravillas)
Mary (María)
Mathilda (Matilde)
Matilda (Matilde)
Maud (Magdalena)
Melanie (Melania)
Melicent (Melisenda)
Mellony (Melania)
Mercy (Mercedes)
Michelle (Micaela)

Millicent (Melisenda)
Miranda (Miranda)
Mirtle (Mirta)
Monique (Mónica)
Nadine (Nadia)
Naomi (Noemí)
Nathalie (Natalia)
Nelly
Olive (Oliva, Olivia)
Olympia (Olimpia)
Ophelia (Ofelia)
Oriana (Oriana)
Ornella (Ornelia)
Pamela (Pamela)
Patricia (Patricia)
Pauline (Paulina)
Pearl (Perla)
Penelope (Penélope)
Philomena (Filomena)
Pia (Pía)
Prudence (Prudencia)
Rachel (Raquel)
Raquel (Raquel)
Rebecca (Rebeca)
Regina (Regina)
Rhea (Rea)
Rita (Rita)
Rosalie (Rosalía)
Rosalind (Rosalinda)
Rosamond (Rosamunda)
Rosary (Rosario)
Rose (Rosa)
Rosmund (Rosamunda)
Roxana (Rosana, Roxana)
Rut (Ruth)
Sabina (Sabina)
Sabine (Sabina)
Salome (Salomé)
Samantha (Samanta)
Sarah (Sara)
Selene (Selena, Selene)
Serena (Serena)
Sigourney
Sophia (Sofía)
Sophy (Sofía)
Stefanie (Estefanía)
Stella (Estela, Estrella)
Stephanie (Estefanía)
Susan (Susana)
Susanna (Susana)
Sybill (Sibila)
Sylvie (Silvia)
Tabitha (Tabita)
Theresa (Teresa)
Ursula (Úrsula)
Valerie (Valeria)
Vanessa (Vanesa)
Venance (Venancia)
Veronica (Verónica)
Vick (Victoria)
Victoire (Victoria)
Violet (Violeta)
Virginia (Virginia)
Vivien (Bibiana)
Vivien (Viviana)
Wendy (Güendolín)
Yasmin (Jazmín)
Zoe (Zoé)

Chicos

Aaron (Aarón)
Achilles (Aquiles)
Adalbert (Adalberto)
Adam (Adán)
Adolphe (Adolfo)
Adrian (Adrián)
Aeneas (Eneas)
Alan
Albert (Alberto)
Aldous
Alexander (Alejandro)
Alexis (Alejo)
Alfred (Alfredo)
Alphonse (Alfonso)
Amadeus (Amadeo)
Ambrose (Ambrosio)
Andrew (Andrés)
Anthony (Antonio)
Antony (Antonio)
Apelles (Apeles)
Apollo (Apolo)
Aristides (Arístides)
Arnold (Arnaldo)
Arthur (Arturo)
Athanasius (Atanasio)
Augustin (Agustín)
Augustus (Augusto)
Austin (Agustín)
Baldwin (Balduino)
Balthazar (Baltasar)
Barnabas (Bernabé)
Barnad (Bernardo)
Barnett (Bernardo)
Bartholomew (Bartolomé)
Bartlemy (Bartolomé)
Basil (Basilio)
Bastian (Sebastián)
Benedict (Benito)
Bening (Benigno)
Bernard (Bernardo)
Bertrand (Beltrán)
Bertrand (Bertrán)
Blase (Blas)
Boniface (Bonifacio)
Caesar (César)
Callistus (Calixto)
Camillus (Camilo)
Casimir (Casimiro)
Caspar (Gaspar)
Casper
Cecil (Cecilio)
Celestine (Celestino)
Claude (Claudio)
Claudius (Claudio)
Clement (Clemente)
Conrad (Conrado)
Constantine (Constantino)
Cornelius (Cornelio)
Cosmas (Cosme)
Cristopher (Cristóbal)
Cyprian (Cipriano)
Cyril (Cirilo)
Cyrus (Ciro)
Charles (Carlos)
Damian (Damián)
Daniel (Daniel)
Darius (Darío)
David (David)
Demetrius (Demetrio)
Denis
Dennis
Diogenes (Diógenes)
Dolphin (Delfín)
Dominic (Domingo)
Donald
Dunstan
Edgar (Edgardo)
Edmund (Edmundo)
Edward (Eduardo)
Edwin
Elia (Elías)
Elias (Elías)
Eloy (Eloy)
Ellis (Eliseo)
Emil (Emilio)
Emilian (Emiliano)
Emmanuel (Enmanuel)
Erasmus (Erasmo)

Eric (Éric)
Ernest (Ernesto)
Eugene (Eugenio)
Eulogius (Eulogio)
Eusebius (Eusebio)
Eustace (Eustaquio)
Fabian (Fabián, Fabio)
Faustus (Fausto)
Felix (Félix)
Ferdinand (Fernando)
Firmin (Fermín)
Francis (Francisco)
Frederic (Federico)
Frederick (Federico)
Froyla (Froilán)
Fulbert (Filiberto)
Fulgentius (Fulgencio)
Fulk (Fulco)
Fulke (Fulco)
Gabriel (Gabriel)
Gary (Geraldo, Gerardo)
Gaston (Gastón)
Geoffrey (Godofredo)
George (Jorge)
Gerald (Geraldo, Gerardo)
German (Germán)
Gervas (Gervasio)
Gilbert (Gilberto)
Giles (Egidio)
Giles (Gil)
Goddard (Gotardo)
Godffret (Godofredo)
Godfrey (Godofredo)
Gonzales (Gonzalo)
Gratian (Gracián)
Greg (Gregorio)
Gregory (Gregorio)
Gustavus (Gustavo)
Guy (Guido)
Harold (Haroldo)
Harry (Enrique)
Hector (Héctor)
Henniker (Enrique)
Henry (Enrique)
Herbert (Heriberto)
Hercules (Hércules)
Heribert (Heriberto)
Hermes (Hermes)
Hilary (Hilario)
Hippolite (Hipólito)
Hippolytus (Hipólito)
Hobert (Huberto)
Homer (Homero)
Honorius (Onorio, Honorato)
Horace (Horacio)
Hosea (Oseas)
Hubert (Huberto)
Hugh (Hugo)
Humbert (Humberto, Umberto)
Hyacinthe (Jacinto)
Ignatus (Ignacio)
Ireneus (Ireneo, Irineo)
Isaac (Isaac)
Ishmael (Ismael)
Isidor (Isidoro, Isidro)
Isidore (Isidoro, Isidro)
Ivanhoe (Iván)
Jacob (Jacob, Santiago)
Jahoshaphat (Josafat)
James (Diego, Jacobo, Jaime)
Jason (Jasón)
Jasper (Gaspar)
Jeremiah (Jeremías)
Jeremy (Jeremías)
Jerome (Gerónimo)
Jerome (Jerónimo)
Jesus (Jesús)
Joachim (Joaquín)
John (Juan)
Jonah (Jonás)
Jonas (Jonás)
Jordan
Joseph (José)
Joshua (Josué)
Jude (Judas)
Julian (Julián)
Julius (Julio)
Justin (Justino)
Ladislaus (Ladislao)
Lauren
Laurence (Lorenzo)
Laurentin (Laurentino)
Laurien (Laureano)
Lawrence (Lorenzo)
Lazarus (Eleazar, Lázaro)
Leander (Leandro)
Leo (León)
Leonard (Leonardo)
Leonel
Leonidas (Leónidas)
Leopold (Leopoldo)
Lewis (Luis)
Lionel
Lothair (Lotario)
Louis (Luis)
Lowther (Lotario)
Lucian (Luciano)
Lucius (Lucio)
Lucy (Lucas)
Luke (Lucas)
Malachi (Malaquías)
Malachy (Malaquías)
Manasseh (Manasés)
Marcel (Marcelo)
Marcellus (Marcelo)
Marius (Mario)
Mark (Marcos)
Martial (Marcial)
Martin (Martín)
Matthew (Mateo)
Matthias (Matías)
Maurice (Mauricio, Mauro)
Maximilian (Maximiliano)
Melchior (Melchor)
Michael (Miguel)
Modest (Modesto)
Morris (Mauricio)
Moses (Moisés)
Narcissus (Narciso)
Nestor (Néstor)
Nick (Nicolás)
Nicodemus (Nicodemo)
Nicholas (Nicolás)
Nile (Nilo)
Noah (Noé)
Octavian (Octaviano)
Octavius (Octavio)
Olivier (Oliverio)
Orest (Orestes)
Oscar (Óscar)
Oswald (Osvaldo)
Othello (Otelo)
Ovid (Ovidio)
Pancras (Pancracio)
Paris (Paris)
Pascal (Pascual)
Patrick (Patricio)
Patroclus (Patroclo)
Paul (Pablo)
Pelagius (Pelagio)
Perry (Pedro)
Peter (Pedro)
Philemon (Filemón)

Philip (Felipe)
Pierce (Pedro)
Pius (Pío)
Plato (Platón)
Plutarch (Plutarco)
Polycarp (Policarpo)
Ponpey (Pompeyo)
Pontius (Poncio)
Primitive (Primitivo)
Prudence (Prudencio)
Quintilian (Quintiliano)
Quintin (Quintín)
Quintus (Quinto)
Ralf (Raúl, Rodolfo)
Ralph (Raúl)
Raphael (Rafael)
Ray (Raimundo)
Raymond (Raimundo, Ramón))
Rayner
Rayner (Rainiero, Ramiro)
Reginald (Reginaldo)
Remus (Remo)
Reuben (Rubén)
Reynold (Reinaldo)
Richard (Ricardo)
Robert (Roberto)
Roderick (Rodrigo)
Rodolphus (Rodolfo)
Roger (Rogelio)
Roland (Orlando, Rolando)
Roman (Román)
Romeo (Romeo)
Romulus (Rómulo)
Ronald (Rolando)
Rowland (Roldán)
Rupert (Ruperto)
Sabin (Sabino)
Saturnine (Saturnino)
Saul (Saúl)
Saviour (Salvador)
Sebastian (Sebastián)
Segismund (Segismundo)
Seraph (Serafín)
Serge (Sergio)
Sergius (Sergio)
Siegfrid (Sigfrido)
Silvester (Silvestre)
Simeon (Simeón)
Simon (Simón)
Solomon (Salomón)
Spartacus (Espartaco)
Stanislas (Estanislao)
Stephen (Esteban)
Steve (Esteban)
Sylvester (Silvestre)
Sylvius (Silvio)
Tancred (Tancredo)
Terence (Terencio)
Terry (Teodorico)
Terry (Terencio)
Thaddaeus (Tadeo)
Theobald (Teobaldo)
Theodore (Teodoro)
Theodoric (Teodorico)
Theophilus (Teófilo)
Thomas (Tomás)
Timothy (Timoteo)
Titus (Tito)
Tobiah (Tobías)
Tristam (Tristán)
Tryphon (Trifón)
Ubald (Ubaldo)
Ulric (Ulrico)
Ulrick (Ulrico)
Ulysses (Ulises)
Urban (Urbano)
Valentine (Valentín)
Valerian (Valeriano)
Valerie (Valerio)
Valerius (Valerio)
Victor (Víctor)
Victorian (Victoriano)
Vincent (Vicente)
Virgil (Virgilio)
Vladimir (Vladimiro)
Walt (Gualterio)
Walter
Walter (Gualterio)
Wenceslas (Venceslao, Wenceslao)
William (Guillermo)
Xavier (Javier)
Xavier (Javier)
Zachariah (Zacarías)

NOMBRES ITALIANOS

Chicas

Abigaille (Abigail)
Ada (Ada)
Addolorata (Dolores)
Adelaide (Adelaida)
Adele (Adela, Adelia)
Adriana (Adriana)
Agnese (Inés)
Agostina (Agustina)
Agrippina (Agripina)
Aida (Aida)
Alda (Alda)
Alessandra (Alejandra)
Alexia (Alexia)
Alice (Alicia)
Alida (Alida)
Alma (Alma)
Allegra (Alegra)
Amalia (Amalia, Amelia)
América (América)
Amina (Amina)
Andreina (Andrea)
Angela (Ángela)
Angelica (Angélica)
Anna (Ana)
Antolina (Antolina)
Antonia (Antonia)
Anunziata (Anunciación)
Arianna (Ariadna)
Assunta (Asunción, Asunta)
Astrid (Ástrid)
Aurelia (Aurelia)
Aurora (Aurora)
Balbina (Balbina)
Barbara (Bárbara)
Beatrice (Beatriz)
Benedetta (Benita)
Benigna (Benigna)
Bernarda (Bernarda)
Berta (Berta)
Bianca (Bianca, Blanca)
Bice (Beatriz)
Brígida (Brígida)
Calliope (Calíope)
Camelia (Camelia)
Camilla (Camila)
Candida (Cándida)
Caritá (Caridad)
Carla (Carlota)
Carlota (Carlota)
Carmela (Carmela)
Carmine (Carmen)
Carola (Carla)
Caroline (Carolina)
Casandra (Casandra)

Casilda (Casilda)
Cassia (Casia)
Catarina (Catalina)
Celeste (Celeste)
Celsa (Celsa)
Ciara (Clara)
Cinzia (Cintia)
Cirilla (Cirila)
Claudina (Claudia, Claudina)
Clelia (Clelia)
Clementina (Clementina)
Cleopatra (Cleopatra)
Clotilde (Clotilde)
Columba (Columba)
Concetta (Concepción)
Corallina (Coral)
Cordelia (Cordelia)
Corinna (Corina)
Cornelia (Cornelia)
Creusa (Creusa)
Cristiana (Cristiana)
Cristina (Cristina)
Cuneburga (Kinisburga)
Chiara (Clara)
Dàlila (Dalila)
Damaris (Dámaris)
Daniele (Daniela)
Daría (Daría)
Debora (Débora)
Deianira (Dejanira)
Delfine (Delfina)
Delia (Delia)
Demetria (Demetria)
Denise (Denise, Dionisia)
Diana (Diana)
Dina (Dina)
Dinorah (Dinorah)
Domenica (Dominica)
Domitilla (Domitilia)
Donata (Donata)
Donate (Donata)
Donatella (Donata)
Donatilla (Donatila)
Dora (Dora)
Dorotea (Dorotea)
Edda (Edna)
Edith (Edita, Edith)
Edvige (Eduvigis)
Egeria (Egeria)
Egle (Aglaya)
Egle (Eglé)
Elda, Ilda (Hilda)
Elena (Elena, Helena)
Eleonora (Leonor)
Elettra (Electra)
Elisa (Elisa)
Elisabetta (Elísabet)
Elisabetta (Isabel)
Elisabetta, Lisa (Bella)
Eloisa (Eloísa)
Elsa (Elsa)
Elvira (Elvira)
Emanuela (Enmanuela, Manuela)
Emilia (Emilia)
Emiliana (Emiliana)
Emmanuela (Emmanuela)
Enrica (Enriqueta)
Erika (Erica)
Erminia (Erminia, Herminia)
Esmeralda (Esmeralda)
Ester (Ester)
Eudixia (Eudoxia)
Eudosia (Eudoxia)
Eufemia (Eufemia)
Eugenia (Eugenia)
Eulalia (Eulalia)
Eulogia (Eulogia)
Eva (Eva)
Evangelina (Evangelina)
Evelina (Evelina)
Fabia (Fabiana)
Fabiana (Fabiana)
Fabiola (Fabiola)
Fatima (Fátima)
Fedra (Fedra)
Felicia (Felicia)
Filomena (Filomena)
Fiorenza (Florencia)
Flaminia (Flaminia)
Flavia (Flavia)
Flora (Flora)
Francesca (Francisca)
Gabriella (Gabriela)
Gaia (Gaia)
Gelsomina (Jazmín)
Geltrude (Gertrudis)
Gemma (Gema)
Genoveffa (Genoveva)
Genziana (Genciana)
Georgina (Georgina)
Gertrude (Gertrudis)
Giacomina (Jacoba)
Giada (Jade)
Gianna
Gianna (Juana)
Giannina
Gilda (Gilda)
Gillian (Juliana)
Gina
Gioachina (Joaquina)
Giorgia (Georgia)
Gioseppina (Josefa)
Giovanna (Juana)
Giovita (Jovita)
Gisella (Gisela)
Giuditta (Judit)
Giulia (Julia)
Giuliana (Juliana)
Giusta (Justa)
Giustine (Justina)
Gloria (Gloria)
Grazia (Gracia)
Graziella (Gracia, Graciela, Graziela)
Greta (Greta)
Griselda (Griselda)
Guadalupe (Guadalupe)
Guendalina (Güendolín)
Ida (Ida)
Ifigenia (Ifigenia)
Iginia (Higinia)
Ignazia (Ignazia)
Ilaria (Hilaria)
Ildegarda (Hildegard)
Ildegonda (Hildegunda)
Illuminata (Iluminada)
Imelda (Imelda)
Immacolata (Inmaculada)
Iolanda (Yolanda)
Iole (Iole)
Ippolita (Hipólita)
Irene (Irene)
Iride (Iris)
Iris (Iris)
Irma (Irma)
Isabella (Isabel)
Isotta (Iselda, Isolda)
Iva (Iva)
Jolanda (Yolanda)
Lara (Lara)
Laura (Laura)
Lauretta (Laura)

Lavinia (Lavinia)
Leandra (Leandra)
Leda (Leda)
Letizia (Leticia)
Lia (Lea, Lía)
Licia (Licia)
Lidia (Lidia)
Liliana (Liliana)
Lisa (Elisa, Isabel)
Livia (Livia)
Lola (Lorenza)
Loredana (Loredana, Loreto)
Lorena (Lorena)
Lorenza (Lorenza)
Loreta (Loredana, Loreto)
Luce (Luz)
Lucia (Lucía)
Luciana (Luciana)
Lucilla (Lucila)
Lucina (Lucina)
Lucrezia (Lucrecia)
Ludmila (Ludmila)
Luigina
Luisa (Luisa)
Luminosa (Luminosa)
Maddalena (Magdalena)
Mafalda (Mafalda)
Magnolia (Magnolia)
Mara (Mara)
Marcella (Marcela)
Margherita (Margarita)
Maria (María)
Maria del Rifugio (Amparo)
Maria Remedio (María de los Remedios)
Mariana (Marián, Mariana)
Marianna (Marián, Mariana)
Marina (Marina)
Marta (Marta)
Martina (Martina)
Marzia (Marcia)
Matilde (Matilde)
Maurizia (Maura)
Medea (Medea)
Melania (Melania)
Melisa (Melisa)
Melisa (Melita)
Melisenda (Melisenda)
Mercede (Mercedes)
Messalina (Mesalina)
Michelina (Micaela)
Minerva (Minerva)
Miranda (Miranda)
Miriam (Miriam)
Mirta (Mirta)
Monica (Mónica)
Montserrato (Montserrat)
Morgana (Morgana)
Natale (Natividad)
Natalina (Natalia)
Neera (Neera)
Nemesio (Nemesio)
Nerea (Nerea)
Nicoletta (Nicolasa)
Ninfa (Ninfa)
Nives (Nieves)
Noemi (Noemí)
Norma (Norma)
Obdulia (Obdulia)
Ofelia (Ofelia)
Olga (Olga)
Olimpia (Olimpia)
Oliva (Oliva, Olivia)
Ondina (Ondina)
Onfale (Onfalia)
Oriana (Oriana)
Orietta (Oriana)
Ornella (Ornelia)
Orsola (Úrsula)
Ortensia (Hortensia)
Osanna (Hosana)
Ottavia (Octavia)
Palmira (Palmira)
Pamela (Pamela)
Paola (Paula)
Paolina (Paulina)
Pasqualina (Pascuala)
Patrizia (Patricia)
Pelagia (Pelagia)
Penelope (Penélope)
Perpetua (Perpetua)
Petronilla (Petronila)
Petunia (Petunia)
Pia (Pía)
Piera (Petra)
Pietà (Piedad)
Porfiria (Porfiria)
Prassede (Práxedes)
Preziosa (Preciosa)
Prisca (Prisca)
Priscilla (Priscila)
Prudenza (Prudencia)
Quinta (Quinta)
Rachele (Raquel)
Raffaella (Raffaela)
Rebecca (Rebeca)
Regina (Regina)
Renata (Renata)
Restituta (Restituta)
Rhea (Rea)
Rita (Rita)
Roberta (Roberta)
Romilda (Romilda)
Rosa (Rosa)
Rosalia (Rosalía)
Rosalinda (Rosalinda)
Rosanna (Rosana, Roxana)
Rosaria (Rosario)
Rosario (Rosario)
Rosaura (Rosaura)
Rosellina (Roselina)
Rosetta (Rosa)
Rosina (Rosa)
Rosmunda (Rosamunda)
Ruggera (Rogelia)
Ruth (Ruth)
Salomé (Salomé)
Samantha (Samanta)
Sara (Sara)
Saveria (Javiera)
Savina (Sabina)
Selena (Selena, Selene)
Serena (Serena)
Sibilla (Sibila)
Silvana (Silvana)
Silvia (Silvia)
Simona (Simoneta)
Simonetta (Simoneta)
Smeralda (Esmeralda)
Soccorso (Socorro)
Sofia (Sofía)
Speranza (Esperanza)
Stefania (Estefanía)
Stella (Estela, Estrella)
Susanna (Susana)
Tamara (Tamara)
Tania (Tania)
Tatiana (Tatiana)
Tecla (Tecla)
Teresa (Teresa)
Tommasa (Tomasa)
Valeriana (Valeriana)
Vanessa (Vanesa)

Venanzia (Venancia)
Verdiana (Viridiana)
Veronica (Verónica)
Vilanna (Vilana)
Violetta (Violeta)
Virgilia (Virgilia)
Virginia (Virginia)
Viridiana (Viridiana)
Visia (Visia)
Vittoria (Victoria)
Viviana (Bibiana, Viviana)
Wanda (Wanda)
Xenia (Xenia)
Yolanda (Yolanda)
Zenobia (Zenobia)
Zita (Zita)
Zòe (Zoé)

Chicos

Abbondio (Abundio)
Abele (Abel)
Abramo (Abraham)
Achille (Aquiles)
Adalberto (Adalberto)
Adamo (Adán)
Adone (Adonis)
Adriano (Adriano)
Agamènnone (Agamenón)
Agostino (Agustín)
Agrippa (Agripa)
Albano (Albano)
Albino (Albino)
Alcibiade (Alcibíades)
Aldo (Aldo)
Alessandro (Alejandro)
Alessio (Alejo)
Amalio (Amalio)
Amato (Amado)
Ambroigo (Ambrosio)
Amedeo (Amadeo)
Américo (Américo)
Amilcare (Amílcar)
Andrea (Andrés)
Angelo (Ángel)
Aniceto (Aniceto)
Antolino (Antolín)
Apelle (Apeles)
Apollinare (Apolinar)
Apollo (Apolo)
Apollonio (Apolonio)
Arcángelo (Arcángel)
Aristide (Arístides)
Aroldo
Arrigo (Enrique)
Artemio (Artemio)
Arturo (Arturo)
Assalonne (Absalón)
Atanasio (Atanasio)
Baldassare (Baltasar)
Baldomero (Baldomero)
Baldovino (Balduino)
Bàrnaba (Bernabé)
Bartolomeo (Bartolomé)
Basilio (Basilio)
Bastiano (Bastián, Sebastián)
Battista (Batista, Baudelio, Baudilio)
Bendetto (Benito)
Beniamino (Benjamín)
Benigno (Benigno)
Benvenuto (Bienvenido)
Berengario (Berenguer)
Berlinghiero (Berenguer)
Bernaba (Bernabé)
Bernardino (Bernardino)
Biagio (Blas)
Bonaventura (Buenaventura)
Bonifacio (Bonifacio)
Bonifazio (Bonifacio)
Boris (Boris)
Braulione (Braulio)
Brunetto (Bruno)
Callisto (Calixto)
Camillo (Camilo)
Candido (Cándido)
Carlo (Carlos)
Cassiano (Casiano)
Cassio (Casio)
Castore (Cástor)
Cecilio (Cecilio)
Celestino (Celestino)
Celso (Celso)
Cesare (César, Cesáreo)
Cirillo (Cirilo)
Ciro (Ciro)
Clodoveo (Clodoveo)
Constantino (Constantino)
Cornelio (Cornelio)
Corrado (Conrado)
Cossimo (Cosme)
Costanzo (Constancio)
Crispino (Crispín)
Cristiano (Cristian)
Cristòfono (Cristóbal)
Cristòforo (Cristóbal)
Dalmazio (Dalmacio)
Damaso (Dámaso)
Damiano (Damián)
Daniele (Daniel)
Darío (Darío)
Davide (David)
Dedalo (Dédalo)
Delfino (Delfín)
Demetrio (Demetrio)
Diego (Diego)
Dino
Diodoro (Diodoro)
Diogene (Diógenes)
Dionigi (Dionisio)
Disma (Dimas)
Domenico (Domingo)
Dominicus (Domingo)
Domizio (Domiciano)
Donato (Donato)
Doroteo (Doroteo)
Edgardo (Edgardo)
Edmondo (Edmundo)
Edoardo (Eduardo)
Efraimo (Efraín, Efrén)
Egidio (Egidio)
Egidio (Gil)
Egisto (Egisto)
Eleuterio (Eleuterio)
Eligio (Eloy)
Eliodoro (Eliodoro)
Eliogabalo (Heliogábalo)
Eliseo (Eliseo)
Emanuele (Manuel)
Emiliano (Emiliano)
Emilio (Emilio)
Emmanuele (Enmanuel, Manuel)
Enea (Eneas)
Enrico (Enrique)
Epifanio (Epifanio)
Eraclio (Heraclio)
Erasmo (Erasmo)
Ercolano (Herculano)
Ercole (Hércules)
Eriberto (Heriberto)
Erik (Éric, Erico)
Ermanno

Ermenegildo (Ermenegildo)
Ermes (Hermes)
Erminio (Herminio)
Ernani (Hernani)
Ernesto (Ernesto)
Erodiade (Herodías)
Eros
Ettore (Héctor)
Eudixio (Eudoxio)
Eudosio (Eudoxio)
Eugenio (Eugenio)
Eulogio (Eulogio)
Eusebio (Eusebio)
Eustachio (Eustaquio)
Evelio (Evelio)
Exechiel (Ezequiel)
Fabiano (Fabián)
Fabio (Fabián)
Fabrizio (Fabriciano, Fabricio)
Facundo (Facundo)
Faustino (Faustino)
Fausto (Fausto)
Febo (Febo)
Fedele (Fidel)
Federico (Fadrique, Federico)
Fedro (Fedro)
Felice (Félix)
Feliciano (Feliciano)
Ferdinando (Fernando)
Fermo (Fermín)
Filiberto (Filiberto)
Filippo (Felipe)
Fiodor (Feódor)
Fiodor (Fiodor)
Fiorenzo (Florencio)
Firmino (Fermín)
Flaminio (Flaminio)
Floriano (Floriano)
Floriano (Froilán)
Folco (Fulco)
Fortunato (Fortunato)
Francesco (Francisco)
Fruttuoso (Fructuoso, Frutos)
Fulgenzio (Fulgencio)
Fulvio (Fulvio)
Gabino (Gabino)
Gabriele (Gabriel)
Gabrielo (Gabriel)
Gabrio (Gabriel)
Gaetano (Cayetano)
Gaspare (Gaspar)
Gaspare (Gaspar)
Gastone (Gastón)
Gaudenzio (Gaudencio)
Gedeone (Gedeón)
Gelasio (Gelasio)
Genesio (Ginés)
Gennaro (Genaro, Jenaro)
Geraldo (Geraldo)
Geremia (Jeremías)
Germano (Germano)
Gervasio (Gervasio)
Gesú (Jesús)
Gherardo (Gerardo)
Giacinto (Jacinto)
Giacobbe (Jacob, Santiago)
Giacomo (Jacobo, Jaime)
Gianni (Juan)
Giasone (Jasón)
Gilberto (Gilberto)
Gildo (Ermenegildo, Hermenegildo)
Ginesio (Ginés)
Giobbe (Job)
Gioele (Joel)
Giona (Jonás)
Gionata
Gionata (Jonatán)
Giordano (Jordán)
Giorgio (Jorge)
Giosafatte (Josafat)
Giosuè (Josué)
Giovacchino (Joaquín)
Giovanni (Juan)
Girolamo (Gerónimo)
Girolamo (Jerónimo)
Giuda (Judas)
Giuliano (Julián, Juliano)
Giulio (Julio)
Giusseppe (José)
Giustiniano (Justiniano)
Giustino (Justino)
Giusto (Justo)
Glauco (Glauco)
Goffredo (Godofredo)
Gonsalvo (Gonzalo)
Gotardo (Gotardo)
Grao (Gerardo)
Graziano (Gracián)
Guerao (Gerardo)
Guglielmo (Guillén, Guillermo)
Guido (Guido)
Gustavo (Gustavo)
Helio (Helio)
Hermes (Hermes)
Hermete (Hermes)
Hugo (Hugo)
Iginio (Higinio)
Ignazio (Ignacio)
Ígnigo (Íñigo)
Igor (Ígor)
Ilario (Hilario)
Ilarione (Hilarión)
Ildefonso (Ildefonso)
Illuminato (Iluminado)
Ínnico (Íñigo)
Innocenzo (Inocencio)
Ippolito (Hipólito)
Ireneo (Ireneo, Irineo)
Isacco (Isaac)
Isidoro (Isidoro, Isidro)
Ismaele (Ismael)
Italo (Italo)
Ivano (Iván)
Jonathan
Jonathan
Kilian
Ladislao (Ladislao)
Laerte (Laertes)
Lamberti (Lamberto)
Lamberto (Lamberto)
Lancillotto (Lancelot)
Landelino (Landelino)
Landolfo (Landolfo)
Laurano (Laureano)
Laurentino (Laurentino)
Laurenzio (Laurencio)
Laurenzo (Laurencio)
Lazzaro (Eleazar, Eliazar, Eliezer, Lázaro)
Leandro (Leandro)
Learco (Learco)
Lelio (Lelio)
Leo (Leo)
Leone (León)
Leonello (Leonel)
Leonello (Lionel)
Leonida (Leónidas)
Leonide (Leónidas)
Leopoldo (Leopoldo)

Leovigildo (Leovigildo)
Liborio (Liborio)
Licinio (Licinio)
Lino (Lino)
Livio (Livio)
Longino (Longinos)
Lorenzo (Lorenzo)
Lorenzo (Lorenzo)
Lotario (Lotario)
Luano (Luano)
Luca (Lucas)
Lucano (Lucano)
Luciano (Luciano)
Lucio (Lucio)
Lucrezio (Lucrezio)
Luigi (Luis)
Macario (Macario)
Magno (Magno)
Malachia (Malaquías)
Manasse (Manasés)
Manfredo (Manfredo)
Manrico (Manrique)
Marcelino (Marcelino)
Marcello (Marcelo)
Marco (Marco)
Mariano (Mariano)
Marino (Marino)
Mario (Mario)
Martino (Martino)
Marziale (Marcial)
Massimiliano (Maximiliano)
Massimo (Máximo)
Matteo (Mateo)
Mattia (Matías)
Maurilio (Mauro)
Maurizio (Mauricio)
Mauro (Mauro)
Medardo (Medardo)
Meinardo (Meinardo)
Melchiade (Melquíades)
Melchiorre (Melchor)
Menandro (Menandro)
Metodio (Metodio)
Michele (Miguel)
Morfeo (Morfeo)
Mosè (Moisés)
Mosè (Moisés)
Napoleone (Napoleón)
Narcisso (Narciso)
Nazario (Nazario)
Nemesio (Nemesio)
Nereo (Nereo)
Nestore (Néstor)
Nicanore (Nicanor)
Nicasio (Nicasio)
Niceta (Niceto)
Nicola (Nicolás)
Nicomede (Nicomedes)
Noè (Noé)
Norberto (Norberto)
Oberto (Huberto)
Ognissanti (Santos)
Oliviero (Oliver, Oliverio)
Omar (Omar)
Omero (Homero)
Onesto (Honesto)
Onofrio (Onofre)
Onorato (Honorato)
Orazio (Horacio)
Ordogno (Ordoño)
Oreste (Orestes)
Orfeo (Orfeo)
Origene (Orígenes)
Orlando (Orlando)
Orsolo (Úrsulo)
Ortunio (Ordoño)
Oscar (Óscar)
Osea (Oseas)
Osvaldo (Osvaldo)
Otello (Otelo)
Ottaviano (Octaviano)
Ottavio (Octavio)
Otto (Otón)
Ottone (Otón)
Ovidio (Ovidio)
Pancrazio (Pancrazio)
Panfilo (Pánfilo)
Pantaleone -*-*(Pantaleón)
Paolo (Pablo)
Pàride (Paris)
Paris (Paris)
Parmenio (Parmenio)
Parsifal (Parsifal)
Pasquale (Pascual)
Pasqualino (Pascual)
Patrizio (Patricio)
Pelagio (Pelagio)
Pellegrino (Peregrín)
Petronio (Petronio)
Piero (Pedro)
Pietro (Pedro)
Pio (Pío)
Placido (Plácido)
Plinio (Plinio)
Plutarco (Plutarco)
Policarpo (Policarpo)
Pompeo (Pompeyo)
Pompilio (Pompilio)
Ponzio (Poncio)
Porfirio (Porfirio)
Prassede (Práxedes)
Priamo (Príamo)
Prisco (Prisco)
Procopio (Procopio)
Prospero (Próspero)
Prudenzio (Prudencio)
Publio (Publio)
Quintiliano (Quintiliano)
Quintino (Quintín)
Quinto (Quinto)
Quinzio (Quintiliano)
Quirico (Quirze)
Quirino (Quirino)
Raffaele (Rafael)
Raffaelo (Rafael)
Raimondo (Raimundo)
Raimondo (Raimundo)
Raineri (Rainiero)
Rainiero (Rainiero)
Ramiro (Ramiro)
Ranieri (Rainiero)
Raul (Raúl)
Reginaldo (Reginaldo, Reinaldo)
Regino (Regino)
Remo (Remo)
Restituto (Restituto)
Riccardo (Ricardo)
Roberto (Roberto)
Rocco (Roque)
Roderico (Rodrigo)
Rodolfo (Rodolfo)
Rolando (Roldán)
Romano (Román)
Romeo (Romeo)
Romolo (Rómulo)
Romualdo (Romualdo)
Ruben (Rubén)
Ruffino (Rufino)
Ruggero (Rogelio)
Rutilio (Rutilio)
Saba (Sabas)
Sabino (Sabino)
Salomone (Salomón)
Salvatore (Salvador)
Samuele (Samuel)

Sancio (Sancho)
Santino (Sancho)
Santo (Sancho)
Sàul (Saúl)
Saverio (Javier)
Saverio (Saverio)
Savino (Sabino)
Sebastiano (Sebastián)
Segismondo (Segismundo)
Seraphino (Serafín)
Sergio (Sergio)
Severino (Severino)
Severo (Severo)
Sigfrido (Sigfrido)
Silvano (Silvano)
Silverio (Silverio)
Silvestro (Silvestre)
Silvio (Silvio)
Simeone (Simeón)
Simone (Simón)
Sinforiano (Sinforiano, Sinforoso)
Siro (Siro)
Sisto (Sixto)
Spartaco (Espartaco)
Stanislao (Estanislao)
Stefan (Esteban)
Stèfano (Esteban)
Tadeo (Tadeo)
Tancredi (Tancredo)
Tarcisio (Tarsicio)
Tebaldo (Teobaldo)
Telmo (Telmo)
Teodorico (Teodorico)
Teodoro (Teodoro)
Teofilo (Teófilo)
Terenzio (Terencio)
Tibaldo (Teobaldo)
Tiburzio (Tiburcio)
Tito (Tito)
Tobia (Tobías)
Tommaso (Tomás)
Tonio (Antonio)
Toribio (Toribio)
Tristano (Tristán)
Ubaldo (Ubaldo)
Uberto (Huberto)
Ugo (Hugo)
Ugolino (Hugolino)
Ulisse (Ulises)
Ulrico (Ulrico)
Umberto (Humberto, Umberto)
Urbano (Urbano)
Uriele (Uriel)
Valdo (Valdo)
Valdo (Valdo)
Valentino (Valentín)
Valeriano (Valeriano)
Valerio (Valerio)
Venceslao (Venceslao, Wenceslao)
Vicenzo (Vicente)
Virgilio (Virgilio)
Vitale (Vitale)
Vittore (Víctor)
Vittorio (Víctor)
Vladimiro (Vladimiro)
Walterio (Gualterio)
Zaccaria (Zacarías)
Zeffirino (Ceferino, Zeferino)
Zeno (Zenón)

Nombres irlandeses

Chicas

Africa
Afrika
Aileen
Ailis
Aislinn
Alanna
Arlene
Artis
Ashlyn
Bedelia
Berget
Biddy
Blaine
Brady
Brea
Breana
Breeana
Brenda
Briana
Brianne
Bridget
Bridgett
Briyana
Bryona
Caitlin
Caitlyn
Cara
Carlin
Carlyn
Casie
Cathleen
Ceara
Ciara
Cristen
Curran
Dacia
Dallas
Darnee
Daryn
Deidra
Deirdre
Delainey
Delanie
Diedra
Doreen
Earlene
Eda
Eileen
Evania
Fallon
Fiona
Gitta
Gladis
Gladys
Glenna
Ilene
Ina
Jilleen
Kaetlyn
Kaitlin
Kaitlyn
Karah
Katalina
Katelin
Katelyn
Kathleen
Katlin
Kaytlin
Keaira
Keara
Keeley
Keena
Keiana
Keira
Kelley
Kellyanne
Kellyn
Kenzie
Kerry
Keyara
Kiara

Kiera
Kiley
Kyara
Kyle
Kylee
Kylene
Lana
Maegan
Maeve
Maira
Mare
Maura
Maureen
Maygan
Meagan
Meara
Megan
Megane
Melvina
Meri
Meriel
Meryl
Moira
Mona
Muriel
Myrna
Nayely
Neala
Neely
Neila
Nevina
Nila
Niya
Nola
Noreen
Ona
Oona
Oriana
Ornice
Payton
Phallon
Quincy
Riana
Richael
Riona
Rori
Rylee
Seana
Selma
Shaelyn
Shana
Shane
Shanna
Shannon
Shayla
Shaylee
Shaylyn
Shea
Sheena
Sheila
Shena
Sheridan
Shona
Shonda
Shunta
Siara
Sianna
Siera
Sierra
Sina
Tara
Tarra
Taryn
Tierney
Trevina
Trevona
Tullia
Ula
Una
Yseult

Chicos

Adan
Aden
Aiden
Aimon
Aindrea
Alan
Allan
Allen
Alpin
Ardal
Arthur
Bainbridge
Baird
Banning
Barry
Beagan
Blaine
Blane
Blayne
Bowie
Brady
Brannon
Brayan
Breck
Brendan
Brennan
Brian
Brodie
Bryan
Bryant
Callahan
Callum
Carlin
Carney
Carrick
Cassidy
Cavan
Clancy
Colin
Conan
Conary
Conlan
Conner
Connor
Conor
Conroy
Conway
Corcoran
Cormac
Corrigan
Cowan
Cunningham
Curran
Dacey
Daran
Darcy
Daren
Darion
Darrin
Darron
Delaney
Delan
Demond
Dempsey
Derry
Desmond
Devan
Devin
Devine
Devlin
Devon
Devyn
Dewayne
Dezmon
Digby
Dillan
Dillon
Doherty
Dolan

Donahue
Donal
Donavan
Donnell
Donnelly
Donnie
Donovan
Dooley
Doyle
Duane
Dugan
Dwayne
Eagan
Eamon
Earl
Egan
Erin
Eron
Evan
Fagan
Farrell
Fergus
Ferrell
Ferris
Fineas
Finian
Finlay
Finnegan
Fitzroy
Flynn
Forbes
Gair
Galbraith
Galen
Gallagher
Galloway
Galvin
Gannon
Garett
Garrett
Garvey
Gaynor
Genty
Ghilchrist
Gilby
Gilchrist
Gillean
Gillespie
Gilmore
Gilroy
Girvin
Glen
Glenn
Glenville
Godfrey
Gorman
Guthrie
Hagen
Hailey
Haley
Harkin
Hogan
Hurley
Irvin
Kacey
Kaelan
Kaenan
Kain
Kalan
Kallen
Kalon
Kasey
Kassidy
Kavin
Kaylen
Keanan
Keane
Keanu
Kearn
Kearney
Keaven
Keefe
Keegan
Keelan
Keeley
Keenan
Keenen
Keevon
Kegan
Keivan
Kellan
Keller
Kelly
Kelvin
Kenan
Kendrick
Kennard
Kenneth
Kenyon
Kern
Kerry
Kevan
Kevin
Kevyn
Kieran
Kiernan
Kile
Killian
Kinnard
Konnor
Korrigan
Kory
Krayg
Kylan
Kyle
Larkin
Laughlin
Liam
Logan
Lorcan
Lucas
Lunn
Mairtin
Maitias
Malachy
Malvin
Mayo
Mel
Melrone
Melvin
Merrill
Merritt
Mervin
Micheal
Mickey
Mikeal
Murphy
Neal
Neil
Nevan
Nevin
Nolan
Nyle
Odell
Oistin
Owen
Owney
Paddy
Padraic
Phinean
Piran
Rafer
Rayan
Rian
Riley
Riordan
Rogan
Ryley
Scully
Seamus

Sean
Searlas
Sedric
Shaine
Shamus
Shanahan
Shannon
Shea
Taggart
Tegan
Tomas
Tomey
Trevor
Troy
Tully
Tyrone
Uaine
Uilliam
Uinseann
Uistean

ÍNDICE DE NOMBRES

Nombres de chicas

Nombres de chicos